시인의 거점

시인의 거점

— 김수영 번역평론집

박수연 엮음

도서출판 b

| 일러두기 |

1. 인명과 지명 등의 고유명사는 번역자의 당시 표기 방법 및 번역자의 언어 감각을 존중하여 잡지에 발표된 원문대로 입력했다. 본문에 고유명사의 원문이 밝혀져 있는 경우, 문맥상 파악이 가능한 경우(가령, '궤테'), 또 해당 인물이 누구인지 확인이 불가능한 경우에도 설명을 붙이지 않았다. 그 외의 외국어는 현행 표기법을 따랐다.
2. 인명의 경우라도 명백한 오자는 발표 당시의 표기에 비추어 바로 잡았다. (예: '로브 그리예'를 가리키는 '로베 구리레'를 동일 원고 다른 부분의 표기에 맞춰 '로베 그리레'로 교정.)
3. 한자는 필요한 경우에 한하여 괄호 안에 병기했다.
4. 원문의 인쇄 상태가 변질되어 해독이 불가능한 글자는 ○로 표시하였다.
5. 문장부호는 번역 원문마다 제각각이나 읽기의 편의를 고려하여 통일시켰다.
6. 번역 문장과 어투 등은 역자의 언어 습관을 존중하여 원문을 따르되, 번역평론 발표 당시의 표기법이 현재와 다를 경우 현재의 표기법을 따라 수정했다. (예: ~읍니다→~습니다, 훨신→훨씬.)
7. 번역문 원문에 들어간 주석은 [원주], 김수영이 붙인 주는 [역주]로 표시했고, 그 외에 편자의 주는 아무런 표시도 하지 않았다. [역주]에 덧붙여진 편자의 설명에는 [편주]라고 표시하였다.
8. 번역문의 앞부분과 끝부분에 부가된 '역자 소개'나 '원문 출처 설명' 등의 진술은 일괄적으로 통일하여 번역문의 끝에 배치했다.
9. 본문에 나오는 비문은 모두 번역 원문 그대로이다. 이 비문은 번역상의 실수이거나 잡지 편집 과정의 오류일 텐데, 영어 원문을 확보하여 김수영의 번역문과 대조한 경우 그 사실을 주석에서 밝혔다. 그러나 원문을 확보하지 못한 경우 번역문을 그대로 따랐다. 간혹 정확한 형태가 추정되는 단어들은 괄호 속에 넣어 그 교정어를 밝혀 두었다.
10. 번역평론 중 중복 발표된 것은 한 편만 수록했다. 클로드 비제의 글이 그것이다. 「반항과 찬양」은 완역이고 「현대시의 기질」(이어령 편, 『전후문학의 새물결』, 신구문화사, 1962)은 발췌역이라서 전자를 수록했다.
11. 발췌 번역된 평론은 발표문 그대로 수록했다. 「미국의 현대시」가 그것이다.

| 책을 묶으며 |

이 책은 김수영 시인이 번역한 평론을 발표 순서를 따라 정리하여 모아 놓은 것이다. 김수영 시인이 자신을 번역가로 소개하는 데 열심이었다는 사실을 고려한다면, 이 책이 이제야 출판된 것은 그의 문학이 이룬 영역의 상당 부분을 그동안 제대로 살피지 못했다는 것을 의미한다. 편자까지 포함해서 이는 김수영 연구자들에게는 진지하게 되돌아보아야 할 부분이다.

제목 '시인의 거점'은 김수영이 번역한 평론의 제목 '아마츄어 시인의 거점'에서 가져온 것이다. 김수영의 아주 잘 알려진 진술은 이 제목에 안성맞춤의 상상력을 불러일으킨다. 「시작노트 6」에서 김수영은 자신의 시의 비밀이 번역에 있다고 말한 바 있다. 이런 의미에서 시인의 거점을 그 시인의 번역 작업에서 알아보는 일이 무의미하지는 않을 것이다.

또 다른 의미에서 '시인의 거점'은 그가 사용하는 언어의 수준과 관련되는 것이 당연하다. 번역과 시는 당연히 다른 작업이지만, 또한 내적 연관성이 필연적으로 맺어져 있을 수밖에 없다. 김수영은 그의 언어 작업이 이중 언어 세대로서의 고충을 동반한다는 사실을 이곳저곳에서 밝혀

놓은 바 있다. 하나의 언어와 또 다른 언어가 가진 의미론적 유사성은 일종의 미메시스에 해당하는데, 의미론적 유사성과 미메시스를 한데 엮어 이야기한 사람은 벤야민이었다. 김수영은 그의 시가 발표된 잡지의 지면에 함께 수록된 벤야민의 「번역자의 과제」를 읽어 보았을 것인데, 벤야민에 대해서는 그는 이 책에 수록된 번역글 「맑스주의와 문학비평」을 통해 재차 확인하고 있기도 하다. 그 벤야민의 언어론이 부분적으로 김수영에게 미쳤을 영향을 생각해 볼 때, 언어와 언어를 이중적으로 사용해야 했을 정신적 상황이 '시인의 거점'이 되었을 것임은 분명하다. 그의 번역은 그의 시의 거점이다.

여기에 수록된 글들 중 일부는 문학평론이라기보다는 수필이나 시사평론으로 분류해야 마땅하지만, 김수영이 이런 에세이류의 글을 많이 번역하지 않았기 때문에, 또 이런 번역집이 언제 다시 나올지 기약할 수 없었기 때문에 이 책에 수록하게 되었다. 사르트르와 헤밍웨이, 헉슬리의 글들이 그렇다. 그러나 이 글들이 문학작품 자체와 완전히 별개라고 생각할 수는 없다. 가령, 사르트르의 「아메리카론」은 한국전쟁 이후 근대적 속도와 설움을 형상화한 김수영에게는 그의 문학이 고려하고 있을 미래적 지향점을 위해 참고 될 수 있는 중요한 국가론으로 수렴하여 읽어볼 만하다. 이 글들을 포함하여 모든 글은 특별한 주제 분류 없이 발표순으로 배열되었다. 그것이 편자의 주관적 의도를 최대한 배제하는 방법이라고 여겨졌기 때문이다.

시인의 번역물에서 다음과 같은 말을 볼 수 있다. 파스테르나크의 「셰익스피어 번역 소감」의 한 단락이다. "셰익스피어의 번역은 시간과 노력을 요하는 일이다. 이 일을 기도하는 경우에는, 이 일이 맥이 빠지지 않도록 매일 한 꼭지씩 완성할 수 있을 만한 적당한 길이로 구분해서 하는 것이 제일 좋다. 이처럼 매일같이 원본을 끼고 일을 해나가는 중에, 역자는 저자의 환경을 다시 한 번 생활하게 된다. 매일같이 그는 이론으로가 아니라 실제의 경험으로 저자의 행위를 재연하고 그의 비밀의 한 모퉁이로 끌려 들어간다." 번역자가 번역 작품을 대상으로 일하면서 겪게 되는 비밀스러운 경험을 잘 알려주는 진술이다. 이때 번역은 거의 창조적 지평에서 전개될 듯한데, 김수영은 반평생을 그렇게 시를 쓰고 읽어왔으며 마찬가지로 외국문학을 읽고 번역해 왔다. 그는 미지의 문학세계로 끌려가서 그 세계를 삶으로 바꾸어 살아왔던 셈이다.

이 책으로서 김수영의 번역물들에 대한 관심이 제고될 수 있기를 바라면서 이 책의 한계 또한 밝혀둔다. 여기에서 제외된 몇 개의 번역물은 전쟁 시기나 직후에 미군의 정책적 필요성을 반영하여 번역한 글이거나 평론이라고 하기에는 지나치게 소략한 글, 번역이 완결되지 않은 「은자의 왕국 한반도」 같은 것들이다. 특히 비숍의 글은 이미 전편이 번역되어 있기도 한 터이다. 또 여기에 수록되지 않은 「현대시의 기질」(1964)은 이미 1958년에 발표된 「반항과 찬양」을 발췌하여 재 수록한 것이다.

이 책 이외에도 김수영의 번역물들을 정리해 보기 위해서는, 그의 평론이나 산문의 내용으로 들어가 있는 외국 시들을 포함해서 그가 번역한 외국 시·소설작품 자료가 한데 모아져야 할 것이다. 영미 모더니즘 시는 익히 알려져 있는 것이지만, 괴테와 호손에서 시작하여 과테말라와 러시아 현대소설, 세계 현대시를 번역한 일은 연구자들이 하루빨리 정리해 두어야 할 작업으로 남아 있다. 때로는 밥벌이를 위한 번역이었다고 해도 언어를 선택하고 표기하는 모든 작업은 시인에게는 매우 엄중한 표현 감각을 동반하는 일일 수밖에 없다. 그가 번역한 모든 작품들을 총체적으로 살펴보아야 하는 이유이다.

김수영의 번역 평론 원문을 모두 일일이 비교하여 그 정확성을 판별할 수는 없었다. 30편 중 원문 비교를 해본 글은 22편이다. 출처가 밝혀지지 않은 글은 원문 입수가 불가능했고, 주요 잡지가 출처인 글들의 경우는 대부분 비교작업을 할 수 있었다. 원문을 보면 알겠지만, 고유명사는 모두 김수영 시인의 표기를 따라 살려 두었는데, 이는 외국 문인들에 대한 김수영 당대의 언어 감각을 보여줄 수 있는 중요한 자료라고 생각되었기 때문이다. 비교작업을 하지 못한 평론들을 원문과 비교해 보는 일은 다음으로 기약되어야 할 것이다. 한편 번역 평론의 원문을 구해 제공해 준 김태선 평론가에게 이 자리를 빌려 감사의 뜻을 전한다. *Partisan Review* 와 *Encounter*지의 많은 글들을 그는 선뜻 제공해 주었다. 그는 편자와 함께 중국 길림의 김수영 연극 현장도 동행해 주었고 역시 김수영의 충무로 거주지와 '유명옥'을 확인하여 김수영 답사 평전인 『세계의 가장 비참한 사람이 되라』에 소개하기도 했다. 그와 함께한 인연에 감사한다.

이 책은 김수영 시인의 50주기를 맞이하여 진행된 여러 행사 중 하나로 계획되었다. 그러나 너무 늦게 출판되었다는 사실을 밝혀야겠다. 실은 십여 년 전에 원고가 모아졌는데, 저작권 등의 문제가 겹쳐져 출판되지 못했고 그 와중에 몇몇 약속도 지키지 못한 채 거의 포기해 버린 상태였다. 다행히 오래전부터 관심을 가져온 도서출판 b 측에서 많은 문제를 해결해 주었다. 그 와중에 십여 편의 번역글을 새로 추가하였고 시인의 50주기를 맞이하여 드디어 책으로 묶게 되었다. 책이 늦은 것은 위와 같은 사정을 핑계 삼은 편자의 게으름 때문이고, 결실을 본 것은 관심을 가진 출판사의 덕이다. 고마울 수밖에 없다.

김수영은 1967년에 당시의 기자 김병익과 진행한 대화에서 시인보다도 번역가로서의 사명감 같은 것을 내비친 바 있다. 그의 번역 평론집이 이제야 책으로 묶이게 되었다. 김수영 연구자로서는 부끄러운 일이 아닐 수 없다. 이 빚에서 벗어나기 위해서는 더 많은 집중이 필요할 것이다. 그렇게 해야 할 것이다.

편자 적음.

| 차 례 |

| 책을 묶으며 | 5

시의 효용 아키볼드 막레이쉬 11
지이드의 조화를 위한 무한한 탐구 토오마스 만 23
아메리카론 장 폴 싸르트르 35
아마추어 시인의 거점 리오넬 아벨 51
최근 불란서의 전위소설 장 부로귀 미셸 73
반항과 찬양 크로오드 비제 83
테네씨 윌리암스의 문학 S. P. 얼만 111
불란서문단외사 가이 듀물 143
영·불 비평의 차이 이브 보네호이 159
제스츄어로서의 언어 리차드 P. 부락머 177
시인과 신문 아키볼드 막레이쉬 211
내란 이후의 서반아시단 J. M. 코헨 235
쏘련문학의 분열상 피이터 비어레크 261
예이츠의 시에 보이는 인간 영상 데니스 도노그 281
맑스주의와 문학비평 죠지 쉬타이너 309
미국의 현대시 제오후레이 무아 339
정신분석과 현대문학 앨프리드 카잰 357

문화와 정치에 대한 각서 T. S. 엘리오트 …… 373
셰익스피어 번역 소감 보리스 파스테르나크 …… 391
싸우는 사람들 어네스트 헤밍웨이 …… 415
목적과 수단 올더스 헉슬리 …… 435
미용산업 올더스 헉슬리 …… 447
20세기 문학의 고백과 증언 리챠드 포와리에 …… 453
세익스피어의 이해 죤 웨인 …… 479
쾌락의 운명 리오넬 트릴링 …… 511
각서 알베르 까뮈 …… 547
자꼬메띠의 지혜 칼톤 레이크 …… 581
현대영미소설론 스티븐 마커스 …… 611
벽 유젠 이오네스꼬 …… 649
도스또예프스끼와 사회주의자들 조셉 프랑크 …… 721

시의 효용

아키볼드 막레이쉬(Archibald MacLeish)[1]

1

시 예술에 있어서는 방어적 태세를 유발시키는 그 무엇인가가 있다. 하늘의 우위가 도전을 당하지 아니 하였는 것과 같이 — 현재는 이 하늘의 우위까지도 도전을 당하고 있지만 — 시의 우위가 도전을 당하지 않았던 고대에 있어서도, 이러한 태세는 언제나 존재하고 있었다. 만약에 여러분이 그 당시에 그 예술에 대한 여러분의 감상을 발표하였다면 여러분은 그러한 감상을 '방어'라는 말로 불렀었을 것이다. 제 과학의 여왕이 '과학'인 오늘날에 있어서 여러분은 아마 그러한 술어를 사용하지는 않을 것이지만 여러분이 의미하고 있는 것은 바로 그것이다. 그것은 구호 교실과 십삼호 교실의 과학적 비밀의 보관자로서 봉사하기 위하여 본격적으로 깨끗하게 정리된 두뇌를 가진 교수 구락부의 긴 책상에 앉아 신사들이 취하고 있는 그러한 은근한 자세는 아니다. 그들은 여전히 신사이며 그렇기 때문에

1. Archibald MacLeish(1892-1982). 미국의 시인.

그들의 영예가 아무리 위대하거나 혹은 그것이 아무리 위대하게 인정을 받게 되더라도 그들은 여전히 겸손하다. 그러나 사람이란 자기의 처지는 알고 있다. 즉 과학의 교사들은 여러 신문이 자랑스럽게 보도할 새로운 승리에 대한 소식을 들을 수 있게 되어 있는데, 시의 교사들은 낡은 문제를 질문하지 않으면 아니 될 처지에 있다는 것을 알고 있다. 이를테면 이러한 시대에 있어서 무슨 까닭으로 도대체 시를 가르치느냐 하는 따위의 문제가 이것인데, 이런 문제를 보도하는 사람은 아무도 없을 것이다.

이러한 분위기 안에서 여하(如何)한 방어의 자세도 느끼지 않는 사람 — 시는 다른 시대에 있어서 그러하듯이 오늘날에 있어서도 당연히 가르치지 않으면 아니 되는 것이라는 완전한 확신을 가지고 있는 사람 그리고 그 이유까지도 알고 있다고 완전히 믿을 수 있는 사람 — 을 생각해 낼 수 있는 것은 하나의 위안이 아닐 수 없다. 내가 지금 나의 마음속에 간직하고 있는 본보기는 나의 젊은 벗이며 그는 열의 있는 교사로서 최근 미국의 일류대학 예비학교의 교장이 되었고 오늘날까지 그는 자기의 오랫동안 하여 내려온 교과과정과 자기의 기능을 검토하고 있는 중이다. 그의 관점에 의하면, 시는 "우리들이 유산 중에서 가장 중요한 가치를 가지고 있는 몇 가지의 것을 대대로 우리들에게 날라주는 전달사(傳達使)인 동시에 인간 표현의 가장 필수적인 형태로서" 당연히 가르치지 않으면 아니 될 것이라고 한다. 그가 가장 골치를 앓고 있는 것은, 적어도 그가 가르치고 있는 학교에 있어서, 그의 확신에 공명(共鳴)하고 있는 것같이 생각되는 교사가 극히 드물다는 것이다. 이러한 교사들은 시를 하나의 정화자(淨化者)로서 — 수학과 과학의 언어와 경쟁할 수 있는 "인간의 언어"로서 — 볼 수 있게끔 자기들을 인도하여 줄 "시에 있어서의 지속적이며 사명적인 신념"을 가지고 있지 않다고 그는 생각하고 있다.

그러나 교사들이 그러한 필연적인 신념을 가지고 있지 않다 하더라도, — 나의 젊은 벗이 보고 있듯이 — 그것은 전적으로 그들의 죄가 아니다. 그 죄는 시를 "시자체(詩自体)" — 내가 생각하기에는 이것은 시를 위한 시를 의미하는 것이라고 본다 — 라고 불리어지고 있는 그 무엇으로 전위(轉位)시킨 현대비평의 죄이다. "시자체"라는 것은 시의 의미를 제거하여 버린 시가 되고 말 것이며, 시의 의미가 제거된 시는 이류학교 같은 데서 — 적어도 나의 벗의 이류학교 같은 데서 — 가르치기에 불가능하지는 않다 하더라도 곤란한 일이다. 따라서 결과적으로 그러한 이류대학교 교사들은 두 가지 폐해 중의 조금 나은 편이라고 생각되는 방침, 즉 과거의 세대에 있어서 미국인 출신 학교에 의하여 시인되어온 역사적이며 일화적인 방침으로 되돌아가게 되었다. 그들은 시인을 가르치고 시는 가르치고 있지 않다. 그 결과에 있어서 "학생들은 호오머에서부터 막레이쉬까지의 시인들과 친숙하게 되었는데"(여러분이 어떠한 방법으로 측량하여 보더라도 이것은 상당한 거리이다) "그러면서도 그들은 이와 같은 경험을 통하여 필연적으로 시가 제시하지 않으면 아니 될 것이 있다는 확신이 늘어 가는 것을 깨닫게 되었다." 나는 이것을 충분히 믿을 수 있다.

현대비평이 이러한 참담한 효과를 갖게 된 이유는 다시 말하자면 현대비평이 "내용이나 관념의 진술에 대하여 거의 병적인 냉담성"을 조성하게 된 이유는 그의 "미학적 가치에의 편견"이 너무 과도하였기 때문이다. 현대비평은 시는 우선 예술작품이 되어야 한다고 주장하고 있다. 그리고 여러분이 시는 우선 예술작품이어야 한다고 주장할 때 — 나의 벗의 의견에 의하면 — 여러분은 시를 "우리들의 유산 중에서 가장 중요한 가치를 가지고 있는 몇 가지의 것을 대대로 우리들에게 날라주는" 전달사로서 가르칠 수 없다. 호오머와 쉐크스피어와 성서의 저자에 대하여 중요한 것은 그들이 "위대한 환상을 가진 현실주[의]자"이었다는 것이며……, "그들의 작품이 인생의 의의에 대한 고귀한 해석을 막대하게 포함하고 있다"는 것이다. 따라서 만약에 여러분이 예술가로서의 그들에 대한 것을 너무 많이 이야기한다면, 그러한 인생의 의의에 대한 고귀한 해석은 가치가 없게 된다.

여러분도 알게 되겠지만, 지금 내가 하는 이 말을 일찍이 "신비평"이라는 칭호를 받고 있던 고마(古馬, 지나간 세대의 아방가아드 비평가)의 일축(一蹴)에 지나지 않는 것이라고 생각하여서는 아니 된다. 고마들은 지금 상당히 많이 앞으로 전진하고 있다. 이것은 "신비평"을 용납하지도 않고, 그러한 것에 대하여 들어보지도 못한 수많은 사람들에 의하여 유지되고 있는 일반적인 사태에 대한 전면적인 공격이다. 이것은 시가 우선 예술작품이어야 한다고 믿고 있는 사람들, 그리고 적어도 시가 읽혀져야 하는 것이라면 예술작품으로서 읽혀지지 않으면 아니 된다고 믿고 있는 사람들 — 내가 생각하기에는 대부분의 시인들도 이렇게 믿어오고 있는 것이다 — 에 대한 공격이다. 이것은 가장 고귀한 목적을 위하여 가하여지는 사욕 없는 갸륵한 의미의 공격이지만, 하여간 공격에는 틀림없는 것이며 따라서 하나의 효율적인 공격이라고 본다. 이 공격의 내용은 시가 예술작품이어야 한다고 주장하는 시에의 접근이 — 사실은 시가 말하지 않으면 아니 되는 것이 시를 가르치는 주요한 이유인데도 불구하고 — 시가 말하지 않으면 아니 되는 것을 봉쇄하고 있다는 것이다. 다시 말하자면 이 논쟁의 귀착점은 다음과 같은 명제가 된다. 즉, 시를 가르치는 데 있어서 시가 예술이라고 주장하는 것은 과실이다. 어째 그러냐하면 만약에 여러분이 그렇게 주장한다면, 여러분은 여러분의 학생들에게 시의 의미라든가 시의 관념이라든가, 시가 그들에게 인간과 세계와 생명과 죽음에 대하여 이야기하지 않으면 아니 될 것을 전하지 못하게 될 것이니까 말이다 — 실로 시를 가르치는 것이 중요한 것은 이와 같은 일들을 위한 것이 아니겠는가?

말하자면, 나는 이러한 논쟁을 이해할 수 있으며 이러한 논쟁을 만드는 여러 이유를 고려할 줄도 안다. 독점적인 예술적 술어로서 시를 규정하는 너무나 수많은 사람들이 시의 의미를 시의 의미 이상의 것으로 즉, 상징과 은유와 고전과 혹은 기타 제반 참고물의 단순 번역 이상의 것으로 — 즉 본인의 설명의 전체적 기구 이상의 것으로 — 승화시키는 모든 의무를 면제하여 주는 따위의 국한된 보호적인 진술로서 그들의 정의를 만들고 있다. 실로 우리들의 시대에 있어서 일반적으로 문학과 관계를 가지고 있는 사람들과, 특히 현대문학에 관계를 가지고 있는 사람들 중의 너무나 많은 사람들이 문학적(푸로이드파를 포함하여) 감각에 있어서의 의미라는 것을 그들의 관심 이외의 것이라고 생각하고 있을 뿐만 아니라 관심 이하의 것이라고까지 생각하고 있다 — 즉 예술의 세계에 도덕과 종교의 문제를 삽입하는 것은 침입이라고 생각하고 문학작품은 도덕적 진공지대에서 연구되어야 하고 또한 연구될 수 있다고 생각하고 있다.

이러한 교사들의 손에 있는 문학은 19세기 시대의 사람들이 인생의 상위(上位)에 떠받쳐 올린 저 "무서운 여왕" — 이예츠[2]는, 그가 19세기 사람들보다 크게 성장하였을 때, 이것을 거부하였다 — 그의 자리를 다시 차지하려는 도상에 있다고 볼 수 있다.

그러나 나는 이와 같은 논쟁을 이해할 수는 있지만 그리고 나는 그 이유를 고려할 수도 있지만, 또한 나는 이것이 진실한 문제와 중요한 문제를 제시하고 있는 것이라고 믿고 있는 것이지만, 그러나 나는 이것을 용납할 수는 없는 것이다. 어째 그러냐하면 이것은 두 개의 전혀 괴상한 가설 위에 머물러 있기 때문이거나, 혹은 머물러 있다고 나에게 생각되기 때문이다. 첫째의 것은 예술작품에 대한 "관념"은 예술작품 그 자체와는 어디인지 분리된 곳이 있다는 가설이다 — 이 가설은 모든 우리들에게 갑의 형태로나 혹은 을의 형태로서 낯익은 것이다. 이와 같은 영속적인 견해의 가장 최근의 — 그리고 가장 엄청난 — 실례가 『뉴욕 타임』지에 의하여 보도된 어느 거대한 학원에 있는 저명한 대학 학부장의 언설에서부터 오고 있다. 그는 학자들의 회합에서 다음과 같이 논의하였다. 즉 "독자가 어네스트 헤밍웨이의 『노인과 바다』에서 끄집어내는 관념은 독자가 약 육만 개의 단어를 흡수한 후에야 오는 것이다. 이것을 하기 위하여서는 적어도 한 시간은 걸린다……. 이와 동일한 오성은 노련한 미술가의

2. 예이츠(William Butler Yeats, 1865-1939).

회화를 이삼 초 동안 연구한 후에도 올 수 있는 것이다." 과연, 사람은 도오레[3]의 삽화 위에 두서너 번 가벼운 눈을 던짐으로써 단테의 지옥에 대한 "관념"을 얻었다고 상상하고 있는 것이다.

2

그러나 나와 나의 젊은 벗과의 사이를 가장 유별하게 갈라놓은 것은 둘째 번의 가설이다. 어째 그러냐하면 시를 가르치는 데 있어서 관념과 예술작품이 서로 구별되지 않으면, 그 관념 — 따라서는 시를 가르치는 데에 대한 유효성 — 이 상실될 것이라고 둘째 번의 가설은 생각하고 있는 듯이 보이기 때문이다. 이 점에 있어서 나의 벗과 나와는 갈라지는 것이다. 사람이 시를 읽는 것은 (또는 시를 가르치는 것은) 인생의 의의를 위한 것이라고 말한다면 나는 동의할 용의가 있고, 또 용의 이상의 것도 가지고 있다. 그러나 그와 같은 의의의 교부자(交附者)로서의 시와 예술작품으로서의 시와의 사이에 구별이 있어야 한다는 것은 그 이유가 나변(那邊)에 있는지 나는 도무지 알 길이 없다. 요컨대 나의 벗의 논의 가운데에 일관되어 있는 예술과 지식과의 구별은 나에게는 전혀 근거가 없는 것같이 생각된다. 그러한 구별이 우리의 시대에 있어서 보편적으로 인정되고 있는 구별이라는 것을 나는 너무나 잘 알고 있다. 과학이 그러한 구별을 만들고 있는 것이다. 시가 그러한 구별을 만들고 있는 것이다. 그리고 세상이 이 두 가지와 일치하고 있는 것이다. "어떠한 것을 막론하고 알리어질 수 있는 것이라고는 모두가 과학의 수단에 의하여 알리어질 수 있는 것이다"라고 버어트랜드 랏셀은 말하고 있다. 시의 교수들은 시는 아무것도 전달하여야 할 메시지를 가지고 있지 않다고 말하고 있다. 그리고

• • •

3. 귀스타브 도레(Gustave Dore). 『신곡』의 삽화를 그렸다.

아무도 이상의 두 가지 의견에 이의를 제창하는 사람은 없다. 지식을 알리고 지식을 전달하는 과학의 독점적인 소유권은 우리들의 문명에 있어서 일반적으로 승인되어 있을 뿐만이 아니다. 즉 그것은 실로 진정한 감각에 있어서 우리들의 문명인 것이다, 라는 것은 우리들의 문명의 특징 — 이 특징은 이 특징을 추진시킨 문명과는 다른 것이다 — 은 과학에 의한 지식이 그에게 부흥(賦興)한 특징이다. 즉 추상이다.

그러나 그러한 동의가 전반적인 것이라 할지라도 나는 그 비율을 용납할 수는 없다. 과학을 위한 변호자는 과학만이 유독 사물을 인지하는 권리를 가지고 있다고 주장하는 것이 틀렸고, 시를 위한 변호자는 과학만이 유독 사물을 인지하는 권리를 가지고 있다고 용인하는 것이 틀린 일이라고 나는 말하고 싶다. 시도 또한 지식이 될 수 있다고 나는 주장한다. 실로 시는 과학이 주지 못하는 종류의 지식을 줄 수 있다. 즉 시로서의 지식이 가능하다는 말이다. 따라서 내가 주장하는 것은 시로서의 시를 가르치는 것이다, 예술작품으로서의 시를 가르치는 것이 지식으로서의 시를 가르치는 것과 양립할 수 있을 뿐만 아니라, 실로 지식으로서의 시를 가르칠 수 있는 유일무이한 길이라는 것이다.

과학이 우리들을 위하여 준비하여 놓은 추상의 세계 속에서, 그리고 그러한 세계가 만드는 학교 같은 곳에서 — 이러한 학교에서 가르치는 거의 전부의 것이 추상에 대한 것이다 — 우리들은 성장하여 있기 때문에, 대부분의 우리들에게 있어서는 지식으로의 시의 개념이라든가, 지식으로서의 예술의 개념 같은 것은 하나의 몽상적인 개념에 지나지 않는다. 우리들은 추상에 대한 지식은 이해하고 있다. 과학은 임금(林檎)에서부터 임금에 대한 관념을 추상할 수 있다. 과학은 이와 같은 관념들을 임금에 대한 지식으로 조직할 수 있다. 그 다음 과학은 어떠한 방법으로서 그 지식을 우리들의 두뇌 안에 소개할 수 있다 — 아마 우리들의 두뇌라는 것이 추상적이 되기 때문인지도 모른다. 그러나 시는 추상을 하지 않는 것이라는 것을 우리들은 안다. 시는 나타내는 것이다. 시는 사물을 사물

그대로 나타내는 것이다. 그리고 사물을 사물이 있는 그대로의 모습으로서 안다는 것이 — 임금을 임금으로서 안다는 것이 — 가능한 일이라는 것을 우리들은 이해하지 않는다. 시대의 진짜 어린이들은 이러한 일은 결코 될 수 없는 일이라고 장○한다.[4] 추상의 진짜 어린이에게 여러분은 임금으로서의 임금을 알릴 수는 없다. 여러분은 나무를 나무로서 알릴 수는 없다. 여러분은 인간을 인간으로서 알릴 수는 없다. 여러분이 알릴 수 있는 모든 것은 분석적 지력(知力)에 의하여 추상으로 분해된 세계이다 — 상상적 지력에 의하여 사물 자체에로 구성된 세계가 아니다. 따라서 결과적으로는 추상의 세대가 계속되는 동안, 시도 예술도 지식에의 매개물이 될 수는 없게 된다. 영감으로, 그렇다. 시는 틀림없이 영감으로 인도할 수 있는 것이다 — 그것이 어떠한 종류의 영감이든 간에. 계시로, 아마 그럴지도 모른다. 시에는 확실히 계시의 계기가 있을 수 있는 것이다. 그러나 지식으로, 그렇지 않다. 우리들이 볼 수 있는 시와 지식과의 사이의 유일한 연결은 거기에 사용된 추상의 부담이다 — 격언과 속담 — 시는, 특히 일부의 시는 이것을 옮기기를 좋아하고 있는 듯이 보인다 — 이와 같은 격언의 대부분을 우리들은 이전부터 알고 있었던 것이고, 그중의 일부분은 오늘에 와서는 진실하지조차 못한다.

그러나 만약에 이와 같은 모든 것이 이상과 같다면 그러면 이와 같은 사물에 대하여 조금이라도 생각하고 있는 모든 우리들이 알았다고 하는 "예술에 대한 경험" "시에 대한 경험" — 이라고 하는 것은 도대체 무엇인가? 세잔느의 그림에 나오는 접시 위의 사과나 세 개의 소나무를 보고 우리들이 느끼는 실감의 경험은 무엇인가? 드빗시의 〈구름〉을 듣고 우리들이 느끼는 실감의 경험은 무엇인가? 코르란지의 구조(駒鳥)가 앉아서 다음과 같이 노래할 때 우리들이 느끼는 실감의 경험은 무엇인가?

● ● ●

4. 원문대로임. '장담한다'의 오식으로 여겨짐.

이끼가 난 능금나무의 벌거벗은
가지 위에 놓인
눈 다발 사이에서는,
어느새 햇빛에 눈이 녹아
가까운 초가지붕 위에서는 김이
오른다, ……

또는 그가 처마 밑에 숨어서 남몰래 귀를 기울일 때

꿈결 같은 피리소리 속에서만 들을 수 있는 것,
혹은 서리가 남몰래 그것들을
말없는 고드름 속에 걸어 놓는다면,
고요한 달에게까지 고요히 빛을 뿜고 있으리라.

그리고 만약에 이와 같은 모든 것이 이상과 같다면, 시에 대한 현대적 정의의 가장 유력한 것의 하나(모우리스 드 궤링에게 보낸 아놀드의 서간 속에 적힌 그의 정의)가 그 예술을 '제 사물에 대한, 그리고 제 사물과 우리들과의 관계에 대한 놀라울 만큼 충실하고, 새로웁고, 친밀한 감을 우리들의 내부에 환기시킬 만한 사물과의 특수한 교섭력'이라고 한 것은 무슨 까닭일가?

그에 대한 해답은 물론 추상의 어린이들이 옳지 않다는 것이다 — 그리고 우리의 시대 전체가 그들의 과오에 의하여 가난하게 되듯이 그들은 그들의 과오로 인하여 가난하게 된 것이다. 그들은 두 가지 항목에 있어서 모두 다 옳지 않다. 그들이 추상을 통하여 세계를 알 수 있다고 생각할 때에 그들은 과오를 범하고 있다. 추상을 통하여서 알 수 있는 것은 추상 그 자체뿐이며, 그 이외에는 아무것도 알 수 있는 것은 없다. 또한 그들이 세계로서의 세계를 알 수 없다고 생각할 때 그들은 과오를 범하고 있다.

예술의 전 업적은 그 반대에 대한 시위이다. 따라서 그들이 두 가지 항목에 있어서 옳지 않다는 이유는 바로 마슈우 아놀드에 의하여, 전혀 무의식중에, 제시된 이유이다. 즉 그들의 과오는 그들이 모든 진정한 지식이 관계에 관한 것이라는 것을 인식하지 못하고 있기 때문에 생기는 것이다. 우리들이 "사물에 대한 놀라울 만큼 충실하고, 새로웁고, 친밀한 감"에 — 그리고 무엇보다도 "사물과 우리와의 관계"에 대하여서 — 충만되어 있을 때에 한해서만 우리들은 하나의 사물을 진정으로 안다는 사실을 그들이 인식하지 못하고 있기 때문에 그들은 옳지 않은 것이다. 이와 같은 감을 — 지식이라는 말의 가장 진정한 의미에 있어서의 이와 같은 지식을 — 예술은 수여(授與)할 수 있지만 추상은 수여하지 못한다.

세상에 널린 수많은 성공적인 예술작품이 모두가 다 그에 대한 증거가 될 수 있다. 명확한 예로서, 저 눈에 보이지 않는 신비한 현상인, 바람을 들어 보라. 그 바람을 "알기" 위하여, 추상의 낯익은 방법으로서, 어떠한 시도를 하여 보라. 그것과 나란히 죠지 메레디츠의 다음과 같은 낯익은 두 줄을 놓아 보아라.

> 휘몰아치는 바람이 창던지기를 하듯이
> 넓게 트인 파도 위에 그의 골격의
> 그림자를 쏘는 것을 주시하여라?

이 두 가지 사이에 어떠한 본질적인 차이가 있을 것인가? 첫째 번의 진술 즉 분석적인 진술은 관찰자의 관여가 허락되지 않는 전혀 객관적인 (모든 장소에서 그리고 어느 때이고 진정한) 진술이 되게 마련이거나 혹은 그렇게 되려고 시도하고 있지만, 둘째 번 것에 있어서는 관찰자 — 관찰자로서의 인간 자신 — 가 포함되어 있을 것이 아니겠는가? 따라서 그 결과로서 인간 그 자체를 포함한 관계는 둘째 번 것에 의하여서는 창조되겠지만, 첫째 번 것에 의하여서는 창조되지 않는다는 차이가 생길 것이 아니겠는가? 그리고 종국에 있어서 그 사물 자체를 우리에게 알 수 있게 하는 것— 그 사물이 무엇에 흡사한가를 가르쳐 주는 것— 은 둘째 번 것이지, 결코 첫째 번 것이 아니라는 차이가 생길 것이 아니겠는가?

안다고 하는, 그 말이 두 가지 경우에 있어서 두 가지의 각각 틀리는 의미로 사용되어야 할 것이지만, 그 차이가 있는 것이 사실이기 때문에, 그 승리는 단순히 용어상의 것이 되고 말 것이라는 것을 논증함으로써 존재에서부터 오는 시에 의한 지식과 추상에 의한 지식과의 사이의 이 차이를 의미론적으로 규정하는 것은 전혀 가능한 일이라고 나는 생각한다. 그것은 실로 모든 차이 중에서 진정한 차이인 것이다, 라는 것은 그것이 접촉하는 것이 바로 우리가 현실에 도달하는 데 사용하게 되는 수단이기 때문이다. 우리들은 어떠한 방법으로 외적세계나 혹은 변이하고, 유동하는, 불안정한 내적세계에 있는 현실의 지식을 발견하여야 할 것인가? 이것이 모두가 추상의 기술이 하여야 할— 즉 있는 그대로나 혹은 있을 수 있는 그대로로서의 과학이 하여야 할— 일인가? 우리들이 우리들의 생에 대한 우리들의 경험에 있어서 진실된 것을— 따라서는, 상상적으로, 우리들의 내부에 있는 진실된 것을— 발견하기 위한 일은 유독 추상을 통하여야만 되는 것인가? 그렇지 않으면 또 하나의 다른 아는 방법이 우리들에게 필요한가— 저 밖에 있는 저 세계와 이 안에 있는 이 세계를 그 이상의 다른 것으로— 분량과 중량의 추상으로— 번역하지 않고, 우리들 자신과 그러한 세계의 모든 사물들과를 그 사물들의 있는 그대로의 모습으로 서로 적나라하게 직면할 수 있게 하는 인지의 방법— 즉 인식의 충동 속에서 사람과 나무가 서로 직면하고, 사람과 사람이 서로 직면하게 되는 인지의 방법이 우리들에게 필요한가?

이 문제는 우리들이 반드시 하지 않으면 아니 되는 문제는 아니라고 나는 여러분에게 알려주고 싶다. 거기에는 의무는 없다. 사람은 그의 비위가 맞기만 하면 일평생을 두고 추상 위에서 "살 수" 있는 것이다,

따라서 우리들 가운데의 많은 사람들이 — 과학자뿐만 아니라, 이 시대에 살고 있는 그 이외의 대다수의 사람들이 총계표와 성명과 상업 거래의 거미줄 같은 매일매일의 생활을, 두 대의 통근차의 괄고(括孤)[5]에 의하여 통합하고, 세 자루의 격투용 말티니 총(銃)을 언제나 준비하고 있다. 그 문제는 반드시 우리들이 하지 않으면 아니 되는 문제는 아닌 것이다. 문제는 우리가 행할 수 있는 선택권을 가지고 있다는 것이다 — 이상의 두 가지 중의 어느 한 가지를 선택하느냐 하는 것은 우리들에게 달려 있다. 따라서 시의 교사에게 제시되어야 할 문제의 초점이 바로 여기에 있다. 전문대학은 의무를 부과하기 위하여 존재하고 있는 것이 아니라 선택을 계시하기 위하여 존재하고 있는 것이다.

— 본문은 『애트런틱』지 3월호에 게재된 것이며, 필자 막레이쉬는 1932년과 1953년에 퓨릿저 시문학상을 탄 미국 시인. 현재 하아바아드 대학에서 영어와 수사학을 교수하고 있다. (역자)

–『시와 비평』, 1956. 8.

5. 괄호(括弧)의 오식.

지이드의 조화를 위한 무한한 탐구

토오마스 만(Thomas Mann)

안드레 지이드(André Gide)[1]가 1941년에 그의 나이 72세가 되었을 때 (탈바아트 앤드 푸레이스(Talvart and Place)의 서적 목록에 의하면) 그에 관한 약 30권의 서적이 나와 있었다. 그 밖에 그의 작품에 대한 광범한 논문 등을 포함한 것이 160권은 있었고, 그 위에 또한 도합 500편의 기사와 비평이 각 잡지에 산재하고 있었다. 현대 작가에 대한 이와 같은 문학의 범람은 항상 감정적인 성격을 띄운 것이었고 따라서 언제나 깊은 개인적인 이해관계와 관심이 부지중에 나타나 있는 것이었다. 이것은 특히 그의 80세의 탄생일을 전후하여 과거 10년간의 현상이었는데 지금 그의 나이 82세(그가 가장 사랑한 교사의 한 사람인 궤테(Goethe)의 나이와 거의 흡사하다)를 넘었으니 이러한 범람(氾濫)은 아마 더 한층 확대하였을 것이다.

물론 지이드의 복잡하고 과감한 생활과 그의 도전적인 작품에 대한

1. 이 번역 원문의 모든 인명에는 <안드레 지이드(André Gide)>와 같은 방식으로 문장부호가 사용되고 있으나 무의미하다고 여겨져 생략하였다.

비평적인 탐구와 음미에 있어서 가장 적극적인 활약을 한 것은 불란서이다. 미국은 고도한 문학비평의 수준을 가지고 있는 나라인데도 불구하고 이에 대한 공헌은 미소(微少)하다. 내가 알고 있는 한에 있어서는 (나는 나의 지식에 지나친 신뢰를 두는 것은 아니지만) 크라우스 만(Klaus Mann)이 저작한 기민한 전기가 약 8년 전에 출판된 이후로는— 이것이 비평예술에 매우 적합한 것이 될 수 있는 것인데도 불구하고 지이드의 지적현상(知的現象)에 대한 주요한 탐구는 하나도 없었다. 내가 오늘날 여기에서 논하려고 하는 이 책(알버트 J. 궤라아드(Albert J. Guerard) 저 『안드레 지이드』, Harvard University Press, 1951)은 '확실히 앞으로의 80년간을 두고' 미국 비평가들이 이 특수한 주제에 대해서 지고 있는 모든 부채를 보상하게 될 것이다.

하아바드의 영어준교수인 알버트 J. 궤라아드는 구라파인의 혈통을 받은 미국인이며 포괄적인 문학의 박식가인 동시에 불란서의 지적조류(知的潮流)에 지극히 친숙한 사람으로서, 그는 위대하고도 성실한 솔직성을 가지고 평생을 살아오고 '최고위의 현대인'으로서의 지위를 얻는 작가에 대한 미국의 무관심을 잘 이해하고 있으며 또한 그것으로 하여금 잘 이해할 수 있게 만들고 있다.

"우리들은 이미 한 사람의 인습적인 이야기 작자(teller of tales)를 취급하고 있는 것이 아니다. ※※※ 지이드는 하아디(Hardy)와 콘랏드(Conrad)와는 다르며, 그는 일개의 단순한 장편소설가라기보다는 오히려 문학가이며 명석한 도덕가이었다. ※※※ 그러나 오늘날의 미국의 소설가(와 독자)는 그러한 다양성과 친밀성과 또한 그러한 지적주장(知的主張)을 극히 불신하고 있다. 이러한 소설가는 오히려 일개의 기술공이라고 할 수 있고 일개의 비개인적인(impersonal) 노련한 고담가(古談家)라고 할 수 있다. ※※※ 모범적이 될 수 있는 역할이나 모범적이 될 수 있는 투쟁의 개념은 우리들의 사고의 방식과는 전혀 인연이 먼 것으로 되어 있다"고 그는 말하고 있다.

불란서나 일반 구라파의 문화생활과 미국의 문화생활과의 부동성이 명백하게 여기에 표시되어 있다. 그리고 지이드의 전반에 걸친 문제와 의도가 그렇기 때문에 궤라아드의 저서는 지이드의 가장 개인적인 밀접한 문제를 보편적인 것으로 끌어올리고 그와는 반대로 "대중의 곤경은 가장 개인적인 언어로서 해설하려고" 전심(專心) 기도하고 있다. 이것이 무엇보다 지이드를 대표적인 작가로 만든 원인이 되고 있는 것이다. 그러나 지이드가 불란서인 가운데의 어느 사람보다도 탁월한 하나의 재능이 없었더라면 결코 그는 오늘날과 같은 지위를 차지하지는 못하였을 것이다. 즉 그가 만약에 비상한 산문의 거장이 아니었더라면, 만약에 그가 모든 뉴우안스를 전할 수 있고 가장 원고한 자료라도 요리할 수 있는 구변(口辯) 좋은 독특한 문체(Style)를 가지고 있지 않았더라면 오늘 같은 성공은 얻지 못하였을 것이다.

그 실질과 그 성과에 있어서 그것이 연구의 대상으로 삼고 있는 서적의 미덕에 비견하는 저서를 발견한다는 것은 언제나 행복스러운 미적경험이다. 궤라아드 씨는 쓰라린 난경(難境) 속에서 지내온 하나의 인생을 묘사하고 있다. 죄와 정신병(neurosis)을 자기의 예술의 훈련을 통하여 극복하는데 성공한 사람, 이러한 예술이 자기를 위해서 극기의 구제도구가 되고, 그 예술의 언어와 문체(Style)가 내적 무질서에 대한 복된 영락이 될 수 있었던 사람의 초상화를 그는 그리고 있다.

이와 동일한 의미에 있어서 전기와 같은 무질서에서 태어난 작품의 모순과 역설을 정복하기 위해서는 총명한 비평가의 질서 있는 명석한 지성이 요구되는 것이다 — 그리고 궤라아드 씨의 저서는 이러한 능숙한 솜씨를 가지고 있으며 또 그것을 실천하고 있다. 이 저자는 그의 임무가 요구하고 있는바 조금도 손색이 없는 문장가(Stylist)이다.

이 저서는 복잡한 것을 단순화하고 혼돈(Chaos)에 질서를 가지고 오기 위한 결의의 소산이며 동시에 도구이기 때문에 철저히 미국화된 구라파인인 저자는 공적을 공적으로 대할 수 있는 가장 유연성 있는 영어를 쓰기 위하여 그의 풍부한 어휘를 사용하고 있다.

이러한 작업이 수록되어 있는 이 서책에는 개인적인 일화로서 아치를 가한 모두의 서문과 거의 동일한 길이의 5개 장이 포함되어 있다. 제1장은 우리들의 시대의 '개인주의 위기'에 대한 심리학적 연구이다. 제2장은 지이드의 '정신적 자서전'을 취급하고 있다.(『안드레 왈떼의 수기(*The Notebooks of Andre Walter*)』와 『그것이 만약 죽는다면(*If It Die*)』과 같은 소설.) 제3장은 초기 소설(특히 『배덕자(背德者, *The Immoralist*)』(Alfred Knopf)에 바치어졌고, 제4장은 후년의 장편물 — 특히 『위조자(*The Counterfeiters*)』(Alfred Knopf) — 에 바치어졌다.

결론으로 된 제5장은 '청춘의 퇴폐자(頹廢者, The Corruptor of Youth)'라는 풍자적인 제목이 붙어 있다 — 이것은 틀림없이 소크라테스(Socrates)의 심판을 암시한 것이며 극히 합당한 제목이라고 할 수 있다. 어째 그러냐하면 한걸음 한걸음씩 읽어 들어갈수록 지이드의 '퇴폐적인' 효과 — 이것은 도덕적으로 불안을 가하고 따라서 전통의 토대(土台)를 침식하는 것이기 때문에 퇴폐적이다 — 는 소크라테스와 J. J. 룻소오(J. J. Rousseau)의 과격파신교도(過激派新敎徒)의 고백주의를 상기시키기 때문이다. 말하자면 이 저서는 이러한 신화적 전통에 입각하고 있다.

이 서책의 5개 장은 각각 독립된 논문으로서 발표될 수 있는 것인데, 그것이 한데 포개진 것이다. 예를 들자면 '그것이 만약 죽는다면'은 다른 곳에서도 여러 번 취급되어 있다. 또한 그것의 심리적인 동인은 새로운 문맥상의 전후관계에서 새로운 각광을 받고 여러 개의 장이 결국은 상호연관성을 가진 한 권의 서책으로 합병된 것이다 — 그것들은 비록 결말을 맺고 있기는 하지만 중요한 것은 한 권의 단행본이 아니라는 것을 설명하고 있는, 극소수의 다른 작품들과 같이 그러한 원대한 구상을 표시하고 있는 필생(畢生)의 저작처럼 보인다. 그러면서도 이것은 전체로 보아서 완전한 작품이다.

궤라아드 씨는 아주 명확한 언조(言調)로 이렇게 말하고 있다. "단 한 권의 저서는 단 하나의 전언(傳言)이나 특수한 힘 있는 말에 의해서 우리들을 구원할 수도 있고 퇴폐시킬 수도 있을 것이다. 그러나 다만 일련의 저서만은 하나의 태도의 윤곽과 우리들의 시대의 전모를 공급할 수 있다."

지이드의 흥미 있는 — 혹자는 너무나 흥미가 있다고 그럴지도 모른다 — 인격에 대한 궤라아드 씨의 광범한 평가는 결코 찬사가 아니다. 그는 무조건한 찬미를 싫어할 줄 아는 미국인이다. 또한 그의 관심은 근본적인 것에만 국한되어 있다. 즉 그가 말하는 "단속적이며 가냘픈" 그의 주인공의 순수한 창작력에만 국한되어 있다. 그는 누차에 걸쳐서 주로 특수한 종류의 주관성에 의해서 야기된 "장편소설가로서의 지이드의 업적의 비평담성(非平擔性, unevenness)"과, "재능과 상상력의 내관성(introspectiveness)"과 자기 자신과 근본적으로 색다른 심의를 가진 사람들과의 제휴에 있어서의 결과적인 무능력을 인정하고 있다.

그에게도 또한 자기 자신의 청춘시대의 경험을 생생하게 유지하고 그것들을 성년기에 있어서 확신 있는 신선미를 가지고 재생시키는 데 대한 혹종(或種)의 재능의 결함까지도 있다. 또한 확실히 다른 몇몇 현대 작가들은 그 보다도 더 웅대한 서사시(敍事詩)의 분야를 정복할 수 있었고, 그들의 창작의 세계를 그 보다도 더 넓은 우주의 영상에 적합시킬 수 있었고, 거기에 그 보다도 더 막대한 수의 생명 있는 인물들을 거주시킬 수 있었다.

그렇지만 궤라아드 씨는 지극히 정확하게 『배덕자』와 『위조자』와 「법왕청(法王廳)의 야바위꾼(The Vation Swinale)」의 작자를 "현 세계에 대한 우리들의 이념과 영상을 수정한 우리들의 세기의 가장 중요한 소설가의" 한 사람이라고 부르고 있다. 그리고 그는 지이드의 최고 작품이며 현대소설의 걸작의 하나라고 그에게는 생각되고 있는 『배덕자』를 가지고 주로 이 진술을 지지하고 있다. 그는 이 초기 작품을 뻔뻔스럽고도 유쾌한 「법왕청의 야바위꾼」 이상으로 생각하고 있을 뿐만 아니라 『위조자』보다도 우수한 작품이라고 보고 있다.

그러나 이러한 궤라아드 씨의 판단은 그가 제4장에서 가장 광범한 해설 — 이 부분이야말로 실로 이 서책의 비평 상의 압권이다 — 을 바치고 있는 것이 『위조자』라는 사실을 생각할 때 우연하게도 무슨 익살맞은 모순을 제시하고 있는 것 같아서 나로서는 동의하기가 곤란하다. 1902년의 『배덕자』는 작자의 독창성이 이미 퇴색(褪色)해 가고 있을 무렵에 나온 최초의 소설로서, 그 작품의 충격력(衝激力)은 수십 년간을 경과한 동안에 대부분이 상실되었고, 그 작품의 제목만 하더라도 그것은 니이체(Nietzsche)에서 영감을 받아가지고 제법 철학적인 무가치한 중량으로 내용을 질식시키고 있는 것이 아니겠는가?

따라서 결국에 있어서는 구라파 장편소설의 역사상에서 『배덕자』보다는 『위조자』가 한층 더 중요한 역할을 하고 있는 것이 아니겠는가? 그리고 소설가로서의 안드레 지이드의 이름도 거의 60세의 인간이 쓴 위대하고 실험적인 『위조자』와 결부되어 있는 것이 아닌가?

지이드의 초기 작품을 감정하기 위해서는 오늘날 (이것은 종래에도 늘 상당한 기간 동안 이와 같았지만) 우리들은 좀 더 '역사의 감각'이 필요하며, 심리학 — 성병리학이라고까지는 말하지 않더라도 — 에 대한 우리들의 현재의 지식에서 좀 더 거리를 가질 필요가 있다.

사실상, 후로이드(Freud)의 연구 자료가 대가의 의식에까지 도달하기 훨씬 전에 『배덕자』의 내용은 의식적 생활과 선의식적(Pre-conscious) 혹은 잠재의식적 생활과의 사이의 충돌에 대한 완전한 통찰을 앞서 수행하였다.

이 통찰력은 지이드의 동성애의 성벽(性癖)에서 생긴 것이다 — 이 성벽(性癖)은 놀라울 만큼 오랫동안 잠재된 채로 남아 있어가지고 오해를 받았다 — 이 성벽(性癖)이 그의 도덕적 물력론(moral dynamism)의, 존경할 만한 전통적인 모든 것에 대한 그의 혁명적인 거부의, 또한 모든 준봉자(遵奉者)의 확보의 근원이 되고 원천이 되었던 것이다.

또한 이것이 결국에 있어서는 인류의 발전에 봉사할 수 있게 되고, 자기 자신에 대해서는 "방해하는 일, 그것이 나의 역할이다"라고 말할 수 있었던 위대한 활동력과 교란력(攪亂力)을 가진 사람으로 그를 만들었던 것이다.

궤라아드 씨는 훌륭한 방법으로 이러한 심의의 근본적인 생식적 딜레머를 대담하게 끄집어내었다. 그는 부인되어 있지 않고 또한 부인되어서는 아니 되는 유전적 청교주의(遺傳的淸敎主義)와 소위 '자연적인 것'에서 이탈한 자연적인 세력에 대한 자기보존(self-preservation)과의 사이에 이와 같은 딜레머를 우리들로 하여금 경험하게 한다. 냉담한 쾌락주의(그는 가끔 이것을 추구하였고, 「지상의 양식(The Fruits of the Earth)」에 있어서는 이것이 주요한 문제로 되어 있다)도 구속 없는 청교주의도 불가능하게 된 이러한 심의는 절망적으로 그가 필요로 하고 있는 질서의 영역과 부자의 관계같이 그가 떼어 버릴 수 없는 무질서의 영역과의 사이에서 동요하고 있다 — 혹은 유희(遊戱)하고 있다. 드디어 종국에 가서는 그는 이 동요의 상태를 가지고 그대로 새로운 윤리의 기초를 만들게 되는 것이다.

지이드는 '중용(中庸)'의 인간이 아니다 — 이것은 그가 가장 경멸하여 마지않는 것이다. 그의 임무는 극단(極端)을 육성하는 데 있다. 불확실한 조화에서 제종(諸種)의 극단을 포착(捕捉)하는 것이 그의 일생의 사명이며, 따라서 그것은 오히려 교활한 사명이기도 한 것이다. 만약에 이와 같은 모든 사태에서부터 하나의 도덕이 지시될 수 있다면 — 만약에 지이드 자신이 우리들에게 도덕을 지시해달라고 원한다면 — 그것은 이것밖에는 없다. 즉 모든 원칙은 그의 정반대되는 원칙을 중화한 것에 지나지 않는다는 것이다.

지이드와 같은 생활에 있어서 금욕주의적 요소 — 이것은 좋아했든 싫어했든 간에 그에게 교훈이 되었다 — 가 어떠한 세력을 펴고 있는가 하는 것은 주시할 가치가 있는 것이다. 어째 그러냐하면 그러한 생활은 끊임없는 자제와 그 생활의 기본적인 성격의 훈련 — 혹은 그 생활의 성격에 일치하고 있는 것처럼 가장하고 있는 그 생활의 기본적인 성격의 훈련 — 을 요구하고 있기 때문이다. 그 생활은 독특한 생존방법에서 평화를 발견한다는 의미에서도, 완성된 솔직한 인격의 의미에서도 자아의 희생과 '자부심'의 포기를 요구하고 있는 것이다.

"삶을 사랑하는 자는 그것을 잃고, 삶을 미워하는 자는 영원히 그것을 얻게 되느니라." 그리고 "한 톨의 보리알이 만약에 죽지 않는다면……." 이 두 가지가 성서에서 따온 지이드의 좋아하는 좌우명이다.

도덕에서 출발한 배덕자 지이드는 니이체를 알지도 못하면서 "덕은 그 자신의 희생을 요구한다"는 교의(敎義)에 도달하였다. 그 독일 철학자의 보다 더 위압적(威壓的)인 동일방향의 현상을 깨닫게 되기 전에 지이드는 "자기가 사랑하는 모든 것을 더욱더 쓰게 만들지" 않으면 아니 된다고 주장하였다. 따라서 니이체의 경우에 있어서와 같이 이 어찌할 바를 모르는 방관자도 자기가 앉아 있는 가장이를 연방 톱으로 잘라 버리는 사람은 어떻게 살 수 있을 것인가 하고 자문하였다.

그러나 지이드는 살았다. 그리고 예술가로서 그는 이 모순을 바로 창조력이 있는 것으로 만들었다. 그가 실로 수많은 희롱과, 작란(作亂)과 신비화(mystification)에의 성향을 이와 같은 특수한 형태의 도덕으로 승화(昇華)시켰다는 것은 부인할 수 없는 일이다. 거기에는 천재적인 불성실, 변덕스럽고 요변스러운 변절(變節), 정의를 내리고 규정을 짓지 않으려고 드는 얄미운 회피와 초조감(焦燥感)을 주는 거절이 있다. 또한 거기에는 끝으로 관념 — 이 관념이 나쁜 작란(作亂)을 할 때에는 이 작자는 그것들을 고루 설복(說服)시키는 말을 가지고 있다 — 으로서 수많은 사람들을 매혹시키면서 그들을 놀려주는 데에 대한 쾌락이 있다.

이와 같은 도깨비장난(hobgoblinism)은 참된 의미에 있어서의 고도한 진지성(眞摯性)과 무조건한 솔직성을 암시하고 있는 것이다. 따라서 이것이 가지고 있는 지적 불안정은 루난(Renan)과 아나똘 후랑스(Anatole France)같은 회의주의자들의 상대주의(relativism)와는 전혀 다른 것이다. 이것은 진정으로 진리를 위한 무한한 탐구이며, 영웅적이라고 부를 수 있는 자유의 고독을 견디어나가는 용의성(readines)이다.

거기에는 고귀한 영혼을 가진 사람을 불러들이는 두 군데의 항구가 있었는데 이 항구는 수많은 현대인이 도망하는 것을 받아들여가지고 시중한 안락한 피난처이기도 하였다 — 공산주의와 가톨릭교회가 그것이다. 지이드의 성격은 공산주의가 주는 자유와 동시에 그것이 주는 수감(收監, Commitment)을 필요로 하였고 따라서 그는 험상궂은 반항적 정신에서 공산주의와 더불어 실험을 하였고, 단시일간 그것을 계속하였지만 즉시로 그는 그것이 "다만 상대적으로 정당한" 것이라는 것을 발견하였다. 가끔 그는 자기를 걱정해 준 그의 친구 폴 크로오델(Paul Claudel)에게 희망의 손길을 내밀었고, 어쩌면 가톨릭교로 개종을 할 것같이도 보이었다. 그러나 지이드는 혁명가인 동시에 철저한 기독교인이며 전통주의자이기는 하였지만 민족주의자인 바레스(Barres)가 대표하고 있는 독재적 가톨릭교에는 단연 반감을 품고 있었다.

그는 「탕아(蕩兒, The Prodigal Son)」를 썼다 — 궤라아드의 말과 같이 이 작품이 그에게 진정한 개종을 피하기 위한 도움을 주었다. 그는 종교적인 사람이기는 하였지만, 가톨릭교는 '승인하기 어려운 것'이고 청교주의(淸敎主義)는 '견딜 수 없는 것'이라는 것을 알았다. 그는 자유를 몸에 지니는 것이 얼마나 어려운 일인가를 알고 있었지만, 이에 대한 그의 두려움은 정신적 사치와, 모든 준봉주의(遵奉主義, Conformism)와, 생기 있는 긴장의 치완(馳緩)[2]과, 권위에 대한 미지근한 굴복에 관한 두려움에 의해서 한층 더 무거워졌다. 지이드는 만족을 느끼고 싶은 유혹에 빠질 때에는 언제나 재빨리 그의 오만하고 교활한 개인주의의 황무지로 퇴각하였다. 인간으로서 그리고 혼자서 그는 스핑크스의 눈을 바라보았고 그의 눈 위에 자기의 얼게미를 걷어 올렸다.

지이드의 이와 같은 면에 대해서는 무한한 동정이 가며, 또한 그것이

• • •

2. '이완(弛緩)'의 오식.

그의 인격에 3, 4개의 정상적이 아닌 괴상한 특징 — 지이드를 아는 모든 사람이 잘 알고 있는 특징 — 을 첨부하고 있는 것이라 하더라도 역시 그것은 형제다운 친애감(親愛感)을 깨우쳐 주는 것이다. 그의 작품은 사실주의에 찬성하는 의미에서 꾸미어진 데도 있지만, 그에 반대하는 의미에서 꾸미어진 데도 있다. 그것은 실험으로 충만되어 있으며, 또한 동시에 신고전주의를 자극하기도 하였다 — 이 고전주의는 도덕에 있어서나 정치에 있어서나 보수주의를 지키는 모라스(Mauras)와 부루네띠엘(Brunetiere)[3]의 고전주의와는 고의적으로 떨어져 있는 것이지만.

궤라아드 씨는 『위조자』에 대해서 그것은 『유리시스(*Ulysses*)』보다 훨씬 덜 과격한 실험 작품이지만, 동시에 그보다 사실미(寫實味)는 오히려 적다고 말하고 있다. 그는 가장 어울리는 문구로서 지이드를 "조심성 있는 급진주의자이며 대담한 보수주의자"라고 부르고 있다 — 과연 이러한 혼합이 나로 하여금 형제다운 친애감을 고백하게 하고 있는 것이다.

지이드의 유명한 '기이성(奇異性, Curiosity)'은 도덕의 분야에서와 같이 문학의 분야에서도 강렬하였고 이것은 불란서에 상당한 이익을 주었다.

최근까지도 불란서의 배타적인 정밀한 문화의 주변을 둘러싸고 있던 '중국식 성벽'을 허물어뜨리고 통로를 만드는 데 가장 도움이 된 것은 이 '기이성'이었다. 지이드는 고전적인 불란서의 전통은 무엇보다도 외부에서 수입해 들여온 강력하고 천재적인 정력을 통한 갱신(rejuvenation)과 부흥이 필요하다고 주장하였고, 이와 같은 이념의 활발한 선전자로서 그는 모든 곳에서부터 청신한 공기의 흐름을 불란서 국내에 주입하였다.

지이드가 없었더라면 불란서인들은 아직까지도 도스토에브스키를 괴이하고 불가해한 천재라고 보고 있을 것이다. 그리고 헨리 제임스(Henry James)는 너무 합리적이고 너무 뛰어나고 너무 '불란서적'이어서 불란서에 이익이 될 수 없다고 하더라도, 콘라드(Conrad)의 명성은 지이드의 평가에

● ● ●

3. 페르디낭 브륀티에르(1849-1906).

의해서 상당히 증진되었다. 미국은 휫트만(Whitman)과 멜빌(Melville)을 불란서 대중에게 소개한 지이드의 노력에 대해서 그에게 부채를 지고 있다. 또한 오늘날 불란서의 대중들이 흐크너(Faulkner), 헤밍웨이, 스타인베크(Steinbeck), 콜드웰(Caldwell)의 이름에 친숙하고 있다면, 그 공로의 대부분은 지이드의 '기이성'이 차지해야 할 것이다.

그런데 그와는 반대로 미국에 있어서는 지이드의 이름과 명성과 영향은 그리 널리 퍼져 있지 않다. 궤라아드 씨는 이와 같은 현상은 단연 변경되어야 할 것이라고 말하고 있다 — 이것이 아마 그가 그의 저서를 쓴 원인일 것이다. 세속적인 체재(體裁, format)의 '폐기자'이며, 모든 선입견에 대해서 의문을 갖고 그러면서도 전통과 질서에 대한 자연스러운 감정을 가진, 건설적이고 신중한 지성인은 "미지근한 청교주의와 표어적 사고(Slogan thinking)를 좋아하는" 미국에 있어서는 극히 유익할 것이라고 궤라아드 씨는 믿고 있다. 그렇다, 그는 "한 사람의 미국의 지이드가 줄 수 있는 이익은 그것을 아무리 높이 평가하더라도 과대평가하였다는 비난은 받지 않을 것이다"라고 선언까지 하고 있다.

궤라아드 씨가 그의 결론에서 여러 가지 환경적인 압력이 최근 3, 4년 내로 미국과 미국의 교육과 미국의 정부에 강요하고 있는 "편리한 결정과 간편한 역설과, 생존력에 충격을 주는 유덕한 합리주의와, 집합적인 최면술적 환상"에 대해서 이야기하고 있는 구절을 볼 때 누구나 가슴이 선뜻해지지 않을 수 없는 것이다.

그는 이렇게 말하고 있다.

"우리들은 기형적인 정도로 실용주의자가 되었다. 그리고 우리들은 대부분의 사람들이 생각하고 있는 것보다도 훨씬 더 오웰(Orwell)의 1984년의 세계에 접근되어 있다(이 오웰이 그린 세계는 의무가 사실처럼 '공정하게' 통용되고 있는 세계이다). 실용주의자의 진리(이것은 지이드가 무엇보다도 대기(大忌)하였다)는 차차 사실보다도 더 한층 참되게 보이어져 오고 있는 것이다. 선전조직의 기계화는 끊임없이 더 강하게 되어

가고, 이와 더불어 아유(阿諛)와 기만(欺瞞)을 위한 우리들의 능력도 날로 더 늘어 가고 있다. 우리들이 직면하고 있는 앞으로의 여러 해 동안에 어떻게 젊은 사람들이 유리하고 애국적으로 사고하기보다도 진실하게 사고하는 법을 배우게 될는지 거의 알 수 없는 일이다. 이러한 세계에 있어서는 앞으로 라디오와 신문과 코뮤니케와 광고지를 상대로 투쟁할 수 있는 폐기자는 극소수에 지나지 않을 것이다. 이러한 극소수의 사람들은 단순히 퇴폐한 사람이라고 생각될 수도 있다. 또한 지이드 자신이 사멸한 문화와 유한계급의 생산물인지도 모른다. 그러나 아마 이 극소수의 폐기자만이 우리들을 구원할 수 있을 것이다."

— 노벨문학상 수상자인 토오마스 만은 반세기 이상에 걸쳐서 세계적인 문학의 대가의 한 사람이었고 또한 독일문학사 상의 가장 위대한 장편소설가이었다. 그의 최근작 장편소설 『성스러운 죄인(*The Holy Sinner*)』(Alfred Knopf)은 만의 나이 76세인 1951년에 출판되었다. 처녀작인 『부덴부룩크스(*Buddenbrooks*)』는 지금으로부터 50년 전에 출판된 것이다. 나치스에 대한 강경한 반대로 인해서 그는 1933년에 독일을 떠나서 미국으로 건너와 미국시민이 되었는데, 만년에는 서서(瑞西)의 츄우릿흐(Ziirich)에서 은퇴생활을 하고 있다가 1955년에 서거. (역자)

–『문학예술』, 1957. 6.

아메리카론*

— 미국의 개인주의와 적합주의(適合主義)

장 폴 싸르트르(Jean Paul Sartre)

일억삼천오백만의 미국인에 관한 것을 어떻게 말해야 옳을는지. 그러자면 미국에 10년가량 살아보지 않으면 아니 되겠지만, 우리들은 6주일동안 밖에는 있을 수 없다. 우리들은 어느 한 도시에 끌려가서 거기서 몇 군데의 조그마한 고장을 들여다 볼뿐이며, 어제는 발치모아, 오늘은 녹스빌, 모레는 뉴오르레안스하는 식으로 뛰어 다니면서 세계 최대의 공장, 최대의 교량, 최대의 댐을 숫자와 통계로서 머릿속을 가득 채우고 감탄한 후에 작별을 하게 된다.

우리들이 본 것은 인간보다는 강철이나 알루미늄 같은 편이 훨씬 더 많다. 그렇지만 강철에 대해서 무슨 이야기를 할 수 있겠는가. '인상(印象)'은 하는 질문을 받더라도 이것은 항상 머리에 떠오를 수는 없는 성질의 것이다.

● ● ●

* 이 글은 1953년에 인문서원(人文書院)에서 간행한 일역판 싸르트르 전집의 11권 『アメリカ論』에 수록된 「アメリカの個人主義と劃一主義」를 번역한 것으로 여겨진다. 사토(佐藤 朔)가 번역한 용어와 주석 및 일본어 구문이 동일하게 사용되고 있기 때문이다.

"사실만을 주목하라!"고 말하여 주는 사람이 있다.

그러나 그 사실이란 어떠한 것인가. 건함용(建艦用)의 독크의 길이가 몇 피트 있다든지, 대공장의 어둠침침한 불빛 속에서 번쩍거리는 산수소관(酸水素管)의 푸른 불꽃이 어떻다든가 하는 말인가. 내가 그것들을 택한다면, 이미 미국이 무엇이다 하는 것을 정하고 들어가는 것이 된다.

다른 사람들은 또한 그와 반대로 "거리를 두고 생각하여 보라!"고 말한다. 그렇지만 거리를 놓는다는 그 자체가 벌써 개괄(概括)하는 것이 되기 때문에 이 역시 주의가 필요하다. 그래서 나는 나의 책임 아래에서, 개인적인 인상을 추려 모은 것을 말하여 보려고 작정하였다. 그것은 내가 꿈꾸고 있는 미국이 되고 말 것이다. 여하튼 나는 꿈에 충실하면서 꿈꾼 대로를 말하기로 하겠다.

그래서 오늘은 파리의 여러 거리에서 떠들어대고 있는, 두 개의 정반대의 슬로건에 대한 인상을 말하여 보기로 하겠다. 그것은 "미국인은 적합주의자이다"라고 하는 것과, "미국인은 개인주의자이다"라고 하는 것이다.[1]

나도 여러 사람들과 같이 그 유명한 미국적 '도가니'가, 용해 온도는 여러 층이지만, 파란인(波蘭人), 이태리인, 분란인(芬蘭人)을 합중국의 시민으로 메꾸어 버리는 이야기를 들은 일이 있다. 그러나 그것이 어떠한 의미인지 정확하게는 알지 못하고 있었다.

그런데 미국에 도착한 후 대뜸 나는 용해(溶解) 중의 한 구라파인을 만났던 것이다. 프라자의 대 홀에서 소개를 받았는데, 그 사나이는 갈색 머리털을 하고, 키는 중키이며, 미국의 누구나가 하듯이 약코에 걸린, 입술과 볼을 움직이지 않는 말버릇을 하고, 발작적인 웃음을 웃는데도

• • •

1. [역주] '적합주의'라든가 '적합주의자'라고 하는 것은, 정치와 추세(趨勢)에 비판이 없이 순응하는 주의와 인간을 가리킨다. 때문에 규격에 들어맞는 적합적인 사상과 생활양식을 가진 미국인도 적합주의자라고 부를 수 있게 된다. [편주] 이 글의 역주는 김수영의 것이 아니라 김수영이 번역 대본으로 삼은 일역판 번역자의 것이다.

눈자위는 조금도 웃고 있지 않았다. 불어는 잘하는데, 악센트가 세고, 가다가는 문법적 오류와 미국의 속어를 집어넣었다.

"불어를 퍽 잘 하시는군요" 하고 칭찬을 하니, 그 사나이는 깜짝 놀라면서 대답하였다. "그럼요, 나는 불란서인인 걸요" 하고. 그는 파리 태생으로 15년래 미국에서 살고 있을 뿐이며, 전전에는 반년만큼씩 불란서를 찾아가고 있었다는 것이다. 그러나 미국이 이미 이 사나이를 절반은 사로잡고 있었다. 그의 모친은 파리를 떠나본 일이 없다고 한다. 그가 파나마[2]라는 것을 일부러 저속한 어조로 말하였을 때, 토박이 미국인이 구라파의 지식을 뿌리고 있는 것과 똑같았으며 망명한 불란서인이 고향을 생각하면서 말하고 있는 것같이는 보이지 않았다. 그는 때때로 깜찍하게 눈을 반짝거리면서 "아하 뉴-오르레안스에는 미인투성이가 돼서……"라든가 하는 말을 할 줄도 안다. 그러나 이렇게 말하면서도 그는 미국에 있는 불란서인에 관한 일반적인 표현에 따르고 있을 뿐, 동포와 더불어 흉허물 없는 기분을 만들어 보자는 욕망이 있는 것은 아니었다. "미인투성이가 돼서" 하고 웃고 있었지만, 그것이 냉소적이고, 청교주의와 그리 틀리지 않았기 때문에, 나는 무슨 선뜩한 것을 가슴에 느꼈다.

나는 흡사 오비디우스의 변형담(變形譚)을 눈앞에 보고 있는 것 같은 생각이 들었다. 이 사나이의 얼굴은 또한 지극히 표정적이며, 불란서인의 얼굴과 같이 생각되는 지성이 약간 마음에 걸리는 의태(擬態)를 남기고 있었다. 그러나 이내 그는 나무나 바위가 되어 버릴 것이다. 이와 같은 분해와 형성이 확실하고 민속(敏速)하게 이루어지기 위해서는, 어떠한 강한 힘이 작용하는 것인가 하고 나는 흥미를 느끼면서 생각하여 보았다.

2. [역주] 속어로 파리를 말함.

교묘한 역학

그런데 이것은 포근하게 사람을 설복시켜 버리는 힘이다. 거리를 산책하거나, 상점에 들어가거나, 라디오의 단추를 돌리거나 하면 벌써 그 힘에 부닥칠 수 있고 그것이 열풍(熱風) 모양으로 자기에게 어떠한 영향을 주는지 느낄 수가 있다.

미국에서는 — 적어도 내가 아는 한도 내에 있어서는 — 거리에 있어서도 홀로 있는 일이 없다. 벽이 이야기를 걸어 준다. 바른편에도 왼편에도 포스터나 전기광고나 커다란 게시판이 있다. 게시판에는 단 한 장의 커다란 널판이 붙어 있고, 그 위에는 사진의 몽타주나 통계표가 붙어 있을 따름이다. 이쪽으로 얼굴을 치어들고, 미국의 군인한테 입술을 내어밀고 있는 여성이 있었다. 저쪽에는 도시를 폭격하고 있는 비행기가 있다. 그리고 그 사진 밑에는 "폭탄은 이제 그만, 성서를" 하는 문구가 씌어져 있다. 국가는 제군과 함께 걷고 있고, 제군에게 충고와 명령을 준다. 그러나 국가는 그것을 나지막한 목소리로 하며, 명령에 대해서는 일일이 상세한 설명을 하여준다. 어떠한 명령에도 간단한 설명이 있거나, 설명용의 그림이 붙어 있다. 화장품 광고에도 (당신은 전보다도 오늘은 아름다워졌을 것입니다. '그이'의 귀국을 위하여 얼굴에 손질을 하십시오.) 전시채권용(戰時債券用)의 선전도 이와 동일하다.

어제 나도 폰타나의 레스토랑에서 식사를 하였다. 이것은 테네시의 대 댐의 들러리에 만들어진 인공의 촌락이었다.

이 댐으로 가는 길은 트럭, 자동차, 소형트럭 등이 줄을 대어서 달리고 있지만 이 길옆에는 커다란 포스터가 쭉 붙어 있고, 설명이 없는 만화 모양으로, 노동에 있어서의 연대성(連帶性)의 우화를 보여 주고 있었다. 서로 끈으로 묶어져 있는 두 마리의 당나귀가 상당히 떨어져 있는 마른 풀 더미의 두 개의 산을 향해서 가까이 가려고 애를 쓰고 있다. 각자가 반대의 방향으로 목에 맨 끈을 잡아당기고 있다. 두 마리가 다 목이 졸릴

듯이 되어 있다. 그런데 그들은 깨달았다. 둘이 다 한데 붙어서, 두 마리가 나란히 제1의 마른 풀산을 얌전히 먹기 시작한다. 그것을 다 먹고 난 후에 의좋게 제2의 산을 먹기 시작하는 식으로 그림은 그려져 있다.

분명히 설명은 일부러 빼어 놓은 것이다. 통행인은 '자기의 힘으로' 결론을 끄집어내지 않으면 아니 된다. 억지로 강요하고 있는 것이 아니다. 그와는 반대로 이 그림은 지성에 호소한다. 통행인은 그것을 해석하고, 이해하지 않으면 아니 된다. 나치스의 선전이, 노호(怒號)하는 포스터로 하고 있듯이, 통행인에게 공갈을 때리거나 하는 데가 없다. 그것은 흐리멍텅하게 되어 있고, 협력을 구하며 이해를 받고자 하는 것이다. 그래서 그가 이해하였을 때는, 자기의 힘으로 사상을 만들어낸 것 같은 마음이 들어서, 반 이상은 그것으로 설득을 당하게 된다.

공장에는 어디든지 확성기가 놓여 있다.

확성기는 물질과 씨름을 하고 있는 노동자의 고독감에 저항하는 역할을 하고 있다.

볼티모어의 교외에 있는 그 광대한, 해군의 조선소를 걷고 있으면, 우선 사람이 뜨문뜨문히밖에 없는 것을 알게 된다. 구라파에서는 낯익은 노동자의 깊은 고독감이 있다. 강철판 위에 엎드려서, 마스크를 쓴 사람들은, 하루 종일 산수소관(酸水素管)을 만작거리고 있다. 그러나 마스크를 벗으면 곧 음악소리가 들려온다. 음악은 이미 그들 속으로 살며시 스며드는 일종의 충고이며, 관리된 꿈이다. 그리고 음악이 끝이 나면, 전쟁과 일에 대한 지식이 부여된다.

우리들이 폰타나를 떠날 때, 아주 친절하게 우리들을 이곳저곳으로 안내하여 주던 기사가, 조그마한 유리창이 끼어진 방으로 안내하였다. 거기에는 새로운 녹음반(錄音盤)이 돌고 있었고, 우리들의 소리를 녹음하는 준비가 되어 있었다. 그가 설명하는 소리를 듣자니, 이 댐의 구경을 온 외국인은 누구나, 작별을 할 때, 그의 인상을 추려서 마이크에 취입(吹入)하기로 되어 있다는 것이었다. 이 친절한 주인 측의 신청을 거절할 수도 없는 일이라, 우리들 중에서 영어를 할 줄 아는 사람들이 한 마디씩 감상을 말해서, 그것을 녹음하였다. 내일에는 반드시 이것이 조선소와 카페테리아와 이 마을안의 집집에 방송될 것이다. 노동자들은 자기들이 외국인에게 훌륭한 인상을 준 것을 듣고, 즐겁게 생각하면서 그 일을 계속하게끔 격려(激勵)를 받을 것이다.

이 이외에 라디오에 의한 충고, 신문의 통신, 특히 거의 언제나 교육적인 목적을 가진 무한한 협회의 활동이 있다.

이것으로서 미국시민이 얼마만큼 테두리 속에 들어박히게 되는지 알게 될 것이다.

그러나 이것을 정부나 미국 대자본가의 강압수단이라고 생각하여서는 아니 된다.

그들의 국민성

물론 현 정부는 전쟁을 하고 있다. 전쟁의 선전을 위하여 유사한 방법을 사용하지 않으면 아니 된다. 대체로 정부의 주요한 관심의 하나는 교육적인 것이기 때문이다.

이를테면 테네시주에서 농부들은 매년 옥수수를 뿌려서 토지를 더욱더 쓰게 하여 버리기 때문에 정부는 매년 경작물을 변경하여 토지를 쉬게 할 것을 조금씩 가르치려고 노력하고 있다. 그 목적을 달하기 위하여 포상(전기요금의 할인, 무료 관수설비(灌水設備))과 이론과를 병용(併用)하고 있다. 그러나 문제는 훨씬 더 자연스러운 훨씬 일반적인 현상과 관련되어 있다.

사실상 이와 같은 교육적 경향이 생기는 것은 집단정신으로부터이다. 미국인은 누구나 다른 미국인으로부터 교육을 받고, 그 대신에 또한 다른 미국인을 교육한다. 紐育[3]의 이곳저곳의 칼리지에 또한 칼리지 이외에도,

아메리카화의 강좌가 있다.

거기에서는 무엇이든지 가르치고 있다. 재봉, 요리, 그리고 난봉을 피우는 방법까지도 가르치고 있다. 紐育의 어느 칼리지에서는, 젊은 여성이 난봉을 피워서 결혼을 하려면 어떻게 하면 되느냐하는 강좌가 있다. 이러한 것은 모두가 인간을 만들기 위하여서라기보다도, 순수한 미국인을 만들기 위한 것이다. 미국인만이, 미국의 이성과 그냥 이성을 구별하지 않는다. 그의 인생항로에 에나멜을 칠해서 표시해 놓은 주의(主意)에는 모두 그럴듯한 확실한 이유가 있고, 갖은 친절이 다 되어 있기 때문에 미국인은 결코 자기를 고립무원하게 하지 않는다. 커다란 '보살핌'에 안겨 있다는 감을 가지고 있다.

나는 "현대적인" 모친들을 알았다. 즉 그녀들은 아이들에게 복종을 하도록 잘 타이르고 나서가 아니면 아무것도 명령하지 않는다. 그녀들은 아이들에 대해서 꾸짖거나 때리거나 하기보다도 훨씬 완전하고, 아마 훨씬 놀라울 만한 위엄을 가지고 있다는 것을 확신하고 있다. 이와 마찬가지로, 미국인은 하루 종일 연달아서, 이성과 자유를 권고 받고 있기 때문에, 남에게 부탁받은 것을 이행하는 것을 명예로 알고 있다. 만 사람의 인간과 같이 행동하면서, 그는 가장 이성적이고 동시에 가장 국민적이라고 생각하고 있다. 다시 말하자면 가장 적합적으로 보이면서 가장 자유롭게 느끼는 것이다.

어째 그러냐하면, 내가 생각하는 한에 있어서는 미국 국민의 특성은 힛트러가 독일에 주고, 모라스가 불란서에 주려고 원한 것과는 정반대의 것이 되기 때문이다.

힛트러에 있어서 (혹은 모라스에 있어서도) 어느 구실은 우선 독일적이

• • •

3. 뉴욕의 일본식 한자표기. 이하에서도 뉴욕이라고 쓰지 않고 한자어 그대로 표기한다. 그러나 일본어 번역본의 표기는 ニューヨーク이고 紐育은 김수영이 선택한 번역 표기이다. 이중언어 세대 김수영의 표기습관을 알 수 있는 대목이다.

기 때문에 독일에 대해서 좋은 것이다. 그것이 보편적인 냄새가 나는 것이라면 언제나 경계하면 되는 것이었다.

이와는 반대로 미국인의 특성은 자기의 사상을 보편적으로 해놓은 것이다. 거기에 청교주의(의) 영향이 보이지만, 여기에서는 그것을 밝힐 필요는 없을 것이다. 그러나 특히 골육화한 이성, 눈에 보이는 이성이 구체적으로 일상사적으로 존재하고 있는 것이다. 어느 날 어느 한 미국인이 나에게 말하였다. "요컨대, 외교정책이 이성적이며 건전한 사람들 사이에서만 수행된다면, 전쟁은 영구히 절감될 것이 아니겠나요." 거기에 같이 있던 불란서인들이, 그것은 그렇게 손쉽게 되는 일이 아니라고 말하였더니, 그는 노하기 시작하였다. "그러면 당신들은 묘지를 많이 만드시구려!" 하고 그는 화가 나서 내뱉듯이 말하였다. 나는 아무 말도 하지 않았다. 이래가지고는 강론이 되지 않는다. 나는 악을 믿고 있는데, 그는 믿고 있지 않기 때문이다.

나치스 독일에 관한 문제를 들어 보면 이와 같은 루쏘 류의 낙관주의가 피차의 견해의 차이점이 된다. 잔학행위를 인정하기 위해서는, 인간은 전적으로 악이 될 수 있다는 것을 인정하지 않으면 아니 될 것이다. "두 개의 독일이 있다는 것을 믿고 있습니까?" 하고 미국의 어느 의사가 물어 보았다. 나는 믿지 않는다고 그에게 대답하였다. 그랬더니 그는 말하였다. "그럴 것입니다. 당신에게는 그렇게밖에는 생각이 들지 않을 것입니다. 불란서는 무척 고생을 했으니까요. 그러나 그것은 유감입니다."

여기에 기계가 등장한다. 기계도 보편화의 한 요소이다. 기계장치의 물건은 사실상 대개가 사용법이 하나뿐이고, 첨부된 사용서에 적혀 있는 그대로이다. 마개 따는 기계, 냉장고, 자동차를 미국인은 다른 모든 사람들과 동시에, 그들과 동일한 모양으로 사용한다. 더군다나 이 도구는 주문으로 만든 것이 아니다. 만(萬) 사람을 위해서 만들어진 것이며, 능숙한 사용법만 알면 아무 사람의 말이라도 들을 것이다.

이와 같이 미국인은 요금구(料金口)에 니켈 화폐를 투입할 때, 전차 속에서도, 지하철도에서도, 자동장치의 주점에서도, 자기가 누구라도 좋게끔 느낀다. 그것은 무명의 일 단위가 아니라, 개성을 빼어 버리고, 보편적 비개성에까지 자기를 높인 인간인 것이다.

독특한 자유

나를 제일 먼저 놀라게 한 것은 이 적합주의에 있어서의 전적인 자유이다. 어느 도회치고 紐育만큼 자유로운 데는 없다. 여기서는 무슨 일이라도 제멋대로 할 수 있다. 세론이 경찰 그 자체를 만들고 있다. 자유에 의한 적합주의자이며, 합리주의에 의한 비개성적 인간이면서, 보편적 이성과 그들의 특수한 국민을 동일하게 숭배하면서 동일시하고 있다. 이것이 내가 만난 2, 3의 미국인에 있어서 우선 깨닫게 된 것이었다.

그러나 나는 이내 또한 그들의 끈기 있는 개인주의를 발견하였다. 이와 같은 사회적 적합주의와 개인주의의 통합은 불란서인이 불란서에 대해서 이해하기는 가장 곤란할 것이다. 우리들에 있어서는 개인주의는 "사회에 대한 또한 특히 국가에 대한 개인의 투쟁"이라는 옛날부터의 고전적 형태를 간직하고 있다. 미국에 있어서는 이런 것은 문제도 안 된다. 우선 국가는 오랫동안 하나의 관리에 지나지 않았다. 수 년 전부터 국가는 그와는 다른 역할을 연출하려고 하고 있지만, 그래도 미국인의 국가감정은 변함이 없다. 그것은 '그들의' 국가이며 '그들의' 국민의 표현이다. 그들은 국가에 대해서 깊은 존경과, 소유자의 애정을 가지고 있다.[4]

• • •

4. [원주] 내가 출석한 어느 정치적 집합에서, R·P·F(불란서인민연합, 우익정치단체)의 일단이 방해를 하려고 하였기 때문에 소동이 일어났다. 우리들과 사상을 같이 하고 있는 미국인이, 우리들이 경찰에 신고하려고 하지 않는 것을 보고 놀란 표정을 하였다. 나는 그에게 그것이 재미없는 짓이라는 이유를 설명하여 주었는데 그는 납득이 안 가는 것같이 보였다. "미국에서는 경찰이 전 시민의 보패(寶貝)예요.

紐育을 2, 3일만 산책하여 보면, 미국의 적합주의와 개인주의가 끊으려야 끊을 수 없는 관계에 있다는 것을 깨닫게 된다. 紐育은 평면적으로 가로 또는 세로로 보면 이것은 세계에서 가장 적합적인 도회이다. 옛날부터 내려오는 부로드웨이는 별것이지만 와싱톤 스퀘어에서, 비스듬히 된 길이나 구부러진 길 같은 것은 하나도 없다. 열 줄쯤 되는 긴 평행선이 만핫탄의 구릉에서부터 하렘강까지 똑바로 뻗쳐 있다. 그것이 아베슈[5]이며 이것들은 그보다 훨씬 좁은, 이와는 틀림없는 직각으로 된 백 줄 가량의 선으로 건너질려 있다.

이 바둑판 눈, 이것이 紐育이다. 도로는 모두가 비슷비슷하기 때문에 이름을 붙일 수가 없다. 그래서 군인과 같이 등록번호를 붙이기만 하기로 한 것이다.

그러나 얼굴을 위로 돌리면, 만사가 획 달라진다. 높이에서 볼 것 같으면, 紐育은 개인주의의 승리이다. 빌딩의 높이는 도시계획의 어떠한 규격에서도 벗어나고 있다. 28층, 56층, 101층짜리도 있고, 회색, 갈색, 백색도 있고, 모을식[6], 중세식, 르네상스식 또는 현대식의 것도 있다. 아래쪽의 부로드웨이는, 빌딩의 콩나물시루이며, 흑색을 한 소교회 같은 것은 깔려서 찌부러질 지경이다. 그리고는 별안간 사이가 벌어져 광채의 구멍이 그 사이에서 입을 딱 벌리고 있다. 부루크린의 조망은 모로코의 스으스 지방의 개천 천변의 야자수의 나무 줄의 고독과 고귀를 보는 것 같은 감이 든다. 스카이스크레퍼의 나무 줄은 언제나 묶음으로 해서 보고 싶어지는데, 그것은 언제나 흩어져 버린다.

그렇기 때문에 미국의 개인주의는 나에게는 우선 삼차원인 것같이 생각된다.

• • •

경찰의 힘을 빌리는 것이 '마땅하다'고 생각하는데요" 하고 그는 나에게 말하였다.

5. 아베뉴의 오식. avenue를 의미한다.

6. mall style. 쇼핑센터 형식의 건축을 뜻함.

미국의 개인주의는 적합주의와 대립하지 않고, 반대로 그것을 전제로 하고 있다. 그러나 그것은 적합주의의 복판에 있으면서, 높이와 깊이에 있어서 새로운 방향을 가리키고 있는 것이다.

우선 생존경쟁이 있다 — 그리고 이 경쟁은 상당히 치열하다. 각 개인은 성공을 원하고 — 즉 돈을 모을 것을 원하고 있다. 그렇지만 그것을 탐욕이라고 생각하거나 단순히 사치의 취미라고 생각하여서는 아니 될 것이다. 금전은 미국에서 성공을 표시하는 필요한, 그렇지만 상징적인 기호에 지나지 않는 것같이 생각된다. 사람은 성공하지 않으면 아니 된다. 성공은 도덕적 미점(美點)과 지성의 증거이며, 또한 신성한 보호를 받고 있는 것을 표시하는 것이기 때문이다.

또한 사람은 성공하지 않으면 아니 된다. 성공한 후에 군중 앞에 어엿한 한 사람의 인간으로서 나타날 수 있게 되기 때문이다. 미국의 신문을 보라. 제군이 성공하지 않는 한 제군의 원고는 내어 준 대로 게재(揭載)되기를 원할 수는 없을 것이다. 잘리거나, 깎기거나 할 것이다. 그러나 부자의 이름을 가지고 있으면, 만사가 틀려진다. 원고를 자르지 않고 실을 것이다. 제군은 제군이라는 권리를 가지고 있기 때문이다. 연극에서도 마찬가지이다. 불란서문학에 정통하고 있고, 출판계에서 유명한 어느 부인이, 나의 희곡이 때때로 미국에서 상연되기를 희망하느냐고 물어 보았다. 내가, 소문에 듣고 있듯이 연출가가 내어 준 원본을 제 마음대로 고치거나 하는 버릇이 없다면, 상연되기를 원한다고 대답하였다. 그러니까 상대방의 부인은 퍽 놀란 듯한 얼굴을 하면서, "연출가가 그것을 안 하면 누가 하나요?" 하고 말하였다. "당신이 쓴 것은 읽기 위한 것이에요. 그것을 듣기 위한 것으로 하기 위해서는 연출가가 손을 대지 않으면 아니 된답니다."[7]

7. [원주] 이것이 구라브젠코사건의 과오의 원인이다. 고쳐 쓴다는 것이 관례(慣例)가 되어 있기 때문에 구라브젠코는 미국인에 있어서는, 자저(自著)의 필자라는 것이 된다. 우리들은 반대로 그러한 그를 필자라고 보기는 어렵다.

현대식 개인주의

이와 같이 미국에 있어서의 개인주의는 생존경쟁 속에 있어서, 특히 개인 상태에 대한 매개인의 정열적인 소망이다. 개인 속에는 미국의 스카이스크레퍼가 있고, 포오드가 있고, 록페에러가 있고, 헤밍웨이가 있고, 루우즈벨트가 있는 것이다. 그들은 전형(典型)이며, 모범이다.

이런 의미에 있어서 빌딩은 성공의 공납물이다. 그것들은 자유의 상의 배후에 있어가지고, 남의 위에 솟아오른 인간의, 혹은 기업의 상과 같은 것이다. 그것은 개인의 집단에 의하여 세워진, 광고적인 대 사업이며, 그의 대부분은 그들의 재산적 승리를 나타내고 있다. 소유자는, 그 건물의 소부분을 점유하고 있을 뿐 나머지는 세를 놓고 있다. 그렇기 때문에 빌딩이 紐育의 개인주의를 상징하고 있는 것같이 보이는 것은 틀린 것이 아닐 것이다. 그것들은 미국에 있어서 개성이 획득된다는 것을 솔직하게 표시하고 있다. 그것 때문에 필경 紐育의 시민들이 그처럼 정열적으로 자유경제에 집착하고 있는 것같이 보이는 것이다.

그러나 각 개인은 미국에 있어서의 트러스트의 세력을 알고 있다—트러스트는 결국 통제경제의 별(別) 형태를 나타내고 있다. 그러나 紐育의 시민들은 사람이 독특한 수단으로 재산을 쌓아올린 시대의 일을 잊어버릴 수 없었다. 통제경제에 있어서 그들이 싫어하는 것은 관료제도이다. 그러니까 역설적이 되지만, 공사의 생활에서 지도당하는 것을 아무렇지도 않게 생각하는 인간이 자기의 "일"(숲)에 관해서는 완고하기 짝이 없이 된다. 그 점에 바로, 그의 독립, 창립, 인간의 위엄을 놓고 있기 때문이다.

그 나머지 일은 "협회"가 해주고 있다. 1930년에 화부(華府)[8]에는 150여

● ● ●

8. 워싱턴을 의미하는 華盛頓의 준말.

개의 협회와 단체의 본부가 있었다. 그중의 하나인 "외교정책협회"를 예로 들어 보자.

어느 건물의 18층에서 "홍다홍잔(紅茶紅盞)을 둘러싸고", 몇 사람의 은발을 한, 애교가 있으면서 약간 차디찬 데가 있는, 남자같이 지적인 부인들과 만났다. 부인은, 전쟁 이래, 어느 협회에서나 과반수를 차지하고 있다. 몇 명의 사람들이, 1917년에, 미국이 국외의 정치의 일을 아무것도 모르고 어떻게 전쟁에 돌입했던가를 곰곰이 깨달았기 때문에, 그들의 자유로운 시간을 틈타서 국가가 가지고 있지 않은 지식을 국가에 부여할 결심을 한 자초지종을, 그녀들은 말하여 주었다.

이 연맹은 오늘날에 있어서도 2,600명의 가입자가 있고, 각 주에 삼백의 지부를 가지고 있다. 오백 이상의 신문이 여기의 자료를 받아들이고 있다. 정치가는 여기의 출판물을 참고로 하고 있다. 이 연맹은 그러면서도 대중에 정보를 줄 것을 생각하고 있지 않다. 그보다도 정보가(학자, 교수, 승려, 저널리스트)들에게 정보를 준다. 매주, 연맹은 국제문제의 연구, 화부(華府)의 사건의 주석을 포함한 주보(週報)를 내어 놓고 있다. 2주일에 한 번씩 각 신문사에 자료를 보내는데, 신문에서는 그것을 재록(再錄)하거나 일부분을 사용하고 있다.

불란서에서 1939년에, 이러한 종류의 협회가 보네라든가 다라디에에 자료를 제공하거나 『액숑, 후랑세스』지[9]를 위하여 모라스에게, 또한 『유마니떼』지(극좌지(極左紙))에 정기간행물을 보낼 것을 상상할 수 있었던가.

그러나 내가 제일 느낀 것은 여기의 부인이 마지막으로 말한 말이었다. "이러한 일로서, 우리들은 개인을 보호하기로 되어 있어요. 연맹에 속하지 않고 있는 사람은 고립하고 있어요. 연맹에 들어가 있으면, 어엿한 개인이 됩니다. 몇 군데의 연맹에 들어가 있으면, 하나하나의 연맹에 대해서 자기를 지킬 수가 있답니다."라고 그녀는 나에게 말하였다. 이와 같은

● ● ●

9. [역주] <극우신문(極右新聞)>, 일역본의 주석.

개인주의의 의미는 안다. 즉 시민이 된 사람은 우선 자기 자신을 테두리 속에 끼우고, 자기를 지키지 않으면 아니 된다. 동종의 다른 시민들과 사회적 계약을 맺지 않으면 아니 된다는 말이다. 그에게 개인적 기능과 개인으로서의 가치를 부여하는 것은, 이 축소된 집단이다. 협회의 내부에 있어서 그는 지도권을 가질 수도 있고, 개인적인 정치를 하고, 가능하다면, 집단의 방향에 영향을 줄 수도 있을 것이다.

미국에 대해서 고립자(孤立者)가 경계심을 깨우쳐지게 되면 그만큼 통제를 당하고 테두리 속에 끼어진 개인주의를 번영시키게 된다. 그 때문에 전혀 다른 분야에 있어서 공업계와 수뇌부는 그의 종업원에게 자기비판을 장려(獎勵)하는 방책을 강구하고 있는 것이다.

노동자가 조합화되고 정부의 선전과 경영자의 선전이 그를 공동체 속에 충분히 통합하였을 때, '그때에 비로소' 타인에게서부터 자기를 분리시키고, 창의를 나타낼 것을 그에게 요구하게 된다. 우리들은 여러 번, 공장의 입구에 야한 색채의 조그마한 집이 있어가지고, 그 유리창 뒤에, 종업원들에 의해서 고안된 개량품(改良品)과 그로 인해서 때때로 표창된 발명자의 사진이 진열되어 있는 것을 보았다.

이상, 나는 미국의 시민이 탄생에서부터, 죽을 때까지 얼마나 조직과 힘찬 아메리카화의 힘에 따르고 있는가를 이해시키기 위하여 충분히 진술해 온 셈이다. 또한 그가 최초에는, 그의 이성, 시민의식, 자유에 대한 끊임없는 요구 때문에 비개성화하고, 직업적인 조직과 도덕적 교화교육기관에 의하여 국가의 테두리 속에 끼우게 된 후에, 어떻게 그가 별안간에 자의식과 개인의 자치권을 회복하는가를 말하였다. 그때에 그는 紐育의 밝은 하늘 속에서, 스카이스레퍼가 상징하고 있는, 거의 니이체 풍의 개인주의를 향하여 탈출하는 자유를 갖게 된다. 그러나 어쨌든 그것은 불란서에 있어서와 같은 개인주의가 아니라, 그 근저(根底)에는 적합주의가 있다. 개성은 획득하지 않으면 아니 된다. 그것이 사회적 기능, 혹은 성공의 승인이 되기 때문이다.

—〈후기〉 싸르트르는 1945년에 미국에 갔는데, 그때 미국은 아직 일본과 싸움을 하고 있었을 때이며, 말하자면 전쟁 중이었다. 이상의 논문은 그때에 쓴 견문기이기 때문에, 미국의 전시 풍경의 일부를 구라파인의 눈을 가지고 생생하게 포착하고 있지만 그것이 또한 싸르트르의 미국관을 쌓아 올리는 데 좋은 기회도 되었다. 전시의 통제경제 속에서 오히려 미국의 국민성의 가장 특징적인 것이 뚜렷이 나타날 수 있었기 때문이다. 즉 그것은 적합주의를 기반으로 한 개인주의라는 것이다. 싸르트르는 미국의 적합주의가 자유를 방해하는 것이라고는 생각하지 않고, 오히려 미국적 자유와 진보를 위한 근본적 요소라고 보고 있다. 이 점이 다른 구라파인들의 미국관과 다르다.[10]

–『자유세계』, 1958. 6.

10. 이 <후기>는 김수영의 것이 아니라 일역자의 것이다.

아마추어 시인의 거점

— 워레스 스티븐스의 시세계를 중심으로

리오넬 아벨(Lionel Abel)[1]

위대한 시인이란 항상 궤테가 말하는 '때때로의' 영감을 필요로 하고 있는 아마추어 시인이다.

동시에 그는 그의 기교의 계속적인 실천에 이바지하고, 호프킨스가 가지고 있는 것과 같은 "좋은 시작(詩作)을 수의(隨意)로 할 수 있는 '직업' 시인이어야 한다. 따라서 그는 또한 필연적으로 '전체' 시인(total poet)이 될 것이다."[2]라는 것은 위대성을 위해서는 그가 그의 예술에 부여하는 위임장이 그의 전 본질을 포함하지 않으면 아니 되기 때문이다.

그렇기 때문에 위대한 시인은 부유하다. 그리고 또한 그는 빈곤한 것이다. 그는 시에 대하여 세 가지 자세를 가지고 있지만, 결국에 있어서는 그 세 가지 중의 단 한 가지 자세만이 그를 대표할 수 있다. 이리하여 우리들은, 보오드렐에 있어서 아마추어적인 면과 직업적인 면과를 지극히 뚜렷하게 볼 수 있지만, 그가 전체 시인이라는 것을 곧 알게 된다. 또한

1. Lionel Abel(1910-2001). 미국의 극작가, 비평가, 에세이스트.
2. 큰따옴표가 없는 문장인데 김수영이 임의로 큰따옴표를 삽입했다.

우리들은, 파운드와 에리옽의 시에 대한 위임장이 독자가 만족을 느낄 만큼 온전한 것이지만 그들이 직업 시인이라는 것을 알게 된다. 확실히 그들은 직업선수로서 '위대'하게 될 수 있을 만큼 아마추어적인 면을 '충분히' 자신들에게 허락하였던 것이다.

그러나 우리들은 그의 태도가 본질적으로 아마추어적인 위대한 시의 제작자를 어디서 찾아볼 수 있겠는가? 우리들의 염두에 떠오르는 것은 워레스 스티븐스(Wallace Stevens)의 이름이다. 그를 아마추어 시인이라고 부른다고 해서, 거기에 시에 대한 그의 애착의 문제나, 그의 전문적 기술에 대한 비난의 뜻이 포함돼 있는 것은 아니다. 나의 주장은 단순히, 스티븐스를 아마추어라고 봄으로써 우리들이 그의 시인적 기술의 의미와 역설적으로 그의 예술에 대한 그의 위임의 진정한 극단에 가장 잘 접근할 수 있다는 그것뿐이다. 스티븐스를 보는 데 있어서 우리들은 그 자신의 시가 언더라인하고 있는 것을 그에게 언더라인하면서, 그가 몸소 강조하고 있는 점을 강조하지 않으면 아니 된다. 이 현대적 대가는 그의 아마추어의 태도에 기이한 내용을 부여하였는데 그것은 본질적으로 역사적인 것이다. 그는 전적으로 현대인이다. 그러나 사실상 그와 흡사한 시인은 아무도 없으며, 어느 세부의 기교적인 점을 빼어 놓고는 그와 유익하게 비교될 수 있는 시인은 한 사람도 없다.

스티븐스는 1955년 8월에 죽었다. 아직까지 그에 대한 전기는 없으며, 따라서 우리들이 그이 생애에 대해서 알고 있는 몇 가지의 사실은 알후레드 크레임보그[3]와 위리암 반 오코나의 혜택에서 오는 것이다. 후자의 스티븐스에 대한 저서인 『구현의 정신(*The Shaping Spirit*)』은 주로 스티븐스의 시의 분석이지만, 그중의 간단한 1장에는 시인의 생활에 대해서 그 후 널리 알려지게 된 객관적인 자료가 들어 있다. 우리들이 여기에서 볼 수 있는 것은 대부분이 전혀 알려지지 않은 사실이며, 우선 스티븐스가

• • •

3. Alfred Kreymborg(1883-1966). 미국의 시인, 소설가.

1879년에 탄생하였다는 사실부터가 그러하다. 여기에서 우리들은 스티븐스가 1900년까지 하아바드에 다녔으며 1904년에 뉴욕 법률학교를 졸업하였다는 사실을 알게 된다. 또한 우리들은 다음과 같은 사실도 알 수 있다 — 그의 조상은 독일인이었고 그의 처는 파란토인(波蘭土人)[4]이었으며, 호리 부라이트라는 딸이 하나 있었고, 또한 그의 시의 이러이러한 것은 이러이러한 간격을 두고 발표되었다는 등. 결국 친근한 사실이면서도 그것이 진술될 때에 독자에게 요긴한 계시의 감각을 주지 않을 수 없는 따위의 사소한 사실. 반 오코나 씨가 말하고 있는 것처럼, "워레스 스티븐스는 수많은 개소(個所)에서 그의 동료 시인들의 상상력을 빌려 왔으며, 그는 결코 보험 법률학자는 못 되었고, 1914년 이후에는 하아트포드사고손해배상보험회사의 부사장이었다." 우리들에게 이와 같은 사실을 말하고 그의 취지를 주장한 다음에 오코나 씨는 이상하게도 이러한 사업 그 자체는 아무런 의미도 없다고 결정을 내리고 있다.

그는 한걸음 더 나아가서 시인의 친구인 알후레드 크레임보그가 그의 저서 『우리들의 노래하는 힘(*Our Singing Strength*)』 속에서 우리들에게 묘출(描出)하여준 스티븐스의 이미지에 대해서 혹평을 가하고 있다. 반 오코나 씨는 이 이미지를 고담(古譚)이라고 부른다. 어째 그러냐? 그것은 크레임보그가 스티븐스의 실업가로서의 특이성을 지극히 강하게 느끼고, 거기에 스티븐스로서의 직업 시인적 생애에 대한 실질적인 거부를 포함시켜 놓았기 때문이다. 분명히 반 오코나 씨에게 있어서는 크레임보그의 이미지는 시를 제작하려고 전심전력을 다하고 있는 시인의 이미지가 아니었으며, 따라서 그의 항의를 유발(誘發)한 것도 이와 같은 스티븐스에 대한 개념에서 오는 것이었다. 그러나 스티븐스의 입장으로 볼 것 같으면 시로부터의 혹종(或種)의 초월은 지극히 뚜렷하게 나타나 있는 것이기 때문에, 결국에 있어서 문제는 그의 초월의 의의를 결정짓는 데 있으며,

4. 폴란드인.

우리들이 여기에서 시도하고 있는 것도 바로 그것이다.

알후레드 크레임보그의 묘사는 어떠한가? 그의 말에 의하면 극도로 말이 없고 수줍은 스티븐스는 그의 생전의 대부분을 거의 완전히 문단에서 떨어져서 지냈다. 그는 문단에 나서서 떠들썩한 문학운동의 수많은 논쟁에 추종하지도 않았고, 거의 40년간에 걸쳐 문학세계에 강렬한 빛을 던진 전통 반대나 전통 지지의 상접(相接)하는 제 반항에 참가하지도 않았다 — 그렇지만 그동안에 스티븐스는 그 자신의 시적 개념을 연마하고 그의 독특한 스타일을 완성하였던 것이다. 스티븐스의 최초의 시집 『소풍금(*Harmonium*)』은 1923년에 출판되었는데, 당시에 그의 나이는 이미 40세였으며, 이 책이 그의 친구의 강요 때문에 나오게 되었다고 적혀져 있었다. 스티븐스는 '어려운' 시의 현대적 전통에 속하는 진귀하고 섬세한 시의 창조자이었지만, 그는 오랫동안을 두고 그러한 시를 위한 선전을 하거나 그에 대한 보다 더 좋은 감상을 위하여 사람들을 교육하려거나 하는 노력을 거의 하지 않았다. 그는 분명히 자기 자신을 본질적으로 문인이라고 간주하지는 않았다. 그러나 그는 그 자신을 무엇보다도 우선 사무가라고 생각하고 있었다. 그는 이따금씩 사무에도 돈벌이의 실제적인 모험에도 소송과 보험관계의 언어에도 모두 다 싫증을 느끼었다. 그런 때면 그는 휴가를 틈타서 후로리다나 카로리나나 하바나로 놀러갔다. 그는 언제나 멋있게 살기를 좋아하였던 것같이 보인다. 새로웁고, 보다 더 이국적이고 화려한 고장에 끌려간 그는 한층 더 상쾌하고 매력적인 언어로 이야기할 필요를 느끼는 것이었다. 그는 시가 쓰고 싶었다. 따라서 그러한 시들은 심미적인 상품으로써 의도된 것도 아니며, 어느 특별한 청중의 요구를 만족시키기 위하여 제작된 것도 아니었다. 즉 그러한 시들은 일반적으로 공중을 목표로 하고 씌어진 것이 아니었다. 그것들은 워레스 스티븐스의 멋진 시간에 속하는 자기완성을 위한 개인적인 필요에서 우러나온 것이라고 생각된다.

나는 이러한 이미지가 대체로 정확하다고 믿는다. 그러나 내가 시인의 이와 같은 초상을 수락하는 이유는 근본적으로 그의 시 그 자체이다.

리챠드 브락그마는 그의 훌륭한 논문 「워레스 스티븐스의 표본(Examples of Wallace Stevens)」에서 "워레스 스티븐스의 시에 대한 가장 중요한 일이라고까지는 할 수 없더라도, 가장 눈에 띄는 일은 그의 어휘이다"라고 말하고 있다. 이 안에서 우리들은 재래의 용법에 속하지 않는 대량의 단어를 발견한다. 수많은 말은 고어이며, 또한 수많은 말은 — 불란서어, 이태리어, 나전어, 서반아어에서 온 — 스티븐스의 보호 하에서 영시 안에 처음 자태를 나타내게 된 외래어들이다. 부락그마는 그러한 지극히 전형적인 말을 뽑아 놓았으며, 따라서 그러한 말들을 골라낸 이유에 대한 그의 판단에 동의하기를 원하지 않는 나는 다만 그가 목록에 넣기 위하여 선출한 단어들을 인용할 수 있을 뿐이다. 그것들은 fubbed, girandoles, curlicues, catarrhs, gobbet, diaphanes, clopping, miniscule, pipping, pannicles, carked, ructive, rapey, cantilence, buffo, fiscs, phylactery, princox 그리고 funest이다. '이상에 열거한 단어는 하나도 정확하게 사용되어 있는 것이 없다'고 부락그마는 말하고 있으며 그의 논문의 일부는 내가 보기에는 이러한 부정(不正)한 주장을 위한 상세한 논변에 바치어지고 있다. 분명히 이러한 단어들은 다만 기능상으로 뿐만이 아닌, 단어 그 자체들을 위하여 선택되고 있다. 그것들은 '말씨의 결벽성에 대한 어느 취미'를 나타내고 있으며, 그것은 부락그마가 시도하고 있듯이 이 취미를 만족시키는 데 있어서 그것들이 교묘하게 사용되고 있다는 사실의 표시에 의하여 부정(否定)될 수 없는 일이다. 스티븐스가 진귀한 효과를 가진 단어를 좋아하고 있다는 것은 사실이다. 뿐만 아니라 그는 titivating, idiosyncratic, titilations 등과 같은 길고 실러블이 많은 단어에 대한 편애를 가지고 있다. 여기에서 나는, 그러한 길고도 불필요한 음절의 단어와 부락그마의 목록표에 있는 진묘(珍妙)한 어구와의 결합이 언어상의 풍부성의 효과를 조성하고 있다고 말하고 싶다. 이것은 훌륭하고, 장식적이고, 고가(高價)한 언어이다. 이것은 '정확한 언어'를 찾고 있는 시인의 말이 아니라, 우연히도 단어에 있어서 극도로 부유하게 된 시인 스티븐스를 위하여서만 흡족한 말이다. 분석적인 면은 덜하지만 역시 동일한 효과적인 요소, 즉 단어가 결합문자에 있어서 결합되고 있는 방식, 다시 말하자면 병치(竝置)의 방법에 의하여 조성되는 구조가, 이와 같은 부유성의 효과에 이바지하고 있다.

In that November off Tehuantapec
The night-long slopping of the sea grew still.
A mallow morning dozed upon the deck
And made one think of musky chocolate
And frail umbrellas.

티리휴안타펙[5] 근해의 그 십일월 달에
온 밤을 두고 넘쳐흐르던 바다는 잔잔해졌다.
당아욱빛 아침이 갑판 위에서 졸음을 졸았고
사향내 나는 쵸코렛과 연약한 우산을 생각하게 하였다.

이러한 구절을 읽을 때에 우리들은 좀처럼 손에 놓을 수 없는 가장 값비싼 장식품으로 치장을 한 진정한 언어의 생과자에 직면한 것 같은 감을 갖게 되며, 그 생과자를 조합하기에 필요한 기술에 아무리 큰 탄복감을 느끼더라도 역시 우리들은 그의 성분에서 오는 부가적인 쾌락을 아니 느낄 수 없다. 스티븐스가 그러지 않았다고 우리들은 상상할 수 있겠는가? 스티븐스의 시에 나오는 동사는 그가 묘사에 흥미를 가질 수 있는 종류의 활동을 보이어 주지 않으면 아니 된다. 그것들은 더할 나위 없이 안락한 종류의 활동들이라는 것을 알게 된다. rumble, flutter, nibble, jig, jollify, gobble, gloze, dawdle, undulate 그리고 mulct 같은 동사가 가장 전형적이다.

5. 테우안타펙의 오식.

이상에 열거한 동사 — 이것들은 내가 대충 손에 잡히는 대로 골랐다 — 는 단 하나만을 빼어 놓고는 형벌이나 고통의 경험을 포함한 활동을 묘사한 것이 하나도 없다는 것을 볼 수 있을 것이다. 그것들은, 단 하나의 동사만을 빼어 놓고는, 전부가 강제와 폭력의 정반대적 극지(極地)에 위치하고 있는 것이라고 말할 수 있을 것이다. 물론 이 단 하나의 열외라는 것은 동사 mulct이다. 그러나 이 단어도 그것이 요사이 상용되고 있는 술어(術語)가 아니라는 사실에 의해서 누구한테서 무엇을 약탈한다는 난폭한 함축이 제거되어 있다. 그 단어의 고어적(古語的) 특성은 그의 결착성(決着性)을 연화(軟化)하고 있는 것이다. 또한 스티븐스의 시 속의 제 행동이 bland, dainty, facile, voluble, delicate, placid 같은 말로써 한층 더 연화되어 있는 것을 볼 때, 나는 스티븐스의 시가 다루고 있는 제 활동이 완만한 비격렬적인 특징을 가지고 있는 것이라는 나의 견해에 대해서 지지를 발견한 것 같은 생각이 든다.

안락한 게으름뱅이한테 소중하게 생각될 수 있는 사물 — 피아노, 만도링, 기타, 반죠 등 — 이 상당히 많이 들어 있다는 사실은 이러한 인상을 한층 더 강화하고 있다. 거기에는 또한 쵸코렛, 캬라멜, 감초, 아이스크림, 온갖 묘사의 과실, 향수, 파라솔이 상당히 많이 들어 있다. 새들 중에도 거취조(巨嘴鳥), 태닝거, 현소조(懸巢鳥), 홍학, 백조, 앵무새, 패라키드가 있고, 미술품과 같은 매력을 가진 기묘하고도 화려한 새들이 있다.[6] 미술품도 빠져 있지 않다. 또한 조상(彫像)과 공원이 있다.

스티븐스의 시는 육중한 채색을 하고 있다. 그는 상당히 넓은 팔레트를 가지고 있으며, 오늘날의 시에 있어서 상당히 통속화된 청색, 녹색, 황색, 적색 등에 대해서 뿐만 아니라, 라즈베리색, 제리 애로운색, 쵸코렛색,

● ● ●

6. 원문은 "there are of birds, the toucan, the jay, the tanninger, the flamingo, the swan, the parakeet and the parrot, birds curious and colorful that, like works of art, have distraction value"이다.

터어키옥색, 심홍색, 황주색, 홍색, 도색(桃色)에 대한 감각도 가지고 있다. 스티븐스의 색깔의 용법을 불란서의 천재 알츄 램보의 그것과 비교하여 볼 때, 나는 주목할 만한 가치가 있는 날카로운 대척점(對蹠點)을 발견한다. 램보는, 그의 팔레트가 (스티븐스에 비하여) 오히려 한층 더 제한된 인습적인 것이기는 하지만, 역시 스티븐스와 마찬가지의 열렬한 색채가이다. 그러나 램보에 있어서 독자를 감동시키는 것은 그가 그의 제한된 색채 범위를 가지고 조성하려고 드는 난폭한 폭발적인 효과이다. 그에게 있어서, 색깔은 현실의 폭학성(爆虐性)을 상징한다. 그의 시에 있어서는 색깔은 형이상학적인 표식(標識) 모양으로 폭력의 충분한 발휘를 위하여 우리들의 감정에 가동성을 주고 있다. 스티븐스는 램보보다 훨씬 덜 제한된 색책 범위를 가지고 가장 반대적인 효과를 조성하고 있다 — 장식적인 체재, 아라베스크, 쏜살같이 사라져 버리는 그늘. 양자 간의 대조를 지적하자면, 램보에 있어서는 색깔은 사물의 표면에 있는 것이 아니라 물질적 구조의 깊은 밑바닥에서부터 발출하여 오는 것같이 생각되는데, 스티븐스의 시에 있어서는 색깔은 솜씨 있게 고안되고 교묘하게 입히어진 의상이라고 할 수 있다.

따라서 스티븐스의 시의 기분은 감각적인 향락과 정신적 문제의 둘 중에서 후자를 택한 시인에게 특유한 긴장미를 결(缺)한 묵상적이며 한가로운 것이다. 그리고 또 하나의 사실이 있다 — 즉 이와 같은 수많은 시의 장소가, 감정과의 연관성이 없이 진술된 고장으로서, 관광객과 휴가자를 이끄는 서구 반구의 유명한 장소, 후로리다, 카로리나, 큐바, 멕시코에 있는 명승지들이라는 것이다.

여지까지 내가 스티븐스의 시에 대해서 주목한 사실은 대부분이 실험적으로 확증될 수 있을 것이다. 그러기 위해서는 여러분은 다만 원서를 조사해 보지 않으면 아니 된다. 그러면 이제부터 나는 감히 보편적인 문제를 다루어 보겠다.

스티븐스의 시는 다른 어떤 시에서도 찾아볼 수 없는 훌륭한 점을 가지고 있다는 것을 잊어버려서는 아니 된다. 니체는 모든 심오(深奧)한 것은 그 주위에 제한된 수평선을 긋고 있다고 말하고 있다. 워레스 스티븐스의 시는 그 상태와 일치되고 있으며, 즐거우리만치 명확하고 가장 특징적인 개성을 지니고 있다. 그의 시의 주위에는 그의 시를 다른 여하한 시와도 구별할 수 있는 원주(圓周)가 있다. 여지까지 나는 그 원주를 따라왔다. 인제부터 나는 그 속에 무엇이 들어 있는가를 살펴보기로 하겠다.

그리하여 내가 남보다 먼저 시작하여온 문제는 다음과 같은 것이다 — 안락한 활동을 묘사하고, 게으름뱅이의 마음을 매료하는 사물을 목록(화)하고 휴가자의 마음에 드는 명승지에서 묵상적인 느슨한 음조로 말하는, 항상 화려하고 어디까지나 장식적인 이와 같은 색채적인 언어의 심장부에는 존재에 대한 어떠한 판단이 존재하고 있는가? 워레스 스티븐스의 시의 내용은 무엇인가? 프라톤적인 의미에서, 그의 이데아는 무엇인가?

내가 확실히 알고 있는 한 가지 일, 즉 내가 탐구하고 있는 판단은 — 이것은 스티븐스의 작품 안에서도 명백히 표현되어 있지 않을 것이다 — 인생에 관한 시의 권리에 대한 결정으로 나타나게 될 것이다. 어째 그러냐하면 시에 대한 인생의 관계는 스티븐스의 시에 있어서는 항상 신비와 난제와 매력으로서 추구되고 있기 때문이다. 서두에서 나는 스티븐스의 태도를 아마추어 시인의 태도라고 특징지어 놓았다. 지금 나는 그 태도의 내용이 어떠한 것인가를 감히 말하여 보겠다. 일반적으로 말하자면, 대부분의 시간을 다른 사무에 종사하고 있는 아마추어 시인은 시작품을 가지고 사랑이나 죽음이나 우정과 같은 어느 특별한 사연에 응답하고 있다. 스티븐스도, 그 자신의 특별한 방법으로 이러한 표본을 따르면서, 모든 사람들이 직업기질과 노고를 집어 치우고 그들이 느끼는 쾌락만이 정당하게 통할할 수 있는 일에 착수하고 있을 때에 그 '사연의 제도'에서 영감을 위한 단서를 잡지 않을 수 있었던가? 스티븐스에게 있어서는 사업의 의무에서 도덕적으로 해방되는 순간이 산문에서부터 운문에까지 이르는 음악운동이 시작되는 순간이었다. 이리하여 어느 때이고 시인에 의하여 취해지는 언어의 쾌락은 모든 사람의 쾌락의 대상과 상관되는 위치에 놓이어지며 특유한 것으로 되는 것이다. 스티븐스에게 있어서, 시는 휴가의 언어가 되지 않을 수 있었던가? 그는 이렇게 썼다.

> How easily the feelings flow somewhere
> Over the simplest words.
> It is too cold for work now in the fields.

> 감정들은 너무나 쉽사리도 가장 단순한 언어를 넘어서
> 어디로인지 흘러간다.
> 지금 여기 일터에서 다루기에는 그것은 너무나 차디차다.

나의 가설의 가치는 여러분이 마음속에 그것을 간직하고 있으면 주제의 사물이 스티븐스의 시 속에서 어떻게 특징적으로 변형되는가를 당장에 알 수 있는 데 있다. 그는 이를테면 사랑이나 죽음 같은 어느 중대한 국면의 경험을 다루려고 할 때 혹종의 고의적인 명랑성과 경박한 기질이 없이는 그것을 자유로이 — 즉 수사학적(修辭學的)인 자유 — 취급하지 못한다. 사랑은

> ……a book too mad to read
> Until one merely reads to pass the time

> 단순히 시간을 보내려고 읽게 되기까지는
> 너무도 정신이 뒤집혀서 읽을 수가 없는 책……

이 된다. 죽음은 '아이스크림의 황제'가 된다. 가장 전형적인 것으로, 스티븐스는 노동자에 대한 시를 쓰려고 원할 때, 공장에서 일하고 있는

그들을 그리지 않고, 공원에서 일요일 날을 한가하게 즐기고 있는 그들을 그리었다. 독재자에 대한 시를 썼을 때도 그는 독재자를 마스큐린이라는 이름의 요트 위에다 갖다 놓았다. 물체가 그에게 있어서 시적으로 되는 것은, 그것들이 보통 본래부터 소속되어 있는 엄정한 관계에서 해방되어, 유쾌한 관찰대상으로 물러나 있을 때이었다. 그는 레닌을 보았다 — 어떻게?

On a bench beside a lake disturbed
By swans

백조에게
해살을 당하고 있는 호수가의 벤치 위에서

스티븐스는 그의 전반적인 견해, 즉 그가 말하는 '위협적인 명제'를 예증하기 위한 현실과 상상력의 관계에 대한 강의에서 다음과 같이 말하였다 — "우리들은, 상상력의 여하한 개재(介在)도 없이, 있는 그대로, 상상력이 풍부한 물체가 된다고 생각되는 수많은 사물이 존재하고 있다고, 그리고 절대적인 사실은 상상력이 포함하고 있는 모든 것을 포함하고 있다는 것이 확실한 진리이라고 말할 수 있도록 우리들 자신을 제한하지 않으면 아니 된다……. 우리들은 도처에서 이 사실의 시위(示威)를 본다. 이를테면, 만약에 우리들이 눈을 감고 유쾌하게 일요일을 소비할 수 있는 고장을 생각하여 본다면……."(「성년 시인의 청춘의 모습(The Figure of the Youth as Virile Poet)」) 이 이상 더 명료한 일이 어디 있겠는가? 시와 현실과의 관계에 대한 자기의 견해를 옹고하려고 원하였을 때 스티븐스의 염두에 자연발생적으로 떠오른 이미지는 '유쾌하게 일요일을 소비'할 수 있는 지점에 대한 것이었다. 동 강의에서 스티븐스는 시를 '존재에 대한 비공식적인 견해'라고 규정하였다.

아마추어 시인. 그러나 그것을 논의하느라고, 나는 너무나 많은 것을 논의하지 않았던가? 왜냐하면 스티븐스는 의심할 여지없는 '위대한' 시인이었기 때문이다. 서두에서 나는, 위대한 시인은 '세 가지'의 자태를 가지고 있으며, 또한 그는 그중의 '한 가지'에 의해서 대표될 수 있다고 말해두었으며 또한 위대한 시인이 만약에 풍부하다면 그는 또한 빈곤하다고도 말하여 두었다. 여지껏 나는 다만 워레스 스티븐스의 본질적이며 특징적인 제한을 피력하려고 노력하여 왔다. 나는 다만 그의 빈곤만을 취급하여 왔다. 그러나 이 빈곤이 우리들에게 흥미가 있는 것은 그것이 시적 재부(財富)의 근거 — 사실상 우리들의 시대의 위대한 시적 재부의 근거 — 이었기 때문이다.

그러기 때문에 스티븐스는 또한 틀림없이 직업 시인이었을 것이며, 가장 높은 질서의 제작자이며 예술가이었을 것이다. 그리고 사실상 그는 그러하였다. 이것은 그의 시 그 자체의 특질에서 보더라도 뚜렷한 일이며 약 40년간의 시작(詩作) 생활을 두고 그가 자기의 아마추어 시신(詩神)이 사용한 악기를 계속 발전시키고 완성시킨 사실에서 보더라도 뚜렷한 일이다. 이 악기는 전형적인 아마추어 시인이 어느 사연이 그에게 시작(詩作)을 강요할 때에 손 가까운 곳에서 발견하는 따위의 악기는 결코 아니다. 가장 일반적인 현상으로 여러분의 아마추어 시인은 그 시대의 인습적인 수사학(修辭學)에 의지한다. 그러나 스티븐스의 수사학은 그의 독특한 목적에 충당된, 가장 철저하게 연마된 수사학이다. 스티븐스의 시의 기술은 내가 앞서 언급한 리챠드 부락그마의 유명한 논문에서 아주 훌륭하게 탐구되었기 때문에, 거기에 대해서는 더 이상 이야기할 필요가 없다. 여기에 있어서의 관심의 초점은 직업 시인 스티븐스가 세상에서부터, 그리고 아마 자기 자신에서부터까지도, 몰래 숨어 살지 않을 수 없었던 일이다. 스티븐스는 그의 생애의 대부분을 통하여 자기가 사회적으로 시인으로서 행세하기를 거부하였다. 그는 죽기 전 마지막 10년간에 와서는

— 이 기간은 스티븐스의 시의 질적 저락(低落)이 현저하게 된 때이었다 — 자기 안에 있는 직업 시인의 존재를 수락할 기세가 앞서보다 한층 더 많아졌었다. 그는 시에 관한 논문집 『필요한 천사(*The Necessary Angel*)』를 출판하였고, 하바드와 프린스톤에서 시에 관한 강의를 하였다. 그런데 하바드에서 강의가 끝난 후에, 그는 강의를 들은 일부 학생과 문인들에게, '사무실에 있는 젊은이들이 만약에 내가 강의하는 것을 보았더라면 나를 어떻게 생각했을는지?' 하고 말하였다고 전해지고 있다. 그러나 「소풍금」, 「질서의 착념(Ideas of Order)」, 「푸른 기타를 가진 사나이(The Man with the Blue Guitar)」를 쓰던 동안은, 직업적으로 기교에 능숙한 제작자— 영감에 찬 한가한 시간에는 그의 기술이 스티븐스에게 요구되었다— 는 종시일관 배후에 숨어서, 부인(否認)되고, 낮게 평가되고, 냉대까지 받았으며, 또한 그것은 스티븐스의 업적이 제일급적인 우수한 특질의 것이 되기 위해서는 그렇게 취급되지 않으면 아니 되었다고 나는 생각한다. 그다지 오랜 기간을 두고 자기 자신의 기술행동의 그와 같은 무인식(無認識)을 유지하기 위하여 그 시인에게 필요하였던 정신적 긴장을 생각하여 보라. 그래도 걸작이 손쉬웁게 창조된다고 그 누가 말할 사람이 있겠는가?

현대에 있어서는 시인은 본질적으로 직업 시인이 되는 경향이 있으며, 이것은 모든 시적 기술의 형식문제의 과대평가가 응당 그렇게 만들어 놓았던 것이다. 에리옽과 그의 제자들을 논의하는 데 있어서는 신념의 문제조차도 왕왕 기술문제처럼 취급되어 왔다 — 마치 시인이 믿고 있는 것이 그의 시에 대한 그 효과에 관하여 무엇보다도 가장 중요하며 또한 그것이 인간적인 의미보다도 오히려 기술적인 의미를 가지고나 있는 것처럼 그렇게 생각하게 되면 모든 신념은 그것들이 신, 역사, 문명 등에 관한 신념이라고 생각되는 경우에도, 시에 대한 신념이 되기 쉬웁다. 그런데 스티븐스의 시는, 시인들의 '천직'을 엄숙하고 중요한 것이라고 변호하는 시인들의 노력에 의하여 특징지어진, 현대시의 주류적인 분위기로 되어 있는 것에서부터 통쾌하게 해방되어 있다. 자기 자신을 비직업적이라고 세상 앞에 제시하면서, 스티븐스는 그의 예술의 순수하게도 유쾌한 내용에 자유로이 집중할 수 있었다. 그가 자기 자신에게 시인의 공적 역할의 쾌락을 거부하였다면, 그는 그 반면에 있어서 다른 여하한 현대 시인도 하지 못한 만큼 시를 즐겼던 것같이 생각된다.

그러나 스티븐스는 또한 '전체' 시인이 될 수 있었던가? 전체 시인과 아마추어 시인 사이의 모순은 아마추어 시인과 직업 시인 사이의 그것보다 심각하지가 않은가? 아마 그러할 것이다. 만약에 스티븐스가 시에 대한 그의 관계를 직업 시인의 생애에 의해서 시사(示唆)되는 그것보다도 한층 더 완전한 것으로 하기 위하여 아마추어 시인의 길을 택하였다면 어떠한가? 스티븐스가 만약에 기술로서의, 기교로서의, 언어적 구조의 용의주도한 연구로서의, '일'로서의 시의 문제 — 이러한 모든 것은 직업 시인의 치열한 항시적인 관심을 구성한다 — 에까지 최초의 특권을 확대시키기를 거부한 것이 '시 그 자체를 위한' 것이었다면 어떠한가? 『타임』[7]지의 기자와의 회견석상에서 스티븐스는 자기는 '강제노동'이 되는 선을 넘어서서까지 시를 갱서(更書)한 일이 없다고 말하였는데, 이것은 그의 아마추어적 태도가 시를 수정하는 방식에 있어서까지도 나타나 있었다는 것을 말한다. 그러나 여기에 있어서 우리들의 문제는 '일'로서의 시의 거부가 인생에 관해서 그것을 제한하는 의미와는 다른 의미를 충분히 가질 수 있을 것이라는 것이다.

아마추어 시인은 직업 시인이 할 수 있는 것보다도 더 한층 밀접하게 전체 시인에 사실상 접근하고 있다고 나는 구태여 말하고 싶다. 헬델링[8]은 시를 가장 위험한 활동인 동시에 가장 천진난만한 활동이라고 불렀다. 그는 직업 시인이 항상 지상명제로 삼고 있는 기술에 대한 제반 문제를 전혀 고려에 두지 않았다. 헬델링의 방식대로 시를 생각하자면 우리들은

• • •

7. 『타임』의 원문은 "*Times*"이다.

8. Johann Christian Friedrich Hölderlin(1770-1843). 독일의 시인.

이상에 인용한 정의의 양극의 한쪽에 즉시로 워레스 스티븐스의 초상을 갖다 놓을 수 있다. 스티븐스는 시를 가장 천진난만한 활동으로 만드는 그 시의 일면을 강조하는 길을 택하였다.

그러나 만약에 시가 또한 가장 위험한 활동이라면, 이것은 시가 신성한 것을 취급하는 것이기 때문이다. 우리들이 만약에 지금 여태껏 논하여온 시에 대한 세 가지의 태도를 비교하여 보기를 원한다면 우리들은 신성한 것에 대한 그것들의 관계를 기술하면 된다. 전체 시인은 신성한 것을 직접 취급할 것이다 — 다만 자기 자신에게 신성한 것뿐만 아니라, 다른 사람들에게도 다 같이 신성한 것을. 직업 시인은 자기 자신의 전문적인 분야 내에 신성한 것을 가두어 놓는다 — 그에게 있어서는 시가 신성한 것이 되며, 또한 신성한 것에 접근하는 유일한 수단이 된다. 이리하여 직업 시인의 신성한 것과의 접촉은 그를 다른 사람들과 분리시킨다.[9] 그러면 아마추어 시인은? 아마추어 시인에게는 아무것도 신성한 것이 없다고 너무 빨리 결론을 내려서는 아니 된다,라는 것은 만약에 그렇게 되면 그는 아마추어 시인조차도 되지 못할 것이며, 도대체 아무 시인도 되지 못할 것이기 때문이다. 아마추어 시인은 신성한 것을 다만 때때로 취급하지만, 그러나 그는 전체 시인 모양으로 그것을 그의 특별한 분야의 외부에서 발견하지, 내부에서 발견하지는 않는다.

● ● ●

9. [원주] 렌달 쟈렐은, 전통적이고 현대적이고 간에 여하한 시도 이해할 능력이 없이 현대시를 '불명료하다'고 욕하는 사람들을 비난하는 데 있어서는 완전히 정확하다. 분명히 에리옽을 이해하지 못하는 사람은 밀톤을 이해하지 못하거나 적어도 밀톤 안에 있는 어느 글귀를 이해하지 못할 것이다. 그러나 거의 언제나 직업적인 현대 시인에게 있어서는, 시는 단순한 독자가 파악할 수 없는 현실과의 접촉수단이라는 것을 쟈렐은 직시하지 않았다. 만약에 독자가 그것을 '이해'한다 할지라도, 즉 그것이 명료하게 말하고 있는 것이 무엇인가를 발견한다 할지라도, 시의 제조가 시인을 '구원'하고 '제도(濟度)'하듯이, 그 시가 독자를 '구원'하고 '제도'하지는 못한 것이다. 그런데 현대적이고 전통적이고 간에, 전체 시인은 '구원'하고 '제도'하는 것을 그의 주제로 삼으며, 시의 '구원'과 '제도'를 유독 시인들에게만 국한하지 않는다.

말하자면 1세기에 한 번밖에 안 나오는 시인 워레스 스티븐스도 신성한 것에 대하여 말할 그 무엇을 가지고 있었으며, 그의 위대한 시의 하나인 「일요일 날 아침(Sunday Morning)」을 읽어보면 그것이 뚜렷이 나타난다.

Complacencies of the peignoir, and late
Coffee and oranges in a sunny chair
And the green freedom of a cockatoo
Upon a rug mingle to dissipate
The holy hush of ancient sacrifice
She dreams a little, and she feels the dark
Encroachment of that old catastrophe
As a calm darkens among water lights
The pungent oranges and bright, green wings
Seem things in some precession of the dead
Winding across wide water, without sound
The day is like wide water, without sound
Stilled for the passing of her dreaming feet
Over the seas, to silent Palestine
Dominion of the blood and sepulchre.

잠옷의 자기만족, 그리고 양지바른 의자 안의
때늦은 커피와 오렌지, 그리고 양탄자 위의 앵무새의
푸른 자유는
태고의 헌신의 성스러운 정적(靜寂)을
쫓아내려고 뒤섞이고 있다.
그녀는 조금쯤 꿈을 꾼다. 그리고는
그 옛날의 파멸(破滅)의 검은 침입을 느낀다.

평온은 물빛 사이에서 흐려지고
떫은 오렌지와 화려한, 푸른 날개는
소리 없이, 넓은 물을 건너서 구불거리며 가는
사자(死者)의 무슨 행렬 속에 있는 물건같이 생각된다.
대낮은 소리 없이, 넓은 물처럼
피와 묘(墓)의 고요한 파레스틴의
대영지(大領地)를 향하여 바다를 건너서
그녀의 꿈꾸는 발걸음을 지내 보내려고 잠잠히 가라앉다.

이 장엄하고 예언적인 시에서 스티븐스는 실제로 신자보다도 우리들에게 대해서 더 많은 의미를 가질 수 있는 일요일 날 아침의 가능성을 탐구하고 있다.

Why should she give her bounty to the dead?
What is divinity if it can come
Only in silent shadows and in dreams?
Shall she not find in comforts of the sun,
In pungent fruit and bright, green wings, or else
In any balm or beauty of the earth
Things to be cherished like the thought of heaven?

어찌하여 그녀는 사자(死者)에게 인심을 써야 하나?
죽음이 다만 고요한 그늘 속과 꿈속에서만 올 수 있다면
무엇이 신성하단 말인가?
태양의 안락 속에서, 떫은 과실과
화려하고, 푸른 날개 속에서, 혹은
어느 향유나 지상의 아름다움 속에서 하늘의 뜻과 같이 소중히 여기어

지는

사물을 그녀가 찾아볼 수 있게 할 수 없는가?

그는 이렇게 물어 본다. 그러고 나서 그는 막상 새로운 종교는 아닐지라도, 적어도 새로운 의식(儀式)을 직시한다.

Supple and turbulent, a ring of men
Shall chant in orgy on a summer morn
Their boisterous devotion to the sun,
Not as a god, but as a god might be……

연약하고 사나운, 한패의 사나이들이
여름 아침에 벌어진 난잡한 술잔치에서
신과 같지는 않으나, 거의 신과 같은 모양의
태양에 대한 그들의 소란한 헌신을 노래하게 할지어다……

그러나 새로운 신앙의 가능성을 선고하고, 낡은 신앙의 반향(反響)을 우리들에게 충계하여 주는 데 있어서 스티븐스가 전체 시인의 주요한 강음(强音)을 나타내고 있다면 그것은 이 예외적인 지극히 위대한 작품에 한해서만 통할 수 있는 것인가 하는 문제가 논의될 상싶다. 오락과 쾌락에 아주 친밀한 관계를 가진 이여(爾餘)의 그의 시는 어떠한가? 현대인인 우리들에게 있어서는 신성한 것이 — 진정한 종교적 경험 이외에 있어서는 — 시간의 실감이 가장 난폭하게 우리들에게 침노하여 오는 생활의 고귀한 연결점에서 나타난다는 것은 적어도 지극히 있을 상싶은 일이다. 빠스칼이, 사람들이 마음을 돌리기 위하여 느끼게 되는 필요성을 중시한 것을 상기하여 보자. 그리고 이러한 필요성이 어찌할 수 없이 종교의 문제로 이끌려 간다는 그의 주장을 상기하여 보자. 사실 현대의 인종학자인 말소 에리아드[10]는 현대 세계에 있어서는 신성한 것은 다만 오락에 있어서만 나타난다고 주장하고 있다. 그는 다음과 같이 말하였다.

> 모든 신화 상의 행위가 보여 주고 있는, 그러나 인간의 조건과 어디까지 동질적인, 시간에 대한 보호를 우리들은 다시 발견하지만, 그러나 그것은 현대인에 있어서는 주로 오락과 쾌락 속에 캄푸라지[11]되어 있다……. 시간에의 진정한 낙하는 사무의 속환(俗還)에서 시작되었다. 인간이 자기의 직업의 수인(囚人)이라고 자기 자신을 느끼게 되는 것은 다만 현대사회 내에서만 있을 수 있는 일이다. 어째 그러냐하면 그 안에서는 사람은 이미 시간에서 도피할 수 없기 때문이다. 그리고 그는 일하는 시간 중에는— 그의 현실적인 사회적 신분에 사로잡혀 있을 때에는— 시간을 죽일 수 없기 때문에, 자유로운 시간이면 시간에서 도피하려고 애를 쓴다.

신성한 것은 우리들의 일하는 속에는 없고 우리들의 노는 속에 있다! 그러나 막상 이것이 참말이라면 그의 시 전체에 있어서 오락과 쾌락과 유쾌한 묵상에 그대로 관여한 스티븐스는, 유독 자기의 것만이 아니라 우리들의 모든 사람에게 속하는 신성한 것과의 조우전(遭遇戰)을 포위하였다. 아마추어 시인으로서 그는 다만 그 자신만의 시인이 아니라 또한 모든 우리들의 시인이 되는 길을 발견하였다. 바레리는 모든 시인에게는 상당히 나이 먹은 노인이 들어 있다고 말하고 있다. 워레스 스티븐스의 음성 속에서 우리들은, 언어의 마력의 힘으로써 그의 전 종족을 위하여 시간을 고요히 정지시키는 가장 나이 먹은 시인, 축제와 향연의 시인이 말하는 것을 들을 수 있다. 왜 그러냐하면 아마추어 시인인 스티븐스는

● ● ●

10. Mircea Eliade(1907-1986). 인류학자.

11. 캄푸라치의 오기. 캄푸라치의 규범 표기는 카무플라주이다.

다른 사람들이 그들의 장사도구를 놓고 있을 때 자기만이 도구를 들고 있다고 무리하게 느끼지 않았기 때문이다. 그는 자기대로의 방식으로 시간에서부터 도피하는 성스러운 모험에 다른 사람들과 같이 참가할 수 있었다. 이리하여 그는 주위에 있는 사람들의 생활 속에서 시와의 관계를 볼 수 있었고, 또한 이와 같은 인지(認知)를 수납하면서 자기의 동료들에게서 가장 멀리 떨어져 있을 때에도 그들과 일체가 되어 있을 수 있었고, 푸른 기타를 서투르게 타고 있을 동안에도 그들의 자동레코드 연주기(演奏器)를 경멸하지 않을 수 있었다. 그는 역사적으로 부여된 것에서부터 역사적으로 부여된 출구, 즉 시간으로부터의 적진 돌파점 — 막상 그것이 영원으로 통하는 길은 아닐지라도 — 을 발견하였을 뿐이다. 모든 사람을 위하여 세계의 색깔을 밝게 하는 일상생활의 주변에서 제반 종류의 주제를 따오는 그는 낭만적으로 난폭하지도 않으며 거만스러울 정도의 개인주의도 아닌, 씩씩하고 간헐적이고 평안하고 현명한 시에의 입구를 가질 수 있었다.

"나를 생각하시오" 하고 스티븐스의 『지고(至高)의 허구를 위한 각서(*Note Toward a Supreme Fiction*)』에 나오는 참새는 얼룩진 잎사귀한테 말하고 있다. 그리고는 음악적 과대망상이 터지는 가운데서 경고는 확대되어 우리들 독자들까지도 포함하게 된다 — "그리고 당신도 당신도 나를 생각하시오. 또 생각하시오……" 한걸음 더 나아가서 시인 자신이 노래하는 새에게 복종하라고 자꾸 권고한다. "그를 생각하시오. 당신도 당신도 그를 생각하시오. 또 생각하시오……" 우리들이 복종을 하고 우리들의 신분을 시인의 그것에 양보할 것을 상상하여 보라. 적어도 우리들은 우리들이 어디 있는가를 알 수 있다 — 한때는 성일(聖日)이었던 일에서 해방된 날에, 한때는 성림(聖林)이었던 공원 안에 우리들이 있는 것을 알 수 있다. 그리고 우리들의 말은, 그것이 새로운 것이든, 낡은 것이든, 진귀하고 화려한 것으로 들릴 것이며, 우리들이 사랑이나 죽음이나 정치나 기도나 쾌락이나 고통이나 무엇에 대해서 이야기하든 간에 그것은 시 — 우리들의 시대의 시 — 로 변형될 것이며, 우리들의 시대의 공손하면서도 구원적인 시적 언어로 변형될 것이다.

— 본고는 『*PARTISAN REVIEW*』지 춘계호 Lionel Abel의 평문 "In The Sacred Park"를 역출(譯出)한 것이다. (역자)

-『현대문학』, 1958. 9.

최근 불란서의 전위소설

쟝 부로귀 미셀(Jean Bloch-Michel)[1]

1

불란서에 있어서는 언제나 전위예술에 대한 필요성이 느껴져 왔다. 그러나 최근 50년간 그의 특질에 있어서는 놀랄 만한 변화가 있었다. 1914년 전만 해도 전위예술은 고난이 이루 말할 수 없었다. 그것은 바로 그의 본질에 의해서 대중에게는 인식되지 않았었다. 전위예술가 가운데에는 부자나 혹은 빈자 램보오 같은 모험가나 지이드 같은 부르조아나 혹은 클로델[2] 같은 정부의 중요한 공무원이 있을 수 있었지만—그러나 이러한 사람들이 자기들의 예술 활동의 분야에 있어서 실로 당시에 아카데미적인 가치에 집착하고 있던 대중에 의해서 무시 혹은 경멸받은 선구성을 형성하고 있었다는 사실에

• • •

1. 쟝 블로흐-미셸. 이 글은 *Encounter*지 1958년 여름호에 수록된 “The Avan-Garde In Erench Fiction”을 번역한 것이다. 원문과 달리 부분적으로 단락이 생략되거나 임의로 나뉘어진 모습을 볼 수 있다. 이것이 김수영의 의도인지 기사 편집상의 의도인지는 알 수 없다.
2. Paul Claudel(1868-195). 프랑스의 외교관, 시인, 극작가.

의연 변함이 없었다.

제1차 세계대전 이후에 갑자기 모든 것이 변하고 말았다. 대부분의 불란서인들은 이미 내심으로는 자기들이 살고 있는 사회체제를 전혀 찬성하고 있지 않았기 때문에 — 그들이 설사 그런 사회에서 이익을 보고 있다 할지라도 — 그들은 위험이 없는 반항에 대한 취미를 알게 되었다. 그리고 그들은 이러한 반항을 예술 속에서 발견하였다. 당시로 말하자면 입체파가 돈을 벌고 피카소가 가장 유행적인 화가가 되고 초현실주의자가 자기들의 방법과 원칙이 말하자면 반란의 간상(奸商)들에 의해서 통속화되는 것을 보고 있을 때이었다. 장 꼭또는 이들의 중매인 중에서 가장 유명한 사람이었다. 1920년에 전위예술가들은 아직도 그 당시에는 싸롱이 되어 있지 않던 "지붕 위의 소"에 모이고 있었다. 그 후부터 거기는 죽 전위들의 본거지가 되었고 전위에 소속하고 싶어 하는 수많은 사람들이 부랴부랴 하고 몰려들었으며 모두가 제각각 자기들의 몫을 차지하고야 말았다. 이러한 크룹[3]의 일부는 서로 환경이 틀리고 심지어는 상반되는데도 불구하고 일점에 집중되고 있는 것이 그의 특색이었다.

혹종의 대중이 볼 때에는 전위예술은 본질적으로 젊은 예술가로서 형성되고 있는 것이었다. 따라서 결국은 모든 젊은 예술가는 필연적으로 그 운동에 가담하고 있는 것 같은 얼굴을 하고 다니지 않으면 아니 되었다. 미누 드루에[4] 사건은 점화되지 않았다고[5] 지금은 우리들의 앞에는 후랑소아 사강과 로제 바딤이 남아 있다. '알뜨'(우익)와 '렉스쁘레스'(좌익) 같은 주간지의 기사를 만약에 신용한다면 사광과 바딤은 『실패된 밀회』라는 발레를 합작하고 있다고 보도되고 있듯이 "후랑소아 사광과 로제 바딤은 현재 1958년의 전위예술의 가장 사랑스러운 핵심을 구성하고 있는 셈이다. 이와 같은 사실은 곰곰이

• • •

3. 그룹(group)의 오식.
4. Minou Drouet. 1947년에 태어나 8세가 되던 1955년에 전통적 서정시로 프랑스문단을 놀람에 빠뜨렸던 소녀 시인.
5. '점화되지 않았고'의 오식.

생각해 본다면 오히려 깜짝 놀라지 않을 수 없는 일이다"라는 것은 이 젊은 사람들은 제각각 자기들의 분야―문학과 영화―에서 극도로 잘 다져 놓은 대로 위를 따라가는 데 만족하여 왔다고 생각되기 때문이다. 그들이 어떤 발견이나 혁명을 우리들에게 재래(齎來)하고 있다고 생각하기는 힘든 일이다. 한편 『알뜨』지와 『렉스쁘레스』지의 말이 옳다면―그리고 여기에 공산주의자의 주간지 『레뜰 후랑세스』가 가담되고 있다―사광과 바딤이 동 주간지의 기사에 자기들의 발레가 부르조아 사회에 대한 공격을 구성하였기 때문에 실패로 돌아간 것이라고 설명하였을 때 모든 일은 일변하고 말았던 것이다. 우리들은 실로 램보우의 시대 지이드와 끄로오델의 시대 그리고 초현실주의자의 시대로부터 조차도 멀리 떨어져 있다. 오늘날에 있어서 전위예술의 대중은 '실연자에의 충고'란의 독자들이며 전위영화는 소극장에서는 실패를 보지만 옆에 있는 대극장에 가면 거대한 성공을 거둔다.

그러나 내가 최초에 말한 것같이 전위파 사이에는 경쟁이 있다. 사광의 제국이 결국 다만 문학과 아무런 관계도 없는 사람들에 의해서만 인정되고 있는 문학계에 있어서는 특히 그러하다. 왜냐하면 다행하게도 정상적인 전위예술의 특징을 보여 주고 있는 젊은 작가들의 일군이 여기에 존재하고 있기 때문이다.

2[6]

베르날 뻥고[7]와 로베그리레[8]의 말에 의하면 그때 이 회합은 새로운

● ● ●

6. 이 단락이 시작되기 전 반 페이지 분량이 번역문에서는 누락되어 있다. 내용은 젊은 전위 작가들(Alain Robbe-Grillet, Roland Barthes, Nathalie Sarraute, Michel Butor)의 소그룹을 소개하고 이들에 반향한 두 개의 출판물(*Figaro Litteraire*, *Arguments*)을 소개한 후, *Figaro Litteraire*에 의해 젊은 작가들의 원탁토론회가 진행되었다는 사실을 알려주는 것이다.

문학운동의 개척자라고 자임하고 있는 사람들의 눈으로 보아서 불란서소설의 현 상황이라고 할 수 있는 것이었다고 한다.

소설은 그의 독자적인 완성된 형태에 있어서 19세기에 발단을 가진 것이다. 17세기에 '소설'이라고 불리어지고 있던 것은 '소설'이라는 그 이름만 제외한다면 오늘날의 소설과 아무 공통된 점이 없다.

19세기의 소설은 본질적으로 두 가지의 요소 위에 세워지고 있다. 즉 플롯과 기담일화(綺談逸話)의 의미에 있어서의 인물과 스토리. 그러나 인물과 플롯은 다만 그것들이 '조리 있는 사회질서'에 다시 말하자면 '부르조아 사회'에 관계되고 있기 때문에 소설의 기본적 요소가 될 수 있는 것이다. "우리들은 여전히 이 사회 안에서 살고 있지만 그러나 우리들은 이미 이 사회를 믿고 있지 않다"고 베르날 뼁고는 말하고 있다. 결과적으로 보아서 사회의 붕괴는 그 사회의 구성요소 중의 하나의 붕괴를 필요로 한다. 사람이 한 사회의 존재를 이미 믿고 있지 않다면 그 사람은 이미 그 사회를 구성하고 있는 인물의 존재를 믿고 있지 않는 것이다. 뼁고는 다음과 같이 계속하여 말하고 있다. 사회적으로 본다면 개인은 이미 아무것에도 부합(符合)되는 것이 없다. 심리적으로 본다면 그는 하나의 가면이 되었다. 우리들이 오늘날 인간 행동에 대해서 알고 있는 것 그리고 소설가가 왕왕이 심리학자들보다도 한 걸음 먼저 예언하여온 것은 단일한 인물이나 그의 개성(정신착란 중의 그것일지라도)에 대한 낡은 관념을 죽여 버렸다. 자기의 사회적 환경에 배반을 당한 이 인물은 자기 자신에 대한 확신마저도 상실하여 버렸다. 그는 자기 자신의 내부에서도 자기의 주요(周邀)[9]에서도 지지할 만한 것을 발견하지 못하고 있다. 노골적으로 말하자면 이 추론은 확실성이 없는 것이고 따라서 우리들이 부여된 사회에서 느낄

● ● ●

7. 베르나르 핑고(Benard Pingaud).
8. 알랭 로브그리예(Alain Robbe-Grillet).
9. 주변(周邊)의 오식. 'arround'의 번역이다.

수 있는 확신의 결핍이 어째서 필연적으로 소설가의 눈에 비치는 현실상의 인물의 결핍을 낳게 되는지 짐작하기 힘드는 일이다. 우리들은 새로운 이 유파(流派)를 생각하여 볼 때 여기에 탈락점이 있는 것을 발견한다. 그리고 이 탈락점은 그것이 바로 그들의 이론의 심장부에 위치하고 있는 것이기 때문에 그 마음 더 심각한 것이다. 그러나 위태로운 것이든 확고한 것이든 간에 가장 중요한 것은 이 이론이 우리들을 어디로 끌고 가는가 하는 것을 결정하는 데 있다. 인물과 플롯이 소설에서 자세를 감추게 된다면 남아 있는 것은 무엇인가? 그것은 객체라고 로베그리레는 대답하고 있다. 그리고 그것은 의미가 없는 객체이다. 한 인물이 되기를 중지한 개인 즉 그의 심리가 약탈(略奪)된 개인이 하나의 객체가 될 수 있다면 그 객체 자신은 마땅히 모든 의미 즉 모든 깊이를 약탈당한 것이어야 한다. 발작에 있어서 우리들은 조끼의 조사(措寫)[10]가 그 무엇을 — 부(富) 화(華) 댄디즘 혹은 그와는 정반대되는 빈궁겸손(貧窮謙遜) 등 — '의미하고' 있는 것을 짐작할 수 있다. 그런데 새로운 이 유파(流派)의 소설에 있어서는 객체는 이와 같은 '실용적 역할'이 부인되고 있다. '그것은 이미 물질적 가치나 도덕적 가치를 나타내기 위해서 거기에 있는 것이 아니다.' 그러니까 우리들은 베르날 뻥고가 말하는 소위 '표면소설'을 창조하려고 계획하는 '객체' 문학에 다다르고 있다. 우리들이 이 이론을 정사(精査)하여 볼 때 — 그리고 이 이론이 영감을 준 작품들에 대한 판단은 하지 않기로 하고 — 이상한 허무주의를 발견하게 되는 것은 사실이다. 왜냐하면 결국에 있어서 17세기 이후의 소설의 발전은 확실히 연면(連綿)한 취득을 통하여서 이루어져 왔기 때문이다. 17세기 이전에는 장편소설이라는 것은 주인공은 가지고 있었지만 인물은 가지고 있지 않았다. 동일한 방법으로 그들은 의미 있는 이야기를 하려고 하지 않고 다만 일반적으로 환상적인 성질의 이야기 다만 독자의 흥미대상이 될 수 있는 객체의 이야기를

10. 묘사(描寫)의 오식.

하려고 하였다. 인물과 플롯을 갖게 된 역설[11]은 계속하여 도덕적 사회적 역사적 그리고 철학적 분야를 정복하였다. 최근의 얼마 동안을 두고 그것은 새로운 영역 즉 세계에 대한 철학적 조직과 관찰의 영역으로까지 들어오고 있다. 우리들은 소설이 자신을 객체에 국한함으로써 이와 같은 모든 과거의 취득물을 벗어 버리게 되는 것이라고 상상할 수 있다. 그런데 로베그리레의 말에 의하면 그것이 그런 게 아니라고 한다. "만약에 감정, 심리적 운동 그리고 도덕이 존재하고 있다면 이러한 것은 모두가 무엇보다도 먼저 객체에 의해서 전달되고 있다고 나는 믿는다"고 그는 말하고 있다. 이말[12]

3

로벨 강뗄[13]은 다음과 같은 재치 있는 대답을 하였다. "나는 그것을 통해서 보는 사람이 없이 그것이 제풀로 모든 것을 보고 있는 안경을 아직껏 한 번도 본 일이 없다." 사실상 로랑 발떼[14]가 말하는 소위 '창작의 영도(零度)'에 도달하였거나 혹은 도달하려고 시도한 사람들의 업적은 그들의 제기한 문제가 엄밀한 의미에서 동일한 것이 아니라고 생각되는 그러한 다양성을 보이어 주고 있다. 다만 아랑 로베그리레만은 자기의 교리에 전반적으로 충실한 태도를 지키고 있다. 그 결과로서 제작된 제 소설은 다음과 같은 두 가지 이유로 해서 읽기가 매우 힘이 든다.

즉 제1의 이유는 우리들이 문자 그대로 의미가 없는 역설에 습관이

• • •

11. '역설'은 '소설'의 오식이다. 영어 원문은 "The novel, with its character and plot"이다.

12. "이 말에 대해"의 편집상 실수. 이 단락과 다음 단락은 원문에서는 한 단락으로 묶여 있다.

13. Robert Kanters.

14. 롤랑 바르트(Roland Barthes).

되어 있지 않다는 것, 적어도 그 소설작품이 일부러 그렇게 꾸미어져 있는 경우에 그런 작품에 길이 들어 있지 않다는 것이다. 제3의[15] 이유는 일(一) 비평가의 말을 빌리자면 로베그리레는 "토지등록소와 경쟁을 하는 데" 그치고 말았다는 것이다. 끄로오드 모리스[16]는 그의 저서 『현대문학』 중에서 로베그리레의 경우를 조사하면서 그의 소설 「루 보이율」[17] 중에서 다음과 같은 글귀 마디를 인용하고 있다. "그리하여 창에서부터 시작하여서 왼편으로 (다시 말하자면 시계 침과는 반대방향으로) 돌아가고 있었다. 두 번째 걸상 경대 (구석에 있는) 옷장 두 번째 옷장 (두 번째 구석까지 펴져 있는) 세 번째 걸상 벽을 향해서 세로로 놓여 있는 벗나무 침대 아주 조그만 테이블……." 그만 그치기로 하자. 작자 자신에게는 계속할 이유가 없는 것처럼 그쳐야 할 이유도 없다. 이와 같은 양식의 모든 묘사는 언제나 계속될 수 있다. 그 밖에 우리들은 이러한 산문의 배후에 있는 원칙이 어떠한 것인가 하고 궁금하게 생각한다. 어째서 '옷장'과 '벗나무 침대'를 말하고 있나? 옷장은 무슨 나무로 만들어졌나? 그리고 걸상들은? 그것들은 무슨 빛깔이었나? 환기가 일단 묘사에 의해서 대치되자 후자는 무한한 것으로 된다. 또한 작자의 이론적인 진술을 떠나서는 이러한 객체들이 어떠한 방식으로 제(諸) 감정 즉 심리적 운동 등을 '전달'할 수 있는지 분간하기 곤란하다.

샬뜰[18]이 말하는 나따리 사로뜨[19]의 소위 '반소설'은 그것이 한결같이 엄격하고 독단적인 관념 위에 기초를 두고 있는 것이기는 하지만 한층 더 흥미가 있는 것이다. 이 작자도 또한 심리학을 기피하고 있지만 그녀는 객체의 무제한한 묘사를 인간관계의 표면적 진부성에 대한 절대적인

15. "제2의"의 오식. 원문은 "The second"이다.
16. 원문은 클로드 모리악(Claude Mauriac)인데, "모리스"로 오역되어 있다.
17. 「엿보는 자(Le Voyeur)」.
18. J. P. Sartre.
19. 나탈리 사로트(Nathalie Sarraute, 1900-1999). 프랑스 작가.

관심으로 대치하고 있다.

그녀의 인물들은 다만 그들이 말하고 있는 것에 의해서만 존재하고 있으며 또한 그들은 그들이 지껄이고 있을 때에도 아무것도 말하고 있는 것이 없다. 샬뜨이 『미지인의 초상』에 붙인 그의 서문에서 말하고 있듯이 그녀는 우리들로 하여금 불확실한 것의 벽을 보게 한다. 그녀는 우리들로 그것을 도처에서 보게 한다. 그리고 이 벽의 배후에는? 거기에는 무엇이 있는가? 그렇다. 거기에 있는 것은 확실히 무(無)다. 총체적으로 말하자면 이 전위파의 경험은 모든 앞서서의 그것들의 경험이다. 그것은 중요한 발견을 하였다 — 객체가 그것이다. 그것은 무의미의 확장된 영토이다. 의미가 가득 차 있는 말만을 하는 발작의 주인공들같이 이야기를 한 사람이 한 사람도 없었던 것은 사실이다.

우리들이 살고 세계에서는 무의미한 객체가 소설이 여기까지 지시하고 있는 것도 사실이다.[20] 그러나 로베그리레 일파가 감지하지 못하고 있는 것은 그러한 진술의 진리가 어떠한 것이던가,[21] 그것이 그것들에게서 추출하고 있는 단호한 결론이 (막상 허위는 아니라 할지라도) 부모(不毛)한 것이었다는 것이다.

그것은 우리들이 무의미한 객체와 불확실한 언사에서 문학을 만들어 낼 수 없다는 단순한 이유에서이다. 이에 대한 종합이 내가 이미 앞서서 말한 소설 — 미셸 부뚤의 「변경(變更)」 — 에 있어서 위대한 재능을 가지고 이루어졌다고 볼 수 있다. 심리적인 소설을 단념하지도 않고 자기 자신에게서 인물의 창조와 자기의 인물을 통해서 (샬뜨이 말하고 있듯이 "경찰관처럼") 자기 자신을 삽입시키는 작자의 권리를 약탈하지도 않고

• • •

20. 기사의 번역문대로임. 원문을 번역하면 다음과 같다. "우리들이 살고 있는 세계에서는 소설이 지금까지 지시했던 것 이상의 공간을 무의미한 객체가 차지하고 있는 것이 사실이다."

21. '어떠한 것이든'의 오식.

부똘은 무의미한 객체에 상당히 많은 공간을 부여하였다. 그러나 그 결과는 이론이 예측하고 있던 것과는 정반대의 것이 되어 버렸다. 왜냐하면 부똘의 소설의 심리적이며 내적인 전후관계에 있어서 우리들이 무의미하(다)고 생각한 객체들은 자기들의 의미를 다만 새로운 무게와 새로운 모습을 가지고 부활시켜 놓았기 때문이다. 그렇기 때문에 '창작의 영도'와 '반소설'의 작가들은 그의 덕택으로 그들이 부정하면서도 역시 많은 혜택을 입은 대가들 — 죠이스와 뿌루스뜨 — 과 재봉하게 되었다.

— 외지(外誌)에서, 필자[22] 시인.

-〈조선일보〉, 1958. 9. 20, 22-23.

22. 김수영을 가리킨다.

반항과 찬양
—불란서 현대시 전망

크로오드 비제(Claude Vigée)[1]

지난 십 년간의 프랑스 시는 이 시기만을 따로 떼어서 이해할 수는 없다. 그것은 낭만주의의 초창기와 문예부흥의 반기독교적 반항 후부터는 아니더라도 적어도 과거 수백 년간에 나타난 서구의 감성의 주요한 여러 경향과 연결시켜서 이해되지 않으면 아니 된다. 고전적 합리주의로부터 낭만적 이기주의와 현대의 허무주의에까지 발전되어 와서 아직까지도 그 수확을 보고 있는 파우스트적 인간이라는 이상한 열매를 맺은 종자가 바로 거기에 뿌려져 있었던 것이다. 시는 그 자신의 테두리 속에서 우리들의 전(全) 문화가 통과하여온 도덕적 내지 정신적 연극을 개괄하거나 혹은 재(再)제정한다. 시의 현 상태의 표면상으로 본 불명료성은 지상의 존재에 부속되어 있는 가치의 전체를 정상적으로 다루어야 하는 시가 가치의 질서와 가치의 관념 자체가 서구 인류에게 결핍되어 있는 때에 바로 그것을 다루려고 시도하고 있다는 사실에서 생겨나는 것이다. 시는 인간에 대한 증언이 된다. 즉 그것은 다만 인간이 자기 자신을 가지고

1. Claude Vigée(1921-). 프랑스 시인.

만들 수 있는 것이 될 뿐이다.

18세기 말엽 이후의 불란서 시는 그의 어휘와 조사법(措辭法)과 시형론과 상징과 상(相)의 사용법에서 일어난 여러 가지 변화에도 불구하고, 현저한 연락성[2]을 보이어 주고 있다. 우리들이 프랑스 시의 주요한 경계표를 생각하여 볼 때 낭만파의 세계 비상에서 고답파의 상아탑과 그 후의 보오드렐과 상징파에 이르기까지의 수십 년간 마라르메의 심미적 허무주의에서 바레리의 금욕적 주지주의에 이르기까지의 수십 년간 다다의 과격적인 부정에서 초현실주의자의 괴물(이것은 다만 초기 낭만파의 반항을 따르는 하나의 극단적인 역행에 지나지 않는다)에 이르기까지의 수십 년간 — 이 십 년간은 단일한 잠정적인 유기체(이것은 아직까지도 낭만주의를 벗어나지 못하고 있다) 내에 있어서의 과도기의 형상으로서 나타나고 있다. 우리들 자신의 신시대는 과거 이 세기 동안의 주류를 계속하고 있지만 그러나 그것은 독자적인 형태에서 그것을 계속하고 있는 것이다. 그것은 지나간 그들의 것을 연장시키고 있는 것이 아니다. 그것은 그들에게 그들의 결론을 보게 하고 있는 것이며 따라서 이러한 의미에 있어서는 그들과는 근본적인 반대 위치에 서 있다.

인간 역사의 과정에 있어서는 소순환기와 대순환기와의 차이를 구별할 수 있다. 즉 계속과 내부적인 진화의 한 기간을 넘어서 활동을 포함하고 그것을 전시대의 그것과 대적시키는 기본적인 혁명 즉 대(大)불연속선을 발견할 수 있다. 오늘날 아마 우리들은 문화와 생의 경험의 두 제도 사이에 있는 그러한 균열에 우리들 자신이 놓여 있는 것을 발견하게 될 것이다. 그렇다면 과도기라는 말 대신에 다른 말 즉 청산이라는 말이 오늘날의 우리들의 시대를 말하는 데 있어서 보다 더 흡족하게 들릴지도 모른다. 그러나 역사가 어떠한 분열적인 순간에 처해 있을 때 이러한 소극적인 묘사는 절반의 진리밖에는 나타내지 못한다. 새로운 현실의 의미에 대한

● ● ●

2. continuity의 번역어.

탐구는 시작(詩作)에 있어서 뿐만 아니라 오늘날의 인간의 지적인 동시에 실제적인 전 직업에 있어서 그 자체를 노출시키면서 이와 같은 가혹한 이중의 과정의 또 하나의 다른 면을 구성한다. 역설적으로 말하자면 현대인은 오로지 죽음을 통하여서만 탄생을 탐색하고 있으며 그 때문에 그는 비등한 열망을 가지고 그것들을 주고받는다.

우리들은 기성의 허무주의를 가지고는 이미 좇아갈 수 없을 만한 붕괴의 시기에 있는 우리들 자신을 본다.

제2의 천성처럼 습관이 되어온 1세기 동안이나 묵은 문화적 그리고 사회적 기계주의에 의해서 '노'를 말하는 법만 배운 절망적이며 반항적인 파우스트적 인간의 입에서 어떻게 이 '예쓰'가 발언될 수 있겠는가? 요정들은 바레리의 재탄생을 거부하는 거만한 파우스트에게 그대는 다만 부인하는 것밖에는 모른다고 말하고 있다. 뿐만 아니라 "모든 생의 내용의 전체적인 쇠퇴"(G. 벤)의 한가운데에서 — 현대 불란서 시인 루시안 벡커가 붙인 『살 만한 보람 있는 근소한 것』이라는 그럴듯한 제명에서 총계되는 분위기 가운데에서 — 이 문제의 이 '예쓰'는 어떠한 대상 어떠한 세계에 가담하고자 할 것인가? 우리들의 유산은 죽은 신과, 죽은 세계와 무력한 언설의 유산이다. 한편에 있어서는 과거 수백 년간의 허무주의적 감성에 의해서 전하여진 기성의 고전적 세습 재산의 타파 그리고 또 한편에 있어서는 인간이 생활의 대용품으로서 '허무가 낳는 가요'를 택하지 않고 간신히나마 자기의 노래와 더불어 살 수 있는 진정한 세계에 대한 탐구 — 이와 같은 양극적인 대척점 사이에서 40년대와 50년대의 긴장에 허덕이는 불란서는 그의 곤란한 경간(經間)을 발전시키고 있다.

이 두 가지의 거의 불가능한 작업에 대한 반동으로서 다양의 서구적 전통으로 돌아가려고 노력하는 움직임이 있는 것은 불가피한 일이다. 그중의 어느 것은 또 한 번 고전적 형식주의에 대해서 조력을 구하고 있으며 또 어느 것은 19세기 후기의 허무주의적 심미주의에의 복귀를 시사하고 있다. 그러한 움직임들이 정통적인 허무주의의 지배를 이탈하고 있는 한에 있어서는 우리들의 시인들은 왕왕이 안도감과 위안을 초래하는 이와 같은 퇴보적인 유혹과 허무주의의 저 너머에 있는 우주의 미지물을 탐구(이러한 탐구의 개척적인 니체는 그 변경을 강행하려고 하다가 실패하였다)하려는 모순된 기도와의 사이에서 분류되고 있다.

제2차 세계대전 중에 저항[3]의 소리로서 명성을 얻은 일군의 시인들에 대한 주요한 비난은 그들이 국가적 위기라는 음폐물[4] 밑에서 시의 트럼프 게임을 뒤범벅을 만들어 놓았다는 것이다. 그들은 마치 세계가 여전히(혹은 이미 가치를 가지고 있는 것처럼 위대한 정서의 화려한 문체가 당시의 사물의 본래의 질서에 속하고 있는 것처럼 말하였다는 것에 대해서 비난을 받고 있는데, 그 이유는 '참여'라는 웅변적 언어가 그러한 가치의 직접적인 반향이 되기는커녕 그림자의 그늘밖에는 나타내지 못하고 있기 때문이다. 그리하여 그것은 가장 좋게 말해서 수상한 수단이 되고 말았다. 우리들의 시대의 인간의 진정한 위치에 대해서 다소간이나마 더 속지 않겠다는 반발심이 전후의 수많은 불란서 시의 특징이 된 보다 더 엄격한 음조와 기술, 윤리적이며 형태적인 까다로움, 비판적인 태도 등을 낳게 하였다.

1919년의 전후기는 다다의 허무주의적인 삽화 후에 초현실주의자의 반항의 대두를 보았다. 앙드레 부르똥은 그의 운동을 광명을 창조하는 것이라고 생각하였다. 오늘날에 있어서는 그와 같은 새로운 불놀이는 없다. 우리들의 시대의 가장 뜻 있는 시인들은 초현실적인 환경에 있어서가 아니라 오히려 현실적인 환경에 있어서 현상대로의 인간 조건의 암흑에 대한 끈기 있는 투쟁에 전심하고 있다. 묵시의 음조나 호전적 영웅주의의 음률과는 다른 음조가 다시 필요하게 되었다. 그러나 1945년 이후에 지도적 입장에 선 시인들 가운데에는 이러한 음조가 여전히 전대의 시험기의

• • •

3. 원문은 대문자 "Resistance"이다. 일반적인 '저항'이 아니라 프랑스의 '레지스탕스'를 의미한다.

4. '은폐물'의 오식.

반향을 보존하고 있다. 1946년경에 『수면(睡眠)의 반수와 분말이 된 시』[5]의 출판이 증명하였듯이 그것은 40년대의 시인들에게 달라붙어 있는 도덕적 본질에 대한 편견이다 — 마치 그것이 한층 더 새로운 산문 작가 J. P. 살틀[6], A. 까뮤 등에게서도 출몰하고 있듯이 이것이 그들과 그들의 선배와를 구별하고 있는 차이점이다. 뽕쥬와 샬에 있어서 극히 현저하게 보이는 문자에 대한 증가된 자각과 시적 기술에 대한 취미는 그것이 과장되어 보이는 때에도 언제나 윤리적 감각의 재(再)각성을 반영하고 있다.

허무주의의 세습 재산이 오늘날의 시적 의식의 중심에 여전히 남아 있다 하더라도 그것을 몸에 지닌 시인들은 더 이상 도피와 무책임을 자기 자신에게 허용하려 들지 않는다. 이와 같은 도덕성을 보충하면서 전세기 말엽의 시작품에 고전적 형태를 부여한 그 유명한 지적 심미주의가 허무주의적 흐름 안에서 자태를 감추었다는 것은 현 10년간의 새로운 발전이다. 현 시대의 참된 서약인 그의 『파우스트』(1946)에서 폴 바레리는 마지막으로 홍옥수(紅玉髓)의 활기의 제행(諸行)을 빌리어 그가 평생을 두고 느끼어온 진절머리 나는 목숨에 의하며 명령된 즉 생존에 직면하는 그의 권태감과 동시에 그의 지적 자존심에 의하여 명령된 세간에 참가하기를 싫어하고 단순한 생물의 신분으로 떨어지기를 싫어하는 다음과 같은 주장을 한다.

> 그러나 나의 거만한 정신은 욕망에는 지쳤더라……
> 그러한 나는 천사가 이기고 악마가 배반할 것을 알고 있지
> 나는 사랑으로 해서 그것을 너무나 잘 알고 있지, 나는 미움으로

• • •

5. 두 권의 시집이 편집 과정에서 오식된 것으로 보인다. 두 권 모두 르네 샤르의 시집인데, '수면의 반수'는 『이프노스의 엽신((葉信)*Feuillets d'Hypnos*)』(1946)이고 '분말이 된 시'는 *Le poème pulvérisé*(1947)이다.
6. 'J. P. 살틀', 즉 J. P. 싸르트르의 오식.

해서 그것을 너무나 잘 알고 있지,

그리하여 나는 하나의 생물임을 초월하여 있구나.

파우스트에게 재탄생을 제의하였다가 비난을 당한 요정들은 그에게 그의 희극에 흡사한 최후의 말을 던진다.

그대의 최초의 말은 "노—"였다……

그것은 또한 임종의 말이 될 것이다.

이리하여 현대의 서구인을 상징하는 이 영웅의 모험 위에 막이 내린다. 마르로우의 작품의 주인공은 무의 심측(沈測)에서 바레리의 재생[7]과 결합하고 있다. 그러나 바레리의 귀족적 경멸은 인간에 대한 거대한 형무소가 된 우주에 반대하는 걷잡을 수 없는 횡포한 공격에 자리를 물리고 있다. 난폭 비방조의 풍자 절망의 고통—이와 같은 반동은 우리들이 보오드렐, 로오뜨레아몽, 꼬르비엘, 램보오, 라홀그, 쟈리의 표본을 상기할 때에 현대의 불란서 시사 상에서 결코 새로운 일은 아니다. 그러나 이것은[8] 우리들의 시대가 나타내고 있는(자연과 사회뿐만 아니라 시와 어(語)[9]까지도 포함한) 부여된 세계의 모든 표명에 대한 과격한 음조 과격한 적의에 의한 것이다. 이와 같은 다다적인 원경(遠景)에 있어서 1945년경을 휩쓴 "반시인(anti-poets)"과 "무시인(apoets)"과 "문자인(lettrist)"들에 의해서 기도된 타파 작업은 신성한 근척적인 운동[10]의 최고점에 위치되지 않으면

● ● ●

7. 원문은 "*reincarnation*".

8. [역주] 50년대의 시인의 반동.

9. 원문은 "poetry and language"이다. '시와 언어'가 자연스럽다.

10. "신성한 근척적인 운동"은 "Saint-Germain-des-Prés"를 번역한 것이다. '생제르맹데프레'가 2차 대전 후 파리 지식인들의 회합이 있던 지역이었다는 사실을 알지 못했기 때문에 이와 같은 번역이 나왔다고 여겨진다.

아니 된다. 쟝 딸듀[11]가 말하듯이 그들은 "실로 무의 언어를 배우려고" 열렬하였다. 한편 이러한 난파한 시인들은 보오드렐, 마라르메, 바레리가 허무주의의 초기적인 심미적 양상을 띄우고 있을 동안에 피난처로 삼고 있던 전통적인 시의 "아름다운 용어"에 대한 공격을 개시하였다. 이것은 상아탑의 종언을 가지고 왔으며 형형색색의 인공적 낙원의 거부와 솔나무 돌기를 하는 귀족[12]에 의해서 30년대 후반기까지 여전히 배양되고 있던, 시에는 은둔처가 있을 수 있다는 환상의 거부를 초래하였다. 그 후 노래는 인생 그 자체처럼 참을 수 없는 것이 된다. (어떠한) 시도 근본적으로 있을 수 없게 된 시의 부재(는 시가) 모든 인간생활의 진정한 의미를 속이는 최고의 사기이며 허위(이기 때문)이다.[13] 현대의 진지한 시인은 시가 없이 견디어 나가고자 할 것이다. 진정한 시는 무시와 반시가 되지 않으면 아니 된다. (죠오지 바테이유가 지극히 적절하게 말한 것처럼) "시의 증오"가 그의 아우성 소리가 될 것이다. "문학에 있어서의 공포"는 초현실주의의 전성기 동안에는 보수적인 외부세계의 이성적인 의식의 전통적인 도덕의 사회적인 구조의 모든 부여된 현실의 가치를 공격하였다. 그러던 것이 오늘날에 있어서도 언설이 협조하고 있는 존재의 오점 그 자체가 언어에 있는 것을 탐지하고 공격은 표현 도구인 언어 그 자체에게로 옮겨갔다. 오늘날의 문학적 테러리즘은 램보오와 부르똥이 믿고 있던 시적 "로고스"나 환상이라는 장점까지도 환상으로 가지고 있지 않다. 쟈리와 다다의 허무주의처럼 이 허무주의는 전체적인 것이다. 이것은

● ● ●

11. Jean Tardieu(1903-1995). 프랑스 시인, 음악가.

12. '솔나무 돌기를 하는 귀족'은 시인 '파트리스 들라 투르 뒤 팽(Patrice de la Tour du Pin, 1911-1975)'의 오역이다.

13. 이 문장에서 ( ) 안의 단어는 원문의 맥락을 드러내기 위해 김수영의 번역문에 추가한 것이다. 정확한 번역은 다음과 같다. "시는, 모든 인간생활의 진정한 의미를 위장하여 믿게 만드는, 최고의 사기여서 어떤 경우든 시의 부재이며 어떤 시편이든 근본적인 불가능성이다."

인간이 거기에서 무에 굴복함으로써만 비로소 그의 구제를 발견하는 일종의 반(反)낙원을 축하한다. 이와 같은 경향은 종국에 있어서는 그것이 도처에서 그의 대두를 식별하고 그의 영도권을 이미 부정하거나 숨겨 버리거나 대적하려고 들지 않는 우주적 사멸의 도래를 찬양한다. 이와 같은 가장 비고답파적인 현대인의 음산하고도 모양 없는 예언 속에는 루공뜨 드 리르[14]의 이상한 반향이 담겨 있다.[15]

이러한 장례식적 진리의 통신문은 쟈크 뿌레벨의 반항적인 몸부림 사이를 뚫고 나온다. 그것은 앙리 미쇼오가 덮쳐드는 큰 암흑에 대항하기 위하여 만들어낸 환각적인 광경을 떨쳐 일으킨다. “쇠메의 공격과 같은 맹렬한 기세의 반동인 이국 정조는 수인(囚人)의 진정한 시다”라고 그는 말하고 있다. 그것은 쟝 딸듀(그의 최초의 스승은 P. 바레리였다)의 산문적인 풍자, 오디벨띠의 격동적인 조사법(措辭法), 꿰노의 조롱과 익살 광대짓을 통하여 들려온다. 결국 문자주의(文子主義)는 낡아빠진 사물의 세계와 사기적인 언어의 세계를 동시에 목표로 삼은 극단적인 현상이다.

문자인들이 하듯이 시의 언어의 뿌리를 파괴함으로써 시를 아주 근절시키지 않고 풍자의 항구적인 사용을 통하여 시의 가짜 마력을 빈정대고 그에 의심을 던지는 것은 가능한 일이다. 레이몽 꿰노의 시에 있어서는 풍자가 교화력이 비교적 미약한 부르조아 사회의 관습에 대해서보다는 시에 있어서의 언어의 수상한 사용에 대하여 더 많이 던져지고 있다. 여기에 있어서 반항은 불합리한 세계의 한가운데에 살아남아 있기를 주장하는 예술(대문자 A를 가진)(Art)의 존재와 그의 모순된 자부를 상대로 하게 된다. 희화적인 효과와 익살맞은 무언극(mummery)의 노련가인 풍자

● ● ●

14. 르콩뜨 드 릴(Charles Marie René Leconte de Lisle, 1818-1894). 프랑스의 고답파 시인.

15. [원주] 과거 수백 년간의 프랑스 시의 전경 속에 있(는) 고답파 시인의 진정한 취의(趣意)는 아직도 넉넉히 살아남아 있다. 그것은 적어도 이론적인 입장에서 볼 것 같으면 일반적으로 가정되고 있는 것보다도 훨씬 더 심오한 곳에 있다.

시인 퀘노는 종교의 상대에 대하여 조소를 올린다. 독자가 이 기묘한 예배식에서 제처 보는 신은 "내가 패배를 당하고 희미하고 조용한 눈으로 / 나의 모든 용기도 잃어버리고 선물의 설치동물 앞에 항복을 하게 될 때 / 그의 이쑤시개 끝으로 나를 거두어 드릴 / 이 가련한 저능아"(「레지오」)이다. 이 교회[16]의 라틴어는 참으로 대단한 발명품이며 그것은 조소적인 장담과 모범적으로 날조한 순진성과 현대시의 이런 평범한 책략을 비웃기 위하여 냉정하게 협정된 환각적인 암유와 술학자적(術學者的)인 익살과 속어를 가지고 각 부분이 알맞게 꾸미어져 있다. 형이상학적인 그리고 우주론적인 거부가 이 이상 더 짓궂은 모습으로 시현된 일은 일찍(이) 없었다. 그러나 스타일의 연습과 너의 상상을 봉하고 있을 때 생기는 재미없는 농담과 혹은 휴대용 소우주개벽설의 무미건조한 익살 밑에서 독자는 왕왕 절망의 얼굴을 발견한다.

그러나 인간과 세계의 그것까지는 아니 되더라도 시적 언어의 위엄만이라도 회복해 보려는 반동이 대전 중에 일어나고 있었다. 이러한 기도가 대체로 두 개의 뚜렷한 면에서 각자 서로 배타적인 형상을 띄우면서 일어났다는 것은 주목할 만한 일이며 또한 유감스러운 일이다. 한때 그 의도는 상속받은 언어와 그의 개정되고 응고된 평범한 말씨와 허무주의자의 반항이 문제 삼고 있던 것과 같은 문학예술에 대한 존경을 회복하는 일이었다. 이 작업은 형태, 인습, 수사학의 문제에만 사로잡혀 있는 쟝 뽀오랑[17]에 의하여 착수되었다. 그는 "문학에 있어서의 공포"를 명명한 예리한 비평가이다. 그러나 뽀오랑은 그 "공포"의 형이상학적 근거와 현대의 테로적인 시가 계승하고 있는 허무주의의 이론적 전제와 사회사적 변명에 대한 도전을 주의 깊게 회피한다. 이리하여 쟝 뽀오랑은 그의

16. [역주] 퀘노의 시를 가리킴.
17. Jean Paulhan. 1925년부터 1940년까지의 N·R·F 편집자.

재래의 기민성을 가지고 윤리적이며 정치적인 본질을 가진 주요한 문제를 버리고 있다. 그는 수단은 원하지 않고 목적만을 갖고자 한다.

그러나 다른 몇몇 방면에서는 사악한 사회제도라든가 자연에 대한 맹목적인 기계력에 의하여 저락된 인간을 부활시키려는 문제가 주요시 되고 있다. 직접적이며 난폭한 요구를 가진 시는 부르조아의 유미주의자에 의하여 제기되고 있는 귀족문학의 형태적 교묘성에는 대척적인 입장에 서 있다. 허위적인 인간 질서와 그것을 반영하는 위조언어(the fake language)에 대한 풍자는 여기에서는 독기를 가지고 다루어지는 지방인이나 무산계급의 변두리 말씨(*faubourg* dialect)에 의해서 이루어지고 있다. 역설적으로 말하자면 귀에빅[18]이나 뿌레벨 같은 시인은 반시적인 관용어를 이용하고 있으며 따라서 꿰노가 대표하는 경향으로 접근하여 가는 것처럼 보인다. 그러나 꿰노의 작품에서 절망의 조소, 인간 저하의 징후를 번역하는 이러한 속어적인 야만성은 뿌레벨에 있어서는 정치적 투쟁의 무기가 되고 반동시의 점잖은 도읍지에 던져지는 다이나마이트 뭉치가 된다. 중산계급의 허무주의자인 꿰노는 생 그 자체를 공연히 고발한다.

자연은 모두가 병약하다

–『레 지오』

그저께 보송보송하던 눈을 내일은 장래의 개울이 우물 속을 향해서 흘러내린다.

그것은 아름다운 사랑의 발자취

그것은 아름다운 부재의 발자취

그것은 병이 회복한 뒤에 오는 죽엄에까지 다다른다.

–『숙명적 순간』

• • •

18. 으젠 기유빅(Eugène Guillevic, 1907–1997). 프랑스 시인.

「가족」이나 「푸랑스 파리에서의 대강이의 만찬」에 있어서의 뿌레벨의 잔인성은 특수한 세계와 특정된 사람들에게 돌리어진 것이다.

생활 곤봉 전쟁 사무
사무 전쟁 곤봉 전쟁
사무 사무 또 사무와 함께 생활을 계속한다.
묘지와 함께 짝을 진 생활

-『언어』

그러나 그는 그것을 전 세계나 인간들에게 향해서 사용하지는 않는다. 꿰노와의 유사성은 표면적인 수단의 근사점을 포함하여 어디까지나 우연적인 것이다. 그렇기 때문에 뿌레벨은 베르톨트 부레흐트 모양으로 허무주의의 병기고로부터 표현 도구를 즉 그가 구제를 기대하지 않는 사회제도를 곤봉으로 후려갈기기 위한 부정(否定)의 무기를 빌려 오기는 하지만 허무주의와는 완전히 갈라져 있다. 그러나 그의 목적은 그의 인기 있는 사랑의 노래가 미리 우리들에게 맛보이고 있는 지상의 행복의 낙원, 장래의 위대한 일요일을 찬양하는 것이다. 뿌레벨은 어렵지 않은 솜씨로 루네 샤[19]의 금언(金言)을 자기의 것으로 만들고 있다. "그대가 만약에 꼭 전멸을 시켜야 한다면 혼례 도구를 가지고 들어가라."

우리들의 시대에 있어서 구제의 신념은 초월론적인 직관 위에보다는 자연적이며 인간적인 현실의 수납(受納) 위에 더 많은 기초를 두고 있다. (계속)

19. 르네 샤르(René Char, 1907-1988). 프랑스 시인.

극좌익 시의 속심 있는 반(反)허무주의 외에 실체론의, 혹은 현실주의자의 반(反)허무주의가 증가되었다. 이 운동은 허무주의적 공포에 의하여 농락을 당한 표현 수단에 대한 우리들의 존경을 회복하기를 목적으로 하는 쟝 뽀오랑의 수사학적 고려와 인척 관계가 없는 것이 아니다. 그러나 새로운 경향은 이 언어 연구의 흥미 위에 사물의 세계와 인간의 생존 경험에 대한 진정한 존경을 부가하고 있다. 무한한 것, "미지의 선", 보오드렐의 친 프라통 철학식(式)의 고양을 지향하는 낭만파 비약은 오늘날에 있어서는 이 하류 세계에 대한 탐구나, 혹은 뽕쥬가 지극히 강경하게 말한 것과 같은 '드높은 이곳', 이 상류 세계에 대한 탐구로 대치되고 있다. 그러한 시인이 뽕쥬와 같은 혁명적 맑시스트이건, 쟝 뽀오랑과 같은 전통적 지방인이건, 루네 샤와 같은 자유주의적 휴매니스트이건 간에 그들은 모두가 현실 세계의 재발견과, 감각적 지각과 자기의 세계 안에 포함되어 있는 사물과 더불어 인류 동포에 대한 예술가의 도덕적 책임 위에 중점을 두고 있다. 여기서 언어적인 완성과 간명과 거의 2세기 동안의 낭만주의 이후에 거의 다 잊어버리다시피 한 습관인 개인적 겸손에 대한 고려가 결합되어 있다.[20] 새로 만든 목표와 1900년경에 탄생한 세대가 정확하게 극복하지 못한 과거로부터 대부분이 상속을 받은 수단과의 사이의 모순이 여기 있다. 그러나 이러한 시인들은 죽음과 무의 계시를 나타내는 것으로 만족하지는 않는다. 시의 취지는 그들에 있어서는 재획득된 생과 자연의 존재의 의미이다. "우리들은 여러 사물을 그의 올바른 장소에 다시 돌려놓지 않으면 아니 된다. 특히 언어를 본래의 그 자체의 장소에 돌려놓지 않으면 아니 된다"고 뽕쥬는 말하고 있다. 그러한 시인들은 그들의 뒤섞인 세습 재산으로 해서 방해를 받고 있는 과도기의 사람들이며, 냉담한 변혁자들이다. 이 때문에 그들의 작품의 문체상의 모호성이

● ● ●

20. 이 문장과 다음 문장 사이에는 퐁쥬의 사물시에 대해 설명하는 몇 개의 문장이 있는데, 번역에서는 생략되어 있다.

생긴다. 그러나 우리들은 그들의 작품에서 릴케(그의 최종기에 있어서의)와 마챠도와 W. C. 위리암스와 죠지 그옌[21]의 작품과 같은 다른 문학에서도 볼 수 있는 진정한 형이상학적 반전을 목격한다. 프랑스 시에 있어서는 그것은 1939년 이전에 쌍종 뻬르스[22]와, 슈뻴비엘과 미르쓰에 의해서 예기되어 있다. 궤테의 현상학적 경향은 서구에서 처음으로 열매를 맺기 시작한다.

"진정한 생은 다른 곳에 있다"와 "우리들은 출발할 수 없다"와의 램보오가 표시한 두 가지의 모순된 정형 사이에서 전후에 문명을 얻은 세대의 선택은 후자에게로 가고 있다. 이때부터 프랑스 시뿐만 아니라 아마 전 서구 시의 방위가 역전되고 있다.

> 떠나지 않는다. 섬에 있는 나의 고장을 향하여 결단코 떠나지 않는다. 나는 나를 위하여 구류된 충실한 사람 (예한) 승정(僧正)처럼 바다 위에 약간 비스듬히 서 있다.
> 그리고 수면 위에 파도의 상판과 새똥으로 아로새긴
> 사물들 사물들 내가 깊고 깊은 소용돌이 한복판에서
> 조각조각 찢어진 나의 미친 듯한 험상궂은 얼굴을 봉정(奉呈)하는 것은
> 당신을 위해서이다……

루네 샤도 그의 초기에 속하고 있던 초현실주의 파 가운데에서 나타난 흑인 시인 애메 세셀[23]은 1954년에 발표한 시에서 이와 같이 말하고 있다.

● ● ●

21. 호르헤 기옌(Jorge Guillén, 1893-1984). 스페인 시인.
22. 존 뻬르스(St. John Perse, 1887-1975). 프랑스 시인, 외교관.
23. 에메 세제르(Aimé Césaire, 1913-2008), 프랑스 시인.

"떠나는 것은 소용없는 일이다. 우리들은 우리들 자신을 사물에 전사(轉寫)하지 않으면 아니 된다"고 F. 뽕쥬는 쓰고 있다. 뽕쥬가 사회 내의 밀폐에 대항하여 편들고 있는 이와 같은 뽕쥬의 '드높은 이곳'의 수납(受納), 사물에 대한 이와 같은 개방, 우주나 혹은 신성한 존재에 대한 이와 같은 위험한 자아의 양도는 기독교적 신념을 가진 일부 시인들 사이에도 역시 반향을 주고 있다. 신프라톤 철학의 전통, 성 오가스틴의 이원론, 성 바울의 철저한 초월론적 방위를 거부하고 그들은 구약의 세계와 일부의 신약의 세계를 계발하는 천지만물의 응고성, 내재의 신비와 인간 경험의 경계 내에서의 신성한 개체의 신비와의 맹약을 재생시키려고 기도하고 있다. 이것이 우리들 사이에 영원히 환생되는 지상의 크리스트인 진정한 애브라함에 대한 탐구에서 출발한 승직이 없는 승정 쟝 그로스장[24]의 강력한 시의 취지이다. 신학적 견지가 보다 더 전통적인 류끄 에스땅[25]은 『바다의 시』에서 4대 원소에 대한 그의 거대한 찬가를 하고 있다. 반항이라고 주장하는 불화인 거절은 화해에 굴복하며 진정한 프랜시스 교회의 수도사는 겸양에 굴복한다. 청포한 개인에 의해서 생겨난 생의 파편화와 무의 모체인 다양성과 오늘날의 바벨탑을 일으킨 파괴적 원칙에 반대하고 삐엘 에마뉴엘은 오늘날 존재의 모체인 단순성을 받들고 있다.

W. C. 위리암스에 있어서와 같이 루네에게 있어서도 시인의 사명은 "은유를 통하여 / 사람들과 돌들 사이를 화해시키는 일"이다. 헤라크리타스[26]의 제자인 샤아는 언어 창조의 행위에 있어서 상호가 부활하는 인간과 세계와의 관계를 조정하는 정신적 수단으로서의 시를 강조한다. 시는 바로 이 화해가 이루어지는 장소이다. 진실을 내놓기도 하고 숨겨 두기도 하는 인간 언어의 다루기 힘드는 기적을 통하여 가끔 사람과 지구 사이에

• • •

24. 쟝 그로스장(Jean Grosjean, 1912-2006). 프랑스 시인.

25. 뤽 에스탕(Luc Estang). 프랑스 시인.

26. 헤라클레이토스(Heraclitus). 고대 그리스의 철학자.

조정이 생긴다. 그들은 불시에 잊어버렸던 형제 관계를 다시 발견한다. 이리하여 미는 과거에 있어서와 같이 예술의 제한된 영역에 만족하지 않고 "전(全) 장소"를 정복하게 될 것이다. 이러한 개념에 의하면 구체화한 정수의 건축으로서 규정되는 시는 사람들을 저하 격리시키는 공리적인 착취로부터 다시 찾아온 자연과 보다 더 자유로운 인간의 자아를 일체화할 것이다. 자연력의 불꽃에서 발견되는 황홀한 희열은 샤아의 작품에서 뿐만 아니라 그의 제자인 루네 메날[27], 쟝 세나크[28], 알멩 따르삐냥[29]의 작품에서도 발산하고 있다. 밀폐된 개성을 포기하고 그들은 원시적인 사랑의 결합을 탈환하려는 방향을 걷고 있다. 그러나 그러한 목적은 시인이 인생과의 쓰라린 그의 결혼에 대한 전적인 책임을 수납할 때에만 비로소 달성될 수 있다. 그렇기 때문에 어떤 성취나 결실의 순간에 앞서서 반드시 자기가 자기 자신에게 과한 필연적인 고통이 필요하다. 샤아는 존재의 어둠침침한 면에 대해서는 아무 환영도 가지고 있지 않다. 정확하게 말하자면 미의 정상적인 기능은 "우리들의 암흑의 다발(束)에서 빛내져야 할 것을 불태우는 일"이다. 그는 시를 모순 속의 일치 "맞부딪치는 질서"라고 규정한다. 만약에 시인의 길이 그를 미지의 것으로 인도한다면 발견의 지복은 타성(他姓, otherness)에 대한 공포와 분리될 수 없고 황홀한 일별은 그것을 둘러싸고 있는 황막한 공간과 분리될 수 없다. "가장 궁극적인의 왜곡 후에 우리들은 지식의 정상에 다다랐다. 이것은 상당히 위험한 순간이다. 공허를 앞에 둔 황홀, 신선한 무의미를 앞에 둔 새로운 황홀."

그러한 지혜는 상처를 준다. 그러나 투명은 태양에 제일 가까운 부상이다. 다만 의식의 봉사를 통하여서만 새로운 것에 대한 생의 권리는 수호될 수 있다. "사월의 과일 나무처럼 그 종말이 확실하지 않은 사람을 나는

● ● ●

27. 르네 메나르(René Ménard). 프랑스 문인.

28. Jean Sénac(1926-1973). 알제리 문인.

29. Armen Tarpinian. 프랑스 시인.

사랑한다." 독자는 샤아에게서 '고가(高價)한' 작가의 전통에 있는 만네리즘에 대한 경향인 예언적인 음조와 함께 가끔 격언이 많은 문장(Sententiousness)으로 퇴보하는 홍옥수(紅玉髓)의 문태(文態)를 본다. 시인이며 도덕가인 그는 용기 의지 불변 운동을 고무한다. "도약에 속하여라, 그의 발문인 연회에 참가하지 말아라." 우리들의 도전의 대담성이야말로 인간 조건에 고유한 역경을 극복할 것이다.

> 왜냐하면 난파를 당할 아무것도 없고 유골을 찾으려는 마음조차도 없기 때문이다.
>
> 그리고 수획물(收獲物)을 찾아서 귀착할 육지를 내다볼 수 있는 사람은 모두가 다 허사가 되더라고 그 실패를 떠들지 않는다.

지상의 수확에 대한 이러한 짧고도 의기양양한 환영 — 전부가 인간의 땀과 눈물의 대가로 얻은 것은 대부분의 초기의 현대 시인의 기를 죽인 맹목적인 역사적 결정론이 낳은 절망 위에 샤아의 작품을 드높이 치켜올린다. 모든 저항의 비밀은 희망에 기초를 두고 있다. "저항은 오로지 희망이다."

샤아가 인간의 창작인 시를 승격시켰다면 뽕쥬는 그의 창작 안에서 사물의 중요성을 주장한다. 고도로 양식화한 형태 밑에 된 『사물에 사로잡힌 당파』[30]에서 묘출된 사물은 "거의 절대로 확실한 것"이라는 것을 증명하고 있다.[31] 뽕쥬는 그의 서언(緖言)[32]에서 말하고 있다. 분명히 형이상학적 의도가 들어 있지 않으며 인간과의 직접적인 관련성조차도 들어 있지

---

30. 『사물의 편(*Le Parti Pris des Choses*)』(1942)으로 소개된 시집.
31. 이 문장은 영어 원문에서는 다음 문장과 이어져 하나의 문장으로 되어 있다.
32. "서언"이 아니라 단행본으로 출간된 『산문시(*Proêmes*)』이다.

않다. 그러나 뽕쥬가 이러한 사물의 봉사를 통하여 재건하고자 목적하고 있는 것은 인간이다. 인간의 세계를 구성하고 있는 이와 같은 사물의 복잡성과 잠재적인 활력을 명시함으로써 우리들에게 도덕적 교훈을 준다. 부르조아의 속물, 기독교의 수도사, 데칼트학파의 금욕주의자 그리고 현대의 허무주의자들에게는 한결같이 영혼과 현실미(現實味)[33]를 빼앗긴 물질의 야비한 덩어리에 지나지 않는 것에 맑은 동정과 열정적인 통찰의 노력을 통하여 원기를 붙이는 그는 인간에게 진정한 뜻 있는 세계를 돌려주기 위하여 "풍경을 교화하고 있다." 이것이 사물에 있어서의 그의 미친 듯한 의식의 함축이 하고자 하는 일이다. "표현은 나에게 있어서 유일한 자원이다. 표현의 열광"이라고 뽕쥬는 쓰고 있다. 뽕쥬는 오늘의 인간에 반대하고 내일의 인간 — 그는 우주 안에서 마음을 다 터놓고 살게 될 것이라고 뽕쥬는 상상한다 — 의 편을 든다. "내가 가능하고 상상할 수 있는 백만 개의 다른 사물을 묘사하는 것은 너희들의 코를 너희들의 오물 속에 틀어박기 위해서이기도 하다. 목욕수건, 감자, 세탁기, 무연탄 조각들이 어째서 안 된단 말이냐…… 온갖 가능한 음조로. 아무것도 내가 공통된 것을 가지고 있지 않고 무엇 하나 내가 바랄 수 없는 이 세계에서 ……마음대로 내가…… 등…… 등을 시작해서 아니 될 것이 무엇이냐."(『서언』, 1943). 현실 세계에 대해서 긴장하고 있는 뽕쥬는 그의 시적 기술로서는 다음과 같은 융통성 없는 형식을 취하고 있다 — "시인은 사상을 시현하지 않고 물체를 시현하지 않으면 아니 된다. 즉 시인은 사상에까지도 물체의 자세를 싸우지 않으면 아니 된단 말이다." (『서언』)

이러한 "형식주의"[34] — 그 방법의 과의식과 그것이 포함하고 있는 언어

● ● ●

33. reality의 번역어.

34. 여기에서의 "형식주의"는 영어 원문에서는 "reism"이다. 레이즘은 구체시 운동의 한 가지 명칭이다. 김수영은 시어의 형태를 강조하는 경향에 비추어 "reism"을

상의 교묘성에도 불구하고 — 의 과잉은 일부의 천품 있는 젊은 시인들 사이에 반향을 주고 있다.(앙드레 두 보우세[35]) 그러나 한편 그것은 선의적인 그리고 왕왕 감상적인 신낭만주의를 지향하는 반대 경향에 의해서 보상되고 있다. 가냘픈 "푸른 꽃"의 소실의[36] 에콜 드 로쉬폴의 우수한 시인들 특히 루네 규이 까두[37]의 특징이[38] 나타내고 있다. 여기에서는 "식물계"(이것은 또한 지상의 사랑과 미의 왕국이다)의 찬양과 동맹을 맺은 반(反)허무주의가 한층 더 천진난만한 모습으로 나타나 있다. 불행하게도 이것은 왕왕 지루한 감, 피상성으로 해서 손해를 보고 있다. 쟝 루세로[39]가 최근의 그의 저서의 목차 면에 "유적지는 없다"고 쓰듯이 이에 대해서도 과연 그렇다고 쓰는 것만으로는 충분하지 않다. 그런 곳이 없다. 가보지 않으면 모른다. 유적지가 없다? 그렇다면 그것은 너무 좋아서 곧이들을 수가 없다.

다른 시인들은 이러한 정신적 싸움의 본질을 한편 그러한 싸움의 성과가 우리들의 시대의 사람들에게 얼마나 불확실한 채 남아 있는가를 보이어 주면서 — 더 잘 표현하였다. 그들은 시대의 주요한 문제에 대해서는 그리 뚜렷한 태도를 취하지 않는다. 허무주의의 유혹(이것이 저락하면 안이한 지적 획일주의가 된다)과 아직도 직면할 자신이 없는 현실에의 유인과의 사이에 갈라져 있는 그들은 감성의 분열을 받는다. 그들의 시는 대부분이 이러한 파손의 증언이다.

앙드레 후레노오[40]가 세계대전 중에 『매기 제왕(諸王)』을 썼을 때 그의

• • •

"형식주의"라고 번역한 듯하다.

35. 앙드레 뒤 부셰(André du Bouchet, 1924-2001). 프랑스 시인.

36. "소실의"가 아니라 '소질이'.

37. 르네 기 까두(René Guy Cadou). 프랑스 시인.

38. "특징이"가 아니라 '특징을'.

39. 쟝 루슬로(Jean Rousselot). 프랑스 시인.

40. André Frénaud(1907-1993). 프랑스 시인.

매기[41]의 탐구는 에리오트의 그것 모양으로 실패와 행방불명으로 그치었으며 금단 낙원에 대한 향수와 그것을 상기케 하는 죽엄에 대한 향수만이 남았다. 그러나 길을 잃고 방황하는 제왕의 가슴속에는 희열에 대한 구슬픈 충동이 살아남아 있었다.

> 우리들은 헛수고를 하였다…… 사람들은 우리들의 말을 듣고 허위지사(虛僞之事)의 보고라고 생각한다.
> 이것은 여행을 하기 위한 것이다.
> 이것은 처음부터 길도 없고 등불도 없는 여행이다……
> 그러나 나는 그 후부터 감각 없는 부름 소리에서 회복되지 않는다.
>
> –『매기 제왕(諸王)』, 1943.

루샹 베께[42], 아랭 보스꿰[43], 이브 보네호이[44], 그리고 내 자신의 시작품에도 환멸과 "감각 없는 부름 소리" 사이의 이러한 충돌이 상당히 넓은 범위에까지 퍼져 있다. 로벤 사바티엘[45]은 아마 조금 너무 일찍 『태양의 축제』(1955)의 찬미에 굴복하고 있고, 한편 루샹 베께는 우리들의 시대의 시의 영토의 분기선에 아직도 머물러 있다. 장 까소[46]가 최근에 말하듯 오늘날은 "태양의 주관의 부활"을 직시할 때인가? "누가 결핍의 사막을 말하고 있는가?"라고 J. 샤삐엘[47]은 묻는다. "세계가 저기 있다." 적어도 이러한 질문이 일어나고 있다는 사실은 인생에 대한 오늘날의 시인의

41. 동방박사를 의미한다.
42. 루시앙 베케르(Lucien Becker). 프랑스 시인.
43. 알랭 보스케(Alain Bosquet. 1919-1998). 프랑스 시인.
44. 이브 본느프와(Yve Bonnefoy. 1923-2016). 프랑스 시인.
45. 로베르 사바티에(Robert Sabatier). 프랑스 문인.
46. 장 까수(Jean Cassou, 1897-1986). 프랑스 문인.
47. J. Charpier.

태도에 깊은 변화가 있다는 것을 나타낸다. 우리들은 매 개인이 가장 깊은 자아 속에서 삶을 완수하려고 결정하고 그것을 말로써 표현하려고 결의하고 있기 때문에 이러한 질문은 다만 삶 그 자체의 행위에 의해서 답변될 수 있다.

루샹 베께의 세계는 외떨어져 있는 쓸쓸한 물체, 바둑 혹은 우리들과 생활을 나눌 수 없는 통행인들로서 성립되어 있다. 주위의 공허와 의식의 내면적 무에 의해서 격리되어 있는 지각의 목표물로서의 인간과 사물들은 현실의 꼬리쥬와도 같이 표현에만 붙어 있는 것처럼 생각된다. 이 허약한 화포(畫布)는 항상 찢어질락 말락 하고 있다. 물체는 "깊이 없는 세계의 증인"이다. 다만 사모하는 여인의 복귀만이 계속적으로 세계를 그의 진정한 차원으로 부활시킨다. 끊임없는 식식(食蝕)[48]의 선고를 받은 우주의 한가운데서 유일한 현실이 되고 베께의 영감의 주동 원천이 되는 이러한 순간이 오면 여러 물체는 그들의 절대적인 의의 즉 그들의 인자스러운 의의를 획득한다. 그들은 위협적 공허를 무릅쓰고 현실의 충만감을 차지한다. 이리하여 육체적인 접촉이나 애욕적인 환상의 순간은 베께의 시의 창작과 더불어 그의 세계 재건의 중심점에 선다. 육욕 탐닉만이 오로지 인간과 심연 사이에 삽입된다. 시간의 경과가 견딜 만하게 되는 것을 보면 세계의 부활이 이루어졌다는 것이 확실하다. 에류알이 죽은 후 베께는 50대의 가장 독창적인 연애 시인이다. 그의 연애 승상은 감각적인 본질을 가지고 있는 동시에 형이상학적인 본질을 가지고 있다. 육욕적인 강도(强度) 속에는 그를 위한 초인연적인[49] 힘이 들어 있으며 이 힘의 중개를 통해서 시인과 세계는 일순간의 섬광 속에서 다시 밀착된다. 베께의 시에 있어서 사랑은 다만 허무주의에서 내려온 거의 모든 다른 시인들에 대해서처럼 인간의 흉포한 숙명을 은폐하고 항상 재기되는 공허 위에 일시적인

• • •

48. 일식(日蝕, eclipses)의 오식.

49. '초자연적인'의 오식.

혐오를 던지는 힘만을 가지고 있는 것이 아니다. 에로스만이 다만 도회의 하루하루의 지옥 속에 있는 생의 희망 없는 산문을 시로 변질시킨다. "다만 너의 머리 위에서만 / 하늘은 그의 진정한 색깔을 갖는다." 베께의 시는 음의 조화를 갖춘 사행시로 씌어져 있다. 그것들은 속삭이는 듯한 낮은 울림을 가지고 있으며 재 밑에서 연기를 내고 있는 타고 남은 불의 그것처럼 억제된 심상의 희미한 빛을 나타내고 있다. 이와 같은 시에 영감을 준 존재에 대한 시인의 앰비바렌트[50]한 태도는 또한 고르지 않은 각운으로 된 운율(meters) — 이 음률의 하나하나는 출발점에서 포착한 행동을 시사하고 있다 — 과 항상 자학 작용을 하고 있는 어색한 억양에도 반영되고 있다. 아랭 보스꿰의 시의 위치는 끊임없는 모순 위에 기초를 두고 있다. 보스꿰는 1952년의 일자(日字)가 붙은 미발표의 원고 『수정의 도전』에서 자기 자신에게 "어째서 쓰느냐?"고 묻고 있다.

> 왜냐하면 내일 새벽에는 우리들이 모두가 가루가 되어 버릴 것이기 때문이다. 모두가 시간에 말살되고 공간에 먹히어져 버려서 무엇 하나 간직해둘 수 없고 무엇 하나 간직해 두려고 애도 쓰지 않는 나는 적어도 내 자신을 향해서 도전을 던진다 — (이 도전이란 [역주]) 평정, 인간성, 나의 피부도 나의 피도 여전히 참을 수 없는 관용을 표시하여 주는 두어서너 줄을 적는 일…… 명성을 운운하는 사람은 책임을 운운한다…… 나는 나의 시가 치밀하고 어려웁고, 수정되고 내일까지 연기되기를 원한다. 형태 중 내가 쓰고 주저하고 삭제하고 수정하기 위하여 취하는 수고 — 는[51] 내가 살인적인 오늘에 반대할 수 있는 가장 안전한

• • •

50. [역주] 동시에 동일 인물에 애증을 느끼는 것.
51. "형태 중 내가 쓰고 주저하고 삭제하고 수정하기 위하여 취하는 수고 — 는" 원문에 따라 '형태 — 즉 내가 쓰고 주저하고 삭제하고 수정하기 위하여 취하는 수고 — 는'으로 바뀌어야 한다.

방패를 구성한다. …… 시 — 분석을 먹고사는 성실. 시 — 모든 해결을 부인하는 데에 있는 너무나 안이한 해결을 수납하지 않는 회의론. 시 — 가장 완전한 카오스 위에 과(課)해지는 잔혹한 훈련…… 완성 너는 나의 교수(絞首)님, 그리고 너는 나를 구한다…… 결국 지금까지 늘어놓은 암호를 대신하는 법칙은 이것이다 — 새로운 것.

내 자신의 작품에 있어서도 앞서 말한 극성(極性)이 뚜렷이 눈에 뜨인다. 나의 최초의 저서 『천사가 있는 전쟁』(1950)은 제2차 대전의 암운 밑에서 1939년과 1948년 사이에는 프랑스에서 일부는 미국에서 씌어졌다. 그의 억압되고 긴장된 분위기, 그의 숨은 이메이지의 혼란, 그의 형태상의 엄격, 그의 움직이지 않는 기다림으로 항상 되돌아가는 것, 그리고 그의 제공된 생활에 대한 완강한 거부에도 불구하고 독자는 이미 여기저기에서 지구의 아침 햇빛이 떠오르는 방향으로의 적진 돌파의 기도와 고독과 번민과 건실한 망명과 겨울의 밑바닥에서 생각조차 할 수 없는 희열과 소생을 향한 파도 물결을 간파할 것이다.

나의 어린아이와 같은 외침은 야밤의 나의 방으로부터 숲을 지나 여기서 동만 트면 나무줄기들처럼 올라간다. 새벽은 나의 거부의 무기를 든다.

현재는 단지 고통뿐이다. 그러나 거기에서 새로운 빛나는 날은 나타날 것이다. 이와 같은 고통 속에서의 희열의 모순된 탄생(앞서 말한 시인들의 이원성과 같지 않다고 볼 수 없다)은 나의 감성의 특징이며 나의 작품의 주요한 주제가 되고 있는 것같이 보인다. (계속)

가장 커다란 내면적인 동란과 분열이 생겼을 때 가끔 이 두 개의 나의 인생에 대한 기본 감정의 화해될 수 없는 성분이 제각각 갈라진 채로 모습을 나타내었다. 그러나 항용 그것들은 일종의 변증법적 관계인 나선형적 운동을 통해서 동시에 나타난다. 그것들은 제각기 따로따로 튀어나와서는 고통인 동시에 광희가 되고 난폭인 동시에 유화가 되고 싸움인 동시에 양보가 되는 짧은 종합으로 귀착하고 만다. 이와 같은 노골적인 충돌은 문체에 있어서까지도 감지될 수 있다. 그것은 왕왕 치밀하고 신경질적이고 강한 율동적인 문구의 교체를 제시하며 속삭이는 듯한 애조와 인정적 자백과 함께

> 모든 나의 힘은
> 숨은 애정으로 만들어졌지
>
> 수류탄과 같이 폭발하는 축적된 이메이지를 제시하다—
> 나무는 빛을 향한 바위의 폭발이다.[52]

삶과 실패와 추방과 지상에의 뿌리박기와 소격(疎隔)과 사랑과의 이와 같은 무한한 대위법에서 인간의 충돌하는 내재적 힘은 변동하는 균형과 근사한 표현을 발견한다. 비평가 E. 누레는 지극히 정확하게도 『커다란

• • •

52. 인용시의 앞 문장부터 인용시의 마지막 단어까지("그것은 왕왕 치밀하고…… / 나무는 빛을 향한 바위의 폭발이다.")의 번역은 전체적으로 오역이다. 원문에 따라 다시 번역하면 다음과 같다.

"그것은 왕왕,

나무는 빛을 향한 바위의 폭발이다

라고 치밀하고 신경질적이고 강한 율동적인 문구, 그리고 수류탄처럼 폭발하는 축적된 이메이지들의 교체를 "모든 나의 힘은 / 숨은 애정으로 만들어졌지"라고, 속삭이는 듯한 애조와 인정적 자백으로 제시한다."

사면의 나팔』(1955)에서 "비탄의 서의 반대"를 보고 있다. "이것은 진정(鎮靜)의 서이다." 고통은 열매를 맺었으며 수획(收獲)이 준비되고 있다. 그러나 진정은 황량한 주위에서도 눈을 뜨고 직면해야 하는 암흑에서 일어나는 소리의 중매를 통하여서 달성되고 있다. 우선 추방자의 황폐한 유산에 대한 충분한 지각(知覺)이 오지 않으면 아니 된다. 그의 손가락은 기다리기에 허비된 인생의 오래전 상처를 마음속 깊이 탐구하여 보지 않으면 아니 된다.

> 인간이 잊어버린 것 그것은 이 세계 자체이다.
> 그는 세계의 부재의 한가운데에 살아남아 있다.
> 밤의 눈 먼 얼굴을 조각하기 위하여.
> 세계는 이미 없다. 그러나 우리들은 살고 있다.
> 우리들은 걷고 있다. 우리들은 이야기하고 있다. 도망가 버린
> 그가 마치 근처에 있는 것처럼.
> 침묵, 세계는 이미 없다.
>
> -「상처를 만지는 손가락」

기다린다는 것은 우리들이 계승자가 되는 부재와 정신이 여전히 그를 향하여 분투하는 아름다운 세계의 출현과의 사이의 조정자인 그 조용하고도 쓰라린 중간지점을 말한다. 그 기쁨은 공허를 밟고 가는 여행 중을 참고 노력하고 그러면서도 조용히 버티어감으로써 즉 기다림으로써 만약에 우리들이 그것을 잡을 수만 있다면 그것은 바로 우리들의 곁에 있는 것이다. 기다린다는 것은 죽지 않고 죽는 일이며 모든 과거의 기대에 대해서 완만한 할복자살을 하는 일이다. 즉각적인 생을 위하여 전일의 요구를 포기한 자아에 있어서는 기다린다는 것은 열린다는 것, 익는다는 것(가을의 과실과 같이), '다른 것'으로 변한다는 것을 의미한다. 그와 같은 의식적인 철야는 냉혹하게도 예쓰와 노오와의 사이에 있는 지상에의

뿌리박기와 존재에서의 추방과의 사이에 있는 심장의 중심부에서 수행되지 않으면 아니 된다. 무의 한복판에서 기다린다는 것은 쉬운 일도 아니며 무익한 일도 아니다. 그것은 이 무에 굴하지도 않고 이 무의 주구(走狗)도 고취자(鼓吹者)도 아니 되고 바로 이 무를 억제하는 일이다. 그렇기 때문에 그러한 능동적인 기다림은 추방 위에 승리를 가지고 온다. 이것이 바로 쟈복크강 근처의 패뉴엘에서 하룻밤을 새워가며 야코브가 천사와 싸운 취지이다. 어째 그러냐하면 이 밤의 천사에, 즉 이 살인적인 내부와 외부의 부재의 침략에 이긴다는 것은 기다림을(또한 기다림을 통한 그 자신을) 숨어 있는 세계의 현실로 돌려보내는 일이다. "그날 밤을 거기에 그냥 남아 있던" 쓸쓸한 야코브에 있어서는 기다린다는 것은 약속한 도시 위에 발판을 얻는 데 대한 장래와 역사와 강 건너의 아이들에게 도달하는 데 대한 축복을 얻는 유일한 방법이다. "생명의 수목은 미[53]와 악의 수목이 아니라 다만 알 만한 가치가 있는 과학의 수목이다. 살아남기 위하여 견디어나가기 위하여 이겨내기 위하여 적의 있는 운명에서 커다란 수획의 시대를 얻기 위하여 필요한 과학의 수목이다"라고 위에서 인용한 비평가는 결론을 내리고 있다.

〈패뉴엘〉에서의 야콥
그는 무엇을 배웠던가?
죽기 않기 위하여 죽는 것을
그는 배웠다. 아무것에도 속하지 않을 것을
이 세상 안에서 자기의 상실 위에 자기의 아침을 세울 것을,
생을 위하여 절름걸음을 걸을 것을.

루네 샤가 우리들의 문명 속에 있는 시인에 대하여 쓰고 있는 것은

● ● ●

53. 영어 원문은 '미(美)'가 아니라 "선(善)"이다.

이러한 의미에 있어서이다 — "그는 불행 속에서 건강을 만드는 법을 알고 있다"(A 오그라진 안정[54]).

19세기 말의 미학적 유산의 자취를 가장 깊이 남기고 형태의 완성에 전심하고 있는 현대 프랑스 시인들은 샤아와 F. 뽕쥬 모양으로 M. 떼스뜨[55]나 헤로디아드[56]의 그것과는 다른 문제의 봉사에 중점을 두고 있다. 이리하여 J. 샤아삐엘,[57] E. 그리상,[58] P. 오스떼[59]에 대하여 눈에 뜨이는 영향을 주고 있는 싸앙 종 뻬르스[60]는 전후에 발표된 그의 위대한 작품에서 우주와 역사의 모험 — (이것은 모든 사람들을 포함하고 있으며 이 안에서는 개인과 그의 상상 상의 국면에 나타난 시인 그 자신까지도 거의 존재가 없다) — 의 비극적인 광휘를 계속 축복하고 있다. 이것은 고독한 낭만적 염세주의의 종언이다. 여기에는 모든 것이 '유형'과 '종(種)'으로 된다. 이성의 위대한 사업을 예언하면서 새로운 인간 제국의 도래를 전하는 이 서사시에 있어서는 세계와 역사가 주역을 하고 있다.

만약에 뻬르스의 수사학적 장엄이 뽈 끄로델과 램보오와, 로오뜨레아몽을 넘어서서 고전적 웅변술의 근원에서 따오고 있는 것이면 그것은 오히려 이브 보네호이의 시에 의해서 상기되는 마라르메의 전통의 엄격하고 냉정한 완성에 속한 것이다. 그러는 그는 전세기의 상징파가 공유하고 있는 결함으로 타격을 받고 있지 않다. 그는 언어 그 자체에 대한 숭배와 순(수)시에 대한 예찬을 피하고 있다. 그는 언어의 힘을 행사하면서도

• • •

54. 샤르의 시집 『선명한 고요(*A une Sérénité Crispée*)』(1951).

55. M. Teste.

56. Hérodiade.

57. J. Charpier.

58. E. Glissant.

59. P. Oster.

60. St. John Perse.

한편으로는 또한 용감한 명석성을 가지고 사멸과 삭제에 의하여 위협을 받고 있는 시적 언어의 한계성을 인식한다. 되살아 와야지만 비로소 자기 자신을 알 수 있는 화염처럼 언설의 힘은 그것이 자기 자신을 주장하는 바로 그 순간에 소멸의 선고를 받는다. 그것은 존재에 접근하지는 못한다. 그것은 긴장이며 순수한 스타아트이며, 따라서 실현될 수 없는 영구성을 향하여 움직일 때에는 — 인간의 의식 그 자체처럼 — 반드시 멸해야만 한다.

나는 부재를 위하여 제기된 언어이다.
부재는 모든 나의 재행사(再行使)를 격파한다.
그렇다. 그것은 다만 언어뿐이라는 것의 재빠른 소멸이다.
그리고 그것은 숙명적인 오점이며 헛된 완성이다.[61]

마라르메적인 전통의 형이상학적 자존심이나 헤로디아드나 M. 떼스뜨의 거만하고 공허한 거절에 대해서 이브 보네호이는 다름 아닌 실존의 연극을 대용한다. 이것은 아마 전자에 비하여 좀 천한 주제이겠지만 그러나 그의 (의식 [역주]) 가장 깊은 원주에서부터 태어난 운동에 있어서 실존을 향하여 괴로워하면서 열심히 노력하다가 그의 (의식의 [역주]) 언어적인 거울인 시 그 자체 모양으로 부재의 암흑으로 다시 물러가는 인간 의식의 그것보다 더 강인한 주제가 어디 있겠는가? 보네호이의 시는 모두가 의식과 그의 죽엄의 절박한 순간과의 이와 같은 충돌을 목격하고 있다. 이와 같은 정신적 모색과 이와 같은 시의 목적은 밤의 내면적인 순치이며 의식의 생명 — 그리고 그의 연장으로서의 시적 생명 — 의 엄격한 경험으로서의 죽음에 대한 계속적인 근무이다. 이것은 헤겔의 서책의 제사(題詞)가 표현하고 있는 것이다. "그러나 정신의 생명은 죽엄에 직면하여 두려워

• • •

61. [역주] 재행사는 원문에는 "ressassement".

하지도 않으며 후퇴도 하지 않는다. 죽음을 견디는 것, 그리고 죽음 속에서 정신의 생명을 유지하여 가는 것 그것이 생명이다." 우리들은 지금 '상아탑'에서부터도 초현실주의자의 무의식의 심부에서의 '오락'에서부터도 너무나 멀리 떨어져 나왔고 예이쓰의 '비산티얌'에서부터도 혹은 생물인 것에 싫증을 느낀 바레리의 원한 깊은 파우스트에서부터도 너무 멀리 떨어져 나와 있다. 오늘날 이 시간까지는 보네호이의 작품은 희망과 도전과 패배의 불안을 포함한 고민이 담긴 모호한 질문으로 그치었다.

> 낮은 밤을 돌파한다. 그는 매일의 밤 위에서 승리를 얻을 것이다.
> 오, 우리들의 힘이여, 그리고 우리들의 영광이여, 그대는
> 죽음의 장벽에 구멍을 뚫을 수 있을 것인가?

우리들의 세대의 책임 있는 시의 소리는 이렇게 말하고 있다.

— 본고는 계간 *PARTISAN REVIEW*지 춘계호 중 Claude Vigée의 Revolt and Praise: Contemporary French oetry, 전역(全譯)이다. (역자)

-『사조』, 1958. 9-11.

테네씨 윌리암스의 문학

S. P. 얼만

테네씨 윌리암스의 현하의 인기는 비평가에게 재미있는 수수께끼를 던지고 있다. 그것은 그의 희곡이 일반 미국 대중에 관한 한에 있어서 불유쾌하고도 미심쩍게 여겨져 온, 그리고 지금도 역시 그렇다고 볼 수 있는 허다한 요소로서 혼합되어 있기 때문이다. 그의 희곡은 성과 신경병과 애욕의 불건전한 편견 같은 것을 보여준다. 그것들은 후로이드적인 개념으로 흠빽 젖어 있다. 그리고 적어도 일부의 사람들에게는 값싸고도 야비하리만큼 감각적인 매력을 주고 있는 것이라고 비난을 받았다. 이러한 비난에 대해서 그를 변호하는 사람들은 그들이 의지할 수 있는— 그리고 왕왕이 의지하고 있는— 몇 가지의 논증을 가지고 있다. 조라와 이브센과 스트린드베리를 본보기로 삼고 있는 현대적 사실주의의 계통에 있어서 극작가는 시대에 대한 새로운 심리적 통찰에 정통하고 잔인하고 솔직하고 주춤거리지 않는 객관성을 가지고 인간성을 묘사할 권리와 의무를 가지고 있다고 그들은 지적한다. 만약에 그 진리가 아프고 쓰라린 것이라 하더라도 우리들은 그 고통을 참지 않으면 아니 된다고 그러한 비평가들은 주장한다. 우리들이 만약에 진리를 약화하고 사실주의적 예술의 엄격한 필요성을 회피한다면 관중으로서는 허위적인 감정을 받게 될 것이다. 진리는 진리다. 어떤 이는 한걸음 더 나아가서 이 애욕에 대한 새로운 강조는 사실상 연극과 예술에 있어서의 일종의 해방력이며, 현대인은 오랫동안을 두고 사람들이 자기 자신을 구속해 온 빅토리아조의 표준과 청교도적 표준에서 해방되고 있으며 또한 해방되지 않아서는 아니 된다고 시사한다. 이와 같은 확신을 갖는 사람들에게 있어서 후로이드는 우리들을 현대의 금제의 속박에서 구해 주고 또한 우리들에게 이전에는 덕으로서 통하던 것이 사실상에 있어서는 다만 변장한 좌절에 지나지 않는 수가 많다는 사실을 보여 주는 일종의 회의적 구세주같이 생각되게 되었다. 이런 유파의 철학적 전제는 우리들이 이미 이해하게 된 것을 이 이상 더 두려워 할 수 없다는 것이다. 따라서 이러한 원칙은 신경병적 성격의 수많은 불유쾌한 병리학상의 문제에 대한 새롭고도 불안한 관용을 만들어냈다. 『차타레부인의 연인』 같은 소설을 가지고 D. H. 로오렌스는 수많은 사람들에게 이와 같은 새로운 애욕에 대한 예찬심을 갖게 하였으며 테네씨 윌리암스는 확실히 그의 추종자 중의 한 사람이라고 볼 수 있다. (윌리암스는 「나는 불사조와 같이 소리치며 불꽃 속에서 일어난다」[1]라는 제목이 달린 그의 작품 속에서 로오렌스에게 문학적 찬사를 바친 일이 있다.) 이와 같은 견지에 있어서 우리들은 맹목 대신에 지혜를 갖고 편협 대신에 연민을 가져야한다는 훈계를 받게 된다. 성적 억압의 문제에 흥미를 갖는 것을 추잡한 일이라고 비난하는 것은 진정한 인류의 질환에 동정을 갖지 않는 편협한 생각이라고 할 수 있다. D. H. 로오렌스와 그의 추종자들은 부정과 불경과 금제와 추악물 등의 불쾌한 자료에서 새로운 도덕을 효과적으로 만들어내었다.

윌리암스가 써온 그러한 희곡에 대한 또 하나의 논증은 심미적인 고려 위에 기초를 두고 있다. 예술가의 의도는 — 이 방면의 사람들의 논법에

• • •

1. 원제는 「I Rise in Flame, Cried the Phoenix」이다. '나는 불길 속에서 솟아오른다, 불사조는 외쳤다'라고 번역해야 할 것이다.

의하자면 — '본질적으로' 병리학적인 것이 아니다. 그는 노골적으로나 사실적으로 이야기만을 제시하는 사람이 아니다. 어느 편인가 하면 그는 이러한 시사적이며 감각적인 요소가 관중의 마음에 무의식중에 작용하며 그가 그들에게 펼쳐 보이는 환상 속에 되도록 가장 심오하고 여무진 방법으로 그들을 휩쓸어 놓을 수 있는 한 편의 시를 만들어내는 데 관심을 가지고 있는 사람이다. 그러한 비평가에게 있어서 예술작품은 단순히 신경병에 관한 것이 아니다. 그 예술작품 자체가 바로 신경병인 것이며 따라서 예술작품이 심리적으로 우리들을 동요시키고 새로운 직각(直覺)과 영교(靈交)의 행동이 우리들을 강요하게 될 때에만 우리들은 비로소 예술작품과 단호하고 심오한 관계를 맺게 된다. 예술은 병이다. 그러나 그것은 우리들이 흔연히 받아들여야 할 병이다. 어째 그러냐하면 우리들은 모두가 시초부터 신경병환자이기 때문이다. 우리들은 모두가 우리들의 내부에 고전적 복잡성의 종자를 지니고 있다. 그리고 예술은 이러한 잠재적 내용의 활발화와 정화를 위한 자치적 활동이다. 그렇기 때문에 그것은 (희랍의 시적 비장극이 그러하였듯이) 우리들에게 신화와 상징의 보편적인 언어로서 말을 건다. 문자 상으로만 따서 볼 것 같으면 윌리암스의 희곡과 같은 작품은 괴벽스럽고 주관적인 태도로 그려낸 불건강한 것의 사실적인 — 병들고 비틀려져 버린 마음의 추잡한 고백 — 진수(眞髓)같이 생각될 것이다. 시적으로 볼 때에는 그것은 객관적이며 상징적이며 도덕적으로는 건설적인 것이라고 위의 비평가들은 말할 것이다. 상징은 개인 이상의 것이며 따라서 그것은 원형적 권위를 가지고 인류의 집단적 무의식을 상대로 말을 건넨다. 사실주의적 견지에서 볼 것 같으면 시적 상징주의는 필연적으로 표면의 현실을 의곡하지만 진정한 상징주의자에게 있어서는 표면의 현실은 그 자체가 의곡이며 다만 이면 상의 것이다 — 다시 말하자면 그 밑에 탁월한 진리를 감추고 있는 일종의 가면이다. 또한 시적 상징주의자는 자기의 작품을 적극적이며 건설적인 것으로 본다. 사실 그렇다 — 그는 우리들에게 그의 예술인 병에 굴복하기를 요청하고 있다 —

그러나 그렇게 함으로써 우리들은 우리 병을 고칠 수 있을 것이다. 우리들은 심리적 동요에서부터 심리적 통합으로 진화한다. 땅거미에게 물리면 발광이 일어나지만 독을 받은 희생자의 광포한 날뜀은 그에게 마음의 평정을 가져온다 — 모든 정열이 소모되어 버리는 것이다. 그는 자기의 준엄한 시련으로 기진맥진하여 버리지만 본정신과 완전에 도달한다. 이와 같은 교리의 신조에 의하면 — 우리들은 예술을 통해서 그걸 배워야 한다.

나 자신만 하더라도 후자의 견해의 진리와 가치를 믿고 있는 사람이지만 그러나 최악의 경우에는 값싸고 추잡한 것으로 떨어지고 최상의 경우에는 무기력하고 비능률적인 것으로 되어 버리는 수많은 작품이 이와 같은 신념의 이름 아래에서 우수한 예술로서 용납되어 오지 않았나 하는 의심스러운 생각이 든다. 우리나라의 종족 편견을 타파하려는 사람들처럼 신화와 상징파의 자칭 해방적인 비평가들은 편협하게 보이지 않으려고 애를 쓰고 있다. 그들은 격리를 철폐하였다. 그리고 결과적으로 선정적인 전율문학(戰慄文學)은 왕왕이 진정한 의미의 가치 있는 작품들과 친밀한 관계에 놓이게 될 것이다. 이 새로운 상징과 집단적 무의식의 민주주의 국가에 있어서는 기본 기술만 부여되면 누구든지 예술을 할 수 있으며 따라서 단순히 얼굴 색깔만 가지고는 진정한 시인과 숙백이 시인을 분간하기 어렵다.

테네씨 윌리암스가 예술 상으로 보아서 말썽꾸러기 속에 든다고 시사하는 것은 다분히 귀에 거슬릴지 모르지만 그의 업적의 전폭적인 타당성을 탐구하는 것은 나에게는 비평 상으로 보아서 적절한 일같이 생각된다. 어떤 이가 탐구의 대상으로 오르내린다는 사실은 어느 의미에 있어서는 그의 작품이 환기하고 있는 진정한 흥미와 그의 재간의 기술적 유효성에 대한 진정한 증명이 되는 것이다. 나는 그가 성공을 거두었다는 사실은 의심하지 않는다. 그러나 나는 그 성공의 진의를 음미하고 싶으며 또한 이 짧은 이야기의 범위 안에서 취지 즉 그의 업적의 배후에 숨어 있는 의미를 평가하려는 노력에 있어서 그가 사용한 약간의 상징에 대한 비평적 구명을 시도하고 싶은 것이다. 우리들이 윌리암스의 희곡을 용납할 때 우리들은 무엇을 용납하라는 요청을 받게 되나? 그의 희곡이 나타내고 있는 것은 무엇인가? 그리고 그것이 나타내고 있는 것이 있다면 그것은 총체적으로 무엇을 제시하고 있나? 우리들은 무슨 목적으로 그의 애욕적 몽환의 이채로울 정도의 열광적인 창흔(創痕)을 견디어야 하나? 윌리암스가 보이어지기를 원하고 있는 것이 정상적인 제한된 의미에 있어서의 사실주의자라기보다는 오히려 시적 상징주의자이라는 것은 두말할 것도 없는 일이라고 나는 생각한다. 그의 최근의 성공적인 희곡 「유리야수원(流離野獸園)」의 서문은 이 점을 여실히 증명하고 있는 것같이 보인다.

> '기억희곡(記憶戲曲)'을 노린 「유리야수원」은 인습에 대한 비상한 자유를 차지할 수 있다. 이 희곡은 상당히 섬세하고 세밀한 자료를 다루고 있기 때문에 분위기적 촉감과 동작의 세세한 구별이 극도로 중요한 역할을 한다. 희곡에 있어서 표현주의와 그 밖의 모든 비인습적인 기술은 단 하나의 확실한 목적을 가지고 있으며 그것은 진리에 대한 보다 더 밀접한 접근이다. 희곡이 비인습적인 기술을 사용할 때에 그것은 인습을 다루거나 경험을 해명하는 그의 책임을 회피하려고 하는 것이 아니며 또한 단연코 그래서는 아니 되고 그것은 사물의 본연의 자체(姿體)에 대한 보다 더 밀접한 접근과 보다 더 투철하고 활기 있는 표현을 발견하려는 시도인 것이며 또한 마땅히 그렇지 않아서는 아니 된다. 그의 진정한 냉수욕실(冷水浴室)과 확실한 근거를 가진 각빙괴(角氷塊)와 바로 관중이 말하는 것과 똑같이 말하고 있는 그의 인물들을 구비한 순수한 사실주의적 희곡은 아카데미풍의 조망과 아카데미풍의 외모와 동일한 장점에 부합한다. 오늘날 모든 사람들은 예술상에 있어서의 사실의 비중요성을 알고 있을 것이다. 사진(寫眞)의 진리와 생명과 현실은 시적 상상력이 다만 변형을 통해서만 즉 단순히 외관상에 나타나 있는 형태가 아닌 다른 형태로의 변화를 통해서만,

본질을 표시하거나 시사할 수 있는 유기적 사물이다.

이러한 말들은 이 특별한 희곡의 서문에 한해서만 의미를 가지고 있는 것이 아니다. 그것은 극장이 만약에 우리들의 문화의 일부로서 활기를 다시 찾아야 한다면 사실주의적 인습의 낡아빠진 연극에 대치되지 않으면 아니 되는 새로운 창조적 연극의 개념과 관계를 가지고 있는 것이다.

그러면 그의 희곡을 살펴보기로 하자. 「유리야수원」은 상당히 영리한 메카니즘 무대이다. 왜냐하면 무대기술 면에 있어서 진정으로 '표현주의적'이며 '비인습적'인 — 그렇기 때문에 그것은 사실주의적 비평가의 무기를 빼앗고 또한 우리들을 즉석에 신화와 상징의 영토 속으로 몰아넣는다 — 이 희곡은 그 반면에 있어서 지극히 친숙하고 인습적이고 시험제(試驗濟)의 희극적인 상황을 이용하고 있기 때문이다. 「유리야수원」은 음악, 조명, 영상에 있어서는 섬세하고 몽환적이지만 한편 희곡의 문자 상의 플롯은 중류계급의 생활상이다. 그리고 회화는 극작가의 날카로운 귀와 확실한 보도 능력을 증명할 수 있을 만큼 약바르고 자연스럽게 꾸미어져 있다. 이와 같은 사실적 희극적 수집에서 우리들은 미혼 중의 딸과 성급한 젊은 후보자와의 결혼을 성취시키려고 절망적으로 야비하게 그러고도 불쌍하게 애를 쓰는 호방한 미국인 모친의 매력 있는 향수적 신화를 갖는다. 딸은 어른이 다 된 처녀이면서도 어색하고 수집어하고 괴로워한다. 아들은 상상력이 풍부하고 마음이 늘 안정되지 않은 조소적인 청년이다. 그는 그의 모친이 로라에게 구혼자를 제공하려고 계획할 때에 그녀의 무의식적인 위선에 본의 아닌 동조자가 된다. 그리고는 그는 그 다음에는 조소적인 해학과 솔직한 모반심을 가지고 모친의 정력적인 전투에 항의를 한다. 그러나 드디어 보다 더 좋은 판단을 가지고 있었는데도 불구하고 불행한 후보자 — 그의 모친의 결혼 모략의 무고한 희생자 — 를 집안으로 데리고 들어오는 것은 이 아들이다. 그러나 결혼에 대한 희망은 수포로 돌아가고 만다. 젊은 후보자는 이미 다른 여자와 결혼할 약속이 되어 있는 듯이 보인다. 딸 로라는 올드미쓰를 계속해야 할 것이며 평생 아마 다른 좋은 기회를 구해내야 할 것만 같다. (우리들은 앞서서 로라가 타이프 학교에 다니다가 그것이 고되어가지고 병이 나서 그 학교에서도 낙제를 한 사실을 알고 있다.)

이것이 가정 희극의 대체적인 전모이다. 이것은 유쾌하고 풍자적이고, 짭짤하고 따뜻한 작품이다. 우리들은 젠 오스틴의 『자존심과 편견』, 뉴욕에서 다년간 상연된 애비의 『애란(愛蘭)의 장미』[2]와는 다른 솜씨로 된 이 연극의 아슬아슬한 장면을 보고 웃음을 터뜨렸다. 모친의 정력과 자식들의 고민과 장래의 구혼자의 둔감한 태도는 전통적이며 보편적인 웃음거리이다. 그와 같은 핵심 위에 그의 희곡을 일으켜 세우려는 선택을 한 것을 보면 윌리암스는 일부러 직접적인, 밑이 들여다보이는 한 방법으로 — 통속적 사실주의자로서 — 인기를 노리고 있는 것 같은 감이 든다. 그러나 그가 이 희극적 원형(原型)의 건강한 핵심에 대해서 취하고 있는 견해의 각도는 이상하고 유별나게도 사면적(斜面的)이다. 희극이 인습적으로 지니고 있는 강장(强壯)하고 활발한 해학에 만족하지 않고 혹은 아마 그 반창조적인 허약성과 약점을 지탱하고 유지하기 위하여 바로 그러한 활기와 강장미(强壯味)에 보충적으로 의지하면서 윌리암스는 낭만적 우울과 시적 '불쾌미'의 베일 속에 전체를 싸 넣었다. 그는 그 희곡을 기억희곡이라고 부르고 있다. 한편으로는 이것은 그의 평범하고 야비하고 희극적인 장면을 실제적인 현재에서 멀리 떨어진 상상적인 거리 위에 놓기 위한 임의로 결정한 분위기적 책략이다. 그러한 장면들은 '상기된' 장면으로서 생각될 수 있는 것이다. 또 한편으로는 이러한 장면들은 문자 그대로 톰의 기억에서 투영되고 있다고 생각될 수 있고 또한 그의 씻어지지 않는 죄의 감각에

2. '애비의 『애란의 장미』'는 『애비의 애란의 장미(*Abie's Irish Rose*)』라는 대중 코메디 작품의 오역이다.

의해서 채색되고 동기가 부여되고 있기 때문에 이것은 이 희곡의 구조에 대한 기본적인 전체인 것이다. 톰은 아들이며 그가 부친의 본을 따서 현실 세계에서 자기 자신을 찾기 위하여 속된 아집을 버리고 중산계급의 꿈을 깨뜨리고 떠날 때 그의 모친에 대한 반항은 어떤 비극적인 심각미(深刻味)를 나타내고 있으며 또한 나타내려고 의도되고 있다. 희극의 전통에 있어서는 이와 같은 출분(出奔)은 톰이 성장했다는 단호한 재보증적인 신호가 될 수 있으며 그가 골을 내고 자기의 독립을 주장하고 나갈 때 문을 탕 하고 닫아부치는 것은 풍자적인 상쾌미를 가진 것이라고 생각될 수 있다. 윌리암스는 희극의 형태를 고수하고 있지만 그러나 순전히 희극적인 견해만을 취하는 것을 그는 좋아하지 않는다. 톰은 출분으로 인해서 마음이 자리를 못 잡고 있다. 그의 상처만 받고 결혼을 못한 누이에 대한 유약한 환상이 기억의 방안에 견책하는 듯이 희미하게 걸려 있다. 그는 그녀를 잊어버릴 수가 없다. 간단히 말하자면 톰은 자기가 떨쳐 버릴 수 없는 죄에 의해서 고민을 하고 저주를 받고 있는 — 바이론적 시적 악마적인 — 앞이마 위에 카인의 낙인을 받고 있는 낯익은 19세기의 낭만적인 주인공이다. 로라의 영상은 코르릳지의 안센트 매리나[3]의 목에 걸려 있는 살해당한 신천옹(信天翁) 모양으로 그를 괴롭힌다. 어느 이상한 방법으로 그는 그녀를 망쳐 놓았다 — 로라에게 상처를 주었다 — 평생 그녀를 불구자로 만들어 놓았다.

또한 이와 같은 어느 편인가 하면 낭만적인, 그리고 말하자면 반(反)희극적인 목표가 연극적 조망의 표현주의적 채색과 양립하고 있다. 연극은 시종일관 톰의 — 허약하고 유리 같고 순결한 — 누이에 대한 낭만적 영상의 순수한 이상성 위에 초점이 집중되고 있다. 로라 위에 비치는 불빛은 "초기의 종교화에 나오는 성녀나 마돈나의 초상에 사용되고 있는 불빛처럼

• • •

3. 코울리지가 쓴 「늙은 선원의 노래(The Rime of the Ancient Mariner)」의 '늙은 선원(ancienrt mariner)'.

특수한 원시적인 청명성을 가지고 다른 사람들을 비치는 그것과 구별되어야 한다"고 윌리암스는 말하고 있다. 그리고 작자의 말에 의하면 음악은 "써커스 음악처럼…… 어느 거리를 두고 들려오는…… 가장 가볍고 이 세상에서 가장 섬세하고 그리고 아마 가장 슬픈 것. 그것은 표현할 수 없는 불변의 비애가 밑바탕을 흐르고 있는 인생의 표면상인 쾌활을 표현한다……. 그것은 근본적으로 로라의 음악이며 따라서 연극이 그녀와 그녀의 영상인 사랑스럽고 연약한 유리 위에 초점이 집중될 때에 가장 선명하게 흘러나온다." 로라가 움직이고 있는 세계는 언뜻 보면 사실주의의 실제 세계인 것 같은 생각이 든다 — 특히 그것이 『스트리트 씬』이나 『뎃드 엔드』 같은 연극의 추잡한 기록적인 사회 장면을 고집하고 나갈 때에 그 감은 배가한다. 윙그휠드[4] 일가는 줄행랑 같은 아파아트에 살고 있다. 윌리암스는 '기분 나쁜 뒷담' '어둡고 좁은 골목길' '얼크러진 옷줄의 음산한 협곡, 양철통 부스러기와 인접한 비상구의 불길한 체크무늬'를 주를 달아 놓고 있다. 그러나 이와 같은 몽롱하고 음산한 장면은 사실주의적이라기보다는 오히려 표현주의적이며 기능상으로는 상징주의적이다. 이것은 톰의 '기억'이 그 밑에 가로 놓여 있는 낭만적인 좌절과 압박을 표현하고 있다. 윌리암스는 그가 윙그휠드 일가의 아파아트로 들어가는 유일한 입구가 비상구라는 것을 말할 때 이 점을 뚜렷이 들추어 보인다. '비상구'라는 이름에는 '부수적인 시적 진리의 촉감이 있다, 라는 것은 모든 이러한 거대한 빌딩은 언제나 인간의 자포자기의 완만하고 짓궂은 화재로 불타고 있기 때문이다'라고 그는 말한다. 동시에 그는 이러한 솔직한 시적 조망에는 그의 희곡이 어느 의미에 있어서는 병든 사회에서 발산하는 질식할 듯한 기운에 대한 항변이라는 사회적 특성 — 이것은 기록적인 가치와 의도를 가지고 있는 것이다 — 이 스며들어 있다는 암시

• • •

4. 『유리동물원』 주인공들인 Wingfield 가계를 의미한다. Amanda Wingfield, Tom Wingfield, Laura Wingfield.

를 우리들에게 과할 것이다. 그는 단숨에 낭만적도 되고 사실적도 되기를 원하고 있다. 이 상기되는 희곡의 담화자로서의 톰은 이를테면 다음과 같이 말하고 있다.

> 우선 나는 시간을 뒤로 돌린다. 미국의 거대한 중산계급이 장님을 학교에 입학시키고 있던 그 이상야릇한 시기, 30년대로 나는 시간을 역전시킨다. 그들의 눈은 그들을 망쳐 놓았다. 혹은 그들이 그들의 눈을 망쳐 놓았다. 그리고 그 때문에 그들은 용해하는 경제의 불같이 타는 점자식 알파벳 위에 자기들의 손가락을 강제로 찍어 누르게 하고 있었다.
>
> 스페인에는 궤르니카가 있었다. 여기, 시카고 크레브랜드 센트루이스와 같은 평화스러운 도시에는 때로는 상당히 난폭한 노동의 방해가 있었다. 이것이 이 연극의 사회적 배경이다.

그러나 확실히 우리들은 사실에 대한 이 부풀어 오른 과장을 인식하지 않으면 아니 된다 — 저주받은 주인공이 그의 낯익은 무익한 싸움을 하고 있는 압제적인 세력의 낭만적인 상징. 이 연극의 위기에서 일어나는 전등이 안 들어오고 촛불이 나오는 여름 폭풍도 역시 이와 같은 낭만적, 상징적인 질서에 관한 것이다. 모친 아만다는 그녀가 사랑스러운 구식 큰 촛대를 이야기할 때에 그 상징을 가리킨다. 이것은 "성묘(聖廟)의 제단 위에 잘 나와 있었지" 하고 그녀는 말하였다. "이 촛대는 교회가 타버렸을 때 쇠가 녹아가지고 모양이 좀 상하여졌어. 어느 해 봄에 벼락이 교회를 때렸단다." 이와 같이 벼락이 로라를 때리고 그녀를 녹게 하여가지고 모양이 좀 상해 버렸다고 우리들은 추리할 수 있게 된다. 로라가 위기에 처했을 때 즉 젊은 후보자가 다른 여자와 결혼할 약속을 하고 있는 것을 그녀가 알게 될 때 이 작가는 복서(卜書)에서 로라는 "분명히 그녀의 폭풍과 싸우고 있다"고 우리들에게 말한다. 그 다음에 좀 지나서 그는

"폭풍이 조금 수그러진다"고 말한다. 그리고 그 다음에 날씨가 개이자 "로라의 얼굴의 제단에 있는 성스러운 촛불은 꺼져 버렸다. 거의 무한한 폐허의 모습이 떠돌고 있다"고 그는 말한다. 물질적인 폭풍과 물질적인 촛대는 그녀의 정신적인 폭풍과 그녀의 비유적인 제단의 촛불이 되고 있다. 이와 같은 예비지식을 가지고 볼 때 이 희곡의 최후의 수행(數行)의 의미는 거의 뼈아플 정도로 명료하다. 자기의 죄스러운 기억을 돌아보고 있는 마음의 안정을 잃은 톰은 비유적으로 로라의 촛불을 꺼버리기를 애쓰면서 자기의 생애를 소비한 것을 말한다. "왜냐하면 오늘날에 와서는 세계는 전광으로 밝히어지고 있다. 너의 촛불을 꺼버려라, 로라 — 그리고 인제, 잘 있거라!" 하고 그는 말하고 있다. 여전히 그의 기억 속에서 무대 위에 있는 로라는 몸을 앞으로 기울이고 촛불을 꺼버린다.

집단 혁명의 분위기 가운데에서 — 후랑코와 궤르니카의 스페인에 의해서 다스려지고 있는 배경에 반하여 — 혹독한 사회현실의 전광에 의해서 밝히어지고 있는 세계 안에서, 미국의 중산계급은 그의 맹목이 가지고 온 그의 연분홍빛 램프 갓과 연분홍빛 촛불에, 그것이 어둠속으로 억지로 팽개쳐져 버리게 되기까지 매어달려 있다. 윌리암스는 여기에서 아놀드의 유명한 시 「도바 해협」[5]의 기본적 철학을 긍정하고 있다.

> 왜냐하면 세계는 우리들의 눈앞에 퍽이나 가지각색으로, 퍽이나 아름답게, 퍽이나 새롭게 꿈나라처럼 그럴 듯하게 누워 있어 보이지만 실상은 희열도 없고 사랑도 없고 광명도 없고 확신도 없고 평화도 없고 고통의 구제도 없기 때문이어라. 그리하여 우리들은 무지한 군대들이 밤새도록 부딪치는 싸움과 도주의 혼란 경악이 휩쓸고 간 어두운

● ● ●

5. 매슈 아놀드(Matthew Arnold, 1822-1888)의 시 「도버 해협」. 다음에 인용된 시는 산문시의 형태로 되어 있으나 이는 김수영이 시의 행을 재배치한 것이다. 김수영은 다른 여러 작품에서도 종종 원 작품의 형태를 변화시켜 번역하고 있다.

평원 위에 있는 것처럼 여기에 있노라.

윌리암스의 주제는 '사회적 특성'의 거대한 저음부 위에서 연출되고 있음으로 해서 귀에 거슬리는 데가 많아진 마슈 아놀드의 시적 우울증이다. 그러나 이와 같은 우울증적인, 낭만적인 준희극적인, 준사실주의적인 기구에 있어서의 하나의 고통거리는 그것이 모두 톰의 무기력과 죄에 달려 있다는 것이다. 윌리암스의 희곡의 애욕적인 것이 집중되고 정체되는 것은 바로 여기에서이다. 여기에 이 희곡을 침체시키고 그르치는 무익한 '불쾌미'의 근원이 있다. 영원한 성모 마리아의 원형 속에 주조되어 있는 로라는 퍼세파니[6]처럼 그늘의 영토 안에서 살아야 할 운명에 놓여 있다. 그러나 퍼세파니와 다른 것은 로라에게는 두 번 다시 햇빛이 있는 영토로 들어갈 수 있는 허락이 주어지지 않았다. 윌리암스가 현세의 어머니처럼 — 로라의 퍼세파니에 대하여 데메터[7]처럼 — 보고 있는 아만다의 모든 조력은 즉 아만다의 모든 노력은 허사가 된다. 고대희랍 신화에 나오는 푸류토[8]의 역할은 여기에서는 젊은 후보자가 맡아보고 있지만 그의 원형의 사본과는 다른 것이 윌리암스의 푸류토는 강간을 성취하지 않는다. 그리고 그와 같은 생략과 함께 이 우화에서는 결정적인 그 무엇이 상실되고 있다. 왜냐하면 희랍 신화는 죽음과 소생의 의식을 구현화하고 있다. 퍼세파니의 기적은 기독교의 예배식에 있어서는 성모마리아의 그것과 흡사하다. 퍼세파니는 푸류토의 그늘의 영토로의 하강을 통해서 수태를 하고 아이를 낳게 된다. 푸류토는 죽음이지만 그는 또한 부유 — 지상의 부유 — 이다. 따라서 신약이 우리들에게 "씨는 죽지 않고서는 싹트지 않으리라."고 말할 때 그것은 바로 그 희랍 신화의 요점을 지적하고 있는

• • •

6. Persephone. [역주] 희랍 신화에 나오는 지옥계의 여왕.
7. Demeter. [역주] 희랍 신화에 나오는 농업·풍작을 관할하는 신.
8. Pluto. 저승의 신 하데스의 로마식 이름.

것이다. 퍼세파니는 '처녀'로서는 죽지만 어머니로서 다시 살아난다. 그리고 이 기적극에 있어서는 젊은 후보자인 푸류토는 죽음과 종자(種子) 운반인의 일인이역으로서 의미심장한 불가결한 요인이 되고 있다. 그는 생명이 갱신되기 위하여 결혼의 신인 하이멘[9]을 깨뜨리고 만다. 그러기 때문에 사람들은 언제나 이것을 바라보아 왔으며, 또한 그렇기 때문에 D. H. 로오렌스는 애욕의 현대적 숭배를 가지고 생명의 상징으로서의 성행위의 적극적인 의미를 보고 있다. 또한 희극에 대한 전통적인 출발지가 생식의 의식이라는 사실과 성적 보충의 영상에 있어서의 신성한 보편적인 의미를 알기 위하여서는 우리들은 구태여 로오렌스가 될 필요가 없는 사실은 증명될 수 있는 것이다. 그것은 모든 희극의 기초이며 종말이다. 소년은 소녀와 만난다. 그리고 그 믿음직한 조우에서 어린아이가 태어나도록 의도되고 있다. 그러나 윌리암스는 그가 외관상으로 지극히 숭배하고 있는 로오렌스의 적극주의(積極主義)를 악용하는 길을 택하고 있으며 그의 희극적 주제를 낭만적 우울로서 유산시키는 길을 택하고 있다. 로오렌스가 성적 완수와 생명력에 대한 자유롭고 열렬한 선수가 되고 있는 곳에서 윌리암스의 희곡의 상징은 무기력과 성적 패배를 최성(最盛)하게 하고 있다. 심리학적으로 보자면 로라는 강간은 당하였지만 수태는 되지 않았다.

이 사실은 로라의 유리동물의 수집품 중의 가장 귀중한 보배인 유리 일각수의 상징을 통하여 가장 직접적으로 표현되고 있다. (이 유리로 만든 동물원 때문에 희곡의 제목이 생기었다.) 중세기 기독교의 전설을 보면 일각수는 정절의 상징이다. 이것은 일반적으로는 사납고 자유롭고 거대한 힘을 가지고 있는 것이라고 간주되고 있다. 그의 단 하나의 뿔은 지극히 대적하기 어려운 무기 노릇을 하고 있었기 때문에 사냥꾼들은 보통 수단으로는 좀체로 그것을 잡을 수가 없었다. 그래서 그들은 동물이

---

9. Hymen. 결혼의 신 히메나이오스(Hymenaeus)에 어원을 두고 있다. 처녀막을 의미하기도 한다.

우짖고 있는 숲속의 나무 밑에 처녀를 잡아다 놓고 그 처녀를 일각수를 잡는 미끼로 사용하였다. 일각수는 처녀의 순결에 반하여 가지고 얌전하게 처녀의 곁으로 다가와서는 찬탄의 마음을 품고 그녀의 무릎 위에 머리를 대고 드러누웠다. 이 순간 잔인한 사냥꾼은 맹수에게 달려들어가지고 그것을 죽이었다. 로라는 그녀의 유리 일각수를 가지고 순결한 꿈의 세계 속에서 살고 있다. 젊은 후보자의 형태를 한 잔인한 사냥꾼은 자기도 모르는 중에 그녀의 꿈속으로 들어와서 꿈을 깨뜨리고 만다. 문제의 신사인 짐은 무심코 우연한 짓을 하는 중에 유리 일각수가 놓여 있는 테이블에 부딪치고는 그의 뿔을 깨뜨려 놓는다. 로라는 이 징조를 받아들이고 지금 짐이 그녀에게 확신을 주려고 선사하고 있는 키스 속에 자기의 정절을 바친다. 푸류토는 퍼세파니를 강간하였다. 그러나 푸류토의 부유는 거절당한다. 짐은 다른 여자와 결혼 중에 있다. 고민에 잠긴 로라는 '추억'을 위해서 짐의 손에다 깨어진 일각수를 꽉 누른다. 그것이 '기억희곡'에 있어서의 단 하나의 '기억'이 되었다. 젊은 후보자는 머리에 포도 잎을 단 해방자 디오니소스처럼 와야 했을 것이다. 그러나 그는 그렇지 않고 죽음인 잔인한 사냥꾼으로서 왔다. 희극의 일반적 전통에 있어서는 로오렌스의 애욕적인 예찬에 있어서와 같이 성은 생명이며, 순결의 죽음은 생명의 탄생으로 나타난다. 그러나 윌리암스의 불건전한 낭만주의에 있어서는 성은 죽음을 상징하며 다만 죽음만 — 부활이나 유예가 없는 궁극적인 죽음 — 을 상징하고 있다. 젊은 후보자는 죽음이다 — 로라의 꿈의 죽음이며 그는 그녀에게 생명을 부여할 만한 힘이 없다. 그는 또한 현실이다. 담화자로서 톰은 그에 대하여 말하고 있다 — "우리들이 어떻게 해서든지 떨어져 있는 현실의 세계에서 온 밀사로서 그는 이 연극에 있어서 가장 현실적인 인물이다……. 그는 우리들이 그것을 위해서 살고 있는, 오랜 후에 뒤늦게 오는, 그러나 항상 기대되고 있는 그 무엇이다." 낭만주의자에 있어서는 죽음이 항용 그 무엇인 수가 많다. 성과 죽음과 현실, 이것들은 젊은 후보자의 상징의 세 개의 완전체이며 무력한 낭만주의자로서의 윌리암스는 이 세 가지를 전부 두려워하고 있다. 로라는 상처를 받고 정신적 불구자가 되어 버렸고 그 때문에 몽상가인 톰은 자유롭게 되었다.

윌리암스는 그의 우화를 이와 같이 ○○하면서 현대 희곡에 있어서 가장 보편적이며 편재적(遍在的)적인 주제의 하나를 가지고 그의 연극을 병렬해 놓는다 — 이러한 그의 구제를 유진 오닐은 「빙인도래(氷人到來)」에서 공상적 계획이라고 부르고 있다. 그의 작품의 주인공들이 사물의 본질상 실현될 수도 없고 인지될 수도 없는 욕망과 소원에 실질적 현실성을 부여하기 위한 싸움에 종사하고 있어야 하는 것은 이와 같은 주제에 기초를 둔 희곡의 주인공에게만 특유한 사실이다. 이러한 비현실적인 욕망은 현실세계의 거칠은 빛에 노출되게 되면 폭발을 하여 이 노출의 과정은 왕왕이 발광이나 죽음을 동반하게 된다. 이 희곡 세계의 인물들은 특징적으로 그들의 각성의 용기를 가지고 있지 않다. 진리는 죽인다. 공상적 계획과 그것이 꼬리를 다는 환상과 현실과의 사이의 부수적인 충돌에 대한 이와 같은 주제는 적어도 이브센의 「들오리」에까지 멀리 소급한다. 그것은 이브센 이후에 골키, 스트린드베리, 체홉, 토라, 오카시 같은 저명한 극작가들에 의해서 추구되었다. 이브센이 그의 생의 허언(噓言)에 대한 개념을 최초로 똑똑히 표현한 것은 「들오리」에 있어서이었다. 그가 해명하고 있듯이 생의 허언은 필요한 허언이며 생을 유지하여 주는 허언이다. 극소수의 사람들만이 현실의 빛에 의해 살 수 있는 힘을 가지고 있다. 그들의 눈은 약하며 진리에 대한 그들의 능력은 근원에서부터 벌써 불구자가 되어 있다. 그러한 유약한 사람들에게 있어서는 (즉 대다수의 인류에게 있어서는) 어느 보호적, 보상적 환상이 적어도 생이 유지되어 나가야 할 마당에 있어서는 필요한 것이라고 간주되고 있다. 생의 허언에 대한 이브센의 상징은 들오리이다. 그 들오리는 한때는 자유스러웠으며 자연의 야생적인 상태 속에서 구속을 받지 않고 행복하게 살고 있었다. 그러나 그때에 어느 한 사냥꾼이 나타나서 그 들오리를 총으로 쏘고는 그의 날갯죽지에 상처를 입혀 놓았다. 그는 들오리를 죽이지는 않았다

— 그는 다만 상처만을 입혔다. 들오리는 살기가 싫어서 심연에 몸을 던지고, 바다 밑에 있는 해초를 꾹 깨물고 있다. 그런데 사냥꾼의 개가 들오리의 뒤를 따라 물속으로 들어와서는 다시 이 오리를 물 밖으로 끌어낸다. 들오리는 죽을 때까지 낫지 않는 부상을 당하고 있고 따라서 본래의 자유를 다시 찾을 희망도 없기 때문에 그는 다만 죽을 길밖에는 가지고 있지 않다. 그런데 어느 의미로 보면 지극히 무정하게 구출을 당해 온 심연의 내용품으로서 그리고 또한 좀 모호한 말이지만 황야에 있던 본집의 대용품으로서 두 번째의 피난처가 발견된다. 그는 따듯한 지붕 밑 방 속의 둥우리 안에 안치되고 그의 주위에는 나무와 푸른 가지들이 둘러싸여 있어서 그로 하여금 다시금 자연의 자유로운 세계 속에 기를 피고 있는 것 같은 감을 준다. 그는 진정으로 자유롭게 될 수는 없기 때문에 그 대신에 자유의 환상이 부여된 것이다. 그리하여 들오리는 이와 같은 자비로운 허언과 결의 속에서 행복스럽게 지붕 밑 방의 '심연(深淵)' 속에 살고 있다. 이브센의 희곡에 나오는 주인공들은 이 들오리와 같다. 그리고 로라도 역시 그렇다. "어렸을 때의 병이 그녀를 불구자로 만들었다. 한쪽 다리가 다른 쪽 다리보다 약간 짧았으며 그래서 버팀을 대고 있다……. 여기에서 시작된 로라의 격리는 점점 더해 갔으며 드디어 그녀는 너무도 정묘하게 연약하며 선반에서 끄집어낼 수도 없는 그녀의 유리 수집품 중의 한 토막 모양으로 되었다." 그녀가 살 수 있는 것은 오로지 그녀의 환상 속에서 뿐이다. 이 환상이 깨어지자 그녀는 살아 있는 주검이나 마찬가지 신세가 된다. 제단은 결혼을 위해서 준비되고 있는데 촛불이 꺼진다. 로라는 결혼을 반겼지만 그녀의 후보자는 그렇지 않았다. 완수의 꿈은 실현되지 않았다. 그러나 이 꿈을 포옹하게 되자 로라는 정절의 상징인 일각수같이 그녀를 만든 그녀의 처녀성의 유리 꿈을 포기한다. 인제 그녀는 순결한 처녀보다는 차라리 실패당한 올드미쓰로 되려고 할 것이다. 촛대는 벼락으로 인해서 조금쯤 녹아내렸다. 촛불은 꺼지고 없다. 퍼세파니는 영원히 그늘의 영토에서 살고 있다. "왜냐하면 오늘날에

와서는 세계는 전광으로 밝히어지고 있다."

이와 같은 로라의 정신적 살인에 대해서 죄를 진 것은 톰이다. 그것은 그의 독특한 환각적인 자유의 대가이다. 극작가는 그를 구해내려고 시도한다. "그의 성품은 무자비하지는 않다. 다만 그는 덫에서 도망해나가기 위하여 하는 수 없이 동정심 없이 행동하지 않으면 아니 된다"고 윌리암스는 말하고 있다. 그러나 우리들은 여전히 거기에 포함된 보상을 무시할 수는 없다. 이 죽음이라는 전제는 불건전한, 반희극적인 전제이며 따라서 톰은 로라가 그녀의 유리 수집품을 가지고 일찍이 그러하였듯이 역시 자기의 새로 발견한 자유 속에서 현실로부터의 도피를 하고 있다. 가혹하게 말하자면 그것은 그녀의 꿈이거나 혹은 그의 꿈이다. 그렇기 때문에 그는 그녀를 희생하였다. 그의 자유는 로라의 대가로서 구매되고 있다. 그것은 성이며, 죽음이며, 현실 혹은 순결이며 생의 허언이며 꿈이었다. 톰은 성을 피함으로써 죽음을 피하고 있으며 또한 필연적으로 현실을 부정하고 있다. 톰과 로라와 아만다는 모두가 막다른 골목에 다다랐다. 내가 알고 있는 한에 있어서는 이것이 이 희곡의 본질인 성적 불쾌미의 요체이다.

이제 우리들이 윌리암스의 가장 유명한 희곡 「욕망이라는 이름의 전차」에 주의를 돌려볼 때에 우리들은 여기에도 동일한 의미와 동일한 문제와 동일한 관점이 담겨 있는 것을 발견한다. 상징조차도 피차가 서로 병행하고 있으며 서로 반영하고 있다. 다만 「유리야수원」이 연기만을 내고 있는 곳에서 「욕망이라는 이름의 전차」는 불꽃을 보이고 타고 있다. 이 희곡의 정신병에 걸린 여주인공인 블랑슈는 자포자기에 빠진 성숙한 로라의 재판이다. 그녀는 성장한 로라이다. 혹은 오히려 그녀는 로라와 아만다의 일종의 혼성물이다. 로라는 성모마리아의 원형으로 주조되어 있다. 블랑슈도 역시 그렇다. 그러나 그녀는 매춘부로서 집단무의식 속에서 결정된 그 독특한 인간형의 국면을 수행하고 있다. 로라는 「유리야수원」의 끝에서 이와 같은 반전의 초입에 서 있다. 매춘부는 좌절된 형태에 있어서 말하자면 현세의 어머니와 피세파니의 원형을 결합하고 있다. 매춘부는 강간을 당하면서도 불임 상태를 계속하며 또한 그녀는 결혼을 보류하면서 성모마리아의 원형이 몸에 지니고 있는 매력의 정반대의 반영을 주고 있다. 불랑슈는 어디까지나 자기의 탄생일이 처녀궁(處女宮)과 맞닿는 날이라고 강조하고 있으며 마지막 장면에서 정신병원으로 끌려가는데 애처롭게 옷을 입고 입으면서도 그녀는 자기의 자켓이 데라로비아 청색[10], '옛날의 마돈나의 그림에 나오는 의복의 청색'이라고 주장하고 있다. 그러나 매춘부는 또한 우리들의 어머니 — 하인이며 또한 현세인 우리들의 고대의 어머니의 후계자 — 에 대한 저락한 상징이 된다. 자기 자신을 모든 사나이에게 줌으로써 그녀는 그녀가 대표하고 있는 여족장제의 고대의 자유를 표현한다. 남자의 형제관계는 우리들이 모두가 한 어머니의 자식이라는 가정 위에 전제되고 있다. 그녀는 그녀의 자식들 사이에 차별을 두지 않기 때문에 또한 그녀의 자식의 아버지들 사이에도 차별을 두지 않는다. 그녀는 방법이며 동시에 인생이었다. 따라서 그녀는 모든 사람들에게 자유로이 자기 자신을 내어 주었다. 그러나 매춘부는 사회에서 버림을 받은 사람으로서의 그녀의 역할에 있어서 또한 이와 같은 자유의 거부의 상징 — 남자의 모친으로부터의 유기를 눈 띄우게 하고 있는 살아 있는 고발 — 이 된다. 매춘부는 오늘날에 있어서는 치욕으로 저락된 고대 여족장 제도의 법의(法衣) 없는 여사제이다.

불랑슈가 미국 연극에서 가장 최근의, 가장 뚜렷한 대표적 인물이 되어 있는 매춘부 즉 영락한 여인의 이와 같은 원형은 서구 극장에서는 여지껏 흥미 있는 생애를 살아왔다. 중세기 연극에 있어서는 마리아 막다레느가 가장 흥미 있고 인기 있고 불쌍한 인물의 한 사람으로서 뛰어난 존재이었다. 쉑스피어 시대에는 초기의 여주인공이 야기한 흥미를 불후의 것으로 하고 있는 데카[11]의 「정직한 매춘부」 같은 희곡이 있다. 이 원형은

10. 델라 로비아 청색(blue)은 이태리 조각가 루카 델라 로비아(Luca Della Robbia)가 도자기 제작에 사용한 선명한 청색을 뜻한다.

18세기에 와서는 조지 리로[12]의 감동적인 희곡 「조오지 반웰」(일명 「런던 상인」) 속의 밀우드의 인격에서 그의 고전적 정의를 받았다. 이 영국 희곡과 이 희곡의 움직임의 추진력이 되고 있는 잔인하고도 불쌍한 매춘부의 모습은 국내외를 통해서 많은 모방거리가 되었다. 렛싱의 「사라 삼손 양」은 리로의 작품의 리파시멘토에 지나지 않으며 듀마의 「춘희」는 확실히 신우드를 본보기로 한 것이었다. 헤벨의 자연주의적 비극 「마리아 막다레느」는 이 유형을 한 걸음 더 발전시켰고 이브센은 그의 희곡 「헷다 가부레」에서 이 영상을 완성하고 현대화하였다. 헷다는 기술적으로나 법률상으로 매춘부도 아니며 영락한 여인도 아니다. 그러나 마음과 정신에 있어서 그녀는 매춘부나 다름없다. 이브센은 그녀를 통해서 우리들에게 신경쇠약증적인 현대 부인의 고전적 초상을 던져 주었다. 그녀는 불랑슈의 본보기이다. 춤을 추기도 싫어지고, 성을 피하려는 싸움에도 염증이 난다는 그녀가 경멸하는 남자와 결혼을 한다. (이것은 그 여자 자신의 말을 빌리자면 비겁한 행위이다.) 그녀는 결혼에서 보호와 보장을 발견한다. 불랑슈도 이와 동일한 이유에서 밋취와 결혼하고 싶어 한다. "나는 다 써버렸어. 당신은 다 써버렸단 말이 무슨 말인지 알어? 내 청춘은 별안간에 물기둥이 다 말라 버렸어. 그리고 — 당신을 만났지. 당신은 누가 필요하다고 말했어. 그래, 나도 역시 누가 필요했어." 그러나 우습꽝스럽게도 헷다는 염두에도 두지 않은 아이를 배게 된다. 그래서 그녀는 하는 수 없이 그녀의 남편의 증오의 자식을 뱃속에 지니고 다니지 않을 수 없게 된다. 그녀는 무자비하게도 아무런 양심의 가책도 느끼지 않고, 유산이 될 수도 있는 자살행위로서 자기 자신의 생명을 끊어 버린다. 그녀는 어린아이를 낳지 않을 것이다. 이러한 잔인한 반(反)모성이 투쟁적인 처녀와 매춘부의 인간형이다. 그녀는 성의 결과를 증오한다 — 즉 처녀성의 죽음에서 태어

• • •

11. 토마스 데커(Thomas Dekker. 1572-1632). 영국의 극작가.
12. 조지 릴로(George Lillo. 1693-1739). 영국의 극작가.

나는 모성의 신비를 싫어하고 그 때문에 자기 보호를 위하여 가능한 모든 수단을 취한다. 그녀가 자기의 처녀태(處女態)를 보지하고 싶어 하는 사실은 그녀가 결혼을 하고 난 후에도 종래 자기의 처녀 때의 이름 — 헷다 가부레 — 을 버리지 않고 그대로 가지고 있는 데서 밝혀지고 있다. 그러나 그럼에도 불구하고 그녀는 하는 수 없이 남자와 더불어 피난처를 찾지 않으면 아니 된다. 이것은 불랑슈에 있어서도 똑같다. 윌리암스는 정확하게 비판적으로 그의 원형의 주요한 특징을 인식하고 재조(再造)하였다.

불랑슈의 고경(苦境)은 「유리야수원」의 톰과 너무나 흡사하다고 생각되는 남자와의 그녀의 불행한 첫 번째 결혼에서부터 시작되었다. 아무튼 그는 그녀를 동일한 방법으로 망쳐 놓았다. 그는 시인인 동시에 동성연애를 하는 사람이었다. 그는 자기의 마음에도 없는 결혼을 하기 위하여 그녀를 꾀어 들였다. 죄유(罪有)와 무기력에 대한 톰의 감정을 견디어 가고 있던 그는 자기 비밀을 더 이상 감출 길이 없게 되자 자살을 하고 만다. 불랑슈는 로라처럼 육체적 수행이 없는 강간의 심리적 창상에 빠져 있다. 현실은 그녀를 발가벗겨 놓았고 자기의 시적 환각 — 생의 허언 — 의 보호 망토를 두 번 다시 찾을 길 없이 영원히 잊어버리고 만 지금에 와서는 그녀는 자기가 만나는 모든 낯선 사람들에게서 비유적으로 말해서 옷을 빌려 입지 않으면 아니 된다. 남자에 의해서 집 밖으로 억지로 끌리어 나온 그녀는 지금은 하는 수 없이 남자 안으로 피난처를 찾아갈 수밖에 없다. 그녀는 이미 처녀가 아니며 그렇다고 진정한 의미의 처도 아니다. 그녀는 자기의 처녀성을 다시 찾을 수가 없다. 그녀는 다시 집으로 돌아갈 수가 없다. 그렇다고 그녀는 결혼의 배우자로서의 완성을 찾을 수도 없다. 이것은 사악한 원주(圓周)이며 참된 딜레마이며 따라서 그녀는 두 개의 뿔 사이에서 동요하고 있다.

이때에 불랑슈는 기본적 고경(苦境)에 관한 한에 있어서는 로라이다 — 다만 불랑슈는 그녀를 보다도 격심하게 불쌍한 투쟁의 인물로 만드는 강박신경증의 요인을 하나 더 가지고 있을 뿐이다. 어째 그러냐하면 그녀는 자기가 갈망하면서도 혐오하는 것을 추구하지 않을 수 없기 때문이다. 그녀는 욕망이라는 이름의 전차 위에 있으며 여기에서 내릴 수가 없다. 성을 통해서 그녀는 해골과 뼈만 가진 불안한 연애유희를 하고 있다. 그녀는 죽음에서부터 도망을 치려고 시도하는 중에 강제적으로 남자의 품안으로 달려가게 된다. 그리고 우리들은 젊은 후보자의 적어도 하나의 기능에 대비될 수 있는 인물로서 이 희곡 안에서는 무서운 수획자(收獲者)의 역할을 하고 있는 스탄레이 코왈스키를 가지고 있다. 불랑슈의 파괴를 완성하고 그녀를 미치게 만드는 것이 그의 야수적 강간이다. 성의 더러운 금수의 형태에 있어서의 현실이 그녀를 절멸시키고 만다. 스탄레이의 죽음의 상수(商數)는 이 희곡의 도처에서 상징적으로 강조되고 있다. 그녀의 첫 번째 남편이 자살을 하던 밤에 그들은 발소비아나라고 부르는 포올카 춤을 추고 있었다. 이 포올카의 곡조는 이 연극에서 노상 불랑슈를 따라다니며 그녀가 가장 비참한 절망에 빠져 있을 순간에는 반드시 불길하게 그것이 들려온다. 이것은 그녀의 죽음의 춤이다. 그러나 포올카는 '포오락' 즉 파란(波蘭)을 가르킨다. 스탄레이는 파란인이다. 그것은 그의 곡조이기도 하다. 이것은 이 연극의 시초에서부터 그의 출현을 예고하여 왔다. 그가 불랑슈를 침대 위에 내어던지면서 "우리들은 먼첨부터 이 날을 가지고 있었어!" 하고 짐승 같은 해설(解說)을 할 때 우리들은 음악으로 해서 그것이 정말이라는 것을 안다. 이 순간에 귀가 막힐 듯한 점강음(漸強音)으로 이 두 사람을 휘덮는 기관차의 다가오는 포효소리가 들려온다. 이 소리는 스탄레이의 주악상(主樂想)이다. 이 소리는 연극 중에서 수초간을 앞두고 그의 출현을 강조하고 있으며 그것이 결론적으로 나타나는 것이 여기이다. 그의 야수와 같은 추진력을 강조하고 있는 듯이 생각되지만 그러나 또한 확실히 전차의 상징과도 연관성이 있으며 따라서 생을 통한 죽음과도 관련이 있다. "그들은 나를 보고 욕망이라는 이름의 전차를 타라고 그랬어. 그리고 그 다음에 공동묘지라고 부르는 전차로 갈아타고는 육구획(六區劃)을 타고 가서 극락정토에서 내리라고 그랬어"라고 불랑슈는 말하고 있다. 스탄레이는 죽음의 열차의 종착역인 극락정토에 살고 있다.

그러나 윌리암스는 또한 스탄레이를 야수에 대한 상징으로 이용하고 있다. 그에 대해서 우리들에게 던지어진 최초의 암시는 그가 사냥꾼 — 야수로 해서 살고 야수와 같이 살고 있는 문명 이전의, 농업 이전의 사람 — 이라는 것이다. 제일 첫 번에 등장할 때 그는 피 묻은 고기뭉치를 가지고 들어온다. 그는 그것을 아내에게 던져 주고, 그녀는 그것을 우스면서 받는다. "받어!" 하고 그는 말한다. "무어요?" 하고 그의 아내는 묻는다. "고기야!" 하고 스탄레이는 고함을 친다. 그리고 이 말은 사냥질에 있어서의 스탄레이의 힘과 침대 안에 있어서의 여봐라 하는 듯한 만족한 성행의 두 가지 상징인 곤봉과 같이 내리치고 있다. 극이 진전함에 따라서 스탄레이는 사실 점점 더 사람 비슷하게 되어간다. 그런데 이 사실은 실인 즉 윌리암스가 미국 희곡에서 유진 오닐에 의해서 최초로 발언된 털 많은 유인원의 원형 밑에 그를 포섭하였다는 사실을 밝혀 놓는다. 사실상 윌리암스의 처리법에는 유진 오닐의 약간의 섬세한 반격이 있는 것같이 생각된다. 불랑슈는 다음과 같은 말에서 뇌살당한 혐오를 가지고 스탄레이를 묘사하고 있다 — "그는 동물처럼 행동하고 있어. 동물의 습관을 가지고 있어. 동물처럼 먹고, 동물처럼 말을 해, 인간 이하의 무엇이 있어 — 인간성의 단계에 아직 전연 오지 못한 그 무엇! 오라 — 그 무엇 — 그는 유인원 — 인류학 책에서 언젠가 본 일이 있는 그 그림들 중에서 하나하고 비슷해! 수천 년 또 수천 년이 그의 바로 옆을 지나갔어. 그리고 지금 저기 있는 그 — 스탄레이 코왈스키 — 는 석기시대의 잔존자야! 정글 속에서 죽인 짐승한테서 떼낸 생고기를 집으로 가지고 오는."

스탄레이는 이 말을 몰래 듣는다. 그리고 그의 선배인 양키처럼 이러한 종류의 비평에 대해서는 병적으로 예민하다는 것을 증명한다.

"나한테 밤낮 그따위로 말하지 말어! 도야지 — 포오랜드 놈 — 비위에 맞지 않는 — 야비한 — 기름진 놈! 그따위 소리를 너희들은 모두 하였어…… 여기서는 맨 그런 욕만 해…… 휴이 롱이 말한 것을 생각해 보란 말야 — "모든 사람은 왕이다!" — 그러니까 나는 이 부근에선 왕야, 그걸 잊어버리지 말아!" 하고 그는 말한다.

여기에 양키의 중심적 갈망이 있으며 또한 그 점 — '자기 자신의 왕'이 되는 것 — 에 관해서는 캐리반[13]의 갈망도 역시 똑같다. 그러나 이것은 윌리암스의 작품에 있어서는 그리 중요한 음조는 아니다 — 그러나 그의 작품이 증명하고 있듯이 이것이 마음을 혼란시키는 음조이기는 하다. 왜냐하면 코왈스키는 사실상 하나의 주요한 점에서 양키와는 다르기 때문이다. 그는 양키와는 다른 위치에 있다. 오닐의 희곡은 유인원의 인식을 위한 탐구에 기초를 두고 있는 것이다. 오닐의 유인원은 기계를 움직이는 대생명력이기는 하지만 그는 인간사회에서는 버림을 받은 존재이다. 그러나 윌리암스의 희곡에 있어서는 털 많은 유인원의 세계에서 버림을 받은 것이 불랑슈이다. 유인원은 이미 그의 반항을 시작하고 있다. 인간사회는 죽어 있다. 그녀의 소녀 시절의 아름다운 경작지인 아름다운 꿈은 그녀가 말하는 '장중한 사통'을 통해서 상실되고 매도되고 도적을 당하였다. 성과 죽음은 그녀의 환각을 황폐하게 하였고, 털 많은 유인원이 새로운 지배의 영주가 되고 있다. 여기에서 윌리암스는 그의 희곡에 사회적 특징의 음조를 부여하기 위하여 그가 가진 독특한 방식으로 다시 한 번 긴장한다. 아름다운 꿈의 상실당한 재산은 대뜸 우리들에게 귀족의 손에서 농사꾼의 소유로 넘어간 '앵원(櫻園)'을 상기케 한다. 코왈스키는 불랑슈를 강간한다. 현대 물질주의의 야수적인 세계는 아름다운 꿈 — 인생이 지탱해 나갈 수 있는 자비로운 허언 — 을 파괴하여 버렸다. 우리들은 지금 유인원의 시대에 살고 있다고 윌리암스는 말하고 있는 것같이 보인다. 그러나 「유리야수원」에 있어서와 같이 여기에서도 또한 사회적

13. [역주] 섹스피어의 「템패스트」에 나오는 반인반수인.

특징은 분위기로 변하여 버릴 수 있는 것이다. 그것은 다른 희곡에 나오는 후랑코의 서반아나 무대조명 정도의 현실밖에는 가지고 있지 않다. 윌리암스의 희곡에 있어서는 우리들은 수사학적으로 말하자면 맹인학교에 입학하고 주로 야수의 옆에서 살고 있다. 이 윌리암스가 낭만적 도피의 문제에 대해서 쓰고 있는 도피자이기 때문에. 코왈스키를 현대 세계의 상징이라고 생각하는 것은 침울할 정도로 낭만적이며 스릴 있는 일이다 — 그러나 그것은 결국 안가(安價)한 스릴이다. 그의 현실요인은 영(零)이다.

스탄레이는 사실상 낯익은 야수의 가면을 쓴 오랜 역사를 가진 에로스의 상징에 지나지 않는다. 윌리암스의 희곡에 있어서는 순결은 타는 듯이 붉은 성의 불꽃에 둘러싸인 창백한 처녀다운 불빛 속에서 놀고 있다. 고대희랍과 이탤리의 전원극의 방식을 보면 순결은 성의 야수와 나란히 설치되어 있어가지고 감각적인 애욕의 매력이 부여되고 있다. 그것은 마음을 사로잡고 있는 것에 거절의 태도를 보이는 애교 있는 위선을 가지고 만들어지고 있다. 따라서 허식 없고 꾸밈없는 양치는 여자들의 서로 얼굴을 붉혀가며 하는 이야기들도 보통 강간해서 최고조에 달하였다는 것을 우리들은 상기하지 않으면 아니 된다. 성은 강탈적인 야수가 되기 전까지는 거부에 의해서 보급을 받고 격렬해졌다. 애욕적인 사랑은 그의 감각 가치를 위해서 탐색되었다. 성적 상징주의의 육중한 병기고를 가지고, 순수 희극이 이러한 초과를 범한 일은 없다. 전원극은 희극의 제 방법을 취하였고, 그 자체 속에서 그것들을 처리하였다. 윌리암스도 희곡의 쇠퇴를 나타내는 형태에서 쓰고 있다. 그의 희곡은, 정숙한 여정(女精)이 침을 흘리고 있는 야수와 불타는 듯한 숲속에서 서로간의 신격의 지식을 나누고 있는 희극적 비극인 현대의 전원극이다.

그러나 젊은 후보자에게 없어서는 아니 되는 관념이 야수의 상징에 의해서 고갈되고 있다. 불랑슈가 한결같이 한정 받고 있는 세 사람의 사나이 중의 세 번째의 사나(이)인 밋취가 이와 같은 기능에 참여하고 있다. 밋취는 짐 모양으로 불랑슈의 굴욕의 풍자를 완성하기 위하여 거기에 있다. 밋취는 톰이 가지고 있는 도피를 위한 시적 재능이 없는, 야수의 생활을 동경하는, 무력한 낭만주의자이다. 그는 불랑슈의 첫 번째 남편과 스탄레이와의 중간 지점에 있는 혼성물이다. 자기의 모친에게 지배를 받고 있는 그는 여자에 대해서는 쪼개지고 비현실적인 영상을 갖고 있다. 그에게 있어서는 여자는 이상적으로 순수하거나 그렇지 않으면 매춘부이어야 한다. 그는 자기의 아내를 마돈나로서 숭배하고 싶은 것이다. (그는 로켓트 속에 들어 있는 그의 죽은 애인의 영상을 낭만적인 꿈의 대상으로서 이미 안치하여 놓았다. 그녀는 로켓트에 에리자베스 바렛트 부라우닝한테서 따온 시구를 새겨 놓았으며 그것 — 낭만적 우울증의 눈물을 짜내는 소편(小片) — 을 죽을 때에 그에게 주었다.) 그러나 밋취가 에로스의 부채를 갚으려고 원할 때 이와 같은 이상적인 영상은 정반대의 방향 — 영락한 여인 — 으로 개종을 한다. 그는 불랑슈가 매춘부라는 것을 알게 되자, 종래의 빅토리아조식의 과묵(寡默)을 잃고 불랑슈를 억지로 겁탈하려든다. 불랑슈는 그가 결혼을 신청하지 않는 한 될 수 없는 일이라고 거절한다. 그러나 그녀는 그만한 '깨끗한' 여자가 아니다. 그는 아직까지도 그의 모친이 정한 이분법 때문에 속박을 받고 있으며 따라서 불랑슈는 하늘이 준 마지막 기회를 놓쳐 버렸다. 그녀는 "불야! 불야! 불야!" 하고 비명을 울리면서 들창 쪽으로 비틀거리며 간다. 윙그휠드 일가의 아파아트에서는 숨어서 타던 화염이 — 극락정토에서는 — 밖을 향해서 미친 듯이 맹렬하게 타올랐다.

불랑슈의 최후의 후보자는 정신병원에서 온 의사이다. 그는 공손하고 상냥하게 팔을 내밀었으며, 그녀는 그의 마음을 알고 있다는 듯이 그 손을 잡는다. "당신이 누구인지 모르나 나는 언제나 낮선 사람들의 친절에 의지해 왔답니다." 하고 그녀는 말한다. 우리들은 에미리 딕켄스의 얌전하고 정숙한 시를 생각하게 된다 — "나는 죽음을 위해서 설 수 없었기 때문에 그는 친절하게도 나를 위하여 섰다. 마차는 다만 우리들을 태웠다. 불멸을 태웠다."

나는 이제 나의 비평을 총괄적으로 통합하고 균형을 맞추어 놓기 위하여 윌리암스의 나머지 주요한 희곡작품을 간단하게 둘러보기로 하겠다(나는 이 글을 썼을 때 「애기 인형」의 영화를 보지 않았었고, 「하강하는 율퓨스」[14]의 원고도 접해 보지 못했다는 것을 변명하지 않으면 아니 된다. 후자의 작품에 대해서는 나는 아무 말도 할 수 없지만 「애기 인형」은 내가 논해 온 상징주의와 정확하게 일치하며 나의 결론을 지지하고 있는 것이라고 말할 수 있다). 그의 희곡 「여름과 연기(煙氣)」는 알마 — 이 이름은 확실히 영혼을 상징하고 있다 — 라고 부르는 소녀의 좌절된 정사에 관한 것이다. 그녀는 윌리암스의 야수원의 또 하나의 유리 처녀이다. 그녀는 우리들이 불랑슈에서 조사한 '매춘부로 되어 가는 처녀'의 유형을 따르고 있으며 따라서 현재의 고찰에 아무것도 새로운 것을 제공하고 있지 않기 때문에 나는 그녀에 대해서는 언급하지 않기로 하겠다. 1953년에 나타난 「카미노 리알」 — 그러나 이것은 그보다도 훨씬 오래전에 초고가 씌어졌다 — 은 눈물이 흔한 감상벽의 표현주의적 환상극이다. 다른 희곡에서 보면 19세기의 우울증을 변형하여 복잡하게 만든 현대의 후로이드적 회의주의가 여기에서는 솔직하게 결정이 지어지지 않은 채로 있으며 또한 이 희곡은 지난날의 낭만적 제신(諸神)에 대한 다수굿한 찬사로서 바치어지고 있다. 장면은 윌리암스가 발음하고 있듯이 카미노 리알(Camino Real)이다 — Camino Reeul(영어의 단어 'real'의 음에 맞추어서 써보면 이렇다). 이것은 낭만적으로 보자면 Cà-mino Ray-ahl이 발음된, 물론 서반아의 어구이며, '왕도'를 의미하는 것이다. 윌리암스는 그의 제목으로부터 솜씨 없는, 상징적인 익살을 만들었다. 카미노 리알은 표현주의적 솔직성이 나타나 있는 추잡한 현실의 대로이다. 그것은 어느 의미에 있어서는 모든 그의 희곡의 장면이지만 그러나 여기에서는 그것이 사실주의나 사회적

14. 「하강하는 올훼」.

특징에 빙자한 외관을 갖추지 않고, 카이젤이나 하젠크레벨의 희곡에 있어서와같이 추상적으로 보이어지고 있다. 이 사악하고 비열하고 무서운 도로 위에는 한 떼의 영원한 피난민이 소탕을 모면하기 위해서 절망적으로 날아다니고 있다. 그들은 패스포오트도 아니 가지고 돈도 거의 없는 행객들이다. 그들의 생활은 하숙방에서 쫓아내고 추방으로 위협하는 종잡을 수 없고 눈에도 보이지 않는 관헌들과의 끊임없는 싸움이다. 또한 관헌이 아닌 미지의 — 그렇기 때문에 한층 더 무서웁다 — 사람들이 노상 그들을 내탐(內探)하고 있다. 그중의 약간 명은 엘 후지티보라고 부르는 비행기를 타고 이 도로에서 탈주한다. 그러나 거기에는 모든 사람을 다 태울 만한 좌석이 없다. 아주 극소수이기는 하지만 몸이 다른 사람보다 유달리 강장(強壯)한 사람들은 도로의 저쪽에 있는 아무도 사람이 살지 않는 사막으로 달아났는데 그들의 소식은 다시는 들을 길이 없다. 이 도로에는 거지, 낙오자, 뚜쟁이, 절도들이 가득 차 있다. 거기에는 죽는 사람, 죽어가는 사람, 불구자, 부상자들이 누워 있다. 샘물이 하나 있지만, 벌써 말라붙은 지 오래다. 이와 같은 인간성의 잡동사니 가운데에서는 어느 훌륭한 역할을 하는 낭만적 주인공들도 그냥 유기되고 만다. 여기에는 동키호테, 춘희, 카사노바가 있다. 여기에는 또한 바이론이 있다. 모든 사람들이 제각각 엘 카미노 리알의 저항할 수 없을 만큼 완강하고 짓궂은 현실을 상대로 자기의 꿈 — 자기의 생의 허언 — 을 용감하게 유지하고 있다. 여기에는 또한 미국의 지 아이에 의해서 창조되고(혹은 적어도 불후의 것으로 되고) 있는 천진난만한 민간의 영웅 킬로이 — 전 미국을 대표하는 청년 — 가 있다. 킬로이는 — 문자 그대로 — 아름다운 마음을 가지고 있다. 그는 그것을 무대 위에서 훌 뿔 모양으로 굴리고 다닌다. 킬로이는 이 희곡의 '고기파이' — 석커 과자 — 현실인 실제적 익살에 있어서의 조소의 대상 — 그러면서도 그의 힘은 그의 마음이 맑기 때문에 다른 사람의 열 사람 몫만큼 강하다. 그는 어느 날 밤에 집시의 딸인 희한한 처녀 에스메랄다와 만나게 된다. 에스메랄다는 수많은 남자들에게 그 몸이 수많이 바치어졌지만 그녀의 처녀성은 한 달에 한 번씩 신월(新月)이 올 때마다 갱신된다. 그녀의 정절은 그녀의 본질적, 갱신적인 순결 때문에 공격할 수 없는 요새와 같이 견고하다. 킬로이의 사랑의 밤의 천하고 값싼 연애 중에도 한 줄의 말이 크고 똑똑하게 반복되고 있다.

"나는 진지하다! 나는 진지하다! 나는 진지하다!"

킬로이와 짚시의 딸은 그들의 사랑의 극점이 가까워지면서 소곤소곤 서로 속삭인다. 이러한 모습은 이미 우리들에게 있어서는 낯익은 것이다. 불랑슈와 같이 에스메랄다는 처녀와 매춘부의 원형에서 주조되고 있다. 짚시는 또 하나의 아만다 — 현세의 어머니 — 이다. 킬로이는 — 「욕망이라는 이름의 전차」의 '고기파이'인 — 밋취와 대비될 수 있다. 에스메랄다와 킬로이의 단순한 진지성은 밋취와 불랑슈가 둘이 다 갈망하고 있는 것이지만. 그들은 엘 카미노 리알의 타락한 불빛 속에서는 그것을 도저히 성취시킬 수가 없다. 불랑슈와 춘희와의 사이의 유사성에 대해서도 역시 한마디 말할 수 있는 것이 있다 — 그들은 모든 타락된 여자 중에서 가장 낭만적이다. 불랑슈가 밋취를 환대하고 있을 때 "나는 춘희예요. 당신은 알망[15]이고"라고 말한다. 그러나 춘희는 카미노 리알 위에서의 모험에 있어서 불랑슈보다는 훨씬 행복하다. 왜냐하면 이 희곡에 있어서는 낭만이 현실을 압도하고 승리를 거두고 있기 때문이다. 생의 허언은 모든 우세한 적에 대항하여 용감하게도 주장되고 있으며 따라서 Camino-Ree-ul은 Camino Ray-ahl — 낭만으로의 왕도라고 말할 수 있는 왕도 — 로 변형되고 있다. 1950년에 만들어져가지고 영화화까지 된 「로오즈 테투」는 윌리암스의 희곡 상의 기술에 있어서의 급작스러운 변경이라고 간주되는 점에 있어서 특색이 있다. 이것은 죽은 남편을 생각하는 쓸데없는 눈물은 거두어 치우고 다시 재혼을 하라고 설득당하는 과부에 대한 노골적인 희극이다. 딸은 좌절당한 정조를 여러 번이나 암시하고 있고 시시리아인 세라휘나는

● ● ●

15. 매춘부 마그리트의 애인 아르망.

여전히 일종의 현세의 어머니 노릇을 하고 있는데, 그동안에 두 사람은 성의 장미 속에서 맑고 즐거운 완성을 발견한다. 세라휘나의 침대 속의 거사에 대한 커다란 만족감은 별로 색다른 일은 아니며 다만 윌리암스는 여기에서 처음으로 직접적인 희극을 시도하고는 자기가 자기의 여자들을 좌절시킬 수 있는 동시에 완성시킬 수도 있다는 것을 보여 주려고 애를 쓰고 있는 것같이 보인다. 「뜨거운 양철지붕 위의 고양이」를 가지고는 그는 그의 견해에 어느 급격한 변화가 생겼을 것이라는 착각을 물리치고 있으며 또한 세라휘나는 다만 윌리암스가 여지껏 종시일관 관심을 두고 온 것과 동일한 음절의 새로운 배치에 대한 하나의 수단에 지나지 않는다는 것을 보여 주고 있다. (이에 대한 관계는 세라휘나가 여름과 연기에 나오는 알마로부터 의사를 유혹해내려고 애를 쓰는 열렬한 서반아계집한테서 내려온 것이라는 사실을 조금만 탐구해 보면 알 수 있을 것이다. 알마의 적수인 그녀는 말하자면 알마의 모습을 하고 있다. 우리들은 그녀를 알마의 그림자라고 부를 수 있지 않은가?) 「뜨거운 양철지붕 위의 고양이」는 또한 성행위에 대한 정상적인 잠재력을 가지고 있는 적극적인 부인의 초상을 그려보려는 시도이다. 로라와 불랑슈의 신경병은 찾아볼 길이 없다. 이 소녀는 다리를 부상당했기 때문에 송엽장(松葉杖)을 짚고 다니지 않으면 아니 되는 주정뱅이와 결혼을 한다. 불랑슈의 첫 번째 남편처럼 그는 그의 아내와의 성적 관계에 흥미를 가지고 있지 않으며 따라서 어린아이가 하나도 없다. 그는 자기에게 죄가 있다는 생각을 감추기 위해서 술을 마시고 있으며 한편 그의 아내는 — 뜨거운 양철지붕 위의 고양이처럼 — 참을성 있게 절망적으로 남편이 애착을 나타내는 행동을 보여 주게 되는 날을 기다리고 있다. 그런데 이 희곡은 리리안 헬만의 「조고마한 여우」에서 볼 수 있는 체제와 동일한 체제의 희곡적 멜로드라마의 기미를 나타내고 있다. 이 젊은 부부가 어린아이를 안 가지고 있다는 사실은 이 청년의 아버지인 큰아빠로부터 올 재산을 그들이 상속할 기회를 위태롭게 하였다. 그러나 둘째 번째 수양딸이 큰아빠의 집에 나타났다 — 이 수양딸은 자기의 다산력을 만나는 사람마다 붙잡고 속되게 과시한다. 이 여자와 그 여자의 아이가 재산 상속권을 차지할 운명에 놓여 있는 것같이 생각된다. 그런데 우리들의 여주인공은 남편의 술병을 깨뜨려가지고 그가 집고 있는 송엽장에다 내다던지고 그를 총 끝에 갔다 놓는 것이나 다름없는 침대 속으로 억지로 끌고 들어간다. 이것을 볼 때 우리들은 그것이 그녀의 단독수정(單獨受精)의 성공적 행위가 되고야 말 것 같은 느낌을 받는다.

인물의 배역에 있어서는 흥미 있는 변질이 일어났지만 주제와 문제는 윌리암스의 기본적인 주제와 문제이다 — 즉 어떻게 하면 성적 불이행의 죄를 달랠 수 있겠는가 하는 것. 그의 여자인물들이 성적으로 건전하게 되었기 때문에 — 신경병적인 로라와 불랑슈로부터 세라휘나를 걸쳐서 이 마지막 희곡이 좌절은 당했지만 '건강한' 여주인공에게까지 움직이고 있는 것이 그것이다 — 문제의 남자인물이 그전의 여주인공의 치욕을 받아가지게 되었다. 술주정뱅이 남편은 로라의 절뚝걸음을 빌려 왔다. 그는 현재 성적 불구자이다. 위대한 어머니 아만다는, 이행된 부인의 성의 영상처럼, 불구자가 된 로라를 내려다보고 서 있었다. 여기에서는 큰아빠가 이행된 남자의 성의 영상처럼 불구자가 된 아들을 보고 곰곰이 생각하고 있다.

그전과 똑같은 포커 놀이가 다만 경기자만 거꾸로 바뀌어졌을 뿐이다. 여기에서는 젊은 남자가 그 전에 로라와 불랑슈가 직면하지 않으면 아니 되었던 죽음, 성, 현실의 무서운 세 쌍물에[16] 하는 수 없이 미숙한 태도로 — 거의 우습꽝스럽게 — 직면하고 있다. 또한 우리들은 남자와 여자의 역할을 배상적인 것으로 보고 있다. 단 한 사람만이 동시에, 상대편의 노예적(奴隷的) 상태의 대가로서 자유로이 될 수 있다. 그의 여러 희곡은 어느 것을 보아도 한결같이 남자의 실패가 여자의 자유를 주게 되어

• • •

16. 원문대로임.

있다. 남자는 무기력의 죄를 짓고 있다.

나는 급속히 결론을 내기 위하여 다만 아래와 같은 사실을 주장하고 있을 뿐이다 — 성이 주제적으로 희극의 전통적인 목적 — 인생으로 통하는 가로수 길로서 — 을 위하여 사용되지 않을 때에는 그것은 다만 그 대신에 죽음의 상징으로서 사용되고 있으며 거기에서 결과되는 가치는 필연적으로 불건전하다. 전통적으로 생각해 본다면 죽음의 또 하나의 면은 생이다. 따라서 즐겁게 자기의 생을 상실할 수 있는 사람만이 그것을 발견하게 될 것이다. 윌리암스의 인물들은 한 사람도 그렇게 하는 사람이 없다. 그들은 그들의 꿈에서부터 몸을 일으키기는 하지만 죽음과 그의 상징인 성에서부터는 위축해 버린다. 이것은 이 두 가지가 그들 위에 억지로 찔려 박히게 되는 날까지 계속된다. 그들은 아무도 해골이 새겨져 있는 문 뒤에 숨어 있는 생을 발견하지 못한다. 아놀드가 '죽어 있는 한쪽과 — 무력해서 태어나지 못하고 있는 또 한쪽의 — 두 개의 세계 사이'의 방황에 대해서 그의 시 「대(大) 갈트승원」에서 이야기하고 있는 것을 볼 때 윌리암스의 주인공들에 대해서 결정적인 말을 선고하고 있는 것이 또한 아놀드라는 것을 안다. 윌리암스의 주인공들은 산과의 술어를 빌리자면 '횡근저지(橫筋阻止)'라는 것의 희생자들이다. 그들은 자궁에서부터 위태로운 여행을 시작하고 있다. 그러나 그들은 무력하여 태어나지를 못하고 있다. 여기에는 결합도 있을 수 없고, 해결도 있을 수 없고, 이행도 있을 수 없다. 그의 예술의 주제, 비평, 한계는 단 한 말로 가장 훌륭하게 요약된다. 즉, 무기력.

-『사상계』, 1958. 11.

불란서문단외사(佛蘭西文壇外史)

— 가리말서방을 중심으로

가이 듀물(Guy Dumur)

힛트러의 대사인 옷토 아베츠가 1940년의 운명적인 여름에 파리에 도착하였을 때 다음과 같은 유명한 말을 하였다 — "불란서를 제압하기 위해서는 불란서은행과 『누벨 레뷰 후랑세스』지를 파악하지 않으면 아니 된다." 이러한 말은 다시 말하자면 그가 펜의 힘이 금전의 힘보다 조금도 못지않은 무서운 사회적 세력을 가지고 있는 나라에 들어왔다는 사실에 대한 찬사이었다.

금력으로 제압하는 일은 '들'을 제압하는 일보다도 사실상 독일점령군에 있어서는 손쉬운 일이었다. 불란서은행을 통어(統禦)하려면 2, 3명의 기밀기관의 요원이 있으면 족하였다. 그러나 『누벨 레뷰 후랑세스』지 — 혹은 한층 더 유명하게 알리어진 N·R·F지라고 부르면 모르는 사람이 없을 것이다 — 는 사정이 달랐다. 다류 라 로셀[1]이라는 불란서인의 파시스트 작가 — 가리말서방[2]은 제1차 세계대전 말기 이후부터 노상 그의 저서를

1. 드리외 라 로셸(Pierre Drieu La Rochelle, 1893-1945).
2. 갈리마르 출판사.

출판해 주고 있었다 — 가 여기까지 30년간을 두고 불란서 문학계를 효율적으로 다스려온 월간문학지의 편집자의 의자를 약탈하였다. 다류 라 로셸은 2년간 비시의 '자유지대' 안에 있는 작가들이나, 북아불리가(北阿弗利加), 영국, 미국으로 피난한 작가들과 공통성이 없는 작가들을 자기의 주위에 모으려고 애를 썼다. 독일군이 남부 불란서에 진주(進駐)하였을 당시에 가스똥 가리말과 그의 간부들에 의해서 운영되고 있던 출판사는 기능을 발휘할 수 있었으나, 『누벨 레뷰』는 나타나지 않았다. 2년 후에 다류 라 로셸은 불란서의 새로운 지도자 손 안에서 그를 기다리고 있는 운명에 겁을 내고 자살을 하고 말았다.

요컨대 이 곤란에 찬 전시(戰時)는 전후의 불란서의 문학과 사상이 점화된 도가니가 되었다. 아베츠가 N·R·F지의 '소유'를 운운하고 있을 때에, 한편 비시 정부는 N·R·F의 작가들을 지목하여 괴주(壞走)에 대한 책임이 있다고 비난하고 있었다. 불란서를 떠나서 북아불리가로 간 노령의 지드는 이와 같은 비난에 대해서, "그들은 1918년의 승리에 대해서 책임을 졌던가?" 하고 기세 좋게 대답하였다.

이러한 추잡(醜雜)한 싸움의 뒤에서 새로운 비밀의 문학이 말없이 자라나고 있었다. 하늘로부터는 영국 공군이 루이 아라공(그는 비시 지대에 있었다)과 뽈 에류알이 쓴 자유를 위한 송시(頌時)의 인쇄물을 쉬지 않고 투하하고 있었다. 다류 라 로셸이 바꿔 앉기 전의 지(誌)의 N·R·F 편집자인 쟝 뽀오랑[3]은 『레 레뜨 후랑세스』[4]라는 비밀잡지를 편집한 죄를 받고 체포되어 투옥 당하였다. 그러나 거의 1년도 못다 가서 1942년에 가리말서방은 장차 대성할 운명에 있는 젊은 저항 작가 알벨 까뮤의 첫 번째의 소설을 발행하였다. 까뮤는 변새호위(邊塞護衛) 중의 1개 대령인 다름 아닌 앙드레 마르로우에 의해서 가리말서방에 추천되었던 것이다.

3. Jean Paulhan. 1925년부터 1940년까지의 N·R·F 편집자.

4. 『레 레트르 프랑세즈(*Les Lettres Françaises*)』.

이리하여 1944년 여름에 해방의 동이 트자, 여전히 가리말 일가의 형제와 아들과 조카들에 의해서 지도되는 가리말출판사는, 비록 그의 월간지는 발매금지가 되고 있었지만, 이전보다도 더 강한 모습으로 자태를 나타내었다. 장 뽈 샤르뜨르(그 역시 가리말의 집필자이었다)가 그의 새로운 잡지 『현대』의 창간호를 편집한 것도 사실은 이 N·R·F지의 구사무실 내에서이었다. 이 『현대』지의 창간호에는 '참여문학'에 대한 그 유명한 실존주의자들의 선언문이 실려 있다. 신문 『전쟁』의 편집자이며 주필인 알벨 까뮤의 성좌(星座)는 창궁(蒼穹) 높이 올라가기 시작하고 있었다. 국가 교육상의 감투를 쓴 앙드레 말로는 고리당[5]의 지적 기수(知的旗手)가 되려는 판이었다. 또 하나 가리말의 집필자인 뽈 바레리에게는 국민장이 엄수되었고 그러고 나서 조금 후에 앙드레 지드는 노벨상을 탔다. 파리극장은 현세기 최대의 불란서 희곡작가인 샤르뜨르, 까뮤, 뽈 끄로델의 희곡을 상연하였다. 상류가정이 웅거하고 있는 16번가인 류 아메링이 말셀 뿌루스뜨의 새로운 이름으로 불리어졌다. 뿌루스뜨가 유명한 작가가 된 것을 경하하는 의미에서 그가 살고 있는 상류가의 가명(街名)을 따서 부르기로 하였던 것이다.

이리하여 전쟁이 끝나고 나서 불과 1, 2년 내에 가리말서방(書房)은 소위 '불란서 지성의 수뇌부'라고 호칭할 수 있는 것을 재건하였다. N·R·F지를 시작하고 지탱해 온 작가와 편집자들은, 죽어 없어진 사람이나 살아남은 사람이나를 막론하고, 그들의 문학적 영도권(領導權)을 재건하였고, 또한 그것은 전대미문의 광범한 범위에까지 이르렀다. 역설적으로 들릴지도 모르지만 불란서 내의 가장 지적인 모든 것을 대표하는 거의 숨어 있는 힘들이 백일하에 충분히 드러나기 위해서는 — 제1차 세계대전의 압제(壓制)보다도 훨씬 더 난폭한 — 점령이라는 격렬한 일대변동이 필요하였던 것이다. N·R·F지가 창설된 이후 35년이라는 세월이 흘렀지

● ● ●

5. 드골주의(골리즘)를 표방한 정치 집단.

만, 변두리에 가느다란 선을 긋고 흑색과 적색으로 글자를 박은 유명한 백색 표지로 발행된 수십 종의 서책은 여지껏 다만 수천 명의 독자에게밖에는 도달되지 않았다. 수년간을 두고 불란서인들은 N·R·F지의 덕택으로 '문학과 대중 사이가 멀어졌다'고 불평하였다. 장 뽀오랑이 한 이와 같은 현상에 대한 설명은 간단하였다—'세상에는 만인이 읽는 악서와 한 사람도 읽지 않는 양서가 있다.' 그의 지도하에 있는 N·R·F가 오로지 후자만의 발행을 계속할 작정을 하고 있는 것은 물론이었다.

불란서의 문학사가들은 오래전부터 1910년 이후의 불문학의 역사가 실질적으로 N·R·F의 역사라는 것을 감지하고 있었다, 라는 것은 N·R·F는 현대 불문학의 정화(精華)를 출판하였을 뿐만 아니라, 또한 제1급에 속하는 현대의 세계문학을 불란서 독자대중에게 제시하였기 때문이다. 시초부터 가리말의 선두에 나서서 서로서로 계승하여온 작가들은 끊임없이 주요한 외국 작가에게 문호를 개방하려고 노력하였다. 오늘날 수많은 청년 작가들의 귀감이 되어있는 바레리 랄보는 그의 문학생활의 태반은 외국작품의 번역을 위하여 바치었다. 멜빌, 메레디스, 도스토예쁘스키, 카후카, D. H. 로오렌스, 위리암 포오크너, 조세프 콘라드, 토오마스 만, 도스 파소스, 조이스, 로오카는 바레리 랄보와 지이드와 마르로우 같은 사람들의 노력의 덕택으로 불란서에 소개된 유력한 외국 작가 중의 극소수에 지나지 않는다. 『침묵의 소리』의 마르로우는 30년 전에 포오크너의 작품의 서문을 다음과 같은 말로 썼다—"『샌크추어리』[6]는 희랍비극(希臘悲劇)을 탐정소설에 소개한 것이다."

그들의 업적의 이와 같은 세계적인 국면은 N·R·F가 가끔 비교적(祕敎的)인 '문학교회당'을 구성하고 있다는 비난을 받아왔기 때문에 한층 더 강조할 가치가 있다. 1930년에 앙리 베르드라는 우익신문 기자는 소위 '길다란 얼굴들'에 대한 맹렬한 반대운동의 칼을 뺀 일이 있었다. 이 '길다란

6. 『성역(*Sanctuary*)』이라는 제목으로 번역된 작품.

얼굴들'이란 말을 꺼내가지고 그는 세간의 조소(嘲笑)꺼리가 되었는데, 그는 이 엄격하고 길다란 얼굴을 가진 작가들의 이름은 온 세상의 권태를 의미하고 있다고 선언하였던 것이다. 그러면 이 '길다란 얼굴들'의 작가들은 누구이었던가? 그들은 말셀 뿌루스뜨, 뽈 바레리, 앙드레 지이드, 쟝 지로오도[7], 바레리 랄보[8], 말로, 끄로오델, 초현실주의 시인 에류알, 아라공, 앙드레 부르똥이었다 — 이들은 모두가 20세기의 불란서문학을 과거의 것에 못지않은 위대한 것으로 만든 사람들이었다.

영속적(永續的)인 재간을 가진 작가들에 대한 편견이야말로 사실인즉 1908-1910년간에 N·R·F를 처음으로 창립한 사람들에 의하여 유지되어 온 드높은 수준에 대한 간접적인 찬사이었다. 왜냐하면 N·R·F는 적어도 무명은 원하지 못하더라도 적어도 유행성만은 피해 보자는 신중한 노력에서 창립된 것이기 때문이다. 여기 모인 작가들은 당시의 세속적인 문학이나, 호사(好事) 문학이나, 아카데미 문학이나 뽈 불제,[9] 오끄따쁘 호이레, 아나똘 후랑스와 같은 사람들에 의해서 대표되는 에밀 조라의 자연주의의 후계자들의 안이한 심리주의 같은 것과 인연을 끊기 위하여 출발하였던 것이다. '예술이라는 주권은 예술가의 예속(隷屬)을 요구하고 있다'고 1910년에 작가 쟝 슈룸벨그[10]는 N·R·F의 창립자의 한 사람으로서 주장하였다.

시에 있어서는 N·R·F의 창립자 중의 신령님은 저 문학의 은둔자인 마라르메이었다. 철학에 있어서는 그것은 벨그손이라기보다는 오히려 니체이었고, 한편 문학에 있어서는 그것은 과거의 불란서의 위대한 고전작가들이었다. 그러나 무엇보다도 위선 그들의 목적은 당대의 대망을 품은 작가들에게 발표의 기회를 주는 일이었다. 어째 그러냐하면 당시의

• • •

7. 쟝 지로두(Jean Giraudoux, 1882-1944). 프랑스 작가.
8. 발레리 라르보(Valery Larbaud, 1881-1957). 프랑스 문인.
9. 폴 부르제(Paul Bourget, 1852-1935). 프랑스 작가.
10. 쟝 슐룅베르제(Jean Schlumberger, 1877-1968). 프랑스 작가.

일류 편집자들은 젊은 작가들에게는 흥미를 가지고 있지 않았기 때문이다. 불란서의 에드워드조 시대라고 불리어질 수 있는 소위 '화려한 시기'의 경박한 취미를 만족시키기에만 만족할 수 없는 젊은 작가는 자기의 작품을 자비로 출판하는 길 이외에는 다른 도리가 없었다. 『누벨 레뷰 후랑세스』지를 위하여서는 다행히도 그 당시에 일하지 않고 살 수 있고, 자기들의 재산을 좋은 문학에 봉사하기 위하여 출비(出費)할 수 있는 작가들이 있었다. 슈룸벨그와 지이드가 그러한 두 사람의 작가 겸 창립자이었는데, 이 두 사람은 부유한 신교도 가정의 자제들이었다. 그리고 50년 전에 시작한 출판사를 77세가 되는 오늘날까지 여전히 경영하고 있는 가스똥 가리말이 또한 그러하였다.

가스똥 가리말은 작가가 아니고 다만 일개의 편집자에 지나지 않았기 때문에 그의 존재는 N·R·F의 초기 호에 공헌한 다른 문학 권위자들의 그것보다도 세간에 훨씬 덜 알리어져 있다. 사실 그가 앞으로 자기의 회고담을 저술할 기회는 거의 없어 보인다. 이러한 문제가 화제에 오르게 되면 그는 으레히 얼굴에 미소를 지으면서 '말할 것이 너무 많아서' 하고 설명한다.

가스똥의 부친인 뽈 가리말은 상당히 많은 재산을 물려주었다. 그는 19세기 말엽에 당시의 예술계에서 일어나고 있던 혁명의 진정한 충격을 이해한 극소수의 불란서인 중의 한 사람이었다. 그는 화가 마네의 극진한 친구이었고, 그 당시에 누구 하나 구하는 사람이 없는 세잔느와 방 고호의 그림을 누구보다도 먼저 구입하고 있었다. 이러한 그림 중의 최상품의 하나를 그는 300후랑크(그 당시의 약 60불)를 지불하고 사들였다. 그는 또한 루노왈과 함께 서반아에 여행을 하였고, 거기에서 그 두 사람은 당시에 전혀 알려지지 않고 있던 화가 엘 구레꼬를 발견하였다.

사실상 루노왈은 가리말 일가의 절친한 친구이었다. 루노왈은 자기의 이름으로는 1센트도 달아 놓지 않고, 대부분의 식사를 가리말 가족들과 같이 하기가 일쑤이었다. 가스똥은 언젠가 한 번 루노왈이 그의 앞에 시금치의 무더기를 놓고 진흙덩어리를 만지듯이 조상(彫像)을 만드는 흉내를 내면서 열변을 토하고 있는—루노왈은 훌륭한 화수(畫手)이었기 때문에—것을 본 일을 지금도 잊어버리지 않고 있다고 한다. 저녁이면 가리말가의 세 도령님들 가스똥과 레이몬드와 쟉크는 그들의 부친이 어느 유명한 가수를 위하여 사두었다고 하는 바리에떼 극장으로 구경을 갔다. 이와 같은 방종(放縱)하고 사치스러운 환경 속에서 자라난 가스똥은 시일이 경과될수록 가격이 자꾸 불어나가는 루노왈의 작품 같은 것을 팔아가면서 서서히 부친의 재산을 남비(濫費)하며 안락한 호사가의 생활을 할 운명에 놓여 있는 것같이 생각되었다. 20세 때의 가스똥은 새로 나온 넥타이나 새로 나온 서책을 사러 다니거나 부르뉴 숲속을 말을 타고 산책하거나, 저녁이면 로벨 드 후렐을 위한 극평 기사—로벨 드 후렐은 기사에 서명하기를 동의하였다—를 쓰기 위하여 극장 구경을 가거나 하면서 빈들빈들 놀며 시간을 보냈다.

로벨 드 후렐은 극장이 끝난 후에 라류나 막심스 같은 요정에서 저녁을 먹는 작가들과 상류 사회인들의 일단의 두목 격이었다. 가스똥은 그러한 인사들과 작패를 해서 다니기를 좋아했으며, 그는 새벽 두 시 경이면 왕왕이 한결같이 모피 외투를 입고 나타나는 이상한 사나이를 보게 되었다. 쟝 꼭또는 언젠가 이 천식증이 있는 기품 높은 항간사(巷間事)의 기록자를 '기계완구의 가슴을 가진' 사나이라고 말한 일이 있었는데, 그의 이름은 말셀 뿌루스뜨이었다.

어느 날 젊은 가스똥은 그에게 깊은 인상을 준 한 권의 서책—앙드레 지이드의 『배덕자』—을 읽었다. 그는 저서에서[11] 편지를 썼고, 그들은 친구가 되었다. 그의 시대와 세대의 다른 사람들과 같이 지이드는 젊은 작가에게 발표의 기회를 줄 수 있는 잡지와 출판사에 대하여 오랫동안 시급한 필요성을 느끼고 있었다. 이 생각이 가스똥에게 감동을 주었고,

11. 번역 원문은 "저서에서"이지만, 영어 원문은 "저자에게(the author)"이다.

지이드, 슈룸벨그와 같이 세 사람은 새로운 월간 잡지 『누벨 레뷰 후랑세스』를 시작할 것을 결정하고, 그의 첫 호가 1908년에 나타났다. 2년 후에 세 사람의 친구들은 출판사를 시작하기 위하여 자기들의 호주머니에서 6,000후랑크씩을 거출하였고, 그 다음해 그들의 최초의 세 권의 서책을 발행하였다. 지드의 『이사벨』, 뽈 크로오델의 『인질』 그리고 샬 루이 휘릿삐[12]의 『어머니와 아들』이 바로 그것이었다. 이 세 권 중의 첫째 권은 현재는 가리말의 소유가 되고 있는 벨기인의 인쇄소에서 인쇄되었다. 이 인쇄소라는 것이 어떻게 엉터리없이 일을 하였던지 지드는 거의 열두 번이나 조판을 허물어뜨리라고 명령하지 않으면 아니 되었다. 오늘날 같으면 이것만으로도 한밑천 단단히 들어야 할 것이다.

이리하여 N·R·F는 창립자 이외에 지로오도, 바레리 랄보, 시인 샬 뻬기[13], 연출가 쟉크 꼬뽀[14]를 포함한 야심적인 일군의 작가들 틈에서 탄생하게 되었다. 후일 금세기 불란서의 최대의 무대연출가가 되고, 루이 쥬베, 쟝 루이 바로, 쟝 비라 등을 길러내게 된 꼬뽀는 그 당시에 새로운 극장을 찾고 있었으며, 그에게 이 신극장을 발견하여 준 것이 가스똥이었다. 뷰 꼬롬비에[15]가 — 낡은 비둘기집의 거리 — 라는 아름다운 이름을 가진 구가(舊街)에 있는 아떼네 성 줘망[16] 회관. 가스똥은 지금도 눈을 깜짝거리면서, 자기가 그 공관을 점유하였을 때에 파리 경시총감한테 '보안상, 내부구조가 무대설치에 적합하지 않다'고 훈시를 받은 이야기를 하기를 좋아한다. 가스똥의 말에 의하면, 당시 에드워드조 식의 화려한

• • •

12. 샤를 루이 필리페(Charles-Louis Philippe, 1874-1909). 프랑스 작가.
13. 샤를 뻬기(Charles Pierre Péguy, 1873-1914). 프랑스 시인.
14. 자크 코포(Jacques Copeau, 1879-1949). 프랑스 연출가.
15. 비외 콜롱비에 거리(Rue du Vieux-Colombier). 이 거리에 쟈크 코포가 운영한 비외 골롱비에 극장이 있었다.
16. the Athénée-saint-Germain.

구경거리가 터무니없이 범람하고 있던 불란서극장에 혁명을 가지고 오게 된 새로운 간소한 연극형식이 생긴 것은 이와 같은 제약(制約) 때문이었다고 한다.

과연 가스똥은 '당시의 극장의 야비성(野卑性)'에 대항하는 투쟁에 대하여 충분한 후원을 하기에 인색하지 않았다. 뷰 꼬롬비예 극장의 관리인으로서 그는 조그마한 복도 사무실에 그의 본영을 설치하고, 유리 창문을 통해서 한쪽 눈으로는 극장을 지키고 한쪽 눈으로는 N·R·F의 출판일을 돌보았다. 그는 손수 부지런히 원고를 구하려 쫓아다녔고, 또한 바레리 랄보나 말땡 듀갈[17] — 그는 후일 노벨상을 탄 작가이지만 당시에 그는 최초의 원고를 인쇄하기 위하여 자기의 조그마한 재산을 다 소비하고 있다 — 같은 사람들의 작품의 '무료' 출판을 떠맡았다. 그래서 사업의 진행은 빠르지는 않았지만, 그 대신 어디까지나 착실하였다. 뽈 바레리의 흩어져 있는 시를 한데 모아서 한 권의 책으로 내자는 생각 — 이런 생각은 저자도 한 번도 해 본 일이 없는 것이었다 — 을 한 것도 가스똥이었다. 또한 뽈 바레리를 보고 금세기 불란서의 가장 획기적인 시작품의 하나인 『젊은 빨크』(1917)를 쓰라고 10년간을 두고 격려한 것도 다름 아닌 가스똥이었다.

그런데 그의 출판고문관들 — 그중의 가장 주요한 존재가 지이드이었다 — 의 거의 청교도적인 엄격한 열성은 뜻하지 않은 사고를 저질렀으며, 이 사건은 후일의 유명한 일화거리가 되었다. 1913년에 「스윙가의 편」이라는 제목의 원고가 지이드에게 평가를 내려달라고 제출되었다. 다만 뿌루스뜨를 도처에 출몰하고 있는 사롱 건달이며, 『휘가로』에 가벼운 산문을 쓰는 작가 — 다시 말하자면 지이드와 그의 동료들이 혈안이 되어 싸우고 있는 공허한 가로수문학[18]의 권화(權化) — 라고만 알고 있던 지이드는

17. 마르탱 뒤 가르(Roger Martin du Gard, 1881-1958). 프랑스 작가.

18. '공허한 가로수문학'은 'the vacuous literature of the boulevards'의 번역. 영어

「스윙」을 군데군데 장 수만을 뒤져보다가는 그냥 저자에게 돌려보냈다. 다른 데에도 어디 하나 출판을 부탁할 만한 곳이 없는 뻐루쓰뜨는 원고를 가지고 벨날 그라세[19]를 찾아가서, 초판 1,100부 한정판을 찍기 위하여 상당히 많은 돈을 지불하지 않으면 아니 되었다. 결국 이 서책의 출현은 지이드의 동료들의 자기만족을 깨우쳐 주기에 충분하였으며, 그들은 자기들이 터무니없는 과오를 범하였다고 깨닫게 되었다. 가스똥은 야밤에 막심스 요정으로 달려가서 뻐루스뜨를 붙잡고 그라세가 찍고 있는 『잊어버린 시절을 찾아서』의 첫 번째 두 권을 출판된 부수는 전부 사겠다고 말을 걸었다. 그는 짐꾼을 얻어가지고 인쇄소로 가서 매 책 당 2.70후랑크로 한 권도 남기지 않고 손에 걸리는 대로 전부(약 800부) 사버렸다. 이 책을 자동차에 가득 실고 가스똥은 '성 젤망 데 뻐레'에서 과히 멀지 않은 곳에 자리 잡고 있는 자기의 조그마한 사무소로 의기양양하게 돌아왔다. 여기서 그는 부랴부랴 그라세의 표지를 전부 뜯어 버리고, 그 대신에 N·R·F의 새 표지를 갈아 붙였다. 「스윙」의 성공은 대단하였으며, 파리의 도처에서 애서가들이 금박(金箔)으로 묵직하게 장정(裝幀)한 책을 사려고 돈을 손에 들고 그라세로 밀려들었다. 이러한 수요를 만족시키기 위하여 그라세의 지배인은 때를 놓치지 않고 한 (질)을 전부 신장정으로 꾸며내서 상당한 비싼 값을 받고 팔아먹었다.

이 사건은 N·R·F를 경영하는 가스똥 가리말의 생애의 일대 전기를 초래하였다. 그해(1916)에 그는 심각한 재정난에 직면하였고, 월간지와 출판업을 계속 유지하여 나가기 위하여 그는 부득이 외부에서부터 자본을 끌어들여서 주식회사를 설립하지 않으면 아니 되었다. 그를 그의 집의 단독적인 주인으로 남아 있지 못하게 한 것은 「스윙가의 편」의 초판의

● ● ●

구문상 이 '가로수문학의 권화'라는 구절은 프루스트가 아니라 『휘가로』지를 가리킨다.

19. 베르나르 그라세(Bernard Grasset) 출판사.

'두어서너 권이 그라세 표지'이었다고 가스똥은 즐겨 말하고 있다. 아랭홀니에[20], 샬 빼기, 귀임 아뽀리넬이 전사한 1914년의 전쟁은 수많은 불란서 작가들을 뿔뿔이 헤어지게 하였다. 그동안에 가스똥 가리말은 은행가 오또 깐의 재정적 후원을 받아가지고 꼬뽀의 비외 꼬롬비에극단과 같이 미국으로 여행을 떠났다. 그들은 바로 볼셰비키 혁명이 발발한 날에 미국에 상륙하였다. 휴전 후에 불란서에 돌아온 가스똥은 N·R·F지가 단순히 조그마한 문학 써어클이 아니라, 되든 안 되든 한번 해 볼 만한 출판사업으로서 유지되고 발전될 필요가 있는 것이라고 느꼈다.

이것은 새로운 재정 문제를 야기시켰다. 뽈 가리말의 세잔느와 루노왈은 벌써 오래전에 팔아먹고 없었다. 그런데 어느 날 사립탐정이 가스똥을 방문하고, 조그마한 탐정주간지가 있으니 사겠느냐고 흥정을 붙었다. 날카로운 기업적인 육감을 가진 가스똥은 그것을 사들였다. 이 탐정주간지는 머지않아 초현실주의 시인들 — 가스똥은 그의 두 사람의 주요 고문인 쟉크 리에르[21]와 쟝 뽀오랑의 권유를 받고 즉시로 이들 초현실주의 시인들을 받아들인 것이었다 — 의 작품의 출판비를 지출할 만한 돈을 벌게 되었다.

초현실주의자들과 때를 같이하여, 뽈 모랑,[22] 드류 라 로셸,[23] 몽뗄랑,[24] 앙드레 마르로우 등에 의해서 영도되는 새로운 세대의 행동의 작가들이 등장하였다. 마르로우의 캄보디아 밀림 — 그는 거기에 폐기된 쿠멜 사원이 있기 때문에 그것을 발굴하러 가야 한다고 주장하였다 — 에의 원정의 비용을 대준 것은 가스똥 가리말이었다. 그는 그것을 운수 좋게, 찾아내가

● ● ●

20. 알랭푸르니에(Alain-Fournier, 1886-1914). 프랑스 작가.
21. 자크 리비에르(1886-1925)의 오식.
22. 폴 모랑(Paul Morand, 1883-1976). 프랑스 작가.
23. 드뢰외 라 로셸(Pierre Drieu La Rochelle, 1893-1945). 프랑스 작가.
24. 앙리 밀롱 드 몽테를랑(Henry Marie Joseph Frédéric Expedite Millon de Montherlant, 1895-1972). 프랑스 작가.

지고, 강철톱으로 엷은 양각을 전부 베어내기는 하였지만, 국가 재산을 절도하려 들었다는 죄목으로 재판을 받고 유죄 언도를 받게 되었다. 결국 그는 형무소에는 들어가지 않았지만, 재판소의 기록에는 그의 이름 위에 벌점이 찍히고 말았으며, 그것으로 해서 그는 20년 후에 잘못하면 각원(閣員)이 되지 못할 뻔하였다.

그때부터 거의 모든 유능한 작가들은 조만간 진취적인 가스똥에 의해서 채택되었다. 예리한 실업적 감각을 가진 그는 베스트셀러를 출판하는데 주저하지 않았지만, 그와 동시에 N·R·F지와 문학 부문의 출판은 종시일관 그대로의 높은 수준을 유지하고 있었으며, 광범한 독자층을 획득하게 되기까지 10년이나 15년이나 20년을 요하는 출판물을 발행할 것을 주장하였다. 예를 들자면 앙리 미쇼와 쥴 슈뻴비엘의 시집과 말셀 쥬앙도[25]의 이상한 고백의 출판비용을 댄 것은, 2, 3년 전까지도 여전히 하루에 백 부의 매상을 올리고 있던『바람과 함께 사라지다』의 불어판이었다. 매년 새로운 천재가 몇 명씩 부가되어 갔다. 1929년에는 성 쥬베리[26]라는 젊은 비행사가 나왔다. 1938년에는 샤르뜨르라는 젊은 철학교수가 나왔다. 1942년에는 까뮤라는 알제리인 출생의 청년이 나왔다.

제2차 대전이 일어나기 조금 전에, 여행을 떠날 때면 호주머니 속에 책을 잔뜩 처넣고 다니는 버릇이 있는 지이드가 쟈크 쉬후링에게서 받은 암시를 가지고 가스똥을 찾아왔다. 다름 아니라 코린스가 영국에서 유명하게 하고 있는 것과 같은 엷은 오니온 스킨지로 고전집을 내보자는 고안이었다. 그 결과로서 나온 것이 뿌레이아드 전집인데, (일례를 들자면) 이것은 쉐크스피어의 전 작품을 단 두 권으로 압축시킬 수 있는 것이었다. 이 계획은 시의(時宜)를 얻은 획기적인 것이었고, 앙드레 지이드의 '기행문'은

● ● ●

25. Marcel Jouhandeau(1888-1979). 프랑스 작가.

26. 생텍쥐페리(Saint-Exupéry, 1900-1944). 프랑스 작가.

이 판으로 20만 부(가격은 1부 3,000후랑크, 즉 약 7불에 해당함)가 팔렸다.

이렇게 말하면 곧이들리지 않을지 모르지만 현재 가리말의 재정을 지탱하고 있는 것은 유명한 '검은 행렬'의 탐정소설이 아니라, 뿌레이아드 전집, 마르로우의 미술론(이것은 20개 국어로 번역되었다), 그리고 가리말 가내(家內)의 가장 신랄한 소설가인 레이몽드 퀘노오[27]가 편찬한 대백과사전이다.

이 방대한 문학 제국을 운영하여 나가기 위하여 현재 네 명의 가리말가의 사람들이 붙어 있으며, 두 개의 인접동의 건물(그중의 하나는 세바스창 보떵가의 입구로 통하고 또 하나는 대학가의 입구로 통한다) 속에서는 200명의 직원이 일을 하고 있다. 출판고문위원들이 최고좌에 앉아 있는데, 이들은 가리말가의 사람들만을 빼어 놓고는 전부가 제각각 의젓한 주장을 가지고 있는 작가들이다. 이들은 아마 전 세계에서 가장 혁혁한 문학검열관들일 것이다.

변장된 사롱과 꾸불꾸불한 복도와 급경사가 진 계단의 미궁 속에서는 모든 계위(階位)의 정치적, 예술적 경향이 상봉하고 충돌하고 한다. 형광등이 켜 있는 엄숙한 대합실 옆에 있는 세바스창 보떵가의 입구 홀에서는 공산주의 시인 아라공이 붉은 수자(繻子) 줄이 든 감색 재킷을 입고 보헤미안 풍으로 멋을 낸 쟝 꼭또와 시비를 하고 있다. 쟝 뽈 샤르뜨르는 알벨 까뮤와 얼굴을 마주치지 않으려고 애를 쓴다. 가스똥 가리말의 말에 의하면 까뮤같이 빨리 출세한 작가는 일찍이 한 번도 본 일이 없다고 한다. 근심스러운 얼굴을 한 젊은 작가들은 N·R·F지의 편집자 쟝 뽀오랑의 결정적인 판결을 기다리고 있다. 뽀오랑은 얼보이는 거울과 듀뷰페의 그림이 걸려 있는 사무실 안에서 올림포스 신 같은 거만한 태도로 그들을 접하고 있다.

불란서문학의 '회색의 고승'이라는 이름이 있는 뽀오랑은 30년 동안

27. 레몽 퀘노(Raymond Queneau, 1903-1976). 프랑스 작가.

N·R·F를 위하여 일을 하여왔다. 그의 영향은 광범하게 퍼져 있고, 그의 우인 관계도 유명하지만, 그를 알고 있는 체하는 사람은 한 사람도 없다. 그는 화가 부락크와 듀뷰페의 절친한 친구이며, 틈틈이 자기 집에 작가들을 초대하여 가지고는 탁구, 공굴리기, 가루다놀이 같은 것을 한다. 그는 새되고 가느다란 목소리로 해서, 곧잘 남의 놀림감이 되는데 그것은 무슨 병으로 그렇게 된 것이 아니라, 제1차 대전 때에 독와사(毒瓦斯)를 마셨기 때문이었다. 그는 놀기를 잘해서 활량이라는 평판이 있지만, 나치스의 비밀경찰에게 체포된 극소수의 불란서 작가 중의 한 사람이다. 그의 명언은 전설이 되며, 또한 그는 한없이 남의 미움을 사는 재조(才操)를 가지고 있다.

최근만하더라도 수 명의 젊은 작가들이 엽서에 인쇄를 해가지고 주위에 있는 친구들에게 발송한 일이 있었다. 그런데 이 엽서의 한편에는 다만 "쟝 뽀오랑은 존재하지 않다"라는 말이 찍혀 있었다. 그러나 뽀오랑은 미묘한 찬사(讚辭)로 아첨을 받은 셈이었다. "신과 나 이외에는 이런 말을 받아본 일이 없지" 하고 그는 새된 목소리로 천연스럽게 대꾸하였다.

세바스창 보떵가의 한산한 점포 속에 있는 그의 사무실 옆에는, 아름다운 19세기 풍의 정원이 내다보이는 커다란 달걀 모양을 한 사롱이 있다. 이것이 내실로 되어 있는데, 여기에서는 가리말 집안사람들이 두 개의 책상을 놓고 일을 하고 있다. 한 책상에는 가스똥과 그의 아들 크로오드가 있고, 또한 책상에는 레이몽드와 그의 아들 미셸이 있다. 그들은 화족(華族) 모양으로 성만 가지고 불리어지고 있으며, 왕왕이 돈을 지불하지 않은 저자에게서 전화로 독촉이 올 때에는 이름을 빙자하여 기술적으로 꽁무니를 빼고는, 채근을 받을 것은 자기가 아니라 자기의 동생이라는 둥, 자기의 조카라는 둥, 자기의 아저씨라는 둥, 자기의 아버지라는 둥 하고 서로들 책임을 밀고 있다. 그들은 모두가 절친한 친구같이 지내며, 말이나 유선(遊船)이나 자동차 같은 것도 똑같은 종류를 사가지고 있다.

그러나 보헤미안 풍이 아직도 남아 있는 가스똥은 지금도 성 라잘역 근처에 있는 구식 가족아파아트의 책 궤짝 같은 방속에서 살고 있다. 20세 때에 아무것도 하지 않고 살 작정을 하고 있던 그는 오늘날 자기가 해놓은 일의 범위에 경탄(驚嘆)하고 있다. 머리는 보기 좋게 백발이 되었지만 그는 아직도 놀라울 만한 기운을 가지고 있으며 매일같이 사무실에 출근하고 있다.

— 가이 듀물(Guy Dumur)은 1922년 출생의 불란서의 청년 작가 겸 비평가로서 두 권의 소설집과 삐란데로의 희곡에 대한 저서를 내놓았다. 그는 파리에 거주하고 있는 관계로 가리말서방(書房)의 운명을 내외 양면으로 관찰할 수 있는 충분한 기회를 갖고 있었다. (역자)

–『현대문학』, 1958. 12.

영·불 비평의 차이

이브 보네호이(Yves Bonnefoy)

모든 국민과 모든 종족은 그 자신의 창작적인 심의(心意) 경향뿐만 아니라, 그 자신의 비평적인 심의 경향을 가지고 있다. 그리고 그의 창작적 천재의 단점과 제한보다도 그의 비평적 습관의 단점과 제한을 한층 더 많이 잊어버리고 있다.

-T. S. 에리옷트, 「전통과 개인의 재능」에서

I

현대의 국민들 사이의 문화적 심연(深淵)이 종래나 다름없이 지금도 널리 가로 놓여 있다는 것은 불행한 일이기는 하지만, 사실이다. 다른 여하한 나라보다도 영어가 훨씬 더 많이 배워지고 씌어지고 있는 불란서에서, 나는 영시(英詩)가 — 우리들이 (볼떼(Voltaire)과 꼬뽀오(Copeau) 사이의 시기에) 점차 우리들의 풍토에 순응하도록 힘써온 쉐크스피어는 예외로 하고 — 얼마나 작게 이해되고 있는가를 보고 놀란 일이 있었다. 최근에 앵그로-색손 국가에서 상당히 많은 주목의 대상이 되어온 단(Donne)은 여전히 우리들 사이에서는 사실상 알려지지 않고 있는 것이나 마찬가지 상태에 있다. 단의 작품을 번역하려는 아무런 진지한 기도(企圖)도 보이지 않는다는 것이 여실히 그것을 증명하고 있다.[1] 그리고 초오사(Chaucer), 스펜사(Spenser), 쉐리(Shelley), 밀톤(Milton)에 대해서도 이와 똑같은 말을 할 수 있었다. 어느 의미에 있어서는 현대 시인(T. S. 에리옷트(T. S. Eliot)와 디란 토오마스(Dylan Thomas))이 한층 더 잘 알려지고 있다. 그들은 동시대인의 이득을, 다시 말하자면 야릇한 소문의 일루미네이션을 받고 있다. 그러나 이것도 다만 또 하나의 다른 오해를 노출하고 있는 것에 불과하다. 이러한 시인들은 현대인이기 때문에, 불란서 독자들은 자기들이 그들에게 보다 더 쉽사리 접근할 수 있다고 간단하게 믿고 있다. 마치 이 '현대성'이라는 것이 분할할 수 없는 동일체나 되고 있는 것처럼 — 사실은 그것이 아니라 분할할 수 없는 동일체는 바로 영시 그 자체인 것이다. 그리고 불란서시에 대해서도 이와 똑같은 말을 할 수 있다. 이와 같이 영시(英詩)와 불시(佛詩)사이에 가로 놓인 간격에는 아직까지도 다리가 놓여 있지 않고 있다.

문학비평은 국민 전통 사이의 공분모로서의 역할을 상당하게 할 수 있고, 우리들에게 억제되어온 것을 개방하여줄 수 있는 것이라는 것은 생각할 수 있는 일이다 — 또한 사실상 그와 같이 시사되어 왔다. 그러나 우리들의 두 나라의 최고의 비평가의 글을 읽으려고 할 때 즉석에 우리들은 우리들의 계산법이 얼마나 멀리 서로 동떨어져 있는가를 알게 된다. 『함렡

• • •

1. [원주] 단의 약간의 작품이 학도들을 위한 선집(選集)의 형식으로 출판된 것은 겨우 1955년에 이르러서이었다. 쟝 왈(Jean Wahl)이 『트라헤른(*Traherne*)』을 번역하고, 알후렌 쟈리(Alfed Jarry)가 『안셴트 매리너(*The Ancient Mariner*)』를 번역하였으며, 삐엘 레이리(Pierre Leyris)가 제랄드 만레이 호푸킨스(Gerard Manley Hopkins)의 가장 중요한 작품을 수정하여 (번역)결정판이라고 할 수 있는 것을 발간하였다는 사실을 여기에 부기(附記)한다.

(*Hamlet*)』이나 말벨(Marvell)의 『더 가든(*The Garden*)』에 관한 위리암 엠프슨(William Empson)의 저작의 한 면이나 존 단(John Donne)에 관한 크린스 부룩크스(Cleanth Brooks)의 저서들의 한 면이 준비 없는 불란서 독자들에게 대단히 많은 것을 전하여 줄 수 있는지 어떤지 나는 의심스럽게 생각한다. 또한 나는 영국 독자들이 마라르메(Mallarme)나 루네 샤(Rene Char)에 관한 모리스 부랑쇼(Maurice Branchot)의 저서를 읽고 역시 마찬가지로 당황감을 느낄 것이라는 것을 넉넉히 믿을 수 있다. 사실상 그 간격은 시의 유류(流流) 사이에 보다도 비평적 습관 사이에 더 크게 벌어져 있다고 볼 수 있다. 다른 것은 다 고사(姑捨)하고라도, 또한 그들이 불란서인이든 앵그로-색손인이든 간에, 시인들은 공동의 감정과 직각을 가지고 있다. 또한 왕왕이 시인에게 자연스럽게 느껴지는 그 언어의 기본적 감각을 가지고, 그들은 우리들의 두 개의 모국어가 나전어와 켈트어와 튜우톤어의 모험에서 따온 공동적인 기본 재산을 부활시킬 수 있다. 그러나 비평가들은 이성 이외에는 자기들의 밑받침이 될 만한 아무것도 가지고 있는 것이 없다. 그리고 이성의 단일성이라는 것은 한낱 신화에밖에는 지나지 않는다. 윤돈(倫敦)이나 파리나 시카고에서 일을 하고 있는 비평가들의 목적은 확실히 기본적으로 다른 데가 있다. 그러한 결과에서 초래되는 것은 가장 심오한 상호간의 무지이다.

'신비평가'파(New Critics)는 그중 한 작품도 불란서어로 번역된 것이 없다. 불란서에서는 드라이덴(Dryden)과 죤슨(Johnson)은 거의 I. A. 리차아스(I. A Richards)만큼 알려져 있지 않다. 그리고 현대비평의 성전이라고 불리어지고 있는 『바이오그라피아 리타라리아(*Biographia Literaria*)』의 콜리지(Coleridge)의 저작은 영국 전문가인 문학사가에 의해서밖에는 읽혀지지도 않고 인용조차 되지 않고 있다. 그러나 영국이나 특히 미국에서 나오는 정기간행물에는 불란서 비평에 대한 소식이 그보다 얼마나 더 낮게 보도되어 있는가? 졸쥬 뿌레(Georges Poulet)의 『인간시대에 관한 연구(*Etudes sur le temps humain*)』는 확실히 영국에서 출판되었다. 그러나 나는 『타임』지의 '문학 특집'[2]에 기고되어 있는 비평 작품에 바쉬랄(Bachelard)과 부랑쇼의 이름이 언급된 것을 본 일이 없다. 여하간 어느 전문가가 부랑쇼의 관념을 논평할지도 모른다는 사실은 그 자체로서 난삽(難澁)한 그의 사고가 진정한 영향을 주고 있다는 것을 의미하는 것은 아닐 것이다. 케네스 버어크(Kenneth Burke), F. R. 리비스(F. R. Leavis)의 저작이 우리나라에서 이해되고 있지 않는 것처럼 그의 저작이 영국해협(혹은 대서양) 저쪽에서 인식되지 않고 있다는 것을 나는 거의 의심하지 않는다.

이와 같은 상호간의 무지에 대해서 어떠한 일을 해야 할 것인가? 모름지기 막대한 양의 번역을 통해서만 진정한 공동기반은 준비될 수 있을 것이다. 아마 가까운 장래에 가장 유용한 일은 미국에서 점점 일반적으로 알려져 가고 있는 사람들(이를테면 나의 머리에는 몰튼 자벨(Morton Zabel)의 저작이 떠오른다)을 망라한 비평사화집의 교환일 것이다. 이와 같은 종류의 교환은 적어도 하나의 커다란 이득을 가지게 될 것이다. 즉 그것은 어휘의 편성을 격려하고, 무지와 오해의 주요한 원천인 필수적인 술어의 토의를 자극하게 될 것이다. 왜냐하면 비평용어는 절반은 구체적이고 절반은 추상적인 것이기 때문에 또한 지극히 정확하면서도, 관용구적인 함축을 배제하는 데 성공하지 못하고 있는 것이기 때문에, 그것을 번역하는 것보다 더 어려운 일이 없기 때문이다. 가령 코르릳지의 사상에 길이 들은 영국인이 지극히 쉽사리 파악할 수 있는, 상상(Imagination)과 공상(Fancy)의 두 개의 상념이 어떠한 것인가를 조금만치라도 전해 보려고 할 때에, 이 두 말 사이의 차이를 불어로 옮겨 놓는 것보다 더 힘드는 일이 어디 있겠는가? 그의 아리스토테레스학파적인 형식주의가 우리들의 비평적 습관에 지극히 생경한 인상을 주는 고의적 오류(The Intentional

• • •

2. 『타임』지의 문예 특집 면이 아니라 영국에서 간행된 주간 문예지 *The Times Literary Supplement*를 오역한 것이다.

Fallacy)에 대해서 어떠한 종류의 해명을 줄 수 있겠는가? '신비평가'파는 Poem을 산문이나 운문에 있어서의 복문적인 작문으로서 특히 Poetry의 본질적인 관념과의 연상을 잃지 않고 있는 것이라고 규정하려 들고 있는데, 이러한 Poem이란 말을 어떻게 번역하면 좋겠는가? 사실 두 나라의 술어 사이의 차이에 대한 단순한 반성은 어느 색다른 발견을 낳게 할 것이다.

그러나 엄밀히 말해서 이상과 같은 말들은 내가 화제를 돌리기 위해서 한 것이다. 불란서와 앵그로-색손국의 제 연구가 나타내고 있는 상호간의 무지를 개탄하지 말고, 우리들은 우리들에게 제시되고 있는 하나의 유리점(有利點)으로서 이득을 보도록 시도할 수 있을 것이다. 양국 간의 비평의 비교가 말하자면 경험적인 가치를 가지고 있는 것은 이 두 개의 비평이 아주 전혀 별개의 것이기 때문이며, 그중의 한편이 다른 편으로부터 받은 조그마한 영향의 흔적도 거의 나타내고 있지 않기 때문이다. 그것은 양쪽에다 명료하게 보이는 것이라도 별안간에 색다른 각도에서 보이어질 수 있게 되는 조망을 우리들에게 부여한다.

II

내가 여기에 격리시켜 놓고 싶은 문제는 직접 두 나라의 비평의 비교에서 생겨나는 문제이다 — 즉 의미의 문제이다.

영국과 미국의 비평에 — 그리고 특히 그들의 비평 속의 가장 독창적이고 중요한 것에, 즉 '분석적'이라는 이름으로 알려져 있는 예의 철학의 영향에 — 능통하기 시작하고 있는 불란서인으로서 무엇보다도 가장 놀라웁게 생각되는 일은 의미의 개념이 그들의 유파의 모든 작업 중에서 언제나 가장 중심적인 역할을 하고 있다는 것을 보게 되는 것이다. 영어로서는 함축과 암유(暗喩)와 모호성에 가득 차 있는 것은 물론 자연스러운 일이다. 감각이 왕왕이 극히 단순하며 논리적으로 분석할 수 없고, 시의 독특한 진가를 증명할 능력이 아주 결핍되어 있는, 라시느(Racine)에서 램보오(Rimbaud)에 이르는 가장 위대한 불란서 시와는 판이하여 영시는 항상 무엇인가를 주장하려고 시도하고 있는 종류의 시이다. "얼마 전에 사랑스러운 새들이 노래 부르고 있던 텅 빈 황폐한 창가대석" — 유명한 쉐크스피어의 시구를 다시 한 번 인용하자면 — 은 의미의 복합이다. 그리고 이 시구의 연상의 그물눈을, 시적 특질을 상실하지 않고 지극히 먼 데까지 뒤쫓아 가는 것은 가능한 일이다. 이와는 대척적(對蹠的)으로 램보오의 시구, "그러나 건강에 좋은 것은 바람이다"는, 아름다움과 마력에 가득 차 있기는 하지만, 의미하는 점은 지극히 희소하다. 그러고 보면 영시는 의미를 중요하게 여기는 시이다. 그러나 그것이 의미의 해설을 시적 진실에의 기본적 접근으로 간주하는 충분한 이유가 될 수 있는가? 그것이 I. A. 리차아스의 견해이다. 그리고 그것은 또한 『일곱 개의 불가사의(*Seven Types of Ambiguity*)』에서 "시는 전적으로까지는 아니 하더라도 본질적으로 전달된 의미가 문제되는 것이다."라고 단언한 윌리엄 엠프슨(William Empson)의 견해이다. 그리고 이것은 항상 "난독"의 방법을 따르는 미국의 수종자(隨從者)들의 중심적인 편견이기도 하다.

여기에서 나는 급히 부언하여 두어야 할 한 가지 주석이 있다. 불란서 독자에 있어서 적지아니 놀라운 일은 리차아스, 엠프슨 그리고 그들의 동조자들이 이와 같은 시의 의미를 위주로 하는 편견을 예리하고도 따뜻한 시적 진실을 위한 감정과 어떠한 방법으로 결부시키려고 드는가 하는 것을 보는 일이다. 불란서에 있어서는 리차아스가 주장하는 두 개의 언어, 즉 과학적 언어와 감정적 언어 사이의 차별을 용납할 수 있을 만한 종류의 사람은 시를 경멸할 것이다. 영국에는 무슨 신비스러운 보충적인 원칙 — 그리고 고도로 문명화된 원칙 — 이 있어가지고, 그것이 밀(Mill)로 하여금 코르릳지에게 애정을 갖게 하고, 리차아스로 하여금 시에 애정을 갖게 하고, 또한 버어트랜드 러셀(Bertrand Russell)로 하여금, 그가 원하기만 한다면, 틀림없이 당대의 최고의 문학비평가가 될 수 있게 하고 있는 것이라고 믿어진다.

그러나 이 원칙은 비평가를 모든 위험으로부터 구출해 줄 만한 것은 못 된다. 본문이 '의미하는' 것을 위주로 하는 편견은 왕왕이 의미를 통상적인 언어로 재 해득(解得)하기 위하여, 작품을 함축이 발견될 수 있는 의미의 총화로 퇴화시키는 일종의 조광(躁狂)으로 변할 수 있는 것이라는 인상(그러나 확실히 미국인의 비평의 혹종의 국면에 접하였을 때 가장 그렇다)을 나는 받는다. 어느 미발견의 의미가 여전히 시 안에 계존(係存)되어 있다는 관념은 면목 없는 일이며, 집합적인 도덕적 보장에 대한 타격인 것처럼 생각되고 있다. 따라서 시의 '설명'이나 '분석'은 문학이 야기할 수 있는 불합리하고 소란한 모든 것에 대한 세척(洗滌)이 된다. 어느 의미에서는 시가 왕왕이 먼저 시작하고는 하는, 그러한 정화를 완성하는 것이 마치 비평의 기능이며 의무인 것처럼. 혹은 시가 그렇게 못 하는 경우에는, 무엇이 되든지 간에 그것을 약속하는 것이 비평의 기능이고 의무인 것처럼. 이것은 하나의 극단적인 태도이다. 그러나 인간 전달의 문제의 최후의 해결점을 발견하려는 시도인 『가르침에 있어서의 설명(*Interpretation in Teaching*)』을 쓴 리차아스에 있어서는 이 태도는 이미 절대적인 것이 아닌가? — 또한 리차아스는 기본 영어(Basic English)의 발명을 공동연구한 사람이다. (C. K. 오그덴(C. K. Ogden)도 기본 영어로 번역한 작품이 있는 것을 잊어서는 아니 된다.) 그리고 이런 종류의 과오는 언제나 의미의 분석에 토대를 두고 있는 비평 속에 암암리에 담겨 있는 것이라고 나는 생각한다.

요컨대 (그리고 여기에 있어서 나는 불란서인의 비평에 대단히 널리 퍼져 있는 관점을 표시하고 또한 최고의 앵그로-색손인의 비평에 명확히 반대되는 방식 중의 하나를 제시하고 있다고 믿는다.) 의미의 분석에 토대를 둔 시의 비평은 그의 목표를 잊고 있는 것같이 나에게는 생각된다. 논술 상으로 인식적 기능과 감정적 기능이 분리될 수 있다는 관점은 논리적 실증주의자의 개념에서 초래되는 일종의 원주 속에 감시당하는 것을 스스로 허용하고 있는 것밖에는 아니 된다. 오그덴과 리차아스의 『의미의 의미(*Meaning of Meaning*)』가 모든 현대비평의 유일한 근원은 아니지만, 또한 이 비평은 그것이 최초로 형식화될 때의 두 가지의 언어 사이의 차별을 초극하려고 노력하여 왔지만, 이 차별이 그의 노력과 현실성을 유지하고 있는 것은 명백하다. 그것을 개선하려는 시도는 있었지만, 그것을 부정하려는 시도는 없었다.

그러면 이 차별이 부과하고 있는 제한은 어떠한 것인가? 우선 이것은 과학의 특권을 진리로 삼고 있다. 문학작품은 과학적 방법을 사용하고 있지 않기 때문에, 그것은 '진정'한 논술에서는 배제돼야 하는 '우선적'인 것이다. 그러나 그러한 환경에 있어서 어떻게 비평가는, 문학작품을 운운할 때, 과학적 진리의 범주를 포기하지 않고 논술을 할 수 있겠으며 또한 어떻게 개념적 사상의 유리점을 거부할 수 있겠는가? 만약에 누구든지 객관적 진리를 위하여 주저하지 않고 '감정적' 언어로서 이 임무를 수행한다면, 그는 비평의 정상적인 기능을 포기하는 한편 시의 정상적인 운동을 계속한다. 또한 만약에 그와는 반대로 그가 논리적 진술과 입증적 진리의 언어를 사용한다면, 어떻게 될 것인가? 그와 같은 시에 대한 논리적 분석은 다만 그 시의 논리적 국면만을 밝힐 수 있다 — 그리고 시는 정의에 의해서 논리의 한계를 넘어서 위치하고 있는 것이기 때문에, 이것은 비평적 작업의 무의미를 의미할 것이다. 어떠한 의미의 세세한 구별이 개념적 언어에 의해서 시의 특수한 주제 내용으로부터 끄집어내어진다 하더라도 총체적인 결과는 다만 과학적인 진리의 개념에 의한 시의 퇴화밖에는 아니 된다.

이리하여 이러한 비평에 있어서 가장 손해가 되는 것은, 과학의 상징적 언어(이것에 대해서는 크로오쎄(Croce)파의 이태리 비평가들과 함께 그것은 언어가 아니라는 말을 할 수 있다)가 그 자신을 카시렐(Cassirer)이 말하는 언어에 있어서의 '객관적 극단'과 제휴하는 데 성공하였다는 것이다. 그러나 시는 또한 진리적인 것, 존재하는 것, 그리고 또한 그 자신의 방식과 그 자신의 독특한 방면에서 객관적 진리(그의 특수한 대상은 구체적인 개인이다)라고 생각되는 것을 전달한다. (논리적 범주의 도움으로서 정사(精查)되지 않는 한) 단순하고 분할할 수 없는 이 객관적 진리에 관해서는 가장 복잡한 의미의 분석은 다만 유령 모양의 추상밖에는 낳는 것이 없다. 그러나 여기서 나는 또 하나의 주석을 붙이지 않을 수 없다. 리차아스가 보여 주고 있는 두 가지의 언어 사이의 구별은 기호와 의미가 표시되는 사물 사이의 구별을 떠나서는 — 다시 말하자면, 무엇인가를 전달하는 것으로서의 언어의 이론을 떠나서는 생각될 수 없다. 시에 있어서의 '의미'는 시인의 실제적인 경험이 표시되는 방식이 될 것이다. 시에 있어서의 언어는 이와 같은 경험의 재생이 될 것이다. 그러나 이것은 여전히 시의 특수한 진실을 잘 못 보고 있는 것이다. 어째 그러냐하면 그것은 시의 '가치'가 그 자체에 있어서 심미적이 아닌 경험의 예외적인 특질에 다소나마 의존하고 있다고 주장하고 있기 때문이다. 그리고 또한 시의 내용은 의미의 복합의 다른 면을 지속시키고 있다고 감지되는, 그리고 대체로 그 자체에 있어서 다만 또 하나의 종류의 유령 같은 추상인, 시 이외의 그 무엇 속에서 찾아지지 않으면 아니 된다. 어째 그러냐하면 이러한 가설적인 경험이 사실상 시의 여러 국면 중의 어느 한 국면 밑에 있는 시 그 자체에 불과한 것이라는 것, 환언하자면 시의 특수한 생명과 운동 속에서만 발견될 수 있는 그 무엇이라는 것을 논증하는 것은 손쉬운 일일 것이니까 말이다. 또한 시의 언어는 다만 의미가 표시되는 그 무엇에 관련하고 있는 기호일 뿐만이 아니라, 시를 지옥의 변토(邊土)로부터 단일한 존재로 옮겨오는 활동 그 자체라는 것을 논증하는 것도 손쉬운 일일 것이니까 말이다.

시적 활동은 다만 주장하는 것만이 아니다, 그것은 창조한다. 그것은 기호와 의미가 표시되는 사물과의 결합 위에 기초를 두고 있는 것이 아니라, 시적 사상의 특수한 각본을 도입하는 것인, 그것들의(기호와 의미가 표시되는 사물의 [역주]) 분열 위에 기초를 두고 있는 것이다. 그렇기 때문에 실제에 있어서 시라는 것이 어떠한 것인가 하면? 개념적으로 (혹은 어느 종류의 논리적 의미에서) 자신을 표현하는 대상의 그 부분의 거절. 산만한 개념이 형성될 때에 응고된 현실이 상실되는 느낌. 개념화의 무의미를 자신이 고통해야 하는 것을 반대하는 원한 — 이것은 (그 자체의 정확한 각도에서 볼 것 같으면) 내가 바로 앞서 말한 예의 분열이다. 또한 끝으로, 다만 비스듬히 그리고 투쟁을 통해서만 탄생할 수 있는 잊어버린 것 — 즉, 심연의 현실성 — 을 구출하려는 의지.

논리적 실증주의와 가장 친밀하게 연결되는 있는 (혹은 거기에서 추상된) 비평에 의해서도 동일한 결론이 나오게 되었다는 것은 주목할 만한 사실이다 — 말벨의 『더 가아든』의 투철한 연구에서 보이는 엠프슨과 풍자와 긴장과 역설을 연구한 '신비평가'파의 약간 사람에 의해서. 그러나 그들의 경우에 있어서는 그 결론이 또한 역설적이며 베일에 싸여 있다, 라는 것은 이들 비평가들은 긴장과 역설과 모호성을 개념적 의미의 고려에서 생기는 종속적인 상념이라고 규정짓고 있기 때문이다. 아키볼드 막레이쉬(Archibald MacLeish)까지도, 그가 "시는 의미하는 것이 아니라, 존재해야 한다"고 말할 때, 이 시의 '존재'는 여전히 의미의 복합이라고 생각된다. 다만 차이점이 있다면 그것은 내부에 관한 것이냐 외부에 관한 것이냐가 틀릴 뿐이다.[3]

III

이와 같은 분석적 비평의 몇 가지의 개념을 토의하느라고 나는 불란서와

• • •

3. 이 문장 다음에 있는 다음과 같은 문장이 번역에서 생략되어 있다. "맥클리쉬에게, '의미'는 여전히 시의 실체이다."

앵그로-색손의 비평을 대조하려는 나의 시초의 명제를 벗어나서 너무나 멀리 외도를 하여온 것 같은 생각이 든다. 그러나 사실은 그렇지 않다. 최근의 불란서 비평의 모습을 전하기 위하여서는 내가 여지껏 약술해 온 논쟁의 주류를 끝까지 쫓아가 볼 필요가 있다고 믿는다. 두 나라의 비평은 기본적으로 거의 보충적인 것이다. 그중의 한 나라의 비평은 대부분이 상대방에 대한 비평으로 취해질 수 있다. 앵그로-색손의 형식주의가 불란서에서 발견될 수 없다고 볼 수는 없다. 로랑드 바제(Roland Barthes)의 경우(그가 아무리 맑스주의자라 하더라도)가 바로 그것이다. 그러나 최량(最良)의 불란서의 비평은 의미의 분석에 대해서 반기를 들고 나설 것이다. 시가 명백하게든 은연중이든 주장하는 것으로 퇴화될 수 있다고 용인하는 불란서 비평가는 오늘날 한 사람도 없다. 왜냐하면 논리적 실증주의자가 불란서에도 존재하고 있기는 하지만, 내가 이미 지적한 바와 같이 그들은 절대로 문학에 대한 이해를 가지고 있지 않다. 또한 만약에 그들이 비평에 관여한다 하더라도, 그들의 작업이 일고의 가치도 없는 것이라는 것을 조금도 주저 없이 말할 수 있기 때문이다. 한편 보오드렐(Baudelaire), 말라르메(Mallarme), 램보오(Rimbaud) 같은 위대한 19세기 시인들의 영향과 보다도 최근에 속하는 초현실주의의 영향은, 시의 가치가 비합리적이고 주관적인 것이라는 것을 강조함으로써 시의 전 개념을 심각할 정도로 쇄신시켜 놓았다.

말셀 레이몽드(Marcel Raymond)의 『초현실주의에서 본 보오드렐에 관하여(*De Baudelaire au surréalisme*)』와 알베르 베깅(Albert Béguin)의 『낭만적 영혼과 꿈(*L'Ame romantique et le reve*)』은 이와 같은 발전의 첫 단계를 표시하였다. 느낌이라는 것이 베깅의 방법의 중추가 되어 있었다. 그는 시의 창작에 있어서의 본질인 요소라고 간주한 상상적 활동에 있어서의 가장 붙잡을 곳이 없고 가장 분석할 곳이 적은 것, 즉 꿈과 각성한 생명 사이의 불명료한 연결을 연구하기 시작하였다. 또한 주의해야 할 사실은 베깅이 이 일을 조금도 후로이드주의에 의지하지 않고 착수하였다는 점이다. 어째 그러냐하면 그는 계몽기의 합리주의자의 철학을 가지고 그 일의 중요성을 실감하였으니까 말이다. 그는 기호의 유동적인 성격과 그러한 기호들의 내용에 있어서의 간단없는 변이(變移)와 어느 유한적인 의미를 넘어서 존재의 심장부로 직행하는 유추(類推)의 필수적인 사용과 타당성을 극력 강조하였다. 이리하여 앵그로-색손인의 비평이 T. S. 에리옷트를 따라서 낭만적인 꼬임에 빠지기를 거부하고 그 대신에 존 단과 비숍 킹(Bishop king)에서 찾아볼 수 있게 되어 있는 의미와 구조의 수학적 엄밀성을 애고(愛顧)하고 있었을 즈음에, 베깅과 레이몽드는 정반대의 극단으로 가서, 본질적인 낭만주의에다 모든 합리적 의도를 타파하고 언어를 단순한 의미표시에서 빗돌리는 선험적(先驗的)인 예의 감각을 기대하였다.

가스똥 바쉬랄(Gaston Bachelard)은 확실히 의미에 의한 기호의 지배에 저항하기 위한 이와 같은 결의의 가장 뚜렷한 표본이다. 그는 합리주의적 철학자이며 과학이론가이지만, 시적 상상력의 연구에 바치어진 일련의 저작(『물과 꿈(*L'Eau et les rêves*)』, 『공기와 꿈(*L'Air et les songes*)』 등, 그리고 가장 최근에 나온 『시미(詩味)와 공간(*La Poétique et l'éspace*)』에서 그가 취하고 있는 입장은 논리적 실증주의와는 정반대적인 것이다. 그는 상상이 자기 위에 발을 딛고 일어서기를 기도하는 여하한 의미도 분쇄(粉碎)하기를 성공하는 한에 있어서는 상상에 흥미를 가지고 있다. 바쉬랄의 사고에 있어서는, 심상은 개념과의 간단없는 변증적 투쟁이며, 시적 직각(直覺)을 표상화(表象化)하는 것은 심상 — 절대적이며 비개인적인 심상 — 이다. 그리고 비개인적 심상은 의미의 논리와의 결합이 보다 더 용이한 이상적 형태의 상상을 넘어선 그 무엇이다. 그 대신에 그것은 물질적 본질의 감각이며, 가장 친근한 존재 상태에 있는 제(諸) 사물의 감각이다. 바쉬랄은 여러 가지 모양의 먼지와 회오리바람과 불을 연구하였고 모퉁이나 틈에 의해서 전달되는 공간의 감각을 연구하였고, 시가 본능적으로 알고 있으면서도 다만 표시될 수 있는 여하한 의미에도 반대하면서 전달하고 있는 모든 사물을 연구하였다. 또한 졸쥬 뿌레와 장 삐엘 리샬(Jean Pierre Richard)에 있어서도 그것이 시의 본질이 되어 있다 — 즉, 우선 그[4] 안으로 시인이 잠수하고는 그 다음에 자기 자신을 다시 찾으며, 일종의 침묵의 또 한 면을 그것[5]으로 재형성하기 위하여서만 시인이 언어를 구사하게 되는 심연의 경험. 만약에 — 뿌레와 리샬에 관한 한 — 시가 설명적인 의미를 갖고 있다 하더라도, 그것은 언어의 상호연락에서 일어나는 것이 아니라, 언어가 그의 명백한 주장 가운데 있어서의 강조와 휴지와 주저에 있어서 떨어뜨리게 되는 감각과 심상의 복합에서 일어나는 것이다.

시의 개념적 의미가 가장 희박하고 가장 막연할 때, 이러한 종류의 비평이 가장 효과를 나타내게 되는 것은 명료한 일이다. 리샬에 의해서 분석된 보오드랠의 「악운(Le Guignon)」이 나의 머리에 떠오른다. 거기에는 어떠한 교묘한 의미도 역설도, 모호점도 없는, 다만 여섯 줄의 극히 아름다운 시구가 있다.

> 수많은 보석이 어둠과 망각 속에서
> 잠자고 있노라, 돌도 안 닿고
> 수심침도 안 자라는 머나먼 곳에서.
>
> 수많은 꽃이 깊은 고독 속의
> 비밀처럼 달콤한 향기를
> 회한으로 말미암아 풍기고 있노라.

우리들은 이 시구의 본질적인 특질을 즉 그의 진리를 어디에서 찾아야 할 것인가? 장 삐엘 리샬은 그 안에서 보오드랠이 우리들에게 말하려고

4. [역주] 심연.
5. [역주] 언어.

하고 있는 것이 아니라, 보오드랠 그 사람의 즉 보오드랠 자신의 불합리하고 격리된 상징을 본다. '보오드랠은 사실상 그 자신이 이 잠잠히 파묻혀 있는 보석이다. 이 보석은 존재에서부터 격리되어 있다. 보오드랠은 그 자체와 그의 대상에서부터 항상 떨어져서 깊이도 잴 수 없는 곳에서 상실되어 버리는 이러한 의식이다.'라고 리샬은 말하고 있다. 이 파묻혀 있는 보석이라는 관념 속에는 (우리들이 상상으로서 그것을 직관할 때) 동시에 원격과 접근이 암흑과 광명이 뒤섞여 있는 감정이 있다. 처음의 삼행에 표현되어 있는 상실과 원격의 감정은 "접근의 감각을 싸안고 내적 성질(inwardness)을 시사하고 있다." 사실상, 잠자고 있는 것은 잠을 깰 수 있고, 발전하여가지고 꽃을 터뜨리고는 향기를 풍길 수 있다— 이 향기야말로 메시지인 동시에 자기 억제이며, 그것은 상징적인 언어에 있어서 시적 표현의 정수적 본질이 인식되는 '존재의 발로(發露)'이다. 리샬이 인용한 마지막 3행의 초고에서는 보오드랠은 다음과 같이 썼었다.

수많은 꽃이 깊은 고독 속의
회한처럼 달콤한 향기를
비밀히 풍기고 있노라.

따라서 이와 같은 보다 더 추상적인 표시법으로부터 최후의 소견[6]으로의 변화는 실로 실존적인 부류의 직관, 그리고 모든 실체에서 비밀과 억제된 충동과, 우리들을 향한 일보와, 별견(瞥見)된 작별을 식별하고 있는 직관의 발전을 뚜렷이 보이어 주고 있다.

물론 나는 장 삐엘 리샬이 의도한 바를 전부 전하지는 못하였지만, 그러나 내가 그의 방법의 진정한 정신을 더럽히었다고는 생각하지 않는다. 이것이 부락머(Blackmur)의 "난독"과 비교될 수 있는 어구 상의 분석에

6. [역주] 앞서 적어 놓은 시구를 가리킴.

관한 일인가? 그렇지 않다. 어째 그러냐하면 부락머와 엠프슨은 시에 있어서 제1차적인 의미와 제2차적인 의미의 합계를 보고 있지만, 여기에 있어서는 가장 깊은 뜻(significance)이 언어와 관념과의 혼인관계에 있어서, 다시 말하자면 보오드랠의 보석과 같은 접근과 거리가 일체가 되고, 논리적 원격과 분석적 친근이 일체가 되는 사상과 언어와의 관계에 있어서, 모든 의미(meaning)를 넘어서 탐구되고 있다. 리샬은 진리가 형식으로 표시되기보다는 오히려 느끼어지는, 언어의 박명권(薄明圈) 속에서 자기의 위치를 정하고 있다. 이러한 종류의 비평은 이러한 문제를 피하려고 드는 앵그로-색손인의 비평보다도 은유(隱喩)의 본질과 기능을 파악하는 데 있어서 더 많은 능력을 가지고 있는 것같이 나에게는 생각된다.

그리고 끝으로 보다 더 과격한 모리스 부랑쇼(Maurice Blanchot), 『로오뜨레몽과 사드(*Lautrémont et Sade*)』에서 그리고 가장 최근에 나온 『문학적 공간(*L'Espace Littéraire*)』에서 그는 공공연히 의미의 분석과 그 밖의 모든 종류의 분석적 방법을 비난하였다. 그는 심지어는 진리의 범주는 본시 특이한 그 무엇을 보편적이며 비개인적인 것 속에 포섭하지 않을 수 없기 때문에, 시의 내용은 진리의 범주 내에서는 표현될 수 없다고까지 주장하고 있다. 문학의 본질은 그것이 명백하게 주장하고 있는 것 속에서 찾아져야 할 것이 아니라, 언어가 그의 침묵의 목적을 향한 비상에 있어서 화해를 (의미의 말살에게 [역주]) 강요하게 되는 의미의 간단없는 말살 속에서 찾아져야 할 것이다. 시는 "본질적인 고독" 속에 영원한 분리 속에 존재하고 있다. 이것은 어느 의미에서 새로운 비평의 '삭제'의 관념과 비교될 수 있는가? 아니다. 왜냐하면 이와 같은 문학의 영원한 격리는 미국인들이 말하는 시의 구조 속의 결정체에서 오는 것이 아니기 때문이다. 그것[7]은 인간의 무와 죽음과의 관계이기 때문에, 여하한 종류의 구조도 깨뜨려 버리려는 그 무엇이기 때문이다. 이것은 "진실 된" 것과 "현실적인"

7. [역주] 문학의 영원한 격리.

것에서 지극히 멀리 떨어져 있는 것이며, 의미가 기호가 되는 여하한 현실과도 아주 멀리 소격(疏隔)되어 있는 것이기 때문에, 부락머는 명료하게도 가장 위대한 시의 "익명"성을 운운하고 있다.

여기에 있어서 동제(同題)[8]는 이 견해를 정사하는 것도 아니며, 이것을 비난하는 것도 아니다. 다만 분석적 접근을 정면으로 반대하는 이 견해가 가장 뿌리 깊게 현대의 불란서의 비평 활동을 대표하고 있는 것이라는 것을 다시 한 번 강조하고자 하는 것이 문제이다. "나는 언제나 개념이 강박관념(obsession)보다도 중요하지 않다는 것을 발견하였다"라고 장 삐엘 리샬은 말하고 있다. 대체적으로 말하자면, 이러한 비평가들이 시도하고 있는 것은 시인의 분석할 수 없는 경험을 재생시키는 일이다—시인의 분석할 수 없는 경험이란 언어로서 표현하려고 결코 생각되지 않는 경험, 그러한 언어가 그의 경험의 명백한 표현이 아닌 한 언어 그 자체에서 느끼어질 수 있는 경험이다.

Ⅳ

이 비평의 한계는 뚜렷하다. 그리고 나는 영국 독자의 최초의 반동이 그것은 비평이 아니라는 말일 것이라는 것을 능히 상상할 수 있다. 내가 최근에 『타임』지의 '문학특집'[9]에서 읽은 다음과 같은 말은 자명한 일이라고 생각되었다—"비평의 직무는 좋은 작품과 나쁜 작품을 구별하는 일이며, 또한 이보다도 더 중요한 것은 좋은 작품과 가장 좋은 작품을 구별하는 일이다." 현재 감상의 기능은 즉 좋은 작품과, 나쁜 작품과 가장 좋은 작품과를 구별하려는 선입견은 오늘날의 불란서 비평가가(앙리

8. '문제(問題)'의 오식. 'The question'의 번역이다.
9. *The Times Literary Supplement*의 오역.

오(Henriot)에서 삐꽁(Picon)과 나도(Nadeau)에 이르기까지의 2, 3의 예외는 있지만) 이상하게도 준비를 잘 갖추지 못한 것을 안다. 그는 시가 어떻게 지식 — 혹은 우리들은 그것을 "경험"이라고 말해도 좋지만 — 의 일종이 되는가를 알고 있으며, 또한 그것이 무엇에 대한 지식인가를 알고 있지만, 어째서 혹은 어떻게 그것이 아름다운가를 — 손쉬웁게 분별하지 못한다. 특히 그는 앵그로-색손인의 비평에 의해서 그 중요성이 인식되고 있는 형태적인 가치를 소홀히 하고 있다. 또한 만약에 시가 선천적으로 하나의 사물(그리고 앵그로-색손인의 비평은 시가 사물이라는 것을 너무 지나치게 믿으려는 경향이 있다)이 아니고 하나는 활동이라 하더라도, 시인이 끊임없이 시에 있어서의 실체적인 것에 마음을 빼앗기고 있다는 사실을 잊어버린 것 — 설사 시에 있어서의 실체적인 것과 투쟁을 하고, 그것을 초월할 목적으로 그랬다 할지라도 — 에 대해서는 변명이 서지 않기 때문에, 그는 확실히 과오를 범하고 있다. 형태상의 가치, 운율, 조직 등은 시가 그것들을 초월하고 있을 때에도 실로 결정적인 역할을 한다. 하물며 그것들을 초월하지 못하고 있을 때는 특히 그러하다. 호프킨스(Hopkings)와 더불어 마라르메가 좋은 표본일 것이다.

시는 정확한 기호-언어에 자기 자신을 세우고, 기호의 가장 객관적인 특질에 지지를 발견하려고 하는 개념적 의미와, 모든 뜻을 초월하고, 기호로 하여금 정확한 정의(定義)를 중단하도록 강요하는 직각(直覺)과의 사이의 투쟁이다. 불란서와 앵그로-색손의 비평은 각각, 그 자체에 있어서 하나의 창조 행위가 되는 이와 같은 심오한 투쟁의 일면을 지탱하고 있다. 완전한 비평은 무엇을 구성하게 될 것인가? 아마 어느 날이고 이 두 비평 사이에 대화가 벌어질 것이며, 따라서 우리들은 그 대화가 어떠한 모양의 것인지 볼 수 있게 될 것이다.

— Yves Bonnefoy는 불란서의 가장 유능한 청년 시인의 한 사람. 1923년

에 파리에서 출생. 수학, 철학, 예술사를 연구하였다. 두 권의 시집을 세상에 내놓았고, 셰익스피어의 수 개의 희곡을 불란서어로 옮겨 놓았으며, 그중 「햄릿」과 「율리우스 · 카이사르」는 호평이 있는 번역이다. (역자)

–『현대문학』, 1959. 1.

제스츄어로서의 언어

—시어의 기능에 대하여

리챠드 P. 부락머(Richard Palmer Blackmur)

나의 이 논문 제목에 수수께끼가 있다면 엘리옷트의 「아공의 단편」에 나오는 스위니가 그의 귀부인들에게 말하듯이 "나는 여러분에게 말을 할 때 어구[1]를 사용하지 않으면 아니 됩니다"이기 때문이다. 이 수수께끼는 어구로 된 것, 즉 우리들 자신이 만들어 놓은 그 무엇이며, 따라서 해명될 수 있는 것이다. 언어라는 것은 어구들로서 성립되어 있으며, 제스츄어는 움직임으로써 성립되어 있다. 거기에서는 절반만이 수수께끼가 되어 있다. 나머지 절반은 유독 그것만으로 본다면 그것은 우리들이 다 같이 익숙해져 있는 우리들의 사고의 수하물(手荷物)의 부분이기 때문에 다 같이 자명한 것이다. 그것은 다른 방법으로 발언된 똑같은 서술이다. 어구들은 움직임으로 성립되어 있으며, 행동 즉 상호간의 반응으로 성립되어 있고 제스츄어는 언어로서 성립되어 있다. 어구의 언어의 위나 아래나 옆에 있는 언어로서 성립되어 있다. 어구의 언어가 작용을 중지할 때 우리들은 제스츄어의 언어에 의지한다. 만약에 우리들이 거기에서 정지하면 우리들은 수수께끼

1. '어구'는 word나 verbal을 번역한 말이다. 이후 계속 반복되는 단어이다.

를 가지고 정지하는 것이 된다. 만약에 우리들이 전진을 해서 어구의 언어가 가장 성공을 할 때에 그것은 그 어구 속에서 제스츄어가 된다고 말한다면, 우리들은 예술의 언어 속의 의미심장한 표현의 중심적이거나 혹은 종국적(終局的)인 극의(極意)에의 접근으로서 시작되는 어구상의 수수께끼를 해결한 것이 된다. 또한 우리들은 시의 언어는 상징적 행동으로 간주(看做)될 수 있다는 케네스 버어크(Kenneth Burk)의 한결 더 지적인 명제의 상상 상의 동가물(同價物)을 만든 것이 된다. 버어크 씨와 나 사이의 차이는 그는 행동이 상징에서 표현될 때에 그 행동을 분석하는 방법을 세우는 데에 주로 관여하고 있지만, 나는 조성된 종국적인 상징을 강조하는 길을 택하였다는 데에 있다. 그는 상징적으로 되는 과정에서 언어의 수수께끼를 탐구한다. 하지만 나는 여러 가지 종류의 일련의 표본 속에서 상징이 어떠한 방법으로 언어 속의 행동에 시적 실감을 부여하는가를 보이어 주려고 노력하고 있다. 버어크 씨는 법률을 제정하는 일을 하고, 나는 판결을 내리는 일을 한다. 행정관은 우리들의 중간에 있다.

우리들의 사이에서, 버어크 씨와 나와의 사이에서만 아니라 모든 우리들 사이에서 거기에 대한 것을 명백하게 할 수 있는 「오세로」 중의 한 대사가 있다. "나는 너의 말 속에 담긴 열광을 이해한다. 그러나 그 말은 이해할 수 없다." 나는 이 언어를 그 자신 제스츄어로서 지명하는 것이 아니라 언어가 제스츄어의 힘을 획득하는 상황(의) 훌륭한 표본으로서 지명하고 있다. 그리고 사실 이 언어는 제스츄어로서의 언어에 대한 나의 가장 어렸을 때의 경험의 추억으로 나를 인도한다.

켐부리찌의 거리를 걸어 다니던 여섯 살인가 일곱 살 때에 나는 곧잘 조그마한 막다른 행길들을 통과하고 있었는데, 그런 행길에는 각각 트라우부리찌광장이니 아빙고대(高臺)[2]니 하는 따위의 간판이 붙어 있었고, 그 밑에는 색다른 글자나 다른 간판 위에 다음과 같은 이상스러운 표어

2. '아빙고대'는 'Irving Terrace'의 번역이다.

— 사설도로 통행위험 — 가 적혀 있었다. 이 표어는 물론 켐부리찌 당국이 그 광장이나 그 고대(高臺)에 노반(路盤)을 만들어 놓지 않고 있기 때문에 그것을 사용하다가 재산이나 생명에 손해를 볼 때에 책임을 지지 않겠다는 것을 다만 의미하고 있었다. 그러나 나에게는 그것은 다른 그 무엇인가를 의미하였다. 그것은 그 어구를 지나갈 때에 특히 황혼 같은 때라면, 별안간에 뛰어 나와서 나를 정복하고야 말 어느 뚜렷한 실체적인 위험이 있다는 것을 의미하였다. 이리하여 극히 삼가하여 말하더라도 이런 간판 앞을 지나갈 때면 언제나 우리들이 시에서 발견하게 되는 그 고양(高揚)되고 흥분된 존재의식의 일정한 경험을 가졌다. 나는 이 어구 속에 있는 열광은 이해하였지만, 그 어구는 이해하지 못하였다. 그러나 그 뒤에 열이 식어 버린 날에 그 어구를 이해하고서 실제에 거기에 있는 의미의 열광에 무관심하게 되지 않았다고 단언할 수는 없다. 내 자신이 그 안에 포괄되어 있었고 또한 사실상 내가 일부분은 그것을 창조하였기 때문에, 고유의 제스츄어가 박탈된 단순한 어느 전달적 어구가 할 수 있는 것보다도 한층 더 깊은 의미를 주고 한층 더 깊은 감동을 나에게 준 통행위험이라는 이 어구에는 확고한 아아취형의 제스츄어가 있었다.

왜냐하면 제스츄어는 언어에 고유한 것이고, 또한 만약에 여러분이 제스츄어를 잘라 버린다면 여러분은 뿌리를 뽑아 버리고 사실상 돌처럼 되지는 않는다 하더라도, 물기 없이 메마른 것으로 만들어 버리게 되기 때문이다. (매인 지방에서 드리 캐이라고 부르고 있는 죽은 채 서 있는 삼림에 대한 영상을 만들기 위하여 약간의 효과가 있었던 필자 자신의 시의 한 구절을 인용한다면 "유령처럼 서 있는 이 제스츄어는 손질할 여지가 없는 것이다.") 그러나 제스츄어는 언어에 고유하고 있을[3] 뿐만 아니라 또한 그것은 한결 더 풍부한 의미를 가지고 그 이전에 오고 있으며 말하자면 문맥이 상상적인 때에는 그 안에는 반드시 제스츄어가 침입하게

• • •

3. '고유하고 있을'이 아니라 '고유할'이 자연스럽다.

되어 있다. 한 10년 전에 벨몬트에서 살고 있을 때 처음의 반 여정(半旅程) 가량을 아주 기분 좋게 즐길 수 있는 오렌지색 노란 버스를 타고 나는 곧잘 켐부리찌까지 여행을 하였다. 만약에 여러분의 앞에서 누구든지 타고 있기나 하면 여러분은 찻삯을 치르고 좌석을 발견할 때까지 시속 십 리 내지 이십 리나 사십 리나 혹은 오십 리의 속석(速席)[4]의 차내에서 몸을 까불거리게 된다. 그런데 이 일은 어느 쾌청한 날씨의 대낮에 내가 기억하고 있는 부인한테 생긴 일이었다. 그녀는 어느 친구 — 이 친구 되는 여자는 바로 내 뒤에 앉아 있었고 내가 보고 있던 것을 나의 어깨너머로 그녀도 역시 바라다보고 있었다는 것 이외에는 나는 그녀에 대해서는 기억하고 있는 것이 없다 — 하고 같이 차를 탔다. 그러나 그녀는 지금도 나의 머리에 잘 기억되고 있다. 그녀는 몸집이 크고 눈에 뜨이는 요부(腰部)와 한층 눈에 뜨이는 엉덩이를 가진 불란서식의 차림차림을 하고 있었고, 역주하는 버스 안에서 균형을 잡기에는 지나치게 굽이 높은 구두를 신고 있었다. 운전사가 돈을 바꾸어 줄 동안에 그녀는 친구 쪽을 (따라서 내 쪽을) 바라다보면서 운전사의 좌석의 뒤에 있는 크롬 손잡이를 붙잡고 서 있었다. 그녀는 자동차가 2, 3야드를 달릴 동안에 한 번씩 바람치 쪽으로 세차게 편주(偏走)하였고, 그럴 때마다 그러한 차림차림의 여자가 비스듬히 쓰고 있는 채양이 너펄너펄하는 커다란 모자는 동전상자가 얹혀 있는 곧은 기둥을 받았다. 동전상자에다 두 사람 몫의 찻삯을 집어넣느라고 상당히 애를 먹었고, 동전상자가 있는 데서 좌석 사이의 통로를 딛고 걸어오는데 좌석 옆에 붙은 손잡이를 잡고 버스의 운동량과 싸우면서 이리 비틀 저리 비틀하고 당겨지면서 또한 한층 더 자심한 욕을 보았다.

이러는 동안에 — 그리고 이것이 내가 말하고자 하는 것이다 — 그녀는 코를 홍홍거리면서 숨을 들이마셨다가 내어쉬었다가, 미소를 띠었다가 혓바닥을 뾰족하게 내밀었다가 새파란 눈을 돌려가며 깜짝깜짝하였다가

4. '속도(速度)'의 오식.

머리를 이리저리 갸웃거렸다가는 하였다. 그녀는 말은 한마디도 하지 않고 또한 하고 싶어 하지도 않고, 자기의 당황과 실망과 불안에 대한 복잡한 감각을 모험과 쾌활의 감각과 더불어 — 이러한 모든 감각을 그녀는 내 뒤에 앉아 있는 자기의 친구와 같이 나누려고 하였고, 그 친구되는 여자는 내가 하듯이 온 얼굴에 미소를 지으면서 이것을 받아들였다 — 충분히 표현하려고 하였다. 나는 그녀의 제스츄어의 궤도 안에 있었기 때문에 물빛이 태양이나 월광을 받고 작용하듯이 그녀의 생명의 작용을 그대로 내 자신이 느끼게 되었다.

그것이 언어 이전에 오는 제스츄어의 표본이다. 그러나 그것을 숙고하여 볼 때에, 그것은 또한 언어와 같이 그것이 작용할 경우에 언어를 완성하고 언어를 발언자나 필자로부터 독립된 것으로 할 수 있을 만큼 언어에 생기를 부여하는 제스츄어의 표본인 것같이 생각된다. 그것을 숙고하여 볼 때에, 언어의 최상의 사용은 그런 성질의 무슨 제스츄어와의 결합이 없이는 이루어질 수 없는 것같이 생각된다. 그것이 없이 소설가는 어떻게 그의 대화의 부분을 울려 퍼지게 할 수 있겠는가? 시인은 어떻게 그의 외침을 서정적으로 하고, 그의 부조화를 희극적으로 하고, 그의 조망(眺望)을 비극적으로 할 수 있겠는가? 인생과 자연에 대한 우리들의 지식의 대부분 — 대체로 그러한 것들의 작용과 상호작용에 대한 모든 우리들의 지식 — 은 제스츄어로서 우리들에게 오고 있으며, 따라서 우리들은 한편의 운문이나 결말이나 간단한 문장까지라도 그것을 만들 수 있기 이전에 그러한 지식의 노련한 대가가 되어 있는 것이다. 또한 우리들은 언어 속에 있는 제스츄어를 재 정통(再精通)하지 않고서는 언어를 의미심장하게 터득할 수 없다. 언어에 있어서 제스츄어는 내부적인 영상화된 의미의 외부적이며 극적인 작용이다. 그것은 사전의 규정된 문구에서는 명확하게 될 수 없고 다만 그것들을 한데 사용함으로써만 명확하게 나타나는 어구 사이의 심장한 의미성의 작용이다. 제스츄어는 그런 어구의 모든 의미에서 움직이고 있는 그 심장한 의미성이다. 그것은 어구를 움직이고 있는 것이며 또한 우리들을 움직이고 있는 것이다.

시(詩) 예술에 있어서의 제스츄어의 신비에의 접근방법을 추구하기 전에, 그것이 다른 부문의 예술 사이에서 어떻게 행동하고 있는가를 대강 살펴보기로 하자. 왜냐하면 만약에 제스츄어가 내가 주장하고 있는 바와 같이 시에 있어서 구조상의 중요성을 가지고 있는 것이라면, 다른 예술도 거기에 대해서 동등한 중요성을 증명하여야 할 것이기 때문이다. 그런 일에 관해서는 모든 예술에 본질적인 통일성이 있어야 할 것이다. 상상의 기본적 양식은 두 가지나 세 가지나 혹은 몇 가지씩 있는 것이 아니라, 단 하나밖에는 없다. 우리들은 논증이 아닌 실례를 사용하지 않으면 아니 되는데 그것은 우리들이 일정한 문구가 아니라 통찰(洞察)을 스스로 상기하고 싶으며, 또한 우리들은 단순한 방비(防備)보다도 오히려 요새화된 제스츄어의 감각을 가지고 시로 돌아가고 싶기 때문이다. 건축에 있어서 가장 명료하고 가장 친근한 제스츄어의 실례는 교회당의 첨탑(尖塔)이다, 나쁜 첨탑은 교회당을 압박하고 있고, 그것은 건축가의 일이라기보다는 목수의 일이라고 할 수 있으며, 형식(Formula)이 형태(Form)의 숨을 끊고 있는 좋은 표본이다. 좋은 첨탑은 전능의 신을 향하고 있는 화살이며, 중압감이 없고 발랄하고 교회당 전체를 그의 제스츄어로서 나르고 있다. 좋은 첨탑도 나쁜 첨탑만큼 형식으로 만들어진 것이지만, 그 형식이 재차 형태가 될 수 있을 만한 충분한 생명을 포착하였다는 점이 틀리다. 이것이 곧 제스츄어가 예술에서 하고 있는 일이 무엇인가를 말해 주는 방법이기도 하다 — 이것이 형태가 그 주제와 일치하게 될 때 형태에 대해서 일어나는 일이다. 수목이나 관목이 생장 과정의 감각을 주고, 아름다운 방이 공간을 에워싸기보다는 공간을 확장하는 효과를 주듯이, 제스츄어는 첨탑의 경우에 있어서 움직임과 대망(大望)의 감각을 부여함으로써 이 일을 한다. '실제상의' 둔중(鈍重)한 덩어리와 공허한 공간 안에서의 이와 같은 움직임의 감각은 우리들이 건축에서 제스츄어라고 부르고 있는 것이다. 그렇기 때문에 또한 우리들은 기둥이 힘차다고 느끼고, 교량이 건너가거나 뛰어넘어가고 있는 것을 느끼고, 둥근 지붕이 우리들을 덮어 주고 있는 것을 느끼고, 지하실이 우리들의 가슴을 서늘하게 하는 것을 느낀다.

조각에 있어서도 우리들은 그 효과가 성격에 있어서 보다 더 유별나게 인간적이라는 것 이외에는 건축에 있어서와 거의 똑같은 상황을 갖게 된다. 왜냐하면 조각에서는 우리들은 물질적인 덩어리와 공간에서, 포착되는 직시(直時)로 무시간의 제스츄어를 만들기 위해서 내부에서부터 외부로이든 외부에서 내부로이든 간에 그 자체 내에서 움직이는 인간이나 동물의 움직임이나 신체나 물체의 정수적(精髓的)인 형상을 포착 혹은 고정시키고 있기 때문이다. 여기에서 우리들은 제스츄어와 동작(act) 사이의 차이를 갖는다. 나쁜 조각에 있어서, 우리들에게 권태감을 주고 고통감을 주고 우리들이 돌에다 대고 머리를 부딪고 있다는 감을 주게 하는 것은 경기자가 도약(跳躍)을 하려고 원하고, 말이 막 구보(驅步)로 달아나려고 하고 있는 따위의 감각이다. 거기에 포착되어 있는 움직임은 더 계속해나가서 동작에서 그 자신을 완성하려고 원하고 있다. 좋은 조각에 있어서는 이러한 것이 하나도 없고, 오히려 거기에 포착된 움직임과 움직이고 있는 평정 속에는 그의 가장 큰 의미심장한 순간에 나타나는 완성된 제스츄어가 있다. 조각에 있어서의 표본은 건축에 있어서와 같이 용이하지만, 그보다는 덜 눈에 뜨인다. 수려하게 만든 항아리는 원형의 모든 제스츄어 가치를 표시하고 있으며, 메이롤이나 렘부루크나 라체이스가 그린 나체상은 어느 의미심장한 균형의 순간에 있어서 육체의 심오한 제스츄어를 부여한다. 좋은 조각은 돌이나 나무나 조각사(彫刻師)의 손일과는 아무 관계가 없지만, 그 매체를 빛나게 하는 제스츄어와 밀접한 관계가 있는 중량미(重量味)나 경쾌미(輕快味)를 가지고 있다고 말할 수 있다. 석괴(石塊)로 하여금 스핑크스의 형자(形姿)를 나타내게 하는 것은 제스츄어이며, 또한 그 거대한 스핑크스를 미소로 만드는 것도 제스츄어이다. 즉 내가 의미하는 것은 거대한 평정 속에는 거대한 운동량이 있고, 스핑크스가 하는 것과 같은 운동량의 제스츄어와 인간의 자기 숙고 속에 있는 평정을 만드는 어느 형상 속에는 무진장한 의미심장미가 있다는 것이다.

회화는 그것이 물질적인 덩어리와 공간의 감정을 나타내되, 거리를 두고 그것을 하는 것이기 때문에, 조각과 건축의 쌍방에 나타나는 제스츄어를 결합할 수 있다. 회화에 있어서의 진정한 의미의 작용은 차라리 그것이 살결 묘사와, 광선과, 특히 인간적 특질의 위대하고 다른 방법으로는 되지 않는 가시(可視) 지식을 처리하는 데 있다. 문자 그대로 우리들이 사람들에게서 보고 있는 것에 대한 우리들의 지식만큼 위대하고 교묘한 것은 없으며, 또한 그처럼 변화 있게 느껴지는 것도 없다. 그러나 초상화나 인물화의 분야에서 상상적인 회화의 양식을 사용할 때를 제외하고는, 우리들이 알고 있는 것을 말하려고 할 때에 이 가시 지식에 있어서처럼 그렇게 서투르게 다루게 되는 것도 또한 없다. 손자라는 데 있는 것을 찾아볼 때, 나는 후릭크 화랑에 있는 금색의 음울(陰鬱)로 가득 차고 기수의 얼굴에 광선이 모여 있는 렘브란드의 〈포오랜드 기수〉와, 같은 화랑에 있는 티티안[5]의 고대풍의 생생한 순결미를 가진 청년의 그림을 생각한다. — 두 그림이 다 같이 한번 본 사람이면 평생을 두고 잊어버리지 못할 그 최대한의 인간 위엄과 그 존재의 적절감과 충만감으로 가득 차 있다. 또한 마리안 무어[6]의 시가 말하듯이 내면적 광명으로 가득 차 있는 엘 그레꼬의 초상화가 있다 — 메트로폴리탄 박물관에 있는 법왕청 추기관의 초상화나 보스톤 박물관에 있는 페리크스 형제의 초상화. 이 두 그림의 얼굴에는, 눈과 용모(容貌)에 나타나는 광선의 제스츄어로써만은 간혹 도달될 수 있지만, 그렇지 않고서는 육안이 사실상 도달할 수 없는 그 위엄 이상의 정신적 생명이 감돌고 있다. 화가는 이런 효과를 어떠한 방법으로 획득하는가? 상류사회의 초상화나 미화된 초상화나 관리의 초상화를 보라 — 모두가 착석자에 대해서 충실하다. 정확하게 말하자면

● ● ●

5. 티치아노 베첼리오(Tiziano Vecellio, 1488-1576). 이태리 화가.

6. 마리안 무어(Marianne Moore, 1887-1972). 미국의 시인.

모두가 너무나 충실하다 — 화가가 착석자들을 오랫동안 무감응적인 순간의 평균적 용모로 만들어 놓았기 때문에 무표정한 방심에 대한 거의 눈에 보이는 권태와 커다란 공허감이 뚜렷하게 나타나고 있지 않은가. 여기에 빠져 있는 것은 독특한 초점적 순간의 활기 있는 제스츄어, 어느 특수한 상태나 어느 장구(長久)한 배경 — 말하자면 조그마한 지레받이 위에 있는 머리의 평생의 무게 — 의 제스츄어, 육안의 어느 깊은 영감 — 말하자면 피곤 속에 나타나 있는 휴식에 대한 욕망이랄까, 혹은 생명과 유희하고 있는 용모의 환락과 광휘(光輝) — 의 제스츄어이다. 여기에 빠져 있는 것은 위대한 초상화가가 제시하는 용모를 자극하여 최대한의 생명력을 갖게 하는 지각의 어느 포착되고 혹은 상상된 제스츄어이다. 화가는 그의 초상화에 지식과 신초(神秒)[7]의 교차(交叉)된 제스츄어, 우리들이 체경 속에서 보는 견디기 어려울 정도의 친밀성과 불가능한 정도의 소격성(疎隔性)의 교차된 제스츄어를 놓는다. 우리들이 위대한 초상화 속에서 우리들 자신을 보는 이유가 바로 그것이다.

무용(舞踊)에서 우리들은 제스츄어와 가장 직접적으로 관련이 있는 예술을 가지리라고 생각된다, 라는 것은 제스츄어가 깨어져서 전달이 아니 되면 그 무용은 도저히 그 면목을 발휘하지 못하기 때문이다. 다시 말하자면, 발레에 있어서의 제스츄어는 무용이 아니면 '단순한' 움직임에 지나지 않는 것 위에 주입되고 건립되지 않으면 아니 된다. 제스츄어는 무용을 부력(浮力) 있는 것으로 만드는 것이며 그 부력으로 해서 무용을 끝까지 계속 해나가게 할 수 있는 것이다. 제스츄어가 없이는 무용에 시초도 중간도 종말도 있을 수 없다. 제스츄어는 무용의 움직임이 그 자신을 완성하는 수단이며, 이러한 움직임이 제스츄어가 되기 위하여서는 그것은 항용 근원과 배경을 위하여 의식(미사(彌撒)[8]에 있어서와 같이)이나

7. '신묘(神妙)'의 오식. "mystery"의 번역이다.
8. "mass"가 원문이다. '미사곡'이라고 번역하는 것이 자연스럽다. 예배 등의 의식에서

음악(발레에 있어서와 같이)을 요구한다. 나는 모오찰트를 토대로 한 어느 발레의 연습을 본 일이 있는데 그것은 바렌친이 그의 단독의 연기로 움직임을 음악에 맞는 가락으로 바꾸어 놓아가지고 별안간에 그것을 제스츄어로 만들어 놓기까지는 모두가 어수선한 생기 없는 움직임에 지나지 않았다. 또한 미사(彌撒)를 회상해 볼 때, 우리들은 제스츄어의 범위를 결정하는 의식(봉헌, 희생, 성찬배수)의 본질을 그 안에 갖고 있으며, 한편 우리들은 그것이 '단순한' 움직임을 의식으로 변형하는 (기도의 모양, 성체의 봉상, 포도주와 성발(聖餑)의 진상) 제스츄어라는 것을 생각한다. 제스츄어는 의식에 있어서 대체로 견고한 동시에 움직이는 요소가 되었다. 제스츄어는 — 감정의 향토에서 재생한 — 토착적(土着的)인 것인 동시에 자치적인 — 따라서 의식에서 독립적으로 심장한 의미성을 지배한다 — 것이다. 의상의 재단(裁斷)이 그 사람의 걸음걸이를 결정하는 것처럼 전개될 제스츄어를 결정하는 것은 발레의 의상이라고 니진스키는 일찍이 말한 일이 있지만, 이 말은 바꾸어 말하자면 인체들의 의상이나 나체에 생명을 주는 것은 무용의 제스츄어라는 말이 된다. 무용은 다른 식으로 표현되는 제스츄어를 전하고 있다. 그것은 육체의 본래의 자의적(恣意的)인 유희가 통어(統禦)된 것이다.

통어는 연기의 제스츄어에 관해서도 역시 관건적(關鍵的)인 말이며, 무용에 있어서와 거의 똑같은 의미에서 그렇다. 의미심장한 제스츄어를 낳는 것은 육체의 움직임의 고의적이며 인습적인 통어이다. 또한 육체의 움직임을 의식의 제스츄어와 거의 동정도(同程度)로 엄밀하게 규정된 이여(爾餘)의 제스츄어로 변형하는 것은 자유로운 본능적인 움직임이 일종의 축소, 응축(凝縮), 압축이라고 말하지 않으면 아니 될 것 같다. 역사적으로 볼 때 소위 연극의 동작이라는 것이 인습화된 흉내인 몸짓

• • •

항상 같은 의식문을 사용하는 것이다. 라틴어는 missa, 한국어는 미사, 중국어가 彌撒이다.

— 요약하자면 무언극 — 에서 온 것이라는 것을 상기할 수 있다. 무언극은 연기자가 적절한 제스츄어를 만들고 있을 때 그의 대사와는 별 문제로 그가 의뢰하고 있는 것이며 그가 나쁜 제스츄어를 만들고 있을 때는 그의 대사를 생각지도 않고 그가 의뢰하고 있는 것이다. 물론 사실상 문제로서 우리들은 쉑스피어 극의 특수한 서술에 대해서 대사와 그의 무언극과를 분리시킬 수 있을 만큼 능통해 있지는 않지만, 만약에 그것이 될 수 있다면 무언극만으로 연기자의 만전의 개성을 이용하고, 제스츄어 위대한 전장(全長)을 통해서 간간이 생겨나는 비상하게 풍부하고 복잡한 예술이 된다는 것을 발견하게 될 것이라고 생각한다. 우리들의 가장 가까운 접근방법은 나쁜 대사를 될 수 있는 대로 이용하는 훌륭한 연기자를 보는 것이며, 이것은 우리들 자신이 배우가 아니라면 변명적으로 즐기게 되는 일이다. 나는 그때까지 아직 읽어본 일이 없는 톨스토이의 「산송장」이 내가 모르는 독일어로 상연되는 것을 본 일이 아직도 기억에 남아 있다. 그 당시에 그 명성을 접해 보지도 못한 배우 아레산드로 모이시가 주연을 했으며 따라서 조금도 유리하지 못한 형편에서 나는 그 연극을 보았다. 보스톤 오페라극장의 커다란 관람석 안에는 몇 사람 안 되는 구경꾼이 여기저기 흩어져서 앉아 있었다. 그러나 그날 저녁의 경험은 베른할트나 듀세나 만텔이나 바리모아가 하는 것을 본 것보다도 훨씬 유익하였다. 왜냐하면 내가 보고 들은 것은 다만 움직임과 자세와 음성을 가지고 연기하는 무언극 배우에 지나지 않았기 때문이다. 연극의 언사는 동작에 박자를 맞추고 그것에 경계를 지우기 위하여 사용되는 투명물이었다. 단순히 언사만 듣는다면 그것은 아무 소용도 없을 것이라는 생각이 들었다. 모이시가 창조된 제스츄어로서 찬란하게도 아름다웁게 연출한 음성과 움직임의 믿음직한 관습 — 내가 그것을 아주 잘 이해하였기 때문에 서양 사람에게는 필시 보편적인 것이라고 생각되는 관습 — 앞에서는 언사는 그리 필요한 것이 아니었다. 나의 주의는 다른 것을 모두 배척해버림으로써 음역에만 집중되었기 때문에 연기자의 전 음계는 다른 예술의 그것만큼

위대하게 보이었다. 그러나 그때 나는 내가 느낀 것은 완전한 경험까지 자라지 못한 훈련을 위해서는 유익한 것이었다는 것을 알았다. 나는 모든 통어력(統禦力)을 느낌이 없이 최고의 통어의 효과를 느끼었던 것이다. 나는 어떤 희곡의 대사가 모이시에게 창조를 요구하는지는 알지 못했지만 적어도 빈약한 배우가 어째서 최상품의 희곡을 망쳐 버리는가를 배웠다. 빈약한 배우들은 희곡이 요구하는 지식을 그들의 마음속에 갖지 않고 있다. 자기의 뼈 속에서 태양이 욱신거리는 것을 느껴보지 못한 사람이 어떻게 광선의 작용을 이해할 수 있겠는가? 이와 마찬가지로 희곡의 언사가 자기 자신의 의미로서 자기의 내부에서 생기하고 고정되는 것같이 생각되지 않고서 배우는 어떻게 그 언사의 희곡을 이해할 수 있겠는가? 위대한 연기는 다만 위대한 언사의 제스츄어를 표상한다. 그 이상의 아무것도 아니다.

모든 예술 중에 제스츄어를 한층 더 많이 표상하는 것이 음악이다. 순수한 동작 모양으로 음악의 모체는 시간이 음향으로 충만되고 있으니만큼 전적으로 시간에서 생각될 수 있는 것이다. 모든 그의 움직임은 음향의 움직임이기 때문에 그것은 동작보다도 한층 더 순수하다. 그러나 음악의 가장 커다란 순수성은 다른 예술은[9] 음악이라는 예술만은 다른 예술에의 사전이나 사후의 의무가 없이 그 자신의 목적에 따라서 진행할 수 있다는 사실에 있다. 로가 세숀스는『예술가의 의도』에 실린 논문에서, 음악의 목적은 인간정신의 제스츄어를 창조하는 것이라고 말하고 있으며 따라서 이 점에 있어서의 나의 논지가 그의 논의의 축소형에 불과한 것이기 때문에 나의 논지의 완성과 확증을 위하여서는 그의 논문을 참조해 주기 바란다. 그러나 나는 이 말은 하고 싶다. 나는 음악의 기율(紀律)이

• • •

9. '다른 예술은'에 이어지는 구문이 편집상의 실수에 의해 누락되어 있다. 문장 전체는 다음과 같다. "그러나 음악의 가장 커다란 순수성은, 비록 다른 예술들이 그 효과를 일부 사용하고 있을지라도, 음악이라는 예술만은 다른 예술에 대한 사전적이거나 후속적인 의무 없이 그 자신의 목적에 따라 전개될 수 있다는 사실에 있다."

엄격한 것이라는 것 이외에 작곡가의 입장에서 볼 때 무엇이 그 기율을 구성하고 있는지는 모르지만 다만 문외한으로서 그 기율이 획득하는 자유가 다른 예술에 있어서는 무효과적일 뿐만 아니라 권태(倦怠)스러운 감을 줄 만한 정도로 주제의 내부와 상부와 주위를 반복하고 발전하고 변화하는 자유이라는 것은 느끼고 있다. 요약하자면 이 자유는 음악적 의미의 제요소가 제스츄어가 되기까지 그것들과 함께 유희(遊戲)하는 자유이다. 모든 예술은 음악의 상태를 동경한다는 페에터[10]의 말은 두말할 것도 없이 이 사실을 가르치고 있다. 이 상태는 제스츄어이다. 음악의 휴식은 다만 제스츄어를 전달하기 위한 수단이며, 자기의 일을 기뻐하는 예술가에 있어서 그것은 상상이 허용할 수 있는 가장 축복된 환경이다. 이것은 그의 수단 — 그의 기교 — 이 그 자신과 그의 관중에게 다 같이 주의(注意)의 거의 전 대상이 될 수 있다는 말과 마찬가지이다. 중요한 것은 — 그가 주제를 갖게 되는 순간에 — 그의 주제에 있는 것이 아니라, 그의 주제에 무엇이 일어나는가 하는 것에 있다. 따라서 그의 주제에 무엇이 일어나는가 하는 것은 엄밀하게 그리고 에누리 없이 그가 그의 수단 내에서 무엇을 하는가 하는 것이 된다. 그의 형태와 그의 본질은 종말에서 그렇지만 과정 중에서도 결합될 것이다. 제스츄어로서 결합될 것이다. 과연 우리들은 노래를 부를 때 행복감을 느끼며 마음이 슬퍼질 때 노래를 부른다. 다른 예술들은 우리들을 부분적으로 가입시키며, 따라서 방관하는 우리들과 함께 유희하는 역할을 우리에게 준다. 그러나 음악은 우리들을 주위에서 떼어 놓지 않는다. 즉 간격을 안 둔 제스츄어를 준다.

시는 이상에 말한 6개 예술의 치욕을 여러 가지로 표시하면서 불꽃같은 제스츄어를 모두 자기의 것으로 하고 있기 때문에 그 6개 예술의 제스츄어를 볼 때, 시는 그런 모든 예술의 사생아 격이다. 그것은 시적 판단의 제스츄어, 모든 제스츄어의 판단, 전 존재를 형성하는 의미의 모든 작용이

---

10. 월터 페이터(1839-1894).

라고 생각하고 싶다. 시는 의미의 의미, 혹은 적어도 의미의 예언이다. "보라, 불꽃으로 그대들의 주위를 둘러싸는 불을 붙이는 모든 그대들. 그대들의 불빛과, 그대들이 불붙인 불꽃 속을 걸으라." 이사야의 이와 같은 어구 속에는 시에 대한 금언, 시의 판단, 시의 예언적 의미를 나르는 시적 제스츄어가 있다. 이 어구는 음악과 같이 들리고, 가시적인 영상을 만들고 조각처럼 견고하고 건축처럼 웅대하며 무용에 있어서의 움직임처럼 선회(旋回)하고 소리를 내서 읽을 때면 일종의 무언극을 요구하며 다만 씌어져 있는 어구처럼 그 자신을 뒤집어 놓는다. 그러나 그것은 우리들이 이해하는 어구 속의 열광이지, 그 어구 자체는 아니다. 이 논문의 나머지 부분을 위해서 나는 이 어구를 원문으로 사용해야겠다. 왜냐하면 우리들을 부력(浮力) 있게 하는 이 어구와 함께 우리들은 우리들이 원하는 낮은 수준에서 출발할 수 있기 때문이다.

붓끝에서 나오는 어구는 입에서 나오는 어구만큼 생육이 잘 안 되기 — 그의 생각에 의하면 — 때문에 명료하게 발언을 할 수 없다고 생각하는 작가의 수준이 있다. 그는 자기가 쓸 수 없는 이유를 설명하면서 이렇게 말한다 — 적어도 어느 그런 작가가 오래전에 나한테 말하였던 것이다 — "곤란한 것은 다른 것이 아니라 창작에 있어서 제스츄어의 이득도 또한 억양의 이득도 내가 가지고 있지 않은 것입니다." 그는 잘못 생각하고 있다. 그의 곤란은 자기 자신을 속기자의 입장에 놓고 있는 데 있으며 따라서 그가 원하고 있는 것은 속기자가 적어 놓지 못하는 것이다 — 한편으로는 율동과 억양과 음정과 이야기를 하는 음성의 제스츄어, 그리고 또 한편으로는 이야기를 할 동안의 그 사람의 외양과 감상과 움직임 등 그가 해야 할 일은 속기자나 보도의 전 이론을 잊어버리고 그의 붓끝의 어구로 하여금 그의 입 끝의 어구가 한 것을 할 뿐만 아니라 우선 그가 얼굴과 손으로의 육체적 제스츄어와 억양의 변이에 있어서의 음성의 제스츄어를 시작할 절박한 순간에 그 어구들이 하지 못한 것을 하도록 할 일이다. 또한 그는 자기가 적은 어구를 독자의 내면의 귀에 들리도록 함으로써, 또한 따라서 그 어구가 그 어구의 뒤의 생명의 제스츄어를 끌어당길 뿐만 아니라 그 어구 자체의 새로운 제스츄어를 생산하는 협력과 대위(對位)와 표형(標型)[11]에 의해서 피차의 위에 작용하도록 함으로써 이 일을 하지 않으면 아니 된다. 어구를 짧은 단위나 긴 단위로서 피차의 위에 작용하도록 만든다는 것은 상상적 필법의 기술 전체를 말하는 것이 된다. 그렇게 작용되고 있는 것이 무엇을 가지고 되는 것이냐 하면, 의미와 의미의 축적을 가지고 되는 것이기 때문에, 거기에 필요한 것은 형식으로서는 명확하게 표현될 수 없지만 또 한편 그것은 형태 내에서 행해지지 않고서는 도저히 명확하게 표현될 수 없는 것이다. 일반적 견해와는 반대로 비교적 형식이 극히 적고, 형태가 비교적 많다는 것이 내가 말하고자 하는 요점이다. 따라서 형태를 요구하는 제스츄어도 역시 그만큼 많이 있다. 또한 형태에 대해서는 수많은 실지(實地) 경험에서 얻은 방법이 있다. 그 방법 — 눈에 띄는 것이 몇 가지 되지 않지만 우선 여기에서 취급하기에는 옹색하지 않다 — 을 찾아서 몇 가지만 살펴보기로 하자.

어느 의미에 있어서는 어느 어구나 어구의 축적은 단순한 반복이나 반복과 여러 가지의 조정의 결합에 의해서 제스츄어의 상태로 돌입될 수 있다. 「마크베스」[12]의 "내일 또 내일 또 내일(Tomorrow and tomorrow and tomorrow)"이나 「리아」[13]의 "아냐 아냐 아냐 아냐(Never never never never)"는 가장 친근한 어구를 가장 함축 있는 어구로 변형하는 단순한 반복의 호례(好例)일 것이다. 대사에서 무엇이 일어나고 있는가를 강조하고, 또한 어구들이 제스츄어가 되는 경우에 단순한 언사(言辭) 상의 의미에서 어떻게 그렇게 되는가를 지적하기 위해서 마크베스는 "오늘 또 오늘 또 오늘(Today and today and today)"이라고 말했을지도 모르며, 리아는

● ● ●

11. '모형(模型)'의 오식.

12. 셰익스피어의 『맥베스』.

13. 『리어 왕』.

"항상 항상 항상 항상 항상(Always always always always always)"이라고 말했을지도 모르고, 그래도 거의 똑같은 효과가 양편 경우에서 다 발산되고 있는 것이라고 주장될 수 있다. 중요한 것은 어구들이 가지고 있는 의미가 아니라, 부여된 상황에서 반복이 그 어구들로 하여금 취하게 하는 의미이다. 장래형 14행시(the will sonnets)에 있어서의 will이라는 말의 반복과 will하고 운이 맞는 모든 어구들은 거의 똑같은 일을 하고 있다. 결과적인 의미는 will과는 아무 관계도 없으며 다만 그것은 단일하게 반복되는 음절에서 반 목쉰 소리로 격화된 쉑스피어 그 자신의 강박관념적 제스츄어인 것이다.

그것보다는 한층 더 복잡하며 성질이 다른 형의 반복이 자살할 생각을 버리고 다시 데스데모나에 대한 생각을 해 보라는 로데리고에 대한 이아고의 설유(說諭)에 나타나 있다. 나는 이 논문의 목적을 주안(主眼)으로 해서 그 구절을 얼마간 끊어서 단축하기로 한다.

"그대의 지갑 속에 돈을 넣어라. 싸움을 하도록 해라. 턱수염을 뽑고서는 죽을 생각은 고만 두도록 해라. 정말, 그대의 지갑 속에 돈을 넣어라. 데스(데)모나는 무아 놈에 대한 사랑을 오래 계속할 리가 없다 — 그대의 지갑 속에 돈을 넣어라 — 그놈도 그 여자를 오래 사랑하지는 못하리라. 그것은 시초부터가 억지이었으니까, 그대가 뒤로 물러선대도 그것은 아무 보람 없는 일이야. 그대의 지갑 속에 돈을 넣어라. 무아 놈들은 마음이 바뀌기가 쉬웁지 — 그대의 지갑 속에 돈을 가득 채워두어라…… 그 여자는 젊음이 있으니까 틀림없이 변할 거야. 그놈의 몸뚱아리에 아주 싫증이 날 때가 되면 그 여자는 제가 선택을 잘못했다는 것을 깨달을 거야. 그 여자는 마음을 바꿀 거야. 꼭 그럴 거야. 그러니까 그대의 지갑 속에 돈을 넣어라. 그대가 적연 지옥에 떨어지고 싶다면 물에 빠져 죽느니 보다는 좀 더 품위 있는 방법으로 하여라. 그대의 힘껏 돈을 모아라. 행실이 고약한 만인(蠻人)과 지나치게 미초(微抄)한 베니스(상인)의 성자다운 의태(擬態)와 허약한 맹세가 나의 지혜와 지옥의 온 패거리들을 깔볼 만큼 강하지 않다면, 그대는 그 여자를 즐길 수 있을 것이다. 그러니까 돈을 모아라……"

로데리고는 그에게 질문한다. "당신의 말대로 하면 확실히 나의 소원이 이루어질까?" 그래서 이아고는 재차 비난을 한다.

"내 말만 들으면 틀림이 없어, 가서 돈을 만들어. 나는 그대에게 여태껏 누차 이야기한 일이 있고, 또 지금 다시 되풀이하고 있지 않나. 나는 무아 놈이 싫어. 나의 원인은 증오야. 그대도 나에 못지않은 이유가 있지……. 시간의 자궁 속에는 앞으로 생겨날 수많은 일이 있어. 그것을 뚫고 가. 돈을 준비해."

로데리고는 퇴장하면서 말한다. 말한다.

"나는 생각이 변했다. 나는 가서 내 땅을 팔아야겠다." 그리고 이아고는 로데리고의 뒷모습을 바라다보면서 말을 시작한다.

"그러면 그렇지. 나는 나의 바보 놈을 언제나 나의 지갑으로 삼고 있으니까."

그래서 우리들은 불쌍한 로데리고가 즉시로 몇 번씩 샀다가 팔았다가 싸게 샀다가 비싸게 팔았다가, 마음을 바꾸어먹고 아주 몽땅 팔아 버리는 것을 보는데, 그것이 언제나 반복되는 초점적인 어구인 "그대의 지갑 속에 돈을 넣어라"라는 말로서 일어나며, 또한 그러한 변화들이 그 말 위에 울리고 있는 것을 본다. 로데리고는 사실 그 말의 모든 의미에 있어서 변해지는 사람이며, 그런 변화의 어둡고, 불결하고 무의식적이고, 불분명한 성격이 이아고의 말에 의해서 점점 제대로 빛을 가지고 뚜렷하게 된다. 리아와 마크베스의 단일음절의 반복과는 판이하여, 이아고의 말은 제스츄어의 변경이 없이는 변경될 수 없는 것이다. 색다른 반복 사이에서 나타나는 자료는 그 반복이 동일한 일반적 방향만 따른다면 차라리 거의 다른 것으로 바꾸어질 수도 있는 것이다. 케네스 버어크가 말한 것처럼 돈은 어느 상황에 의미심장한 동작을 제래(齊來)할 수 있는 중립적인 상징이다. 돈은 이 상황에 있어서 축적된 악의 상징이며, 따라서 쉑스피어는 그것을 되풀이함으로써 악의 제스츄어를 개방하였다.

함레트의 유명한 독백 가운데에 두 어구의 반복이 다 같이 탁선적(託宣的) 의미의 축적을 유발하며, 그러면서도 어구 그 자체 위에는 다른 효과를 끼치는 구절이 있다.

> 죽는 것, 자는 것.
>
> 더 이상 일없다. 말하자면 잠에 의해서 우리들은 심통이 없어지고, 육체가 계승하게 되는 수많은 없는 천성적인 충격이 없어진다. 욕구되는 것은 경건(敬虔)한 소모이다. 죽는 것, 자는 것.
>
> 자는 것, 우연히 꿈꾸는 것, 거기에는 영원히 난점이 있다.
>
> 왜냐하면 우리들이 이 생명의 소용돌이를 벗어났을 때, 죽음이라는 그 잠속에서, 어떠한 꿈이 올 것인가 하는 것이 우리들에게 주저감을 주고 있으니까.

여기에서 '죽는다'는 어구와 '잔다'는 어구와 그것들의 별어(別語)가 제스츄어가 되는 과정에서 나타내는 심장한 의미성을 결정하는 것은 문맥이다. 그러나 그것이 일단 결정되면, 그 심장한 의미성과 그 아이취형의 제스츄어는 나머지의 독백을 뚫고나가서, 그것을 넘어가지고 오페리아의 요즈음 재미가 좋으냐고 묻는 질문에 대한 함레트의 대답—"대단히 고맙습니다. 좋습니다, 좋습니다, 좋습니다"에까지 미치게 된다. 그래서 이 대답은 제스츄어로서 문자 상의 의미와는 다른 의미로 우리들을 운반한다. 그것은 죽는 것, 자는 것, 이란 어구가 제스츄어로서 개방하고, 또한 삼중의 단절적인 반복—"좋습니다, 좋습니다, 좋습니다"에까지 감염하는 말지(末知)[14]의 전망 앞에서의 모든 의감(疑惑)과 공포에 대한 병악(病惡)이다.

• • •

14. '미지(未知)'의 오식. 'unknown'의 번역이다.

그러나 우리들은 잠과 죽음의 의미에 대한 이와 같은 작용을 — 이번에는 마크베스에서 따온 — 동일 어구에 대한 다른 종류의 작용과 대조하여 보지 않을 수 없다. 여기에서는 모든 반복이 시초에 나타나 있으며, 그 반복이 나머지 구절 전체에서는, 다만 작용된 의미로서, 포함되어 있다.

> '인제 고만 자거라 마크베스는 잠을 살해하고 있다!' 고
> 외치는 소리를 나는 들었다고 생각한다,
> 무고(無辜)한 잠을, 헝클어진 걱정을 가다듬어 주는 잠을,
> 매일 매일의 생명의 죽음, 쓰라린 노동의 목욕,
> 상처받은 마음의 향유(香油), 대자연의 제2의 도정(道程)을.
> 인생의 향연의 으뜸가는 영양물을.

함레트의 제스츄어의 작용이 응결(凝結)을 향해서 제스츄어의 작용에의 중점화와 연극 자체의 플롯을 침해하는 제스츄어가 되어 있는데, 마크베스 중의 대사에서는 문맥이 다만 제스츄어를 시사(示唆)할 뿐이며 동작의 전후 관계로부터의 이탈을 호소하는 수단을 그 제스츄어에 제공하고 또한 그 조그마한 어구의 자유로운 세계에서 끝의 네 구절 — 이것들은 그 자체가 피차간에 작용하고 또한 앞에 있는 잠에도 작용하고 있다 — 에 다다른 제스츄어를 창조하도록 한다. 쓰라린 노동은 상처받은 마음에 작용하고 대자연의 제2의 도정(이것은 운동의 의미에서 두 번째 바퀴를 도는 것을 말한다)은 인생의 향연과 연관되는 다른 도정의 의미 위에 작용하며, 인생의 향연은 직접 앞에 나온 매일 매일의 생명의 죽음 — 마크베스에 의해서 이미 살해된 잠 그 자체인 죽음 — 위에 작용하고 있다. 우리들이 여기에서 갖게 되는 것은 그의 본질 — 기도의 형태로서밖에는 가져지지 않는 결핍된 본질 — 을 호소하는 제스츄어를 가진, 절반의 기도, 절반의 저주(咀呪)이다.

이 두 구절이 공동적(共同的)으로 하고 있는 것(은) — 그리고 그것이

그것들의 가장 현저한 행위이다 — 발견되거나 호소된 제스츄어의 힘에 의해서 잠이라는 간단한 이름을 풍부하고 복잡한 상징으로 변형하는 일이다. 대규모적으로는 우리들은 시나 희곡의 제목이나 혹은 위대한 상상적 인물의 이름이나 혹은 간혹 — 극히 드문 일이지만 — 특수한 작자와 예술가의 이름에서 그러한 변형에 친숙하고 있다. 함레트에 있어서 모든 제스츄어는 참신한 매번의 사용에 따라서 보다 더 무궁무진한 것으로 되고 보다 더 복잡한 것으로 되는 상징을 만들기 위하여 결합되고 있다. 그렇기 때문에 우리들은 함레트를 말할 때 우리들이 전체로서의 그 희곡을 의미하는 것인지 제스츄어로서 의혹의 번민(煩悶)을 해결하는 한 사람의 인물을 의미하는 것인지 물어볼 필요가 없다. 마크베스, 안나 카레니나, 라스코리니코브, 동 키호테가 다 그렇고 비용, 단테, 미케란젤로, 푸라토, 보오드렐, 포오가 모두 역시 그렇다. 잠에 관한 두 구절에서 우리들이 주시해 온 것은 소규모로서의 그와 똑같은 작업 — 상징의 창조 — 인 것이다. 내가 생각하기에는 상징이란 직접적인 어구나 어구의 형식에서 어느 완전성을 가지고 표현될 수 없는 심장한 의미성을 완구한 방법으로 표현하기 위하여 우리들이 사용하는 것이다. 다시 말하자면 상징은 일단 그것이 조성되면 과중한 적하(積荷)를 하고 붕괴를 할 때까지 자꾸 거기에 의미를 유인하는 의미의 퇴적이다. 상징의 제작은 이것을 알고 있는 사람들에게는 확고한 직업이며, 그것들은 특히 공동적인 생활을 가진 사람과 애인과 친구와 조합 같은 사회에 의해서 의미가 분배되고 전달되는 사물이다. 제스츄어는 상징의 제작을 (위한) 최초의 수단이며, 지속될 수 있는 이러한 상징들은 제스츄어를 통해서 얻어진 의미의 잔여의 수유자(受遺者)이다.[15] 잠에 대한 우리들의 구절로 다시 돌아가서 생각하여 볼 때 그 구절들이 좀 너무 길어서 제스츄어로서만 그 구절들을 사용하였다고

• • •

15. 번역 원문대로임. 영어 원문을 참고하여 "위한(toward)"을 삽입했다. 수유자는 "the residuary"의 번역이다.

한 마디로 말할 수 없는 것은 우연에 지나지 않는다. 그것이 만일 우연이 아니면, "휴식은 침묵이다"나 "성숙은 전부다"나 "육신은 풀이다"나가 함레트와 리아와 이사야의 원문에서 완전히 독립되어 실제의 상징이 된 것은 다른 가능성보다도 그 구절들의 간결성에 있다고 말할 수 있을 것이니까.

다음에는 어구나 구절의 반복보다도 한층 더 작은 노력의 문맥이 어떠한 것인가를 살펴보기로 하자. 이 노력이란 말하자면 한 어구를 다른 어구나 혹은 여러 개의 어구처럼 동작하게 만드는 노력이다 — 다시 말하자면 익살(Pun)을 꾸미는 것이다. 이 익살 조작의 말단(末端) 형태인 율동과 그의 발단(發端) 형태인 두운은 이와 같은 어구의 양식의 가장 통상적 용법이며 또한 두말할 것도 없이 가장 광범한 관중에 대한 가장 효율적인 용법이다. 왜냐하면 그것들은 표면상으로 작용되는 어구의 음향을 전적으로 다루고 있기 때문이다. 그것은 사색이 없이도 우리들이 알 수 있는 것이고 아무리 사색을 하여 본대도 더 이상 잘 알 수 없는 것이다. 다른 용도를 가지고 있는 율동과 두운은 문의되지 않는다. 나는 다만 시에 있어서의 익살이 얼마나 원시적이며 편재적(遍在的)인가 하는 것을 강조하고자 한다. 그것은 제스츄어로서 전 음역을 수용하게 되면 (완성된 익살은 제스츄어이기 때문에) 시인이 갖고 있는 비특수적 감각에의 유일한 직접 통로가 되는 것이다. 그것은 색다른 여러 감각의 지각을 단일한 감동으로 높이면서 객관적으로 그것들을 한데 결합시키게 되는 것이다. 뿐만 아니라 또한 그것은 — 그리고 이것이 우리들의 선택한 연결이다 — 의미의 비특수적 제스츄어를 낳게 되는 것이다. 대가의 손 밑에서는 익살 조작은 의미의 의성(擬聲)이다. 다시 말하자면 어구에의 그 작용은 가장 즉각적이며 가장 결정적인 기호의 퇴적이다. 그것은 음향의 요소와 의미의 요소를 일치시키는 바로 제스츄어 그것이다.

쉑스피어로부터 짤막한 세 가지 예를 들어보자. 제1의 예는 호래티오가 함레트에게 말한 단 하나의 단어 속에 집중되고 있다. 그는 "사멸한 광막한 야밤에(in the dead vast and middle of the night)" 이틀 밤이나 유령이 연거퍼서 나타났다고 말한다.

물론 vast가 초점적인 말이며, 동시에 이 단어는 최초의 4절판 책에만 이런 형태로 나타나 있다는 것을 말해둘 필요가 있다. 두 번째의 4절판 책과 최초의 2절판 책에는 그것은 wast로 되었고, 두 번째와 세 번째와 네 번째의 2절판 책에는 waste로 되었다. 나의 주장(이것은 그 일부를 엠프슨의 「애매성의 일곱 개의 타입」에서 차용하고 있다)은 다른 것이 아니라 그 단어가 어떠한 모양으로 인쇄되어 있든 간에 그 세 가지의 효과는 네 번째의 의미인 waist라는 말의 강력한 가능성으로서 명백하고 뚜렷하게 느껴지게 된다는 것이다. 인쇄에 나타난 변화의 우연성은 이 단일 음절에서 잠이 들기 위하여 자리에 누운 음미(音味)의 다양성 위에 주의력을 집중시킨다. 중간 음절을 따서 'In the dead wast and middle of the night'라고 읽어보자. 그러면 우리들은 이 단어 속에서 동시에, 야밤의 광막한(vast) 공허의 감각과, 야밤의 부질없이 펼쳐져 있는 황폐(waste)감과, 야밤의 요부(腰部, waist) 중간의 생식력 있는 부분을 다 같이 느끼게 되지 않는가? 그리고 우리들은 마지막에 가서 이 세 가지의 의미의 소산인 일종의 비특수적인 의미, 즉 적게 규정되면 적게 규정될수록 더 깊은 뜻을 나타낼 수 있는 의미의 제스츄어를 갖게 되지 않는가?

제2의 예는 먼저 것보다도 한층 더 짧으며 거의 해설이 필요 없는 것이다. 암살이 근해 상에서 서서히 진행되고 있을 때 "일거에 성공을(in his surcease, success)" 상상하는 마크베스 중의 대사가 있다. 음향에 관한 한에 있어서는 이 단어들은 피차간에 뚜렷한 작용을 허락할 수 있을 만한 정도로 변화하고 있지만, 두 단어가 합동해서 만드는 제스츄어나 작용에 있어서는 그 작용이 없이 산출될 수 없는 새로운 심장한 의미성이 있다. success는 말하자면 surcease로부터 무너져 내려오는 동시(同時)에서 그것을 완성시키는 운율이며, 그것은 그 안에 발언자에게는 알려져 있지 않은 흉조를 가지고 있다.

제3의 예는 동일한 의미의 작용으로 거의 꽉 차 있는 14행시 중의 하나에서 따온 것이지만('정신의 소비는 수치의 낭비다'), 나는 이 중에서 가장 현저한 작용만을 취급해 보겠다. 색욕에 대한 말을 하면서 시인은 이렇게 표현하고 있다.

> 추적되는 가버린 이성, 허고 그것은 잡게 되는 직시(直時)로,
> 미움 받는 가버린 이성.

> Past reason hunted, and no sooner had,
> Past reason hated

이 시행을 읽어볼 때 hunted와 hated 사이의 의미의 작용이 나의 마음에서 자심하게 나타나며, 그 때문에 나는 일종의 사후 결과로서의 이 두 말 사이의 어느 지점쯤에서 또한 마음에 달라붙어서 떨어지지 않는(haunted) 가버린 이성으로서의 시인을 생각하지 않을 수 없다, 라는 것은 그것이야말로 이 14행시 전체가 여기에 인용된 구절의 초점에서 제스츄어로서 부여하고 있는 것이기 때문이다. 확실히 그 사람은 추적하며 동시에 증오하고 있는 것에 의해서 괴로움을 받고 있다.

이상의 세 가지 실례를 한데 합쳐볼 때, 막상 모든 그것들의 의미가 무엇인지는 모르더라도, 그 어구들에 대한 그리고 그 내부에 있어서의 이러한 작용의 제스츄어가 작용된 어구의 초점에서 가능한 모든 의미의 총체와 소산에 대한 계시를 구성하고 있다는 것은 우리들이 말할 수 있다. 제스츄어로서의 언어는, 억지로 한데 합쳐지게 된 사물들의 고통 즉 내부적인 깨(물음)을 느낌으로서, 양심이 판단을 낳듯이 의미를 낳는다.

여기까지 너무나 고도한 어조로 다루어왔기 때문에 인제 좀 숨을 돌리기 위해서, 표면상으로 볼 때 경박한 태가 있는 지성적 의성(擬聲)의 현저한 표본을 여기에서 소개하여 보는 것이 좋으리라고 생각된다. 그것은 워레스

스티븐스의 시 「소나무 숲의 당닭」에 나오는 처음의 두 행인데, 이것은 또한 이것이 노출하고 있지 않는 것은 아무것도 감추고 있는 것이 없는 시행이다.

> Chieftain Iffucan of Azcan in caftan
> Of tan with henna hackles, halt!

이것은 두운과 율동이 익살(Pun)로서 취해진 — 음향과 의미의 노력이 익살로서 취해진 — 최대한(의) 경우이었다고 말하지 않을 수 없다. 왜냐하면 시행의 음향이 의미에까지 압박을 가하고, 의미가 압박을 받고 음향이 되고 있기 때문에 여기에 나타난 음절에는, 의미의 바로 뒤에 붙어 다니는 고함소리와 그 음향에 있어서의 의미의 훤소(喧騷)를 가진, 일종의 위세가 있으며 이것이 주정뱅이가 좋아하는 이중의 돌진적인 영상에 있어서 이외에는 무엇이 일어나고 있는가를 독자로 하여금 이해하기 곤란하게 만들고 있다. 좀 더 진지하게 말하자면, 이 시행들은 잠시 그것들의 정상적 의미를 약탈당함으로써 제스츄어가 되는 경향의 어구의 표본이다. 마치 오늘날 지정학(geo-politics)이란 말과 같이 일시적으로 그의 정상적 의미를 초월하고 있는 어구들이 제스츄어가 되어 가고 있는 것처럼. 스티븐스가 그러한 표본을 실천하고 있다는 사실과 우리들이 그것을 즐기고 있다는 사실은 모두가 당연한 일이다. 다다이즘과 초현실주의 같은 진보적이라고 알려져 있는 예술에 있어서의 모든 운동은 시 부문에 있어서는 의미의 정상적 표현 방법을 문맥으로부터 고의적으로 말살함으로써 언어에서 그러한 제스츄어를 해방하는 데 골몰하였다. 스티븐스와 초현실주의자와의 차이는 스티븐스는 제스츄어가 해방되자마자 그의 (어구들이) 본래의 의미를 다시 찾을 수 있는 방식으로 그의 어구들을 쓰고 있다는 사실에 있다. "침묵의 바다의 마룻바닥 위를 건너서 쪼박쪼박 걸어가는, 한 쌍의 초라한 발톱을 나는 가졌으면 될 것을(I should have been a pair of ragged claws, scuttling across the floors of silent seas)"의 시행에 나타나는 에리옷트의 경우가 그렇고, 소사전의 의미는 몰려드는 재앙(mouching mischief)이지만 또한 밋칭 마레초를 의미하기도 하는 쉑스피어의 '밋칭 마레초(miching mallecho)'의 경우가 또한 그렇다. 여왕이 주문에 따라 나온 유령에 관해서 햄릿에게 다음과 같이 말하였을 때, 그녀는 소사전보다도 훨씬 더 잘 알고 있었다.

> 이것은 다름 아닌 그대의 머리가 만들어낸 물건이다,
> 이 몸뚱아리 없는 동물은 황홀하기가 아주 기가 막히다.

시인은 가장 자기 자신을 잃고 있는 순간에는 그의 가장 심오한 제스츄어는 아닐지라도 그의 가장 순수한 제스츄어를 만들고 싶어 한다. 어구들은 그것을 하지 못하게 되는 경우에는 그대로 자기 자신이라도 바치지 않으면 아니 된다. 그 어구들은, 제스츄어로 변형되어, 짐을 나르고, 짐을 휘두르고, 짐을 경함(輕喊)하고 의미의 짐을 넘어서 도약한다.

그러나 이와 같은 나름과 휘두름과 경함(輕喊)과 도약에 있어서 넌센스에의 의존에 의해서 노출되는 대행자(大行者)보다도 한층 더 유능한 대행자가 있다. 그것은 일단 정통(精通)되기만 하면 언제나 믿을 수 있는 것이기 때문에 한층 더 유능하다. 플롯과 운율(meter)과 후렴(refrain)과 같은 형태적인 대행자를 나는 말하고 있다. 플롯은 너무나 큰 체계이기 때문에 여기에서 논의할 수는 없지만, 그러나 어떠한 제스츄어가 욕구되며 그의 급박한 요구에 따라서 언제 그것이 해방될 것인가를 결정하는 것이 플롯의 강세와 절박도(切迫度)라는 것은 말할 수 있다. 플롯은 운율과 후렴이 소규모로 하고 있는 것과 거의 똑같은 일을 대규모로 하고 있다. 따라서 만약에 우리들이 손바닥 속에서 무한을 보고 한 시간 속에서 영원을 보지 못한다면, 적어도 그것들을 알지 못할 것이다.

콜릳지는 운율을 의미의 움직임이라고 규정하였는데, 우리들은 그의

말을 인정한 후에 우리들의 현재의 목적을 위하여 그것을 빙글 돌려가지고 움직임은 의미의 운율이라고 말하지 않으면 아니 된다. 다시 말하자면 움직임으로서의 운율이 제스츄어에 의미를 제래(齊來)하는 것이라면, 운율로서의 움직임은 의미에 제스츄어를 격류(擊留)시킨다. 운율의 작업 안에는 연결적인 상호간의 과정이 있으며, 잘만 사용되면 다른 방법으로 획득할 수 없는 절대적인 속도와 절대적인 위치의 감각을 시인에게 부여하는 움직임의 질서에 있어서의 엄밀하고 귀중한 사소사(些少事)의 전달이 있다. "야밤의 숲속에서 / 번쩍거리고 타는 호랑이 호랑이(Tiger tiger burning bright / in the forest of the night)"의 시행은 만약에 그의 난폭한 음절어와 보다 더 난폭한 통찰이 소기(所期)의 인습성으로 인식될 수 있는 질서로서 정연(整然)히 분배되어 있지 않다면 과연 어디에 발을 붙이고 있겠는가? 그러나 또 한편 운율의 속도가 어구들이 만드는 제스츄어의 움직임과 제스츄어로부터의 움직임에 의해서 모두(冒頭)와 종말에 확립되어 있지 않다면 과연 그 속도는 어디에 발을 붙이고 있겠는가? 이것은 산문의 문제를 포함하여 — 왜냐하면 거기에는 운문에 있어서의 운율과 거의 같은 기능을 가진 산문의 율동에 대한 견본이 있기 때문에 — 우리들이 다루어온 모든 인용구에 대해서 질의될 수 있는 문제이다.

운율과 같이, 후렴은 지각의 정리 작용과 관계가 있으며, 그러한 의미에서 후렴은 강조적인 정리 작용이라고 말할 수 있다. 그렇지만 그것은 그 이상의 것을 하며 제스츄어에 인습적 형태를 부여함으로써 의미 그 자체를 수정하는 일을 한다. 후렴 즉 거의 동일한 반복은 그렇지 않은 경우에 무형태가 될 수 있는 제스츄어에, 보편적이며 믿을 수 있을 수 있을 만한 양식으로,[16] 특수한 형태를 부여한다. 후렴은 평정 속의 움직임과

• • •

16. '보편적이며 믿을 수 있을 수 있을 만한 양식으로'는 번역 원문대로이다. 그러나 이 구절에서 '믿을 수 있을 수 있을 만한'은 '믿을 수 있을 만한'으로 수정되어야 한다. 영어 원문은 "on a general and dependable model"이다.

움직임 속의 평정의, 변화 속의 영원과 영원 속의 변화의 재현과 복귀와 재생과 신생의 선언과 관계있는 모든 제스츄어의 강조적인 수단이다. 그것은 인식의 서정적 제스츄어이며 동일성의 강조적 제스츄어이다. 민요와 가곡집은 엘리자베스조의 것이든 카우보이의 것이든 최근의 대중적인 우스운 윤창가(輪唱歌)의 것이든 모두가 그것으로 충만되어 있다. 자유로이 실례를 들어보자면, 마지막 구절의 되풀이에서 시의 본질과 일치되는 그린의 "울지 말어라, 나의 바람둥이야, 나의 무릎 위에서 방긋 웃어라"와, 거기에까지 다다른 모든 것에 대해서 총괄적인 제스츄어를 주는 스팬사의 "사랑스러운 템강이여! 나의 노래가 끝나기까지 보드럽게 흘러라"가 있다. 후렴이 여기저기에서 의미를 수정하는 데 사용되고 있는 좀 더 신중한 실례는 예이쓰의 '미치광이 제인하고 승정(僧正)님(Crazy Jane and the Bishop)'의 이중 후렴일 것이다. 4행을 내어 놓고 오는 2행은 함께 소개하자면, 이렇다—"착실한 사람과 맵시내는 사람 / 모든 사람은 무덤에서 안전을 얻는다(All find safety in the tomb / The solid man and the coxcomb)." 되풀이에 있어서 발전적 작용의 효과가 짤막하게 추출될 수 있기 때문에, '신에 미친 제인(Crazy Jane on God)'의 후렴이 한결 더 낫다. 제1연은 '사람들은 오고 사람들은 간다. 모든 것은 신에게 남아 있다(Men come, men go; all things remain in God.)'로 끝나고 제2연은 동일한 영상을 강조하며, 제3연은 그것과 대조적인 것을 내놓는다. 제4연은 다음과 같다.

난폭한 쟈크를 애인으로 가졌다.
행길처럼
그 사람들은 가로 건너 지나가 버리지만
나의 몸뚱아리는 슬퍼하지 않고 노래 부른다.
모든 것은 신에게 남아 있다고.

I had wild Jack for a Lover;

Though Like a road
That men pass over
My body makes no moan
But sings on;
All things remain in God

이리하여 우리들은 후렴의 사용에 의해서 통찰이 심오한 제스츄어가 되는 것을 알았다.

그러나 후렴은 질서에 대한 단순한 기구 즉 보조물에 지나지 않으며 만약에 그것이 언어 자체의 공유적 자원으로 끊임없이 청신(淸新)하게 되지 않는다면 그것은 무거운 짐처럼 시를 납작하게 눌러 버릴 것이다. 그러면 끝으로 세 가지의 실례를 간단하게 검토하여 보기로 하겠다. 그중에서 처음의 두 개의 실례는 절반은 안식(眼識) 있는 어구 그 자체를 보기 위하여, 나머지 절반은 그것들이 생기(生起)시키는 질서를 보기 위하여 결정된 것이고, 세 번째의 실례는 여기에서 논의되어온 모든 문제를 포함한 서정시의 모든 의장(意匠)을 거의 완전하게 이용하고 있는 것이다, 첫 번째의 실례는 함레트에서 따온 것이며, 함레트와 호래티오가 최후의 결투를 하러 들어가기 직전에 교환하는 대화중에 있는 것이다. 이 구절은 산문으로 되어 있다.

호래 경(卿)이여, 당신은 이번 내기에 질 것이오.
함　나는 그렇게 생각하지 않아. 그자가 불란서에 가고 난 후로,
　나는 끊이지 않고 연습을 해왔어. 이 싸움에는 내가 이길 거야.
　　그렇지만 자네는 여기에 있는 모든 것이 나의 가슴에 얼마나
　해롭다는 걸 생각지 못하지. 허나 그건 아무래도 좋아.

Hor. You will lose this wager, my lord.

Ham. I do not think so; since he went into France, I have been in continual practice; I shall win at the odds,

But thou wouldst not think how ill all's here about my heart; but it is no matter.

"그렇지만 자네는 여기에 있는 모든 것이 나의 가슴에 얼마나 해롭다는 걸 생각하지 못하지." 이 어구들은 지나가 버린 일에서 일어나서는 앞으로 다가올 일을 향해서 쓰러지고 있지 않은가, 그리고 제스츄어로서 함레트 자신에게서 거의 그의 최후를 일으키고는 쓰러뜨리고 있지 않은가? 우리들은 질서와 억양과 시인의 귀가 어떻게 배우에게 그 가장 힘드는 일을 제외하고는 그가 하지 않으면 아니 될 모든 것을 부여하고 있는가를 보며 어떻게 어구에 있어서의 제스츄어를 배우의 단순한 음성과 육체의 제스츄어로 바꾸어 놓는가를 본다.

두 번째의 실례는 오셀로에서 따온 것이다. 오셀로는 카시오에게 싸움을 걸라고 조르는 데스데모나의 괴로운 요청으로 고심을 하다가는, 때마침 그녀를 하직시키고 만다. 그녀의 뒷모습을 바라보며 그는 외친다.

고약한 년이로다! 파멸이 나의 혼을 잡는다,
허나 내 너를 사랑한다! 허고 내 너를 사랑하지 않으면,
혼돈이 또다시 오게 된다.

Excellent wretch! Perdition catch my soul,
But I do love thee! and when I love thee not,
Chaos is come again.

여기에서는 플롯과 대사의 쌍방의 질서에 있어서 그리고 또한 플롯과 대사의 와해에 있어서 혼돈이란 말은 다른 방법으로는 출현할 수 없는

존재의 전 영역을 문맥에 도입시키기 위하여 작용하고 있다. 쉑스피어는 확실히 『비너스와 아도니스』의 초기의 서술—"미가 죽으면 암흑의 혼돈이 다시 온다"— 로부터 이 대사를 재조(再造)하였고, 아마 그는 이 두 경우에서 혼돈의 희랍-나전(羅典)적 감각(무질서와 무형태의 감각과 아울러 아가리를 크게 벌리고 있는 심연(深淵)과 간극(間隙), 밤의 내락(奈落), 원시적인 암흑의 감각)을 마음속에 품고 있었을 것이다. 이리하여 우리들은 유발된 예언의 제스츄어를 말의 제스츄어에 현존하도록 한 것을 본다. 배우는 단순히 그 말을 제대로 작용하도록 내버려둘 수밖에 없다.

셋째 번의 실례는, 배우를 염두에 두지 않고 있으며, 아무리 훌륭한 배우가 제공되더라도 그것을 사용할 수가 없는 것이다. 왜냐하면 그의 주요한 효과는 단순히 즉각적인 효과 이상의 것으로서, 그것은 다만 내부의 귀에서만 발산될 수 있는 것이기 때문이다. 그것은 두운과 율동과 운율과 후렴을 사용하면서, 상징을 사용하고 상징을 만들면서, 시행이 진행될 때 그 어구 위에 작용하면서 어구에 있어서의 모든 단순한 의미를 피하고 순수한 제스츄어의 심오한 의미성에 도달하고 있다. 이러한 질서의 시를 가지고는 모든 일이 가능하기 때문에, 여러분은 여러분의 어떠한 원(願)이든 이 시를 가지고 풀 수가 있다. 그것은 예이쓰의 시 「나는 애란(愛蘭)에서 났어요(I am of Ireland)」이다.

"나는 애란에서 났어요,
더군다나 애란의 성지에서,
시간은 흘러가요" 그녀는 외쳤다.
"자비에서 떨쳐 나와요
나와서 애란에서 나하고 춤춰요."

사나이 하나, 사나이 하나 혼자서
그 이국풍의 옷차림하고,

거기서 거닐고 있는 온갖 사람들 중에서
고독한 사나이 하나
위풍 있는 머리를 돌렸다.
"거기는 너무 멀리 떨어져 있구나, 더군다나 시간은 흐르고" 그는 말했다.
"밤이 거세게 자라나는구나."

"나는 애란에서 났어요,
더군다나 애란의 성지에서,
시간은 흘러가요," 그녀는 외쳤다.
"자비(慈悲)에서 떨쳐 나와요
나와서 애란에서 나하고 춤춰요."

"바이올린장이들은 서투르기도 하다,
그렇지 않으면 바이올린 줄이 주저(呪詛)를 받은 거지,
큰북도 작은북도
트럼펫도 모두 다 터져 버렸다.
그리고 트럼본도"
"트럼펫도 트럼본도"
그리고는 사악한 눈초리로 쳐다보았다.
"그러나 시간은 흐른다 흐른다"

"나는 애란에서 났어요.
더군다나 애란의 성지에서,
시간은 흘러가요." 그녀는 외쳤다.
"자비에서 떨쳐 나와요
나와서 애란에서 나하고 춤춰요."

"I am of Ireland,
And the Holy Land of Ireland,
And time runs on" cried she.
"Come out of charity
Come dance with me in Ireland"

One man, one man alone
In that outlandish gear,
One solitary man
Of all that rambled there
Had turned his stately head.
"That is a long way off
And time runs on" he said,
"And the night grows rough"

"I am of Ireland,
And the Holy Land of Ireland,
And time runs on" cried she.
"Come out of charity
And dance with me in Ireland"

"The fiddlers are all thumbs,
Or the fiddle-string accursed
The drums and the kettledrums
A the trumpets all are burst,
And the trombone" cried he

"The trumpet and trombone"
And cocked a malicious eye,
"But time runs on, runs on"

"I am of Ireland,
And the Holy Land of Ireland,
And time runs on" cried she.
"Come out of charity
And dance with me in Ireland"

이 시를 표본으로 볼 때 그것이 하나의 제스츄어 — 우리들의 창조되지 않은 자아의 제스츄어 — 인 것처럼 우리들에게 깊은 감동을 주는 거의 모든 것을 우리들이 느끼게 된다고 결론적으로 말할 수 있다. 이리하여 예술가로서 우리들은 위대한 제스츄어를 창조하려고 하는 것이며, 만약에 우리들이 왕왕이 그렇게 하지 못한다면 그것은 쉑스피어 말마따나 "야밤의 심연(深淵)이 우리들의 이야기에 기어들어와 있기" 때문이다.

— 리처드 P. 블랙머(Richard Palmer Blackmur, 1904-)는 미국 매사추세츠주, 스프링필드 출생으로 현재는 뉴저지주 프린스턴에 살고 있다. 시와 평론을 쓰고 있으나 문학적 당파에는 소속되지 않고, 주로 소잡지에 기고하고 있으며, 1940년에는 푸린스톤대학 교수단에 가입하고 1951년부터는 동 대학의 영어교수가 되어가지고 현재에 이르고 있다. 본문은 1942년의 동 대학의 강의 논문 중의 하나이며, 1952년에 출판된 시문학 평론집 『제스츄어로서의 언어(*Language as Gesture*)』의 서두에 나와 있는 것이다. (역자)

-『현대문학』, 1959. 5-6.

시인과 신문

아키볼드 막레이쉬(Archibald MacLeish)

시가 저널리즘의 적대물이고 저널리즘이 시의 적대물이라는 것은 그것이 우리들이 살고 있는 이데아의 혼돈에 대한 정당한 명칭이라고 볼 때, 우리들의 시대의 문명의 원리인 것이다. 이 양자(兩者)는 존 키츠(John Keats)와 아서 크록크(Arthur Krock)[1]처럼 저녁의 화젯거리 속에서 서로 상면하기가 일쑤인데, 각자는 상대방에게 그것이 적용될 때에는 경멸적인 언사가 된다. 만약에 여러분이 현재 화부(華府)[2]의 수많은 사람들이 하듯이 스코티 레스톤(Scotty Reston)[3]을 모욕하고 싶다면 여러분은 그의 훌륭한 외교통신 기사를 '시' — 쓸데없는 소리를 지껄이고 있다는 의미가 된다 — 라고 부르면 된다. 또한 여러분이 만약에, 화부에서나 그 밖의 여하한 곳에서도 그런 생각을 품는 사람은 한 사람도 없지만, 토마스 스티안스

● ● ●

1. [역주] 아서 크록크(1886-). 미국의 신문기자.
2. 워싱톤.
3. [역주] 미상. [편주] 스코티 레스턴은 본명이 James Barrett Reston(1909-1995)인 미국 언론인.

에리옷트(Thomas Stearns Eliot)를 모욕하여 주고 싶다면, 여러분은 황무지(荒蕪地)를 '저널리즘' — 바로 저널리즘을 의미한다 — 이라고 부르면 된다. 『파리 레뷰』지에 기자회견을 통한 노작가들의 젊은 작가들한테 보내는 저널리즘을 피하지 않으면 조반도 먹기 전에 해장술에 갈지 자 걸음을 걷는 식으로 문학을 망치게 될 터이니 조심하라는 글이 게재되자, 뉴욕 『미라』지(誌)는 훈시조의 정중한 논조로 로버트 W. 서비스(Robert W. Service)[4]를 위대한 시인으로 간주하지 않는 자만이 문학자이며 지식인이 될 수 있다고 논설란을 통해서 응수한다. 요컨대 우리들의 시대의 타이프라이터 건반의 양단(兩端)이며, 결코 화합될 수 없는 두 개의 극단이며 오늘날의 부서진 세계의 동단과 서단은 시와 저널리즘이다. 그러나 여러분이 거기에 대해서 걸음을 멈추고 참다웁게 생각하여 본다면, 시와 저널리즘은 어째서 우리들의 시대에 있어서 언어의 세계의 양극이 되어야만 하겠는가? 어째서 그것들은 피차간의 적대물처럼 우리들한테 보이어야 하겠는가? 이 양자 사이에는 뚜렷한 차이점 — 우리들이 누구나가 대조표를 매길 수 있는 차이점 — 이 있다. 그러나 그러한 차이점으로만 양자를 다스릴 수는 없다. 시는 예술이다. 그렇다. 혹은 예술이 되어야 한다. 그렇지만 저널리즘은 예술의 적대물인가?

말하자면 『시카고 트리번』지에 게재된 통상적인 뉴스 스토리가 적어도 그 술어의 정상적인 의미에 있어서, 예술작품이라고 주장하는 사람은 한 사람도 없을 것이다. 그러나 저널리즘의 위대한 작품들이 존재하고 있고 또한 그것들이 존재하고 있을 때에는 그것들은 그 자신의 규율 — 이 규율은, 예술의 규율이 항상 그 자신을 노출하고 있듯이, 형태에 있어서 자기 자신을 노출시키고 있는 규율이다 — 내에서 존재하고 있다는 것을 부정할 사람은 한 사람도 없을 것이다. 저널리즘의 위대한 작품의 양식은, 그 입힘 좋은 구절이 그러하듯이 인간이 아니다. 저널리즘의

• • •

4. [역주] 로버어트 W. 서어비스(1874-). 캬나다의 시인이며 소설가.

위대한 작품의 양식은 목적에 대하고 있는 인간이다, 즉 그가 전적으로 위임을 받고 있는 최고의 강도로 일을 하고 있는 인간이다. 그러나 물론 이것은 정확하게 말하자면 예술작품의 특징 — 단순한 개성의 탐닉(耽溺)이나 비개성적인 '일'하고 예술작품하고를 구별하는 정확한 특징 — 이기도 하다.

다시 말하자면 여러분은 단순히 하나는 예술이고 다른 하나는 예술이 아니라고 말함으로써 그것들을 그와 같은 극단적인 한계에서 구별할 수는 없다. 또한 여러분은 서술적인 저작의 과정은 서술적인 저작의 학과에서 배우지만 시작(詩作)의 과정은 독창적인 저작의 학과에서 배우게 되는, 대부분의 대학에서 사용되는 고안으로서 시와 저널리즘과의 대척적인 관계를 정당화할 수도 없을 것이라고 생각한다. 내가 생각하기에는 시인은 그의 시에서 하나의 세계를 창조해야만 되는 것이지만, 저널리스트는 하나의 세계를 창조하는 것이 아니라 그가 가진 세계에 되도록 밀접하게 집착되어 있지 않으면 아니 되는 것이 정칙이라고 본다. 이것은 다름이 아니라 시인은 새로운 그 무엇을 만드는 것이지만, 저널리스트는 낡은 그 무엇이나 경우에 따라서는 이미 발생한 그 무엇을 서술하는 것 — 어째 그러냐하면 그것이 이미 발생한 것이 아니라면 그는 저널리스트가 아니기 때문이다 — 이라는 것을 의미한다. 한층 더 정확하게 말하자면, 저널리스트는 이미 일어난 일 중에서, 사실상 발생한 사건이나 실제 일어난 행동이나 보여진 물체나 들려온 음성 중에서 선택을 하지만, 시인은 거미 모양으로 자기 자신의 몸에서부터 이야기를 토해내지 않으면 아니 된다는 말이다. 그러나 만약에 우리들이 이 정칙을 버리고 실제의 형편 — 특수한 시작품이나, 특수한 저널리즘 — 을 본다면, 이와 같은 창조인 것과 선택적인 것과의 구별이 유지될 수 있겠는가?

우리들의 마음속으로 제일 먼저 걸어 들어오는 시를 들어보자 — 왜냐하면 두말할 것도 없이 우리들은 모두가 그러한 방문자를 가지고 있을 터이니까. 그네들은 우리들의 집안으로 노크도 하지 않고 마음대로 드나들고 있기 때문에 우리들은 그네들을 '늙은 총신(寵臣)'이라고 부르고 있다. 여러분들 중의 어느 분들은— 내가 생각하기에는 극히 소수이라고 보는데 — 헤릭크(Herrick)[5]의 「수선화」를 생각하게 될 것이다, 라는 것은 비단 그것이 영국의 가장 훌륭한 서정시 중의 하나이며 아동들에게 가장 빈번히 가르쳐지고 있는 시 중의 하나일 뿐만 아니라, 그의 가락이 일단 귓구멍 속으로 울려 들어오면 어디까지나 정지할 줄을 모르게 되는 까닭에.

아리따운 수선화야, 우리들은 우노나 그처럼 재빨리 달아나는 너를 보고, 아직도 이른 해가 오정에까지도 오지 않았는데.

걸음을 멈추어라, 걸음을 멈추어라, 빠른 해가 저녁 기도 시간에 이르를 때

까지라도,

그러면 우리 같이 기도하고

같이 걸어가자꾸나.

우리들도, 너처럼, 머물러 있을 시간이 얼마 되지 않는단다.

우리들의 봄도 얼마 아니면 지나간단다,

너나 혹은 다른 것들처럼, 조락(凋落)을 향해서 재빠르게 자라고 있기 때문에.

너의 시간이 죽어 가듯,

우리들도 죽어서,

여름날의 비처럼 흔적 없이 땅속으로 없어진단다.

혹은 다시는 찾아볼 길 없이 사라져 버리는

아침의 보석 같은 이슬방울처럼.

또한 여러분들 중의 어느 분들은 키이츠의 「뿔고둥(骨貝)」을 끄집어

● ● ●

5. [역주] 로버트 해릭크(Robert Herrick, 1591-1674). 영국의 시인.

낼 것이다. 「희랍항아리의 송가(頌歌)」의 시초에서 울리는 다섯 개의 기다란 '내'가 처음 그것을 들은 소년시절에서부터 여러분의 마음을 한 순간 꼼짝하지 못하게 사로잡아 왔었을 터이니까.

> 그대 한결같이 겁탈할 수 없는 정적(靜寂)의 신부여!
> 그대 침묵과 유유한 대시간의 젖아들, 전원의 사가(史家)여.

나로 말하자면, 이와 같은 표준 될 만한 시를 찾을 때는, 현재 살아 있는 사람이 아무도 발음할 수 없는 언어로 씌어진, 내가 읽을 줄도 모르는 하나의 시를 항상 생각하게 된다—그것은 기원전 2세기 때에 한무제(漢武帝)가 죽은 그의 이 부인(李夫人)을 위해서 쓴 시이다. 아서 웨이레이(Arthur Waley)의 번역은 다음과 같이 되어 있다.

> 그녀의 비단 치맛자락 소리는 끊기고
> 옥돌로 만든 포도(鋪道) 위에는 먼지가 쌓이고
> 그녀의 빈 방은 차고도 고요하구나
> 낙엽은 문지방 위로 쌓여만 가는데 그 어여쁜 여인을 생각하자니
> 나는 이 아픈 마음을 다스릴 길이 없구나.[6]

그러나 여하한 시를 여러분이 상기하여 보든 간에, 내가 여러분에게 제시하는 문제는 여전히 똑같을 것이 될 것이다. 여러분의 시는, 여러분이 상상 속에서 그것을 숙고하여 볼 때, 우리들이 창세기에 묘사된 사건의 언어를 사용하는 감각으로 그것이 '창조된' 것같이 생각되는가? 오히려 거기에는, 역사의 기술(技術)이나 저널리즘의 실천에 선택과 질서가 있듯이, 선택과 질서가 있지 않겠는가? 그 선택은 물론 종류를 달리하고 있기는

---

6. [역주] 漢文武의 「落葉哀蟬曲」. [편주] '한문무'는 '漢武帝'의 오식.

하다. 즉 역사에는 제 사건이 너무 접촉이 지루해서 선택이 행하여지고 이야기를 진행시키려고 열정적으로 서두르고 있는 저널리즘에서는 시간적 여유가 없기 때문에 선택이 행하여지고 있다. 선택된 단편의 조직도 또한 틀리다. 시에 있어서는 역사가 인과의 논리에의 고집에 인해서 한 자리에 놓지 않고 저널리즘이 상식의 투명성에의 의존에 인해서 한 자리에 놓지 않는 제 사물이 한 자리에 놓이게 된다. 사람들은 만약에 그들이 후세가 그것들을 어떻게 생각할 것인가를 염두에 둔다면 역사 속에서 수선화와 함께 기도를 올리지는 않을 것이고 또한 저널리즘에 있어서는 비애는 흐느껴 우는 것이지 문지방 위에 놓인 낙엽이나 비단 치맛자락 소리의 정적 — 그 소리가 끊인 뒤의 정적 — 은 아니다. 그러나 이와 같은 모든 것을 가정한다 하더라도 — 그리고 시에 있어서의 언어의 구조가 퍽 달라서, 저널리즘이나 역사의 산문으로서의 언어의 구조보다 훨씬 더 질서가 있고 말할 수 없이 더 엄격하다는 것을 가정한다 하더라도 — 이에 따라서 우리들이 저널리즘의 개념과 시의 개념 사이에 파놓은 거대한 간극(間隙)이 시를 창조적 예술이라고 부름으로써 설명될 수 있겠는가?

나는 그렇다고 말할 수가 없다. 실제적인 시와 실제적인 저널리즘의 고찰은 독자로 하여금 양자 간의 차이는, 그것이 광범위한 것이기는 하지만, 창조의 방면에서는 논의될 수 없는 것이라는 결론을 갖게 할 것이라고 나는 말해야겠다. 양자는, 정도에 있어서는 차이가 있지만 종류에 있어서는 차이가 없는, 개조인 것이다, 라는 것은 양자의 경우에 있어서는 다 같이 그 자료가 세계와 우리들 자신에 대한 우리들의 인간 경험이기 때문에. 또한 양자는 방법이나 목적에 있어조차도 기본적으로 다른 데가 없다. 왜냐하면 저널리즘의 방법처럼 시의 방법은 경험의 혼돈스러운 무형태로부터의 선택이며 양자의 목적은 의미를 만들기 위한 연속에서 선택된 단편의 기록이기 때문에.

시가 그의 단편을 가지고 만드는 의미는 저널리즘이 만드는 의미하고는 다른 것이라는 것은 지당한 사실이다. 미국이나 그 밖의 다른 곳의 어떤 신문기자도 이혼 소송의 경험을 다음과 같이 꾸미지는 않을 것이다. "바꿔치기를 할 수 있게 되면 바꿔치기를 하고 옮겨가는 사람과 더불어 옮겨갈 수 있는 사랑은 사랑이 아니다. 오, 아니다! 사랑은 폭풍우를 바라보고 있는 요지부동한 표식이며 결코 흔들리는 법이 없다. 그것은 방황하는 모든 배(船)에 대한 성좌(星座)이며, 그의 높이는 알 수 있지만, 그의 가치는 알아낼 길이 없는 것이다." 저널리즘에 있어서는, 이와 같은 경험의 가산은 전혀 무의미한 것이다. 그것은 진실이 될 수조차도 없다. 저널리즘에 있어서는, 사랑은 '종국적인 파열에 이르기까지' 버티어 나가지지가 않는다.

그리고 그와 반대되는 경우도 마찬가지로 명료하다. 저널리즘이 한 사람의 남자의 생활과 한 사람의 여자의 생활을 가지고 혹은 한 사람의 남자의 생활과 두 사람의 여자의 생활을 가지고 만드는 의미는 시에 있어서는 재치 있는 일이 아니며 진실된 일도 아니다. 그러나 그래도 쉑스피어의 소네트와 파열된 결혼생활의 뉴스 스토리가 인간 경험의 혼란 속에서 선택된 단편을 되도록 질서 있고 이해할 수 있게 꾸민 개조라는 사실만은 여전히 남아 있다. 하나의 경우에 있어서는 그 목적이 단순히 그것들을 인간의 호기심에 이해시키는 데 있겠지만, 다른 하나의 경우에 있어서는 그 목적이 가장 지각적이고 가장 생생한 상태에 있는 인간 지성에 도달하는 데 있다. 쉑스피어의 소네트는 가장 섬세한 귀를 가진 사람만이 들을 수 있는 풍자의 저음을 가지고 있다. 그러나 양자의 경우에 있어서 그리고 양자의 수준이 아무리 상위(相違)하다 할지라도, 그 목적은 다 같이 지해(知解)이며 이해이다.

시라는 것은, 가장 위대한 시인들의 거의 마력적인 힘에도 불구하고 하나의 인간의 노동이며, 또한 인간성이 가장 필사적으로 필요로 하고 있는 것은, 인간 이해에 관해서, 우리들이 갖고 있는 세계의 개조이다.

그리고 모든 예술이 헌신하고 있는 것도 이 임무에 대해서이다. 사실상 피디아스가 이미 조각을 하고 호호마[7]가 이미 노래를 부른 사실이 있는데도 불구하고 제 예술이 세대에서 세대로 계속되어 나가고 있는 것은 이 이유 때문이다. 천지창조는 휴일인 일요일까지 넣어서 7일 간에 완수되었다고 하지만, 개조는 살아 있는 사람들의 새로운 매개(每個) 시대를 위해서 언제나 새로이 완수되어야 하는 것이기 때문에 그것은 결코 완성되는 날이 없을 것이다. 윙윙거리면서 빙빙 돌아가면서 재갈거려대고 어물대는 거대한 희랍세계의 혼란을 아무리 오랫동안 이해하려고 포착하여 보았대야 그것은 윙윙거리면서 빙빙 돌아가면서 재갈거려대고 어물대는 우리들의 세계의 혼란을 포착하는 것은 되지 않는다. 새로운 매력, 새로운 마력, 새로운 책략이 필요하다. 젊은 청년들은, 자신이 알고 하든 모르고 하든 간에, 한 세대에는 파리에서 친해지고, 또 다른 세대에는 산후란시스코에서 친해진다. 왜냐하면 세계가 돌고, 광명이 바뀌어져서, 낡은 물병으로는 이미 새 물을 나르지 못하게 되기 때문이다. 새 물병은 지나간 세대가 기형적이라고 배척하고 앞으로 다가올 세대가 그것이 도래하였을 때 다른 이유로 — 평범하다든가 지루하다든가 하는 이유로 — 배척하게 되도록 고안되지 않으면 아니 된다.

그러나 가장 중요한 것은 이 노동이 역시 회전하는 새 세계에 직면하고 그에 관해서 발언하는 새로운 방법을 발견하지 않으면 아니 되는 수 세대의 저널리스트와 역사가의 계속적인 노동하고 종류에 있어서는 다를 바가 없다는 점이다. 시의 자료는, 어떠한 기적이 그것을 가지고 이루어지든 간에, 현재와 과거의 역사의 자료가 수집되는 곳에서, 즉 키이츠가 제 사건의 경지라고 부르던 곳에서 수집된다. 시는 저널리즘에 있어서는 통용될 수 없는 기능, 상상력의 기능을 사용함으로써 이 자료를 변형시킨다. 그러나 이러한 변형의 소산은 저널리즘에서 보도라고 알리어져 있는

● ● ●

7. '호머(Homer)'의 오식.

과정의 소산(所産)과 대척(對蹠)되는 것이 아니다. 그것은 우리들의 조부들이 항용 실제적인 인간들의 착실한 '사실'과 대척되는 '공상'이라고 말해오던 따위의 것이 아니다. 첫째로 상상력의 구성은 공상이 될 수도 없고 공상이 되어본 일도 없다. 또 하나는 사실이라는 것이 먼 옛날의 행복스러웠던 빅토리아조 시대에 즉 과학이 죽에서 모래알을 골라내듯이 실생활에서 사실들을 끄집어내어서 책장 위에다 무늬를 맞추어서 정렬하던 세대에 우리들의 조부들이 상상하던 식의 사실이 아니라는 것이다.

상상력의 개조는 실제적인 물질세계의 경험과 합치된다. 시는 역사와 저널리즘이 자유로이 취할 수 없는 경험의 자료를 자유로이 구사(驅使)할 수 있다. 그것은 그러한 자료를 예기하지 않고 있을 법하지도 않은 형태로 고쳐 놓을 것이다. 그러나 그것은 경험에다 둔 그 자료들의 기원을 변경하지는 못할 것이다. 왜냐하면 그것을 변경하는 순간에 시는 예술이 될 수 없게 되기 때문에 그것은 요술이나 마술이 되고 말 것이다. 반인반마(半人半馬)의 희랍의 쎈토올[8]이나 팔과 가슴으로 되어 있는 동양의 여신상이나 — 이러한 것들은 자연에서 따온 것이다. 그것은 다만 부자연스러운 부분의 배열에 불과하다! 부분 그 자체들은 — 말이고 사람이고 팔이고 가슴이고 — 역시 감각이 알 수 있는 세계에서 발견되었다. 오늘날 미술에서 우리들이 '추상'이라고 부르고 있는 것조차도 창세기의 세계가 새롭다는 의미에 있어서 새로운 창조는 아니다. 선, 균형, 색채, 비율로 변형된 시각은 여전히 시각이며 여전히 선, 균형, 색채, 비율이 존재하고 있는 세계에 소속하고 있다.

사실상, 시라든가 모든 예술의 실제적인 세계의 인간 경험에의 의존은 우리들의 시대에서 빈번히 볼 수 있는 실제적인 세계로부터의 도피를 희구(希求)하는 예술의 기도에 의해서 한층 더 뚜렷하게 나타나고 있다. 예를 들자면 초기의 초현실주의자들의 시가 실천하거나 기도한 것과

8. 그리스 신화의 켄타우로스(Centaur).

같은 잠재의식의 심의(心意)로부터 끌어 나오는 시 역시 경험의 시이며 경험의 순간 사이로부터의 선택의 과정에 의해서 조성된 시이다. 다만 틀리는 것은 선택의 체가 의식적인 심의의 문밖에 걸려 있다는 점뿐이다. 그러나 결과적으로 그 시작품은 부모가 없는 원시적인 창조는 되지 않는다. 그와는 정반대로 그 시는 희랍인들이 시작을 하듯이, 의식적인 지성의 선택적 방향 밑에서 만들어지는 시보다도 평범한 인간적 현실에서부터 한결 더 선명하게 직각적(直刻的)으로 추출된다. 완성된 시를 통해서 경험 속에 그 뿌리를 소급하여 찾아보려고 기도하는 현대 정신병학자들의 실험이 그 증좌(證左)이다. 그들은 이를테면 존 단(John Donne)의 시에서는 그리 재미를 못 보았지만, 초현실주의자들의 작품에서는 많은 수획(收獲)을 얻었다. 초현실주의자의 시는 경험적인 심의의 직접적인 기록이 변설(辯舌)의 테이프 위에 적혀 있는 것이며, 따라서 불행한 소년시절이나 불의의 사랑을 소급해서 찾아보기 위해서는 다만 그 기록을 거꾸로 틀어 놓기만 하면 된다. 그러나 존 단의 시는 다르다. 여기에 있어서는 예술의 의식적인 활동이 기계적인 반전을 불가능하게 하고 있다. 이것을 시험하여 볼 때 여러분이 얻을 수 있는 것은 다만 테이프 기록의 아마츄어한테서 흔히 나타나는 토막토막에 난 절규와 울음의 연속뿐이다.

그러나 소기의 목적을 달하기 위해서는 구태여 초현실주의자나 그들의 아류한테까지 갈 필요가 없다. 모든 유명한 시 중에서 가장 공상적인 작품들을 유심히 읽어보면 그들의 공상이 가장 실체적인 사실에 못지않게 실질적이며, 진실되며, (이 말이 아직도 용사(容赦)된다면) 현실적이라는 — 적어도 경험에 의해서 확증이 세워지고 있다 — 것이 증명될 것이다. 『템페스트』에 나오는 푸로스페로의 비유적인 언사를 생각하여 보라. "이 시들어 가는 실속 없는 성관(盛觀) 모양으로" 용해(溶解)되는 구름 위에 솟은 이 탑들과, 화려한 궁전과, 엄숙한 사원과, 하물며 거대한 지구까지도 "자국 하나 남기지 않고 없어진다." 『일루미네이션』에 나오는 대홍수가 진 뒤의 램보의 알프스의 피아노와, 거미줄 속으로 보이는 무지개를 보고 기도하는 그의 들토끼와 '홍수 후'의 풍신기(風信旗)를 보고 손을 내어젓는 그의 조그마한 소년을 생각하여 보라. 이 터무니없는 공상물들을 역사와 저널리즘의 견고한 사실들과 비교하여 보라. 여러분은 거기의 실질적인 차이가 무엇인가를 단언하기 곤란하게 될 것이라고 나는 생각한다. 그렇지 않으면 필시 여러분은 공상물이 사실보다도 더 견고하다는 결론을 얻게 될 것이다. 우리들은 그야말로 '꿈으로 만들어진 물건'이며, '우리들의 조그마한 생애가 잠으로 둘러싸여 있다는 것'을 아직 배우지 못한 사람은 그 조그마한 생애를 아직 살기 시작하지 못하고 있는 것이다. 우리들은 전 세계를 침몰시키는 대홍수가 있은 후에, 한 사람으로서나 여러 사람으로서나 만물이 모다 다시 새로워지고 가능하게 보이며, 불가능한 일 조차도 가능하게 보이는 그런 순간에 봉착하게 된다. 그 순간이야 말로 조그마한 소년과 풍신기가 서로 경례를 교환하는 순간이다. 그와 같은 세대의 생명을 진실로 나누어 가져본 일이 있는 사람으로서 그와 같은 순간을 알지 못하고 — 그리고 램보의 시가 그것을 잊어버리듯이, 그것을 잊어버린 — 있는 사람은 나의 세대에는 거의 한 사람도 없을 것이다. 이와 같은 공상이 우리들의 사실만큼 실질적이 아니란 말인가? 이와 같은 공상이 살인이나 세계 야구선수권 시합이나 포오바스 지사(知事)나 미국의 중국 외교정책이나 도우 존스 해손(海損)만큼 현실적이 아니란 말인가? 어느 일요일 날 오후에라든가 혹은 목욕을 할 때라든가, 혹은 그 밖에 세계의 다른 어느 곳에서 도우 존스 해손(海損)[9]을 만나본 사람이 있었는가? 또한 미국의 중국 정책만 하더라도, 그것이 사람처럼 정류장 위를 걸어 다니고 의자 위에 앉고 미소를 지우고 하는 것이 아닌 이상에야 누가 그 얼굴을 알겠는가? (계속)

● ● ●

9. '다우존스 평균 주가(Dow-Jones average)'의 오역이다. 주식을 잘 몰랐을 김수영이 average라는 단어가 가진 '海損'의 의미를 살린 번역일 것이다.

나는 저널리즘의 사실이 비실질적이라고 주장하고 있는 것이 아니다. 저널리즘과 시를 서로 적대물처럼 우리들이 취급할 때에도 저널리즘의 사실과 시의 공상 사이에는 우리들이 가정하고 있는 것과 같은 그러한 차이점이 없다는 것을 나는 주장하고 있을 뿐이다. 여러분은 시를 읽거나 혹은 신문을 읽음으로써 양편을 다 자기 자신에게 증명할 수 있다. 최근의 이락에서 일어난 혁명 — 이것은 금년년도의 보도된 가장 좋은 뉴스 스토리는 아니지만 어느 점에 있어서는 가장 중요한 뉴스 스토리이다 — 에 대해서 여러분은 무엇을 기억하고 있는가? 내가 기억하고 있는 것은 전 수상의 학살당한 이야기와, 유명한 사막의 여우 이야기와, 여자 옷을 입고 총을 맞아 죽은, 강 사이의 계곡에 사는, 제일 기운 센 사나이의 이야기이다. 왜 내가 그것을 기억하고 있는가? 그 사실이 이 이야기를 말하는 중에 사실 이상의 것으로 되어오기 때문에. 내가 그 사나이에 대해서 — 그리고 그를 죽인 사람들에 대해서 — 얼마간의 이해를 갖고 있기 때문에. 그 정치적 사건이 인간적 사건이 되고 따라서 그것이 바그닷드를 넘어서 훨씬 먼 곳까지, 사막을 넘어서 훨씬 먼 곳까지, 중동지방을 넘어서 훨씬 먼 곳까지, 그림자를 던지고 있기 때문에. 이때에 비로소 우리들이 우리들의 세계의 경험을 건져내게 되는 산산이 흩어진 불명료한 단편들이 위대한 저널리즘을 낳을 수 있는 인간 경험으로서의 의미를 만들 수 있는 방식으로 재 조성된다. 그리고 이와 동일한 일이 시의 동일한 언어에서도 발생한다. 시가 그의 단편들을 가지고 조성하는 것은 저널리즘이 조성하는 것보다도 한층 더 영구적이다. 그것은 한층 더 크다. 그것은 한층 더 깊다. 그것은 한층 더 의미심장하다. 그것은 미를 가지고 있다. 그러나 그것은 종류에 있어서 정반대적인 것은 아니다. 시와 저널리즘 — 이것을 한층 더 포괄적인 말로 하자면, 시와 역사 — 은 적대물이 아니고 적대물이 될 수 없으며, 따라서 그것들이 피차간에 적대물이 된다는 견해는 그릇된 생각이다.

이러한 훌륭하고 죄 없는 혼란 속에는 과오 이상의 그 무엇이 포함되어 있다. 그중에는 여러 가지 종류의 일반적인 과오가 있다. 어떤 것은 해로운 것이 있다. 어떤 것은 단순히 어리석은 것이 있다. 그런데 이 과오는 해로웁다. 이것은 시를 해쳐왔다. 이것은 저널리즘을 변경시켰다. 그리고 우리들의 불행한 문명에 대한 이의 효과는, 즉 이것을 낳은 보다 더 깊은 착오가 불행한 우리들의 문명에 끼치는 효과는 재화(災禍)에 찬 것이었으며 현재도 계속적으로 재화를 끼치고 있다. 형태의 명료한 구별 — 언어의 사용, 언어의 형(型), 언어의 순열(順列) — 을 제외하고, 시와 저널리즘을 진정으로 구별하는 것은 종류에 있어서의 차이점이 아니라 초점에 있어서의 차이점이다. 저널리즘은 사건에 관여하고 있지만, 시는 감정에 관여하고 있다. 저널리즘은 세계의 외견에 관여하고 있지만 시는 세계의 느낌에 관여하고 있다. 저널리즘은 마치 각자에게 동일한 일이 일어났던 것처럼 도처에서 일어난 일이 무엇인가를 말하여 주려고 한다. 그러나 시는 마치 자기 혼자만이 단독으로 거기에 있었던 것처럼 어느 특수한 사건에 그 사람을 놓고 그것이 무엇 같은 것일까 하는 것을 말하여 주려고 한다.

저널리즘의 가장 훌륭한 정의는 매일 『뉴욕 타임』지에 나타나고 있다 — "인쇄하기에 적당한 모든 뉴스." 시의 가장 훌륭한 정의는 콜릿지(Coleridge)의 『바이오그라피아 리테라리아』에 설파(說破)되어 있다 — "불일치한 제 자질의 균형, 혹은 조화…… 보통 이상의 질서를 갖춘 보통 이상의 상태의 정감." 따라서 저널리즘과 시를, 논의의 세계의 반대편의 극단에 그것들을 놓으려고 가르려는 것은 보는 것과 보는 것의 감정을 가르는 것이 되며, 정감과 정감의 생동을 가르는 것이 되며, 지식과 지식의 실감을 가르는 것이 된다.

시인은 우리들과 같이, 눈 내리는 숲가의 황혼 속에 자기의 말을 세우고 잠시 동안 차디차고 하얗게 쌓이는 정적 속에서 잠을 자고 싶은 동경(憧憬) — 이 동경은 역시 생각이 깊은 사람들이 알고 있는 또 하나의 보다 더 깊은 동경이 된다 — 에 빠진다. 그러나 저널리스트는 멀리 떨어진

인적이 없는 곳의 험악한 날씨 속에 서 있는 사륜마차 속에 다만 한 사람의 사나이가 있는 것을 보면 그만이다. 왜냐하면 거기에서는 아무것도 일어난 일이 없고 그는 무엇 하나 공표할 것이 없기 때문에. 그리고 반대되는 경우에도 이와 똑같은 일이 생긴다. 저널리스트는 무덥고 먼지 나고 불결하고 파리 떼가 무는[10] 사막 도시의 시장에서 잘못하면 전면 전쟁의 시초가 될지도 모르는 모호한 전란을 보도하기 위해서 수류탄 속으로 몸을 날린다. 그러나 시인은, 이러한 모든 일은 단순히 발생하고 있는 일에 불과하기 때문에, 아무것도 쓰지를 않는다. 왜냐하면 그에게는 아무것도 느껴지는 것이 없고, 따라서 그는 말할 것이 아무것도 없기 때문에.

물론, 이것은 과장해서 하는 말이다. 우리들의 세대에서만 하더라고, 되도록 사물의 감정과 그의 외견을 분리시키지 않으려고 애를 쓴 어니 파일(Ernie Pyle)[11]이나 엘마 대비스(Elmer Davis)[12] 같은 저널리스트들이 있었고, 또한 서반아 전쟁을 느낄 뿐만 아니라 보기까지 한 — 사실상 신문기자나 외교관이나 세계정세의 전문적 관찰가들보다도 훨씬 더 뚜렷하게 그것을 본 — 당대의 시인들도 있었다. 실로 당대의 시인들 중의 가장 위대한 시인들은, 반드시 자기의 시대의 역사의 가장 총명한 해설자는 되지 못했을망정, 그 시대의 역사의 가장 정확하고 투철한 관찰자의 한 사람이기는 하였다.

> 자꾸 넓어져 가는 선회 속에서 돌고 돌면서
> 새매는 매장(鷹匠)의 소리를 들을 수가 없다.
> 제반의 사물은 제멋대로 갈라져 떨어져서, 중심을 잡을 수가 없고,
> 다만 무질서만이 세계 위에 횡행(橫行)하고,

• • •

10. 영어 원문은 "flea-bitten" 즉, '벼룩떼가 무는'이다.
11. [역주] 미상. [편주] Ernie Pyle(1900-1945). 퓰리처상을 받은 미국 저널리스트.
12. [역주] 엘마 대비스(1890-). 미국 방송회사의 래디오 뉴우스 해설자.

어디를 가보아도 피에 흐려진 파도물만 출령출렁, 그리고 도처에서
순결의 의식은 침몰되고 있다.
최선자는 모든 확신을 상실하고 있는데, 최악자는
열정적인 기세를 울리고 있다.

고 막카아시 상원의원의 이름이 관련되고 있는 비극적 사건에 대한 저널리스트의 보도도 그 당대의 생활상을 예이츠(Yeats)가 약 30년 전에 그것을 규정한 것처럼 그만큼 정확하게 규정짓지는 못하였다.

최선자는 모든 확신을 상실하고 있는데, 최악자는
열정적인 기세를 울리고 있다.

그러나 예이츠는 이 밖에 다른 여러 가지 일에도 그렇지만 이 일에 있어서도 열외자이다. 그런데 이 예이츠조차도 사건과 사건의 감정을, 호호마의 시대와 단테의 시대와 쉑스피어의 시대에서 이루어지듯이, 한 자리에 결합시켜 놓지는 못하였다. 저널리즘은, 우리들과 같이, 감정적 특징을 던져 버리고 지적 분리의 혈색 없는 분위기 속에서 사건을 제시하는 지극히 냉정한 객관으로만 점점 더 기울어져 가고 있다. 그리고 시는, 반대 방향에 있어서의 그와 동일한 분리적 세력에 반동하면서, 사건과는 갈라진 정감적 특징으로만 점점 더 전향하여 가고 있다. 이와 같은 언어의 분열이 신문과 같은 — 왜냐하면 오늘날의 대 신문은 전일의 그것보다도 훨씬 더 우수한 것이 되어 있으니까 — 저널리즘에 나쁘다고 말할 수 있는지 나는 모르겠다. 오늘날의 신문은 더 많은 뉴스를 보다 더 조속히 시간 내에 수집(蒐集)해서 그것을 보다 더 정확하게 제시하고 있다. 그러나 그러한 언어의 분열이 적어도 시에 대해서는 나쁘고 문명에 대해서도 나쁘다는 것은 말할 수 있다.

위대한 시는 지식 — 정열에 의해서 심장 속으로 생생하게 담겨 들어오

는 지식이지만, 그러나 역시 지식이다 — 의 도구이다. 아는 작용이 없는 느끼는 작용만으로는 예술작품은 만들어질 수 없었고 또 앞으로도 만들어지지 못할 것이다. 따라서 현대시가 점점 더 감정을 그의 계기와 분리시키려고 하는 기도 — 즉 감정이 그가 유래한 사건을 단호히 무시하고, 감정 그 자체만으로서 그리고 감정 그 자체만의 목적을 위해서 추구하여 나가려는 기도 — 는 예술에 대해서 유해하기만 한 것이다. 이와 같이 해서 조성된 시는 실이 없는 연과 같다. 그러한 시들은 시간 속의 특질에 애착을 가지고 있지 않기 때문에, 시간의 마멸(磨滅)에 대항해서 유지될 수가 없다.

시가 그의 내면성에만 끊임없이 경주(傾注)하게 되면 결국은 불행하게도 시인들에 대한 관심만이 남게 된다. 그 밖의 우리들이 생각하고 싶은 것은 우리들의 문명에 대한 이와 같은 모든 것의 효과이다. 그것은 규정하기에 어렵지 않다. 얼마 전에, 현재하는 가장 지성적인 미국인 중의 한 사람인, 루이스 맘호오드(Lewis Mumford)[13]가 미국의 대만 해협에 대한 정책과 행동이 유발하는 위험에 직면하면서도 냉담한 태도를 취하고 있는 동포들에 대한 공포를 표시한 서한(書翰)을 『뉴욕 타임스』지에 실릴 일이[14] 있었다. 여기에 있어서 우리들은 어느 때이고 중국 민족주의자들한테 밀어 젖혀지거나 중국 공산주의자들한테 끌리거나 해서, 무서운 핵무기로 싸울 수밖에는 없고 결과적으로는 지구상의 인류의 종언(終焉)을 초래할 가능성이 농후(濃厚)한, 우리들 앞에 크게 입을 벌리고 있는 전쟁에 빠질 단애(斷崖)의 일보직전에 서 있다고 그는 말하였다. 그런데도 우리들은 주장도 하지 않고 반대도 하지 않았다. 우리들은 생사의 결정을 국무성 — 그의 사전의 결정이나 부결정(不決定)은 우리들의 궁경(窮境)에 책임을

• • •

13. [역주] 루이스 맘호오드(1895-). 미국의 작가.
14. '실릴 일이'는 어색한 번역이다. 원문은 "Lewis Mumford …… wrote a letter to t*he New Yorl Times*"이다. '쓴 일이'가 자연스럽다.

지고 있다— 에 맡기고, 다만 입을 봉하고 무관심한 표정으로 앉아 있기만 하였다.

그것은 분노의 서한이었으며, 혹종의 견해를 가지고 있는 사람들은 반대할 점도 있을 것이다. 그러나 그에 대해서는 내가 충격을 받은 것은, 나에게는 너무나 뼈저리게 정확하게만 생각되는, 사실의 진술이 아니라, 사실에 대한 우리들의 국민적 무관심에 대한 이유의 설명이었다. 우리들의 냉담은 우리들의 거대한 정은(靜隱)과 진정(鎭靜)의 소모의 결과라고밖에는 볼 수 없다고 맘호오드 씨는 주장하였다— 그 결과가 얼마만큼 심각한 것인지는 나는 분간할 수 없다. 오로지 비현실에 마취된 국민만이, 어느 때이고 아세아로부터 발단하여 다음에는 우리들이 살고 있는 지역을 포함한 전 세계에 이르기까지의 막대한 수의 평화적 인류를 절감하게 될, 일련의 사건과 선언을 침묵 속에 숙시(熟視)하고 있을 수 있다.

나는 이와 같은 설명에 충격을 받았다. 진정한 설명은 되도록 단순하고 풍자적이기를 내 자신 원하고 있기 때문에 나는 그의 설명을 읽고 감동을 받았다. 왜냐하면, 두말할 것도 없이, 하문만(厦門灣)에서 발생한 믿을 수 없는 놀라운 사건과 그 뒤에 어느 날이고 뒤따라올 비참한 결과에 대한 우리들의 냉담은 사실인즉 탄환을 취급하는 우리들의 습관의 결과가 아니라 사상을 생각하는 우리들의 습관의 결과로서 나타나는 것이기 때문이다. 그리고 또한 우리들이 느낄 수 없는 것을 '알 수' 있다는 사고방식 — 이와 같은 사고방식으로서는 우리들은 단순히 외교적 책략의 결과가 북경, 동경, 막부, 그리고 뉴욕을 원자화할 수 있을지도 모른다는 것은 알 수 있지만, 이러한 지각이 어떻게 느껴질까 하는 것을 우리들의 생생한 감정 속에서 상상할 수는 없다— 에 나타나고 있는 이와 같은 이상한 전위(傳位)는 사실인즉 우리들 자신에게 뿐만 아니라 우리들의 문명 속에 나타나고 있는 보다 더 깊은 전위의 결과인 것이다.

왜냐하면 아는 것과 느끼는 것의 이와 같은 분리는 우리들 미국인만이 우리들의 독특한 특권이라고 주장할 수 있는 것이 아니기 때문이다. 독일인도 이와 동일한 이상한 능력을 보이어 준 일이 있었다— 수용소의 독와사(毒瓦斯) 화로에 대한 것을 알고 있었지만 『아네 프랑크의 일기』의 상연에 입을 봉한 혼란스러운 관객으로서 휩쓸려 들어가기까지는 그 지식을 가지고 정은(靜隱)과 선량한 양심 속에서 살 수 있었던 '선량한 독일인들'. 그리고 우리들도— 우리들 자신도 '선량한 미국인들'이라고 불러 주었으면 좋겠는가? — 그와 동일한 마음의 평정을 범하고 있다. 우리들은 광도(廣島)[15]에서 무엇이 일어났던가를 알고 있다. 우리들은 그 도시의 원자폭격의 결과에 대한 존 하아시(John Hersey)[16]의 이야기를 읽었거나 혹은 읽고 있다. 우리들 중의 대부분은 적어도 팔옥의사(八屋醫師)[17]의 저서 안에서 기어가고 있는 유령을 알고 있다. "그들의 얼굴과 손은 불에 타서 퉁퉁 부어 있었고 살에 붙은 커다란 가죽조각이 허수아비가 걸치고 있는 넝마 모양으로 벗겨져서 주렁주렁 늘어져 있었다. 그들은 개미의 행렬 모양으로 움직이고 있었다. 밤새도록 그들은 우리들의 집 옆을 지나가고 있었는데, 오늘 아침에는 왕래가 뚝 끊기었다. 그들은 너무 아파서 가지도 못하고 양편 길옆에 즐비하게 드러누워 있었기 때문에 그들의 몸을 밟지 않고는 길을 건너갈 수가 없었다." 우리들은 모든 이런 일을 알고 있다. 그러나 우리들은 우리들의 지식을 느끼고 있는가? 우리들은 전 세계의 원자전의 가능성을 사실로서나 혹은 사무적인 허영으로서 내걸고 있는 것에 대해서 생각조차 할 수 있겠는가?

나는 외교정책을 논하려고 하는 것은 아니다— 막상 지금이 우리들의 최근의 중국 해안에서의 행동을 논할 적절한 시기라 할지라도. 그러나

15. 영어 원문에는 "Hiroshima"라고 표기되어 있다.

16. [역주] 존 하아시(1914-). 미국의 작가.

17. Michihiko Hachiya(蜂谷道彦, 1903-1980)를 가리킨다. 하치야 미치코는 1945년의 히로시마 원폭에서 생존한 인물이다. 그는 그 경험을 일기로 기록하여 출판했다. 김수영이 팔옥의사(八屋醫師)라고 번역한 것은 "Dr. Hachiya"라는 영어 원문 표기를 일본식으로 Hachi(八) ya(屋)라고 음역한 결과이다.

우리들의 역사의 이 이상한 일장(一場)이 우리들의 문명의 심장부 위에 뚫려진 간극(間隙)을 무엇보다도 가장 잘 예증(例證)해 주고 있다. 또한 느낌이 없는 지식은 지식이 아니며 그것은 다만 공중의 무책임과 무관심과 심지어는 파멸로밖에는 인도될 수 없는 것이라는 것을 무엇보다도 확고하게 표시해 주고 있다. 또한 사실이 전체 인민의 마음속에서 — 문명의 공통적인 심의(心意) 속에서 — 사실의 느낌과 분리될 때에는 그 인민이나 그 문명은 위기에 처해 있다는 것을 무엇보다도 뚜렷하게 증명해 주고 있다.

여러분들 중에는 이 논의를 통해서 내가 사용하고 있는 말이 이러한 심각한 고발에는 부적당하다고 생각할 분도 필시 있을 것이다. 저널리즘은, 우리들의 대부분에 있어서는, 다른 사람의 직업처럼 생각되며 시는 세계의 생존과 같은 그런 찰나의 문제와는 실로 인연이 먼 것같이 생각이 된다. 그러나 세계의 생존 — 적어도 우리들이 살고 있는 세계처럼 그 자신의 자살에 대해서 재간(才幹) 있게 준비하고 있는 세계의 생존 — 이, 광인과 사고를 제외하고는 순전히 그 안에 살고 있는 남자와 여자의 지식에 달려 있다는 것은 사실이다. 그리고 그 지식은 저널리즘과 시가 제공하는 두 가지의 이득으로서 엄밀하게 조성되어 있다. 정보는 꿰모이[18]의 정세에 관계되는 견해가 기초로 삼을 수 있는 종류의 지식에는 불가결하다. 그러나 지식과 그것이 낳는 견해가 신뢰할 수 있을 만한 것이어야 한다면 정보가 전달하는 사실의 감정이 또한 불가결하다. 우리들에게 일어나는 일들이란 첫 번째 것이 그 다음 번째의 것을 따라 넘기고 있다. 우리들은 끊임없이 그리고 정확하게 기억하고 있어야 하기 때문에, 역사상의 어느 시기보다도 정보에 밝은 오늘날의 지구 위에서 가장 많은 정보를 알고 있는 사람들이다. 그러나 우리들에게는 어떠한 전 세대보다도 더 많은 사실이 공급되고 있지만, 반드시 우리들이 그러한 사실에 대한 더 많은 지식을 소유하고

• • •

18. 중국 복건성 샤먼 앞바다에 있는 금문도의 다른 이름. Quemoy이다.

있는 것은 아니다.

오히려 그와는 정반대로 우리들은 점점 더 우리들의 사실을 우리들의 상상 — 여기에서 우리들의 사실은 감정을 지닌 생기 있는 것으로 다가올 수 있다 — 으로 받아들이는 능력을 상실해 가고 있는 것같이 생각된다. 벤자민 후랑크린의 시대의 사람들은 수백 명의 갱부(抗夫)가 현재 유고스라비아에 있는 탄광에서 매몰되었다는 소식을 2~3시간 내에 듣지는 못하지만 그러나 그러한 재난에 대한 소식이 여러 개월 후에 드디어 도달하였을 때는, 그것은 인간적 특징을 지닌 인간의 비극으로서 들려 왔다. 내옹(奈翁)[19]이 막부에서 후퇴하는 뉴스 같은 것은 오늘날 같으면 시시각각으로 방송으로 보도되고 세세한 부분까지 사진에 찍혀 오고, 신문에 게재되고, 주석되고, 기록되고 할 것이다. 그러나 당시에 내옹이 실제 후퇴를 하였을 때는, 그 뉴스는 사건이 일어난 수개월 후에 나의 증조할아버지가 부리던 범선으로 뉴욕에 도착해서 개인의 증언으로 보고되었는데, 그것은 이틀날 아침에 뉴욕의 신문 위에 트로이에서 온 뉴우스처럼 — 그것은 어느 의미에서는 정말 트로이에서 온 뉴우스이었다 — 전파되었다. 희랍인들이 트로이에 대해서 알게 된 것은, 그들이 어느 한 사나이가 천천히 이야기하는 것을 듣고 안 것이었다.

나는 신문의 진보를 개탄(慨嘆)하고 있는 것이 아니다. 능숙하게 편집된 신문의 뉴우스에 습관을 붙이고 성장한 사람이라면 누구나 그것을 아니 보고 살 수는 없을 것이다. 그러나 모든 개선은, 특히 기계의 발명에 의해서 가능하게 된 모든 개선은, 우리들이 우리들의 증대하여 가는 기계화 국가에서 목도(目堵)하듯이, 그의 대가를 요구한다. 왕왕이 그 대가는 자연을 지불하라고 강요하고 또한 때에 따라서는 인간성까지도 지불하라고 강요한다. 우리들에게는 침몰될 정도의 수많은 사실이 있지만, 그러한

• • •

19. '나폴레옹'의 음역어인 나파륜옹의 준말.

사실들을 느낄 수 있는 인간적 능력을 상실하였고, 또 상실하고 있다. 시는 우리들과 같이 여전히 살아남아 있고, 지난날의 대가와 맞설 만한 능력을 가진 새로운 대가를 배출하면서 기운차고 재간 있게 살아남아 있다. 그러나 시 그 자체는 사람들의 마음속에서 그의 힘을 잃고 있다. 하아바아트 스펜사(Herbert Spencer)[20]는 기계가 개화하게 되면 사람들은 예술을 버리게 될 것이라고 생각하였지만 우리들은 그와 같이 예술을 버리지는 않았다. 그러나 우리들은 예술이 부여할 수 있는 기술 — 즉 진정으로 느끼는 기술과 그와 같이 진정으로 아는 기술 — 의 실천을 손상시켰다. 오늘날 우리들은 사실에 의해서, 추상에 의해서, 머리를 가지고 알고 있다. 쉑스피어는 리어 왕으로 하여금 히이스 위에 있는 눈이 먼 그라우세스터에게 "너는 이 세상이 어떻게 돌아가는지를 아는가" 하고 소리를 지르게 하였고, 그라우세스터로 하여금 "나는 느낌으로서 그것을 압니다"고 대답하게 하였는데, 우리들은 쉑스피어가 알고 있던 것처럼은 알 수 없으리라는 생각이 든다.

어째서 우리들이 이와 같이 무기력한지 나는 알 수가 없다. 그러나 이 무기력이 존재하고 있다는 것, 그리고 이것은 위험한 짓이고, 점점 더 위험해 가고 있다는 것만은 알고 있다. 또한 느끼는 것과 아는 것을 분리시키는 근원적인 원인이 어떠한 것이든 간에, 그러한 분리는 상상의 생활이 호기심의 생활의 반대편의 극단에 있다는 해괴하고 무지한 신념 — 사람은 다만 정보를 축적함으로써만 이 어둠 속의 지구에 대한 자기들의 경험을 살 수 있고 알 수 있고 정통할 수 있다는 신념 — 에서 가장 역력하게 나타나고 있다는 것은 알고 있다. 혹은 알고 있다고 생각한다.

그것을 믿는 사람들은 결국에 있어서 인간으로서 자기의 책임을 포기한 폭이 된다. 자기 혼자의 힘으로 그리고 자기의 전부를 가지고 알려고 하지 않고 다만 북경이나 막부에서 자기들에게 교부되는 뉴우스와 증오의

20. [역주] 하아바아트 스펜사(1820-1903). 영국의 철학가.

매일 분의 양식을 받아들이려고만 하는 사람들은, 벌써 적국으로 넘어간 사람들이며, 거기의 불행한 대중이 된 사람들이며, 우리들의 시대의 무서웁고 새로운 전제주의 국가의 희생자가 된 사람들이다. 사람들이 전령(全靈)을 다해서 알고자 하고 자기의 독력(獨力)으로 알고자 하고, 자기의 독력으로 짐 — 워스워즈(Wordsworth)가 말한 '신비의 짐' — 을 나르고자 하는 인간적 요구를 포기할 때 노예제도는 시작된다. 노서아인이나 중국인이나 파란인 — 홍아리인(洪牙利人)조차도 — 들처럼 묵종한다는 것은 남이 아는 대로 아는 것이 되매, 남이 결정한 대로 결정하는 것이 된다. 따라서 그 점에 있어서, 그 사회가 무엇이라고 불리어지든 간에 그 사회는 자유스러운 사회가 아니다.

자유의 진정한 방패는 상상력, 즉 심의(心意)의 감정적 생활이다. 그것은 그것이 아는 속에 그 자신이 포함되어 있기 때문에 안다. 그것은 그의 사상이 걸어가는 곳에 그 자신을 놓는다. 그것은 뺨 위에 침이 흐르는 것을 느끼는 조그마한 흑인소녀의 몸속에서 걸어간다. 그것은 껍질이 누덕누덕 떨어진 거미들의 행렬 속을 따라 간다. 자기의 심장을 가지고 아는 사람은 스스로 자기가 인간이라는 것을 알고, 자기 자신을 느끼고, 침묵을 지키지 못한다. 보리스 빠스테르나크(Boris Pasternak)가 자기는 로서아에 있어서도 자유롭다고 말하듯이, 그는 어느 곳에 살든 간에 자유로웁다. 자기의 마음만을 가지고 아는 사람, 자기가 아는 것을 느끼지 못하는 사람, 자기가 느끼는 것을 알지 못하는 사람 — 그런 사람은 어디에 있어도 자유를 갖지 못한다. 그는 남이 이른 말에 목을 매게 되고, 표어에 따라서 움직여지게 된다. 조만간 그의 생명은 자기에게 무관한 것처럼 보일 것이고, 남의 손으로 다스려지는 그 무엇이 될 것이고, 그러한 남의 관리를 묵종하게 될 것이고, 그것에 대해서는 될 수 있는 대로 적게 생각하게 될 것이고, 몸 가까운 데에 보이는 현실 같은 물건 — 그의 고향이라든가, 그의 앞뜰의 잔디밭이라든가, 텔레비전의 스크린 위에 비치는 그림자라든가(상징적인 그림자) — 에만 종사하게 될 것이다.

내가 생각하기에는 — 이렇게 생각하는 사람은 결코 많지 않다 — 우리들의 사회생활의 진정한 위기는 상상의 생활의 위기이다. 대륙 횡단 유도탄이나 도덕의 재무장(再武裝)이나 종교의 부흥(復興) 같은 것도 우리들에게는 필요하지만, 그것보다도 몇 배 더 필요한 것은 다시 한 번 생기 있는 마음을 회복하고, 모든 원시문명의 기초가 되던 씩씩한 상상력 — 콜릿지가 말하는 '인간의 전령(全靈)'이 생동하고 지식이 알려질 수 있는 '종합적이며 마력적인 힘' — 을 회복하는 일이다. 내가 위대한 대학에서 나의 관심 가진 일에 대해서 이야기하려고 한 것은 이 이유 때문이다. 심장의 지식과 두뇌의 지식을 쪼개 놓은 간극(間隙)에 대해서는, 교육이 물론 상당한 부분의 책임을 져야겠지만, 나는 유독 교육만이 거기에 대해서 전적으로 책임이 있다고는 생각하지 않는다. 나는 오히려 그 간극이 치유(治癒)될 수 있는 것이 원칙적으로 교육의 과정에 달려 있다는 것을 말하고 싶었다. 교육과 예술 사이의 관계의 검토에 대한 필요성이 우리들의 전 주의력이 교육과 과학 사이의 관계에만 고정되고 있는, 오늘날처럼 심심해진 일은 일찍이 없었다. 핵전멸(核全滅)의 가능성이 외교적 책략으로 사용되고 있는 동안에도 이 세계를 침묵 속에서 바라다보고 있을 수 있을 만큼 실감으로 보는 능력을 상실한 사회는 수천의 젊은 생산과학자를 그가 생각하는 것보다도 더 빠른 시일 내에 필요하게 될 것이다. 그러나 그보다도 더 빠른 시일 내에 아는 법을 배우는 것이 필요하게 될 것이다.

— 본 논문은 미국의 저명한 현역시인 아키볼드 막레이쉬(Archibald MacLeish, 1892-)가 미네스타주립대학의 지데온 세이머 강의논문으로 제출한 것으로서 저자는 『애트랜틱』지를 통해서 이것을 역출하였다. 필자 맥클리시는 10년간의 공무원생활을 청산하고 최근에 다시 하버드 대학으로 돌아와서 교편을 잡는 한편 시작에 정진(精進)하고 있다. 시집으로는 *The Happy Marriage*(1926), *Conquistador*(1932, 퓨릿츠

시문학상 수상), *Song For Eve*(1954) 등이 있으며 그의 운문 희곡은 『뉴욕 타임스』지의 부르크스 애트킨슨(Brooks Atkinson)으로부터 세기의 희곡이라는 찬사를 받고 있다. (역자)

-『현대문학』, 1959. 11-12.

내란 이후의 서반아시단(西班牙詩壇)

J. M. 코헨(John Michael Cohen)

내란의 돌발과 그의 초일의 가르시아 로르카(Garcia Lorca)의 자살은 금세기부터 시작된 서반아시의 일대주기에 종지부를 찍었다. 전쟁 그 자체는 공화국 측에서는 단 한 권의 중요한 시집인 미구엘 헤르난데스(Miguel Hernández)의 『거리의 바람(*Viento del Pueblo*)』밖에는 산출하지 못하였고, 종전이 될 무렵에는 주요한 시인들은 모조리 침묵을 지키고 있거나 그렇지 않으면 추방을 당하게 되었다. 우리들의 전쟁 기간과 대체로 비등한 7년간의 내란이 시작되었는데, 그동안에 출판된 서적이라고는 극히 희소하였다. 인쇄기는 파괴되고 종이 공급은 모자라고 검열제도는 어마어마하게 엄격했다. 침묵을 깨뜨리고 나온 극소수의 작가들 중에서도 일부는 너그러운 동정심을 표시하였다는 죄로 추방을 당하였다. 이러한 작가들의 원고는 아무 잡지에서도 실(어)주지 않았고 그들의 이름을 부를 수 있는 평론가나 서평가(書評家)는 한 사람도 없었다.

1942년경에 정부는 전쟁 중에 없어진 정기간행물을 대신할 수 있는 잡지를 손수 창간함으로써 문학의 부흥을 시도하였다. 그들은 국립출판사까지도 설립하였고 문화 활동을 감독하기 위하여 '대중교육 보조관'이라는 장관을 임명하였다. 그러나 결과는 신통치 않았다. 당국은 작가들에게 다만 문학과 정치를 분리시킬 것을 요구할 따름이었지만 이러한 정부 후원의 간행물에 협조하고 싶어 하는 작가는 많지 않았다. 서반아의 문학을 좌우하려는 이와 같은 관리들의 노력에 다소간 냉담한 태도로서라도 협조한 극소수의 시인들이란 전쟁에는 별로 눈에 뜨일 만한 활동을 하지 않은 2류 급의 전통주의자들이었다. 기법상의 수완에 능통한 그들은 사랑과 종교를 주제로 진부한 작품과 자연을 묘사한 작품들을 재치 있게 만들어내었고, 조지 기옌(Jorge Guillén)[1], 페드로 살리나스(Pedro Salinas), 라파엘 알베르티(Rafael Alberti), 가르시아 로오카와 같은 30년대의 사람들이 차지하고 있던 것보다도 훨씬 적은 공중을 상대로 하고 있었다. 레오폴도 파네로(Leopoldo Panero)와 루이스 로사레스(Luis Rosales) — 이 '상실된' 세대의 두 사람의 저명한 작가의 이름을 들자면 — 의 시가 간간이 유쾌한 것이기는 하지만 이 문학운동은 확실히 종착점에까지 다 와 있는 것이어서 거기에는 아무런 새로운 것에 대한 기대도 있을 수 없다. 1947년까지 이와 같은 정부 후원의 간행물의 대부분은 사멸하였고 '국가편집'[2]도 곤란에 봉착하였다. 그러나 서반아문학은 거의 이때부터, 공화국 시대로부터 살아남은 소수의 저명한 사람들의 후원 하에서 부흥하기 시작하였고 그들이 자국 내에서는 거의 아무것도 발표할 수 없었던 여러 해 동안을 새로운 작가들을 격려(激勵)함으로써 만족하고 있었다. 사실상 1948년에 나타나기 시작한 새로운 서반아시는 서반아에 잔류해 있던 이와 같은 기성 시인들, 즉 빈센트 아렉산드르(Vicente Aleixandre)[3], 제랄도 디에고(Gerardo Diego), 다마소 아론소(Dámaso Alonso)에게 모든 혜택을 입고

● ● ●

1. 호르헤 기옌(Jorge Guillén, 1893-1984). 스페인의 시인.
2. 스페인의 당시 출판기관 *Editora nacional*을 가리킨다. 김수영은 이 *Editora nacional*이란 단어를, 동일 단락의 앞부분에서는 생략하였으나 이 문장에서는 "국가편집"이라고 번역하고 있다.
3. '비센트(Vicent)'를 김수영은 "빈센트"로 계속 오독하고 있다.

있다.

그러나 새로운 세대에 강력한 영향을 준 한 사람은 이러한 젊은 사람들의 작품을 읽을 수 있을 만큼 오래 살아남지는 못하였다. 전쟁, 압력[4] 밑에서 훌륭하게도 완숙한 작품을 쓴, '상실된' 세대의 한 사람인 미구엘 헤르난데스는 동란이 끝날 무렵에 독재권에 의해서 투옥되어 1942년에 폐병으로 옥사하였다.

그의 위대한 옥중시 중의 3, 4편의 작품이 1946년에 월간 잡지에 나타나기 시작하였고, 검열에서[5] 제외되었던 거의 모든 전쟁시(詩)가 포함된 그의 선집(選集)이 1952년에 발간되었다. 그의 시집은 얻어 보기가 퍽 힘이 드는데도 불구하고 젊은 사람들에게 준 그의 영향력은 지대(至大)하였다. 왜냐하면 거의 하나밖에 남지 않은 전전시인(戰前詩人)인 그는 교양 있는 소수의 공중만을 위한 작품을 쓰는 데 만족하지 않았기 때문이며, '대다수의 대중'을 상대로 하고 싶은, 이와 같은 욕망에 있어서 그는 최근 10년간의 모든 중요한 새로운 시인들의 사표(師表)가 되었다.

미구엘 헤르난데스는 내란이 발발하기 전에 감동적인 작품을 발표하고 있었지만 그의 초기 작품이 아직까지 읽혀지는 것은 그의 시적 진술이라기보다는 오히려 그의 기교적 재능(技巧的才能)에 원인이 있다. 아리칸트주(州)의 오리후에라에서 나온 농민의 아들인 그는 노동자 구락부의 책선반 위에서 처음으로 책 구경을 하였다. 그는 서반아의 고전을 통독한 후에 시인 공고라(Góngora)의 300년제의 해에 신(新)공고리스틱한 문체로 장시(長詩)를 썼다 — 이 신(新)공고리스틱한 문체는 그 후 갑자기 유행이 되고 말았다. 그리고 이 장시로 인하여 그는 마드릿드에 있는 최고 시인들의 우정과 격려를 얻었다. 이러한 승리를 거둔 후에 그는 수도로 올라와서

● ● ●

4. 영어 원문은 "전쟁의 압력(the stress of war)"이다.
5. 영어 원문은 "검열에 의해서".

주로 14행시로만 된 두 권의 시집을 내놓았는데 이 시집은 확고한 주제의 제시는 없으면서도 그의 비범한 재능만은 한층 더 과시하게 되었다. 정력과 시 형태에의 숙달은 처음부터 이 시골 총각의 지배하에 있었지만, 그러한 것들의 배후에는 개인적인 서술로서의 절박한 재화(災禍)의 감각이 있었으며, 이것이 불연이면[6] 하이카라한 손재주로만 충만되어 있을 그의 시에 왕왕이 무게를 돋우어 주었다. 자기가 앞으로 죽을 것이라는 예감을 가지고 투우장으로 들어오는 소의 반복되는 영상은 전쟁의 압박 하에서 희망 없는 옥중의 몸이 되어 절박한 죽음을 당하게 되는 시인 헤르난데스의 운명을 일찍이 예언한 것이다.

1931년 이전에 미구엘 헤르난데스는, 로오카도 일을 한 일이 있는 새로운 민중극장을 위하여 로오카 식의 두 편의 희곡을 씀으로써 이미 보다 더 광범위한 대중을 위해서 걸어 나가고 있었다. 전국적인 반란이 발발하였을 때는 그도 역시 참호에 발송하는 시가책(詩歌冊)에 기고하는 시인의 한 사람으로서 거짓이 없는 그렇다고 주전(主戰)적도 아닌 직접적인 열렬한 호전(好戰)적인 전쟁시를 썼다. 공화국을 방위하러 나섬으로써 그는 비로소 항상 말을 걸기를 원하고 있던 청중과 일체가 되었다. 뿐만 아니라 그는 10년의 연장인 선배 시인 빈센트 아렉산드르와, 지리(智利)[7]의 파브로 네루다(Pablo Neruda)의 도움을 받아가지고 헐거웁고 치장이 지나친 과거의 작품에 비해서 정교하고 훈련 있는 문체로 진보하게 되었다. 그는 인제 대중이 이해할 수 있는 말로서, 그러면서도 자기 자신의 환영의 날카로움을 희생함이 없이, 마드릿드의 방위자들의 희망을 말할 수 있게 되었던 것이다.

물은 딸기의 가시밭 숲에서 터져 나온다,

• • •

6. '이것이 불연이면'은 영어 원문에는 없는 구절이다.

7. 칠레.

눈물은 눈가까지 차지는 않고,
가시와 화살은 아프지도 않다.
사람들은 입에다 수확물(收獲物)을 가득 처넣은 채로,
누구나 지나가는 사람을 보면 '동지'라고 외친다.

세상은 전과는 다른 얼굴을 하고 있다.
먼뎃것이 고함과 무기를 든 군중 속에서 가까이 다가온다.
주검은 (한)조각의 부서진 가구나,
산산조각이 난 하얀 의자같이 보인다.

나는 눈물에서 일어난다, 내 몸은 서반아에,
포화(砲火)를 지휘하는 사람들과 더불어 광장에 있다.
나는 슬픔이 타락과 혼란과 해독을 주는 것을 알았다……
나는 감람나무처럼, 엄숙할 만치 즐거워졌다.

헤르난데스는 그전보다는 덜했지만 여전히 울트라이즘[8]의 신기한 시상을 사용하고 있었는데, 이제는 현실성이 문학을 제압하게 되었다. 주검과 부서진 가구와의 동일시는 시적 착상이 아니라 매일같이 목격하는 광경이었다. 10년 후에 레지스탕스운동에 참가한 초현실주의자 뽈 에류알의 경우에 있어서와 같이, 평화시에 시인의 개인적인 악몽이었던 것이 인제 바로 눈을 뜨고 있는 세상에 감염되어 와 있었다. 사랑하는 아내와 한 번도 보지 못한 어린아이를 두고 옥에 갇힌 지 3년이 지나서 전쟁이 끝난 후에, 헤르난데스는 자기의 종말을 어렴풋이 별견한 초기 시에서는 찾아볼 수 없던 금욕주의를 가지고 작품을 썼다. 찬연한 수업기간을 통해서 모든 전통적인 문체에 정통한 그는 인제는 고독 속에서, 어느 시들에서는

8. 시적 혁신을 지향한 스페인의 시운동. 극단주의라고 함.

옛날의 노래책의 단순성을 연상케 하고, 또 어느 시들에서는 울트라이스트의 시상처럼 현저하긴 하지만 이미 문학적이 아닌 경험 위에 토대를 가진 시상을 취하는 단순성을 가지고 작품을 썼다. 만년의 옥중생활에서는 그는 전쟁의 무모한 잔인성을 회고하는 일군(一群)의 따뜻한 시와, 처자와 떨어져 사는 가운데서 나오는 '격리(隔離)와 허황한 부재(不在)'의 시, 늙은 정력의 전부와 얼마간의 복잡성을 탈환하는 한줌의 최후의 시를 산출하였다. 그에게 있어서 이 시기는 신고(辛苦)나 자기 연민의 시기가 아니라 주로 자기가 사랑하는 모든 것의, 그리고 모든 장래의 기대의, 이와 같은 부재의 시기이었다.

나는 모든 것에서 부재를 본다,
너의 눈은 그것을 반영하고 있다.

나는 모든 것에서 부재를 듣는다,
너의 목소리는 시간의 음향을 갖고 있다.

나는 모든 것에서 부재를 호흡한다,
너의 입김에서는 풀냄새가 맡친다.

나는 모든 것에서 부재를 만진다,
너의 몸은 허공이 된다.

나는 모든 것에서 부재를 느낀다,
부재. 부재. 부재.

부재에 대한 63편의 시 중에서 3, 4편은 단편에 지나지 않는 것이다. 그 밖에 그때그때의 소식 — 그의 어린아이는 빵하고 양파밖에는 아무것도 먹을 것이 없다는 소식 — 을 취급한 몸서리가 날 만큼 비참한 작품도 있다. 그러나 '격리'보다도 한결 더 지구적(持久的)이고 엄숙하고 상상력이 대담한 그중 최종기(最終期)에 속하는 시는 다시 한 번 도살당할 숙명의 소의 주제를 발전시켜가지고, 장래에 다가올 전조적인 그 무엇으로서가 아니라 자기의 생명의 피를 빨아내는 입으로서의 자기의 치명적인 상처를 말하고 있다.

그러나 헤르난데스는 그의 마지막 시의 음률에서 종교적인 신앙 위에 토대를 가지고 있는 것같이는 보이지 않는, 희망의 음률로 되어 있을 정도로 강한 기본적인 정력을 끝까지 간직하고 있었다. 그는 지극히 완전하게 지극히 관대하게 지극히 열렬하게 살았기 때문에 도저히 죽음을 자기의 종언(終焉)이라고 생각할 수가 없었다.

내일에 대한 동경이 없는 싸움에는 구름이 끼어 있다.
둔중한 동계(動悸)의 조망은 얼마나 멀리 펴져나갈 것인가!
나는 거대한 우짖는 고독이 바라다 보이는
창이 하나 달린 골방이다.

나는 인생이 캄캄하게 이별해나가는,
귀 기울이고 있는 열린 창이다.
그러나 그 싸움 속에는 마지막에 언제나 암흑을
정복하고야마는 한 줄기의 햇빛이 있다.

평범한 경험과 평범한 사물과 민중들 — '거대한 대다수인' — 에 대한 헤르난데스의 희망, 그의 용기, 그의 단순성, 그리고 그의 감정은 뒤에 나온 그의 전체의 시에 활기를 주고 있다. 명맥이 아주 꺼져 버린 6년간이 있었지만, 1948년에 시의 부흥을 자아낸 것은 바로 헤르난데스 때문이었으며, 현존하고 있는 유력한 대시인들 — 알벨티와 네루다와 루이스 세르누다(Luis Cernuda) — 때문에도 아니고, 새로운 시인들의 활발한 교부인 빈센트 아렉산드르 때문에도 아니다.

이 일(시의 부흥)은 정부 후원의 문학의 붕괴에 의하여 준비되었고, 새로운 정기간행물 — 우선 시만을 취급한 잡지로서 얼마 아니 가서 폐간된 『에스파다나(*Espadana*)』와 2년 전에 잠시 동안의 발매금지가 있었지만 아직까지도 꾸준히 연명해서 서반아 독자들로 하여금 국내외의 문학에 접촉할 수 있게 하고 있는 1946년에 나온 『인슈라(*Insula*)』 — 의 발간에 의하여 준비되었고, 또한 전세대의 잔존자들이 출판한 두 권의 시집 — 빈센트 아렉산드르의 『낙원의 그늘(*Sombra del paraiso*)』과 다마소 아론소의 『분노의 아들(*Hijos de ira*)』(두 권이 다 1944년에 나왔다) — 에 의하여 준비되었다.

당시 40대의 초기에 있던 이 두 시인들은 과거에는 사리나스, 궤렌, 로오카, 알벨티 때문에 그리 어엿하게 보이지 못하고 있었다. 사실상 아론소는 원래가 시인이라기보다는 굉장한 수완을 가진 분석적 비평가로서 난삽(難澁)한 까닭에 대중으로부터 배척을 받아온, 공고라의 특히 복잡한 후기의 시를 거의 독력으로 재주석(再註釋)한 업적이 있는 사람이다. 그런데 1944년의 지적 진공기(知的眞空期)에 있어서 그는 그의 후계자들의 모든 시를 관통하게 될 하나의 주제의 윤곽을 표시하였다 — 무조건한 신앙을 거의 불가능하게 만든 종교적 상황에서의 신에 대한 지난(至難)한 탐구의 주제. 아렉산드르도 또한 한때는 과소평가하고 있던 인간적 가치를 받아들임으로써 지금은 종교적 입각지(立脚地)에 보다 더 근접해 오게 되었다. 그의 초기 시를 보면 인간의 생명과 사랑은 인간의 것이 아닌, 목적을 위해서 인간을 통해 작용하는 힘의 소산이라고 가혹하게 주장되고 있다. 그런데 『낙원의 그늘』에서는 그는 인간을 다만 자연과 일치시키려고 하는 것을 중지하고, 인간은 하늘에서가 아니라 — 왜냐하면 아렉산드르는 기독교적 시인이 아니기 때문에 — 어떤 보다 더 순수한 상태에서 타락한 지상의 유형자라고 한층 더 따뜻하게 생각하게 되었다. 위대한 음악적 예민성과 훨씬 검약적(儉約的)인 상을 갖춘 시에서 그는 소년시대의 낙원으로부터의 자기 자신의 이반(離反)에 대하여 썼고, 무덤조차 남기지 않는 사랑의 아름다움을 위하여 슬퍼하였다. 그러나 아렉산드르의 슬픔은 용감하고 엄숙한 슬픔이었다. 인간에게 호소하는 시에서, 생명의 피치 못할 소실을 용납할 때에도 그는 생명의 영광을 축하하면서 이렇게 물어 보았다.

빛의 아들, 인간이여 그대는 왜
대지를 통과할 때, 그대가 태어난
생명 없는 물건을 잠시 동안 다시 찾는다고 주장하는가?
죽음을 면할 수 없는, 그대는 한순간 빛을 발하고 다시 그대의 캄캄한
나라로 돌아가기 위해서, 무엇 때문에 흙으로부터 왔는가?

그리고 그 대답은 즐거웁게 나온다—

여기에 그대와 분간할 수 없는 힘찬 어머니가 있다,
허나 그대가 흙속에 흙이 될 때, 그녀의 전체 속에서 완전히 살아남으라.

1948년에 씌어지기 시작한 시는 이와 마찬가지로 모두가 단호하고 쾌활하다. 그러나 아렉산드르의 시가 아론소의 시와 틀리는 점은, 대부분이 사회적인 시라는 점이다. 그것은 또한 종교적인 시이기도 하며, 왕왕이 자연적 사물과 인간관계의 조그마한 친교와 관여되어 있는 시이기도 하다. 이와 같은 세 가지의 가닥이 한 편의 시에 결합되어 있는 수도 있고, 또한 이와 같은 세 가지의 선입주가 1948년 이후에 일가를 이룬 약 한 다아스 가량의 시인들의 사상에 여러 가지 비율로 구현(具現)되어

있다. 동시에 이와 같은 시작품에는 보오드렐과 마라르메에서 출발한 것 같은 구라파에 대한 모든 의식과 현대적 방법이 보이지 않을뿐더러, 현재 전혀 다른 방면에서 진전되고 있는 서반아적 미국의 시와의 여하한 관계도 보이지 않는다. 루우벤 다리오(Rubén Dario)의 충격과 가르시아 로오카의 뉴우욕 방문 사이에서, 서반아는 고답주의(高踏主義)에서 시작되어 초현실주의에서 그치는 수많은 영향을 받아들였고 자기네의 필요에 따라서 그것들을 적용하여 왔다. 현대 서반아 시인들은 전전의 자기네들의 신바로크적 만네리즘을 배격하였을 때에 이와 같은 모든 것들을 함께 배격하여 버렸다. 그들은 순전히 서반아의 전통으로 다시 돌아왔고, 피레네산맥을 넘어서 들어오는 영향에 가장 완강한 근대 시인들의 대부분을 존경하게 되었다.

오랫동안의 부재로 해서 오늘날의 서반아 시인이 시작(詩作)하고 있는 상황에 견딜 만한 굳건한 문체를 제시하지 못하고 있는 듯한 지메네즈(Jiménez), 귀렌, 세르누다(Cernuda), 알벨티보다도 안토니오 마챠도(Antonio Machado)와 우나무노(Unamuno)가 훨씬 더 중요시되게 되었다. 앤다루지아 지방의 인상주의는 북부지방의 보다 더 거센 윤곽으로 바뀌고, 현대의 서반아는 공화국시대의 국제적 공감에서 지극히 멀리 떨어져 나와 있기 때문에, 사회적 선입주가 자기네들의 그것과 지극히 똑같은 파부로 네루다와 같은 시인까지도 8년 전만한 큰 영향을 주지 못하고 있을 정도이다.

그런데 내란 전부터 시작(詩作)을 하기 시작한 북바스크 지방 출신의 공업 기사이며 시인인 가브리엘 세라야(Gabriel Celaya, 1911년생)는 놀랄 만한 용기와 사회적 분개를 담은 시에서 위대한 지리인(智利人)에게 외치고 있었다. 여하한 정당에도 가입하지 않고 — 그들의 감정은 내밀적인 사회주의자나 무정부주의자에 대해서처럼 철저한 파랑헤당원에 대해서도 받아들여질 수 있는 것이 있지만 — 새로운 시인들은 소설가의 경우이라면 묵인될 수 없는 검열에 저촉되는 의견을 발언하는 데 성공하였다. 사실상 약간 명의 소설가들은 세라야가 네루다에게 외친 그의 시에서 말한 것보다도 훨씬 더 적은 것 때문에 발행금지를 당한 일이 있었다.

> 우리들은 기대를 노래하자,
> 말하자면 단 하나의 어린아이를,
> 세상을 바라다보는, 그러나 아무 질문도 하지 않는 두 개의 놀란 눈을,
> 아무것도 감춤이 없이 감탄하고 있는 두 개의 맑은 눈을.
> 그들을 위해서 우리들은 싸우고 가다가는 곤경에도 빠진다!
> 그리하여 만약 단 하나의 어린아이가 우리들이 하는 일을 찬양한다면,
> 우리들의 행동은 옳은 짓이 될 것이다!

> 나는 항구에서, 부서진 해안에서,
> 이빨도 눈시울도 눈물도 없는 시골에서 당신에게 글을 쓰고 있다.
> 나는 죽은 사람과 더불어 당신에게 글을 쓰고 있다.
> 살아 있는 사람을 위해서 당신에게 글을 쓰고 있다.
> 어려움을 참아가며 줄기차게 싸움을 계속하여 가는 모든 사람들을 위해서.
> 우리들의 이 서반아에는 즐거움이라고는 거의 없다.
> 그러나 당신은 알고 있다, 우리들이 희망하는 것을.

세라야의 현재에 대한 전투적 비관주의는 장래에 대한 그의 커다란 희망에 의해서 균형되고 있다. "우리들의 선배들은 대다수의 대중을 위해서 시를 썼다……"고 그는 질문서의 답장에서 말하였다. 오늘날 그는 헤르난데스와 더불어 시인은 밖으로 나아가서 새로운 청중을 찾지 않으면 아니 된다고 믿고 있다. "그는 어중된 교육을 받은 소시민층에 등을 돌리고, 생기를 환기시켜 주기를 우리들의 양심에 절박하게 호소하고 있는 무시당하는 하층민들과의 접촉을 찾지 않으면 아니 된다." 그의 우수한 시 중의

또 어느 것은 세라야 자신의 공장에서 일하는 노동자인 안드레 바스테라에게 전해지는 것이다. 그것은 인간의 동정과 수세공(手細工) 일의 존엄을 찬양하고, 사람들 사이의 침묵과 그들이 다루고 있는 물질의 감각과 본질을 찬양하여 씌어진 것이다.

서전(瑞典)에서 오는 적송과 홍아리(洪牙利)에서 오는 튼튼한 축참나무,
(서반아의) 기니아에서 오는 아후리카 상나무와 오크라나무,
스라보니아에서 오는 떡갈나무……

세라야의 시의 약점은 형태면에 있다. 그리고 이와 똑같은 폐단은 역시 북쪽에서 온 젊은 시인인 — 그는 1916년에 빌바오에서 출생하였다 — 브라스 드 오테로(Blas de Otero)에게도 있다. 그러나 그에 있어서는 사회적 관심이 종교와 밀접한 관계를 가지고 있고, 네루다에게서가 아니라 강력하고 탐구적인 미구엘 드 우나무노에게서 유력한 영향을 받고 있다. 우나무노처럼, 오테로도 자기의 사상을 정확하게 자기의 시에 적합시키는 일이 불가능하다고 보고 있다. 그의 목적은 "대다수의 대중"에게 이야기하는 것이지만, 세라야와는 달리 그는 동시에 신과 인간과의 관계에 있어서의 인간의 고립을 의식하고 있다.

우나무노처럼, 그는 자기에게 쉽사리 찾아오지 않는 신앙을 위해서 자기의 조물주와 씨름을 하고 있으며, 또한 그가 자기의 청중을 생각할 때에는 그 청중은 동일한 내밀적인 싸움에 종사하고 있는 수많은 개인으로부터 되어 있는 것이다.

이 시는 대다수의 대중에게로, 찌푸린 이마와 번민하는 가슴의 나뭇잎들에게로,
신과 싸우고, 그의 깊은 어둠속에서

일격에 파멸되는 사람들에게로 향하는 것이다.

너에게로, 너에게로, 또 너에게로 목마른 태양처럼 둥근 담장, 배고픈
미개간지(未開墾地),
모든 사람에게로, 오 그렇다, 모든 사람에게로,
이 시들은 똑바로 나아가서, 살이 되고 소야곡(小夜曲)이 된다.

단순하게 시작된 시가 제2절에 가서는 극도로 복잡하게 된다. 시를 갈망하는 청중을 대표하는, 목마르고 햇빛에 거슬려진 거리의 담장의 영상은 어렴풋이 시를 살(生肉) — 그리고 살은 목마름을 낫게 하지 못한다 — 과 거리의 전 인구(全人口)를 시의 궤도에로 이끄는 소야곡과의 비교로 이끌어 가고 있다. 여기에서 소망되는 어구는 '살과 뼈'일 것이다. 그러나 운율이 그의 사용을 방해하고 있으며, 따라서 오테로는 그의 대용어(즉 소야곡)를 서투르게 다루고 있는 것같이 보인다.

브라스 드 오테로는 대단히 재간 있는 작가이지만, 시인으로서 반드시 행복한 사람은 못 된다고 사실상 생각될는지도 모른다. 그러나 그의 시집 『양심의 되풀이(*Redoble Conciencia*)』의 맨 끝에 나오는 14행시에 있어서와 같은 그의 가장 위대한 직정적(直情的)인 순간에서는, 그는 감정과 청신성을 가진 단순한 서술을 하는 데 훌륭하게 성공하고 있다.

삶은 붉은 생육을 주었기 때문에
(오! 신이여, 피는 언제나 붉었다)

나는 말하노라 살라고, 내가 쓰는 것은
아무것도 남을 게 없게 되어 있는 듯이 살라고.

쓴다는 것은 지나가는 바람이며,

발표란 구석바지에 처박힌 한 간 난(欄)이기 때문에.

나는 말하노라. 살라고, 난폭하게 살라고, 자랑스럽게
죽으라고 등자쇠 위에 서서 도전하라.

오테로의 시 중의 수많은 작품은 평화와 언론의 자유와, 사람들 사이의 화목과, 신과 인간 사이의 화목을 명백히 요구하고 있지만, 그 밖의 시들은 현대 서반아시에 널리 펴져 있는 주제 — 서반아 자체의 문제와 국제적 고립의 문제 — 에 사로잡혀 있다. 내란과 후랑코 정부는 서반아의 피투성이가 되고 지연(遲延)된 특수한 운명에 대한 작가의 의식을 지극히 격심하게 북돋아 놓았기 때문에, 그것은 오늘날에 있어서 시의 주요한 주제로 되어 있다. 오테로는 수많은 젊은이들의 피로 양육되어온 토지에 대한 이와 같은 상태의 편견을 사랑과 공포와의 뒤섞인 감정으로서 묘사하는데 esañahogàndose[9](서반아 익사(溺死))라는 복합어를 사용하고 있다. (계속)

서반아에 대한 주제는 약간 낡은 세대에 속하는 또 하나의 북방인인 빅토리아노 크레메르(Victoriano Crémer, 1910년생)의 약간 과격한 신낭만주의적인 시에 나타나고 있다. 그의 처절한 문체 즉 '처절주의(悽絶主義, Tremendismo)'는 시 부흥기(詩復興期)의 시초에 거의 구체화되어 나와서 최근에 보다 더 억제된 방법으로 바뀐 시운동에 명칭을 부여하였다. '처절주의'는 낭만주의 시인의 또는 가장 연약한 때의 헤르난데스의 수사학적(修辭學的) 열정을 발전시키려고 모색하였다. 그 문체는 신(新)공고리스트나 '상실된' 세대의 아담성(雅淡性)에 대한 반동으로서 주로 징후적(徵候的)인 것이다. 이 유파의 가장 강력한 실천자인 유제니오 드 노라(Eugenio

• • •

9. 영어 원문은 "*españahogándose*".

de Nora, 1924년생)는 자기의 목적은 사전(辭典)이 되는 일이며, 시는 그의 독자들을 어리둥절하게 만들어서는 못 쓴다고 말함으로써 실제상 그것을 부인하였다. 그렇지만 그는 크레메르와 같이 자기의 나라의 운명에 관심을 가지고 있으며, 그의 주요한 시집의 하나에는 『나의 삶의 정열 서반아(*España pasión de mi vida*)』라는 제목이 붙여져 있다. 노라의 주류적인 정서는 오테로의 그것처럼 장래에 대한 발랄하고 힘찬 희망에 의해서 구제되고 있는 현상에 대한 일종의 절망인 것처럼 보인다. 따라서 이러한 정서가, 자기는 휘황한 빛을 발하기를 싫어하고 있음에도 불구하고, 역시 그의 시에 열렬성을 부여하고 있다.

어느 날이고 우리들은 영광스러운 죽은 사람들과 함께 있을 것이다,
대지를 발효(醱酵)시키고 눈을 마시면서,
그러나 지금 우리들은 산 사람들과 함께 있다, 싸워가는 손 속에 담긴
꿈을 가지고, 강하고 자랑스러운 즐거움을 가지고.

꽃의 건강, 나무의 힘, 바다의 시원한 분노, 봄의 싹트는 소리들은,
우리들이 모두 하고 있듯이, 전진하고
싸우고 노래하는 사람들과 함께 있다
— 신이 깨어나는 날까지!

이와 같은 모든 사회적인 시에는, 고전적인 의도의 것이든 낭만적인 의도의 것이든 간에, 형태상의 기본적인 약점이 있다. 노라는 헤르난데스에 대해서 그의 시에는 억제할 수 없는 정력이 흐르고 있는데 그것이 원숙에까지 도달하지 못하고 꺼져 버렸다고 말하고 있다. 아직 같아서는 노라 자신의 작품에도 완숙의 징후는 보이지 않으며, 아직까지도 영향을 받아들이는 단계에 있다. 한편 다만 억양의 차이에 의해서만 이들과 대척적

(對蹠的)인 입장에 서 있는 다른 방면의 시인들 — 그들에게 있어서는 종교적이며 개인적인 선입주가 사회적인 그것보다도 앞서 있지만, 그렇다고 사회적인 것이 전혀 결여되어 있는 것도 아니다 — 은 처음부터 한층 더 철저한 훈련을 받은 기술자들이다. 그중의 제1인자는 1943년에 벌써 이름을 날리기 시작한 라파엘 모라레스(Rafael Morales, 1919년생)이며, 그의 시집 『소의 시(*Poemas del Toro*)』는 그 이전에 헤르난데스와 라파엘 알벨티에 의해서 사용된 일이 있는 죽을 운명에 놓인 소의 주제를 발전시켰다. 그의 문체는 이 점에 있어서는 약간 유창하였다. 모라레스가 자기의 진정한 주제를 발견한 것은 일상적인 사물과 구차한 사람들과 무시당한 사람들과 잊어버려진 사람들을 따뜻하게 찬미한 그의 후기 작품에서였다. 그는 구차한 사물 속에 보이는 신의 환각을 조그마한 진폭(振幅) 속에 고전적인 언어로 구현하려고 드는 억제와 연민(憐憫)의 이류 시인이다. 그가 공공연하게 종교적인 주제에 대해서 쓸 때에는, 그는 대체적으로 진부하다. 그러나 자기가 사는 지방의 단순한 광경, 거기의 누더기 장사와 눈먼 행상인과 쓰레기 줍는 사람의 광경 등을 기록하는 데 만족하고 있을 때에는, 그는 그곳을 하늘의 교외(郊外)로 바꾸어 놓는다.

단명한 시인이며 화가인 죠세 루이스 히달고(José Luis Hidalgo, 1919-1947) — 그는 최후의 시집 『시체(*Los Muertos*)』로써 역시 명성을 얻었다 — 는 단 하나의 주제이며 동시에 중요한 주제를 다루고 있었다. 즉 그는 죽은 사람으로서 죽음과 씨름을 하였으며, 왕왕이 부재한 것같이 생각되고 항상 서먹서먹하게 느껴지는 신에게 논변하고 질문하고 고함치곤 하였다.

> 주여, 저에게 가르쳐 주십시오, 저에게 가르쳐 주십시오, 당신은 어째서
> 당신의 싸움을 위해서 우리들을 선택하셨습니까?

그리고 그 뒤에, 우리들은 죽음에서 무엇을 얻습니까,
영원한 평화입니까, 영원한 폭풍입니까?

죽음에 관해서라기보다는 오히려 생의 중심으로부터의 신의 부재에 관해서 발한 동일한 질문이 저명한 비평가이며 시인인 카아로스 보우소노(Carlos Bousoño, 1923년생) ― 그의 시는 여기까지는 단순하고도 오히려 장식적인 수납물(受納物)이었다 ― 의 최근의 시집 『감각의 밤(*Noche del sentido*)』에 풍요성(豐饒性)을 부여하였다. 그는 현대 서반아 시인 중에서 누구보다도 커다란 변화성을 지닌 기술적 재능을 가지고 있고, 누구보다도 광범위하게 외국 작가들을 숙독(熟讀)하고 소화하고 있다. 그는 흔히 세레이[10], 키이츠, 레오팔디를 인용하고 있다. 그러나 '처절주의자들'이 주로 낭만적인 형태에 머물러 있고, 보다 더 종교적인 시인들이 여전히 바로크적인 작가들의 영향을 받고 ― 또한 번역을 통해서 G. M. 호프킨스의 보다 더 개인적인 신성의 시의 영향을 받고 ― 있는데 대해서, 보우소노는 이 두 문체를 효율적으로 결합시켜 놓았다. 그의 시는 사고하고 동시에 노래한다. 그것은 그의 형이상학적인 사랑의 시 「너와 나(Tu y yo)」에 있어서와 같이 억세면서도 부드럽다.

햇빛 아래에, 너와 나, 두 사람.
무구(無垢)하게 계속되는 햇빛 아래에,
오 그렇다, 웃고 있는 햇빛 아래에,
우리 둘은 있고 싶다. ……있고 싶다……정말.

그늘이나 우울(憂鬱)에 지지 않고, 오늘의
부정에 지지 않고, 다만 너를 영원히 영원히

10. 셸리(Shelley).

붙잡을 수 있다면. 머물러 있어라.
작은 사랑이여, 희열의 들판이여!

그리고 여기서 우리 둘은, 서로들
보지 않고 바라보면서. 여기서 우리
둘은, 서로들 듣지 않고 말을 하면서.
서로를 붙잡지 않고 더듬어 찾으면서.

그리고 시간은, 이미 우리들을 끝이 없는
이별로 몰아내고 있다. 우리들은 우리들이
될 수 없는 것이다. 언제나 우리들은
죽음 속으로 들어가 있기 때문에!

수많은 외국 서적을 널리 읽고, 14행시에도, 보다 더 헐거운 운문 형태에도 한결같이 익숙한 시인이 보우소노를 제외하고 또 한 사람 있다. 비센트 가오스(Vicente Gaos, 1919년생)이다. 가오스는 현대 서반아 시인 중에서 가장 교묘한 시인인데, 그것은 그의 목적이 그의 동료 시인들 중에서 노라와 모라레스에 의해서 대표되는 격렬과 신중의 양대척물(兩對蹠物)을 조화시키는 데 있기 때문이다. 후자에 있어서와 같이 그의 이념은 고전적이다. 1955년에 그가 행한, 최근에 인쇄되어 나온 강연에서, 시인과 비평가는 동일한 피부 아래에 살아 있지 않으면 안 된다는 사실과, 시를 위한 최초의 충격이 영감에서 진행된다면 창작의 실제적 과정은 하나의 타협이라는 사실을 그는 강조하고 있다. 작가는 어느 정도 이와 같은 까닭모를 힘에 의해서 다스려지고 있지만, 또 어느 정도는 이 힘을 다스리지 않으면 안 된다. "동해안과 서해안 사이에는 산협도 없고 통과할 수 없는 심연도 없고, 다만 있는 것은 잔물결 이는 조용한 개울뿐이다."라고 그는 죽음에 대해 쓰면서 말하고 있다. 그렇기 때문에 그에 있어서 시라는 것은 이 개울과 같은 통일된 물체이며, 감정과 지성, 혹은 비평력의 결합된 창조물이다. 그의 작품은 공고리스트의 작품만큼 솜씨 있게 잘 처리되어 있지만, 한편으로는 또한 히달고나 보우소노의 그것만큼 신앙이라든가, 지나가는 회의(懷疑)라든가, 대조라든가, 조화라든가의 서술에 있어서 단순하게 처리되어 있다. 가오스는 자연적 관찰의 방면으로부터 형이상학적 결론의 방면에 이르기까지 확신을 가지고 움직이고 있다. 자연에 대한 환각에 있어서는 그는 약간 조지 귀렌과 비슷한 점이 있지만, 구세대의 시인들의 희미한 빛 대신에 그는 가정된 '대다수의 대중'에게 보다 더 잘 이해될 수 있는 명확한 윤곽(輪廓)을 쓰고 있다. 아마 히달고를 제외한다면 다음과 같은 잊혀질 수 없는 시행을 만들어낼 수 있는 사람은 현대의 서반아 시인 중에서는 한 사람도 없을 것이다.

> 아니다, 나는 아직까지는 신에게 버림은 받지 않고 있다.

또한 그의 최근 시집 『추억의 예언(*Profecía de Recuerdo*)』 중의 「미완의 미(Incompleta belleza)」처럼 필연적이며 훌륭하게 꾸미어진 완전한 14행시를 만들어낼 수 있는 사람도 현대 서반아의 시인 중에는 히달고를 제외하고는 아마 한 사람도 없을 것이다.

> 간혹 신의 형적이 우리들에게 구름을 통해서,
> 장미꽃 속에서, 깊은 신비로운 눈초리를 한 눈 속에서 솟아 나온다면……
> 돌연 지식의 섬광으로,
>
> 개울의 무구(無垢) 속에서, 그의 소란한 흐름 속에서
> 우리들이 확실히 신을 만지게 된다면……
> 간혹 보다 더 덧없고 미진(微塵)한 것 속에

신이 가까이 와 있다면, 그리고 그의 현존이

우울한 연못에, 서녘하늘의 마지막 놀에,
저녁 어둠속에 살랑대는 가냘픈 미풍에
신성한 미를 준다면……

때때로 신을 아주 가까이 느끼게 된다면.
때때로 신이 — 장미나 개울이나 햇빛처럼 —
지극히 눈에 보이지 않게 존재한다면. 세계가 누워 있다면.

또 하나의 다른 종류의 확신성이 죠세 히에로(José Hierro)의 시에 편재하고 있다. 그의 시에는 강한 어세(語勢)가 심중하게 밑에 가라앉아 있다.

훌륭한 변설(辯舌)의 꽃냄새를 맡는 그대는
아무런 향기도 없는 나의 말을 이해할 수는 없을 거야.
정하게 흐르는 개울물을 찾는 그대는
나의 붉은 물을 마시지는 않을 거야.

이것은 그의 시 「심미주의자에게(Para un esteta)」에서 심미주의자에게 보낸 그의 말이다. 히에로는 상아탑의 기탄없는 적대자이며, 세라야나 오테로와는 퍽 다르지만 — 그의 시는 막상 그것이 '대다수의 대중'을 위해서 씌어진 것이라 할지라도, 공중(公衆)의 암송을 위한 것이라기보다는 오히려 개인적인 독시(讀詩)를 위해서 표현되고 있다 — 역시 사회적 시인이다. 히에로의 시는 개인적인 친밀성을 가지고 있다. 그는 자기 자신의 생활에서 소재를 따오며, 내란 후 소년시절에 4년간의 감옥 생활을 한 것에 대해서, 자기의 깊은 감정 속의 내밀적인 관계에 대해서 말하고 있지만, 언제나 수많은 다른 시인들처럼 인간의 자격으로서 말하고 있다.

막대한 것을 가지고 있는 인간, 나,

죠세 히에로……

가다가 밤이면 침대 위에 누워서 — 언어에 대해서 — 꿈꾸고 있는 인간. 히에로는 자기 자신을 예술가로서 절실하게 의식하고 있지만, 그는 자기의 시에 대해서 그것이 만약에 백 년 후에 읽혀진다면 그것은 다만 기록 문서상의 가치 때문일 것이라고 말한 일이 있다. 그러나 그의 작품은 앞으로 확실히 그의 절대적인 정직성 때문에, 즉 자기의 고립에 대한 의식과 오늘날의 서반아 사회 같은 불명예스럽고 억압적이고 빈곤에 허덕이는 사회에 있어서는 다만 조그마한 생활의 친교만이 인간의 명예를 유지할 수 있다는 지식을 표현하기 위한 그의 위세(威勢) 있는 언어의 사용의 거절 때문에 존경을 받게 될 것이다. 히에로는 그의 말마따나 그의 시대의 시인이다. 그러나 개인적인 생활의 지상적(至上的)인 중요성을 주장한 데 있어서는 그는 역시 훨씬 그 이상의 존재이다.

이 밖에 몇 사람의 시인을 들 수 있는데, 그중에 주요한 사람은 정통적인 종교시인 죠세 마리아 발벨드(José Maria Valverde, 1926년생)이다. 그는 일찍부터 명성을 얻었지만, 대체적으로 그것을 유지해 오지는 못하였다. 그의 신앙심은 예민하고 점잖은 것이기는 하지만 그보다도 젊은 두 시인 — 이들은 각각 단 한 권의 시집으로 이름을 얻고 상을 탄 사람들이다 — 의 작품보다는 시대와 조화되는 점이 훨씬 적다. 이 두 시인이란 최근 옥스포오드대학의 서반아어 강사가 된 죠세 엔젤 바렌트(José Angel Valente, 1929년생)와, 일찍이 19세 때에 나온 처녀시집 『도취(陶醉)의 천품(天稟)(*Don de la Ebriadad*)』에서 상당한 길이의 글귀 마디를 꾸며내는 성숙한 힘과 반성적인 시행의 놀랄 만한 정통(精通)을 보여준 크로오디오 로드리게즈(Claudio Rodriguez, 1934년생)이다. 바렌트는 히에로의 흐름을 받은 내향적인 시인이지만, 로드리게즈는 서반아시에 새로운 주제와 무게를 도입하고 있고, 추억상의 사물의 환기(喚起)와, 기분이나 광휘의 분석에 있어서 그는 『서시(*The Prelude*)』의 시구에 나타나 있는 워스워즈를 상기케 한다. 로드리게즈는 대단히 중요한 시인이란 평가를 받을 만하다. 그는 현재 노팅감대학의 강사로 있다.

내란의 절정기에 헤르난데스에 의해서 씌어진 『거리의 바람』에서부터 1953년도 애도네스상을 탄 로드리게즈의 『도취의 천품』에 이르기까지 그리고 1957년도에 출판된 빈센트 가오스의 『추억의 예언』에 이르기까지의 시간적 거리는 불과 20년밖에는 되지 않고, 그동안에 정치적 상황은 약간 부드러워진 점도 있지만 별반 큰 변동은 없었다. 엄중한 검열제도에 여전히 순종해야 하는 소설과 희곡은 거의 발전을 이루지 못하였다. 대전 중의 마드릿드의 억압된 전경을 도스 파소스 식으로 쓴 세라(Cela)의 『벌집(*Colmena*)』은 서반아에서는 출판이 허용되지 않았다. 쥐안 고이티소로(Juan Goytisolo)의 독재정권 하에서의 학생들의 억압받는 생활의 묘사는 검열을 간신히 통과하였는데, 이것은 저자가 지극히 발랄하게 꾸미어낸 — 그 인물들의 극단적인 행동에 나타나 있듯이 — 절망적이며 난폭한 작중인물들이 비전형적인 것이라고 시사(示唆)하려고 애를 쓴 덕택이었다. 그러나 시는 자유의 문제 — 한 정당의 입장에서가 아니라 원칙상에서 본 자유의 문제 — 와, 국가의 운명 — 대체적으로 비극적으로 보았지만 깊은 애정으로써 본 국가의 운명 — 과, 종교적 경험과 종교적 회의(懷疑)의 문제에 대한 현대 서반아의 선입주를 가장 충실하게 반영하고 있다. 그중 최후의 문제는 신과 개인 사이의 — 이 양자 간의 친교에 전 사회의 건강이 달려 있다 — 직접적인 관계의 각면(刻面)으로서, 반종교개혁 이후에 처음으로 제시되고 있는 것이다. 그렇기 때문에 본질적으로 새로운 종교시는 과거에 있어서의 우나무노의 시처럼 신교적(新教的)인 것이며, 교회와 그 의식과 성례전(聖禮典)과는 관계가 없다. 이를테면 멕시코의 종교시와는 아주 판이하게도 서반아의 종교시의 색채는 기독교적이기는 하지만, 특별히 가특력교적(加特力敎的)[11]인 것은 아니다. 사실상 신교주의(新敎主義)는 다름 아닌 그의 소원성(疎遠性)으로 해서 현대 서반아에 있어서는 커다란 흥미를 자아내기 시작하고 있다. 수많은 사람들에게 있어서 가특력교회는 너무 깊이 정치에 연좌되어 있기 때문에 존경을 받지 못하고 있는 듯이 보인다.

그러나 서반아는 신세계의 서반아어를 사용하는 먼 나라들보다도 훨씬 더 광범위하게 구라파 사조(歐羅巴思潮)에서 절단되어 있다. 일부의 시인들은 여러 대학의 강사로서 외국생활을 한 일이 있으며, 대부분의 시인들은 수개 국어의 외국시에 능통하고 있다. 더구나 다마소 아론소와 보우소노의 분석적 비평은 전대에는 찾아볼 수 없었던 창작과정에 있어서의 내성적(內省的) 관심을 그들에게 부여하였다. 1953년의 『설문사화집(設問詞華集)(*Antologia consultada*)』에 인쇄된, 편집자의 질문표에 대한 모든 기고자들의 해답은, 모든 일류 시인들이 현재 얼마만큼 자기들의 목적을 자각하고 있고, 얼마만큼 새로운 청중에게 호소하려고 애를 쓰고 있는가를 여실히 나타내고 있다.

이 점에 있어서 그들은 아직까지는 성공을 거두지 못하였다. 시집이 1,000부 이상 인쇄되는 수가 극히 희소하다. 사실상 시의 독자는 로오카의 세대보다도 한층 더 제한되고 있는데, 그 이유는 서반아 출신 미국인들이 서반아 정부가 작가들을 싫어하는 줄을 알고 있으므로 추방을 당하지 않고 국내에 머물러 있는 작가들은 파시스트들의 동정을 사고 있는 것이라고 부당한 혐의(嫌疑)를 품고 있기 때문이다. 서반아에서 출판되는 새로운 시집으로 멕시코나 베노스 아이레스에서 유포되고 있는 것은 거의 없다시피 하다. 독자 저락(讀者低落)의 또 하나의 이유는 정부 후원 간행물의 붕괴 이후로 정부가 전혀 문화의 확장에 흥미를 가지고 있지 않다는

11. 영어 원문은 "Catholic"이다.

것이다. 최근에 1년간의 발매금지를 당한 일이 있는 월간문학지 『인슈라』와 같은 잡지들은 종전의 3분지 1가량의 지면으로 새로운 출판물과 어깨를 겨누어 가면서 서반아어 독자들을 보지(保持)하고 그들에게 시와 한두 편의 단편소설과 보다 더 광범위한 몇 편의 평론을 보여 주려고 애를 쓰고 있다. 그중에서 『인슈라』가 종이 배급과 불가피한 검열제도에 의해서 설정된 제 제한 내(諸制限內)에서 가장 성공하고 있는 셈이다.

새로운 서반아의 문학은 점점 그 자신의 자원에 의존해 가고 있고, 망명문학가들 — 이들의 기탄없는 작품이 한때는 (서반아 국내에) 거대한 숨은 추종자를 낳게 하였다 — 에게는 점점 관심이 없어져 가고 있다. 금지당한 서책은 책방의 자판 위에서는 찾아볼 수 없으나, 그것은 우원(迂遠)한 방법을 통해서 언제나 손에 넣을 수 있었다. 그러나 새로운 작가와 그들의 민중은 최근에 와서는, 그들의 현재의 고립의 반대 면인 독립을 획득하였다. 그들의 모범은 『칸시오네로스(*Cancioneros*)』 — 고가요서(古歌謠書) — 와 만리크(Manroque)로부터 로오프(Lope)를 결쳐서, 공화국 군대의 불란서로의 최후의 후퇴 시에 죽은 안토니오 마챠도에 이르기까지의 서반아시의 주류 속에서 찾아지게 되어 있다. 대부분의 다른 나라들과는 대조적으로, 그들은 현대 서반아로서는 새로운, 표현의 단순성과 직접성과 수사학으로부터의 자유를 발견하였다. 오늘날 시에 씌어져 가고 있는 설변체(說辯體)의 운율도 역시 새로운 것이다. 고전적인 문체와 낭만적인 문체의 두 가지가 개별적인 한 시인 속에서 발견될 수 있지만, 주요한 경향은 확실히 절제로 향하고 있다는 것이다.

공고리즘, 숄레아리즘, 울트라이즘은 이미 지나가 버린 유행이며, '처절주의(悽絶主義)' 조차도 오늘날에 있어서는 시대에 뒤떨어진 감이 있다. 2-3년 전에 다마소 아론소는 그의 시를 통해서 현대 시인들은 동일한 열차 안에 타고 가고 있지만 누구 하나 어디로 가고 있는지를 알고 있는 사람은 없다고 말한 일이 있었다. 요즈음에 와서 그 선로의 방향이 뚜렷하게 보이기 시작하였다. 그 열차가 달리고 있는 판도(版圖)의 지도가 최근에 조세 루이스 카노(José Luis Cano)에 의해서 그의 『현대서반아시사화집(*Antologia de la nueva poesia espanola*)』(마드릿드 그레도스 판) 속에 훌륭하게 묘사되었다.

> 정치적 변화가 서반아에 도래하게 되는 날에는, 파시즘의 붕괴가 이태리에서 일어났을 때 모양으로 숙달한 재능의 놀라울 만한 개화와 수많은 예술에 있어서의 당돌한 전진이 뚜렷하게 나타날 것이다. 현재 그것을 예상하여 볼 때, 아마 그것은 엄격하고도, 개인주의적이고도, 넓은 의미에서 신교주의적인 것이 될 것이다.[12]

그동안에, 내가 말한 것과 같은 검열제도는 시인들에게 불시의 공격을 가하였고, 최초의 희생자로서 브라스 드 오테로를 끄집어내었다. 그의 초기 시의 전집으로부터는 두 편의 시가 인쇄 직전에 삭제를 당하였다. 그 다음에 후기 시집의 재판 발행이 금지되었고, 가장 최신작에 속하는 그의 시집이 역시 출판금지를 당하였다. 최근 6년간의 그의 작품 — 이 동안의 작품은 종래에 비해서 사회적인 내용의 것이 약간 많이 발언되어 있다 — 은 서반아에서는 하나도 출판될 수 없다. 그러나 그것은 베노스 아이레스에서 출판되게 되어 있고, 또한 그 밖에 두 사람의 시인이 그들의 작품을 멕시코로 보내기 시작하였다. 아직 같아서는, 해외에서 출판하는 작가들을 처벌하기 위한 여하한 행동도 취해진 일이 없다. 재판도 하지 않고 지식인을 투옥하는 — 현재 1년 동안을 억류되고 있는 잡지 『알데바란(*Aldebaran*)』의 편집자의 경우에 있어서와 같은 — 불상사가 다시 예사로 되어 가고 있는 현상에 있어서는

● ● ●

12. [원주] 여기에(엔카운터지에서) 작품을 발표한 일도 있는 시인의 한 사람이 작년에 필자한테 말해 준 이와 같은 결론의 요점을, 필자는 인슈라의 대표자하고 나눈 문학 문제에 대한 인터뷰의 이야기 중에서 슬그머니 언급한 일이 있었는데, 그것은 서반아의 검열에 걸려 삭제를 당하였다.

그들의 면역이 계속되기를 오로지 우리들은 희망할 수 있을 뿐이다.(『엔카운터』지에서)

—J. M. 코헨(J. M. Cohen, 1903-)은 미국 캠브릿지의 퀸스칼리지에서 장학자금 급비생으로서 공부하였고, 문학을 직업으로 갖기 전에는 여러 해 동안을 평범한 실업가로서 지내왔다. 최초의 그의 주요한 저서는 '펜긴' 총서의 『돈 키호테』이고, 그 후 라부래애와 그 밖의 세 명의 고전 작가의 연구서가 뒤따라 나왔다. 현재는 파스칼의 『팡세』에 대해서, 역시 '펜긴' 총서에 출판할 예정으로 일하고 있는데, 특히 그는 서반아문학과 서반아 출신의 미국인의 문학에 관심이 크고, '펜긴' 총서의 『서반아시집』을 편찬한 일도 있다. 과거 50년간의 서반아 시의 족적을 개관한 저서를 그는 아주 최근에 탈고하였는데 이것은 머지않아 핫친슨 출판사에서 발간될 예정이다. 그 밖에 그는 주로 시와 종교철학에 대한 글을 여러 잡지에 기고해 왔고, 또한 희극시와 진기한 시만을 모은 두 권의 사화집(詞華集)이 그의 편찬으로 쉬 나오게 되어 있다. (역자)

-『현대문학』, 1960. 4-5.

쏘련문학의 분열상[1]

—로봇주의에 항거한 새로운 '감정의 음모'에 대한 목격기

피이터 비어레크(Peter Viereck)

1847년에 반쓰아정권파[2]의 반역자 비사리온 베린스키는 러시아 작가의 역할을 '독재정치의 구조자'[3]가 되는 일이라고 갈파했다. 그런데 오늘날에 있어서도 러시아의 작가들은 이 위험한 역할을 맡아 하고 있느냐 안 있느냐에 따라서 구분되고 있다.

작년 10월에 제22차 쏘련 공산당대회가 열렸을 때 미국은 중공과의 이론적 충돌이라든가 스탈린의 시체를 파헤쳐내는 일 같은 자극적인 메로드라마에만 주로 관심을 쓰고 있었다. 그래서 아주 색다른 종류의 토론에 대해서는 전혀 주의를 기울이지 않았는데 이 토론은 표면상으로는 문학적인 것이었지만 사실은 방대한 간접적인 정치적 암시가 담겨 있는 것이었다. 이 토론은 쏘련의 가장 유력한 두 사람의 편집자가 회의 중에

1. 이 글의 번역 제목 옆에는 '≪쏘≫'라는 글자가 첨가되어 있다. 영어 원문에는 없는 글자이고 무의미하다고 여겨져 삭제했다.
2. anti-czarist.
3. 영어 원문은 "saviors against autocracy."

경쟁적인 연설을 하게 되자 공공연한 정면충돌을 보게 되었다.

10월 회의서 행한 아렉산들 트바르도후스키의 연설은, 공포와 당국의 간섭에서 해방된 예술가들에 의한, 좀 더 '성실한 문학'을 창도(唱導)했다. 이에 대한 부세보로드 코제토후의 논박은 스탈린 시대의 전형적인 영웅적 선전문학으로의 복귀를 주장했다. 이와 같은 교전은 오랜 세월을 두고 러시아에서 발전해 내려온 지식층의 분열이 노정된 것이다.

1961년에 나는 '문화 교환'의 시인 겸 사학가로서 쏘련 안을 여행하며 돌아다녔다. 사실상 나는 미·소 문화 교류 계획에 따라서 그곳에 체류한 마지막의 문학자였다. 이 문화 교류 계획은 작년으로 만기가 되었고, 그 후 아직껏 갱신을 하지 않고 있기 때문이다. (공산주의에 대해서는 나의 견해는 완전히 상이한 것이기 때문에) 정치를 고사한다면, 내가 가장 빈번히 겪은 경험은 러시아의 일반 민중의 진정에서 우러나오는 친절이었다. 그들은 분명히 로보트화되어 있지 않았다. 우리들이 가끔 이야기 들어온 것 같은 그런 멋대가리 없는 호전가들은 아니었다. 처음에는 미국의 저명한 서정시인 리챠아드 윌바와 함께 여행을 했는데 러시아 문학계는 번역을 통해서 우리들 두 사람을 다 잘 알고 있었다.

9월과 10월에는 쏘련작가동맹과 골키협회의 회합에 참석해서 젊은 작가들을 위해서 연설도 했다. 쏘련시인들의 이채로운 대중적인 시 낭독회에 참석한 일이 있었고, 그중에 9월 중순 경에 열린 회합(당시에 미국 신문은 이 회합을 주목하지 않았다)에서는 에후게니 에후투센코가 처음으로 그의 유명한 반유태인 기질을 반대하는 시 「배비 야르」를 낭송했다. 모스크바에서 나는 레오니드 레오노후, 이리야 에렌부르그, 콘스탄틴 시모노후, 아렉세이, 수르코후 같은 유력한 쏘련작가들뿐만 아니라 에후투센코와도 장시간 이야기를 나누었다. 수부(首府) 이외의 곳에서는 코우카사스 지방에서 두 명의 죠오지아 공화국의 시인을 만났고, 레닌그라드의 정중한 작가동맹의 초대를 받았고, 타쉬켄트와 세마칸드[4]에서는 아시아의 지도적인 우즈베크의 작가들을 알게 되었다. 이러한 대부분의 작가들과의 회화를 나는 줄곧 노우트해 두었다. 그들은 전부가 진지한 태도로 공산주의와 쏘련 정부에 대해서 충성심을 갖고 있었다. 나하고 얘기를 나눈 모든 작가들은, 독재정권하에서 예기했던 그대로, '정확한' 공식적인 노선 안에 머물러 있었다. 그러나 그들은 지극히 상반된 방식으로 공산주의를 이해하고 있다. 그들의 분열은 스탈린그라드가 볼고그라드가 된 것으로 상징되는 국가적 상처를 받은 뒤에 러시아가 진화해야 할 방법과 방면에 대한 중대한 문제에 관한 것이다. 전반적으로 보아서, 그들은 트바르도후스키와 코제토후의 양 편집자가 대표하는 두 개의 적대 진영으로 갈라져 있는 듯이 보인다. 이 두 개의 진영이란 어떠한 것인가?

코제토후의 스탈린주의의 봉화

코제토후의 대표적인 소설『옐쇼후의 형제』(1958)는 부라디밀 두딘쎄후의 광범하게 논쟁된『빵만으로는 살 수 없다』에 대한 신(新)스탈린주의자의 답변이다.『빵만으로는 살 수 없다』는 출세주의의 당 관료들에 대해서 창조적인 지식인을 옹호하는 작품이지만, 코제토후의 소설은 '혹평적인' 지식인에 대해서 열성적인 관료를 옹호하고 있다. 이것은 죠세후 맥카시의 수법 그대로 쏘련의 지도계급의 정수적(精髓的)인 지식층들에 대한 공포심을 이용하고 있다. 이들은 1956년에 항가리에서 간담을 서늘하게 한 일이 있듯이, 혁명의 선동가(煽動家)로 경원(敬遠)되고 있다.

코제토후의 문학적 장점은 어떠한 것인가? 그것은 매스미디어로서 칭찬을 받고 있다. 그것은 쏘련사회의 성공적인 순풍을 탄 중간계급에 의해서 칭찬을 받고 있다. 그러나 그것은 대부분의 보다 더 진지한 작가들에게는 신랄한 조소(嘲笑)를 받고 있다. 이를테면,『배비 야르』를 쓴 사람이

● ● ●

4. samarkand.

라고 지명은 하지 않았지만 분명히 에후투센코를 핀잔하고 조롱한 대목이 끼어있는 『오부라스트 위원회의 위원장』(1961)이라는 그의 소설에 대한 평판을 살펴보자. 두 개의 광범하게 유포되고 있는 비문학적인 신문은 이 소설을 하늘 끝까지 찬양했다. 그런데 모스크바의 『문학신문』(1961년 12월 6일)은 이 소설을 스탈린적 수법에 반대하는 명확한 입장을 취하지 못했다고 지독하게 까내렸다. 두말할 것도 없이 트바르도후스키와 코제토후의 양 진영 사이의 관건적(關鍵的)인 문제점이 여기에 있다. 즉 스탈린(현재는 코제토후까지 이를 비난하고 있다)뿐만 아니라 전반적인 스탈린주의까지도 공격하려는 트바르도후스키의 의도가 여기에 있다.

두 번째의 연관성 있는 문제는 트바르도후스키의 문학적 가치에 대한 주장에서 오는 것이다. 『문학신문』의 편집자의 직책에서 면직되기 전에 코제토후는 주장하기를 원고는 '단순한' 문학적 가치에서가 아니라 주로 당 노선의 완전성 여하에 따라서 판단되어야 한다고 했다. 이러한 주장은 『문학과 생활』이라는 새 잡지가 이 논쟁에 가담하게 되자 엄청나게 강화되었다. '작가의 능력'에는 여러 가지 층이 있기 때문에, "정확한 이론적 정치적 주장만 남겨 있으면" 되지, 편집자의 눈에 들지 않는다고 원고를 거절하는 일은 우스꽝스러운 일이며 우수한 작품 중에도 옳은 주장이 담겨 있지 않은 것이 너무나 허다하다고 이 신 잡지(1959년 9월 6일)는 주장했다. 그런데 이 『문학과 생활』지는 USSR작가동맹의 보다 더 관대한 정책에 대한 번견(番犬)의 역할을 하기 위해서 쏘련공화국의 지방작가동맹에 의해서, 당의 격려를 받고 1958년에 창간된 것이다.

트바르도후스키는 해빙을 원한다

트바르도후스키는 코제토후보다도 구 노선의 당 관료들로부터는 훨씬 적은 지지를 받고 있지만 작가들로부터는 압도적인 지지를 받으면서 이러한 모든 적대 노력과 맞서고 있다. 1910년 출생의 트바르도후스키는 편견 없는 지적 비평가도 아니며, 순순한 심미주의자도 아니다. 그는 진지하고 열렬한 공산주의적 이상주의자이고, 전쟁의 노병이고, 애국적인 전쟁시(詩)의 작자이고, 1938년 이후에는 당원이다. 그는 또한 정직한 사람이고 위인은 아니지만 위대한 목적을 위해서 싸우고 있는 사람이다. 그의 목적은 가혹한 기계주의적인 공산주의를 인간적인 것으로 만들고, 작가뿐만 아니라 전체적인 쏘련사회를 위해서 제한된 것이기는 하지만 진정한 의미의 자유를 증대시키고자 하는 일이다. 이와 같은 공산주의에 대한 상투적인 충성심을 가지고 있기는 하지만 — 혹은 오히려 그것이 있기 때문에 — 그는 오랜 기간의 동결기(凍結期)를 겪은 쏘련인들에게 따뜻한 해빙을 맛보게 해주려는 사람들의 대변인이며 보호자로서 인정되고 있다.

1960년 4월 29일과 5월 1일의 『프라우다』지에 그중의 일부가 게재된 그의 장시 「멀고 먼 저쪽」을 보면, 그는 현재 정권을 잡고 있는 대부분의 전일의 스탈린의 부하들보다도 훨씬 더 깊이 반유태인 기질 속으로 파고들어 가고 있다. 그것은 스탈린 시대의 반복을 막기 위하여 러시아의 정치적 성숙을 촉구하고 있으며, 1961년도의 레닌상을 받았다. 고생해서 얻은 새로운 성숙의 주제는 오늘날의 러시아의 지적 투쟁이 가지고 있는 특유한 것이다. 이를테면 이 주제는 이리야 에렌부르그의 회화(會話)에서 뿐만 아니라 소설에도 빈번히 나타나고 있다. 에렌부르그는 능숙한 소비에트의 변호자이지만 또 스탈린 사후의 해빙기의 진정한 효율적인 창도자(唱導者)이기도 하며, 이 해빙이란 말부터가 그의 1954년의 소설 『해빙』에서 따온 것이다. 스탈린 치하에서 교육을 받지 못하고 소경이 된 쏘련 인민은 오늘날 교육을 받고 성숙해졌고, 따라서 장차는 훨씬 더 많은 정치적 자유를 향유할 것을 주장하게 될 것이라고 그는 나한테 말해 주었다.

프랑스의 상류사회 풍으로 꾸며 놓은,[5] 피카소의 그림(개인적으로 그에게 선사한)으로 둘러싸인 방 안에서, 20년 묵은 아마그나크[6]의 술병을 앞에 놓고 앉은 반백의 두발(頭髮)을 한 에렌부르그는 모스크바에서 내가 본 사람 중에서 가장 냉소적인 사람같이 보였다. 그는 나를 보고 흑해 연안의 소치(Sochi)를 방문하지 않는 것이 좋을 것이라고 경고하면서, 그곳을 '프롤레타리아화한 니이스(Nice)'라고 불렀다. 에후투센코의 사랑의 시가 '러시아의 문학생활의 저주물(詛呪物)' — 쏘비에트의 청교주의 — 의 비난을 자아낸 이유도 설명해 주었다. 에후투센코는 남녀 간에 육체적 차이가 있다고 공식적인 비밀을 탄로시킨 것이 죄가 되었다.

문학토론에는 수많은 형태가 있고 그것은 흔히 직접 정치의 영역으로 옮겨가는 수가 많다. 트바르도후스키가 흐루시쵸프의 파티에서 사사로이 시 낭독을 하기 위해서 초대되었다는 소문이 도는가 하면 한편에서는 코제토후가 비밀리에 스탈리주의자들과 접촉을 하고 있다고 생각되고 있다. 코제토후는 흐루시쵸프가 고안해낸 애완물(愛玩物) — 트락타 정류장 — 을 공격한 일이 있었다.

쏘련은 흐루시쵸프가 다스리는 공산당중앙위원회에 의해서 통치되고 있다. 제22차대회 이후에 그것은 175명의 정위원으로 구성되고 있다. 이 최고기관은 작가들을 각별히 중시하고 있다. 경쟁적 양 문학 당파 사이의 균형을 유지하려고, 위원회는 두 쪽에다가 다 같이 감투를 씌워 주었다. 트바르도후스키는 중앙위원회의 후(보)위원이 되었고, 코제토후는 약간 부차적인 중앙감찰위원으로 임명되었다.

중앙위원회의 정위원은 양파(兩派)로 다 같이 달갑게 생각하지 않는 무소속의 문학적 이단자인 미하일 쇼로후[7]에게로 떨어졌다. 쇼로후는 소설의 작자이며, 그중의 최초의 작품(1928년에 쓴 『조용한 돈강』)은 아직까지도 미국에서 가장 많이 알려져 있는 쏘련 작품이다. 그의 작품은

● ● ●

5. 원문은 "Surrounded by copies of *Le Monde*".
6. 아르마냑(armagnac).
7. Mikhail Sholokhov.

쏘련 내에서는 '사회주의 리얼리즘'의 모범적인 표본처럼 권장되고 있지만, 이 소설의 아름다움의 일부는 코제토후가 요구하는 흑이나 백의 정치적 상투 문구를 회피한 데에 있다. 그러나 러시아의 농촌의 스라브적인 신비성을 가지고 있는 쇼로후는 트바르도후스키가 가지고 있는 서구식의 도회적인 특성을 불신하고 있다.

스라브 민족파 대 서구 개화파

사실상 군주적인 스라브 민족파와 서구적인 개혁파 사이의 19세기의 논쟁을 재독하는 사람은 러시아의 지식인의 역사의 계속을 인식하게 될 것이다. 코제토후 — 트바르도후스키 간의 논쟁을 보면 맑스주의의 방언 밑에 숨어 있는 것은 다름 아닌 이완[8] 뇌제(雷帝)와 페터 대제 사이의, 동방을 바라보는 모스크바와 서방을 바라보는 페테르부르크 사이의 고대 러시아의 분열이다. 독립적인 쇼로후는 러시아의 대지를 변형시키려는 사람들을 믿지 않으며, 위원회에서 행한 연설에서는 현실에 담을 두르고 대도회의 호화롭게 기품 높은 생활을 좋아하는 작가들을 통렬히 비판하고 있다. 또한 그는 서구적인 영향에 타락되어 '야비한 계집아이들의 신경질적인 함성' 앞에서 '잘난체하는 정면 관람석에 앉은 시인들'에 대해서도 언급했다. 그는 지명은 하지 않았다 — 이것은 쏘련의 문학논쟁의 경기규칙이다. 하지만 그가 공격한 것이 트바르도후스키와 에후투센코라는 것을 모르는 사람은 없다.

양 진영의 두 효장(驍將)이 제22차 회의에서 정면으로 대치했다. 트바르도후스키는 일부의 작가들이 독자들에게 어떤 것을 이야기해야 하며 어떤 것을 이야기해서는 아니 되는가에 대해서 느끼고 있는 고심을 말하면

● ● ●

8. Ivan. 영토 확장에 기여했으나 폭군으로 알려진 러시아 황제.

서, "이것이야 말로 예술에 대해서 큰 해를 끼치는……" 스탈린주의적인 "의구(疑懼)의 정신"에로의 퇴보를 의미하는 것이라고 갈파했다. 코제토후는 "…… 즐거웁게 당에 펜을 제공하는 작가들"을 비웃는 "유미주의적인 일부의 비평가들"을 공격했다.

이 두 사람은 아직도 그 결과를 예측할 수 없는 싸움에 몰두하고 있는 문화군대의 장군이며 지도자이다. 이들을 뒤따르고 있는 세력은 어떠한 것인가? 트바르도후스키는 러시아의 지도적인 문학잡지 『신세계』를 편집하고 있다. 잡지의 친해빙적(親解氷的)인 위치는 『문학신문』의 조심성 있는 성원과 『청년』지의 대담한 지지를 받고 있다. 이들의 가장 사나운 경쟁자는 코제토후의 반해빙적(反解氷的) 잡지인 『시월』이며 이것은 레닌그라드의 『네바』의 조심성 있는 지원과 『문학과 생활』의 대담한 지지를 받고 있다.

전세는 쌍방이 다 같이 3과 3으로서 비등하며, 적어도 3, 4주일 전까지만 해도 그랬다. 『청년』지의 1962년 1월호에는 여전히 유명한 독립적인 작가 바렌틴 카타예후의 이름이 편집 책임자로 실려 있다. 그런데 1962년 1월 27일자의 『문학신문』에는 파스테르나크의 초라한 부고(訃告)를 상기시키는 2면의 조그마한 '상조(箱組)' 속에 카타예후가 자진해서 "『청년』지의 편집장직에서 물러나고" 후임으로 신뢰할 만한 당의 일꾼인 보리스 포레호이가 들어섰다는 유감의 뜻을 표시하는 성명서가 나와 있었다. 이 사건은 코제토후파가 트바르도후스키파를 누르고 결정적인 것은 아니지만 주요한 승리를 거둔 것이 된다.

작년에 코제토후파(派)는 정부로 하여금 트바르도후스키의 『신세계』에 주는 종이 배급을 150,000부에서 87,000부로 삭감하도록 하는 데 이미 성공한 일이 있었다. 그러나 스탈린의 시대이었더라면 종이 배급이 아니라 모가지들이 떨어졌을 것이다. 1961년 6월호의 『신세계』지에는 비크톨 네크라소후의 감동적인 반스탈린주의적인 소설이 실려 있었는데, 네크라소후의 복음은 "스탈린주의가 다시는 일어나지 않을 것을!" 다짐하자는 것이었다.

에후투센코의 입장

오늘날보다 더 많은 개인적인 자유를 요구하고 있는 쏘련의 작가들(트바르도후스키, 에후투센코, 네크라소후, 카라코후, 에렌부르그)이 맑스주의적인 테두리까지도 벗어나고 있다고 결론짓는 것은 잘못일 것이다. 사실상 그들은 파시스트형의 테러리스트인 스탈린보다도 자기들이 한층 더 우수한 맑스주의자라고 자인하고 있다. 그들은 맑스주의를 러시아의 전통의 동방적인 독재적 부분하고보다는 서구적인 부분하고 융합시키려고 시도하고 있다. 하지만 만약에 그들이 성공한다면, 그것은 스탈린식의 훈련을 받은 거센 당의 두목들에 의한 있을 법하지 않은 자유에의 개종 때문이 아니라 이러한 두목들이 지식인, 예술가, 과학자들의 새로운 성숙한 세 개를 필요로 하게 될 것이기 때문이다.

쏘련의 반세계주의는 항용 반유태인 기질의 형태를 취하는 수가 많다. 이에 대한 충돌은 작년 9월에 에후투센코의 반유태인 기질에 대한 감동적인 공격 「배비 야르」에 의해서 전 세계에 극적으로 표현되었다. 코제토후 일당은 같은 달 『문학과 생활』지의 지상을 통해서 이 시를 혹독하게 공격했다. 모스크바에서 나는 동호(同號)를 보았는데 그것은 에후투센코를 세계주의자라고 지탄하면서, 유태인이 수난당한 일만을 쓰지 말고 모든 쏘련의 시민들이 수난당한 일에 대해서 써보라고 에후투센코에게 힐문(詰問)했다. 우리들은 모스크바에서 에후투센코가 낭송하는 것을 들었는데, 「배비 야르」의 발표된 시[9] — 이것을 번역한 것이 뉴욕의 『타임스』지와 그 밖의 곳에서 발표되었다 — 는 그의 작품의 전부가 아니다.

9. '「배비 야르」의 출판 판본(published version)'을 뜻한다.

생략된 부분 속에는 오늘날 러시아에서는 반유태인적인 감정이 (공식적으로는 부인되고 있지만) "여전히 알콜의 독기와 술 취한 뒤의 회화 속에서 떠오르고 있다"는 진술이 있다. 28세의 작자가 이 시와 그 밖의 다른 시를 읽을 때, 나는 주위의 관중들의 반응을 주의 깊이 살펴보았다. 사람들은 순수한 서정시의 전 작품과 일부의 사회적 양심이 담겨 있는 시에서 깊은 감동을 받았는데, 「배비 야르」만은 재독(再讀)을 시켰다. 재독을 하는 동안에 러시아인들은—'야비한 계집아이들'이 아니다—감동적인 순간마다 눈물을 흘렸다. 그들이 눈물을 터뜨린 것은 안네 후랑크에 대한 애절한 은유("4월의 나뭇가지 모양으로 연약한")가 나왔을 때와 동정적인 동일성("오늘 나는 유태인의 인민들만큼 나이를 먹었다")을 주장했을 때와 자기의 슬라브 동포들의 명예에 호소하는 구절이 나왔을 때였다—"오 나의 러시아의 인민들…… 정하지 않은 손을 가진 사람들은 빈번히 고함을 치면서 당신의 가장 깨끗한 이름을 따려고 했지만 허사였지, ……나의 몸속에는 유태인의 피는 없지만, 그러나 나는 모든 반유태인적인 사람들로부터 내가 마치 유태인인 것처럼 증오를 받고 있고, 이 때문에 진실로 나는 진정한 러시아인이다."

이 시 낭독의 하룻밤은 당대의 러시아 청년—예술에 대한 그의 열정과, 자유와 종족적 관용에 대한 그의 열정—에 대한 나의 가장 잊혀지지 않는 개인적인 인상을 제공해 주었다. 나의 주위에는 온통 내가 사랑할 수 있게 된 러시아인들이 있었고, 너그러운 심미적이며 윤리적인 분위기를 가진 러시아인들이 있었다. 그것은 자유로운 시적 자기표현에 대해서 진심에서 우러나오는 자연스러운 열광을 느끼면서 좋아하고, 소리 지르고, 웃고 하는 젊은 러시아이었고, 정부가 풀어 놓고 있는 반신반의의 해빙의 의도를 훨씬 넘어선 폭발적인 환희이었다. 이들은 스탈린 시대의 시 낭독회에 가서 파스테르나크를 보면 자연 발생적으로 "소네트 66!" 하고 고함을 친 사람들이다. 그다지 비밀로 여기지 않게 된 이 말은 파스테르나크가 쉑스피어의 소네트의 한 작품에서 번역한 구절이다.

—"그리하여 예술은 당국의 손으로 혀가 묶이었다."

우크라이나의 수도 키에후는 조심성 있는 모스크바보다도 한결 더 노골적으로 모든 모스크바의 정치와 문학의 싸움을 반영하고 있다. 키에후의 신문에는 쌍방의 견지(見地)에서 보다 더 극단적이고 보다 더 솔직한 발표가 개제되기 때문에 주목할 만한 가치가 있다. 일례를 들자면, 작년 8월에 키에후의 '해학(諧謔)' 잡지인 『호초』지에는 卍자의 주위를 도는 다빗드의 성좌의 큰 만화(漫畵)가 실렸는데 그 밑에는 서독 국가의 머리와 이스라엘 국가의 머리가 서로 포옹하고 있는 것이 보였다. 반해빙진영에서 이러한 음란한 짓을 한다는 것은 1939년의 대힛틀러조약의 죄를 범한 나라로서는 특히 고약한 일이다. 그러나 거의 때를 같이 해서 친해빙진영에서 나온 시가 키에후의 문학신문에 게재되었다. 에후투센코의 '이야기'가 그것이다.

아직 같아서는 이 시는 모스크바의 『문학신문』이나 그 밖의 쏘련 내의 여하한 곳에서도 발표되지 않았다. '이야기'는 장차 지금보다도 나은 시대가 오면 예사로 생각될 것 같은 일을 한 데 대해서 용감한 사람이라고 그의 작자가 불리어지는 것을 거부하고 있다.

'당신은 용감한 사람이다'라는
말을 나는 듣는다.
그렇지 않다……고
나는 쓴다.
그러면 무엇이란 말이냐?
나는 밀고자가 아니었다……
허위(虛僞)를 비웃음으로 돌리고
큼지막한 소리로 나의 사상을 말해 보자는 것이었다.

어느 때인가 수치(羞恥)와 거짓말이 없어질 때
후세는 — 수치로 몸을 태우면서 —
이 기묘한 시대를 기억할 것이다
평범한 정직이 용감이라고 불리어진 시대를.

에후투센코는 결코 반혁명주의자가 아니기 때문에 그의 해방적인 목소리는 러시아의 청년들을 이끄는 데 한결 더 큰 효과를 나타내고 있다. 그는 코제토후 진영의 적대자들보다도 여러 가지 방면에서 우수한 레닌주의(자)였다. "어떤 집단이나 개인이 극히 미소한 반유태인 기질의 흔적이라도 보이게 되면, 그 집단이나 개인을 반동적인 성격을 가진 것이라고 규정해도 된다"고 선언한 것은 다름 아닌 레닌이었다. 그렇다면 모스크바의 출판물, 『문학과 생활』은 얼마나 반레닌주의적이겠는가. 동지(同誌)(1961년 9월 24일)는 「배비 야르」의 작자를 "도대체 그대는 어떠한 종류의 러시아인이냐!"고 조롱을 하면서, 그의 시를 전열(戰列)에 참가한 '씩씩한 러시아의 젊은이들'을 모욕하는 '주유(侏儒)의 침'이라고 부르고 있다.

한쪽에서는 유태인 학살을 관대히 보라는 과격한 시가 나오고 또 한쪽으로는 에후투센코 같은 과도한 작품이 나오는 것을 보고, 정부는 양 진영을 다 같이 견책하고 『문학과 생활』은 편집자를 바꾸고 『문학신문』에는 호통을 쳤다고 한다.

에후투센코는 외롭지 않으며, 그 밖의 다른 비유태인들로 반유태인 기질에 대해서 그와 동일한 입장을 취하고 있는 사람들이 있다. 네크라소후와 트바르도후스키파의 가장 유능한 산문 작가들은 이틀 동안에(1941년 9월 29일과 30일에) 33,771명의 유태인이 학살당한 '배비 야르' 계곡에 영관(榮冠)을 씌우기 위한 일로서 정부가 정중한 기념물은 계획하지 않고 운동경기장만을 세울 계획을 하고 있다고 불평을 말했다. "그처럼 거창한 비극이 일어난 곳에서 희희낙락하며 공을 차고 뛰놀다니!" 하고 네크라소후는 『문학신문』(1959년 10월 10일)을 통해서 항의를 제출했다. 그보다 앞서 1956년 말에 『시월』지에 게재된 에후투센코(당시에 그는 23세밖에 안 됐다)의 최초의 문제작 「지바 정거장」은 스탈린이 '유태인 의사의 각본'을 꾸민 것과 압제정치 하에서 쏘비에트가 전반적으로 침묵을 지킨 것에 대해서 국민적 양심에 호소한 것이었다.

그러니까 그 의사는 죄가 없다는 것이 판명되지 않았나?
그런데 어째서 인민들은 그처럼 가슴 아파했던가?
그에 대한 말을 한다는 것은 전체의 유렵에 대한 말할 수 없는 모욕이다!……
우리들은 어제 우리가 한 일에 입을 다물고 있다.

당원이 아닌 에후투센코는 그의 시가 1957년의 당의 청교도들로부터 성애주의(性愛主義), 정치적 이탈주의, 앵그리 영맨파 등의 죄명으로 고발을 당한 이후, 콤소몰(쏘련 청년동맹)에서 추방도 당하고 재가입도 되었다. 1933년에 시베리아의 지마(겨울)라는 마을에서 태어난 에후투센코는 모스크바의 골키연구소에서 학업을 닦았다. 그는 이딧쉬어도 죠오지아어도[10] 몰랐지만, 러시아어로 번역된 그들의 시를 읽었다. 그의 혈통은 순전히 스라브족에 속해 있었고, 그의 조부가 역시 반역죄로 쓰아 정권 때에 우크라이나에서 시베리아로 유형을 당했다. 여러 가지 방식의 그의 통렬한 기지(機智)와, 충격과 반발을 일삼는 그의 필요성과 속물들에 대한 거만한 그의 꼬임수는 도시의 카페에 나온 시골청년이 흔히 가질 수 있는 방어수단같이 생각된다.

에후투센코는 맑스주의자이고 친해빙파의 개혁논자이지만 그의 정치

● ● ●

10. 이딧쉬어는 이디시어(Yiddish)로 불리는 동부 유럽 유대인들의 언어를, 죠오지아어는 그루지아어(Georgian)를 가리킨다.

적 역할을 서구 사람들이 과장하는 것은 잘못일 것이다. 그는 원래가 개성적인 서정시인이다. 근본적으로 정치적인 인간이 못 되고, 마야코후스키와 딜런 토오마스의 혼혈아쯤 된다. 러시아적인 견지에서 볼 때는 레르몬토후의 매력적이며 자기 극화적(劇化的)인 바이론니즘의 전통에 속해 있다. 그가 자기의 개성을 군중들을 위해서 이용할 때에 나타나는 나르시스적인 교태(嬌態)에는 진지한 문우들은 눈살을 찌푸리지만, 그가 진정한 시적 재능을 보일 때는 그들은 기꺼이 그를 용서하고 깊은 신뢰감을 갖는다. 그의 장래를 예측하기를 지극히 곤란하게 하는 것은 이 러시아의 바이론니즘의 전통이 무의식적인 자기 파괴의 저류(底流)를 가지고 있고, 항상 자칭 민중영웅과 자칭 순교자 사이를 즉 마티네[11]의 우상과 대추방인(大追放人) 사이를 왕래하고 있다는 사실 때문이다.

그의 가장 진정한 심미적인 재능은 긴 파도 같은 서정적인 리듬이다. 이 재능을 충분히 발전시켜서, 소비에트문학을 영원히 풍부하게 만들기란 시간이 필요한 힘든 작업이며, — 때에 따라서는 — 침묵이 필요할 때도 있을 것이다. 나는 그가 순교자의 수준의 것이든 반공무적인 수준의 것이든, 단명한 정치시(政治詩) 따위에 과도하게 정력과 시간을 잃어버리지 않기를 바란다. 국내적이나 국제적인 각광을 피해서 충분한 자유로운 시간을 갖고 미사여구(美辭麗句)의 손쉬운 불놀이에 대한 탐닉을 억제하면서 시기를 연마하는 보다 덜 연극적이며, 보다 더 본질적인 공부를 하기를 바란다. 그렇게만 하면 그의 새 세대에 대한 결정적인 영향은 특히 그것을 트럭타의 강박관념과 추상으로부터 구체적인 온정과 인간 위엄으로 돌리는 데 있어서, 그의 작품을 오늘날의 러시아의 가장 힘찬 재인간화의 힘으로 만들 것이다.

1961년 10월 8일에 나는 에후투센코와 가장 오랫동안 얘기를 나누었다. 이 날짜가 특히 나의 기억에서 사라지지 않는 것은 그날이 바로 모스크바에

● ● ●

11. matinee. 연극 등의 주간 흥행. 즉 대중적 열광을 뜻한다.

서 '시의 날'의 축하행사가 있던 날이기 때문이다. 5천 명이나 되는 수많은 모스크바 시민들이 그들의 좋아하는 시인들의 낭독을 들으려고 추운 날씨에도 불구하고 마야코후스키 청장(廳場)에서 몇 시간 동안을 서 있었다. '시의 날'의 저녁의 시 낭독이 있기 전에 나는 에후투셴코 부처(夫妻)와 작가동맹의 어여쁜 여직원하고 서점에서 서너너덧 시간을 보냈고 그의 초대로 푸라그[12] 요리점에 가서 술을 마셨다. 거기에서 그는 미발표의 장시(長詩) 중에서 발췌한 것을 읽어 주면서, 친선메시지로 미국으로 가지고 가달라고 그 시의 주제를 약기(略記)해 주었다.

이 미발표의 시는 미·소의 우호를 위한 호소이다. 거기에는 미래의 로케트 선을 타고 비너스 유성으로 함께 여행을 하는 양국의 사람들의 모습이 그리어져 있다. 이 긴 여행 중에 그들은 어떤 얘기를 하는가? 양국의 강철 생산에 대한 경쟁적인 경제통계표에 관한 이야기인가? 정부나 정치적인 슬로건에 관한 이야기인가? 아니다. 그런 얘기는 눈곱만치도 비치지 않는다. 결국 그들은 연애에 대한 기담(奇談)을 교환하는 것으로 시간을 보낸다.

그 시의 끝머리가 경솔한 것같이 생각되지만, 우리들은 그것을 우리의 서구적인 전후관계(前後關係)에서 판단해서는 아니 된다. 여지껏 개인생활이 전반적으로 압박된 쏘련의 전후관계에서 판단하지 않으면 아니 된다. 그렇게 볼 때 그것은 로보트에서 인간으로 돌아가는 환영할 만한 징조로서 나타난다.

자유사회와 전체주의 사이의 관건적(關鍵的)인 차이점은 추상적인 어구상의 '인간의 권리'에 있는 것이 아니라, 개인생활에 대한, 즉 창조적인 내면생활에 대한 구체적인 마디 없는 권리에 있다고 생각한다. 이와 같은 표준에서 볼 것 같으면 나치스는 틀림없는 전체주의 국가였다.

● ● ●

12. prague. 체코의 수도 프라하를 의미.

"시민들은 수면시(睡眠時) 이외에는 개인생활을 가질 수 없습니다."(라)고 어느 나치스의 지도자가 자랑한 일이 있었다. 그러나 러시아에 있어서는 오늘날 잠복해 있는 인도주의적인 힘이 국가와 당의 간섭 — 그것이 제아무리 관대한 것이라 할지라도 — 에서 벗어난 새로운 은둔(隱遁)을 갈망하고 있다.

이와 같은 은둔에의 갈망은 지식층에서 뿐만 아니라 거대한 쏘련 시민 대중으로부터도 나타나고 있다. 지식층은 유리 카자코후나 네크라소후의 소설에 갈채를 보냄으로써 그들의 감정을 나타내고, 대중들은 〈학은 나르고 있다〉와 같은 인기영화에 갈채를 보냄으로써 그들의 감정을 표시하고 있다. 이 두 소설과 이 영화는 각각 현격한 수준의 차이는 있지만 다 같이 트럭타의 통계표와 감자 생산의 황홀한 찬양보다도 인간의 내면적인 정신생활에 관여하고 있다. 그렇기 때문에 1959년에 코제토후파가 공산주의 사회의 '영광스러운' 물질적 현실을 반영시키지 않았다고 카자코후를 비난했을 때, 비평가 V. 푸로로후는 인간의 심장을 별견함으로써 보다 더 심오한 그 무엇을 반영했다고 그를 변호해 주었다.

영화 〈학은 나르고 있다〉도 역시 인간의 개인적인 운명을 취급한 것이다. (물론 끝머리에 가서 얼마간의 '애국적인' 아지푸로가 억지로 떼어다 붙인 것같이 공식적인 방식으로 삽입되어 있기는 하지만 구경꾼들은 그런 것은 자동적으로 알아차리고 무시해 버린다) 코제토후가 개인적으로 '서구에 아첨하는 것'이라고 〈학은 나르고 있다〉를 공격했다. 그러나 그는 그의 상연을 금지시키지는 못했다. 그것은 1958년에 칸느에서 국제영화상을 탔고 아직까지도 미국과 쏘련의 대극장에서 상연되고 있다.

심장의 이단(異端)

내면적 감정의 세계는 쏘련에서는 여러 해 동안을 두고 공공적인 문제로서 수많이 토의되었다. 1959년 8월에 반해빙적인 잡지 『문학과 생활』을 통해서 에렌부르그는 예술이란 공학기술의 비밀을 다루는 것이 아니라 '인간 심장의 비밀'을 다루는 것이라고 주장했다. 이와 같은 이단설에 대해서 동지(同誌)는 2, 3주일이 지난 뒤에 에렌부르그를 '사회주의리얼리즘의 미학적 원칙'에 위배되는 주장을 했다고 비난하였다. 『문학과 생활』지는 1959년 9월에 트바르도후스키에 대해서도 역시 작가는 '영혼의 기사'라는 스탈린의 발언에 기초를 둔 수많은 당 노선의 작품을 "범용(凡庸)하고 둔감하다"고 조롱했다고 해서 비난을 퍼부었다. 친해빙적인 『문학신문』은 그해 말에 트바르도후스키와 에렌부르그의 변호에 나섰다. 동지는 약 2만 명의 농민들의 가상적인 편지를 게재하고 그것을 통해서 지금은 소비에트의 작가들이 농민들에게 '감자를 기르는 일'에 대해서가 아니라 개인적인 '내면의 세계'에 대해서 얘기해 주어야 할 때라고 불평을 말했다.

종국적인 판가름에 가서는 트바르도후스키가 잡이패를 쥐게 될 것같이 보인다. 왜냐하면, 다름 아닌 흐루시쵸프가(1959년 5월의 제3차 작가회의에서) "트바르도후스키 동무가 회의의 연설을 통해서 문학작품에서 무엇보다도 가장 중요한 것은 질에 있다고 한 말이 나의 생각으로는 옳다고 봅니다"(라)고 선언한 일이 있기 때문이다. 이와 같은 성명은 서구 사람들의 귀에는 대수롭지 않게 들리겠지만, 러시아에 있어서는 스탈린-쓰다노후 시대로부터의 진정한 전진을 의미하는 말이다.

그런데 코제토후는 바로 일 년 전에 『시월』지에 발표된 논설을 통해서 전체주의를 위한 가장 최근의 반격전(反擊戰)을 개시하고 폴마리스트[13]의 회화(繪畵), 에렌부르그의 회고록 — 가장 의미심장한 것으로는 — 거의 반세기동안의 쏘련의 압박이 근절시키지 못한 "그들이 감정의 세계라고 부르는 그 세계" 등을 비난했다.

니코라이 포고딘의 희곡 『페트랄카의 소네트』의 대중적인 성공은 적어

---

13. formalist.

도 쏘련 인민들이 경제와 군사와 정치적인 사물에 대한 공산독재는 역시 개인적인 정서의 세계와 사랑과 고독에 대한 창조적인 내면생활을 침범할 수 없다고 결정한 증거로서 받아들일 수 있을 것이다. 이 희곡의 가장 계시적(啓示的)인 순간은 복잡한 연애관계에 빠져 있는 주인공이 공산당의 간섭자와 용감하게 버티고 서서 당은 나의 공적인 정치적 충성을 요구할 수는 있지만 나의 자유로운 개인생활에 대한 권리를 주장할 수 없다고 말하는 장면이다. 당의 책임자는 "동무는 당과 얘기를 하기를 거절하는구먼?" 하고 묻는다. 이에 대해서 포고딘의 주인공은 "인간의 생활에는 아무에게도 알리고 싶지 않은 내밀적(內密的)인 면이 있다"고 대답한다. 공산주의의 로보트화에 대한 가장 오래된 가장 심오한 가장 억압 받은 항변—즉 1920년에 쏘련 작가 오레샤가 '감정의 음모'라고 부르던 것이 이제 드디어 햇빛을 보게 되었다.

약 1세기 전에 니코라스 1세의 독재 하에 비밀리에 유통된 편지를 통해서 자유주의적 사회주의자인 베린스키는 "대중들은 …… 러시아의 작가들을 러시아의 독재에 반대하는 유일한 지도자요, 방어자요 구세주로 보고 있다…… 시인이나 작가의 칭호는 견장(肩章)의 금박과 화려한 제복을 무색케 했다"고 공언했다. 오늘날 에후투센코의 시, 네크라소후와 카자코후의 산문, 트바르도후스키의 회의 연설문, 포고딘의 사생활 대 당(黨) 생활의 희곡 등을 읽어볼 때—이들은 모두가 반혁명주의자들이 아니라 반독재주의적 이상주의자들이다—아직도 베린스키의 성명은 생명을 갖고 있다.

—피터 비어레크(Peter Viereck, 1916-)는 뉴욕에서 태어난 독일계 미국인. 하바드대학과 옥스포드에서 수학하고, 역사를 전공했다. 시집 『공포와 예절』(1948)로 퓰릿처상을 탔다. 여기에 소개하는 「목격기(The Split Personality of Soviet Literature)」는 『리포터』지 62년 3월 15일자에

게재된 것으로 역시 '쏘련문학의 분열상'이라는 제목으로 멀지 않아 출판될 그의 단행본의 1절을 차지하게 될 것이다. 그의 가장 최근의 저서로는 시집 『역경의 사나이』와 시극(詩劇) 등이 있다. (역자)

-『사상계』, 1962. 6-9.

예이츠의 시에 보이는 인간 영상

데니스 도노그(Denis Donghue)

예이쓰(츠)의 작품을 읽을 때 우리들은 영혼과 육체의 조화될 수 없는 주장에 강렬하고도 고통스럽게 사로잡혀 있는 시인을 발견한다 — 제각기의 불가사의(不可思議) 속에 소격(疏隔)되어 있는 영혼과 육체의. 강력하고도 고통스럽게라고 말한 것은, 시인인 예이쓰는 어찌할 수 없이 '전체'와 통일과 '완전'의 이미지를 추구해야 했기 때문이다. 하지만 '존재의 통일'을 실현할 수 있는 가능성은 없는 것처럼 보였고, 시적 은유는 도처에서 좌절되고 말았다. 「왕과 비왕(King and No king)」에서 그는 이렇게 말했다.

따라서 그대의 믿음을 갖지 않는 나,
이 내가 무덤의 저 너머에 있는 현혹적(眩惑的)인 빛 속에서
우리들이 잊어버린 것만큼 좋은 물건을 찾게 될 거라고 어찌 알 수 있겠는가?
매시간의 친절, 일상적인 담화,
영혼이나 육체가 방해를 받지 않는
저마다의 평소의 만족감.

모든 것이 뛰어난 인간 육체에 조화되어서 이루어지리라고 예이쓰는 수많은 순간에 생각했다 — 혹은 그런 희망을 갖지 않으려고 희망했다. 다시 말하자면 리브(Ribh)가 베일(Baile)과 에이린(Aillinn)의 무덤에서 요술을 부려서 만드는 변형처럼, 그 육체가 휘황한 생기를 받고 존재의 불가분리(不可分離)의 통일을 보증하게 되리라고 생각했다.[1] 그러나 그는 다시 그 육체가 분리된 죽어가는 동물이라는 것을 발견한다.

이것이 환자로서의 예이쓰이다. 행위자로서 그는 자기 자신을 치유하려고 애를 썼다. 우선, 여하한 인간적인 분리로 해서도 고통을 받지 않는 거대한 뿌리를 박은 밤나무에 호소하면서, 잃어버린 조화를 슬퍼함으로써. 또한 그 십자를 두 개의 거대한 상충적(相衝的)인 부분으로 갈라놓는 극작가의 본능을 가지고 자기의 '상황'의 자극에 따라서 때로는 영혼(혹은 정신)의 방면에서 경험을 해석하고, 때로는 육체(혹은 자연)의 방면에서 경험을 해석하면서. 그 십자는 복잡하고도 취급하기 힘드는 동시성이다. 예이쓰는 좋든 나쁘든 간에 그것을 보다 더 너그러운 연속적인 체계로 바꾸어 놓았다. 즉 그는 상극적인 '낙(諾)-부(否)'의 상황을 '낙(諾)'에서 '부(否)'로 혹은 '부(否)'에서 '낙(諾)'으로 발전하는 플롯을 세워가지고 해결했다.[2]

『아신의 방랑(*The Wanderings Oisin*)』, 『십자로(*Crossways*)』, 『장미

• • •

1. [역주] 애란신화(愛蘭神話)의 인물, 베일과 에이린은 서로 사랑하는 사이이었지만 사랑의 왕자인 인가스가 그들을 그의 나라의 망령들 사이에 행복하게 두어두고 싶어 했기 때문에, 두 사람에게 각각 상대방이 죽었다고 거짓말을 했다. 그래서 그들은 심장이 터져서 죽어 버렸다. 예이쓰의 작품 중에 「베일과 에이린」(1903)이라는 제목의 내러티브가 있다. 또한 그 밖의 시 가운데에도 등장하고 있다.
2. [원주] 스탄레이 로매인 호파(Stanley Romaine Hoper) 편, 『현대문학의 정신문제(*Spiritual problems in Cotemporary Literature*)』(1953년, 뉴욕, 하퍼(Harper)사 간) 중의 케네스 버어크(Kenneth Burke)의 「시인의 딜레머의 해결책으로서의 신비주의(Mysticism as a Solution of the Poet's Dilemma)」 참조.

(*Rose*)』, 『갈대숲 사이의 바람(*The Wind among the Reeds*)』에서는 예이쓰는 '무수한 섬'과 '수많은 단나안의 해안'[3]과 '가공적인 세상을 망각한 섬'을 가진 아름다운 비애의 영역에 '정신'을 위치시켰다. 이러한 시집에서는 어떠한 존재물의 양식이든 그것이 '정신'과 일치되는 것은 모두 '육체'나 '자연'의 비평으로부터 민감하게 보호되어 있다. 이러한 초기 시들은 장시간에 걸친 단속적(斷續的)으로 아름다운 '정신'에 대한 '낙(諾)'이다. 하지만 이 '정신'은 '육체'에서 찢겨져 나와 있는 것이기 때문에 오용(誤用)되어 병신이 되고 말았다. 후년에 예이쓰는 다른 재료를 가지고 '정신'에 대해서 빈번히 '낙(諾)'을 말했다 — 이를테면 「만영절(萬靈節)의 밤(All Souls' Night)」에 있어서와 같이 '심의(心意)'로 외형을 바꿔가지고.

명상이 그의 세부의 모든 것을 빠짐없이 알기까지는
굳게 자신을 닫아걸고 비밀을 알리지 않을 만한 사상을 나는 갖고 있다,
그러니까 아무도 나의 시선을 막을 수는 없다
그 시선이 세상 사람들의 경멸을 무릅쓰고
저주당한 사람들이 그들의 심장을 시원스레 통곡해 버리고,
축복받은 사람들이 춤을 추는 곳으로 가기까지는.
그런 생각이기 때문에, 여념 없이 생각에만 골몰하는
나는 아무것도 딴 것은 필요한 게 없다.
미이라가 미이라복을 입고 있듯이
마음의 방황 속에 말리어진 채.

● ● ●

3. '단나안의 해안'은 예이츠의 시 「흰 새들」에 나오는 지명이다. 요정들이 사는 장소를 의미한다. 아일랜드의 전설에 나오는 영원한 젊음의 땅을 뜻하는 Tir-Nan-Oge를 가리킨다. 한편 이 글의 도입부를 번역하면서 김수영은 원주1번을 포함해서 원문을 과감히 축약했다.

이 시에서 예이쓰는 미지의 사상에 대해서 명상하고 '육체'를 거부하는, 후로렌스 에마리(Florence Emery)와 같은 도사(道士)들을 찬양하고 있다.[4]

그것이 누구이든 문제가 될 게 없다
다만 그 사람을 형성하는 원소가 기막히게 순량하게 되어서
사향포도주의 향기가
생자(生者)들이 여하한 술에서도 마실 수 없는
황홀감(恍惚感)을 그의 날카로워진 미각에 줄 수만 있다면.

우리들의 미각은 '둔감한 미각'이다

이것은 하나의 상황이며 플롯 속의 한 행위이다. 이의 상대물이 시집 『음악적인 것을 위한 말(*Words for Music Perhaps*)』 속에 들어 있는 일련의 크레이지 제인(Crazy Jane) 물(物)[5]들이다.

그해는 1929년이다. 예이쓰는 말타열의 공격에서 회복되어 가고 있다. 그의 뒤에는 정계와, 애란(愛蘭)의 원로원과 '미소를 띠우고 있는 육 세(六歲)의 공인'이 있고, 또 그 자신 그렇게 상상하고 있다. 그는 라파로에서 올리비아 쉑스피어(Olivia Shakespear)에게 편지를 쓰고 있다. "이제는 더 이상 세상의 평판도, 정치도, 실제적인 일들도 필요 없다." 귀찮은 것들에 대한 배격. 그것은 번영의 순간이다. 64세의 예이쓰는 새로운 힘과 성적 정력이 자기의 몸에 다시 되살아오는 것을 느낀다. 그는 한때

● ● ●

4. [역주] 후로렌스 에마리는 세이론에서 교사생활을 한 예이쓰의 친구. 1919년 별세.
5. 예이츠의 시에 반복해서 등장하는 인물 류의 시를 가리킨다. Crazy Jane은 예이츠의 시에서 절대적 정신세계와 자연세계 사이에 존재하는 인물이라고 해석된다.

한결 더 아름다운 순수한 '심의'로 후퇴해서 소격(疏隔)해 있던 (육체적인 방면에 있어서의) 그 '자연'에 의뢰하지 않을 수 없게 된다. 이제 그는 순수한 '심의'에서 뿐만 아니라 환멸의 '실제적인' 입장으로부터도 잠정적으로 다시 후퇴한다. 실제적인 세계에서 몸을 뺀 그는 자기의 입장을 형편에 맞게 감축시킨다. 즉 그는 잠정적으로 자기의 의지를 반항하는 육체의 충동과 일치시키고 그것을 — 보호와 정의를 위해서 — '크레이지 제인'이라고 명명한다. 그것은 예이쓰의 입장에서는 하나의 단순화이며, 따라서 도피가 된다. 사실상 예이쓰의 시집은 한 권 한 권이 전략적인 단순화이며, 전체적인 복잡한 진리에 대해서가 아니라 당분간 세력을 발휘하는 특수한 편견에 대해서 열중하는 그의 우주의 시산(試算)이다. 어떤 것은 불사조의 시집이고, 또 어떤 것은 거북의 시집이다. 그것이 동경하고 있는 것은 상호의 불꽃이다.

심장들은 떨어져 있지만, 따로따로는 아니다,
거리는 있지만, 공간은 보이지 않는다.

크레이지 제인의 시에서 예이쓰는 당분간 라시느가 숭고하리만치 열정적인 것에 신뢰를 두고 워스워즈가 숭고하리만치 과민한 것에 신뢰를 두듯이, 육체적인 것(확실히 거북)에 신뢰를 두고 있다. 육체적인 명령은 크레이지 제인의 '신화'이며, 『황무지(*The Waste Land*)』의 인류학적 신화에 해당하는 것이다.

『음악적인 것을 위한 말』 — 이 말은, 그것이 노래로 불리어지게 되어 있기 때문이 아니라 그의 부담이 민요의 부담처럼 민중에 속해 있는 것이기 때문에 음악을 위한 것이다. 이 시집의 문맥에는, 로렌스의 말을 빌리자면, 그의 주요 동기로서 '육체의 세력'을 가진 민중 경험이 다분히 들어 있다.

이 함축은 중요한 것이다. 이것은 「춤추던 시절은 끝났다(The Dancing

Days are Gone)」에 나오는 "그 더러운 육체"이지만, 그렇다고 — 최근의 어떤 비평가가 주장하듯이 — 예이쓰가 사랑의 육체적인 국면을 더러운 것과 동일시한다든가 혹은 후기 시에서 그가 성행위를 '가장 야수적인 것으로 간주하고 있다'는 의미는 되지 않는다. 사실은 그와는 정반대이다. 크레이지 제인의 제(諸) 시편 중에는 기묘한 음조가 들어 있다.

> 오라, 그대의 귀에다 노래 불러 주마
> 춤추던 시절은 끝났다.
> 그 모든 명주와 수자(繻子)의 옷들도,
> 돌 위에 몸을 웅크려라,
> 그 더러운 몸을 더러운 만큼
> 누더기로 감고,

육체는 더럽지 않다. 더러운 것은 — 여기에서는 — 육체의 쇠퇴이며, 씩씩한 성적 정력('그의 피의 힘')의 상실이다. 이 시를 쓰기 6일 전에 예이쓰는 「늙은 크레이지 제인 무희(舞姬)를 바라보다(Crazy Jane Grown Old Looks at the Dancers)」에서 그 육체의 힘을 묘사했다.

> 어떤 일이 일어나든 조금도 내가 걱정을 안 했을
> 때면 신이 임(臨)해 있었고
> 그래서 나는 거기서 추어진 것 같은 춤을
> 추어보려는 수족을 가지고 있었다 —
> 사랑은 흡사 사자(獅子)의 이빨 같다.

「안개와 눈처럼 미쳐서(Mad as the Mist and Snow)」에서도 역시 바람은 그것이 쇠퇴를 표명하고 있기 때문에 더러웁다. 「만령절(萬靈節)의 밤」에서는 연륜은, 그것이 후로렌스 에마리의 미모를 빼앗아가기 때문에 더러웁다. 사실 예이쓰는 심중에 진짜로 변덕스러운 것을 느꼈을 때 이 말을 사용한다. 가장 교활한 경우가 「크레이지 제인 사교(司教)와 말하다(Crazy Jane Talks with the Bishop)」이다.

> 나는 노상에서 사교(司教)를 만났다
> 허고 그와 나는 많은 얘기를 나누었다.
> '이 젖가슴들은 이제 납작하게 꺼져 있고,
> 이 힘줄들은 곧 말라붙을 것이다,
> 더러운 돼지우리 속에 살지 말고,
> 천상의 전당에 살지어다.'

대답할 여지가 없는 듯한 선택이 제시되어 있다. 수사가(修辭家)로서의 사교(司教)는 지이드적인 문제를 다룰 만한 시간을 갖고 있지 않다. 물론 여기에서는 '더러운' 것이 검열관(檢閱官)이며, 따라서 우리들은 사교가 낡아빠진 말을 한 데 대해서 매를 맞을 것을 바란다. 크레이지 제인은 그 말과 그 말의 도전을 받아들인다.

> '아름다운 것과 더러운 것은 근친관계에 있소이다,
> 아름다운 것은 더러운 것을 필요로 해요' 하고 나는 외쳤다,

사랑의 신이 또한 존재하고 있다고 그녀는 주장한다. 이 신은 제 권리(諸權利)와, 단정한 예의범절과, 그 자신의 특수한 전당을 가지고 있다. 또한 그가 제공하는 말은 — 양(兩) 신은 수사적인 시합을 할 수 있기 때문에 — 사교의 신보다도 우선적인 인가를 받고 있으며, 그 이유는 그 말들이 육체의 원리와 '심장의 궁지'에 의해서 입증을 받고 있기 때문이다

> 여자는 사랑에 빠질 때면

자존심이 강하고 빳빳해지기 마련이다,
하지만 사랑은 그의 전당을 대변(大便)이
있는 곳에다 설치했다.
왜냐하면 무엇 하나 임차(賃借)해 오지
않은 유일물(唯一物)도 전체도 없기 때문에.

부레이크(Blake)의 귀의자(歸依者)인 그녀는 최후의 말을 가지고 있다. 그녀는 「심판일의 크레이지 제인(Crazy Jane on the Day of Judgement)」 속에 최초의 세계를 가지고 있는데, 여기에서는 사랑에 대한 그녀의 해석은 평소보다 한층 더 넓은 원주를 갖고 있다. 실제 이 시의 크레이지 제인은, 리챠아드 엘만(Richard Ellmann)이 관찰한 것처럼, 예이쓰가 그의 개념을 토설해낸 3개의 커다란 연극적 역할을 감당하고 있다. 첫째로, 그녀는 예언자(預言者)다.

'사랑은 육체와
영혼을 전부 차지하지 못해서
불만을 품고 있는
전부다'

다음은 희생자(犧牲者).

'풀밭을 침상으로 하고,
나는 벌거벗은 채로 누워 있다,
알몸으로 숨어 있는,
그 암흑의 날에'

끝으로 감정관(鑑定官)

'무엇이 표시될 수 있는가?
사랑에는 어떤 진실이 있는가?
다만 시간이 지나기만 하면
모든 것이 판명된다'

이 시는 육체적인 명령에 기초를 둔 사랑의 개념 속에서의 성장과 확장의 가능성을 시험해 보려고 하고 있기 때문에 강력한 감동을 준다. 크레이지 제인의 사색은 그리 심오한 데까지 가지 못했고, 육체적의 '화신적(化身的)' 견해 같은 것은 어느 모로 보나 예이쓰에게서와 마찬가지로 그녀에게서도 멀리 소격되어 있다. 그러나 이 시 속에는『음악적인 것을 위한 말』속에서 빈번히 회피된 근본적인 문제들에 직면하려는 충동이 들어 있다. 이 시집은 사물에 대한 편파적인 견해에 바쳐지고 있다. 크레이지 제인은 품팔이꾼 잭(Jack)보다도 사랑에 대한 더 깊은 관념을 가지고 있지만, 그녀는 사교(司敎)와 같은 새리 아주머니(Aunt Sally)를 때려눕히는 일에 비하면 이 관념을 순화시키는 일에는 그리 힘을 들이지 않고 있다.[6] 후기의 시「초자연의 노래(Supernatural Song)」에서는 리브(Ribh)가 동일한 역할을 하고 있는데, 리브도 전체를 연출하느니보다는 오히려 기독교적 관점이 벗어 버리는 부분을 주장하는 데 힘을 넣고 있다 — 로렌스의 말을 빌리자면, 이것은 '음경의식(陰莖意識)'이다.

자연물과 초자연물은 동일한 반지를 가지고 결혼한다,
사람이, 짐승이, 하루살이가 아이를 낳듯이, 신이 신을 낳는다.
밑에 있는 사물들은 모사품(模寫品)이라고, 대 스매라그다인 타부렐

6. [역주] 예이쓰의 시집『음악적인 것을 위한 말』중에「크레이지 제인과 품팔이꾼 잭(Cazy Jane and Jack the Journeyman)」이라는 시가 있다.

이 말했기 때문에.

크레이지 제인과 리브는 신의 부름에 따라서 반(半)-진리를 말하는 선전가(宣傳家)들이다. 그들은 사교(司教)보다는 인정(人情) 상으로는 '정당'할지 모르지만, 역시 그와 마찬가지로 지독하게 분리되어 있고, 따라서 시적 은유 역시 그들이 파악할 수 없을 만한 아득한 높이에 있다. 「만령절(萬靈節)의 밤」의 화자를 — 필립 라브(Philip Rahv)의 말을 빌려서 — 백인이라고 한다면, 크레이지 제인과 리브는 동색인(銅色人)이다 — 시집 『탑』의 '감성'에다 그들 자신의 '경험'을 맞추어볼 때. 하지만 경험은 미숙한 것이고, 따라서 그만큼 풍자에 대해서는 상처를 받기 쉽다.

예이쓰는 그의 '음악을 위한 시들'이 '순전히 정서적이고 순전히 비개인적인' 것이 되기를 원했다. 1929년 3월 2일에 — 이날 예이쓰는 「크레이지 제인과 사교(司教)」와 「늙은 크레이지 제인 무희를 바라보다」를 썼다 — 그는 이 시들에 대해서 언급했다. "이 시들은 나의 최근의 작품과는 정반대되는 것들이고 모두가 즐거운 생에 대한 찬미이다. 그중의 가장 잘된 것에서는 그 찬미를 노래하는 것이 강변 위의 메마른 뼈다귀이지만." 이 시집 속의 즐거운 생은 주로 육체에 관계되는 것이다. 그 밖의 모든 것은 변화하고 분해될 수 있겠지만, 그것만은 그렇지 않다.

여태껏 우리들은 예이쓰의 '자기표현'으로서의 시집을 논해 왔다. 그러나 시인과 청자 간의 설득적인 관계를 포함한 다른 연관 관계를 부가해 볼 필요가 있다.

예이쓰의 시를 읽어볼 때 우리들은 공공적이거나 제도적인 신앙을 하나도 믿고 있지 않은 시인을 발견한다. 그러나 그는 그것들의 권위와 세력을, 적어도 동일한 원천에서 나오는 권위와 세력을 필요로 했다. 또한 그는 굉장한 기회주의자이었다.[7] 그래서 그는 그 통찰(洞察)의 모형의

● ● ●

7. 이 번역 문장은 논쟁의 소지가 있다. 영어 원문은 "And he was a spectacular

하나가 시재 다루고 있는 감정과[8] 특별한 관련이 있다고 생각했을 때는 언제나 공공적 신앙을 하나씩 사용했다. 그는 '공공적인' 구조 속의 모형과 개인적인 감정에 없어서는 안 되는 모형 사이의 순수한 형식적인 조화를 지각함으로써 이러한 부분적인 '충절'에 끌리었을지도 모른다. 이것이 그 자체에 유사한 감정을 증명하기 위한, 「정열의 고난(Travail of Passion)」 속의 십자가의 길(The way of the Cross)을 설명해 줄 것이며, 혹은 「나의 아들을 위한 기도(A Prayer for My son)」 속의 수호신을 설명해 줄 것이다. 이와 마찬가지로 크레이지 제인의 제(諸) 시편에 있어서는 육체적인 명령이 '공공적인' 경험의 모형으로 되어 있고, 거기에는 독단과 의식과 신비가 충분히 담겨 있는 — 그리고 이것들은 우주적인 동의에 의해서 — 공공적인 권위의 힘이 들어 있다. 언어적인 전달의 원천으로서의 육체적인 명령의 거대한 유리점은 그것이 사상이나 신념의 모든 충돌에 앞서 있다는 것이다. 그것은 논쟁적인 경험의 수준을 파내어 버린다. 승화된 순간에는 예이쓰는 전달의 원천과 수단으로서 '대 기억(the Great Memory)'에 호소하며, 그 신호 밑에서 아름답게 지껄일 수 있을 것이지만, 그러나 이 작업에는 언제나 어떤 의아점이 있다.[9] 하지만 인간의 육체는 보다 더 신뢰할 수 있는 것이었다. 사실상 육체는 예이쓰가 소속하고 있는 유일한 우주적인 교회이었다.

우리들은 전략적인 단순화를 말한 일이 있고 그것을 가혹하게 도피라고 불렀다. 따라서 그러한 전략에 의지하고 있는 위대한 마음은, 그것이

● ● ●

rhetorician."이기 때문이다. '수사학자'가 '기회주의자'의 의미를 갖기 위해서는 '상황에 맞게 말을 잘 꾸미는 사람'이라는 의미를 지녀야 할 텐데, 김수영의 번역 의도가 무엇인지는 분명하지 않다.

8. "시재 다루고 있는 감정과"라는 구절은 번역 원문대로이지만, 편집 과정의 오식으로 보인다. 영어 원문은 "to the feeling of the poem"이기 때문에 "시에서 다루고 있는 감정과"라는 번역이 자연스럽다.

9. [역주] '대기억(大記憶)' — 역사에 관한 예이쓰의 상징사상대계의 하나.

지극히 수많은 것을 생략하고 지극히 수많은 왜곡을 관용하고 있는 것을 알고 심각한 불안을 품고 있으리라는 것을 우리들은 암시할 수 있다. 예이쓰의 후기 시집을 읽을 때, 그가 매우 빈번히 관광객들로부터 자기 자신을 보호하기 위해서가 아니라 자기 자신이 그 속에 참가하고 있다고 공상하고 있기 때문에 어떤 역할을 맡아 하고 있다는 느낌을 독자가 갖게 되는 것은 이 때문이다. 이를테면 원기 왕성한 노인의 '배역' 같은 것이 그것이다. 새로웁고 애처로울 정도의 아름다움, 이것이 「델파이의 신화에 대한 소식(News for the Delphic Oracle)」 같은 시에 있어서는 어떤 동맥경화를 일으키게 한다. 여기 제1연의 한 구절이 있다.

> 풀밭 위의 어신[10] 옆에서
> 사람 도둑 니아브는 기대어서 한숨을 쉬었다,
> 저쪽에서는 키 큰 피타고라스가
> 사랑의 합창대 안에서 한숨을 쉬었다.[11]

반암(斑岩)의 극락정토(極樂淨土)는 예이쓰의 망각의 섬과 아주 근사하며, 그 — 교활한 노대가 — 는 지금 양자를 다 빈정댈 수 있다. 이와 동일한 관록을 가지고 그는 마상의 천진난만한 사람들을 보고 웃을 수도 있다.

> 제각기 돌고래 등 위에 두 발을 벌리고 앉아서
> 지느러미로 움직이지 않게 조이고,
> 이 천진난만한 사람들은 그들의 죽음을 되살아나게 하고,

10. '어신'은 Oisin의 음독이다. 김수영은 앞에서 '아신'이라고 썼다.
11. [역주] 니아브는 — 애란신화(愛蘭神話)에 나오는 요정향(妖精鄕) 여왕.
    어신 — 어신은 니아브와 함께 바다 위를 간다. 거기에서 3백 년 동안을 '무용의 섬' '승리의 섬' '망각의 섬'에서 지낸다.

그들의 상처는 다시 입을 벌린다.

맨 끝의 말은 예이쓰의 말이다. 그는 그 말을 분명히 비평가로서 제언하고 있다.

불결한 염소 머리, 야수적인 팔이 나타나고,
배때기, 어깨, 꽁무니가
생선처럼 번쩍거리고, 수정과 반인반수신은
거품 속에서 교미를 한다.

위기일발. 하지만 육체적인 명령과 올된 악센트에도 불구하고 이것은 사실상 연약한 위치에 있는 것이 아닌가? 이 시는 이것으로 끝났지만, 우리들은 제3연의 예이쓰 옹(翁)의 하늘이, 상처받기 쉬운 것으로서 보일 수 있는 (단테에 의한) 제4연을 마음속에 그릴 수 있다. 비평은 그것이 나타내는 의미에 한해서만은 정당성을 띠고 있지만, 그 억양을, 즉 새된 노출증 환자의 비웃음을 정당화할 만큼은 힘차지 않다. 『최후의 시집*(The Last Poems)*』의 예이쓰는 리아(Lear)와 함레트(Hamlet)의 비극적인 즐거움 속에서는 과히 웃지 않았다. 그의 웃음은 그것을 웃기에는 너무나 새되다. (이 법칙에 대한 위대한 인정 있는 제외 예는 두말할 것도 없이 「곡마단 동물의 탈주(The Circus Animals' Desertion)」[12]다.)

예이쓰의 후기 작품에 보이는 이러한 새된 가락은, 내가 생각하기에는 앞에서 말한 불안에서 오는 것 같다. 『음악적인 것을 위한 말』, 『3월 보름달*(A Full Moon in March)*』, 그리고 그 밖의 『최후의 시집』의 수많은

● ● ●

12. 영어 원문에서 제시하는 사례는 「곡마단 동물의 탈주」 외에 「1에이커의 풀밭(An Acre of Grass)」, 「아름답고 고귀한 것들(Beautiful Lofty Things)」, 두 편이 더 있다.

시편에서 예이쓰의 전략적인 단순화는 그를 허위의 위치에 갖다 앉혔다. 이 때문에 귀에 거슬리는 음조가 생겼다.

그러나 그는 크레이지 제인의 통찰의 제한된 한계를 인정한 탓인지 이내 그녀에게 싫증을 느꼈다. 그런데 그는 보잘것없는 시대와 구후린(Cuchulains)의 광란한 세계를 저주(詛呪)하면서 다시 한 번 무해(無害)하게 그녀를 사용했다.[13]

『음악적인 것을 위한 말』 — 우리들이 예이쓰 안에 있는 다른 인간 영상을 고찰하기 전에 마지막 주석(註釋) — 은 내리막길을 밟고 있는 감정의 운동을 제한된 일정한 사물로 재제정하는 일을 우리들에게 가능하게 하고 있기 때문에 귀중한 시집이다. 이 운동은 그 자체로서도 그의 강제에 있어서도, 또한 그의 곤궁(困窮)에 있어서도 감동적인 것이다. 다만 가장 무뚝뚝한 독자만이 이와 같은 인간 상황의 편파적인 이미지에서 감동을 받지 못할 것이다. 이 시집의 비애는 예이쓰가 한정된 '육체'에 도달했을 때 거기에서 그것(육체)을 가지고 그가 할 수 있는 일이 거의 아무것도 없었다는 사실이다. 그는 정수(精髓)를 위해서 분연히 그 한정물(限定物)을 초월해가지고 그것을 파괴해 버리지 않고서는 그것을 관통하는 수단을 발견하지 못했다. 난점은 그가 인간 육체를 그 자체로서 평가할 수 없었다는 데 있었다. 다만 그것이 휘황한 흥분의 후광을 쓰는 데 동의할 때에만 비로소 그 난점은 해소되었다.

이것은 곤란한 변증법이다. 존재의 충만이 전부라고 보고 있는 시인은 정수에 대한 그의 열광 속에서 어떤 종류의 인간의 재능은 발길로 차 내버리게 되고 만다. '완전'의 귀의자(歸依者)는 파편들 앞에 굴복한다. 예이쓰는 가장 지각적인 순간에 그것이 절망적인 방편이고, 그의 비산틴의

13. [역주] 구후린 — 구후린은 자기의 아들인지 모르고 바루아의 바닷가에서 젊은 무사를 죽이고 난심(亂心)해가지고 파도와 싸우다 죽는다. [편주] 쿠훌린(혹은 쿠컬린(Cuchulain))은 반인반신의 아일랜드 신화의 영웅적이면서 비극적인 주인공.

영원까지도 책략이라는 것을 알고 있다.

> 나는 뮤즈에게 해고를 명령해야 할 것 같다,
> 상상과, 귀와 눈이,
> 변론에 만족하고 추상적인 사물을 다룰 수
> 있게 되기까지는 푸라(톤과) 푸로티누스를 친구로
> 택해야 할 것 같다, 그렇지 않으면 뒤따라오는
> 찌그러진 주전자 나부랭이한테 비웃음을 당할 것 같다. (계속)

여러분이 만약에 인간을 그의 의식으로 환치(換置)하고 거기에 미지의 사상, 변론, 추상같은 음식물을 제공한다면, 거기에 내포되는 위기 — 마멸(磨滅), 쇠약(衰弱), 미라의 황폐(荒廢) — 에 직면하게 될 것이다. 예이쓰는 『탑(*The Tower*)』 속에서 몇 번이나 보다 더 부드러운 결합을 기원하고 있다. "오오 달과 해는 한 덩어리의 풀어질 수 없는 빛이 되려무나. 내가 만약에 승리를 하면 사람들을 미치게 할 수 있을 것이니까." 그러나 이 시집은 그 자신을 노출시키는 일에 지나치게 골몰하고 있어서 다른 사람들에 대한 고려를 할 여지가 없다. 3, 4명의 선택된 친구를 제외한다면, 그 나머지는 성급한 얼굴을 한 장사꾼과 환전꾼들밖에는 없다. 또한 우리들은 '그다지도 좋은 귀를 가지고 있는 후렌지 부인'의 괴물 같은 조잡성과 야비성에 대해서 무슨 말을 할 수 있겠는가?[14] 예이쓰의 입장이 곤란하고 거의 불가능하다손치더라도, 「만령절(萬靈節)의 밤」은 육체에 멀미가 난 푸로티누스의 신호(信號) 밑에서 씌었다. 제4연에 있어서처럼, 「비산티움으로 배를 띄우고(Sailing to Byzantium)」의 죽어가는 동물은 여기에서는 죽어 있는 미라이며, '영혼'은 감축된 존재의 감옥에서부터 움직이고 있다.

14. [역주] 후렌지 부인 — 예이쓰의 시 「탑」 속의 인물(맥미란 판, W. B. 예이쓰 전시집, 219, 532쪽 참조). 그녀는 18세기경에 피타스웰에 살고 있었다고 한다.

그러나 예이쓰의 경우에 그것은 아무 곳에도 갈 고장이 없다. 이 시인은 유일자에 대한 발산의 후기 단계에서 푸로티누스의 신념을 가지고 아무것도 만들 수 없었다. 그래서 6년 후에 비산티움의 절망적인 전략이 꾸미어졌다.

「만령절의 밤」은 인간 영상의 모험을 위한 시험물이라고 볼 수 있다. 이것은 소름이 끼치는 시다. 우리들은 예이쓰가 그다지도 무서운 구석바지에 자기 자신을 몰아넣는 것을 보고 가슴이 서늘해지는 동시에 충동을 받는다. 이 위치야 말로 — 우리들은 즉시로 느낀다 — 유지할 수 없는 것이다. 그것은 불필요하게 분리적이다. 심의는 — 얌전한 철학자 휘리프 윌라이트(Philip Wheelwright)가 말하듯이 — "홀로 서 있지 않다. 그것은 집요하게도 물체와의 관계 속에 존재하고 대화적으로는 다른 자아와의 관계 속에 존재하고 있다."[15] 그러므로 「만령절의 밤」의 강도는 이에 해당한다. 즉 인간적인 생활의 가장 유용한 관계를 거부하고, 이 거부를 '시행의 최후까지' 고집하는 억센 심의.

이것이 중요한 것인가? 혹은 중요한 것은 낱말들 속에 담긴 격노(激怒)인가? 따라서 낱말이 아닌가?

예이쓰의 독자들 사이의 공인된 여론은 『탑』과 『선회(旋回)계단(*The Winding Stair*)』 속에 명작이 있다는 것이다. 그러나 『쿠레의 들백조(*The Wild Swan at Coole*)』와 비교해 볼 때 이 화려한 시집들의 인간 영상은 이상하게도 불완전하며 유별나게 격렬하긴 하지만, 방계적(傍系的)이며 약간 편심적(偏心的)이다. 그것이 중요한가? 그렇다, 그것이 중요하다. 즉 강도만으로는 부족하다. 『쿠레의 들백조』가 인간 상태의 중심점에 위치하고, 인간이 광폭(狂暴)이나 비굴감을 갖지 않고 그 자신을 명확히 할 수 있는 가치를 모색하고 있다는 것이 여간 중요한 일이 아니다.

• • •

15. [원주] *Swanee Review*지 「지성의 빛(The Intellectual Light)」(1958년 하계호, 42쪽) 참조.

이 시집은 연치(年齒)와 다가오는 죽음의 냉담한 빛 속에서 인간의 행위를 다루고 있다. 이러한 이상적인 자세는 정렬, 극기, 예의, 도덕적 책임을 내포하고 있다. 예이쓰는 수많은 사람들과, 그들이 구현하고 있는 도덕적인 미에 대해서 애통하는 눈물로 찬사를 보내고 있다. 전 권(全卷)이 도덕적 생명으로 꽉 차 있다. 대부분의 시는 1915년과 1919년 사이에 씌어졌고, 그 기간 중 예이쓰가 무용극(舞踊劇)을 완성하고 있었다는 것은 의미심장한 일이다. 왜냐하면 무희는 예이쓰가 『쿠레의 들백조』에서 존재의 충만을 동적인 행동으로 나타내려고 한 노력의 극점이기 때문이다. 「마이켈 로바아쓰의 2중의 환영(The Double Vision of Michael Robartes)」에서 스핑크스와 석가여래의 사이를 무용하고 있는 소녀는 꿈을 춤추고 있고, 사상을 전부 춤으로 나타냈다. 내가 생각하기에는 이 무희에 있어서는 '행동'은 '환영'과 별개의 것이 아니라 명료하게 형식화된 바로 '환영' 그 자체라고 본다. 이와 동등한 수준의 도덕은 어떤 무관심이 아니면 마구잡이식의 행위이다. 바레리의 구별을 인용하자면 기이(奇異, Sigularity)라기보다는 오히려 지배(mastery)이다. 주석으로 삼기 위해서 니진스키에 대한 부버(Buber)의 고찰에서 두어서너 줄을 인용해 볼 수 있다.

> '무용의 전개에 있어서 결정적인 힘이 되는 것은 유희나 표현이 아니라, 그 두 가지를 한데 묶어서 그것들에게 법칙을 주는 것, 즉 마술이다. 그것은 결박된 합법적인 운동, 즉 형태로서의 운동을 통한 혼돈스럽고 광포하게 침입하는 사건에 대한 응답이다. 결박된 것이 결합하는 것이다.'[16]

우선 이 이상적인 동작은 역학적이라야 한다. 그것은 자기만족에 빠진

● ● ●

16. [원주] 모리스 후리이드맨(Maurice Friedman) 역, 『길의 지시(*Pointing the Way*)』(1957년 뉴욕 하아파(Harper)사 간), 참조.

그림같이 아름다운 것이어서는 아니 된다. T. S. 에리옷의 후기 시에서는 이러한 이상적인 상태는 약간 정적인 것같이 보인다. 시인은 '그 조용한 지점에 무용이 있다'고 말할지 모르지만, 그 무용에는 에너지가 지극히 희박하며, 따라서 우리들은 얼마간의 호의를 베풀지 않고는 그것을 무용이라고 볼 수 없다. 워레이스 스티븐스(Wallace Stevens)의 어떤 작품에서는 이상적인 상태가 정물로서 부여되고 있다 — 8월에 포도 잎과 구름을 보여 주는 우울한 여인 — 어깨 위에 구름을 얹어 여인의 고풍스러운 자태를 공원에 앉아서 바라보고 있는 사람. 이런 것들은 우아한 순간이며, 우리들은 그것들을 마음껏 상미(賞味)할 수 있다. 그러나 예이쓰는 그런 것들이 잘하면 일시적인 것이 되고, 못하면 걷잡을 수 없는 것이 된다는 것을 알고 있었다. 그의 가장 위대한 시 속에서는 정적인 효과는 존재의 실패를 나타내고 있다.

『쿠레의 들백조』는 행동에 몸을 맡기고 있다. 사상이나 개념이나 감정에는 — 이런 것들이 행동의 정의에 없어서는 아니 되는 경우를 제외하고는 — 종사하고 있지 않다. 우리들은 행동을 인간 존재의 가장 면밀한 표시법으로 볼 수 있고 사상이나 개념보다도 훨씬 정확하고 훨씬 더 '창조적'인 것으로 볼 수 있다 — 사상이나 개념은 단순화된 것이고, 그보다도 행동은 훨씬 더 포괄적인 것이라고도 볼 수 있다. 행동은 경험의 말없는 연결이다. 예이쓰의 무희는 사상을 모조리 춤 속에 나타냈다, 즉 사상을 제스츄어의 모형 속에다 요약했다. 그녀의 춤은 '신의 상태' 즉 '신의 기간'에 대한 욕구의 행동이다. 무희는 '본질적인' 인간 영상, 즉 육체 선(線)의 끝에서 자유로이 형식화되는 — 이루어지는 — 역학적인 완성의 이미지를 따려고 애를 쓴다. 이것이 바로 예이쓰가 죽기 2, 3일 전에 쓴 위대한 편지에서 의미한 것일 것이다. 그 편지에서 그는 이렇게 말했다 — '나는 내가 원했던 것을 발견한 것같이 생각된다. 그것을 모두 한 말로 말하자면 "인간은 진리를 구체화할 수 있지만 그것을 알 수는 없다"는 것이다.' 진리는 행동의 자태 속에서 구체화된다. 즉 무희에게서 구체화된다. 이 무희에 있어서는 의미는 제스츄어 속에서 구체화되며 거기에는 유일한 표현인 제스츄어만이 있다. 사상은 불충분한 것이고, '육체에 대한 사색'조차도 그렇다. 가장 정확한 주석은 사상을 모조리 밖으로 나타내고, 제스츄어 속에서 인간의 잠재력을 요약하는 그 행동이다.

『쿠레의 들백조』 속에서 예이쓰를 몰두시키고 있는 춤은 자아와 반자아의 춤이다. 「에고 도미누스 투스(Ego Dominus Tuus)」에서 예이쓰의 화자는 이렇게 말하고 있다.

> 나는 신비스러운 사람을 방문한다
> 허나 그는 개울가의 젖은 모래 위를 걸어가고,
> 나의 쌍둥이인 까닭에, 나하고 가장 잘 닮아 보이며,
> 나의 반자아인 까닭에, 세상의 어떤 물건보다도
> 가장 나를 닮지 않고,
> 이런 성격들을 지니고 있으면서, 내가 찾고 있는
> 모든 것을 노출하게 될 사람을……

적절한 주석을 「아니마 오미니스(Anima Hominis)」에서 얻을 수 있다. "그들(웅변가)이 갖고 있거나 가질 수 있는 군중을 상기함으로써 확신 있는 음성을 획득하는 웅변가들과는 달리, 우리들은 우리들의 불확실성 속에서 노래한다. 따라서 가장 존엄한 미의 출현 속에서도 우리들의 고독의 인식 때문에 타격을 받고, 우리들의 음률은 벌벌 떨고 있다." 게다가 그 예술은 현실의 환영이다. 예술가에 있어서 이 환영은 그 자신의 열정에 의해서 생기를 받는데, 그의 음률은 열정 속에 벌벌 떨고 있다.

그것은 또한 대화이며, 자아와 반자아의 풍부한 파악이다. 구조가 '대화체'로 되어 있고 생기가 담화의 음률에서 나오는 시가 『쿠레의 들백조』 속에 많이 담겨 있는 것은 이 때문이다. 가장 적절한 실례의 하나가 「민중(The People)」이다.

> '그 모든 일에 대해서 내가 얻은 것이 무엇인가요?' 하고 나는 말했다.
> '내 돈을 써가면서 내가 한 모든 일에 대해서?
> 이 버르장머리 없는 거리의 날마다의 악의(惡意),
> 이곳에서는 가장 많이 봉사한 자가 가장 지독하게 중상을 받고,
> 그의 생애의 명성은 밤과 아침 사이에 없어져 버리지요.
> 나의 발자국 소리가 매일같이 훼라라 성벽의 푸른 창에
> 불을 밝히는 곳에서
> 나는 살 수 있었을 것이고,
> 그 소원이 얼마나 간절했던가를 당신은 잘 알고 있지요.

이것은 상호의 불꽃이다. 피로와 자기연민 속에 빠져 있는 시인은 웅변가의 보수(報酬)를 요구한다. 다른 사람들과 언쟁을 하면서 그는 음산한 웅변술을 꾸민다. 그는 이종적(異種的, heterogeneous)인 사물의 고장인 대지의 상태에 있고 '모든 것을 단순하게 만드는' 불의 정신인 자기의 불사조에게 충고를 받고 있다. 그들 사이의 공동 광장은 인간 세계다. 시인은 자연력의 순결과 분석적인 심의의 정의 사이에 경쟁을 붙임으로써 논쟁을 연장시키고 있다. 그러나 그 논쟁은 해결할 길이 없다. 진정한 대화인 무용이 말 밑에 흐르고 있고, 그것은 자아들의 회합 속에, 불사조의 말에 의한 그의 심장의 도약(跳躍) 속에, 그의 머리의 수치스러운 수그러짐 속에 흐르고 있다. 이것은 시인의 자기 자신과의 언쟁이다. 만약에 우리들이 이 시에 대한 유일하고 적절한 반응이 친교와 동의라고 느끼고 있다면, 그것은 이 시가 인간상(황)에, 즉 대화의 특수성에 몸을 맡기고 있기 때문 — 이라고 나는 믿는다 — 이다. 즉 이 시가 시간과 장소와 환경에, 역사에, 처음과 중간과 끝에, 진정한 문장법에, 행동에 몸을 맡기고 있기 때문이다. 또한 — 이러한 모든 것의 생기로서 — 보증 받은 이디옴[17]인 담화의 행위에 몸을 맡기고 있기 때문이다. 워레이스 스티븐스는 그의

위대한 평론 「고귀한 기수와 낱말의 소리(The Noble Rider and the Sounds of Words)」에서 현실과 상상의 화락한 상호 의존을 인식할 것을 우리들에게 설득하고 있다. 즉 호라티오(Horatio)가 "지금 고귀한 심장이 깨진다. 잘 자거라, 사랑하는 왕자여, 또한 천사들의 비상이 그대를 보고 잘 자라고 노래 불러 주는구나!" 하고 말할 때, 여기에서 현실과 상상은 대등한 불가분리의 관계에 있다. 예이쓰의 시에 있어서는 현실 — 외적 사건이 시인의 의식 위에 주는 압박인 외부의 폭력 — 은 내부의 폭력인 그의 위대한 상상력에 의해서 응수(應酬)되고 있으며, 포착되고 지속되는 동시에, '형성되고' 있다.

「에고 도미누스 투스」 속의 예이쓰의 대변인은 대가를 모방하지 않고 모래 위를 추적하는 자기의 성격을 이렇게 정당화하고 있다 — "나는 서책이 아니라 영상을 추구하고 있는 까닭에." 시인은 『탑』 속에서 간간히 다른 방식으로 사상을 취하게 되지만, 사상만으로는 충분하지 않다. 그가 찾고 있는 영상은 「달의 제상(The Phases of the Moon)」 속에서 로바아쓰에 의해서 묘사되고 있다. 즉 제14상에 있어서 "영혼은 정적 속으로 몸을 떨면서 잦아들기 시작하고 그 자체의 미궁 속으로 죽어가기 시작한다."

> 모든 사상이 영상으로 화하고 영혼이
> 육체로 화한다.

육체와 영상은, 동적이며 분간할 수 없는 무용인과 무용 — 자아와 반자아의 대화에 있어서의 최종적인 제스츄어 — 이 된다고 나는 상상한다.

결론적으로 말하자면, 『쿠레의 들백조』에서는 사색의 기구(氣球)가 공동 경험의 오두막집 속으로 들어와 있다고 볼 수 있다. 예이쓰는 이

● ● ●

17. 'idiom'의 음독.

시집 속에서 다른 어떤 곳에서보다도 근본적으로 "살아 있는 세계를 교본으로" 삼고 있다. 우리들은 이것을 인식하여야만 비로소 그 후의 시의 열광적인 근엄성을 이해할 수 있다.

아마 이것은 『쿠레의 들백조』 속의 시가 우리들의 경험에 대해서 각별히 '중심적인' 것처럼 보이는 이유를 설명하는 것이 될 것이다. 의미의 무게가 그것이 속하고 있는 곳에, 행동에, 그리고 행동 속에 구현된 가치에 확고하게 놓여 있다. 이 시집은 개인적인 환영이 공공적인 행동 속에서 구현되는 대표적인 생명들의 사화집(詞華集)이다. 예를 들자면 리오넬 죤슨(Lionel Johnson), 죤 신지(John Synge), 죠오지 포렉스펜(George Pollexfen), 소로몽과 시바(Solomon and Sheba), 익명 씨와 유명한 어부 — 또한 그 밖에도 얼마든지 있다.[18] 이 시집은 우리들에게 직접 말을 걸고 있고, 인간궁경(人間窮境)에 대한 우리들의 감각에 호소하고 있다. 결국 이것은 '대기억'이나 '육체'보다도 한층 더 믿음직한 전달 방법이다.

이 시집 속에 담긴 인간 영상은 유쾌하고도 유용하다. 그것은 배후에 그것이 볼 수 있는 진부한 것을 하나도 감추지 않고 있다. 그것은 신처럼 세계를 소유하거나 설립하라는 요구를 느끼고 있지 않다. 그것은 인간의 한계를 인식하고 있고 그 그늘 밑에서 될 수 있는 대로 잘 살아보려고 시도하고 있다. 이러한 영상은 '생물적인' 상황에 대한 우리들의 감각과 장단이 들어맞는다. 그것은 평범한 일에 대한 그의 동의 속에서 우리들 자신의 두드러지지 않은 경험과 더불어 계속되고 있다. 여기 「그녀의 칭찬(Her Praise)」이라는 시 속에 그러한 예가 있다.

• • •

18. [역주] 리오넬 죤슨, 죤 신지, 죠오지 포렉스펜 — 예이쓰의 시집 『쿠레의 들백조』 중의 「로버어트 구레고리 소좌를 위해서」 가운데에 나오는 인물로서 시인의 친구들.

소로몽과 시바 — 『쿠레의 들백조』 중에 「소로몽과 시바(Solomon to Sheba)」라는 시가 있다. (맥미란 판, W. B. 예이쓰 전시집, 148, 155쪽 참조.)

그녀는 누구보다도 칭찬 받는 것을 내가 가장 듣고 싶은 사람.
나는 이집 저집을 돌아다니고, 이곳저곳을 찾아다녔다.
새로운 저서를 낸 사람처럼,
새 옷으로 성장한 젊은 여자처럼,
그리고 나는 그녀의 칭찬이 제일 먼저 화제에 오르게 하려고
별별 수단을 다 써가면서 화제를 돌렸지만,
이번 부인은 책에서 읽고 난 새 얘기를 했고,
어떤 사나이는 다른 사람의 이름을 생각해내기나 한 듯이
반은 꿈속에서 당황하는 꼴.
그녀는 누구보다도 칭찬 받는 것을 내가 가장 듣고 싶은 사람.
나는 다시는 책에 대한 이야기나 긴 전쟁 얘기는 하지 않을 작정이고
바람을 피해서 웅거하고 있는 거지라도 만날 때까지
메마른 가시덤불 옆을 거닐 작정이다,
그리고 거기에서 그녀의 이름이 나올 때까지 이 얘기 저 얘기해 보겠다.
거기에 넝마라도 흠뻑 있으면 거지는 그녀의 이름을 알 것이고
그것을 반갑게 생각해낼 게다, 그렇기도 한 것이 옛날에,
그녀는 젊은이한테는 칭찬을 받고 늙은이한테는 꾸지람을 받았지만,
구차한 사람들은 늙은이도 젊은이도 다 같이 그녀의 칭찬을 했으니까.

예이쯔는 이 시를 1915(년)에 썼는데, 이 해는 T. S. 에리옷이 보다 더 유명한 프루후록크(Prufrock)의 사랑의 노래를 쓴 해다. 에리옷의 시는 퍽 좋은 시이지만, 어떤 시대이고 새로운 좋은 시가 다 그러하듯이, 얼마간 불안정한 것 같았다. 그것은 그의 풍부성을 자각하고 있고, 약간 여봐라는 듯이 그것을 몸에 지니고 있다. 예이쯔의 시는 그보다 낡은 잡초 속에서 한결 편안하게 보인다.

이 두 개의 시를 한데 놓고 볼 때 우리들은 거의 회피할 수 없는 문제에

봉착한다. 상징주의는 필요했던가? 혹은 그것은 방계적(傍系的)인 것이고, 일종의 후퇴가 아니었던가? 이 경우에 있어서 성복 후 약방문격의 우자(愚者)가 될 염려는 없다. 왜냐하면 이 약방문은 아직도 우리들에게 필요하기 때문에. '현대시'는 아직까지도 대부분의 사람들에게 「황무지」와 「모오바리(Mauberly)」와 같은 상징주의적 시와 후기 상징주의적 시를 의미하고 있기 때문에. 그러나 예이쓰의 위대한 중심적인 시집의 입장에서 볼 때 상징주의는 잘하면 전략적인 후퇴처럼 보인다. 새로운 씩씩한 과학과 맞설 수 없게 된 시인은 과학자들에게 담화와 관념의 자료뿐만 아니라 — 놀라웁게도! — 수많은 상식의 자원까지 양도해 주었다. 시는 실없는 소리는 되지 않았지만, 이미 식용강(食用糠)이나 일상적 경험의 원리를 제공할 수 없을 만큼 '특별'하고 희귀한 감각을 갖게 되었다. 시는 국부적인 의미의 제한이 없는 대규모의 심오한 분위기 속에서 수수께끼 같은 방법에 피난처를 구했다. 그것은 논증과 증명의 수사학으로부터 그 자신을 해제시켰다. 이것은 시가 공간 속의 고체(固體)와 동화하려는 경향이 있다는 사실을 어느 정도 증명하고 있다. 왜냐하면 조상(彫像)이나 사과나 단지들은 그 자신의 존재 이외의 다른 '의미'를 전하라는 요구를 받을 수 없기 때문이다. 그렇기 때문에 — 일례를 들자면 — 마라르메(Mallarme)의 시는 우선 시각적인 사건이나 백지 위의 흑점의 올된 수수께끼 같은 배열처럼 그 자신을 제공하고 있다. 시는 조각이 되었고 담화는 음악이 되었다.

이것은 너무 지나친 단순화이지만 정당성은 있다. 상징주의의 시의 가장 고치기 어려운 결점은 그것이 독단적이라는 점일 것이다. 즉, 평범한 감정생활이나 현실적이라고 인정되는 인간 상황과 안전한 관계를 맺고 있지 않다는 것일 것이다. 이것이 예이쓰의 견고한 상식이 그 자신을 강요하고 있는 고장이다. 그는 그의 시대의 다른 시인들만큼 '현대적'이었다. 그는 기호(嗜好)와 마술의 커다란 모험을 했다. 그러나 그의 뿌리는 평범한 경험 속에 있었고, 그는 평범한 이디옴으로 이야기를 했고, 어디까지나 고집 센 상식을 버리지 않았다. 그는 자기가 인간이라는 것을 알고 있었다.

여기에서 언급되어야 할 3통의 편지가 있다. 예이쓰는 그것들을 1937년에 썼다. 모야 대비스 부인(Mrs Moya Davies)에게 그는 이렇게 말했다……. "발자크처럼 나는 내가 일하고 있는 전제를 공유하고 있는 사람을 한 사람도 모릅니다. 호기심 있는 사람들로부터 나를 가려주는 최근의 단순한 농부의 노래에서 나는 다만 두덜거리고만 있을 뿐입니다." 다음에 도로시 웨레스레이(Dorothy Wellesley)에게 쓴 말은 이렇다. "마라르메의 시를 로자 후라이의 번역을 통해서 읽고 있습니다. 이 역시집에는 원문과 불란서 평론가가 쓴 논평이 들어 있습니다. 그것은 나나 나의 시대의 다른 사람들이 얼마동안 걸어갈 수 있는 길을 제시해 주고 있기 때문에 재미있습니다. 그것은 지금 내가 걷고 있는 길은 아니지만, 정통적인 길의 하나입니다. 그는 역사에서 도피하고 있습니다. 그러나 당신과 나는 역사 안에 있습니다. 심의의 역사 안에. 당신의 「불(Fire)」은 날짜나 날짜들을 가지고 있고, 나의 「난폭하고 간악한 늙은이(Wild Old Wicked Man)」도 역시 그렇습니다." 끝으로 에드먼드 듀라크(Edmund Dulac)에게 쓴 말은 이렇다. "나는 일생을 두고 구조와 현대의 언어와 문장법을 주장함으로써 현대의 주관주의로부터 벗어나려고 시도해 왔습니다."[19] 그러나 새 시대를 도입하고 새로운 풍조(風潮)를 정의한 것은 '프루후록크'이었다. 최근에 와서 수많은 젊은 시인들은 에리옷 씨와 그의 동료들이 세워 놓은 메로디를 피하려고 애쓰고 있다. 그들은 때때로 보다 낡은 음조의 단편을 따가지고 그것을 다시 복송(復誦)하고 있다. 존 크로우 랜삼(John Crowe Ransom)은 얼마 전에 '프루후록크' 이후에 맞이하게 된 장엄한 혼란을 논하면서, 목하의 징후는 낡은 시와 60년대의 시 사이에 여전히 연관성이 존재하고 있다는

● ● ●

19. [원주] 아란 웨이드(Allan Wade) 편 『예이쓰 서한집(書翰集)(*The Letters of W. B. Yeats*)』(런던 루퍼트 하아트-대비스(Rupert Hart-Davis)사 간, 1954), 886, 887, 892면 참조.

사실을 암시하고 있다고 말했다. 새로운 시는 그 억센 늙은 수리 토마스 하아디(Thomas Hardy)의 신호 밑에서 씌어져야 할 것이라는 희망을 그가 품고 있다고 나는 본다. 그러나 나의 추측으로는 그것은 예이쓰의 신호 밑에서 씌어져야 할 것이라고 생각된다. 하아디는 수많은 점에서 도움이 될 수 있지만, 그의 인간 영상은 우리들의 필요에 도움을 주기에는 너무나 참을성이 강해서, 충분한 분투력을 거의 찾아볼 수 없다. 『쿠레의 들백조』의 예이쓰와 『바위(*The Rock*)』의 스티븐스는 에리옷 씨나 파운드 씨보다도 오히려 새로운 시인들에게 올바른 '공중(公衆)' 시의 방향을 가리켜 주게 될 것이다. 즉, 인간의 지성과 생에 대한 존경과 평범한 감정생활에의 협찬을 주장하는 시의 방향을 가리켜 주게 될 것이다.

이러한 일들을 알고 있는 사람들은 오늘날 시를 쓰고 있는 젊은 시인들이 무엇보다도 상징파 시인의 막다른길 —자기 자신의 거울 속에 비치는 영상을 숭상하는 시인의 막다른 길— 을 회피하려고 원하고 있다고 우리들한테 말해 준다. 새로운 방향은 밖을 향해 있다. 만약에 우리들이 자연주의적인 극단과 개인주의의 파괴적 요소에만 빠지지 않는다면, 이 길은 건강한 길이다. 우리들이 이제 예이쓰를 『쿠레의 들백조』의 시인으로 생각한다면, 그는 이 새로운 방향을 후원해 주게 될 것이다. 이 시집 속의 가장 고귀한 수많은 시들이 그것을 도표로 표시해 주었다. 다시 말하면, 그것은 인간 생활이 가장 중요하며, 도덕사전은 쳄바렌을 넣는 경우에는 포렉스펜도 넣어야 한다고 확신하고 있었다. 또한 문자 그대로 위대한 생활의 부분은 다른 사람들과 그들이 행동으로 실현하도록 우리들을 도와주는 제 가치로서 성립된다는 것을 확신하고 있었다. 행동은 때로는 마아마래이드 쨤에 붙은 파리의 분투로밖에는 생각되지 않을지도 모른다. 그러나 「에고 도미누스 투스」 속에서 행동을 그처럼 묘사하고 있는 화자는 역시 "나는 영상을 추구하고 있다"고 말하고 있다. 추구는 그 자체가 행동이며, 훈련이며, 환영이다. 『쿠레의 들백조』는 등신대의 서책이며, 행동의 서책이며, 따라서 도덕의 서책이다.

— 본 논문은 *The London Magazine*지(1961, 12)에 게재된 Denis Donghue의 "The Human Image in Yeats"를 전역(全譯)한 것이다. (역자)

-『현대문학』, 1962. 9-10.

맑스주의와 문학비평

죠지 쉬타이너(George Steiner)[1]

1

맑스주의 문학이론의 기원에는 고명한 3개의 표준적인 원본이 있다. 그중의 2개는 엔겔스의 서한으로부터의 인용문이고, 나머지 하나는 레닌의 소논문 속에 들어 있는 것이다. 엔겔스는 1885년 11월에 민나 카우쓰키(Minna Kautsky)에게 이렇게 써 보냈다.

> 소생(小生)은 그와 같은 계획성 있는 프로그램적인 시(傾向詩, Tendenzpoesie)를 반대하는 사람은 결코 아닙니다. 비극의 아버지인 아이스킬로스나 희극의 아버지인 아리스토파네스는 모두가 단테나 세르반테스에 못지않은 강력한 경향시인이었습니다. 또한 쉴러(Schiller)의 『간계

1. [역주] 본 논문은 *Encounter*지에 게재된 George Steiner의 "Marxism and the Literary Critic"을 전역한 것이다. 그의 최근의 저서에는 『구비평논문 — 톨스토이와 도스또예프스끼』가 있다.

(奸計)와 사랑(*Kabale und Liebe*)』의 가장 우수한 요소는 그것이 독일 초유의 정치적 경향희곡(Tendenzdrama)이라는 데 있습니다. 탁월한 소설을 생산하는 현대의 노서아와 놀웨이 작가들은 모두 경향작가입니다. 하지만 이 명제는, 두드러지게 과시되지 않고, 상황과 행동 그 자체에서 나타나야 한다고 믿습니다. 그 (작가)가 묘사하는 사회적 갈등의 장래의 역사적 해결책을 독자가 가질 수 있게끔 작가에 대한 강요가 있어서는 안 된다고 믿습니다.

1888년 4월 초순에 마아가레트 하아크니스(Margaret Harkness)에게 보낸 영어로 쓴 서한에서는 엔겔스는 한층 더 강조적이었다.

소생(小生)은 저자의 사회적, 정치적 견해를 찬미하기 위해서 정면적인 사회주의 소설, 즉 우리네 독일 사람들이 말하는 경향소설(Tendennzroman)을 귀하가 쓰지 않았다고 해서 나무랄 마음은 조금도 없습니다. 그것은 결코 소생의 본의가 아닙니다. 저자의 소신이 배후에 많이 숨어 있으면 숨어 있을수록 예술작품으로서는 더 좋은 것이 됩니다.

이와 같은 원칙으로 해서, 엔겔스는 쉴러보다도 쉐크스피어를 조라(Zola)보다도 발자끄(Balzac)를 우위에 놓고 있다. 그런데 셋째 번째의 원본은 전혀 다르다. 1905년 11월에 노바이아 지즌(Novaia Jizn)에 발표한 「당 조직과 당 문학」이라는 논문에서 레닌은 이렇게 말했다—

문학은 당의 문학이 되어야 한다……. 비당파적인 문학을 타도하라! 문학의 초인들을 타도하라! 문학은 전체적인 푸로레타리아의 운동의 일부가 되어야 하며, 사회민주주의의 메커니즘 속의 '조그마한 한 개의 톱니와 조그마한 한 개의 나사못'이 되어야 한다. 전체 노동계급의 완전한 의식적인 전위에 의해서 움직여지고 있는 굳게 단결된 메커니즘의. 문학은 정연하게 조직되고 단결된 사회민주주의 정당의 불가결한 부분이 되어야 한다.

이러한 지령은 심미주의에 대적하는 초기의 논쟁에서 전술적인 논증으로 제기되었다. 그러나 문맥을 떠나서 인증될 때, 경향시에 대한 레닌의 요구는 가장 노골적인 의미에서 맑스주의자의 문학 해석의 일반적 규범으로 간주되게 되었다.

엔겔스의 선언과 레닌주의적 개념 사이에 분명히 논증의 선입주와 방향에 있어서 — 형식적인 반박이 아니라고 한다면 — 심오한 분기점이 있다. 문학작품에 의해서 다루어지는 이런 종류의 비판적 반응과 감성은 매개(每個)의 경우에서 볼 때 전혀 판이한 것이 된다. 이러한 부동성을 맑스주의 이론가들이 자각하지 못할 리 없었다. 죠오지 루카치(György Lukács)[2]는 시인의 더럽혀지지 않은 성실성에 대한 엔겔스의 옹호와, 레닌의 전체적 당파심과 심미적 훈련에 대한 요구를 화해시켜 보려고 두 번이나 시도해 보았다. 문학이론가이며 평론가인 엔겔스를 논한 그의 대논문(1935)에서 루카치는 민나 카우쓰키에게 보낸 서한문을 인용하고 복잡한 해명을 내세우고 있다. 그는 엔겔스가 용납하고자 하는 유형의 경향(Tendenz) — 에드먼드 윌슨(Edmund Wilson)[3]은 이 힘든 술어를 '경향(Tendency)'이라고 부르고 있지만, '명제(Thesis)'와 '계획적인 선입주(Programmatic bias)'가 보다 더 진의에 가깝다 — 이 실제는 '유물주의가 레닌의 시대에서부터 그 자체 내에 봉해 넣고 있는 '당적 요소'와 일치하는 것'이라고 주장한다. 이와 같은 분석에 의하면, 엔겔스는 그와 같은 참여문

● ● ●

2. [역주] 죠오지 루카치(1885-) 항가리인. 철학자, 문학자, 평론가. 독일 각 대학에서 철학, 미학을 연구. 1919년 항가리혁명에 참가. 문교상. 혁명 실패 후 윈, 모스코바로 망명. 부다페스트대학 교수.

3. [역주] 에드먼드 윌슨(1895-) 미국인. 문학비평가, 소설가, 편집자.

학(Littérature engagée)에 반대하고 있는 것이 아니라 그 시대의 부르주아 소설 속에 담겨 있는 단순한 경험주의와 공허한 주관주의에 반대하고 있는 것이다. 이러한 문제의 취급에 뚜렷한 불만을 품은 루카치는 1945년에 그의 「맑스와 엔겔스의 미학에 대한 저술에의 소개」에서 이 문제로 다시 되돌아갔다. 여기에서 그는 엔겔스가 명제문학(Littérature á thése)(영어와 그의 비평적 어휘가 이와 동의의(同意義)의 정확한 말씨를 발전시킨 것이 없다는 것은 의미심장한 일이다)의 두 가지 형태 사이에 구분을 두고 있다고 고집하고 있다. 루카치가 해석하는 모든 위대한 문학은 '기본적인 선입주'를 가지고 있다. 작가는, 그가 '선을 사랑하고 악을 배격하는' 사람이라면, 진보에 전념하고 반동에 반대할 때에만 성숙한 책임 있는 인생의 묘사에 도달할 수 있다. 루카치와 같은 섬세성과 엄격성을 가진 비평가가 그렇게까지 진부 — 괴테나 발자끄나 톨스토이에 대한 그 자신의 작품에 직접적으로 도전하는 진부성(陳腐性) — 하게 내려앉게 되면, 거기에 어떤 결함이 있다는 것을 우리들은 알게 된다. 레닌의 논문에 암시되어 있는 문학의 이미지와 엔겔스가 주장하고 있는 문학의 이미지를 화해시켜 보려는 시도는 정통파의 압력과 맑스주의 교리 내의 내부적인 완전한 일관성을 요구하는 스타린주의에 대한 절망적인 반응이라고 보아야 할 것이다. 아무리 섬세한 주석을 붙여 보아도 엔겔스와 레닌이 상반된 것을 말하고 있었고, 그들이 서로 모순된 이상을 지향하고 있었다는 자명한 사실을 감출 수는 없다.

또한 이 사실은 맑스주의적 문학과 맑스주의적 문학비평의 역사에서 현저한 중요성을 가지고 있다. '저자의 소신이 배후에 숨어 있는' 문학의 이상은 몇 번이고 레닌주의적인 편협한 호전적 형식과 충돌을 일으켰다. 맑스주의의 비평가들은 엔겔스의 미학과 레닌의 미학 사이에서, 무의식적으로라도 택하지 않으면 아니 되는 선택에 따라서 두 개의 주요한 진영으로 갈라졌다. 즉 정통파의 일군(一群)과 미셸 끄루제(Michel Crouzet)가 적절하게 호칭한 '병행 맑스주의자(Para Marxists)'의 일군(一群)으로, 즈다노프주의와 1934년의 제1차 쏘련작가회의는 엄격하게 정통파의 위치를 선언했다. 즈다노프는 회의에 보내는 그의 연설에서 신중하게 엔겔스의 술어를 골라 썼지만 레닌주의의 명목으로 엔겔스가 가리키는 의미는 거절했다.

> 우리들의 쏘련문학은 '경향적'이라는 비난을 두려워하지 않는다. 그렇다. 쏘련문학은 경향적이다, 왜냐하면 계급투쟁의 시기에는 계급문학이 아닌, 경향적이 아닌, 자칭 비정치적인 문학은 존재하지 않고, 존재할 수도 없다.

부하린은 이것을 모방해서 경향시와 순수한 형식적 기반에서 일류급으로 인정되는 시는 왕왕 아주 동일한 수가 많다고 선언했다. 그는 그 증거로서 맑스주의 시학에서 끊임없이 상기되는 이름 — 후라이리그라스(Freiligrath)와 하이네, 바르비에(Barbier)와 베랑제(Béranger)[4] — 을 인용했다.

정통파(이 경우의 정통파는 역사적 개념에보다는 정치적 개념에 속한다)는 노서아와 서구에 그의 기관지(『쏘련문학(*Soviet Literature*)』과 『신비평(*La nouvelle critique*)』이 현저한 예다)를 가지고 있다. 그것은 앙드레 스틸(André Stil)의 『사회주의 레아리즘의 시(*Vers le réalisme socialiste*)』, 하워드 홰스트(Howard Fast)의 『문학과 현실(*Literature and Reality*)』,[5] 아라공의 간결한 이론적 선언 같은 그의 참고서를 가지고 있다. 영국에서 쟈크 린드세이(Jack Lindsay)[6]와 아놀드 케틀(Arnold Kettle)이 혹종(或種)의

---

4. [역주] 후라이리그라스(1810-1876). 독일이 시인이며, 애국자.
바르비에(1805-1882). 불란서의 시인. 그의 시집 『풍자(諷刺)』(1831)가 유명하다.
베랑제(1780-1857). 불란서의 가요시인. 대표작은 「신성 동맹」, 「낡은 깃발」.
5. [역주] 하워드 홰스트(1914-). 미국의 소설가. 「자유의 길」(1944), 「미국인」(1946), 「영광스러운 형제」(1948) 등의 작품이 있다.

작품 속에 그의 발언을 찾아볼 수 있다. 독일의 맑스주의의 가장 순수한 정통파적 기질은 요하네스 베흐쉘(Johannes Becher)[7]의 시와 평론 속에 구현되어 있다. 베흐쉘은 1954년에 이렇게 말했다 — "내가 차차 사물을 있는 그대로 볼 수 있게 된 것은 레닌의 덕분이다." 사실 레닌의 영감은 정통파 비평가들의 변함없는 부적이다.

쏘련에서는 정통파는 즈다노프주의와 스타린주의 미학의 고집 센 거창한 외모를 갖추고 있었다. 문학적 상상의 형성력을 징모하거나[8] 파괴하기 위해서 정권이 가장 이로정연(理路整然)하고 비참하게 성공적인 운동을 수행할 수 있는 것은 이 때문이다. 직업적인 이해관계에 의해서 스타린 시대의 어용(御用) 비평잡지와 국영출판을 마지못해 간행한 사람들만이 순문학과 비평기술이 얼마만한 수준의 잔학행위와 단순한 요설(饒舌)로 퇴화될 수 있는가를 충분히 인식할 수 있다. 매사가 절망적으로 지루하기만 하다 — 갑의 소설이나 을의 시가 당 노선에 부합되는가의 여부에 대한 끝없는 토론, 어떤 순간적인 경솔한 과실로 해서 사회주의레아리즘의 일면에 '부정확한' 위치를 차지한 작가들에 의한 귀에 거슬리는 통렬한 자기비판, 소설과 희곡과 시가 푸로레타리아의 '무기'로서 단련되어야 한다는 끊임없는 요구, '과감한 영웅'에 대한 찬양과 에로티즘이나 문체상의 모호성에 대한 신경질적인 비난. 즈다노프주의의 이상은 정확하게 말하자면 문학을 전체주의 국가의 메커니즘 속의 '조그마한 한 개의 톱니와 조그마한 한 개의 나사못'으로 퇴화시키는 일이었다. 천재나 당파적 분노

• • •

6. [역주] 작크 린드세이(1900-). 오스트리아출신의 소설가, 고전학자. 대표작은 「크레오파트라의 최후의 날」.

7. [역주] 요하네스 베흐쉘(1891-). 독일 표현파 시인. 노서아로 망명, 대전 후에도 돌아오지 않음. 「가장 감명 깊은 레닌」, 「기계의 율동」, 「루르 상류에서 영원히」 등의 작품이 있다.

8. enlist의 번역어. 징모의 한자어는 徵募이다. 군대 사병을 징집하는 것과 같은 일을 뜻한다.

의 힘으로 잘하면 그러한 문학이(사실은 그렇지 못했지만) 『엉클 톰스 캐빈(*ncle Tom's Cabin*)』[9]과 같은 얼마간 조리 있는 작품을 낳을 수도 있을 것이다. 하지만 한층 더 거짓 없는 복잡성이나 공평성을 가진 작품이라면 그것은 당의 '조직적으로 정연하게 단결된 노동자들'에게 잠재적인 위협이 될 것이다. 그와 같은 환경 밑에서는 비평가는 두 가지 직능밖에는 가지고 있지 않다 — 즉 당의 도그마의 해설자와 이단의 식별가가 되는 것이다. 이것이 바로 파데예프(Fadeyev)[10]의, 결국에 가서는 자살을 초래한 불명예스러운 역할이었다.

그러나 비평가의 임무는 출판 인가나 파문(破門)을 명하는 일이 아니다. 잔존한 진정한 비판적 충동은 지하로 들어가서 고전학문에 종사했다. 그 나머지의 자유스러운 상상력은 편집과 번역 일에 피난처를 구했다. 이리하여 이데올로기의 공포가 계속된 기간 중에도 쉐크스피어, 딕켄스, 모리엘, 발자끄의 실력 있는 번역과 토론들이 우리들의 눈에 띈다. 전쟁은 쏘련 문학계의 황막감을 어느 정도 덜어 주었다. 개인적 (번)민과 애국적 열성은 목전의 정치적 곤궁과 함께 결합되었다. 그러나 소설가나 시인들의 업적에 부합할 만한 비평 상의 발전은 없었다. 실제로 전쟁은, 문학은 전투의 도구이며 그의 종국적 가치는 설득의 수사학과 전체적인 위임에 있다는 레닌-주의를 한층 더 강화했다.

그렇기 때문에 본질적으로 맑스주의의 문학비평과 이론의 정통파벌과,

• • •

9. [역주] 엉클 톰스 캐빈. 미국의 여류작가 스토(Stowe, 1811-1896)의 장편소설(1852). 크리스트교도인 한 흑인 노예 톰의 비참한 운명을 그려내어, 자유 박애의 정신을 고취. 노예제도 반대의 기운 양성에 큰 자극을 주어 남북전쟁의 원인이 되었다고까지 생각되는 유명한 가정소설.
10. [역주] 파데예프(1901-1956). 쏘련의 소설가. 우라디보스톡 상업학교에서 배움. 그 후 쏘련군에 입대하여 종군. 「괴멸(壞滅)」(1926)의 발표와 동시에 작가로 데뷰. 대표작으로는 「우데게족의 최후의 사람」(1937)과 「청년 근위대」(1945).

레닌주의 작가와 당의 공동 이상으로서의 경향시의 지지는 결실을 볼 수 없다는 것이 증명되었다. 레닌주의의 원칙을 문학 원본에 완전히 정통적으로 적용한 것으로서 정당성 있는 창조적인 것은 지극히 희소(稀少)하다. 가장 현저한 예를 부레히트(Brecht)[11]의 비평작품 중에서 찾아볼 수 있을 것이다. 이러한 작품은 왕왕 이단의 번쩍거리는 그림자가 나타나는 그의 희곡과는 별도로 고려되지 않으면 안 된다. 부레히트의 「진실을 쓸 때에 부닥치는 5개의 난점」(1934)은 참다운 절박감과 확신을 가지고 있다. 이것은 문학비평과 시학의 연구가 '문학 전선의 전략행위'라는 또 하나의 맑스주의 비평가의 격언을 예증하고 있다. 그러나 부레히트의 비평정통론[12]의 가장 매력적인 행사는 훨씬 후인 1953년에 나타났다. 이것은 쉐크스피어의 『코리오라누스(*Coriolanus*)』의 제1막의 (제작자와 배우들 사이에 벌어지는 토론이 형식으로 제시되어 있는) 변증법적 고찰이다. 문제는 레닌주의적인 말투로 제시되고 있다. 즉 서민들의 장면이 정치적 통찰의 — 역사의 변증법적 해석과 모순되지 않는 통찰의 — 충분한 척도를 나타내게 하기 위해서는 어떻게 해석되고 상연되어야 하느냐 하는 문제가 그것이다. 토론이 진행됨에 따라 고도한 비평적 지성과 연극술에 대한 예리한 자각이 쉐크스피어 원본에 대해서 가해지고 있다. 맨 끝의 의견 교환은 특히 계발적(啓發的)이다.

P. 이러한 모든 것을 그리고 그 이상의 것을 이 희곡의 '표면에서 알 수' 있다고 믿으시나요?

B. 표면에서 알게 되는 것도 있고 파고 들어가야만 알게 되는 것도

• • •

11. [역주] 부레히트(1898-1956). 독일의 극작가, 시인. 허무주의를 탈피한 후 사회주의자로서 자본주의 사회를 비난한 작품을 씀. 나치스 정권을 피하여 망명, 1948년 미국에서 돌아와 그해 베를린의 도이취 극장을 지도. 대표작은 『제3제국의 공포와 비참』(1938). 스타린상을 받음.

12. 'critical orthodoxy'의 번역이다.

있습니다.

P. 우리들은 이 희곡을 그러한 통찰 때문에 상연하려고 하는 것인가요?

B. 유독 그 이유 때문만이 아니지요. 우리들은 한 토막의 밝혀진(druchleuchteter) 역사를 다루는 쾌락을 갖고 싶고 또 그 쾌락을 전하고 싶습니다. 우리들은 한 토막의 변증법을 경험하고, 살고 싶은 것입니다.

P. 그것은 입문자를 위한 얼마간의 비결적(秘訣的)인 견해가 아닐까요?

B. 결코 그렇지 않습니다. 공설시장에서 상연되는 패노라마에서나 또는 대중가요를 들을 때, 단순한 군중들은 — 이들은 지극히 희소한 점에서밖에 단순하지 않습니다 — 권문(權門)의 흥망성쇠에 대한, 피압박자의 교활성에 대한, 인간의 잠재력에 대한 이야기를 즐깁니다. 그리고 그들은 '그 모든 것의 배후에 숨은' 진실을 찾아냅니다.

그러나 이러한 '변증법의 생활'과 문학 원본을 넘어선 풍자와 감성의 자유로운 유희는 문학에 대해서 엔겔스의 반응보다도 — 『노바이아 지즌』에 발표된 것과 같은 — 레닌의 반응을 채택한 맑스주의자들 사이에서는 너무나도 희소하다. (다른 곳 — 톨스토이에 대한 두 개의 소논문과 골키에 대한 단평에서 — 에서는 레닌은 시적 자유에 대해서 보다 더 섬세하고 관대한 견해를 취하고 있기 때문에, 그러한 제한은 불가피한 것이다.)

2

비평과 미학적 이론에 대한 병행 맑스주의적 유파(流波)의 작품은, 과거의 업적에서나 장래의 영향에서나, 훨씬 더 큰 중요성을 가지고 있다.

그것은 광범한 태도와 가치를 포함하고 있다 — 본질적으로 떼이느(Taine)의 역사적 및 사회적 결정론의 확장이라고 볼 수 있는 맑스주의를 신봉하는 초기의 에드먼드 윌슨의 태도가 가치에서부터 정통파가 될 듯 말 듯한 비평가 세오돌 아돌노(Theodor Adorno)의 태도와 가치에 이르기까지. 병행 맑스주의자들(우리들은 그들을 '엔겔스 파(派)'라고 부를 수도 있다)은 무엇을 공유하고 있는가? 문학은 역사적, 사회적 및 경제적 세력에 의해서 중심적으로 좌우된다는 신념. 작가가 가지고 있는 이데올로기의 내용과 명확한 세계관이 문학 판단의 활동에 결정적인 관계를 가지고 있다는 확신. 시의 창작 내의 불합리한 요소와 '순수한 형태(pure form)'의 요구에 대해서 중점을 두고 있는 미학이론의 불신. 끝으로 그들은 논변에 있어서 변증법적 진행에 대한 선입주를 공유하고 있다. 그러나 병행 맑스주의자들은 제아무리 변증법적 유물론에 몸을 맡기더라도, 예술 본연의 자태와 그의 존재의 결정적 중심점에 대한 신중한 고려를 가지고 예술작품에 접근하고 있다. 키이쓰의 말을 빌리자면, 그들은 우리들에게 명백한 의도(palpable design)를 가지고 있는 종류의 문학을 열등한 것이라고 보는 점에 있어서는 엔겔스와 동일하다. 무엇보다도 — 그리고 이것이 그들과 정통파를 구별하는 분기점이다 — 병행 맑스주의자들은 검열의 기술이 아닌 비평의 기술을 실천하고 있다.

이러한 비평가들이 주로 쏘련의 권력의 직접적인 궤도 밖에서 번성한 것은 자명한 일이다. 그러나 결정적인 단 하나의 예외가 있다. 죠오지 루카치가 동구라파의 공산주의적 국제 생활의 회색 풍경 속에 고적하게 빛나는 탑처럼 솟아 있는 것이다. 비평가 겸 미학 이론가로서의 그의 위치는 이미 확고부동하다. 도량 큰 지성과 폭넓은 기량에 있어서 그는 우리들의 시대의 대비평가들과 어깨를 나란히 하고 있다. 크로체(Croce)[13]

• • •

13. [역주] 크로체(1866-1952). 이태리의 철학자, 역사가. 『사적 유물론과 마르크스 경제학』(1900), 『역사 서술의 이론과 역사』(1915) 등의 저서가 있다.

를 제외한다면, 당대의 서구라파의 비평가들 중에서 문학 문제에 그와 비견할 만한 철학적 장식을 도입한 사람은 한 사람도 없다. 역사의 감각이나, 시대와 장소에 뿌리를 박은 상상력에 대한 감정이 생뜨 뵈브(Sainte Beuve) 이후에 그처럼 견고하고 예리한 사람은 한 사람도 없다. 괴테와 발자끄에 대한, 쉴러와 헤겔주의에 대한, 역사소설의 발흥(勃興)과 독일의 불합리주의의 검은 파동에 대한 루카치의 저서는 이미 고전으로 되어 있다. 톨스토이와 토마스 만에 대해서 그보다 더 훌륭한 식별력을 가지고 이야기한 사람은 한 사람도 없었다. 그의 노작(勞作)의 방대성(尨大性)이야말로 — 그의 전집은 20권 이상이 될 것이다 — 거의 기적에 가까운 것이다. 공산주의 치하에서의 독립적인 미학의 발달과 지탱, 레닌과 스타린의 정통파와 어긋나는 데가 많은 대량의 실제적인 비평의 발달과 지탱은 기적에 가까운 위업이다. 루카치의 오딧세이와 같은 개인적인 모험여행의 종말은 현재로서는 비극적인 의문에 싸여 있다. 그러나 그의 업적은 정치적인 공권 상실이 범위를 넘어선 저쪽에 있다. 그것(그의 업적)은 맑스주의가 가장 고도한 질서의 시학과 형이상학을 산출할 수 있다는 것을 시위하고 있다.

맑스주의 문학비평 속의 '엔겔스 파(派)'의 경향에 고려를 둘 때 루카치에 이르게 되는 것은 불가피한 일이다. 수많은 그의 저서는 사실상에 있어서 엔겔스가 하아크니스 양에게 제의한 발자끄와 조라와의 유명한 구별을 확장하고 옹호하는 것으로 간주될 수 있을 것이다. 그러나 한정된 이 소논문에서 루카치의 복잡하고도 방대한 비평에 대해 충분한 서술을 기할 수는 없다. 다만 나는 비교적 그리 알려지지 않은 수많은 비평가들에 대해 주의를 돌리고자 하는 바이며 그러한 비평가들은 모두가 본질적으로는 맑스주의자이며 방법론자이지만, 그중의 한 사람도 레닌주의적인 푸로레타리아의 자가노오트[14] 속의 톱니와 나사못으로서의 문학의 이미지에

14. [역주] 자가노오트. 인도의 신화에 나오는 크리쉬나(Krishna) 신의 상(像). 이것을

동의하고 있는 사람은 없다.

불란서의 스타린주의의 굳은 핵심(1953-54년간의 '해빙'에 기묘하게도 영향을 받지 않은 엄격한 훈련받은 간부들)의 주위에는 언제나 지적 맑스주의의 방대하고 화려한 세계가 번창해 왔다. 메를로-뽕띠(Merleau-Ponty)[15]와 사르뜨르 같은 그의 지도적 인물들은 왕왕 전적인 귀의(歸依)의 소용돌이 쪽을 향해 기울어지기도 했다. 그러나 그들은 최후의 순간에는 당의 외곽이 되는 — 그러나 당을 적대시하지는 않고 — 이데올로기의 위치를 세우려고 애를 쓰면서 몸을 비켰다. 이데올로기의 입장에서나 실천적인 관점에서나, 그러한 시도는 자기 당착(撞着)과 실패의 고배를 마실 운명에 놓여 있다. 그러나 그것이 성공하고 있는 것은 그것이 불란서의 지적 생활에 보기 드문 격렬성을 불어 넣고 추상적인 논의에 강력하고 적절한 증오심을 부여하기 때문이다. 불란서에서는 노인들까지도 분노하고 있다.

사르뜨르의 문학에 대한 저술 가운데에는 병행 맑스주의적 입장의 중요한 요소가 담겨 있다. 그러나 루시앙 골드망(Lucien Goldmann)의 저서는 변증법적 비평의 보다 더 순수하고 보다 더 엄정한 실례(實例)를 제시하고 있다. 그의 무게 있는 논문 『신이 숨은 곳(*Le dieu caché*)』(1955)은 17세기 문학 중의 잰선설(說, Jansenism)[16]의 역할의 주요한 재평가를 갖게 한다. 만약 지난 3년간에 불란서의 평단과 학계 속에 라신 소동(騷動, an affaire Racine)이 있었다면 그것은 골드망에게 일부 책임이 있다. 그의 뒤틀어진 복잡한 논증 — 헤겔주의의 그림자가 불란서적 스타일의 선천적

● ● ●

실은 수레에 깔려 죽으면 극락에 갈 수 있다고 믿어짐.

15. [역주] 메를로-뽕띠(1908-). 불란서의 철학자. 꼴레즈 드 프랑스의 교수. 사르뜨르와 함께 무신론적 실존주의자. 『현대(*Les Temps Modernes*)』지의 동인. 『행동의 구조』(1943), 『지각의 현상학』(1945), 『언어의 현상학』(1951) 등의 저서가 있음.

16. 장세니즘(Jansénisme). 신학자 얀센(프랑스명 장세니우스)에 의해 시작되고 17, 18세기 프랑스의 종교, 정치, 사회에 큰 영향을 미친 종교운동.

인 직절성(直截性)과 맞부닥치기 때문에 — 은 빠스깔의 『명상록』과 라신의 희곡의 '비극적 환상'을 잰선교(敎) 운동의 과격도당(過激徒黨)과 관련시키려고 애를 쓴다. 골드망의 종교, 신학, 문학에 대한 견해는 고전적 맑스주의자의 그것이다. 그는 철학이나 시 속에 이데올로기의 조직(맑스가 말하는 소위 하나의 상부구조(ein Überbau)) — 이의 기반은 경제적 정치적 및 사회적인 것이다 — 를 본다. 그는 주밀한 박학(博學)의 자원을 가지고 계급전술의 제요소가 어떻게 17세기의 신학적 충돌의 가장 섬세하고 가장 탈속적(脫俗的)인 데까지 파고 들어갔는가를 논증한다. 그러나 엔겔스나 맑스 모양으로, 골드망도 이데올로기의 구조의 근본적인 복잡성을 주장하며, 경제력과 철학이나 시의 체계와의 관계가 자동적인 것도 아니며 단일선적(unilinear)인 것도 아니라는 사실을 주장하고 있다. 이것이 그의 라신의 생애에 대한 취급에 설득적인 섬세성을 부여하고 있다. 『신이 숨은 곳』에서 나타나는 라신은 역사에 닻을 내리고 있는 시인이다. 이를테면, 그의 세계관의 암흑성과 1675년 이후의 불란서의 잰선설(說)을 사로잡은 환멸의 시기와의 관계를 무시하는 것은 이미 가능한 일이 아니다. 또한 골드망은 번번이 변증법적 분석의 과정을 통해서, 전혀 다른 확신을 가진 학자들에 의해서 시인된 결론에 도달한다. 이리하여 그는 신고전적인 비극 속의 합창대의 문제에서 봉건 후 사회의 파편화(fragmentation)의, 즉 합일된 사회의 '문도 없고 창도 없는 단원(monades sans portes ni fenêtres)'의 집단으로의 변형의 직접적인 반영을 본다. 이것은 과연 티리야드(Tillyard)나 프란시스 퍼거슨(Francis Fergusson)의 견해와 일치되는 것이다. 솔직히 말해서 골드망은 기껏 위대한 교본에 대한 숙련된 존경을 가지고 응수(應酬)하는 비평가다. 의자에서부터 일어나는 페드르(Phèdre)의 결정(1막3장)을 비평하면서 그는 이렇게 진술한다 — "사람은 제 발로 걸어서 비극의 세계에 접근한다." 지극히 지당한 말이며, 부라드레이[17]도

• • •

17. [역주] 부라드레이(Bradley, 1851-1935). 영국대학의 교수, 시 평론으로 저명함.

아마 그렇게 말했을 것이다.

그러나 때때로 골드망의 맑스주의는, 혹은 좀 더 엄밀하게 말해서 그의 유물론적 좌파 헤겔주의는 자기의 판단의 완전성을 강요한다. 그는 라신의 희곡에 항구적인 모형 — 영웅과 사회와 '숨은 신'의 3요소 — 을 부과(負課)시키려고 애를 쓰는 나머지 그의 희곡 구조를 지나치게 단순화한다.

> 요컨대 포오트 로얄(Port Royal)의 은자(隱者)와 수녀들은 인생을 신의 앞에서 연출되는 구경거리로 생각했다. 불란서에 있어서 극장은, 라신이 나타나기까지는, 사람들 앞에서 연출되는 구경거리였다. 라신의 비극이 탄생되기 위해서는 하나의 종합이 이루어지기만 하면 되었다. 즉 신의 면전에서 상연되는 구경거리를 무대에 맞게 써가지고 평시의 인간 관중에다가 그 관중을 감가(減價)해서 대치(代置)하는 벙어리의 숨은 구경꾼을 첨부하면 되었다.

골드망의 정통파 적대자가 그의 라신의 취급을 지나치게 도식적이라고 거부한 사실은 재미있는 일이다. 끄루제(Crouzet)는 『신비평』(1956년 11월)에서 골드망이 신고전주의에서 양식(genre)과 시어의 문제를 무시했다고 지적하고 있다. 이와 같이 함으로써, 그는 복잡한 시를 산문적 내용의 벌거벗은 뼈다귀로 퇴화시켰다. ("내용과 형식은 통합을 이루지만, 그것은 모순의 통합이다"라고 부하린은 유명한 경구에서 말했다.) 진정한 맑스주의적 비평이 "그러한 예술의 건조(乾燥)로 통할 수는 없다"고 끄루제는 말하고 있다. 그는 계속해서 병행 맑스주의에서는 두 가지의 결점이 필연적으로 합체되고 있다 — 주관주의와 문학의 기계주의적 견해 — 고 주장한다. 그러나 이러한 비난을 하면서도, 끄루제나 그의 동료들은 마음이 놓이지 않는다. 그들은 진심으로 걱정을 하면서 이런 질문을 한다 — 라신의 진정한 맑스주의적 해석은 어디에 있는가? 어째서 정통파의 비평은 극히 보잘것없는 일밖에는 하지 못했나? 항상 당의 지식층들— 그중에서 가장 뚜렷한 존재가 H. 레팹브르(H. Lefebvre) — 은 자기들의 약점을 자인하지 않을 수 없다. 레팹브르의 빠스깔과 디드로(Diderot)에 대한 저서를 제외한다면, 공식적인 불란서의 맑스주의는 본질적인 비평을 거의 한 것이 없다. 삐엘 알부이(Pierrs Albouy)의 「맑스주의 비평논문 빅떨 위고(Victor Hugo, essai de critique marxiste)」(『신비평』, 1951년 6-8월호)는 보잘것없는 작품이다. 불란서 공산주의자들은, 『신이 숨은 곳』의 이단을 개탄하면서도 변증법적 유물론을 불란서문학의 전성기에 적용하려는 가장 현저한 시도의 하나가 그(『신이 숨은 곳』) 안에 담겨 있다고 인정한다.

골드망의 서책 속에서 정오표(正誤表)와 보유란(補遺欄) 위의 기입사항보다 더 정통파 맑스주의(자)들의 관심을 자아낸 곳은 없다. 거기에서 골드망은 루카치를 참조할 때마다(그는 끊임없이 루카치를 참고로 삼고 있다) 자기는 그의 『역사와 계급의식(*History and Class Consciousness*)』을 마음속에 두고 있다고 언명하고 있는데, 1923년에 출판된 이 유명한 논문은 그 후 쏘련 공산당과 저자 자신에 의해서 과오를 범했다는 낙인이 찍힌 논문이다. 그런데 독일의 '엔겔스 파(派)'중의 가장 재주 있는 발터 벤자민(Walter Benjamin)이 1924년에 맑스주의로 개종한 것이 다름 아닌 바로 이 논문 때문이었다.

벤자민은 문장가로도 사색가로도 어느 모로도 특징짓기 힘든 존재다. 다른 어떤 맑스주의자보다도 그에 있어서는 언어의 조직이 논변의 윤곽에 선행하며 그것을 결정짓는다. 그의 산문은 구격이 꽉 째이고 인유적(引喩的)이다. 그것은 매복의 자세를 취하고, 간접적인 수단으로 그의 주제에 뛰어든다. 발터 벤자민은 맑스주의의— 그러나 개인적이고 꼬부라진 맑스주의의— 부랙머(R. P. Blackmur)[18]다. 릴케나 카우카 모양으로 벤자민

• • •

18. [역주] 부랙머. 미국의 시인, 문학평론가, 프린스톤대학 교수. 문학평론집 『제스츄

도 공업 생활의 잔인성에 대한 감각과, 현대 도시의 기괴한 묵시적(默示的)인 환상(릴케의 말테 라우리스 부리게의 대도시)에 사로잡혀 있었다. 그는 자기의 감정이 맑스의 '비인간화(dehumanisation)'의 이론과 엔겔스의 노동계급의 설명에 의해서 입증되고 확인되는 것을 알았다. 이처럼, 벤자민의 「보들레르의 일부의 주제에 대해서」(1939)의 논문은 본질적으로 19세기 파리의 부화하는 무변성(無邊性)과 거기에 따르는 시인의 고독에 대한 서정적인 명상이다. 동일한 충동이 쁘루스뜨(Proust)에 대한 흔모(欣慕) — 분명히 당의 견해에서 느껴지고 있는 흔모 — 의 밑에 가로 놓여 있다. 벤자민의 두 개의 주요한 논문 「괴테의 친화력」(1924-1925)과 「독일 비극의 기원」(1928)은 현대 구라파 평단의 가장 난해하고 가장 열심히 논의되는 작품 중에 속한다. 그러나 그 안에 어떤 변증법적인 것이 있다면, 그것은 벤자민의 친구이며 편집자인 아돌노(Adorno)가 말한 소위 '환상의 변증법'에 속하는 것이다.

그는 단 한 번 철저한 맑스주의적 경향에서 문제에 접근한 일이 있었다. 그 결과는 지극히 흥미 있는 것이다. 『기술적 재생의 시대에 있어서의 예술작품(*The Work of Art in the Era of its Technical Reproducibility*)』이라는 제목의 논문에서, 벤자민은 푸로레타리아의 예술이나 계급 없는 사회의 예술을 생각하지 말고, 오히려 '생산의 일반적인 양식 밑에서'의 예술의 진화를 생각하자고 제의했다. '생산(production)'이란 말의 애매성(曖昧性) — 일반적인 공업 과정과 특수한 예술작품의 '재생(reproduction)' — 은 그의 논제와 관련이 있는 것이다. 벤자민은 분명히 예술의 '구체성(materiality)'을, 즉 심미적 감각의 회화나 조각의 장치와 재생에 있어서의 변화에의 의존을 인식하는 데 있어서, 말로(Malraux)보다 앞서 있었다. 그는 (쉴러(Schiller)가 생각하듯이) 공예학(technology)의 역사가 동일한

• • •

어로서의 언어』(1954)와 시집 『요르단의 환희』(1937), 『훌륭한 구라파인』(1947) 등이 있음.

'지각의 역사(history of perception)'에 따라가지 못하고 있는 것이 아닌가 하고 생각한다. 그런데 동 논문은 또 하나의 유력한 착상(着想)을 포함하고 있다. 벤자민은 마리네띠와 이태리의 미래주의가 에티오피아 침략에 보낸 귀에 거슬리는 지원에 (대해) 언급하고 있다. 그는 정치적 생활의 외부적 장치와 실제적 잔학행위를 미화하는 것은 파시즘의 본질에 속하는 것이라고 말한다. 그러나 '정치의 미화(die Aesthetisierung der Politik)'를 위한 모든 노력은 숙명적으로 '영광스러운 전쟁'의 이미지로 통하게 마련이다. 한편, 공산주의는 정치를 예술적으로 보지 않는다. 그것은 예술을 정치적으로 만든다. 벤자민의 말에 의하면, 이 방법에는 평심(sanity)과 평화가 존재한다.

이것은 이해하기에도 거부하기에도 복잡한 개념이다. 벤자민은 이것을 한걸음 더 명확하게 밝히지 못하고 세상을 떠났다. 크리스토파 코드웰(Christopher Caudwell)[19] — 그의 작품은 벤자민과 비해 볼 때 창부와 같은 인상을 준다 — 모양으로, 그는 파시즘의 희생이 되었다. 벤자민은 변증법적 유물론을 그 자신의 체계 속에 필요한 독으로서 주입했고, 이 이질체(異質體)와 창조적 자극제(刺戟劑)의 주위에서 그의 감각이 결정되었다고 세오돌 아돌노(Thedor Adorno)는 관찰했다. 문학에 관한 한에 있어서는 아돌노는 그리 중요한 위치를 차지하지 못하고 있다. 그의 중요성은 내가 취급할 자격이 없는 분야에 속해 있다. 즉 그는 맑스주의의 원리를 역사와 음악미학에 적용시키고 있는 것이다.

조그마하지만 매혹적인, 미국의 맑스주의자의 무리 중의 한 사람인 시드니 휜켈스타인(Sidney Finkelstein)도 주로 음악의 비평가 겸 사회학자이다. "음악의 형태는 사회의 산물이다……"라고 그는 말한다, "음악적 형태의 타당성은 그의 '순수성'에 있는 것이 아니라, 그것이 그 시대에

● ● ●

19. [역주] 크리스토파 코드웰(1907-1937). 영국의 소설가, 시인, 평론가.

자극적인 착상을 위해서 제공하는 평이(平易)한 전달에 있다." 그런데 『예술과 사회(*Art and Society*)』에서는 휜켈스타인은 한층 넓은 범위를 잡고 있고, 그의 저서는 맑스주의 이론 속의 고전적 경향— 푸로레타리아의 새로운 문화와 고대의 풍습 사이의 연합— 을 해명하고 있다. "나는 철학적 체계를 이용했다"고 그는 언명한다.

> 그것은 맑스주의 사상의 본체이며, 그것은 관념이 생활의 물질적 현실과 연관해서만 이해될 수 있고, 생활의 현실은 운동과 변화의 내적 충돌에 의해서만 이해될 수 있다는 사실에서 우러나오는 것이라고 간단히 기술될 수 있다. 칼 맑스와 후레데리크 엔겔스는 "물질적 생산과 물질적 교역이 발달함에 따라서, 인간은 그들의 현실생활과 함께 그들의 사고와 사고의 소산물을 변경한다. 생활이 의식에 의해서 결정되는 것이 아니라 의식이 생활에 의해서 결정되는 것이다"라고 말하고 있다. 이것이 내가 예술에 적용하려고 한 전반적인 접근법이다.

휜켈스타인이 가장 영속적인 가치가 있다고 생각하는 예술 형태는 대중적인 양식에 뿌리를 박은 예술 형태다. 이리하여 그는 바흐(Bach)의 둔주곡(遁走曲)의 양식은 그것이 당시의 민요의 음성과 대위법(對位法)의 부분으로의 분리에 기초를 두었다는 사실에 그 힘과 명석의 원인이 있었다고 주장하고 있다. 이와 마찬가지로, 미국문학의 수많은 일류작품— 마크 트웨인, 휘트먼, 샌드버그, 프로스트(Frost) — 은 민간변설(民間辯舌)[20]과 대중가요의 전통에서 생겨나오고 있는 것이다. 휜켈스타인은 현대예술의 추상성과 '난해성' 속에 개인적인 예술가와 대중들 사이의 불화의 직접적인 결과가 담겨 있는 것을 본다. 이러한 불화가 부르주아지의 상업미학에 의해서 초래되고 있다고 믿는 점에 있어서 그는 엔겔스와 의견을

• • •

20. 'folk rhetoric'의 번역.

같이 하고 있다. 부르주아 취미의 (에즈라 파운드의 말을 빌리자면) '값싼 천착성'에 반기를 들고, 19세기 말엽과 20세기 초엽의 예술가들은 닻을 올리고 바다로 떠났다. 바다로 나간 그들은 더욱더 개인적이며 공공생활의 성숙하는 힘으로부터 더욱더 분리된 세계에서 산다.

그러나 즈다노프의 정통파와는 완강히 갈라서서, 휜켈스타인은 쇤베르그(Schoenberg)[21], 프루스트, 조이스와 같은 외로운 항해자들을 찬미해마지 않는다. 그는 『율리시스(*Ulysses*)』를 라데크(Radek)[22]가 1934년에 본 것 — '활동사진 기계로 현미경을 통해서 촬영한, 구더기가 욱실거리는 똥더미' — 처럼 보지는 않고, 당대의 상업문학이 토해내는 '천박하고 진실성 없는 지루한 음조'에 반대하는 비극적이고 거의 자폭적인 항변이라고 보고 있다. 휜켈스타인의 가장 독창적인 견해의 하나는 낭만주의의 본질로 향하고 있다. 그는 낭만적 감성 속의 소극적 기질과 적극적 기질 사이에 구별을 두려고 탐색한다. 그는 전자를 도스또예프스끼와 연결시키고 있다. 이것은 적지아니 중요한 문제다. 도스또예프스끼에의 접근법의 문제는 모든 맑스주의적 비평에서도 도스또예프스끼의 세계관을 변증법적 유물론에의 고집 센 위협이라고 규탄한 레닌주의와 스타린주의의 견해에서 벗어날 수 없었다. 1954년까지는 도스또예프스끼의 작품을 다루는 맑스주의의 비평가는 다만 그 행위 만으로서도 참다운 용기와 주체성을 가졌다는 증거가 되었다. 『까라마조프의 형제』에 (대해) 언급한 중에서, 휜켈스타인은 도스또예프스끼를 다음과 같이 말하고 있다.

> 합리적인 것 이상으로 비합리적인 것을 강조하고, 이해할 수도 없고 제어할 수도 없는 잠재의식의 힘을 암시함으로써 그는 예술가와 인간이 그 자신으로부터 완전히 비현실적이라고 세계를 단절해 버리는 낭만주

21. [역주] 쇤베르그(1874-1951). 오스트리(아)의 작곡가. 12음 음악의 창시자.
22. [역주] 라데끄(1885-?). 노서아의 혁명가이며 저널리스트.

의의 극점에까지 이르렀다.

한편 아라공(Aragon)의 시에서 그는 '낭만주의의 적극적 가치'와, 대중의 풍부한 직각력과 민감한 활기와의 그의 유사성을 본다.

맑스주의적 전통의 보다 더 큰 테두리 안의 가지각색의 전술을 예증하기 위해서 우리들은 문학평론가와 문학사가 중의 수많은 다른 인물들을 살펴볼 수도 있다. 그러나 본질적인 요점은 지극히 간단하게 밝혀질 수 있다. 즉 당의 이데올로기의 엄격한 한계 밖에 무수한 비평가와 예술철학가가 있는데, 이들의 작품은 중심적으로든 본질적인 부분에서든 다 같이 맑스주의의 변증법적 방법과 역사적 방법론에 의해서 지배되고 있는 것이다. 그들 중에는 진지하게 문학에 관심을 가진 사람이라면 목숨을 걸고 무시해야 하는 이론가와 실제적 비평가들이 있다. (계속)

3

레닌주의적 정통파와 병행 맑스주의와의 사이의 싸움은 혹독하고 간단없는 것이다. 그것은 쏘련의 정치 평론가들로 하여금 엥겔스의 저서에까지도 의심을 품게 만들었다. 그들은 발자끄와 조라와의 사이의 그(엥겔스)의 구별은 용납하지 않으면서, 예술의 최고 가치는 그의 명확한 혁명적 경향에 있다는 레닌의 원리만은 고수한다. 이 때문에 보리스 레이조프(Boris Reizov)의 기묘하고도 뒤틀린 『작가 발자끄』라는 저서가 나왔다. 다시 또 그것은, 파데예프(Fadeyev)가 그의 「문학에 대한 각서」(1956년 2월)에서 "어지간한 혼란이 그에 관해서 퍼지고 있다"고 넋 없이 인정한 하아크니스의 서한의 난처한 문제를 논하고 있다. 엥겔스가 발자끄를 "과거와 현재와 미래의 모든 조라보다도 훨씬 더 위대한 사실주의의 대가"라고 판단한 말이 생각날 것이다. 그는 발자끄가 정통왕조파이며 음산하고 반동적인 가톨릭 신자라는 사실에도 불구하고 그렇게 판단했다.

> 발자끄가 이처럼 그 자신의 동정과 정치적 편견에 반대하지 않을 수 없었다는 것, 그가 좋아하는 귀족들의 몰락의 필연성을 인정하고, 그보다 나은 운명을 받을 자격이 없는 사람들로서 그들을 묘사했다는 것, 또한 당분간 그들밖에는 눈에 뜨이지 않는 장래의 진정한 인간들을 인정했다는 것 — 나는 그것을 사실주의의 가장 위대한 승리의 하나이며, 지난날의 발자끄의 가장 장엄한 특징의 하나라고 생각하고 있다.

이 유명한 장구(章句)에서 이데올로기와 시적 환영 사이의 분리의 이론이 생겨났다. "문학의 역사는 그들의 사상이 그들의 작품의 감각과 구조와는 엄밀한 의미에서 배치(背馳)되는 작가들(수많은 실례 중에 발자끄(와) 괴테 등이 있다)로서 충만되어 있다"고 뤼시앙 골드망은 말하고 있다. 그러나 동시에 엥겔스와 그의 일파에 의한 다음과 같은 선언 — "저자의 소신이 배후에 많이 숨어 있으면 숨어 있을수록 예술작품으로서는 더 좋은 것이 된다" — 은 레닌주의적인 당 문학의 이상에 대한 준열한 도전(挑戰)같이 보인다. 반동적인 소설가가 뚜렷한 '진보적'인 세계관을 가진 작가보다 사실상 더 위대한 사실주의를 완성한다면, 예술의 이데올로기적 수행의 개념 전체가 의문시된다. 이러한 딜레마를 해결하기 위해서, 레이조프는 하는 수 없이 엥겔스가 잘못 생각했을 것이라는 추론을 내리고 있다(이와 같은 추측의 뒤에 숨을 불안에 중압에 대조해서는[23] 거의 말할 필요가 없다). 그는 발자끄의 세계관 속에 다음과 같은 연결성이 있다고 보고 있다. 즉,

23. 원문대로임. 영어 원문은 "on the weight of anxiety behind such a supposition"이다.

> 불란서의 앙시끄로빼디스뜨(Encycloqædists)의 혁명적 철학과의 직접적인 연결성…… 발자끄가 그 자신의 정치적 선언을 어떻게 했든 간에 — 그는 여전히 불란서의 혁명적 철학가들의 진정한 후계자이다.

물론 이 말은 역사적으로 볼 때는 넌센스다. 그러나 그것은 엔겔스의 견해와, 더군다나 루카치의 견해를 레닌주의적 정통파와 화해시켜 보려는 필사적인 기도라고 볼 수 있다. 왜냐하면 바렌틴 아스므스(Valentin Asmus)가 「사실주의와 자연주의」(『쏘련문학』지 1948년 3월호)라는 중요한 논문에서 말했듯이, 레닌은 엔겔스와는 반대로 경향성의 '직접적이고 노골적인 주장' 속에서 푸로레타리아 작가와 자본주의 부르주아의 변호사와의 사이의 주요한 차이점을 보았기 때문이다.

'푸로레타리아 작가'가 오늘날까지 영구적인 가치 있는 것을 거의 생산하지 못했다는 것은 쏘련 비평가들이 노상 자각하고 있는 사실이다. 쇼로프는 1955년에 열린 제2차 쏘련작가회의의 유명한 중재 연설에서, 오늘날 쏘련문학의 주요 임무는 공식적인 범용(凡庸)에서 탈피하여 계승할 가치 있는 작품을 만드는 일이라고 과감히 주장했다. 이것은 또한 루카치의 완강한 주장이기도 했다. 그렇기 때문에 그는 스타린 시대의 노서아의 소설이나 시를 막무가내로 취급하기 싫어한다. 그러나 정통파 비평가에게는 그러한 태도는 반역에 가까운 것이다. 만약에 레닌이 정당하다면, 혁명 후 문학의 가장 범용한 작품조차도 봉건사회나 부르주아지 치하에서 쓴 고전보다 현대의 독자에게는 본질적으로 더 유익한 것이 된다. 즈다노프가 명확하게 주장하고 있듯이, 쏘련문학은 바로 '착상에 있어서 가장 풍부하고, 가장 전진적이고, 가장 혁명적인 문학'이다. 자기의 저술의 막대한 부분을 쉴러, 괴테, 발자끄, 뿌쉬낀, 톨스토이의 작품 비평에 바치고 있는 평론가는 분명히 반혁명적 경향에 굴복하고 있는 것이다.

이것이야말로 동구라파의 공산주의 교주들이 루카치에 대해서 펴고 있는, 오랫동안 감싸두었지만 지금은 공공연하게 내놓고 하는, 살인적인 전투의 요점이다. 항가리 폭동에서의 루카치의 짧은 역할은 다만 정통파와 병행 맑스주의자의 역사에 대한 해석 사이의 불가피한 충돌을 희곡화한 것이며, 맑스주의자의 말을 빌리자면 '객관화'한 것이었다. 항가리의 즈다노프인 죠세프 레베이(Joseph Revai)는 1950년에 루카치에 대한 공격을 개시했다. 『문학과 인민민주주의』라는 소책자에서 그는 이렇게 묻고 있다.

> 항가리 문학은 1954년에 루카치가 부여한 구호—"조라냐, 아니다, 발자끄다!"—에서 무엇을 얻을 수 있었는가? 또한 그것은 1948년에 루카치가 내건 슬로건—"삐란델로(Pirandello)도 프리스틀리(Priestley)[24]도 아니다. 쉐크스피어와 몰리에르다"—에서 무엇을 얻을 수 있었는가? 이 두 경우에서 모두—아무것도 얻지 못했다.

루카치의 발자끄와 괴테에의 열중은 위험스러울 정도의 낡아빠진 것이라고 레베이는 주장한다. 작가의 이데올로기와 그의 실제의 작품을 분리해서 생각하는 것은 용납될 수 없는 일이다. 소설가가 만약에 적절한 현실의 이미지를 전달하려고 탐색한다면, 반드시 맑스-레닌주의의 교의(教義) 내에서 탐색해야 하고, 실제 그렇게 해야만 된다. 루카치는 결국 당이나 계급의 이익보다도 '순수한'(즉 '형식주의적인') 문학의 법규를 우위에 놓고 있다고 레베이는 꼬집어 뜯는다. 논리적으로 볼 때 쏘련문학의 탁월성을 루카치가 인식하지 못하는 것은 여기에서 나오는 것일 것이다.

표현상으로는, 이것은 즈다노프주의의 서푼짜리 문사와 대평론가와의 사이의 논쟁처럼 보일는지도 모른다. 그러나 진정한 충돌점은 더 깊은

● ● ●

24. [역주] 피란델로(1867-1936). 이태리의 극작가, 소설가. 「작가를 찾는 6명의 등장인물」, 「헨리 4세」, 「각인 각설」 등의 저자. 노벨상을 받음.
프리스틀리(1894-1984). 영국의 작가, 극작가, 비평가. 그의 작품은 가장 영국적이라는 평을 받은 소설 「천사의 가로(街路)」, 희곡 「내일의 세대를 위하여」 등의 저서가 있음.

곳에 있다. 이것은 역시 혁명적 사회에 있어서의 예술의 개념과 예술가의 역할에 대한 '엔겔스 파(派)'와 레닌주의자들 사이의 대결이다. 레팹브르는 1953년에 벌써 이것을 알았다. 그는 루카치의 문제를 취급했을 때, 그의 『미학의 분담(*Contribution à l'esthétique*)』에서, 엔겔스는 아직도 당 문학의 문제를 파악하지 못하고 있었다고 진술하기까지 했다. 전체의 논쟁은 항가리 봉기 후에 한층 더 선명해졌다. 최근의 선언에서, 레베이는 루카치를 '즈다노프주의와의 싸움을 가장하고'(쏘련에서는 '해빙'으로 해서 얼마간 존경받고 있는 싸움) '사실은 레닌주의를 파괴하려고 시도하는' 사람들 중의 하나라고 비난하고 있다. 만약에 '레닌주의'라는 말을 1905년에 윤곽이 드러난 문학이론으로 해석한다면, 레베이의 말은 확실히 정당하다. 왜냐하면 그것은 루카치나 그 밖의 책임 있는 비평가들이 용납할 수 없는 이론이기 때문이다.

단 하나의 영역에 있어서만은 정통파와 병행 맑스주의자의 비평 사이에 화해가 성립되었다. '스타린 격하 운동' 기간 중에, 도스또예프스끼 연구의 금단의 구역이 맑스주의자의 음미(吟味)를 위해서 재개되었다. 이로 인해서 블라디미르 예르미(로)프(Vladimir Yermilov)의 색다른 논문(『쏘련문학』지, 1956년 2월호)이 나오게 되었다. 그의 비평적 가설은 분명히 엔겔스서 끌어온 것이다. 예르미(로)프는 인간 수난에 대한 도스또예프스끼의 감각과 인간을 모욕과 치욕으로부터 해방시키기 위한 효율적인 투쟁 방법을 발견하려는 기도에 대한 그의 적의(敵意) 사이의 근본적인 분리를 관찰한다. 그는 이러한 전반적인 해석을 『백치(白痴)』를 면밀히 숙독(熟讀)함으로써 실체화해 보려고 한다. 날카롭게도 그는 이 소설 속에서 금전의 잔인한 위엄에 대한 비유와 '자본주의의 우익적 비평'을 본다. 세부적인 점에 있어서는 예르미(로)프는 왕왕 차별을 두지 않는다. 결국 그의 논문을 읽고 나서 독자가 품게 되는 것은 『백치』가 발자끄의 유작이라는 기묘한 느낌이다. 그러나 예르미(로)프의 결론이 쏘련 비평의 음조에 현저한 변화가 생긴 것을 나타내고 있는 것은 의심할 여지가 없다.

그 자신의 시대에 대한 공적인 허언(噓言)과 그 자신의 외관에 나타난 반동적인 경향에도 불구하고, 그 자신의 내부에 치욕과 수모에 대해 항변하는 힘을 발견한 작가를 인류는 간과할 수 없는 것이다.

이와 대조가 되는 공식적 승인을 찾아보려면, 루나챠르스끼(Lunacharsky)[25]와 1920년-1921년의 도스또예프스끼 백년제로 돌아가 보아야 한다.

예르미(로)프의 논문이 발표되고 나서 2, 3개월 뒤에 불란서의 정통파 비평이 짝을 지어 나왔다. G. 프리드랜더(Fridlander)의 『백치』의 토론(『신비평』지, 1956년 5월호)은 거의 중요성 있는 내용은 없다. 그도 역시 '진보적인 독자'는 도스또예프스끼의 부르주아 사회 내의 사회적, 심리적 갈등의 정확한 묘사와 그의 과오 있는 반동적 세계관을 식별하는 방법을 알 수 있을 것이라고 믿고 있다. 이 작품의 경이적(驚異的)인 요소는 첫머리에 나와 있다. 여기에서 프리드랜더는 그의 공산주의 독자들에게 도스또예프스끼는 이러이러한 해에 낳고, 시베리아에서 얼마동안을 지냈고 『죄와 벌』, 『백치』 등등의 수많은 장편소설을 썼다는 사실을 알려주는 것이 필요하다고 생각하고 있다. 그런 담담한 얘기를 한참동안 계속하고 있다.

4

우리들이 여태까지 언급해 온 문제는 내부적인 것이다. 그것은 당의 이론과 여러 가지 방식의 불찬(不贊)을 취급한 것이다. 이제 그 보다도 더 큰 문제를 질의해 보기로 하자 — 맑스주의는 철학으로서, 변증법적

25. [역주] 루나챠르스끼(1875-1933). 쏘련의 작가, 평론가, 정치가. 문학자로서는 러시아 및 서유럽 예술에 조예가 깊어 맑스주의 문학이론가로 쏘련문학을 지도.

유물론으로서, 통찰의 전략으로서 문학비평의 방법에 무엇을 기여했는가? 장래의 센츠버리(Saintsbury)[26]는 현대비평사를 쓸 때 맑스주의적 업적의 어떤 면에 착념할 것인가?

첫째로, 분리의 개념이 있다 — 발람(Balaam)[27]처럼 자기의 지식이나 공언한 철학에 반대되는 진실을 말하는 시인의 이미지가 있다. "자기 자신의 작품에 대한 '객관적' 특징을 포착하지 못하는 작가나 시인을 생각하는 것은 조금도 불합리한 일이 아니다"라고 골드망은 주장한다. 작가의 명백한 이데올로기와 그가 실제로 전하는 인생의 표현 사이에는 모순이 있을 수 있다. 엔겔스는 괴테와 발자끄에 관해서 이 관념을 주장하고 있다. 그것은 또한 세르반떼스나 톨스토이 — 우리들이 루카치를 통해서 톨스토이에 접근하든, 이사야 벌린 경(卿)(Sir Isaiah Berlin)[28]을 통해서 접근하든 간에 — 에 대한 설명을 도와준다. 이리하여 동 끼호떼에 있어서도, 안나 까레니나에 있어서도 사전에 의도한 수사학은 실제의 긴 이야기체(narrative)의 기질과는 상충하게 된다. 수많은 주요한 문학에서, 우리들은 그러한 내부적인 모순이 발하는 잠재적 역설과 긴장을 자각하게 된다. 이 때문에 맑스주의자의 발자끄의 해석과 윌리암 엠프슨(William Empson)의 『톰 존스(*Tom Jones*)』[29]의 최근의 재평가 사이에 기묘하면서도 시사적인 유사성이 생긴다. 엠프슨이 풍자의 복잡한 유희를 감지하는 곳에서, 맑스주의는 시인의 명제와 그의 실제적인 사물의 환영 사이의 변증법적 충돌을 보게 된다.

● ● ●

26. [역주] 센츠버리(1845-1933). 영국의 문학사가. 『영문학소사』, 『영시운율사(英詩韻律史)』 등의 저서가 있음.
27. [역주] 발람. 성서의 시편에 나오는 예언가.
28. [역주] 이사야 벌린 경(卿)(1909-1997). 옥스포오드대학의 사회학, 정치학교수. 『칼 맑스』, 『자유의 개념』 등의 저자.
29. [역주] 『톰 존스』. 헨리 필딩(Heny Fielding)의 소설. 일반적으로 영국소설의 걸작의 하나로 인정되고 있음.

둘째로, 맑스주의 이론이 '사실주의'와 '자연주의' 사이에 그어 놓는, 복잡은 하지만 결국은 납득할 수 있는 구별이 있다. 그것은 『일리아드(*Iliad*)』와 『오딧세이(*Odyssey*)』에 대한 헤겔의 고찰에까지 소급한다. 헤겔은 호머(Homer)의 서사시에 있어서 물질적 사물의 묘사가 — 아무리 상세하고 문체상으로 닦여 있어도 — 시의 운율과 생기를 강압하지 않는 것을 보았다. 한편, 현대문학에서도 묘사적 작품은 그에게 우발적이고 생기 없는 것으로서 느껴졌다. 그는 산업혁명과 노동의 상관적 분업이 인간들을 물질의 세계로부터 소격(疏隔)시켰다는 계발적인 암시를 던졌다. 아키레스의 갑옷을 지어내고 오딧세(우스)의 뗏목을 만드는 호머의 이야기는 현대의 공업 과정이 더 이상 허용하지 않는 공장과 제품 사이의 직접적인 관계를 전제로 한다. 호머의 시대나 중세기에 비해 볼 때, 현대인은 탐욕스러운 이방인 모양으로 물질세계에 살고 있다. 이런 관념이 맑스와 엥겔스에게 크게 영향을 주었다. 그것이 자본주의적인 생산방식 하의 개인의 '소격'에 대한 그들의 학설에 기여했다. 맑스와 엥겔스는 라살(Lassal)[30]과의 토론과 발자끄의 연구과정에서 이러한 소격의 문제가 예술에 있어서의 사실주의의 문제와 직접적으로 밀접한 관계가 있다는 것을 믿게 되었다. 고대의 시인들과 '고전적인 사실주의자들'(세르반떼스, 쉐크스피어, 괴테, 발자끄)은 객관적 현실과 상상의 생활 사이의 유기적(有機的)인 연관성을 세우고 있었다. 한편, '자연주의자'들은 재고 중의 물품으로 열병적(熱病的)인 재산 목록을 만들어야 하는 창고를 보듯이 세계를 보고 있다. 현실의 감각은 물체의 모든 특징을 재현함으로써 생기는 것이 아니라 진수(眞髓)를 형성하는 제 특징을 묘사함으로써 생기는 것이다……. 한편 자연주의적인 예술에 있어서는 — 도망치기 쉬운 충만을 달성하려는 노력 때문에

• • •

30. [역주] 라살(1825-1864). 독일의 사회주의자이며 노동운동 지도자. 1848년 2월 혁명을 지도, 63년 전 도이취 노동자협회 창립. 처음에 맑스와 접근, 후에 국가주의로 전향.

— 역시 불완전한 이미지가 '진수적인 것'과 중요하지 않은 '부수적인 것'을 다같이 '동일한 평면 위에 놓고 있다'고 현대의 어떤 맑스주의 비평가는 말하고 있다.

이러한 구별은 영향하는 바가 크다. 그것은 발자끄와 스탕달 후의 불란서 사실주의의 쇠퇴를 가져오고, 소설을 가지고 세계의 색인(『파리의 복부(腹部)』 속의 치이스의 목록)을 만들려는 조라의 강박관념적인 기도(企圖) 같은 것에 대해서 우리들에게 말해 주고 있다. 그 때문에 우리들은 체호프의 '사실주의'와 이를테면 모빠상의 '자연주의'를 구별할 수 있을 것이다. 또한 그것을 통해서, '보바리 부인'이 — 그것이 제아무리 경탄스러운 것이라 할지라도 — 안나 까레니나보다는 훨씬 시시한 사건이라는 것을 확인할 수도 있을 것이다. 자연주의에는 축적(蓄積)이 있고 사실주의에는 헨리 제임스(Henry James)[31]가 말한 유기적인 형태의 '깊은 호흡(呼吸)을 한 경제'가 있다.

셋째로, 맑스주의는 비평가의 시간과 장소에 대한 감각을 날카롭게 했다. 이와 같이 함으로써 그것은 셍뜨 뵈브와 떼느(Taine)가 창시한 관념을 전진시켰다. 오늘날 우리들은 예술작품이 일시적인 물질적 환경 속에 뿌리박고 있다는 것을 알고 있다. 서정적 충격의 복잡한 구조 밑에는 특수한 역사적, 사회적 기초가 가로 놓여 있다. 맑스주의적 감성은 현대 비평 중의 가장 양질적인 것에 사회학적 자각을 기여했다. 그것은 이를테면 도스또예프스끼적인 플롯이 금전이나 계급관계의 위기에서 발단한다는 리오넬 트리린그(Lionel Trilling)[32]의 관찰 속에 실현되어 있는 종류의 자각이다. 또한 맑스주의 속에 내포되어 있는 원근법을 통해서 역사가와

● ● ●

31. [역주] 헨리 제임스(1843-1916). 영국의 소설가. 뉴욕 태생. 『로데리크 허드슨』, 『아메리카인』, 『유럽인』 등의 소설이 있다.
32. [역주] 리오넬 트리린그(1905-1975). 미국의 문예평론가. 커럼비아대학 교수. 『프로이드와 우리들의 문화의 위기』, 『추방인의 집회』 등의 저서가 있음.

문학비평가들은 관중의 연구를 하게 되었다. 에리자베스조(朝) 시대의 구경꾼들에 대해서, 역사적으로나 사회적으로 할 수 있는 말은 무엇인가? 디킨즈적인 소설은 새로운 독서 대중의 진화에 대해서 어떤 방면에서 적합한 반응을 보였나? '시대정신'으로서의 맑스주의적 요소가 나타나지 않았다면, L. C. 나이츠(Knights), Q. D. 리비스(Leavis), 리챠드 호가아트(Richard Hoggart)[33] 같은 비평가들은 예술의 사회적 역학에 대한 그들의 이해에 도달하지 못했을 것이다.

마지막의 요점은 가장 논하기 어려운 것이다. 그것은 내가 아무리 조심성 있게 말해도 오해를 자아내기 쉬웁다. 하지만 그것은 간단히 말해서 이런 것이다 — 맑스, 레닌주의와 그 명목으로 다스려지고 있는 정권은 문학을 (중대하게) 생각하고 있고 사실상 필사적으로 그렇게 생각하고 있다. 쏘련 혁명의 육체적 연명을 위한 전투가 최고조에 달했을 때, 뜨로츠끼는 "예술의 발전은 각 시대의 활기와 의미의 최고의 시금석(試金石)이다"라고 주장할 수 있는 기회를 발견했다. 스타린은 그의 방대한 전략적, 경제적 선언에 언어학과 문학에 있어서의 언어의 문제에 대한 논문을 첨부하는 것을 필수적인 일이라고 생각했다. 공산주의 사회에 있어서는 시인은 건강과 정치적 통일체에 대한 중심인물로 간주되고 있다. 그러한 고려는 이단적인 예술가가 침묵을 지키거나 숙청을 당하는 강압 속에 바로 잔인하게 명시되어 있다.

이와 같은 심의의 생활에의 끊임없는 선입주는 오로지 맑스주의적

● ● ●

33. [역주] 여기의 3명의 비평가들에 대해서는 자세한 것을 알 길이 없다. 이 밖에도 Lucien Goldmann, Walter Benjamin, Sidney Finkelstein, Joseph Revai, Vladimir Yermilov, Frilander, Boris Reizov, Michel Crouzet, André Stil, Arnold Kettle, Theodor Adorno, Tillyard, Francis Fergusson, Lefebvre, Pierre Albouy, Valentin Asmus 등은 반드시 역주가 필요한데도 불구하고 현재의 빈약한 역자의 여건으로는 이를 밝혀드릴 길이 없으니 독자제현(讀者諸賢)께 미안할 따름이며, 아울러 식자(識者)의 교시를 바란다.

독재 정치와 그 밖의 종류의 전체주의를 구별하는 데 도움을 주게 된다. 다윈이나 헤겔에 대한 해석이 동일하지 않다고 해서 인간을 쏘아 죽이는 것은 모든 인간사 중에서의 관념의 지상권에 바치는 사악한 공물(供物)이다 — 하지만 역시 공물(임)에는 틀림없다.

또한 맑스주의나 맑스와 엔겔스의 예술철학을 스타린주의적 규칙의 구체적인 현실과 구별해 보자. 그렇게 해보면 맑스주의적 문학관의 무서운 근엄성이 에즈라 파운드와 리비스 박사를 제외하면 거의 전부의 서구라파의 비평가들이 긍정하려 들지 않는 듯이 보이는, 약간의 진리를 우리들에게 상기시키게 될 것이다. 언어의 건강은 산 사회의 보존을 위해서 필수적인 것이다. 언어가 가장 참된 도전을 당하고 방위(防衛)되는 것은 문학에 있어서이다. 활기에 찬 비평적 전통 — 그의 논쟁에 있어서도 절대로 필요한 — 은 사치가 아니라 엄격한 필요물이다. 상업주의의 압박 하에서의 가치의 포기(예술과 뜨내기물(Kitsch)을 구별할 줄 모르는 저널리즘 비평가)는 보다 더 큰 퇴폐(頹廢)에 기여하고 있다. 맑스주의자의 문학에 대한 개념은, 그것이 비교화주의와 잔학행위를 자행하고는 있지만, 미국에서 실천되고 있는 일부의 '신비평(New Criticism)'의 방법 같은 아카데믹한 것도 아니며, 현대의 수많은 영국인의 비평같이 지방적인 것도 아니다. 우선 그것은 경솔하지가 않다. 진정한 맑스주의의 비평가 — 즈다노프주의의 검열관과는 판이하다 — 는 그 유명한 경솔을 가리키는 속담 풍의 불란서인들의 술어 — "그건 문학밖에는 안 돼" — 처럼 문학을 가볍게 보지 않는다.

–『현대문학』, 1963. 3-4.

미국의 현대시

제오후레이 무아(Geoffrey Moore)

시카코에서 시지 『포이츄리』를 해리에트 몬로오(Harriet Monroe)가 창간한 것이 1912년이었다. 수많은 미국의 비평가들은 이것은 하나의 '문예부흥(Renaissance)'이라고 부르고 있지만, 사실상에 있어서 그것은 '발흥(Naissance)' 이상의 의미를 가지고 있는 것같이 생각된다. 현세기의 최초 20년간에 있어서의 미국시의 비상한 개화기의 중심을 이루는 데 그것이 도운 바 역할은 상당한 것이었기 때문이다. 또 하나 주의해야 할 사실은 20세기의 미국시의 정력이 동부에서와 못지않게 미국의 중심부에서 많이 솟아나왔다는 것이다. 에드가 리이 매스터스(Edagar Lee Masters), 카알 샌드버어그(Carl Sandburg), 바첼 린드새이(Vachel Lindsay)는 중서부의 '정신 작흥(作興)'의 지도적 인물이었지만, 그러나 또한 우리들은 그들과 함께 — 이들은 일찍이 동부에 자리를 잡았다가 거기에서 구라파로 이동한 사람들이기는 하지만 — 에즈라 파운드(Ezra Pound)와 T. S. 엘리오트(Eliot)를 가정적(假定的)으로 포함할 수가 있다. 가톨릭적인 취미를 가진 몬로오 양은 샌드버어그와 매스터스를 격려하였을 뿐만 아니라, 「J. 알프렛드 푸루후롯크의 연가」와 월레스 스티븐스(Wallace), 콘랏드 에이켄(Conrad Aiken), 매리안 무아(Marianne Moore)의 초기 시(또한 그 후에는 하아트 크레인(Hart Crane)의 작품)를 출판한 최초의 사람이기도 하였다. 이 1910년대에는 매스터스의 『스픈 리버 사화집(*Spoon River Anthology*)』, 샌드버어그의 『시카고시집(*Chicago Poems*)』, 린드새이의 『제나랄 윌리암 부우스(*General William Booth*)』와 『콩고(*The Congo*)』가 출판되었다. 동부에서는, 로버어트 프로스트(Robert Frost)가 『보스톤의 북쪽(*North of Boston*)』을, 에드윈 알링톤 로빈슨(Edwin Arlington Robin son)이 『하늘을 등진 사나이(*The Man Against the Sky*)』를, 콘라드 에이켄이 『회전과 영화(*Turns and Movies*)』를, 윌리암 카알로스 윌리암스(William carlos Williams)가 『노기(怒氣, *The Tempers*)』를 출판하였다. 런던에서는 『포이츄리』지의 통신원 겸 기술정찰병으로 활약한 파운드가 『칸조니(*Canzoni*)』, 『역충(逆衝, *Ripostes*)』, 『루스트라(*Lustra*)』를 내어 놓았고, 뉴잉글랜드의 에이미 로웰(Amy Lowell)과 함께 최초의 이미지스트 사화집을 발기(發起)하였다. 여기에 미국의 '시대의 도래'의 시적 형적(形跡)이 있었다. 그러나 이와 같은 술어는 미국의 문화적 사실을 어느 정도 뚜렷하게 밝혀두지 않고서는 비평적으로 사용되어서는 아니 된다.

영국 사람들이 미국의 시가를 논할 때 빠지기 쉬운 두 가지 과오가 있는데, 그것은 I. A. 리챠아즈(Richards) 박사의 『실제적 비평(*Practical Criticism*)』에 나오는 용어를 빌리자면, 감상벽의 과오와 금제(禁制)의 과오이다. 미국 작가의 작품을 엄격한 영국인의 눈으로 보는, 금제된 비평가는 간단히 판단에 있어서 편견을 갖게 되는데, 그 이유는 그의 교육이 그로 하여금 문화적으로 우월하다고 느끼게끔 만든 것이 그 하나이며, 또 하나는 — 문제의 문학이 영어처럼 생각되는 것으로 씌어져 있기 때문에 — 미국의 시작품이 영시의 선과 발끝을 나란히 할 것을 그가 기대하고 있기 때문이다. 이에 못지않은 과오를 범하고 있는 감상적인 비평가는 미국 자체에 대한 그의 열광 때문에 미국시에 대한 난폭한 열정을 느끼게 되는 경향이 있다. 물론 미국시가 정당한 배경에서 관망될 수 있기 위해서는 먼저 미국과 미국인에 대한 이해가 필요한 것은 사실이다. 그러나 그것은 우리들의 심미적 판단을 조절하는 문제가 아니라, 콜리지(Coleridge)가 지적하고 있듯이, 공명 없는 비평은 무의미한 것이기 때문이다.

무엇보다도 가장 필요한 것은 미국인들이 지난날의 모국에 의한 지배의 잔재로부터 완전히 빠져나와 나오지 않으면 아니 된다는 것을 얼마나 강하게 느끼고 있는가를 이해하는 것이다 — 19세기의 미국시도 사실상 영국인이 용인할 수 있는 정도의 '영국적'인 것은 아니었지만. 그와 같은 과거의 작품들에 대해서 반대하여 온 지난 4, 50년간의 미국 비평가들은 사실에 있어서는 '19세기적'인 특질에 반대하여 온 것이고, 특별히 영국적인 것에 반대한 것은 아니었지만, 거기에는 또한 '진정한 미국의 문학'을 발전시키려는 강제적인 욕구가 있었던 것도 사실이다. 이것은 완전히 이해가 가는 일이기는 하지만, 그러나 그것은 하나의 불행한 결과를 가지고 있었다. 그것은 휘트맨(Whitman)의 초상에 대한 아첨으로 통하였다.

휘트맨은 탁월한 시인이지만 그는 흉내 낼 수 없는 존재이다. 그의 추종자들이 그에게서 딸 수 있는 것은 기껏 '미국'에 대해서 쓰는 그의 습관, '일상사를 노래'하려는 그의 욕구, 그리고 그의 자유롭고 연설조인 '공중적'인 태도에 불과하였다. 근년 와서야 비로소 미국 시인들은 휘트맨의 몽마(夢魔)로부터 자유로울 수 있게 되었고 자기들의 국적을 고집함이 없이 술술 자신 있게 쓸 수 있게 되었다.

이러한 상황은 영국에 있어서의 사태와 비교해 봄으로써 명료해질 것같이 생각된다. 영국의 대다수의 19세기의 시인들은 19세기인들 만큼 그들 나름으로 '인공적'이었다. 시의 언어가 이야기하는 언어와 다르고, 시가에 고유적인 시어와 도치법이 충만되어 있어도 그대로 용납되었다. 그러나 지난 150년간의 영시를 돌아다볼 때 우리들은 이야기투의 율조와 현대 생활의 기질에 보다 더 가까워진 시적 기술과 용어의 발전을 찾아낼 수 있을 것이다.

미국에 있어서도 동일한 과정이 진행되었지만 그러나 그것은 국민성의 문제와 혼동되었다. 윌리암 딘 호웰스(William Dean Howells)의 시대에 있어서는, 커다란 논쟁은 낭만주의와 사실주의의 사이에 있었다. 19세기의 '낭만적인' 작가들은 생활과는 거의 접촉을 가지고 있지 않은 것처럼 느끼어졌다. 뿐만 아니라, 시인들에 대해서, 특히 에머어슨(Emerson), 롱펠로우(Longfellow), 휘티어(Whittier), 홈므스(Holms), 로웰(Lowell)에 대해서 가해진 비난은 그들이 '우아한 전통'을 구축하였다는 것이었다. 미국적인 방법은 결코 우아한 것이 아니라고 느끼어졌던 것이다. 그것은, 그와는 반대로 강하고, 늠름하고, 떠들썩하고, 원기 왕성한 것이었다. 뉴잉글랜드의 시인들처럼 쓴다는 것은 '영국적'으로 — 감각에 있어서 지나치게 세련되고, 까다롭고, 형식적이고, 미국 생활의 주류에서 떨어져 있는 — 된다는 것이었다. 지금도 '영국적'이라는 말은 일부의 미국인 층에서는 '아니꼽살스럽다'는 것의 동의어로 통한다.

미국 같은 유형의 민주주의 국가에서는 민주주의가 귀족정치로부터 진화한 나라에서보다도 창조적인 예술가에 대한 일반적 견해의 침해가 더 크다. 그렇지만 미국에서는 시인들은 대중들과의 차이를 다른 나라에 있어서보다도 더 강력히 느끼고 있다 — 그런 감정이 자심하기 때문에 미국을 방문하는 외국 시인은 무슨 비밀결사에 들어오는 사람처럼 환영을 받는다. 미국 시인들은 또한 때에 따라서는 자동차 수리공이나 밭 가는 농부보다도 자기들이 열등하다고 생각하고 수치를 느낀다. 이와 같은 심적 상태를 이해할 때에 비로소 강장한 정신과 미국주의의 문제가 19세기 말엽 이후 미국시의 발전에 얼마만큼 큰 영향을 주어왔는가를 용이하게 관찰할 수 있다. 그는 이 '합중국의 뼈와 근육'을 표현하는 데 휘트맨이 말한 '섬세한 숙녀의 언어'도 '장갑 낀 신사의 언어'도 쓰지 않을 것이다. 그는 뮤우즈의 여신에게 "당신은 보다 더 훌륭하고, 보다 더 청신하고, 보다 더 다망(多忙)한 반구(半球)가, 광활한 미시험제(未試驗制)의 영토가, 당신을 기다리고, 요구하고 있는 것을 알지 않는가. 희랍과 이오니아로부터 이주해 오라"고 외쳤다.

휘트맨의 영향력은 지극히 강렬한 것이었기 때문에 그는 '휘트맨의 전통'을 세웠다는 말을 들을 만하다. 25년 동안을 두고 거의 미국 전역에서 통용된 사화집을 만든, 루이스 운타메야(Louis Untermeyer)는 에머어슨, 로웰, 롱펠로우, 홈므스가 '초기 문예부흥의 보스톤 신사'이었다는 진술을 용인하면서, 다음과 같이 말하고 있다.

> 그들한테는 새로운 사람들은 천민 층에서 뽑아온 신병 연대처럼 생각되었을 것이다. 월트 휘트맨, 마아크 투웨인, 부레트 하아테(Bret Harte), 죤 헤이(John Hay), 죠퀸 밀라(Joaquin Miller), 죠엘 찬들러 해리스(Joel Chandler Harris), 제임스 휘트콤브 릴레일(James Whitcomb Riley) — 이들은 농장, 변경, 광산, 조타실, 인쇄소를 졸업한 사람들이었다!

또한, 그들은 '자연발생적인 국민적 표현의 파동'을 대표하였다고, 운타메야 씨는 말하고 있다. 영국인들은 이런 말을 들으면 감상적인 해석같이 생각되는 것에 눈을 흘기려고 들 것이다. 그러나 개인적인 것도 고립적인 의견도 아닌, 운타메야 씨의 발언은 깊이 이해되어야 할 것이다. 우선 그의 말은 식민지풍의 영국적인 기원에서 발전한 뉴잉글랜드와 남부의 문학이 19세기의 말엽에 이르러서는 이미 전 국민을 — 특히 중서부와 서부의 새로 생긴 막대한 입구를 — 대변할 수 없게 되었다는 감정에서 우러나온 것이었다. 이와 동시에 부수적으로 미국인들의 가장 깊은 감정을 표현하고, 영국인보다도 더 변화가 많고 태도에 있어서 더 직접적이고 기질에 있어서 더 화려한 인민에게 봉사할 수 있을 만큼 충분히 신축성 있는, 독특한 미국의 시적 언어가 발전될 수 있다는 확신이 생기었다. 그렇기 때문에 '휘트맨의 전통'을 말하는 데 있어서, 사람들은 그의 자유롭고 늠름한 열변의 억양과 존대 속에서 미국 정신의 활력을 반영하는 것처럼 생각되는 유풍(流風)을 은연중에 가르치고 있다. 카알 샌드버어그의 작품과, 보다 더 학자풍인 수준에 있는, 아키볼드 막레이쉬(Archibald MacLeish)와 호레스 그레고리(Horace Gregory)의 작품은 분명히 이 전통 속에 보이어질 수 있을 것이고, 또한 휘트맨의 영향은 그 밖에도 에드가 리이 매스터스, 윌리암 카알로스 윌리암스, 로빈슨 제화스(Robinson Joffers), 뮤리엘 루케이서(Muriel Rukeyser)의 분방한 문체에서도 탐지될 수 있을 것이다.

휘트맨의 전통에 대립되는 다른 두 개의 전통이 있다고 볼 수 있는데, 그것은 포오(E. A. Poe)와 에밀리 디킨슨(Emily Dickinson)의 전통이다. 포오의 그것은 '형식적'인 것이라고 불리어질 수 있는데, 이 용어는 죤 크라우 랜삼(John Crowe Ransome)과 알렌 테이트(Allen Tate)의 작품에 적용될 때 적절한 감을 준다. 다시 말하자면 그들의 작품 속에는 많은 의식적인 기량이 있고, 시의 구조가 정돈되어 있고, 음악이 휘트맨의 전통에 있어서와 같이 웅변조의 변설의 노래하는 율조에서라기보다는 오히려 정돈(배열)에서 솟아나오고 있다. 에밀리 디킨슨의 계열은 '형이상학적'이라고 불리어질 수 있으며, 따라서 이 용어는, 에밀리 디킨슨 자신에 대해서는 물론이고, 엘리나 윌리(Elinor Wylie)와 콘랏드 에이켄의 작품에 적용될 때 적절한 감을 준다. 그러나 20세기에 와서는 어느 분간할 수 없는 점에서 포오의 계열과 디킨스의 계열이 서로 합치되고 있는 듯이 보인다. 제 특질은 서로 간에 교환할 수 있게 된다. 이를테면, 에밀리 디킨슨의 계열에 속한다고 생각되는, 에드윈 알링톤 로빈슨은 그러면서도 그의 취미와 그의 형태의 엄격성에 있어서는 '고전적'이다. 포오의 계열이라고 불리어지고 있는 윌레스 스티븐스는 그러면서도 — 죤 크라우 랜삼이 그러하듯이 — 에밀리 디킨슨의 시에서도 찾아볼 수 있는 풍자와 역설의 제 특질을 나타내고 있다. 스티븐스의 작품이나 가장 젊은 세대의 미국 시인의 작품에 나타나는 이와 같은 점에서, 포오와 에밀리 디킨슨의 계열은 어지간히 결합되고 있기 때문에, 현대의 미국시를 논하는 마당에 있어서는, 두 개의 주요한 유파가 있다고 말할 수 있을 것 같다 — 하나는,

면밀한 기량과 과거의 문학의 의식을 나타내면서, (반드시 형식적이라고는 할 수 없지만) 간결하고 정돈된 '비 휘트맨' 류의 문체와, 또 하나는 과거에는 구애하는 일이 거의 없는 듯이 보이면서, 문체에 있어서는 자유롭고 태도에 있어서는 연설조이며 솔직한 '휘트맨' 류의 문체.

휘트맨의 전통 속에서는 세 사람의 중서부 시인 에드가 리이 매스터스, 카알 샌드버어그, 바첼 린드새이의 작품이 보이어질 수 있고, 그들의 효과는 형식의 정묘성과 언어 선택을 통해서보다는 주제의 충격을 통해서 더 많이 획득되고 있다. 아미 로웰(Amy Lowell)과 로버어트 프로스트 역시, 그들의 문체에 있어서는, 에밀리 디킨슨보다는 휘트맨한테서 더 많이 따오고 있다고 말할 수 있고, 그 점에 있어서는 윌리암 카알로스 윌리암스와 에즈라 파운드도 마찬가지이다. 로빈슨 제퐈스, E. E. 카밍스(Cummings), 케네스 훼아링(Kenneth Fearing)은 그들의 '공중적'인 태도와 자유롭고 헐거운 시구의 사용에 있어서 휘트맨의 전통에 속한다. 막레이쉬, 호레스 그레고리, 케네스 패첸(Kenneth Patchen)에 있어서는 문체와 주제의 양편이 다 '휘트맨'을 외치고 있다. 하아드 그레인은 그가 미국의 꿈을 배양하고 있는 열도에 있어서 휘트맨의 전통에 놓이어질 수 있다. 오그덴 나쉬(Ogden Nash)는 문체상으로 보아서 휘트맨에서 따오고 있으며, 메릴 무아(Merrill Moore), 윈휠드 타운레이 스코트(Winfield Townley Scott), 델모아 슈왈츠(Delmore Schwartz), 뮤리엘 루케이서, 데오도오 뢰스케(Theodore Roethke), 피터 비렉(Peter Viereck) 역시 그렇다. 그러나 가장 최근의 신예 시인들의 작품에서 볼 수 있는 외견상에 나타난 우연적인 특질은 사실상 어느 한 전통에 속한다고 확신을 가지고 말할 수 없는 세심한 기량의 결과이며, 따라서 비평가는 그것을 진정한 미국의 문체라고 기꺼이 내세울 수도 있을 것이다. 그러나 끝까지 분류를 계속해 본다면, 칼알 샤피로(Carl Shapiro), 엘리자베스 비숍(Elizabeth Bishop), 존 시알디(John Ciardi)의 작품은 휘트맨의 전통에 속한다고 볼 수 있다.

포오와 에밀리 디킨슨의 공동계열인, 비 휘트맨의 계열에는 — 그들이 형식과 기량에 얼마만큼 주의를 집중시키고 있는가의 정도에 따라서 — 에드윈 알링톤 로빈슨, 윌레스 스티븐스, 엘리나 윌리(Elinor Wylie), 죤 가울드 플레차(John Gould Fletcher), 매리안 무아, 죤 크라우 랜삼, 콘랏드 에이켄, 마아크 반 도렌(Mark Van Dorren), 알렌 테이트, 레오니 아담스(Léonie Adams), 로버어트 펜 워렌(Robert Penn Warren), 로버어트 휘츠제랄드(Robert Fitzgerald), 로버어트 로웰(Robert Lowell), 리처어드 윌버어(Richard Wilbur), 로버어트 호랜(Robert Horan), 제임스 메릴(James Merrill), W. S. 머윈(Merwin)이 위치할 수 있다.

명료를 기하기 위해서 각각 팀을 정렬시켜 보았지만, 그 안의 선수들은 다만 자기들 자신의 개성을 유희하는 의도밖에는 다른 의도가 없다는 것을 기억해둘 필요가 있다. 거의 예외 없이, 이러한 팀을 고르는 것은 비평가들이다. 물론 혹종의 비평가는 매개 작가를 마치 그가 진공 속에 태어나서 살고나 있는 것처럼 취급하기를 주장하고 있다. 그렇지만 시인들의 본질적인 개성은, 에즈라 파운드와 함께, "우수한 과학자는 때때로 유사물을 발견하고, 가족군을 발견하고, 같은 시약을 타가지고 유사한 행동을 발견한다. 동일한 진지성이 문학비평에 대해서 상극이 되어야 하는 이유를 나는 모르겠다"는 말을 신용함으로써 조금도 방해를 받지 않는다고 생각된다. 우리들은 어느 쪽이든 한 쪽으로부터 이에 대한 해명을 하여 보기로 하자. 이를테면, 윌리암 카알로스 윌리암스를 단지 개인으로서보다는 휘트맨의 전통 속에서 보는 편이 어째서 더 한층 유용할 것인가? 그것은 특별히 미국적인 시인의 태도와 말씨가 있을 수 있고 또 있어야 한다는 그의 확신 때문이다. 윌리암스 박사는 그의 자서전에서 말하고 있다.

> 쉐크스피어의 시대부터 오늘날까지 발전해 온, 영어는 주로 우리들에게 관계되는 것이 아니라고 말할 때, 나는 미국인으로서의 우리들의 권리를 우리들 자신의 언어에 한정시키고 있는 것이다.

"그렇지만 이와 같은 당신들의 언어는 어디서 왔습니까?" 하고 분명히 영국인인 어느 교사의 한 사람이 말하였다.

나는 그에 대해서 "포올랜드 출신의 어머니들의 입에서"라고 대답하였다.

여기에는, 문학적 인위성으로부터의 탈피를 꾀하면서, 자기의 언어를 큠버랜드의 양 기르는 농부들의 입에서 따오고 싶다고 생각한 워즈워스의 기묘한 반영이 보인다. 워즈워스의 그것처럼 윌리암스의 본능도 정당한 것이었다. 그는 이중의 위험을 알고 있다—하나는, 점점 더 내부로 파고드는 문학적 언어의 발전과 보유의 위험과, 또 하나는 대다수의 사람들에게는 이해될 수 없는 용어와 술책을 쓰는 '사교계의 예술'의 유지의 위험을. 그래서 그는 적어도 영어를 사용한다는 것이 과거의 위대한 시에 주어진 여러 가지 힘을 몸에 붙이는 데 필요하였다는 사실을 거부할 수가 있다는 듯이, 흡사 모든 것이 지금 여기에 있는 것처럼 쓰려고 하였다. '토착적인 자존심'으로부터 출발한 그는, 이미지스트들의 '견고하고 명확한' 말을 구사하고 '관념이 아니라 사물로서' 발견되는, 민중의 언어를 사용하려고 하였다. 그는 그의 친구이며 같은 이미지스트인 에즈라 파운드가 그의 시를 번거롭게 한 궤상(机上)의 학문을 의심하였다. 그러나 그들의 신조에는 차이가 있는데도 불구하고, 그들의 예술의 결과적 소산은 이상한 유사점을 공유하고 있다. 윌리암(스)의 '토착적인 자존심'에서 우러나온 서사시 『페이터슨(*Paterson*)』은 파운드의 『칸토스(*Cantos*)』만큼 구조에 있어서 단편적이고 난삽한 인용문이 허다하게 있다. 양자의 방법은 '섬광'의 방법이며, 그들은 착상이 떠오르자, 어떤 관건적인 착상에 대한 돌발적인 마음에 접하거나 그것을 완전히 잊어버리면서 쓰는 것같이 보인다. 그들의 용어조차도, 그들의 사상이 허용하는 한도 내에서 가급적 단순하고 회화적인 것이 동일하다. 다만 윌리암스의 것은 포올랜드 출생의 어머니들의 말씨에 근거를 두고 파운드의 것은 지적인 유식자의 회화에 근거를 두고 있다는 차이는 있지만. 그들이 상이한 점은 그들의 인용문의 근원에 있다. 파운드는 반타(半打)나 되는 상이한 문화와 언어로부터 주워 모아온 것으로 독자를 공격하고 있지만, 윌리암스는 토착적인 장면과 민중을 사용하며, 제반 기록물과 개인적인 서간에서 따오고 있다. 『페이터슨』은 윌리암스가, 워즈워스 이상으로, 자기의 이론에 엄격히 일치된 창작을 할 수 없다는 것을 노정하고 있다.

윌리암스 박사가 말과 행동에서 지극히 완강하게 그의 미국주의를 주장하고 있는 동안에 다른 시인들은 조용히 자기들의 길을 걸어가면서, 문학연구의 기량과 형적(形跡)에 모든 주의력을 집중시킴으로 해서 그에 못지않게 미국적이라고 할 수 있는 문체로 시작을 하고 있었다. 이에 대한 가장 으뜸가는 예증은 월레스 스티븐스의 작품 안에 나타나 있을 것이다. 독자는 스티븐스 씨의 문체를 영국인의 문체와 혼동할 수가 없다. 그의 용어는 미국적이기는 하지만, 자연적으로 그렇게 된 것이지 우정 그렇게 하는 것은 아니다. 형태에 대한 그의 관심, 그의 시행의 노래하는 특질, 그의 '본질적인 화미성(華美性)' 등에 있어서는 스티븐스 씨는 이미 지적한 바와 같이, 포오의 계열에 속한다. 그의 집중력, 그의 복잡한 해학, 우주 속의 인간의 위치에 대한 그의 철학적 관심 등에 있어서는 그는 에밀리 디킨슨의 계열에 속한다. 그러나 그의 작품을 어느 각도로 보든지, 그것이 휘트맨의 전통에 들어가지 않는 것만은 확실하다. 그는 어떤 방식으로도 열변을 토하거나 훈계를 하려 들지 않는다, 라는 것이 스티븐스 씨는 평생을 두고 '진중하게 지고한 진술을 하려고 원하였기' 때문이다. 그의 시는, 그에게서 많은 것을 따온 젊은 세대의 시인들의 작품 모양으로, 진정한 미국시를 쓰기 위해서 중뿔나게 옆길로 빗나갈 필요도 없고 전통의 시와의 모든 연결성에 이바지하기를 시도하는 문체로 미국에 대해서 공격적으로 쓸 필요도 없다는 것을 표시하고 있다. 이 점은 오늘날에 와서는 인정을 받게 되었고, 리처어드 윌버어나 제임스 메릴 같은 시인들의 조용한 확신 속에 나타나 있다. 그러나 휘트맨의 전통이 너무나 강하였기 때문에 스티븐스 씨의 진가가 충분히 인정을 받게 된 것은 자그마치 30년간의 멸시를 받은 연후의 일이었다.

문체에 있어서 형식적이고 긴장된 때에 따라서는 불길한 감각을 갖고 있고, 뚜렷한 질서와 집중력과 풍자를 나타내고 있는 점에서 남부 시인들의 작품은 포오와 에밀리 디킨슨의 두 계열에 속해 있다고 볼 수 있다. 존 크라우 랜삼, 알렌 테이트, 로버어트 펜 워렌들이 '남부 시인'이라고 불리어지는 것은 단지 그들의 지방적인 군합(群合)에서 생긴 것이 아니다. 그들을 한데 결합시키고 있는 특징은 그들의 남부성이라는 사실에서 우러나오고 있다.

남부의 생활방식이 남북전쟁에서 패배를 당하였다고 하지만, 일부의 낡은 태도는 그대로 남아 있었고, 그중의 하나는 남부의 이념에 대한 치열한 충성심이었다. 이와 같은 남부인들은 최후의 수단으로서 근 1 세기 전에 그들에게 강요된 합중국을 거절하고 부인한다. 『고대의 수확자(*Antique Harvesters*)』에서 랜삼은 "이 장소에 영웅들은— 서 있었고 그들의 피만으로 이곳을 함뻑 적시었다"는 것을 기억하고 있다. 그때는 "문명이 — 극소수의 사람들로서 운영되어 다대수의 사람들에게 퍼졌던" 때이었다고 알렌 테이트는 『와싱톤의 이니아스(*Aeneas at Washington*)』에서 말하고 있다. 남부의 기사도에 대해서 '망명자들'은 왕왕 풍자적이었다. "그리하여 지금 그는 배고프고 지쳐 있다"고 랜삼은 『일모(*Sunset*)』에서 말하고 있다.

> 하지만 그는 남부의 신사이며 당신이 영원히 그를 기다리게만 하더라도
> 그는 한 번도 훌쩍거리고 눈물을 흘리지는 않을 것이다.

그러나 이런 농담을 하면서도, 랜삼은 자기가 남부인이라는 사실에 종사하고 있다는 것을 표시하고 있다. 여기에 나타나 있는 직접적이며

토착적인 풍자는 보다 더 큰 풍자적인 구조의 일부분에 지나지 않는다. 그 시 안에는 주제로부터 섬세하게 분리되어서, 로버어트 펜 워렌이 '분리된 인격'이라고 부른 것을 가리키는 하나의 음조, 희미하기는 하지만 어느 뚜렷한 색조가 있다. 남부인은 그가 미국인이기 전에 우선 남부인인 것이다.

남부에서 태어난 6명가량의 시인은 무시할 수 없는 관록을 가지고 있지만, 현세기의 미국 시인의 대다수가 동부와 중서부에서 — 사실상 그들은 거의 비등하게 이 두 지방으로 양분되고 있다 — 나왔다는 것은 흥미 있는 사실이다. 문학비평 방면에서 지리의 문제를 지나치게 중요시하는 것은 좋은 인상을 주는 것이 아니지만, 우리들은 이와 같은 구분이 전일에는 거의 국가 간의 그것처럼 현저한 것이었고 환경의 특질이 시인의 작품 위에 얼마간의 의미를 가지고 있다는 것을 기억하지 않으면 아니 된다. 그러나 오늘날에 있어서는, 지방주의의 도전적인 단계는 지나가 버렸다. 남부의 토지 균분 운동은 이미 분쟁의 요점이 될 수 없게 되었고 중서부에서도

> 전 세계의 도야지백장,
> 기구 제조자, 밀 갈이 하는 농부,
> 철로 인부와 철도 화물 운반부,
> 커단 어깨를 가진, 시끄럽고,
> 목이 쉰 고함치는 도시

를 찬미하는 새로운 샌드버어그는 없다. 사실상 '중서부의' 시인에 대해서 특별히 이야기할 만한 요점이 이제는 거의 없다시피 하다. 좋든 나쁘든 간에, 지방적인 특징은 새로운 '국민적인' 문체로 자리를 양보해 버렸다.

'형이상학적'이라는 용어는 과거 30년간 이상을 미국의 평론계에서

얼마만큼 통용되어 온 말인데, 이 말은 역사적으로도 보자면 단(Donne)의 유파에 적응되며, 존슨 박사(Dr. Johnson)가 『애브라함 카울레이의 생애(*Life of Abraham Cowley*)』에서 이 표현을 처음 사용하였을 때, 그는 내심으로는 가장 이질적인 관념이 강제적으로 연결되는 문체를 생각하고 있었다. 이 용어는 이미 존슨 박사의 비난(悲難)[1]의 무게를 나를 수 없게 되었을 뿐만 아니라 그것은 단이나 마아벨(Marvell)의 정확한 유형을 따르지 않는 문학적 문체를 묘사하는 데 사용되고 있다. 그것은 민감과 집중과 풍자를 통해서 우원한[2] 효과를 거두고, 하아버어트 그리이어슨 경(Sir Herbert Grierson)이 말한 대로, '거대한 존재의 연극 속에서 인간 정신에 할당된 역할'에 관심을 갖고 있는 시를 가리키고 있다. 그것은 수많은 현대 미국 시인들의 작품에서 발견되는 특징이며, 워레스 스티븐스를 에밀리 디킨슨과 연결시키고 또한 엘리나 윌리, 루이스 보간(Louise Bogan), 레오니 아담스, 존 크라우 랜삼 같은 시인들에게까지도 가정적으로 그 용어를 확대시킬 수 있는 제 특징이다.

제1차 세계대전 중에 나온 미국시를 볼 것 같으면 — E. E. 카밍스, 카알 샌드버어그, 아키볼드 막레이쉬에 의한 소수의 시작품을 빼놓고는 — 눈에 띌 만한 작품은 거의 없다시피 하다. 제2차 대전 때는 사정이 달랐다. 제2차 대전은 진실로 전 국민에게 영향을 주었고 거의 영국에 있어서만큼 병사들에 의한 시 활동이 활발하였다. 카알 샤피로, 랜달 쟈렐(Randall Jarrell), 존 시알디(John Ciardi)가 그중의 유별난 세 사람이다. 이러한 시인들의 어조와 이를테면 알란 루이스(Alun Lewis), 시드니 키이스(Sidney Keyes), 헨리 리이드(Henry Reed), 개이빈 에왈트(Gavin Ewart) 같은 사람의 어조와의 차이는 미국과 영국의 전쟁 소설가들의 차질(差質)만큼 현격한 것이다. 영국 사람들 간에는 전쟁을 받아들이는 데 어떤

1. '비탄(悲歎)'의 오식으로 여겨짐.
2. "우원(迂遠)한" 즉 '완곡한'의 의미. "oblique"의 번역어이다.

비틀린 감정이 있다. 그것은 옳지 않은 것이며 악의에 찬 것이지만, 그것은 거기에 있고, 그에 대해서 사람들이 할 수 있는 일이란 거의 없기 때문에 참을 수밖에 없는 일이다. 그러나 미국인들 사이에는 "우리들이 전쟁 안에 다함께 있다"는 정신이 하나도 없다. 미국 시인의 시는, 전쟁은 대격변이며 평화 시의 활동의 무의미한 파멸이며 미국이 대변하고 희망하는 모든 것의 부정(否定)이라고, 항변하고 있다. 전쟁은 그들의 이상주의에 타격을 주는 것으로서, 이에 대한 그들의 논평은 비틀린 것이 아니라 신랄한 것이다. "내가 죽었을 때 그들은 사관(蛇管)으로 나를 차탑(車塔)에서 씻어 내렸다"고 랜달 쟈렐은 「차탑 포수(車塔砲手)의 죽음(The Death of the Ball Turret Gunner)」에서 외치고 있다. 그 어조는 제1차 대전의 영국시로, 오웬(Owen)과 새순(Sassoon)의 작품으로 독자의 마음을 되돌아가게 한다.

영국에 있어서, 현대시의 가장 고무적인 특징은, 딜란 토오마스(Dylan Thomas), 죠오지 바아커(George Barker), W. R. 로자스(Rodgers), W. S. 그래암(Graham)의 작품에서 볼 수 있는, 새로운 강장한 낭만주의이었다. 이와 같은 새로운 낭만주의자들은 100년 이상의 과거로부터 내려오는 문학적 발전의 긴 과정의 소산이지만 좀 더 직접적인 의미에서는 그들은 초현실주의자들과 하아트 크레인한테서 영향을 받았다고 할 수 있다. 하아트 크레인도 초현실주의 시인도 이들은 다 상징파 시인들과 아뽈리넬(Apollinaire)과 쟈리(Jarry) 같은 '입체파 시인'들한테 많은 덕을 입고 있다. 하아트 크레인은, 사실상 이 용어('신낭만주의시인'이라는)가 딜란 토오마스에게도 적용될 수 있는 의미에 있어서는, 최초의 신낭만주의시인이다. 그러나 그는 미국인이었고, 또한 아직도 결정되지 않은 사회에 살고 있었기 때문에, 여타의 수많은 미국 작가들 모양으로, 바로 미국의 현상에만 사로잡혀 있었다. 휘트맨 류의 시인에게 있어서는 거기에 관해서 야기되는 감정은 웅변조의 발언이나 찬송가조의 발언으로 통하지만, 그러나 크레인의 감각은 오히려 월레스 스티븐스의 감각에 더 유사하였다. 그는 언어에 대한 관심이 대단하였고, 마치 언어를 가지고 시의 중추에 놓인 개념을 회전시키려고나 하는 듯이, 새로운 자극적인 양식으로 그의 언어들을 사용하였다. 이처럼 그는 20세기의 미국시의 두 개의 주요한 전통을 그의 작품 속에서 결합시키고 있기 때문에 가장 흥미 있는 가장 현저한 존재이다.

크레인이 죽고 나서 약 20년이 되는 동안에 미국 사회에는 커다란 변동이 생기었다. 대공황 이후 미국 사회는 휘트맨의 호기에 찬 문체나 크레인의 웅대한 구조가 이미 애호를 받을 수 없는 지점에까지 성숙하였다. 지성이 전일에는 열광이 차지했던 자리를 인계해가지고 시 속에서 역할을 하고 있다. 가장 최근의 미국의 시가는, T. S. 엘리오트가 캐라래인 시대의 시인들에 대해서 말한 것처럼, '가벼운 서정적인 우아 밑에 거센 합리성'을 가지고 있다. 이 '거센 합리성'은 — 미국적인 말씨의 사용에 대한, 미국 내에서의 시인의 기능에 대한, 그리고 가장 일반적인 의미에 있어서는 세계에 있어서의 미국의 위치에 대한 — 확신의 결과이다. 가장 최근의 시는 주로 정돈되고, 상냥하고, 풍자적인 것이다. 그것은 '궁정이 없는 궁정시'다. 님스(Nims)나 호랜이나 메릴 같은 일부 시인들에게 있어서는 거의 기사다운 어구의 기질이 엿보인다. 리처어드 윌버어 같은, 그 밖의 시인들을 후기의 형이상학파 시인들과 비교하는 것은 터무니없는 일일 것이다. '미국인을 써서 알리는' 데 있어서의 전반적인 절망적 사태가 휘트맨 류의 시인들이나 샌드버어그 류의 시인들이나 막레이쉬 류의 시인들에 의해서 안정되지 않았더라면 이러한 시인들이 이처럼 자의식 없는 안일 속에서 창작을 할 수는 없었을 것이라고 생각하지만, 이들은 분명히 휘트맨의 전통에 속하는 시인들은 아니다. 비교적 젊은 세대의 다른 시인들 — 이를테면, 뮤리엘 루커이서의 작품이나 케네스 패첸의 작품이나 델모아 슈왈츠의 작품 — 에 있어서는 휘트맨의 전통의 영향이 비교적 더 많이 눈에 띈다. 이 영향은 사실상 우아적인 유파에 있을 수 있는 과도한 세련에 대한 유익한 평형력이 되며, 휘트맨의 전통의 양질과 에밀리 디킨슨의 전통의 양질이 융합될 수 있다고 바라는 것도 과분한 희망은 아닐 것이다. 이미 예민한 독자들은 그에 대한 징후를, 특히 카알 샤피로, 데오도오 뢰스케, 엘리자베스 비숍의 작품에서 감지할 수 있을 것이라고 생각된다. 가장 최근의 미국시의 발전을 찬양하는 반면에 하나의 마지막 가는 요점이 필경 밝히어져야 할 것 같다. 그것은 다름이 아니라, 지극히 예기할 수 없었던 지극히 애교 있는 용어들이 현재는, 에즈라 파운드, T. S. 엘리오트, 윌레스 스티븐스 같은, 용어의 대가들의 선구적인 업적으로 인해서 거의 기성품으로서 존재하고 있다는 사실이다.

『페이터슨』의 제3권에서 윌리암 카알로스 윌리암스는 초기의 어느 무명의 주석자의 말을 인용해서 "미국시는 그것이 존재하고 있지 않다는 단순한 이유 때문에 지극히 논의하기 쉬운 주제다"라고 말하고 있다. 이 말은 오늘날에 있어서는 지극히 시대에 뒤떨어진 말이며, 해가 갈수록 점점 더 그렇게 되고 있다. 여기에 기록되어 있는 미국의 현대 시인들은 미국 이외의 나라에서는 가장 매력적이면서도 가장 알려지지 않은 사람들이다. 그들 중의 대부분이 전문학교와 대학교의 교수들이다 — 영국에 있어서의 경우처럼 교수 시인이 아니라, 시인 교수다. 랜삼, 테이트, 워렌, 뢰스케, 휘츠제랄드, 슈왈츠, 샤피로, 쟈렐, 베리만(Berryman), 넘스, 비아레크, 시알디, 네메로브(Nemerov), 윌버어 — 이들의 역할은 인상적이다. 전문학교와 대학교는 미국의 문학 카페다. 세계는 그들을 통해서 유출되고 있지, 그들의 주위를 흐르고 있는 것이 아니다. 여기에서는 젊은 청년들이 원하기만 하면 — 허고 여기에는 언제나 열렬한 소수당이 있다 — 시인의 발밑에 앉을 수가 있고, 문학잡지는 구라파의 방문객들이 깜짝 놀랄 만한 호수(號數)와 범위와 수준을 가지고 있다고, 야도(Yaddo) 같은 하기 학회에서는 학원적인 분위기에서 벗어나서 조용히 창작을 하고 싶어 하는 사람들에게 피난처를 제공하고 있다. 젊은 시인들과 그들의 학생들이 일부의 좌익평론가들이 생각하고 싶어 하듯이 혁명의 열렬한 보관자들이라고 생각되지는 않는다. 그들은 현재 월가가 미국 인민들의 목줄띠를 누르고 있는지 어떤지의 문제보다도 훨씬 더 많이 시의 문제에 관여하고 있다.

20세기의 미국의 시를 생각하는 데 있어서 우리들의 관심은 항상, 휘트맨이 있는데도 불구하고, 미국의 사실 — 그의 제 문제와, 그의 다면성과, 그의 장래성 — 로 되돌아가게 된다. 젊은 시인들은 미국의 문제를 휘트맨이 모논가헬라(Monongahela)를 노래하는 방식으로 제시하지 않고, 그에 대한 힘과 다양성을 느끼고 있다. 그들은 이제 피난처를 얻으려고 구라파로 여행하지는 않는다. 그들이 구라파에 올 때면 그들은 18세기 사람들이 대륙 여행을 하듯이 왔다가는, 뉴저어지나 뉴멕시코로 다시 돌아간다. 거기에는 미국의 시가 있고 매일, 매 시간마다 지극히 조용하게 미국의 시인들에 의해서 시가 제작되고 있기 때문이다.

— 본문은『현대미국시가집』(펜긴문고)의 편자 제오후레이 무아(Geoffrey Moore) 씨의 서문에서 발췌한 것임을 밝혀 둔다. (역자)

-『전후세계문제시집』, 신구문화사, 1964. 1.

정신분석과 현대문학

앨프리드 카잰(Alfred Kazin)

1

너무나도 유명한 성난 젊은이의 대표적 작가의 한 사람인 존 오즈번(John Osborne)의 희곡 「성난 얼굴로 돌아다보라」를 펴고, 그가 무엇에 대해서 성을 내고 있는가를 찾아보려고 할 때 우리들은 이상한 발견을 하게 된다. 오즈번은 어떤 특별한 이유가 있어서 성을 내고 있는 것이 아니다. 그는 자기가 성을 내지 못하는 것에 성을 내고 있다. 자기가 성을 낼만한 이유를 갖고 있지 않은 데 대해서 성을 내고 있다. "아무도 괴로워할 줄을 모른다. 아무도 감미로운 나태(懶怠)에서 몸을 일으킬 줄 모른다"고 불평을 늘어놓고 나서, 그는 성난 사람다웁게 이렇게 말하고 있다. "강렬한 그 무엇을 찾는다는 듯한 웅장한— 일종의 — 정신력이 있다고 믿은 것이 참말로 나의 잘못이었던가? 이 세상에서 가장 무게 있는 가장 강한 동물은 가장 쓸쓸한 동물이라고 생각된다. 캄캄한 숲속에서 제 입김을 따라다니는 늙은 곰 같은 동물. 거기에는 그를 위로해 주는 따뜻한 동류(同類)들이 하나도 없다. 그가 내뿜는 저 절규의 함성을 약자의 소리로 들어야할 것인가?

이것은 감정적으로도 예술적으로도 솜씨 있게 꾸며졌다고 생각되는 희곡의 가장 진실된 음조이다. 오즈번 씨의 얼마간 강압적인 혼란된 감정의 뒤에 숨어 있는 감성의 강도(强度)가 아니라 이러한 강도에 대한 동경이다. 그런데 또한 이와 똑같은, 감성의 과잉이라기보다는 죽음을 나타내는, 위장한 폭력이 호전과 반항의 기세를 과시하는 수 개의 현대 문학작품 — 노만 메일러(Norman Mailer)의 『노루공원』, 재크 케루아크(Jack Kerouac)의 『노상에서』, 테네시 윌리엄스(Tennessee Williams)의 『까미노 리알』과 그 밖의 희곡, 칼리포니아에서 출판된 헨리 밀러(Henry Miller)의 평론집, 알렌 긴스버그(Allen Ginsberg)의 『노호(怒號)』— 에서 나에게 충격을 주었다. 이러한 모든 작품들에서 내가 얻은 것은 이러한 감정과 방향과 요점의 본질적 결핍(缺乏)이 그와 똑같은 극단적이며 추상적인 성행위와 성묘사의 폭력을 동반하고 있다는 사실이다. 나의 머리에는 성적 자유를 위한 순교자라고 볼 수 있는 저 유명한 성의 반항자인 사드 후작(Marquis de Sade, 侯爵)의 생각이 떠오른다 — 사드 후작의 저서를 펴보게 될 때 우리들은 그가 반항자가 아니라 환상가라는 것을 알게 되며, 그의 성적 쾌락의 관념이라는 것이 항상 지독하게 극단적이고 괴벽스럽고 복잡해서 다만 심의(心意) 상으로 그것을 상상하고 연출할 수 있을 정도에 불과한 것이라는 것을 알게 된다. 이것은 일부 좌익 평론가들이 헐리우드의 고발장이라고 주장하는 노만 메일러의 소설 『노루공원』의 상황이기도 하다. 노만 메일러의 소설을 읽으면서 우리들이 직각적으로 발견하게 되는 것은 그가 그의 재료의 정치적 의미에 관심을 갖고 — 있어야 한다고 그는 느끼고 있지만 — 있는 것이 아니라, 인간 고독의 궁극적 표현으로서의 성에 관심을 갖고 있다는 것이다. 『노루공원』은 대부분이 유명한 사막 구역에서 벌어지고 있으며, 화려한 미국인의 생활의 우아한 데가 있는데도 불구하고 나는 이 사람들이 사실상 사막에서 살고 있다는 감을 갖게 되었고, 이야기할 것이나 생각할 것이나 느낄 것을 아무것도 갖고 있지 않은 이들은 끊임없는 성교에 탐닉하면서 영원한 눈집의 권태 속에서 빈들빈들 놀고 지내는 에스키모족 같다는 생각을 했다. 내가 메일러의 소설에서 얻은 우울한 비인간적인 폐소공포증 같은 감동은 그의 평론집 『부동의(不同意)』 속의 「백색 흑인: 정신 깡패에 대한 표면적 고찰」[1]이라는 논설을 읽고 한층 더 강렬하게 되었다. 메일러의 주제는 니그로가 차별 대우로 인해서 하는 수 없이 무법 지대로 떨어져 가지고 백인이 탐닉할 수 없는 거리낌 없는 원시적인 성욕 행위를 발전시킨다는 것이다. 현대 자본주의사회는 내면적으로 보다 더 퇴폐(頹廢)하게 될 때 일부의 선진적인 백인사회 — 보다 더 반항적이고 지적이고 두려움을 모르는 사람들 — 는 니그로의 백인판이 되고, '모범시민'(판에 박은 듯한 획일주의적인 남녀)보다는 깡패(정신적 무법자)가 되려고 애를 쓴다. 니그로의 본을 받아가지고 이들은 전례(前例) 없는 조직의 소동 속에서, 수많은 사람들이 인습적인 엄격한 중산계급 생활로 빼앗겼던, 현실과의 그 근원적이며 직접적인 타는 듯한 뜨거운 접촉을 갖게 된다.

마르크스주의 문학의 경험을 가진 사람은 즉각적으로 이 평론에서 프롤레타리아의 신화가 깡패에 적용되고 있는 것을 깨닫게 될 것이다. 메일러의 평론은 완전히 마르크스주의의 혁명적인 평론이다. 인물은 같은데 이름이 틀릴 뿐이며, 플롯도 사실상 같은데 연극이 무대 위에서 연출되고 있지 않고 이론적으로밖에는 아무 일도 실제로 일어나고 있지 않다는 차이가 있을 뿐이다. 프롤레타리아가 나온 일은 있었고, 부르주아지가 나온 일도 있었고, 사람들이 기아(飢餓)와 비인간적인 시간과 물질의 폭력으로 고통을 받은 일도 있었다. 그러나 메일러의 니그로나 미증유(未曾有)의 혁명적 조직에 대한 묘사는 동조적인 흥미를 가진 독자들에게까지도 이러한 모든 것이 — 그것은 모두가 정신적인 구조이기 때문에 — 먼 곳에

1. '정신 깡패'라는 번역어의 참고를 위해 논문 원제목은 "The White Negro: Superficial Reflections On The Hipster"임을 밝혀 둔다.

서부터 그에게로 차를 바꿔 타고 오고 있다는 감을 주고 있다. 여기에 나오는 것은 하나도 현실적인 투쟁의 생활에서 — 다시 말하자면 실제적인 충돌의 생활에서 — 오는 것이 아니다. 그것은 정말 일어나지도 않은 사건에 극적인 고귀한 의미를 부과하려는 시도이다. 메일러는 오즈번처럼 혁명적인 일에는 지극히 필사적이기 때문에, 그는 경멸적인 어조로 우리들에게 현대의 정신분석은 단순히 환자를 현대의 중산계급 사회에 순응시킴으로써 병세를 완화시킬 뿐이라고 말하고 나서, 이렇게 쏘아붙이고 있다. 그와는 반대로 과자가게 주인의 골통을 바수는 두 명의 힘이 센 18세의 불량자는 용기를 갖고 있다고 할 수 있다.[2] "그것은 그들이 나약한 50세의 노인뿐이 아니라 그와 함께 하나의 제도를 살해하고 있고, 개인 재산을 침범하고 경찰과 새로운 관계에 돌입하고는 자신의 생활에 위험의 요소를 끌어들이고 있기 때문이다. 그렇기 때문에 불량자는 미지의 일을 감행하고 있으며, 그러한 행동이 아무리 잔인하다 할지라도 그것은 조금도 비겁한 것은 아니다."

재크 케루아크는 메일러보다 재간으로나 지적으로나 훨씬 수준이 낮지만, 그의 최근의 베스트셀러인 『노상(路上)에서』에서 우리들은 이와 똑같은, 느낄 수 있는 대상을 갖지 않은 감정의 외로움을 찾아볼 수 있고, 좀 더 자세히 살펴볼 것 같으면 대상이나 원인에서 부자연하게 동떨어진 이와 똑같은 언어적 폭력의 분류(奔流)를 찾아볼 수 있다. 사실상 케루아크는 사물에 대한 것보다도 오히려 쓸 수 있는 사물의 탐색에 대한 것을 쓰고 있다고 하겠다. 그가 음주나 마약이나 재즈로써 유발되는 황홀의 '자극(刺戟)'을 축복할 때, 그를 감동시키는 것은 지극히 강렬한 선정(煽情)을 갖는 위인이지, 황홀한 관계 속에서 어떤 대상과 영교(靈交)를 맺는

• • •

2. 어색한 번역이다. 영어 원문의 문맥을 살리려면 이 문장을 다음 문장과 연결하여 "~할 수 있다면서, "그것은 그들이~비겁한 것은 아니다"라는 것이다."와 같이 바꾸어야 한다.

일은 아니다. 따라서 그의 찬미가 '미친 사람들, 모든 것을 동시에 얻으려고 갈망하면서 사는 데 미치고, 이야기하는 데 미치고, 구원을 받으려고 미쳐 있는 사람들, 하품을 하거나 평범한 이야기를 하지 않고 별에 감기는 거미줄 모양으로 사람들을 깜짝깜짝 놀래이면서 뻥뻥 소리를 내고 터지는 황당무계한 노란 불꽃놀이 모양으로 타고타고 또 타는 사람들'에게 바쳐지고 있다는 것은 의미심장한 일이다.

케루아크의 보헤미안파의 목쉰 소리의 자기 선전에서 테네시 윌리엄스의 직업적인 극 세계까지의 거리는 상당히 먼 것같이 생각되지만, 사실은 윌리엄스의 주제는 언제나 이 똑같은 외로움이다. 윌리엄스의 희곡을, 『스톤 여사의 로마의 봄』이나 단편집 『한 팔』 속에 수록된 그의 얄미운 소설을 읽을 때처럼 무대의 각광이나 무대감독의 속임수 없이 단독으로 읽어볼 때, 우리들은 그의 주제가 다만 극도로 외로운 사람들의 환상적인 세계라는 것뿐만 아니라, 환상 속에서 나오는 그의 인물들의 성적 행위까지도 — 하나의 정신적 범주(範疇)가 직접적 경험에서 오는 자극이나 색깔이 없이 흐리멍덩하게 다른 정신적 범주로 교체되기나 하는 것처럼 — 잔인한 기계적인 특성을 갖고 있다는 것을 발견하게 된다. 『한 팔』이라는 단편집의 책 제목으로 삼은 작품에서는, 니그로 접마사(接摩師)가 그의 백인 환자를 능욕할 뿐만 아니라 문자 그대로 도살(屠殺)을 한다. 꿈을 꾸는 사람이 아무리 애를 써도 깨어날 수 없는 악몽과도 같은 이러한 흉악한 성욕적 환상의 압박은, 카슨 머컬러스(Carson McCullers)의 한결 더 난폭한 일부의 소설과, 최근에 발표된 넬슨 알그렌(Nelson Algren)의 장편소설 『황야의 산책』과, 남편이 사막에서 죽은 뒤에 마음이 뒤집혀진 젊은 미국 여자가 아라비아인의 포로가 되어서 그의 첩으로 들어가는 파울 보울스(Paul Bowles)의 『하늘의 보호』 같은 작품에서 우리들의 뒤를 따르고 있다.

이러한 대부분의 작품에서 두드러지게 눈에 띄는 것은 그것들이 표면적인 성적 폭학성(暴虐性)에도 불구하고 성 그 자체와는 — 즉 성의 육체성과는 — 거의 관련이 없다는 사실이며, 그런 점에서 나는 이러한 일부의 새 소설과 새 희곡을 될 수만 있으면 좀 더 상세하게 묘사하고 싶다. 이러한 대부분의 작품에는 도대체가 어떤 실체적인 인간관계에서 성적 행동이 벌어질 만한 충분한 수의 사람들조차 없다. 말하자면 이러한 비교적 새로운 수많은 작가들은 마치 주정뱅이나 화가 난 사람이 상스러운 욕을 하듯이 — 분격과 불안을 나타내고 무감각한 고독의 절망을 뚫고 나가려는 방편으로 — 성을 사용하고 있다. 따라서 사실은 가장 불구자적인 멍청한 고독이, 사람의 사상의 관문은 깨뜨리고 들어가지 못하는 따위의 고독이, 접촉을 갖고 있는 것이 없기 때문에 무엇인가를 상상은 하지만 쓸쓸한 그런 상상 속에서는 색깔도 어떤 촉감도 얻을 수 없고 다만 그 경험이 속해 있는 추상적인 범주만을 가질 수 있는 고독이 이 문학의 배후에 있는 사실상의 특징적인 경험이다.

그러나 이러한 고독은 그 자신을 그렇게 부르지는 않고, 혁명적이라고 자칭하고 있다. 『노호(怒號)』라는 제목의, 지금은 어지간히 유명해진 장시에서, 미국의 젊은 시인 알렌 긴스버그는 휘트먼의 장시를 따서, 휘트먼의 찬미와는 정반대의 의기양양한 통매(痛罵)의 악몽으로 꾸민 환상적인 미국의 여행을 묘사했다.

> 나는 나의 세대의 가장 탁월한 사람들이 굶주리고 신경질적인 벌거숭이가 되어, 광기로 몸을 망치고,
>
> 분노의 궁지를 찾아서 니그로의 새벽거리를 발을 질질 끌고 가는 것을 보았고,
>
> 밤의 기계 속에서 별의 다이나모와의 태초의 신성한 연결을 찾아서 불타는 천사의 머리를 한 깡패를 보았다.
>
> 그들은 빈곤의 누더기를 감고 눈이 퀭해가지고 재즈를 명상하는 도회의 지붕을 넘어서 흐르는 차디찬 여울의 초자연적인 어둠속에서 담배를 피우면서 밤늦게까지 앉아 있었고,

> 고가 철도 밑의 하늘로 머리를 내밀고 일루미네이션의 불빛이 환한 아파트 위에 주춤거리고 있는 마호메트의 천사를 보았다. ……
>
> 그들은 그들의 돈을 휴지통 속에 태워 버리고, 벽에서 들려오는 공포에 귀를 기울이면서 속옷 바람으로 구질구레한 방구석에 움츠리고 있었고,
>
> 삼띠를 두르고 라레도를 지나서 뉴욕으로 돌아오면서 공공연히 불평을 늘어놓다가 파멸해 버렸다. ……

그런데 이러한 추상성은 주제에 대해 예언적인 자유로운 관심을 가진 것으로 유명했던 작가들이 성적 욕망이나 성적 행위를 그릴 때 항용 보여 주던 서정적이며 감각적인 심상과는 지극히 날카로운 대조를 보이고 있다. 나는 성을 남녀의 결합뿐만 아니라, 지상의 음향과 지상의 냄새와 색깔과 뉘앙스의 전체적인 물질세계와 인간과의 결합으로 묘사할 수 있었던, 휘트먼의 「끊임없이 흔들리는 요람에서」나, D. H. 로렌스의 『아들과 연인들』의 사랑의 장면이나, 꼴레뜨 여사의 훌륭한 대목이나, 또는 스원의 오뎃트에 대한 질투에도 불구하고 그 배후에서 자극을 주고 있는 대도시의 현실적인 욕망과 흥분의 숨 막히는 날카로움을 감득할 수 있는 쁘루스뜨(Proust)의 훌륭한 대목에서 찾아볼 수 있는 종류의 심상을 충분한 재미있는 세부에까지 설명할 만한 지면의 여유를 갖고 있지 않다. 아마도 나는 자연계의 찬미와 같은 예술의 전통을 동일하게 갖고 있지 않은 미국의 작가들을, 너무나 수많은 고전적으로 예민한 작가들과 대조시킴으로써 너무나도 안이한 독단을 범했을지도 모른다. 그러나 알벨 까뮈가 노벨상 수상 기념 연설에서 실토한 것처럼, 북아프리카의 이교의 강렬한 태양의 세계에서 자라난 사람도 지난날처럼 감각적인 생의 즐거움을 묘사할 수는 없게 되었다.

사람은, 위대한 세계이며 유일한 세계인 이 세계와의 관련을 더욱더

상실해감에 따라, 역시 같은 속임수의 역할로서 — 그 목적은 어떤 행위를 수행하고, 자기가 어떤 역할을 하는 것을 보는 일이다 — 도덕가나 혁명가의 일을 하게 된다.

2

내가 여기까지 언급한 대부분의 소설과 시는 빌헬름 라이히(Wilhelm Reich)의 이론에 영향을 받아왔고, 늙은 가게 주인의 골통을 때려 부수는 깡패가 구질서를 파괴하는 혁명적 테러리스트의 의식으로 보여지는, 완전한 가설적인 반항을 위한 정신분석적 술어(述語)의 사용을 예증하고 있다. 융 박사(Dr. Jung)의 영향을 받고 씌어진 방대한 유행적인 유력한 문예비평을 읽어볼 때, 여러분은 아카데믹한 철학적인 비평가들이 사회주의로서가 아니라 종교로서 정신분석학을 사용하고 있는 것을 보게 될 것이다. 융파(派)의 문학에 대한 개념을 개괄하려는 최근의 노작 — 이 저서는 미국문학에 나오는 가장 외로운 인물인 멜빌(Melville)의 이셔마엘을 따서 서제(書題)로 삼고 있다 — 에서, 제임스 베어드(James Baird)는 정통파의 기독교도들은 성례전을 사실상 상징으로 보고 있고, 예술은 바야흐로 상징을 취급하는 것이기 때문에 예술은 종교적 의식으로 간주될 수 있다고 설명하고 있다. 엘리오트(Eliot)에서 시작된 신정통파의 유행 이후의 문예비평의 발전을 주시해 온 사람에게는 이것은 낡아빠진 말이다. 상징이라든가, 상징적 행위라든가, 의식이라든가, 신화라든가 하는 말은 유행적인 아카데미 비평의 주춧돌이다. 그러나 내가 여기서 강조하고 있는 주제 — 고독과 강요된 반항 — 는 다음과 같은 사이비 형이상학에 필적한 것이다. 왜냐하면 예술이 사실상 종교의식인 것처럼 종교는 사실상 예술이기 때문이다. 이에 대해서 베어드 씨는 성례전(聖禮典)은 '개인이 포섭되는 공동성을 대표하는' 상징이며, '따라서 궁극적으로는 이러한 새로운 보충적인 상징은 원형의 집단에서는 예술가를 초월한다'고 말하고 있다.

> 성례전으로서 그가 창조한 형태의 추상성은 이상하게도 종교적 행위에 나타난 인간의 공동성을 상기케 한다. ……모든 개인은 그의 섬에서 단독으로 예배를 올린다. 그가 창조하는 성례전은 그의 위안과 그의 '구제(救濟)'를 위해서, 그가 상실한 상징에 대해서 기억하고 있는 것과, 그의 비기독교적(동양적) 습관에 대한 이교적 신봉이 제공하는 것이 혼합되는 이상의 세계를 환기시킨다. 그의 동양 여행의 구멍을 통해 경험으로서 그에게 제시된 이러한 습관이 완전히 정통(精通)된 것인지, 단순히 시험적인 것인지의 여부는 그다지 중요한 일이 아니다. 그의 상징은 새로운 성례전의 공동성의 가능을 시사하고 있다. 예술가로서 그는 예술을 실존적인 용기보다도 더 훌륭한 긍정의 수단으로 생각하고 있는 다른 노동자들과 같기 때문에 성례전 중시주의의 창조자로서는 그의 시대의 무의식적인 예술사회에 소속하고 있다. 그는 인습과 전통적인 신학을 벗어 버렸고, 창조의 활동에서 참다운 종교의 원시성까지 내려와 있다. 즉 그는 원시적 감정의 권위와 정서적 생활에 복귀하고 있다.

여기에는 현실적인 것에 언급한 말이 한 마디도 없다. 이 문맥에서는 예술도, 종교도, 소위 원시적 감정도, 정서적 생활도 무엇 하나 의미하는 것이 없다. 그러나 베어드 씨는 협잡꾼은 아니다. 그는 신을 믿고 있다고 가장하고 있지는 않다. 그가 시사하고 있는 것은 종교가 아닌 그 무엇에서 종교가 다시 생겨날 수 있고, 그 때문에 신앙의 전통적 대상을 상실한 — 그러나 신앙의 습관은 상실하지 않은 — 인간은 다시 믿을 수 있는 그 무엇을 갖게 될지도 모른다는 것이다. 라이히 파(派)가 다시 사회주의를 신봉하고 — 그들은 그것을 신봉하고 있지 않기 때문에 — 싶어 하듯이, 융 파(派)는 종교가 요청에 따라서 되찾아질 수 있는 것처럼 말하고 있다.

조심성스럽게 사회를 회피하고 있는 이러한 사회주의나, 신이 존재하고 있다고 감히 말하지 못하는 이러한 종교는 — 모두가 너무나 안이하다. 너무나 비참하게 안이하다. 모든 것이 자아가 원하는 것, 자아가 필요로 하거나 필요하다고 생각하고 있는 것에 근거를 두고 있고, 무엇 하나 실제적인 세계에 근거를 두고 있는 것이 없기 때문에 그것은 안이한 것이다. 세계 — 자연과 역사와 사회의 환경과 반드시 정다운 것이 못 되는 현실 — 는 이러한 작가들에게는 소멸돼 버렸고, 그와 함께 세계 안의 인간의 싸움에 표준과 정의(定義)를 부여한 모든 것이, 인간에게 책임과 한계의 감각을 부여하고, 원망과 죄의 감각을 부여하고, 행복과 비극의 감각을 부여한 모든 것이 없어져 버렸다. 이러한 작가들은 자연과 싸워서 이기는 일에는 관심을 갖고 있지 않다. 어디까지나 자연의 비밀을 털어보겠다는 일에는 관심을 갖고 있지 않다. 그들은 다시 자기들이 믿을 수 있고, 다시 성을 낼 수 있는 세계를 찾고 있다. 그들은 영웅주의의 고통으로 괴로워하고 있는 것이 아니라, 영웅적으로 느낄 수 없는 — 또한 왕왕 아무것도 느낄 수 없는 — 무능력 때문에 괴로워하고 있다. 전체주의의 결과로 우리들의 세대에 초래된 인간 파국은 이해할 수도, 묘사할 수도, 대적할 수도 없을 만큼 어마어마한 것으로 생각된다. 역사는 인간에게 의미를 상실하게 되었고, 개인 생활은 그들 자신에 대한 현실감을 갖게 할 수 있는 — 미증유의 조직이나 혹은 신의 — 감동의 탐색으로 변했다.

이러한 광범위한 비현실의 감각은 움직일 수 없는 확고한 것이며, 언제나 그렇듯이 작가는 — 에즈라 파운드가 '인류의 안테나'라고 경칭(敬稱)을 붙인 사람들은 — 누구보다도 먼저 앞을 내다보고 있다. 왜냐하면 우리들 모두가 장구한 세월을 두고 의지해 온 중산계급이 가치체계로서 진정한 권위를 발휘하지 못하고, 진정한 존경을 받을 수 없게 되었기 때문이다. 내가 말한 비현실의 감각은 역사가 역시 다른 방향을 취했고, 우리들 대부분이 의지해 온 — 따라서 우리들이 그럴듯하게 반대할 수도 있었던— 견고한 중산계급의 미덕이 이제는 그럴듯한 반대의 대상이 될 만큼 심각하게 믿어질 수 없게 되었다는 것을 인식하고 있는 사람들의 당황감에서 자연히 일어나고 있다. 니체가 정확하게 예언한 것처럼 우리들의 시대의 진정한 비극은, 일찍이 세계가 겪어보지 못한 거창한 사치 속에서도, 헤아릴 수 없을 만한 사람들이 현대과학의 시계를 역전시키려고 애를 쓰고, 마르크스와 다윈과 프로이드를 우리들의 우주적인 전능을 빼앗아갔다고 비난하려고 애를 쓰는 것이 당연하게 생각될 만큼, 전체적이고 광범위한 패배주의적인 허무주의이다. 이런 사람들은 희망을 잃고 있지만, 현대 정신에 대한 그들의 고발에는 하나의 비극적 진실의 요소가 있다. 그것은 점점 더 많은 사람들이 20세기의 끊임없는 충격과 변화에 동화해 나갈 만한 전통의 감각을 상실해 가고 있다는 것이다. 마르크스가, 그의 후계자들이 그의 문화와 전통을 완전히 상실하게 되고, 그의 자본사회[3]에의 위대한 통찰을 이용해서 훨씬 더 전제적인 부정한 사회를 만들어 내리라는 것을 예측하지 못했던 것처럼, 헤브라이의 전통과 영국 전통과 19세기 전통에 깊은 뿌리를 박고 있던 프로이드는, 아우슈비츠, 메이데네크, 벨젠에서의 서구문명의 파괴를 예측할 수 없었다.

그는 인도주의적인 도덕적 전통에서 벗어난 정신분석적 방향의 정신병학을 상상할 수 없었고, 시장 개척에서 소비자를 자극하는 데 쓰여지고, 정치적 탈선을 '정상적'으로 생각하게 만드는 조종(操縱)에 쓰여지는 정신병학을 상상할 수 없었다. 정신분석은 지적, 문화적인 전통— 정신분석은 여기에서 태어났고, 이의 중요한 일부분인 것이다— 에 크게 의존해 왔고, 그 때문에 이러한 문화의 전통과 지적 자유가 지난날과 같은 존경을 받지 못하게 되자, 전통과 프로이드의 고전적 통찰에 관심을 갖고 있는 작가와 필요한 문화적 교양을 갖고 있지 않은 이러한 정신분석학자들 — 이들은 우둔하게도 자기들이 프로이드로 하여금 압박과 죄와 수치의

• • •

3. 자본주의 사회. 원문은 "capitalist society"이다.

필연적 반작용을 파악하게끔 한, 같은 부르주아 도덕의 세계에 살고 있다고 착각하고 있다 — 과의 사이에는 점점 더 심각한 균열(龜裂)이 생겼다. 왕년에는 상당한 주목과 존경을 받은 정신분석적 문예비평들이 최근에 와서는 완전히 기계적인 헛소리같이 생각되게 되었다. 또한 그것은 산문학과는 무관한 가장 현학적인 아카데믹한 탐구의 주산물이 되었다. 왜냐하면 모든 아카데믹한 것들이 다 그렇듯이 이러한 비평의 배경은 봉쇄된 정적인 것에 대한 존경과 깨끗이 접어 개켜서 정렬해 놓은 문학적 전통에 토대를 두고 있기 때문이다.

또한 오로지 부르주아 취미와 부르주아의 자기기만(自己欺瞞)에 아첨하고 소득세를 조금이라도 덜 내는 것만을 문제로 삼고 있는 미국인들의 애완 도구적 심리학에 아첨하는 따위의 정신분석학의 사용은 본질적으로 문학적 추문(醜聞)이다. 이러한 관계에서 나는 몇 가지 점을 지적하고 싶다. 첫째로, 만인의 '창조성'에 대한 신화, 즉 모든 태만한 가정주부가 화가가 되려고 했고, 모든 성적 탈선자가 사실상 시인이라는 가정. 여기에서 이러한 비생산적인 사람들이 '방해를 받고' 있다는 신화가 나오고 있다. 그리고 어중이떠중이들이 이 신화에 부화뇌동하는 것은 지극히 손쉬운 일이다. 둘째로, 예술가의 인물비평의 정적 묘사로서 정신분석학의 헛소리를 사용하는 것. 신경병이 창조적 예술능력을 절름발이로 만들기도 하고 전적으로 훼방을 놓기도 하지만, 재능이라는 것이 언제나 — 주제에 있어서는 그렇지 않다고 하더라도 — 기능에 있어서 창조적 생활의 현실에 아무런 단서도 제공하지 못하는 신경병의 정서적 혼탁과는 전혀 별개의 것이라는 것은 자명한 일이다. 그러나 내가 이 논문에서 강조하고 있는 주제 — 자유보다는 오히려 신원을 밝히기 위한 정신분석학의 현대적 사용 — 는 여기에도 또한 나타나 있다 — 왜냐하면 사람들이 우리들에게 비현실적으로 되면 될수록, 더 한층 우리들은 항용 근자에 정신분석학에서 얻은 처방서를 가지고 그들을 구속하려고 애를 쓰기 때문이다. 우리들이 유독 정신분석적으로 고려된 작가의 인물만을 가지고 문학에 접근한다면,

우리들은 문학의 진정한 경험으로부터 종전보다도 더 멀리 떨어져 나가게 될 뿐만 아니라, 작가에게 환자의 딱지를 붙이려고 서두는 나머지 창조적 자아의 건강에 대한 근본적인 문화적 존경까지도 망각하게 된다.

이에 대한 최근의 실례는 디아나 트릴링그 여사(Mrs. Diana Trilling)의 D. H. 로렌스의 새 서한집(書翰集)에 대한 서문이다. 트릴링그 여사는 로렌스가 이제는 반항적인 그의 청년시절만큼 자기에게 감동을 주지 않는다고 고백하고 있고, 그녀의 로렌스의 작품에 대한 분석이 그의 놀랄 만한 진정한 창작 능력에 근거를 두지 않고, 그의 소설가로서의 궁극적 실패의 원인이 되고 있다고 그녀가 주장하는 이디피스적인 갈등(an Oedipal conflict)에 근거를 두고 있기 때문에, 사람들은 그녀의 말을 신용한다. 여러 위대한 시인들은 — 즉 시적 재능은 — 언제나 근본적으로 '개성적(Personal)'인 현실에 대한 시적 인식과 스토리를 전문으로 연구하는 소설가적 본능 — 로렌스가 사실상 갖고 있지 못했던 본능 — 사이의 균열(龜裂)에 뿌리를 둔 이와 같은 종류의 실패를 알고 있었다. 그러나 트릴링그 여사는 로렌스의 천재가 받을 만한 — 또한 요구하고 있는 — 그에 대한 존경을 표시하지 않고, 단순한 문학 애호가들로 하여금 이런 종류의 작품에 공포를 느끼게 하는 임상적인 단견으로 우리들의 환심을 사고 있다.

> 로렌스를 전시(戰時)의 여러 해 동안의 절망에 빠뜨리게 한 것은 이러한 성과 사랑의 제도화된 연결이었다고 생각한다. 전 세계를 뒤엎은 충돌은 그의 여생을 두고 그의 감정적 정력의 일부를 지독하게 많이 흡수한 개인적인 성적 투쟁의 구체화된 표현이었다.
>
> 이것이 나의 부적절한 독단적인 강조가 아니며, 로렌스를 정신분석적으로 이용하려고 하는 것이 아니라는 것을 나는 밝힐 필요가 있지 않은가? 로렌스와 프리이다가 드디어 결혼했을 때 그가 침통하게 겪은 충돌은 그의 전 작품을 뚫고 흐르는 본질적인 충돌이며 모순이라고 나에게는 생각된다.

이것은 부적절한 독단은 아니겠지만, 그러나 그것은 문학 자체에 대한 요구를 하나도 갖고 있지 않은 문학에 대한 하나의 태도를 보여 주고 있다. 단순히 정서적으로 병든 사람들에게 나타나는 억눌린 낭비된 창작력을 찾아내는 데는 지극히 민감한 사람들이 카프가나 로렌스나 도스토에프스키 같은 대작가들의 근본적 창작력을 언제나 거부하려고 드는 것은 — 이것은 프로이드가 후자의 경우에서 분명히 억제할 수 있었던 과오이나 — 이상한 일이다. 그러나 이렇게도 냉혹하게 예술을 심리학화시켜 보려는 — 이것은 예술에도 심리학에도 다 같이 부적절한 경우가 많다 — 이유는 그것이 분석자 — 그것이 누구이든 간에 — 에게 피실험자의 창조력에 참여할 수 있는 기회를 주고 있기 때문이다. 여기에는 진정한 문학비평에서 전용의 행위(an act of appropriation)라고 하는 것의 비참한 악용이 있다. 헨리 제임스(Henry James)는 진정한 비평가는 예술을 '소유하려고' — 예술을 그의 개인적인 경험 속에 포함시키고, 쾌락과 이해의 힘과 타인에게 교수할 수 있는 힘을 증가시키려고 — 애를 쓸 정도로 그것을 사랑하고 있다고 말했다. 그러나 에른스트 크리스(Ernst Kris)가 지적한 것처럼, 생에 대한 완전한 '심미적' 태도 — 나는 요컨대 그것을 사이비 심미적이라고 부르고 싶다 — 의 근원은, 우리들이 소유할 수 있게끔 존재하고 있지 않은, 예술작품 자체가 아니라, 바로 예술가 그 자신을 전용하려는 시도이다. 그것은 늙은 부르주아의 돈과 사회적 지위에 대한 요구가 인간의 위신을 높이는데, 창작 능력만큼 현실적으로 느껴지지 않는 세계에서 우리들에게 '신분'과 '위신'을 부여할 수 있는 존재이다. 따라서 창작 능력의 신화 — 현대에 있어서의 끊임없는 그에 대한 탐구 — 는 다만 경험으로 그것을 발견할 수 있다고 믿고 있는 사람들과, 그들에게 안면이 없는 진정한 창작가와의 동일성(identity)에 대한 탐구이다.

나는 여기에서 이에 관련된 수많은 일들을 — '취미'에 대해서, 타락에 대해서, 정신분석은 예술의 창조에 아무것도 보탬이 된 것은 없지만 현대의 예술에 대한 관심에 지대한 공헌을 했다는 확고한 사실에 대해서 — 계속해서 논의할 수도 있다. 그러나 결론으로서 오늘날 우리들의 경험에 대해서 가장 주목할 만한 사실은 그것이(오늘날의 우리들의 경험이) 전혀 선례를 찾아볼 수 없는 일이라는 것을 적어두는 것은 한결 더 중요한 일이다. 괴테에서 토마스 만에 이르기까지의, 브레이크에서 D. H. 로렌스에 이르기까지의, 루소에서 쁘루스뜨에 이르기까지의 중산계급 문학의 주인공들은 자연히 인생을 인습에 대한 투쟁으로 보았다. 자유와 진실로서의 자연의 슬로건 밑에서, 인간은 그 자신을 신에게 빼앗긴 자연의 운명을 인간에 재결합시키는 영웅으로 보았다. 심오한 억압의 전통이 없었더라면 우리들을 결합시키는 도덕의 법전이 없었더라면, 돈 환은 주인공이 될 수 없었을 것이고, 안나 카레니나도 여주인공이 될 수 없었을 것이다. 거기에는 괴로워해야 할 죄악도 없고 영광을 줄 만한 반항도 없었을 것이다. 그러나 현대문학의 가장 위대한 인간적 상징은 이미 반항자는 아니라고 본다. 왜냐하면 오늘날에는 그가 공정하게 한계를 느낄 수 있고, 그의 인도주의에 방해가 되는 권위 있는 도덕적 전통이 없기 때문이다. 도덕적 질서를 파괴하는 일이 아니라, 인도주의의 관념을 되찾아줄 수 있는 도덕적 질서를 창조하는 일 — 이 일은 앞으로 나올 새 사람들이 할 일이다.

— 『*Partisan Review*』지 게재, Alfred Kazin, "Psychoannalysis and Literary Culture Today" 전역. (역자)

–『현대문학』, 1964. 6.

문화와 정치에 대한 각서

T. S. 엘리오트(Thomas Stearns Eliot)

그러나 그의 정치적 관심이라 할지라도, 그것은 역시 중대한 문제에서 그의 사상을 붙잡아 앉힐 만큼 그를 사로잡지는 않았다.

-조오지 리츨톤[1]을 평한 사뮤엘 존슨의 말.

현재 우리들은, '문화'라는 말이 정치가의 주목을 끌고 있다는 것을 알고 있습니다. 그것은 정치가가 반드시 '문화'인이라는 의미가 아니라, '문화'가 정책의 한 수단으로서, 동시에 또한 국가의 사업으로서 마땅히 촉진되어야 하는 사회적으로 없어서는 안 되는 것으로 인정을 받고 있다는 말입니다. 우리들은 국정 담당자의 입장에서, 각 국민 간의 문화 관계라는 것이 지극히 중요하다고 하는 말을 들을 뿐만 아니라, 국제간의 우호를 육성하는 것이라고 생각되는 이러한 문화 관계의 일을 처리하는 것을

1. George Lyttleton(1709-1773). 영국 정치가, 시인. 새뮤얼 존슨이 그의 시를 비평한 것으로 유명하다.

공공연히 표방하는 관청이 설치되고, 그것을 위해서 관리가 임명되고 하는 현상을 발견하게 됩니다. 문화라는 것이 어떤 의미에서는 정치의 한 부서가 되었다는 사실을 볼 때, 우리들이 기억을 새로이 하지 않으면 안 되는 것은 다른 시대에서는 정치란 하나의 문화의 내부에서 추구되고, 서로가 다른 각 문화를 대표하는 사람들 사이에서 추구된 일종의 활동이었다는 것입니다. 그 때문에 위에서 우리들이 고찰해 온 종류의 통일과 분열의 양상에 응해서, 통일되고 분할된 한 개의 문화의 내부에서 정치가 차지하는 위치를 밝혀두는 것도 반드시 동떨어진 시도라고 볼 수 없겠습니다.

여기서 단정해두어도 무관하다고 생각됩니다만, 그것은 위와 같이 층별화된 사회에 있어서는 실제의 정치도, 정치 문제에 관한 적극적 관심도 백이면 백 사람이 다 관심을 갖는 문제, 혹은 백 사람이 다 같은 정도의 관심을 갖는 문제는 되지 않을 것이라는 것입니다. 또한 위기의 순간은 별문제이지만, 백이면 백 사람이 다 같이 하나의 전체로서의 국민의 지도에 관여해야 되는 것도 아닙니다. 건강한 하나의 지역적 사회에서는 정치는 지극히 작은 사회적 단위의 내부에 있어야만 만인의, 혹은 대다수의 사람들의 일이 될 것입니다. 따라서 그와 같은 작은 단위가 포괄되는 커다란 단위에서는, 그 크기가 증대됨에 따라서 점점 더 소수의 사람들의 일이 될 것입니다. 건강하게 계층화된 한 사회에서는 정치는 결코 평등하게 분담될 수 없는 하나의 (책)임이 될 것입니다. 보다 더 큰 책임은, 특별한 특권을 물려받은 사람들에 의해서 물려받아지게 되거나, 또는 이기심이나 일족붕당(一族朋黨)을 위한 이익(말하자면 '나라의 대사(大事)')이라고 일컫는 것)이 반드시 공공 정신과 모순되지 않게 밀착해 있는 사람들에 의해서 물려받아지게 될 것입니다. 하나의 전체로서의 국민 가운데에서 정치가가 되는 엘리어트[2]는 책임을 그들의 재부와 지위가 함께 물려받을

• • •

2. '엘리트'의 오역. 오역이라기보다는 오독이라고 해야 할 것이다. 김수영은 계속

뿐만 아니라, 특별한 재능을 갖고 태어난 신흥의 개인에 의해서 그들의 세력이 끊임없이 증대되고, 때에 따라서는 그 개인에 의해서 지도되는 따위의 사람들로 구성될 것입니다. 그러나 여기서 우리들이 정치가가 되는 엘리어트를 가리킬 경우에, 우리들은 그것을 그 사회의 정치가가 아닌 다른 여러 부문의 엘리어트와 엄밀히 구분할 수 있다고 생각하고 있는 것을 주의해야 합니다.

정치가가 되는 엘리어트— 이 말로써 우리들이 의미하는 것은 정치적 집단으로서 실행력을 갖고 또한 세상도 허용하고 있는 집단이라면, 그 전부의 집단에 속하는 지도적 입장에 서 있는 사람들을 의미하는 것입니다. 왜냐하면 어떠한 의미로든지 의회제도가 존속하기 위해서는, 항상 식탁을 같이 할[3] 것이 요청되기 때문입니다— 이러한 의미로서의 정치가가 다른 여러 엘리어트에 대한 관계를, 만약에 우리들이 행동인과 사상인과의 사이의 유통이라는 말로 표현한다면, 그것은 너무나 허술한 표현이라고 하지 않을 수 없습니다. 오히려 그 관계는 서로 생각하는 방법도 다르고 사상, 행동의 영역도 다른 사람들과의 사이의 한 관계입니다. 사상과 행동과의 사이에 준엄한 구별을 세우는 것은, 종교적 생활에 있어서 타당하지 않은 것처럼 정치적 생활에 있어서도 타당하지 않습니다. 종교적 생활에 있어서도 거기에서는 관상적(觀想的) 활동이 그 자체로서의 활동도 가지지 않으면 아니 되고, 속사(俗事)에 관여하는 사제도 명상의 세계에 전혀 미숙할 수가 없습니다. 활동적 생활의 어느 평면에 있어서도 사상을 돌보지 않고 되는 평면이라는 것은, 단순히 상부로부터의 명령을 자동적으로 수행하는 경우밖에는 없습니다. 또한 행위에 전혀 영향을 끼치지 않는 사유라는 것은 단 한 종류도 없습니다.

• • •

엘리트가 아니라 엘리어트라고 읽는다.

3. [원주] 나의 희미한 기억에 의하면, 대체로 이 표현을 사용한 것은 Sir. William Vernon Harcourt이든가 그렇지 않으면 그에 관해서 서술된 말이다.

나는 다른 저서에서(*The Idea of a Christian Society*, 40항) 서로 다른 활동 영역을 가진 사람들—정치가·과학자·철학자·종교가의 사이에 접촉이 결해 있는 경우에, 그 사회는 해체의 위험을 내포하고 있다는 것을 말해두었습니다. 이러한 분리는 단순한 사회적 조직화의 방법에 의해서 수리될 수 있는 것은 아닙니다. 그것은 단순히 지식과 경험을 달리하는 여러 종류의 다른 유형의 사람들의 대표자를 한 곳에 모이게 해서 위원회를 열고, 누구에게도 거리낌 없이 그 밖의 다른 여러 사람들에게 충고를 주게 하는 것과 같은 문제는 아닙니다. 엘리어트라는 것은 단순히 승려와 추장과 장군과의 모자이크 세공과는 다른 어떤 것, 보다 더 유기적으로 구성된 어떤 것이어야 합니다. 어떤 뚜렷하고 진지한 목적을 위해서만 회합할 것이며 오히려 관청식으로 필요한 경우에는 전혀 상면하게 되지 않는 것이어야 합니다. 그들은 무슨 공통된 문제를 마음속 깊이 서로 생각하고 있어도 좋고, 몇 번이고 접촉을 하는 중에는 어느 사이에 그들의 공통된 목적에 필요한 세부적인 의미의 구석구석까지도 전해줄 수 있는 단어나 특수용어를 서로 나눠 가질 수 있게 될지도 모릅니다. 그러나 그들은 항상 이러한 회합에서 몸을 빼고, 자기 자신의 고독의 세계는 말할 것도 없고, 각자의 사생활의 세계로 돌아오게 될 것입니다. 누구의 눈에도 관찰되는 일이지만, 서로 얼굴을 마주보고 아무 말도 없이 가만히 있어도 서로 마음에 꺼리는 것이 없고, 서로 공동의 일에 종사하면서 행복감을 나누고, 바보 같은 농담을 서로 지껄이면서도 마음속으로는 진지한 의미를 잊어버리지 않고 있을 수 있는 것은, 어떤 경우에도 서로 친밀한 개인적인 결합이 있다는 증거입니다. 어떤 사회에서도, 친구 사이의 친밀이라는 것은 공통된 사회적 관습, 공통된 의식, 공통된 휴식의 즐거움에 의존하고 있는 것입니다. 친밀을 돕는 이러한 보조수단은 말에 의한 의미의 전달에 있어서는, 각 당사자에게 너무나 잘 알려져 있는 공통 제목을 갖는 것 이상으로 중요합니다. 한 인간에 있어서, 그의 친구들과 직업상의 동료들이 서로 무관계한 집단이 된다는 것은 불행한 일입니다.

동시에 또한 그들이 전혀 동일한 집단이 되어도 그 때문에 우리들의 세계는 지극히 거북한 것이 됩니다.

개인적인 친밀에 대해서 말한 이러한 관찰은 결코 진귀한 것이라고는 말할 수 없습니다. 이 관찰에 다소라도 새로운 점이 있다면, 그것은 지금 내가 말하고 있는 문제의 이 당면의 배경에서, 이 개인적인 친밀이라는 것에 주의를 환기시키고 있다는 점입니다. 다시 말하자면, 이러한 관찰은 각자의 전문의 영역에서 훌륭한 활동을 하고 있는 사람들이 남에게는 통용되지 않는 전문의 이야기만 하지 말고, 또한 서로 남의 일을 흑책질하려고만 하지 않고, 서로 얼굴을 맞댈 수 있는 한 사회가 얼마나 필요한 것인가를 가르쳐 주는 것입니다. 한 사람의 행동인을 과오 없이 평가하기 위해서는, 그 당자를 만나보지 않으면 아니 됩니다. 혹은 적어도, 같은 일에 종사하고 있는 사람들을 어지간히 많이 알아가지고, 아직 만나보지 않은 당자에 대해서 어떤 민첩한 측정을 내릴 수 있게 되어야 합니다. 또한 한 사람의 사상가를 만나보고 그 당자의 인격에 대한 어떠한 인상을 간추려 본다는 것은, 그 사상가의 사상을 판단하는 데 있어서 커다란 도움이 됩니다. 이러한 일은 예술의 분야에 있어서도 반드시 전혀 타당하지 않은 것은 아닙니다. 다만 이 경우에 있어서는 중요한 보류 조건이 필요하며, 한 예술가의 인격의 인상이 그의 작(품)의 평가에 전혀 동떨어진 영향을 주는 수가 적지 않습니다 — 왜냐하면 예술가라면 누구나 알고 있는 일이지만, 한편으로는 당자인 예술가를 만나보고 그의 작품에 강렬한 반감을 갖게 되는 소수의 사람들이 있는가 하면, 또 한편으로는 만나보고 그 당자가 속이 터진 사람이라는 것을 알고, 그 사람의 작품에 점점 더 호감을 갖게 되는 수많은 사람들이 있기 때문입니다. 이상과 같은 이익은 이성의 눈으로는 좀처럼 이치에 맞지 않는 것같이 보이더라도, 또한 방대한 인구를 포함하는 근대사회에서는, 백이면 백 사람이 다 다른 사람을 만나보는 것이 불가능하다는 사실을 시인하더라도 그 때문에 이러한 이익이 결코 소멸되는 것은 아닙니다.

우리들의 시대에 있어서 우리들은 너무나 많은 신간 서적을 읽습니다. 혹은 읽고 싶은데 읽지 못하고 있는 신간 서적을 생각하면 마음이 무거워집니다. 우리들은 수많은 서적을 읽고 있는데, 그것은 수많은 사람들과 접촉을 가질 수 없기 때문입니다. 우리들은 만나서 도움이 되는 사람들을 백이면 백 사람을 다 만나 볼 수 없습니다. 왜냐하면 그런 사람들이 너무 많기 때문입니다. 따라서 우리들이 만약에 말과 말을 엮어 놓을 수 있을 만한 재간을 갖고, 다행히도 그것을 활자화 할 수 있는 행운을 갖게 된다면, 우리들은 바야흐로 수많은 서책을 써가지고 서로간의 마음의 소통을 꾀하게 됩니다. 흔히 있는 일이지만, 그 사람의 저서를 읽지 않아도 될 수 있는 저자라는 것은, 어쩌다 요행히도 우리들이 만나볼 수 있는 기회를 갖게 된 저자입니다. 그리고 그들과 개인적으로 친하게 되면 친하게 될수록 그 사람들이 쓰는 것을 읽을 필요를 느끼지 않게 됩니다.

우리들은 너무나 많은 신간 서적에 골치를 앓고 있을 뿐이 아닙니다. 그 밖에 또한 너무나 많은 정기 간행물과 레포오트와 비공간(非公刊)의 회람 서류에 골치를 앓고 있습니다. 이러한 간행물 중에서 우리들의 독서 범위를 읽어서 반드시 얻는 것이 있는 것에 한정시키고, 아무리 뒤떨어지지 않게 읽으려고 노력을 해도, 바로 이 노력에 있어서 우리들은 대체로 책을 읽는다는 것의 세 개의 영원한 이유를 희생하게 되지 않는다고 장담할 수 없습니다. 다시 말하자면 그것은 지혜를 얻는 것, 기예의 구경을 다시 하는 것, 잔치의 대접을 받는 것, 이 세 가지입니다. 그런데 한편에서 직업적 정치가 도대체 무엇을 하고 있나 할 것 같으면, 그들은 그날그날의 잡무에 너무 바빠서 본격적인 서책을 읽을 사이가 없습니다. 아니 정치의 서책을 읽을 사이도 없습니다. 정치가는 정치 이외의 여러 가지 직무에 종사하고 있는 그 방면의 일류의 사람들과 사상과 지식의 교환을 하기에는 너무나도 시간의 여유가 없습니다. 좀 더 소형의 사회(따라서 모두가 열에 떠가지고 분주하게 돌아다니는 일이 적었던 사회)에서는 회화라는 것이 많아지고, 서책이라는 것이 적어진다고 볼 수 있을 겁니다. 또한

— 사실은 이 시론도 그 일례를 제공하고 있는 것이 됩니다만 — 다소의 명성을 얻은 저자가 그 명성을 쌓아올린 기초가 된 제목 이외의 서책을 쓰게 되는 경향은 아마도 찾아볼 수 없을 것입니다.

산더미같이 쌓여 있는 인쇄문자 속에서 가장 심오하고 가장 독창적인 작품이 일반 대중의 눈에 띄어서 그들의 주의를 끄는 기회가 없는 것은 물론이고, 그러한 것을 완독할 만한 자격을 가진 상당수의 독자의 주의를 끄는 일조차도 드뭅니다. 일시적인 유행이나 시대적인 단순한 정서에 아첨하는 사상이 영향하는 바는 훨씬 더 큽니다. 또한 혹종의 사상은 그 형태를 왜곡당하고 어떻게 해서든지 기성의 사상과 부리를 맞추지 않을 수 없게 됩니다. 일반 독자들의 머리에 오래도록 남는 사상이 증류된 최선의 사상, 가장 현명한 사상이기를 바랄 도리는 도저히 없습니다. 그것은 오히려, 대다수의 편집자나 비평가들에게서 항용 볼 수 있는 편견을 대표하고 있는 경우가 훨씬 많습니다. 그리하여 거기에는, 소위 '통속관념(idéesreçues)' — 보다 더 엄밀하게 말하자면 '유행어(mots reçus)' — 이라는 것이 생겨납니다. 이것은 주로 활자에 의한 영향을 받는 일반 독자의 정신에 강한 정서적 영향을 주기 때문에, 직업적 정치가에 의해서 신중히 고려되어야 할 문제이며, 또한 정치가가 공적인 석상에서 발언할 경우에는 충분한 존경을 가지고 취급되어야 할 문제입니다.

이러한 '관념'은, 그런 것들이 어느 것이고 동시에 즉각적으로 독자에게 받아들여지는 필요조건으로서, 서로 모순되지 않는 것이 반드시 요청되는 것은 아닙니다. 그러한 것들 사이에 아무리 자심한 모순이 있다 할지라도, 실제 정치가의 역할로서는, 마치 그러한 관념이 견식 있는 학자에 의해서 꾸며진 관념이며, 혹은 천재의 직관의 빛이며, 혹은 또한 만대의 지혜의 집적인 경우에 못지않을 만한 경의를 가지고 취급되지 않으면 아니 됩니다. 정치가라는 것은 일반적으로, 그러한 관념이 아직도 신선미를 잃지 않았을 즈음에 발했을지도 모르는 방향(芳香)을 흡수하는 사람이 아닙니다. 정치가의 코는 그러한 관념이 이미 악취를 풍기기 시작한 뒤에야 겨우 그것을 맡을 수 있게 되는 것입니다.

몇 개의 문화적 수준을 보유하고, 권력과 권위의 몇 개의 수준을 자기도 잃지 않고 있는 사회에서는, 정치가는 비판적 능력을 구비한 소수의 독자 — 거기서는 산문체의 기준이란 것이 아직도 유지되고 있지만 — 그러한 독자의 판단을 존경하고, 그러한 독자의 조소를 두려워하기 때문에, 정치가 자신이 언어를 사용하는 경우에, 적어도 터무니없는 실수는 하지 않고 넘어갈 수 있을 것입니다. 만약에 그런 사회가 동시에, 중앙집권화 되지 않은 사회인 경우에는, 다시 말하자면, 지방적인 각 문화가 여전히 번영하고, 문제의 대부분이 거기에 대한 그 지방 사람들 자신의 경험이나 동네 사람들과의 회화를 재료로 해서 어지간히 일가언(一家言)을 형성할 수 있는 사회인 경우에는, 정치가의 발언도 또한 그와 동시에 의미의 명확성을 증가하고, 청중의 해석의 종류도 훨씬 적어질 수 있는 경향을 보이게 될 것입니다. 지방적 문제를 지방적으로 논의하는 연설은, 전 국민을 상대로 외쳐지는 연설보다도 훨씬 의미가 명료히 되는 경우가 많습니다. 그리하여, 의미의 애매와, 몽롱하고 공허한 일반론의 쓰레기통은 항용 전 세계를 상대로 해서 외치는 연설 속에 있다는 것이 관찰될 것입니다.

지금 시작된 일은 아니지만, 태어날 때부터 상류 정치가의 가문에서 자라났거나, 혹은 자기 자신의 능력으로 그러한 사회의 일원이 된 사람들이 받아야 할 교육의 일부분은 역사 교육이며, 또한 이 역사 연구의 일부는 정치 이론의 역사이어야 한다는 것은 오늘날에 있어서도 요구되는 일입니다. 그리이스 역사와 그리이스의 정치 이론의 연구가 다른 시대의 역사나 다른 이론의 연구의 예비연구로서 유리한 것은, 그의 취급하기 쉬운 점에 있습니다. 그것은 일정하고 협소한 지역과, 대중이 아닌 인간을 취급하고 있기 때문입니다. 각 개인의 인간다운 즐거움과 비애를 취급하고 있으며, 그 방대한 비인격적 세력에는 관여하고 있지 않습니다. 후자는, 우리들의 근대사회에 있어서는, 우리들이 무엇을 생각할 때 필연적으로 그것을 떠나서는 생각할 수 없는 것이며, 또한 그것을 연구하게 되면 자연적으로 인간의 연구를 불명료하게 하는 경향을 면치 못하게 됩니다. 그 밖에 또한, 그리이스 철학의 독자는 정치 이론이 미치는 결과에 대해서 과도한 낙관에 빠질 근심도 없습니다. 왜냐하면 그의 독자는 즉시로 깨닫게 될 것이지만 이 경우에서는 정치의 모든 형태의 연구는 여러 정치 체제의 실패에서 발생하고 있는 것이며, 플라톤도 아리스토텔레스도 장래의 예언이라는 것은 거의 문제로 삼고 있지 않으며, 미래에 대한 과도한 낙관에 빠질 근심도 또한 없기 때문입니다.

근대에서도 최근에 와서 발생한 정치 이론은 인간성이란 것을 그다지 문제로 삼고 있지 않습니다. 인간성이란 것을, 오히려 어떤 정치 형태가 가장 요청된다고 생각되는 경우에, 거기에 맞추어서 언제든지 개조할 수 있는 것인 것처럼 취급하는 경향이 있습니다. 그러한 이론의 진정한 여재(與材)는 비인격적인 여러 가지 세력이며, 이러한 세력도, 원래는 여러 가지 인간적 의지의 투쟁과 결합에서 나온 것이지만, 이미 그러한 의미를 배제하고 난 뒤의 세력인 것입니다. 이러한 이론은 젊은 사람들의 학문적 훈련의 일부로서 생각해 볼 때, 여러 가지 결점을 갖고 있습니다. 이러한 이론은 무엇을 생각하더라도 다만 비인격적, 비인간적인 세력의 형태로밖에는 생각하지 않는 유형의 정신을 만들게 되며, 그 결과로서 결국 그러한 이론을 배우는 자의 비인간성에 도움이 되는 결과를 낳게 되는 것은 뻔한 일입니다. 다만 대량적으로밖에는 생각해 본 일이 없는 인간성을 문제로 하고 있기 때문에, 그러한 이론은 윤리학으로부터 그 자신을 분리시키는 경향을 취합니다. 그 이론은 인간성이 비인격적 세력에 의해서 지배되는 것이 가장 간단하게 증명될 수 있는 비교적 새로운 역사시대만을 문제로 삼고 있기 때문에, 인간의 인간다운 연구를 최근 2, 3백년 사이의 인간에 국한시켜 버립니다.

그것은 또한 왕왕, 일단 결정만 되면 영영 변경할 수 없는 하나의 미래에의 신앙을 불어 넣고, 그와 동시에 또한 언제든지 자유자재로 우리들의 힘으로 형성할 수 있는 하나의 미래에의 신앙을 불어 넣습니다. 근대의 정치학적 사상은 경제학과 결합되고 사회학과 결합되어서 풀 수 없는 매듭이 지어졌고, 바야흐로 제 과학의 여왕의 지위를 우선적으로 독점하고 있습니다. 그것은 정밀과학, 실험과학이란 것이 그 실용성에 따라서 진위가 판정되고, 그것이 어떤 결과를 낳는 한에 있어서 가치를 인정받기 때문입니다 — 다시 말하자면, 생활을 조금이라도 편하게 하거나, 조금이라도 노고를 덜어 주거나, 그렇지 않으면 생활의 불안을 증대시키거나, 한시라도 빨리 우리들을 죽음으로 몰아넣는 한에 있어서 존중되고 있다고 할 수 있습니다. 문화조차도 방임하고 돌볼 필요가 없는 일개의 부산물로 간과되든가, 그렇지 않으면, 우리들이 좋아하는 특정한 기획에 따라서 조직될 수 있는 생활의 일부분으로 간과되고 있습니다. 여기서 내가 생각하고 있는 것은, 현대의 뚜렷한 독단적인 전체주의적 이론만이 아니라, 어느 나라를 막론하고, 우리들의 사고를 물들게 하고, 전혀 정반대되는 각 당파에 의해서까지도 분유되고 있는 경향에 있는 여러 가지 독단입니다.

문화의 정치적 지도의 역사에 대한 하나의 중요한 문헌이라고 할 수 있는 것은 레온 트로츠키의 시론 『문학과 혁명』일 것입니다. 그 영역은 1925년에 나왔습니다.[4] 단순히 사상이나 정치 형태가 아니라, 우리들이 살아나가는 삶의 방법의 전체를 전 세계에 공헌하는 것이 모국 러시아의

• • •

4. [원주] 뉴우욕, International Publishers출판. 재판할 가치 있는 서책. 이것을 읽고 트로츠키가 특히 문학에 민감하다는 인상은 받을 수는 없다. 그러나 그 자신의 관심에서 볼 것 같으면, 문학을 잘 이해하고 있다. 이 서책은, 외국인에게는 잘 알려져 있지 않고, 별로 흥미를 끌지도 못할 것 같은 군소 인물들에 대한 논의로 잔뜩 차 있다. 그러나 태연하게 이러한 세부적인 문제에 깊이 파고들고 있다는 것은, 무엇인가 풍토의 풍미 같은 것을 느끼게 하는 동시에, 그만큼 또한, 외국의 독자를 염두에 두고 썼다느니보다는, 오히려 자기가 말하고자 한 것을 솔직하게 말하기 위해서 씌어진 것으로서, 어디인지 이 책이 범용한 것이 아니라는 인상을 준다.

역할이라는, 러시아 정신에 깊이 뿌리박고 있는 듯이 보이는 확신이 철저하게 전개되어 있고, 우리들의 문화적 자각을 어디까지나 정치적으로 다루고 있습니다. 이 자각이 생기게 된 원인은 '러시아혁명'만이 아닙니다. 거기에서는 인류학자들의 연구와 이론이 그 역할을 하고 있고, 그 결과로서 우리들은 여러 지배 국가와, 여러 피지배 민족의 관계를 다시 세심하게 연구하지 않을 수 없게 되었습니다. 각국 정부는 여러 가지 문화적 차이를 고려해야 할 필요를 드디어 자각하게 되고, 또한 식민지의 행정이 중앙정부의 관리를 받는 정도에 따라서, 이러한 문화적 차이도 역시 그 중요성을 더욱더 증대하게 되었습니다.

한 국민이 고립하고 있을 경우에는 그 국민은 스스로 일종의 '문화'를 소유하고 있다는 것을 깨닫지 못합니다. 또한, 과거에 있어서와 같은 유럽의 몇몇 국민 사이의 차이 같은 것도, 그리 대단한 차이는 아니기 때문에, 그들 각 국민이 그들의 문화가 서로 다르다는 것을 느끼더라도, 그것은 서로 양립할 수 없는 항쟁으로까지 이끌어 가는 것은 아니었습니다. 다른 여러 국민을 적으로 하고, 한 국민을 결합하는 한 수단으로 문화의식을 이용하는 것은, 최근의 도이치의 지배자들에 의해서 처음 씌어진 방법이었습니다. 오늘날 우리들은, 나치즘도, 공산주의도, 국가주의도 모두 이것들을 한꺼번에 양성하는 것 같은 방식으로, 매우 문화 의식적으로 되었습니다. 다시 말하자면 이 문화 의식은 분리를 정복하는 데 도움이 되지 않고, 오히려 분리를 강조하는 것 같은 방식으로 작용하고 있습니다. 여기에서 우리들은 정치적 지배(가장 포괄적인 의미에 있어서)가 문화에 끼치는 영향에 대해서 몇 마디 해보는 것도 과히 동떨어진 일은 아닐 것 같습니다.

인도를 지배한 초기의 영국인들은 다만 지배를 한다는 것 이상의 더 많은 것을 원치 않은 사람들이었습니다. 그중에는 인도에 정주하거나, 노상 본국을 비어두는 시간이 많았기 때문에, 피지배 민족의 생각하는 방식에까지도 그 자신을 동화시켜 버린 사람들이 있을 정도였습니다. 그 후의 지배자의 유형을 볼 것 같으면, 그들은 '화이트 홀'[5]의 충실한 종이라는 것을 자타가 인정하고, 그 경향이 점점 더 강해졌고, 거기에다가 일정한 기간만의 관리였기 때문에 (직책이 끝나면 그들은 자기가 태어난 고향으로 돌아가서 은퇴를 하거나, 그 밖의 다른 일에 종사하게 되지만) 그 결과로서 그들의 목적하는 바는, 오히려 서구문명의 이익을 인도에 선물하는 데 있었습니다. 그들은 하나의 '문화'의 전체를 근절하려고 생각한 것도 아니었고, 자기의 '문화'의 전체를 처안기려고 한 것도 아니었습니다. 그러나 서구의 정치적·사회적 조직, 영국의 교육, 영국의 재판 제도, 또한 서구의 '문명'이나 과학 같은 것의 우수성은 그들이 보기에는 너무나도 자명한 일이었기 때문에, 다만 남에게 혜택을 준다는 선의만으로도 위와 같은 이익을 들여오는 동기로서 충분하다는 생각이 들었던 것입니다. 자기와 자기가 딛고 있는 문화의 형성에, 종교가 얼마나 큰 의미를 갖고 있는지도 깨닫지 못하고 있는 영국인이, 다른 문화의 보존에 있어서의 종교의 중요성을 인식할 리가 없습니다.

하나의 외국 문화를 조금조금씩 떠맡기게 되는 경우—이러한 경우에는 강제력이란 것은 근소한 역할밖에는 하지 못하며, 오히려 토착민의 야심을 이용해서(이것은 토착민이 당장에 걸려드는 유혹이지만) 서구문명 중의 터무니없이 동떨어진 것을, 터무니없는 이유를 붙여서 찬미하게 하는 방법이 훨씬 더 큰 결정력을 갖게 됩니다—이러한 경우에는, 언제나 두 가지 동기, 즉 한쪽으로는 주먹다짐으로 위협을 하면서, 한쪽으로는 상대방의 머리를 쓰다듬어 주는 두 가지 동기가 서로 얽혀서, 그간의 구별을 뚜렷하게 세울 수가 없습니다. 그와 동시에 또한, 한편으로는 자기의 우월을 주장하면서, 한편으로는 그러한 자기 면허의 우월성의 기초가 되고 있는 생활양식을 상대방에게 전해 주려는 욕망이 있습니다.

5. White Hall. 영국 정부를 의미한다.

그 결과로서 토착민은 결국, 서양식의 취미와 물질력에 대한 질시, 찬미와 함께, 그것을 가르쳐 준 장본인에 대한 내심의 불만을 동시에 느끼게 되는 결과를 보게 됩니다. 이러한 서양화의 부분적 성공을 보고 어떤 동양사회의 소수분자는 재빨리 그 표면성의 이익을 움켜쥘 것을 잊지 않았지만, 그러한 성공도 그 동양인으로 하여금 자국의 문명에 대한 불만을 증대시키고, 동시에 그 불만을 유발한 원인이 된 문명에 대한 불만을 부채질하는 결과가 되었습니다. 다시 말하자면, 그것은 두 문명 사이의 차이 중의 어떤 것을 불명료하게 한 동시에, 동양인으로 하여금 차별의 자각을 증대시켰던 것입니다.

그리하여 그것은 토착문화의 최고층부를 파괴했을 뿐, 그 파괴는 국민 대중에게까지는 침투되지 않았습니다. 그런데 우리들은 여기에서 지극히 우울한 반성을 하지 않을 수 없습니다. 그것은 이 해체의 원인이 토착민에 대한 부패의 조장도 아니고, 폭력행사도 아니고, 행정상의 실책도 아니라는 것입니다. 그러한 폐해가 연출하는 역할은 지극히 작습니다. 게다가 이러한 특수사항으로 말하자면, 어떤 지배 국가이고 수치스러운 이유를 영국보다 적게 가진 나라가 하나도 없다고 할 수 있습니다. 타락화, 폭력행사, 행정적 실책은 영국인이 도착하기 이전에 벌써, 가령 그러한 죄과가 행해지더라도 그 때문에 인도인의 생활구조가 흔들리지 않을 만큼 인도 내에 전반적으로 보급되어 있었습니다. 해체의 원인은 오히려, 2개의 극단의 경우 — 즉, 치안을 유지하는 데 그치고 그 사회구조를 종전대로 그냥 내버려두는 데 만족하는 외국의 지배력과 완전한 문화적 동화와의 이 양 극단의 사이에는 영원히 타협의 길이 없다는 사실에 있습니다. 이 후자에 도달하지 못한 실패는 바로 종교적 실패입니다.[6]

• • •

6. [원주] 동양에 있어서의 문화 접촉의 영향을 통람(通覽)한 논문을 Guy Wint 씨의 흥미 있는 『아시아에 있어서의 영국인』 속에서 볼 수 있다. 이 글 중에 군데군데 피력되어 있는, 인도가 영국인에게 준 영향은 영국인이 인도에 준 영향에 대한 씨의 설명 이상으로 풍부한 암시를 주고 있다. 예를 들자면 —

정치적 지배권의 팽창 과정에 있어서 토착문화에게 입힌 손해를 지적하는 것은, 제국 해체론자가 성급하게 추론하고 있는 것과 같은, 정치적 지배권 그 자체를 비난하는 것이 결코 아닙니다. 자유주의자인 까닭에 서구문명의 우월성을 믿고 완전히 자기만족에 빠져가지고, 또한 제국주의가 주는 이익에도 생각이 미치지 않는 동시에, 토착문화의 파괴에 의해서 받게 되는 위해에도 전혀 생각이 미치지 않는 것은, 바로 이러한 반제국주의자들입니다. 투박한 이 친구들이 하는 것을 보면 결국 이런 배짱인 것 같습니다— 우리들이 남의 문명에 발을 들여놓고, 우리들의 기계, 우리들의 정치 조직, 교육, 의약, 재정을 가지고 그 문명의 구성원에게 장비를 마련해 주고, 그들 자신의 습관에 대한 경멸을 불어 넣고, 종교적 미신에 대한 계몽적 태도를 고취한 것은 틀림없다— 그러나, 요리는 이쪽에서 다 차려 주었으니까, 그것을 먹는 것은 너희들이 할 일이다, 그 이상은 내가 알 바 아니다.

여기에서 주의해야 할 것은, 대영제국주의에 대한 가장 격렬한 비판, 혹은 비난의 소리가 이와는 다른 형태의 제국주의를 실행하고 있는 사회의 대표자들의 입에서 들려오고 있다는 것입니다— 즉, 그것은 우선 물질적 이익을 갖다 주고 나서, 그 뒤에 문화의 영향력을 확대시키는 따위의 팽창을 주안으로 하는 제국주의입니다. 미국은 말하자면 한편으로는 장사를 하면서, 또 한편으로는 미국 상품에 대한 취미를 심어 나가면서 어느

• • •

"영국인의 인종색적 편견이 어떻게 되어서 시작되었는지 – 인도에 있는 포르투갈인에게서 인계받은 것인지, 혹은 인도의 카스트 제도에서 감염된 것인지, 혹은 이미 시위한 것처럼, 정부의 관리가 데리고 온 섬나라 근성의 소중산계급적인 편견을 가진 그들의 아내에게서 시작된 것인지, 혹은 그 밖의 다른 원인이 있는지 뚜렷하지 않다. 인도에 있는 영국인은 그들의 머리 위에 영국인의 상류계급을 갖고 있지 않고, 그들의 아래쪽으로 영국인의 하층계급을 갖고 있지 않은 영국 중산계급이었다. 그런데, 이러한 존재 상태는 필연적으로 위협적 태도와 방위적 태도가 결합한 일종의 정신 상태를 낳게 되는 것이다."(209면)

사이에 슬그머니 자기네들의 생활양식을 떠맡기는 경향을 보여 주고 있습니다. 아무리 하치않은 물질적 제조물이라 할지라도, 한 특정적인 문명의 산물이며 상징인 이상, 그것은 그것이 태어난 문화의 밀사입니다. 일례를 들자면, 그 셀룰로이드 필름이라는 전파력과 가연성이 놀랄 만큼 큰 물건을 여기에서 들어 보는 것만으로 족할 것입니다. 이처럼 미국식의 경제력 팽창도 역시, 영국과는 다른 형태를 하고 있지만, 그것이 접하는 온갖 문화의 해체의 원인이 될 수 있는 것입니다.

제국주의의 최신 유행형인 러시아의 제국주의는, 아마도 가장 놀랄 만큼 정밀하고, 또한 현대인의 기질에서 볼 때 가장 번영할 가능성을 내포하고 있는 것이라고 말할 수 있습니다. 제국주의 러시아는 그에 선행한 역사상의 모든 제국의 여러 약점을 어떻게 회피할 수 있을 것인가 하고 몸이 달아 있습니다. 말하자면, 그 잔인성에 있어서 어떤 제국주의보다도 우월한 동시에, 여러 피지배 민족의 기분을 상하지 않게 하려는 배려에 있어서도, 어떤 제국보다도 노심초사하고 있습니다. 겉 간판의 교리는 완전한 민족적 평등입니다 — 이 표정은, 러시아 정신이 원래가 동양형인 것이기 때문에, 또한 서구적 표준에서 본 러시아의 발전의 후진성 때문에, 아시아에 있어서의 러시아로서는 탄로가 날 표정이 아닙니다. 얼른 보면 지방자치와 지방자율이 보이는 체제를 보존하려는 기도도 있는 것같이 보입니다. 잘 보면 그것이 목적하고 있는 것은, 실제의 실권은 모스크바가 쥐고, 몇 개의 지방 공화국과 위성 국가군에게 독립국과 같은 환영을 주려고 하는 데 있는 것 같습니다. 그 환영도, 일단 지방 공화국이 별안간에 비참하게도 단순한 한 주나 직할 식민지와 같은 입장으로 전락하게 되는 경우에, 때에 따라서는 아주 맥 빠진 것이 되어 버리는 것은 어찌할 수 없는 일입니다.

그러나 아무튼 이 환영은 — 그리고 이것은 우리들의 관점에서 볼 때 가장 흥미 있는 문제이지만 — 소위 지방 '문화'의 육성이라는 것에 심혼을 기울임으로써 그 면목이 유지되고 있습니다. 여기에서 '문화'라고 하는 것은 그의 지극히 국한된 의미, 즉 무엇이든지 독이 안 되는 예쁜 것, 정치에서 분리될 수 있는 것, 이를테면 언어, 문학, 지방예술, 지방관습 같은 것들을 가리키고 있습니다. 그러나 소비엣 러시아는 어떤 일이 있더라도 정치 이론에 대한 문학의 종속을 유지하지 않을 수 없기 때문에, 러시아의 제국주의가 성공을 하면 할수록 그 성공은, 러시아의 각 민족 중에서 소비엣의 정치 이론이 최초로 형성된 민족의 편의, 자기 우월감으로 이끌리는 가능성이 결코 적지 않을 것입니다.

그러한 결과로서, 제국주의 러시아가 해체하지 않는 한, 한 종류의 지배적 러시아 문화가 점차로 강하게 주장되고, 종속 제 민족은 각자가 그 자신의 문화적 무늬를 갖는 제 민족으로서가 아니라, 각자가 열위(劣位)의 카스트적 존재로서 잔존하게 되는 현상으로 이끌려 갈 것이라고 보아도 무관한 것입니다. 그것은 어쨌든 간에, 좌우간 러시아인은 자각적으로 문화의 정치적 지도를 실천한 최초의 근대 국민이며, 상대의 국민이 누구이든 간에 자기가 지배하려고 원하는 국민의 문화를 전후좌우로 공격해 마지않는 최초의 근대 국민입니다. 어떤 외국이든 그 외국 문화가 고도하게 발달한 문화이면 문화일수록, 한 국가는 그 외국 문화가 가장 강하게 의식되고 있다고 보이는 제 요소를, 그 나라의 피지배 민족에게서 하나하나 뽑아냄으로써 결국은 그 일국 문화의 숨통을 꺾으려는 시도를 더 한층 철저하게 수행합니다.

서구에 있어서의 '문화 의식'에서 발생하는 위험은, 현재로서는 이것과는 그 유가 다릅니다. 우리들의 문화를 어떻게 처리해 보아야 하겠다고 할 경우의 우리들의 동기는 아직도 의식적으로 정치적이라고는 할 수 없습니다. 그 동기는, 우리들의 문화란 것이 아무래도 최상의 건강 생태에 있다고는 볼 수 없다는 자각, 이 상태를 개선하기 위해서는 어떤 처리법을 강구하지 않으면 안 되겠다는 막연한 근심에서 발생하고 있는 것입니다. 이 자각이 교육의 문제를 변모시키고, 문화를 교육과 동일화할 것이냐, 그렇지 않으면 교육에 신뢰를 두고 그것을 우리들의 문화를 개선하는 유일한 수단으로 할 것이냐 하는 문제를 불러일으키고 있습니다. 국가나 국가의 보조를 받는 반관적(半官的)인 단체의 간섭에 의한 예술, 과학의 육성의 문제에 대해서 현재와 같은 정세 하에서는, 그러한 지원이 필요하다는 것을 우리들도 잘 이해할 수 있습니다. '브리티쉬 카운실'과 같은 단체는 예술과 과학의 대표자를 항상 해외로 보내고, 외국의 대표자를 자기 나라로 초청해 들임으로써, 현대에 있어서는 지극히 귀중한 역할을 하고 있습니다 ― 그러나 우리들은 그러한 지도를 필요로 하고 있는 제 조건을 영구적이거나, 정상적인 것이거나, 건전한 것이라고 생각하고 만족하고 있으면 안 됩니다.

어떤 조건 하에서도 역시, '브리티쉬 카운실'이 해야 할 유용한 일은 남아 있게 되리라는 것을 우리들은 믿고자 합니다. 그러나 우리들은 금후 각국의 선발된 지식인이 관변의 조직 단체의 승인과 지원에 의지하지 않고서는, 한 사람의 개인으로서 여행을 하고, 서로 지견(智見)을 따뜻하게 나눌 수 있는 일을 할 수 있는 시대는, 다시는 돌아오지 않을 것이라는 따위의 말은 듣고 싶지 않습니다. 어떤 중요한 활동 면에서는 여러 가지 관변의 지원이 없이는, 다시는 행해지기 어려운 것이 있는 것은 충분히 상상할 수 있습니다. 예술에 종사하는 사람들은 오늘날에 있어서는 이미 개인적 원조를 대규모로 필요로 하게 되는 일은 없게 되었습니다. 예술, 과학에 대한 날로 증대해 가는 중앙관리의 경향, 예술, 과학의 정치화의 경향에 대해서는 지방적 선취권과 지방적 책임을 장려함으로써, 또한 될 수 있는 한 자금의 중앙 자원을 그 사용의 관리권으로부터 분리시킴으로써, 어떠한 보장이 강구될 수 있을 것입니다. 보조금을 탄다든가, 혹은 인위적인 장려를 받는 여러 가지 문화 활동에 대한 이야기를 할 때, 우리들은 그 하나하나의 활동을 그것에 고유한 명칭으로 부를 필요가 있다고 생각합니다.

회화, 조각, 건축, 극장, 음악, 또한 과학이나 그 밖의 지적 작업의 한 부문이나 다른 부문에 대해서, 우리들은 그것을 하나하나의 활동에 고유한 명칭으로 부르고 하나의 포괄적인 명칭으로서 '문화'라는 말을 함부로 사용하지 않도록 함으로써 착실하게 각자의 방면의 일에 정진하도록 하지 않으렵니까? 왜냐하면 허투루 문화라는 말을 입에 올림으로써, 우리들은 제법 문화라는 것이 계획될 수 있을 것 같은 독단에 빠지게 되기 때문입니다. 문화는 결코 전면적으로 의식적이 될 수 없습니다— 어떠한 경우에도, 우리들의 자각할 수 있는 훨씬 그 이상의 것이 문화에는 속해 있습니다. 문화는 계획할 수 없습니다. 어쩌면, 우리들의 모든 계획의 무의식 배경을 이루고 있는 것이, 또한 문화이기 때문입니다.

-『노오벨문학상전집』 5, 신구문화사, 1964. 7.

셰익스피어 번역 소감

보리스 파스테르나크(Boris Leonidovich Pasternak)

여러 해를 두고 나는 셰익스피어의 약간의 희곡을 번역해 왔다—『햄릿』, 『로미오와 줄리엣』, 『안토니와 클레오파트라』, 『오델로』, 『헨리 4세』(1부와 2부), 『리어 왕』, 『맥베드』.

간명하고 읽기 쉬운 번역에 대한 요구는 무한히 크고 벅찬 것이다. 모든 번역가들이 자기야말로 누구보다도 이 요구를 성공적으로 만족시키게 될 것이라고 부질없는 희망을 걸고 있다. 나도 이러한 공통적인 운명을 면치 못했다.

또한 문학작품을 번역하는 여러 가지 목적이나 문제에 대한 나의 의견도 별로 예외적인 것이 못 된다. 다른 여러 사람들이 생각하듯이 나도 원문에의 접근은 다만 문자 상의 정확이나 형태의 유사성만 가지고는 달성될 수 없다고 믿고 있다. 초상화에 있어서처럼, 원문에 근사한 번역은 활기 있고 자연스러운 표현 방법 없이는 이루어질 수 없다. 원작자나 마찬가지로, 번역자도 자기에게 자연스러운 어휘만을 국한해서 사용해야 하며, 양식화에 포함되어 있는 문학적 기교를 피해야 한다. 번역은 원본과 같은 생명감을 창조해야 하지, 말재주의 인상을 만들어내서는 안 된다.

1. 셰익스피어의 시형(詩形)

셰익스피어의 희곡은 그 개념에서 볼 때 다분히 사실적이다. 그의 산문이나, 움직임이나 줄거리와 결부되어 있는 운문의 대화를 보면 그의 문체는 회화적이다. 그 밖의 것으로는, 그의 무운시의 흐름은 지극히 비유적인 것이며, 때로는 필요 이상으로 비유적이고, 그러한 경우에는 다소 인공적인 폐단까지도 보인다.

그의 심상(心像)이 반드시 합당한 것이라고는 볼 수 없다. 때에 따라서 그것은 고조된 시가 되고, 또한 때에 따라서는 분명히 미사여구에 빠져가지고, 한 마디의 정당한—그가 가장 능변적인 때는 가질 수 있고, 서두르면 놓쳐 버리게 되는—표현 대신에 열 마디의 부적당한 대용어(代用語)를 포함한 것이 된다. 그럼에도 불구하고, 가장 잘 된 때에 못지않게 가장 못 되었을 때에도, 그의 비유적인 말은 진정한 비유의 본질에 준거하고 있다.

비유적인 말씨는 결과적으로 인간의 짧은 생명과 그가 맡은 바 거대하고 장기적인 임무 사이의 불균형 때문에 생기는 것이다. 이 때문에, 그는 모든 사물을 수리 모양으로 날카롭게 바라보고, 그의 환영을 즉각적으로 이해될 수 있는 섬광으로 전달해야 한다. 이것이 바로 시다. 특출한 개성은 비유를 정신의 속기로 사용한다.

렘브란트나 미켈란젤로나 티티안 같은 화가들이 폭풍처럼 날쌔게 화필을 움직인 것은 그들이 일부러 그렇게 한 것이 아니었다. 우주를 그려야 할 필요에 사로잡힌 그들은 그런 방식으로밖에는 그림을 그릴 수 없었다.

셰익스피어의 문체는 반대적인 양극을 합친 것이다. 그의 산문은 세련된 완벽한 것이다. 그것은 간결에 능통한, 희극을 다룰 줄 아는 천재의 작품이며, 세상의 모든 이상하고 기묘한 일을 희한하게 흉내 낼 줄 아는 어릿광대의 작품이다.

그의 무운시는 이와는 완전히 대조적이다. 볼테에르와 톨스토이는 그의 내면과 외면의 혼돈에 깊은 충동을 받았다.

흔히 완성의 여러 계단을 뚫고 올라가는 셰익스피어의 성격은 왕왕 처음에는 시로 말을 하다가 후에 가서는 산문으로 말을 한다. 그런 경우에는 운문으로 쓴 장면은 소묘의 인상을 주고 산문으로 쓴 장면은 완벽한 결론적인 인상을 준다.

운문은 셰익스피어의 가장 급격한 즉각적인 표현 방식이었다. 그것은 그의 사상을 나타내는 가장 빠른 방법이었다. 그 때문에 수많은 그의 운문의 글귀가 거의 그의 산문의 거친 초고처럼 읽혀지는 것은 당연한 일이다.

그의 시는 바로 이 힘차고 분방하고, 난폭하고, 풍부한 소묘의 특성에서 그 힘을 끌어오고 있다.

2. 셰익스피어의 운율(韻律)의 사용

셰익스피어의 운율은 그의 시의 기초적인 원칙이다. 그 운동량은 그의 대화에 나오는 질문과 답변의 속도와 계속을 결정하고 그의 종지부와 독백의 길이를 결정한다.

그것은 부러울 만큼 간결한 영어의 특성 — 두 개나 혹은 그 이상의 대조적인 서술로 된 전체의 진술을 압축해서 단장격의 단행의 운문으로 나타낼 수 있는 특성 — 을 반영하는 운율이다. 그것은 자유스러운 담화의 운율이며, 우상을 숭배하지 않는 사람의 언어이며, 따라서 정직하고 정확하다.

3. 햄릿

셰익스피어의 운율의 사용은 『햄릿』에 가장 뚜렷하게 나타나 있고, 여기에서는 그것은 삼중의 목적에 봉사하고 있다. 그것은 성격 묘사의 방법으로 사용되고 있으며, 주류적인 분위기를 끌고 나가면서 들을 수 있게 하고, 음조를 높이면서 부분적인 장면의 잔인성을 유화시키고 있다.

인물들은 그들이 말하는 말의 운율에 의해서 엄연히 구분되고 있다. 폴로니아스, 왕, 길덴스턴 그리고 로센크란츠가 같은 방식으로 말을 하고, 레테스, 오필리아, 호래티오가 다른 방식으로 말을 한다. 여왕의 경신성(輕信性)은 그녀의 말에서 뿐만 아니라 모음을 길게 끄는 단조로운 말투로서도 표시되고 있다.

장본인인 햄릿의 운율적인 성격 묘사는 어찌나 발랄한지, 그것은 — 사실상 주악상(主樂想) 같은 것은 없으면서도 — 햄릿이 무대에 나타날 때마다 악구가 반복되거나 하는 것처럼 주악상의 환상을 자아내고 있다. 바로 그의 존재의 맥박이 들리는 것 같은 감이 든다. 모든 것이 그 안에 포함되어 있다 — 그의 전후가 맞지 않는 동작, 커다란 굳센 걸음걸이, 머리를 반쯤 돌리는 거만한 버릇, 그가 독백으로 말하는 사상(思想)이 약동하고 비상하는 모양, 그의 주위에 몰려다니는 조신(朝臣)에 대한 조롱조의 거만한 말대꾸, 그의 부친의 망령이 그를 소환한 일이 있고, 어느 때고 또 이야기를 걸어올 것 같은 미지의 장소를 멀리 노려다보는 품.

햄릿의 변설의 음악이나, 전체적인 그 희곡의 음악은 인용으로 설명할 성질의 것이 아니다. 그에 대한 인상을 어떤 예를 들어 말할 수는 없다. 그러나 그것은 무형적인 것이기는 하지만, 주제가 부여되기만 하면 스칸디나비아 식이라고 부르거나, 유령의 기후에 알맞는다고 부르고 싶은 마음이 들 정도로 지극히 불길하고, 지극히 치밀하게 비극의 짜임새를 갖추고 있는 것이다. 그것은 엄숙과 불안의 신중한 교체로서 생겨나는 것이며, 그 분위기를 최대한의 밀도까지 진하게 할 때는 주류적인 기분을 만들어낸다. 그러면 이 기분이란 어떤 것인가?

정평 있는 비평가들의 견해에 의하면, 『햄릿』은 의지의 비극이다. 이것은 사실이다. 그러나 그것은 어떤 의미로 이해되어야 하는가? 의지력이 나타나 있지 않은 것은 셰익스피어의 시대에는 주제로서 존재하지 않았다. 그런 것은 하등의 흥미도 자아낼 수 없었다. 또한 지극히 선명하고도 지극히 면밀하게 그려진, 셰익스피어의 햄릿의 초상은 신경병자를 암시하고 있는 것도 아니다. 햄릿은 왕위의 계승자로서의 자기의 권리를, 잠시도 의식하지 않고 있는 일이 없는 구중의 왕자다. 그는 고대 황실의 타락한 귀공자이며, 자기의 타고난 권리에 대한 투철한 자각을 갖고 있다. 셰익스피어가 부여한 그의 성격을 종합해 볼 때, 그의 성격에 무기력한 면이 생겨날 여지가 없다. 그것은 도리어 무기력을 허용하지 않는다. 오히려 그와는 정반대라고 생각하는 것이 옳을 것이다. 그의 찬란한 기대에 감동을 받은 관중들은 보다 더 큰 목적을 위해서 그 기대를 포기하는 그의 희생의 위대성을 평가하지 않으면 안 될 처지에 놓여 있다.

망령의 출현을 본 순간부터 햄릿은 "자기한테 보낸 그의 의지를 수행하기" 위해서 자기의 의지를 포기한다. 『햄릿』은 연약한 희곡이 아니라, 의무와 극기의 희곡이다. 외양과 실재가 상극하고 있는 듯이 — 사실상 심연에 의해서 갈라져 있는 듯이 — 보일 때 초현실적인 방법으로 전언이 전달되고, 망령이 햄릿에게 원수를 갚으라고 명령하는 것은 정신적인 것이다. 중요한 일은 우연이 햄릿에게 그 자신의 시대의 재판관과 미래의 봉사자의 역할을 배당한 것이다. 『햄릿』은 고귀한 운명의 희곡이며, 운명지어진 영웅적인 임무에 헌신하는 생애의 희곡이다.

이것이 거의 손으로 만질 수 있을 정도로 뚜렷하게 운율에 의해서 집중된, 희곡의 전체적인 음조이다. 그러나 운율의 원칙은 역시 다른 방도로도 적용되고 있다. 그것은 그것이 없이는 도저히 참을 수 없는 것이 될 뻔한 일부의 깔축없는 장면을 유화시키는 효과를 내고 있다.

이를테면 오필리아를 수녀원을 보내는 장면에서, 햄릿은 그가 사랑하고,

또한 발길로 짓밟기도 하는 여자에게 잔인한 자기 위주의 바이런적인 반항조로 말을 건다. 그의 풍자는 그가 혼자서 고통스럽게 억제하고 있는 그녀에 대한 애정과는 어울리지 않는다. 그렇지만 우리들은 이 무정한 장면이 어떻게 소개되고 있는지를 알아야 한다. 그것이 연출되기 직전에, "살아 있어야 할 것이냐? 죽어 없어져야 할 것이냐?"의 유명한 문구와 독백의 신선한 음악이 햄릿과 오필리아가 주고받는 서두의 운문에 여전히 반향되고 있다. 햄릿의 혼란이 밀려들어 서로들 엎치락뒤치락하다가는 미해결인 채로 남아 있는, 독백의 쓰디쓴 무질서한 미는 진혼가가 시작되기 전에 오르간으로 시험해 보다가, 별안간에 끊긴 갑작스런 화음을 연상케 한다.

독백이 잔인한 대단원이 시작되는 것을 예고해 주는 것도 무리가 아니다. 그것은 매장을 하기 전에 장례식이 있듯이 반드시 그에 선행된다. 그 길은 그에 의해서 무엇이든 불가피한 것을 향해 열려져 있고, 그 뒤에 오는 것은 모두가 사전에 발언되는 사상에 의해서 뿐만 아니라, 그 안에서 울리고 있는 눈물의 작열과 순수성에 의해서 씻기우고, 구제되고, 위엄성을 지닌다.

4. 로미오와 줄리엣

『햄릿』에서 운율의 중요성이 그 정도라면, 『로미오와 줄리엣』에서는 그것이 한결 더 클 것이라고 기대할 수 있다. 첫사랑의 희곡에서 그렇지 못하다면, 조화와 장단이 자유로이 유희할 수 있는 곳이 또 어디 있겠는가? 그러나 셰익스피어는 그것들을 생각지 않은 용도에 사용하고 있다. 그는 우리들에게 서정시풍이 우리들이 상상하고 있는 것과는 다르다는 것을 보여 주고 있다. 그는 영창(咏唱)이 아닌 이중창을 작곡하고 있다. 그의 직관은 그를 다른 길로 인도하고 있다.

음악은 『로미오와 줄리엣』에서는 소극적인 역할을 하고 있다. 그것은 사랑하는 사람들을 적대시하는 힘 — 세속적인 위선과 일상생활의 소동의 힘 — 의 편을 들고 있다.

줄리엣을 만나기까지, 로미오는 무대에 자태를 나타내지 않는 로잘린에 대한 상상 상의 열정에 여념이 없다. 그의 낭만적인 자세는 그의 시대의 일반적인 유행을 따르고 있다. 그 때문에 그는 밤에는 고독한 산보를 하고, 낮에는 햇빛이 들어오지 않게 덧문을 닫고 자지 못한 밤잠을 벌충한다. 이 희곡의 첫 장면에서 이런 일이 진행되고 있는 동안에는 항상 그는 부자연하게 운율이 붙은 운문으로 이야기를 하고는, 그의 시대의 부자연한 사랑방 풍으로 그의 과장된 실없는 소리를 음악적으로 지껄여댄다. 그러나 줄리엣을 무도회에서 만나, 그녀의 앞에서 죽은 사람처럼 걸음을 멈추고 나서부터는 그의 음악적인 표현법은 씻은 듯이 없어진다.

다른 감정과 비교해 볼 때, 사랑은 온순한 위장을 한 본질적인 우주력이다. 그 자체로서 그것은 의식이나 죽음처럼 혹은 산소나 우라늄처럼 단순하고 절대적이다. 그것은 심의의 상태가 아니라 우주의 기초다. 이처럼 근본적이고 원시적인 것이기 때문에, 그것은 예술적 창조와 같은 위치에 있다. 그의 존엄성은 예술에 못지않으며, 그의 표현은 예술의 가세를 필요로 하지 않는다. 예술가가 기껏 바랄 수 있는 것은 항상 새롭고 끊임없이 신기한 언어를 포착하기 위해서 그 육성을 엿듣는 일이다. 사랑은 듣기 좋은 어조를 필요로 하지 않는다. 음성이 아닌 진실이 그의 심장 속에 살아 있기 때문이다.

모든 셰익스피어의 희곡처럼, 『로미오와 줄리엣』은 대부분이 무운시로 씌어져 있고, 남주인공과 여주인공이 서로 이야기를 주고받는 것도 무운시로 되어 있다. 그러나 장단에는 중점이 놓여 있지 않고, 그것은 조금도 두드러진 데가 없다. 거기에는 웅변이 없다. 형태가 무한히 진중한 내용을 억누르고 그 자신을 내세우는 일이 없다. 이것은 가장 훌륭한 시며, 모든 그러한 시처럼 산문의 신선미와 단순성을 갖고 있다. 로미오와 줄리엣은 반음으로 이야기를 하며, 그들의 회화는 보호되고, 중단되고, 비밀에 속해 있다. 그것은 드높은 감정의 소리며, 한밤중에 몰래 들려오는 치명적인 위험한 소리다.

떠들썩한 두드러지게 운율적인 장면은 다만 혼잡한 실내와 거리의 장면뿐이다. 몬타규와 캐퓰레트의 양가가 피를 흘리는 바깥 거리에서는 싸우는 두 패의 단검 소리가 울린다. 쿡들은 끝없는 저녁 요리를 만드는 것처럼 말다툼을 하면서 똑딱똑딱 칼 소리를 낸다. 그리고 시끄러운 악대의 관악기 소리 같은 이런 야단스러운 학살과 부엌의 소음에 맞추어서, 대부분이 음모자들의 소리 없는 속삭임으로 말을 하는, 조용한 감정의 비극이 전개된다.

5. 오델로

셰익스피어의 희곡의 막과 장면의 구분은 본인이 한 것이 아니라 추후에 그의 편집자들이 한 것이었다. 그러나 그것은 강제로 그렇게 한 것은 아니며, 그것들의 내적 구조로 보아 쉽사리 납득이 가는 일이었다.

조금도 누락된 곳이 없이 인쇄된 원본을 보면 역시 우리들의 시대에는 보기 드문 구조와 전개의 엄격성이 눈에 띈다.

이것은 항상 희곡의 중간부에 — 다시 말하자면 제3막과 제4막의 셋째 부분쯤에 — 들어 있는 주제의 발전에 특히 적용되고 있다. 말하자면 이 부분은 기계장치의 주장 용수철이 든 승축함이다.

셰익스피어는 그의 희곡의 서두와 말미에서 마음대로 세세한 부분을 즉흥적으로 만들어내고 있으며, 풀어진 끝을 경쾌하게 처리하고 있다. 급속하게 변화하는 장면은 생명에 가득 차 있으며, 그것들은 최대한의 자유와 비틀거리는 풍부한 상상력을 가지고 자연에서 따온 것이다.

그러나 그는 실매듭이 꽉 죄어져 있어서 그것을 풀기 시작해야 하는 중간부에서는 이 자유를 사용하지 않는다. 여기에서 그는 그 자신을 그의 시대의 어린애이며 노예로서 제시하고 있다. 그의 제3막은 그 후의 세기의 극작술에는 알려지지 않은 — 그것이 그의 성실과 호담성(豪膽性)을 배운 것은 그로부터였지만 — 방법으로 줄거리의 기계학에 못 박혀 있다. 그것은 논리의 힘과 윤리적 추상의 실제적 존재에 대한 맹목적인 신앙으로 다스려져 있다. 서두에서 확신 있는 명암을 가지고 그려놓은 선명한 초상들은 인격화된 덕과 악으로 대치된다. 행위와 사건의 계속은 자연성이 없어지고, 논변에 있어서의 3단 논법과 같은 이성적 연역법의 수상한 청초미를 갖는다.

셰익스피어가 어렸을 때에는 중세기의 스콜라 철학의 형식적인 규범에 맞추어서 만든 도덕이 여전히 영국의 지방 무대에서 상연되었다. 그는 필시 그런 것을 보았을 것이고, 그가 애써가면서 그의 줄거리를 만들어내는 낡은 방식의 근면은, 소년시절에 그의 마음을 매혹한 과거의 잔재물이었을 것이다.

그의 작품의 5분지 4는 그 서두와 말미가 차지하고 있다. 이것이 관객을 웃기고 울리고 하는 부분이다. 또한 그의 명성의 기초가 되고 있는 것도 이것이며, 신고전주의의 극도의 냉혹성에 반대되는 그의 생명에의 성실성에 관한 모든 이야기가 나오는 것도 이 때문이다.

그러나 관찰은 옳게 되어 있으면서, 비뚤게 설명되고 있는 한 가지 일이 있다. 우리들은 가끔 『햄릿』 가운데의 '쥐덫'에 대해서, 혹은 셰익스피어의 이러저러한 열정의 발전이나 이러저러한 범죄의 결과의 잔혹한 필연성에 대해서 지나친 칭찬을 하는 것을 듣는다. 그러한 찬미는 비뚤은 전제에서 출발한 것이다. 칭찬을 받아야할 것은 쥐덫이 아니라, 그의 작품이 인공적인 때에도 나타나는 셰익스피어의 천재다. 경탄할 만한 일은 그의 작품의 5분지 1을 차지하고, 이따금씩 생명감이 탈취된 채로 솜씨 있게 처리되는 제3막이 그의 위대성을 함몰시키지 않는다는 것이다. 그는 제3막 때문이 아니라, 제3막에도 불구하고 살아남아 있다.

『오델로』에는 굉장한 열정과 천재가 집중되었지만, 또한 무대 위에서의 그의 인기도 굉장했지만 역시 위에서 말한 것은 이 희곡에 어지간히 들어맞는다.

여기에서 우리들은 베니스의 눈부신 부두, 브라반티오의 집, 조병창(造兵廠)을 본다. 원로원의 이례적인 야간 회의와, 그와 데스데모나의 피차에 대한 감정의 완만한 발단에 대한 오델로의 이야기를 듣는다. 그 다음에는 사이프러스의 바닷가의 폭풍과 성벽 위에서 벌어지는 야밤의 술 취한 싸움을 본다. 그리고 막이 내리기 전에, 밤을 준비하는 데스데모나의 유명한 장면이 나오고, 여기에서 한결 더 유명한 '이별'의 노래가 피날레의 으리으리한 조명을 앞에 두고 비극적으로 자연스럽게 불려진다.

그러면 그 중간에는 무엇이 일어나고 있는가? 두서너 바퀴 열쇠를 돌리고 이아고는 자명종 시계처럼 그의 희생자의 의심을 감아올리고, 그 후 속이 빤히 보이는 고통스러운 질투의 과정은 녹슨 기계처럼 찌찌 소리를 내고 덜컥거리면서 풀어진다. 질투의 본질이란 그런 것이고, 지나친 명료성을 고집하는 무대의 인습에 지불해야 하는 공물이 그런 것이라고 말할 수 있을 것이다. 필시 그럴 것이다. 그러나 그 공물이 보다 적은 천재와 보다 옶은 밀도를 가진 예술가에 의해서 지불된다면 손해는 한결 덜할 것이다. 그런데 우리들의 시대에서는 그 희곡의 다른 면이 화제거리가 되고 있다.

주인공은 검둥이인데 그가 세상에서 둘도 없이 사랑하는 것이 백인이라는 사실을 우연으로 볼 수 있겠는가? 이러한 피부색의 선택의 의미는 무엇인가? 그것은 다만 모든 사람들이 인간의 존엄성에 대해 동등한 권리를 갖고 있다는 것을 의미한 뿐인가? 셰익스피어의 사상은 훨씬 더 깊은 곳에 있었다.

인간의 평등에 대한 개념은 그의 시대에는 존재하지 않았다. 당시에 충분한 활기를 띠고 존재한 것은 평등한 기회에 대한 보다 더 넓은 다른 개념이었다. 셰익스피어는 사람이 탄생했을 때의 신분에는 흥미가 없었고, 그가 도달한 지점, 그가 바뀌게 된 것, 그가 성장하게 된 것에 흥미를 가졌다.

셰익스피어의 눈으로 볼 때는, 검둥이인 오델로는 인간이었고, 역사적인 시기에 산 기독교인이었고, 백인으로서 개종하지 않은 선사시대의 동물인 이아고가 오델로하고 어깨를 나란히 하고 살았기 때문에 이것이 그에게 더 큰 흥미를 주었다.

6. 안토니와 클레오파트라

셰익스피어에게는 독특한 그 자신의 세계를 창조하는 『맥베드』나 『리어 왕』 같은 비극이 있다. 또한 순수한 환상의 영역에 속하며 낭만주의의 요람인 희극이 있다. 거기에는 영국사의 기록이 있고, 그의 자손 중의 가장 위대한 사람이 부른 영국을 찬양하는 노래가 있다. 거기에 묘사된 일부의 사건은 그의 시대의 환경 속에 사본을 갖고 있었고, 그 때문에 그에 대한 그의 태도는 침착하고 냉담할 수가 없었다.

그렇기 때문에 그의 작품이 잠겨 있는 사실주의에도 불구하고, 이러한 희곡들에게 객관성을 바라는 것은 무익한 일일 것이다. 그러나 우리들은 로마인의 생활을 그린 그의 희곡에서 그것을 발견할 수 있다.

『율리우스 시이저』는 시와 예술의 사랑을 위해서만 씌어진 것은 아니었고, 『안토니와 클레오파트라』는 더욱더 그러했다. 이 두 작품은 단순한 일상생활에 대한 그의 연구의 소산이다. 이러한 연구는 모든 대표적인 예술가들에 의해서 열정적으로 추구되었다. 19세기의 자연주의 소설을 낳게 한 것도, 플로베르, 체호프, 레오 톨스토이의 한결 더 설득력 있는 매력의 원인이 되고 있는 것도 이 추구였다.

그런데 어째서 셰익스피어는 그의 사실주의의 영감을 로마와 같은 먼 고대에서 찾지 않으면 안 되었던가? 이에 대한 대답은—그리고 이 대답에는 우리들을 깜짝 놀라게 할 것이 하나도 없다—바로 주제가 멀리 떨어져 있기 때문에 셰익스피어는 여러 사물을 지명해서 말할 수 있었다는 것이다. 그는 정치나 윤리나 그 밖에 그가 선택한 다른 사물에 대해서 자기에게 유익하다고 생각되는 것은 무엇이든지 말할 수 있었다. 그는 멀리 떨어진 이방의 세계를, 벌써 오래 전에 존재하지 않게 되어, 생명이 끊어지고, 계산이 다 된, 수동적인 세계를 다루고 있었다. 그런 세계가 어떠한 욕망을 자아낼 수 있었던가? 그는 그의 초상화를 그리고 싶었다.

『안토니와 클레오파트라』는 오입쟁이와 요부의 이야기다. 그들이 생명을 연소하는 모양을 그리는 데 있어서 셰익스피어는 고전적인 의미에서 진정한 대주연(大酒宴)에 적합한 신비의 음조를 사용하고 있다.

역사가들의 기술을 보면 안토니도 클레오파트라도 (또한 주연에 참석한 그의 친구들이나 그녀의 신임을 받고 있는 조신들도) 그들이 의식적인 예배처럼 호화스럽게 베푸는 주연난무(酒宴亂舞)에 대해서 무슨 좋은 일이 다가올 것 같은 기대는 하지 않았다. 종말을 예측한 그들은, 그것이 오기 벌써 오래 전부터, 자기들이 죽지 않는 자살을 하고 있다고 말하면서 둘이 같이 죽기를 약속했던 것이다.

이것이 사실상 이 비극의 결말로 되어 있다. 결정적인 순간에서 죽음은 여태껏 결핍되고 있던 연결적인 윤곽을 이 이야기 속에 그려 넣는 도안가의 역할을 한다. 전란과 화재와 반역과 패배를 배경으로 우리들은 두 사람의 주요 인물의 두 개의 색다른 운명에 하직을 한다. 제4막에서 남주인공은 칼로 자살하고, 여주인공도 제5막에 가서 자살을 한다.

7. 관중

셰익스피어의 영국사의 기록은 그의 시대의 화제에 오른 사건들을 많이 암시해 준다. 그 당시에는 신문이 없었고(G. E. 해리슨이 그의 『셰익스피어 시대의 영국』에서 말하고 있듯이), 뉴우스를 들으려고 사람들은 선술집과 극장으로 몰려들었다. 연극은 암시로 이야기를 했다. 이러한 암시는 모든 사람들이 잘 알고 있는 사실과 관계가 있는 것이었기 때문에 사람들이 그것을 이해한 것은 놀랄 만한 일이 아니다.

그 당시의 정치적인 공공연한 비밀은, 열광적으로 시작은 했지만 곧 맥 빠져버린, 스페인과의 전쟁의 곤란이었다. 대 스페인 전쟁은 15년 동안을 두고 포르투갈의 해안과 네델란드와 아이슬란드의 수륙 양면에서 계속되었다.

폴스타프의 호전적 연설의 흉내는 단순한 평화적인 대중들을 재미있게 웃겼다. 그들은 그 말의 뜻을 분명히 이해했고, (신병들이 뇌물을 쓰고 빠져 나가는) 신병 모집 장면을 보고는 — 그들은 경험으로 그의 진상을 알고 있었기 때문에 — 더 한층 배꼽을 빼고 웃었다.

그보다도 더 엄청나게 놀라운 일은 그 당시의 관중들의 지적인 다른 일면이다.

모든 엘리자베드 시대의 작품이 그렇듯이 셰익스피어의 작품도 역사와 고대문학의 인유와 신화적인 실례와 명칭으로 가득 차 있다. 오늘날 참고서를 손에 들고라도 그것을 이해하려면 우리들은 고전학자가 되어야 한다. 그런데 그 당시의 런던 시민들은 보통 이런 아득한 인유들을 단번에 포착하고 조금도 어렵지 않게 그것을 소화했다. 우리들은 이 사실을 어떻게 믿어야 할 것인가?

그 이유는 학교의 교과과정이 우리들의 시대와는 아주 딴판이었다는 것이다. 오늘날에는 고등 교육의 표적으로 생각되고 있는 라틴어의 지식이 그 당시에는 제일 낮은 초보적인 학습으로 되어 있었다. 소위 문법학교 — 셰익스피어도 이 문법학교에 다녔다 — 라고 하는 국민학교에서는 라틴어를 통용어로 썼고, 사가(史家) 트레벨리안의 말에 의하면, 아이들은 놀 때에도 영어를 쓰지 못하게 했다고 한다. 글을 읽고 쓸 줄 아는 당시의 런던의 견습공이나 점원 아이들은, 오늘날의 학생들이 내연기관이나 전기의 원리를 알고 있듯이, 포오튠과 헤라클레스와 니오베에 능통하고 있었다.

셰익스피어는 몇 세기를 누려온 태평성세의 생활양식이 아직도 건재하던 때에 태어났다. 그의 시대는 영국사에서 볼 때 호화로운 난숙기였다. 그 다음 대의 왕조 말기에 이르자 제반사(諸般事)의 균형은 벌써 깨어져 버렸다.

8. 셰익스피어의 저술의 신빙성

셰익스피어의 작품은 하나의 통일체이며 그는 자기의 분에 맞지 않는 일은 하지 않았다. 그것은 그의 어휘에도 뚜렷이 나타나 있다. 그의 작중 인물 중의 일부는 여러 희곡에 이름이 바뀌어 나타나 있고, 그는 똑같은 노래를 곡을 바꾸어서 몇 번이고 되풀이해 노래하고 있다. 그가 자기 자신을 되풀이하고 패러프레이즈 하는 습관은 특히 『햄릿』 속에 유별나게 나타나 있다.

호래티오와 대담하는 장면에서, 햄릿은 그를 보고 자기는 인간이며 담뱃대처럼 이용될 수는 없다고 말하고 있다.

3, 4면 후에 가서, 똑같은 비유적인 장면에서 그는 길덴스턴에게 담뱃대처럼 놀고 싶으냐고 물어보고 있다.

프라이암[1]을 죽게 하는 포오튠[2]의 잔인성을 말하는 제1배우의 독백에서, 제신들은 포오튠의 권력의 상징인 그녀의 수레바퀴를 부서뜨려 버리고, 그 조각들은 천계에서 지옥으로 끼얹어 버리라는 독촉을 받는다. 3, 4면 후에 가서, 왕에게 간언하는 로센크란츠는 군주의 권력을 산 위에 놓은 수레바퀴에 비교하면서 그 기초가 흔들리는 날이면 그 수레바퀴는 산을

1. 트로이의 왕 프리모스(Priam). 헥토르의 아버지로 전쟁이 끝날 때 아킬레스의 아들 네프톨레무스에게 살해당한다.
2. 로마 종교의 운명의 여신 포르투나(Fortuna). 운명의 수레바퀴를 움직인다.

굴러 내리면서 그 길 위의 모든 것을 파괴해 버릴 것이라고 말하고 있다.

줄리엣은 죽은 로미오의 옆에서 단검을 빼들고, "이것이 너의 칼집이다" 하는 말과 함께 자기의 몸에다 찌른다. 두서너 줄 후에 그녀의 부친이 로미오의 혁대의 칼집 대신에 줄리엣의 가슴에 꽂혀 있는 단검에 대해서 똑같은 말을 쓰고 있다. 이런 중복이 거의 도처에 나타나 있다. 이것은 무엇을 의미하는 것인가?

셰익스피어의 번역은 시간과 노력을 요하는 일이다. 이 일을 기도하는 경우에는, 이 일이 맥이 빠지지 않도록 매일 한 꼭지씩 완성할 수 있을 만한 적당한 길이로 구분해서 하는 것이 제일 좋다. 이처럼 매일같이 원본을 끼고 일을 해나가는 중에, 역자는 저자의 환경을 다시 한 번 생활하게 된다. 매일같이 그는 이론으로가 아니라 실제의 경험으로 저자의 행위를 재연하고 그의 비밀의 한 모퉁이로 끌려들어간다.

내가 지금 말한 것과 같은 반복에 주춤하고 서서 그것들이 서로 얼마나 닮았는가를 깨달으면서 그는 깜짝 놀라 이렇게 자문하지 않을 수 없다 — "3, 4일 전에 쓴 것을 이렇게 기억할 줄 모르는 사람이 어디 있으며 이것은 어찌된 셈인가?" 하고.

그러자 전기 작자나 학자들은 도저히 가질 수 없는 실체적인 확신을 갖고 역자는 셰익스피어의 인격과 그의 천재를 깨닫게 된다. 20년 동안에 셰익스피어는 — 그의 시와 소네트는 말할 필요도 없고 — 36편의 희곡을 썼다. 1년에 평균 2편의 희곡을 쓰지 않으면 안 되었던 그는 수정을 가할 시간적 여유가 없었고, 항상 앞서 쓴 것을 잊어버리면서 조급하게 같은 것을 되풀이하고 있었다.

이 점에 있어서 베이컨 파의 이론의 배리성은 더욱더 터무니없는 것이 된다. 단순하고 믿을 수 있을 만한 셰익스피어의 생애의 이야기가 복잡하고 신비스러운 대용물과, 그것이 진술한 반견으로 대치해야 할 무슨 필요가 있었던가?

루틀란드나 베이컨이나 사우댐프톤이 그다지도 서투르게 그를 변장시켰다는 것이 있을 수 있는 일인가? — 암호나 위조 신분증을 사용해가면서, 그가 그다지도 소홀하게 후대에 자기 자신을 보이기 위해서 엘리자베드 여왕과 그녀의 시대에서 몸을 감추었다는 것이 있을 수 있는 일인가? 분명히 생존해 있던 사람으로서, 글의 실수쯤은 조금도 부끄러워하지 않고, 역사의 면전에서 피곤하게 하품을 하면서, 자기의 작품을 오늘날의 고등학교 학생들이 알고 있는 것만큼도 기억하지 못하고 있던, 지극히 우악스러운 이 사나이의 마음속에 무슨 교활한 다른 목적이 있었다고 상상할 수 있겠는가? 그의 힘은 사실은 그의 약점 속에 나타나 있다.

또 한 가지 까닭모를 일이 있다. 천품이 없는 사람들이 위대한 사람들에게 그다지도 열정적인 흥미를 갖는 것은 무슨 이유인가? 그들은 예술가에 대한 그들 자신의 개념 — 근거 없고, 구미에 맞고, 거짓된 개념 — 을 갖고 있다. 그들은 셰익스피어를 자기들이 생각하는 의미의 천재라고 가정하는 데에서 출발한다. 그들은 셰익스피어를 자기들이 가진 자로 재어보고, 그의 천재를 측정하지 못한다.

그들은 그의 생애가 그의 명성에 비해서 너무도 뚜렷하고 평범하다고 생각한다. 그는 자기의 서재를 갖고 있지 않았고, 그의 의지의 밑바닥에 씌어진 서명은 막 갈겨쓴 글씨로 되어 있었다. 흙과, 곡식과, 동물과, 낮과 밤의 모든 시간을 단순한 사람들이 알고 있듯이 알고 있던 사람이 법률과 역사와, 외교와, 조신들의 습성까지고 훤히 다 알고 있다는 것이 그들에게는 여간 이상하지 않았다. 그 때문에 그들은 위대한 예술가가 필연적으로 그의 내부에 인간적인 모든 일을 종합해야 한다는 것을 잊어버리고 어리둥절해서 놀라고 있다.

9. 헨리 4세

가장 의심할 여지가 없는 셰익스피어의 생애의 시기는 그의 청춘시절이다.

나는 그가 스트라트포드에서 무명의 시골 청년으로 처음 런던에 올라왔을 때의 시절을 생각하고 있다. 아마도 그는 마부가 요금을 받을 만한 거리보다도 도심지에서 떨어진 먼 교외에 한때 머물러 있었을 것이다. 아마도 거기에는 얌스키 촌 같은 데가 있었을 것이다. 런던을 드나드는 여행가들이 도중에서 걸음을 멈추는 이 고장은 현대의 철도역 같은 혼잡을 이루었을 것이다. 그리고 그 근처에는 호수, 숲, 시장, 여인숙, 조그만 상점, 오락장 같은 것이 있었을 것이다. 또한 극장도 있었을 것이고, 런던에서 멋쟁이들이 놀러 나오기도 했을 것이다.

그것은 모스크바 교외의 강 건너에 — 이 강변에는 아홉 개의 시신(詩神)과, 고상한 사상(思想)과, 삼두마차와, 선술집 주인과 집시의 창가대(唱歌隊)와, 예술을 후원하는 교양 있는 상인들이 살고 있었다 — 스트라트포드에서 올라온 청년의 가장 이채로운 러시아의 후계자들인 아폴론 그리고리예프와 오스트로프스키가 살아서 분투하고 있던 지난 세기 중엽의 트버스키-얌스키 같은 것이 있던 세계였다.

이 청년은 일정한 직업은 없고 다만 범상히 빛나는 꿈밖에는 가진 것이 없었다. 이 꿈만을 믿고 그는 서울로 올라왔던 것이다. 그는 아직도 장래의 자기의 역할은 알지 못했지만, 그의 생활 감각은 그에게 언제든지 뛰어나게 훌륭한 출세를 할 것이라는 것을 말해 주었다.

무슨 일이든 집어 들기만 하면 반드시 그는 그것을 성취하고야 말았다. 사람들은 시와 희곡을 쓰고, 그것을 상연하고, 찾아오는 상류사회 사람들을 환영하고, 출세를 하기 위하여 있는 힘을 다해서 노력했다. 그러나 이 청년은 무엇에 종사하든 간에, 모든 기성 습관을 타파하고 모든 일을 독자적인 방법으로 하는 것이 가장 상책이라고 생각하는 식의 어마어마한 힘의 파동을 느꼈다.

그의 앞에서는, 다만 인공적인 것, 생활에서 격리되어 있는 것만이 예술로 간주되었다. 이러한 인공성은 의무적인 것이었고, 그것은 정신적 무력과 묘사의 무능력에 대한 편리한 구실이 되었다. 그러나 셰익스피어는 현행의 인습을 뒤집어엎는 것이 확실히 그에게 유리하게 될 만한 훌륭한 눈과 튼튼한 손을 갖고 있었다.

그는 생활과의 정해진 거리에 머물러 있지 않고 — 죽마가 아닌 자기의 발로 — 거기에까지 걸어 들어가서, 그것을 상대로 자기를 측정하고, 자기의 완강한 응시로써 그것을 안전에 내려다보게 될 때, 거기에서 자기가 얼마만한 이익을 얻게 될 것이라는 것을 알고 있었다.

거기에는 선술집에서 선술집으로 몰려다니면서, 낯선 사람들을 꾀고, 항상 세상만사를 비웃고 지내는 배우와, 작가와, 그들의 후원자의 무리들이 있었다. 그중에서도 가장 마구잡이며 — 그러면서 그는 해를 받지 않았다(그는 모든 일을 잘 처리해나갔다) — 가장 온건하지 않고, 가장 술에 취하지 않고(그는 술에는 취하지 않았다), 가장 큰 소리로 웃고, 그러면서도 가장 체면을 차리는 치가 7리(里) 구두(동화에 나오는 구두로 이 구두를 신으면 한 걸음으로 7리나 나갈 수 있다)를 신고 장래를 향하여 활보하고 있는 이 침울한 청년이었다.

아마도 거기에는 실제로 이런 젊은이들과 작패를 해서 돌아다닌 뚱뚱한 팔스타프 노인이 있었을지도 모른다. 혹은 셰익스피어가 후일 그 시대의 화신으로 그런 인물을 발명해냈을지도 모른다.

그런 화신이 그에게 사랑스러워진 것은 다만 유쾌한 기억으로서만은 아니었다 — 이때가 바로 셰익스피어의 사실주의가 탄생한 때였다. 그가 그것을 생각해낸 것은 그의 서재의 고독 속에서가 아니라 허물어진 여관방 — 탄약이 재어져 있는 총처럼 생명이 재어져 있는 방 — 의 이른 아침 속에서였다. 셰익스피어의 사실주의는 개심한 오입쟁이의 오묘성도 아니며, 지나간 경험의 낡아빠진 '지혜'도 아니다. 그의 예술에서 가장 성실하고, 엄숙하고, 비극적이고, 본질적인 것은 이러한 난폭한 청년시절의 절망적인 바보짓과, 발명력과, 화급한 위험성을 겪으면서 성공과 힘을 그가 의식한 데에서 생겨난 것이다.

10. 리어 왕

『리어 왕』의 공연은 언제나 지나치게 시끄럽다. 거기에는 완고한 고집쟁이 노인이 있고, 쩡쩡 울리는 궁전의 회합과 함성과 명령이 있고, 천둥과 폭풍소리 속으로 소멸되는 절망적인 저주와 오열이 있다. 그러나 사실상 이 연극의 단 하나의 시끄러운 것은 깊은 밤의 폭풍우뿐이며, 한편 천막 속에서 겁에 질려 웅크리고 있는 사람들은 조그맣게 소곤거리는 소리로 말을 하고 있다.

리어는 로미오만큼 조용한 연극이며, 그 이유도 똑같다. 로미오의 경우에는 박해를 당하고 매를 맞고 있는 것은 애인들의 사랑이다. 리어의 경우에는 자식으로서의 사랑이며, 좀 더 넓은 의미에서는 이웃의 사랑, 진리의 사랑이다.

『리어 왕』에서는 다만 범죄자들만이 의무와 정의의 개념을 휘두르고 있다. 그들만이 분별이 있고 웅변적이며, 논리와 이성은 그들이 협잡을 하고, 잔학한 짓을 하고, 살인을 하는 것을 도와주고 있다. 모든 품위 있는 사람들은 누가 누구인지 분간이 안 될 정도로 침묵을 지키고 있거나 오해를 사기에 알맞은 몽롱한 모순된 말을 하고 있다. 적극적인 주인공은 바보와 광인과 사자(死者)와 패자(敗者)들이다.

구약의 예언자들의 언어로 씌어진, 그리스도 이전의 전설적인 야만 시대에 자리 잡은 이 희곡의 내용은 그런 것이다.

11. 셰익스피어의 희극과 비극

셰익스피어의 작품에는 순수한 희극도 없고 비극도 없다. 그의 작품

양식은 희극과 비극의 중간에 위치하며, 그 두 가지 것으로 성립되어 있다. 그 때문에 그의 작품은 희극이나 비극의 어느 한쪽보다도 인생의 진정한 면목에 더 접근하고 있으며, 그것은 인생에 있어서도 역시 공포와 환희가 뒤섞여 있기 때문이다. 이것은 사뮤엘 존슨에서 T. S. 엘리어트에 이르기까지의 모든 영국의 비평가들이 그의 장점으로 인정하고 있는 것이다.

셰익스피어에 있어서는, 비극과 희극의 차이는 단순히 고상한 것과 범상한 것 — 이상적인 것과 현실적인 것 — 의 차이가 아니었다. 그는 그것들을 오히려 음악에서의 장조와 단조처럼 사용했다. 그는 그의 자료를 정리하는 데 시와 산문을 사용하고, 그중의 한쪽에서 다른 한쪽으로의 이동을 음악의 변주처럼 사용했다.

이러한 이동은 그의 극작술의 주요한 특성이다. 그것은 그의 연출법에서 중추적 역할을 하고 있고, 내가 『햄릿』에 대한 각서에서 언급한 바 있는 그러한 사상과 기분의 숨은 운율을 전달하고 있다.

모든 그의 희곡은 비극과 익살이 급속하게 교체되는 제 장면으로 꾸며져 있다. 이러한 방법의 일면은 특히 두드러진 것이다.

오필리아의 무덤가에서 관중들은 무덤 파는 인부들의 철학적 설명을 듣고 웃음을 터뜨린다. 줄리엣의 시체가 반출되는 순간에, 하인방에서 온 소년은 결혼식에 초대를 받고 온 음악가들을 보고 킥킥거리고 웃고, 음악가들은 그들을 내쫓으려고 드는 간호부하고 승강이를 하고 있다. 클레오파트라가 자살하는 장면에 앞서서 쓸모없는 비열한(卑劣漢)의 신세를 우스꽝스럽게 반성하는 이집트인 바보 땅꾼의 출연이 있다 — 이와 비슷한 것을 메에테를링크나 레오니드 안드레에프의 작품에서도 볼 수 있다.

셰익스피어는 사실주의의 아버지며 예언자였다. 그가 푸시킨과 빅토르 위고와 그 밖의 시인들에게 영향을 끼친 것은 유명한 사실이다. 도이치 낭만파 시인들도 그를 연구했다. 쉴레겔 파의 한 사람은 그의 작품을 번역했고 그 밖의 사람들은 그의 낭만적 풍자의 이론 때문에 그와 친숙했다. 괴에테는 『파우스트』의 상징주의 작가로서 그의 후손이 되었다. 끝으로 본질적인 면만을 본다면 희곡작가로서 그는 체호프와 입센의 선배였다.

그가 후계자들에게 물려준 정신은 바로 그가 범용한 대중들을 종막의 장례식에 알맞은 엄숙성에 코웃음치고 경솔하면서도 열중하게 만드는 정신과 동일한 것이다.

이러한 정신의 침입은, 이미 우리들과는 근접하기 어렵게 멀리 떨어져 있는, 죽음의 신비를 더 한층 멀리 후퇴시킨다. 우리들 자신과 고귀하고 놀랄 만한 것의 입구 사이에 우리들이 유지하고 있는 존경하는 거리는 좀 더 멀어져간다. 예술가나 사색가들이 보여 주는 상황은 궁극적인 것이 아니다 — 모든 위치는 끝에서 두 번째의 것이다. 셰익스피어는 관객들이 자기의 대단원의 외견상의 절대적인 종말을 지나치게 확고히 믿지나 않을까 하고 두려워하는 모양이다. 그는 마지막에 가서 운율을 깨뜨림으로써 무한을 재건한다. 현대예술과는 조화되지만, 고대세계의 숙명론과는 대조적으로, 그는 그 불멸의 우주적인 의미 속에서 유한한 잠정적인 개인의 흔적의 특성을 해체시킨다.

12. 맥베드

『맥베드』는 『죄와 벌』이라고 불려질 수 있을 것 같다. 나는 『맥베드』를 번역하면서 이것이 도스토예프스키의 소설과 흡사하다는 생각을 한시도 버리지 못했다.

반코의 살해를 기도하면서 맥베드는 그가 부리는 자객에게 이렇게 말하고 있다.

네 마음은 잘 안다. 늦어도 앞으로 한 시간 안에

너희들이 어디에 몸을 숨기고 있으면 된다는 것을 가르쳐 주겠다,
그리고 거사를 할 가장 좋은 기회와, 그 시간에 대해서도
알려주겠다. 꼭 오늘 밤에 이 궁전 밖의
조금 떨어진 곳에서 해치워야 한다…….

조금 더 앞으로 가서, 제3막 3장에서, 반코를 매복하고 대기하고 있는 자객들은 정원을 지나서 대기하고 귀족들이 오는 것을 지키고 있다.

자객2　저놈이 이제 오는구나.
초대를 받은 나머지 사람들은 다 궁전 안으로 들어갔으니까.
자객1　그놈의 말이 끌려가는데.
자객3　한 1마일쯤 돼. ……그렇지만 이건 저놈의 버릇이 그래—
다른 사람들도 다 그렇게 하지—여기에서 궁전 문까지
걸어간단 말야…….

살인은 필사적인 위험한 일이다. 모든 일을 용의주도하게 생각해야 하고, 모든 가능한 일들을 예측해두어야 한다. 셰익스피어도 도스토예프스키도 주인공들에게 그들 나름의 선견지명과 상상력을, 그들 나름의 시간 측정과 세심성과 정확성에 대한 능력을 구비시킨다. 그들의 소설과 희곡은 다 같이 탐지와 탐정소설의 날카롭게 고양된 사실주의를 갖고 있다—범죄자만큼 자주 어깨 너머로 돌아다보는 형사의 조심성을 갖고 있다.

맥베드도 라스콜니코프도 선천적인 범죄자나 타고난 악한이 아니다. 그들은 그릇된 합리화 때문에, 그릇된 전제의 추론 때문에 범죄자가 되었다.

전자는 맥베드의 허영심을 불타게 한 무당의 예언이 원동력이 되었다. 후자는 신이 없다면 무슨 일이든 못 할 일이 없고, 살인도 다른 인간행위와 조금도 다를 것이 없다는 극단적인 염세주의적 명제가 원동력이 되었다.

이 둘 중에서 맥베드는 특히 벌을 받을 걱정을 안 한다. 그를 위협할 수 있는 것이 무엇인가? 들판을 넘어서 걸어오는 숲인가? 여자의 몸에서 태어나지 않은 사나이인가? — 그런 것은 존재할 수 없는 일이고, 멀쩡한 거짓말이다. 다시 말하자면, 맥베드는 아무 거리낌 없이 유혈을 할 수 있다. 그리고 그가 일단 왕권을 장악하고 유일한 법의 원천이 되기만 하면 처벌을 받을 무슨 두려움이 있겠는가? 이러한 모든 일은 지극히 자명한 논리적인 일이다! 이보다 더 간단하고 뚜렷한 일이 또 어디 있겠는가? 이 때문에 여러 범행이 재빠르게 꼬리를 물고 일어나게 되고 — 오랜 시일에 걸쳐서 수많은 범죄를 범했다 — 드디어는 숲이 별안간에 요동을 하고, 걸어오고, 여자의 몸에서 태어나지 않은 복수자가 나타나게 된다.

그런데 맥베드 부인은 어떠냐하면 — 냉담성과 의지력은 그녀의 주요한 특성이 아니다. 그녀에게 제일 강한 것은 보다 더 일반적이고 여성적인 것이라고 생각된다. 그녀는 남편의 일을 정성껏 돕고, 남편의 이익을 자기의 이익으로 생각하고, 남편의 계획을 끝까지 충실하게 수행하는 여자이며, 활동성 있는 고집 센 주부의 한 사람이다. 그녀는 남편의 계획을 시비도 하지 않고 판단도 하지 않고 선택도 하지 않는다. 생각하고 회의하고, 계획을 짜는 일 — 이것은 남편이 하는 일이다. 그녀는, 남편보다도 더 단호하고 줄기찬 남편의 행정관이다. 그녀는 자기의 힘을 오산하고, 과중한 짐을 짊어지고는 양심이 아니라 정신의 소모와 비애와 피곤 때문에 자멸하고 만다.

–『노오벨문학상전집』 6, 신구문화사, 1964. 10.

싸우는 사람들

—序文에서

헤밍웨이(Ernest Miller Hemingway)

이 전쟁문학 사화집의 편자인 나는 전쟁을 종식시키기 위하여 지난 대전에 참가하고 부상을 입은 사람으로서 전쟁을 증오하며, 행정적 과실과 탐욕과 이기주의와 야심과 어리석음 때문에 이번 대전을 야기시키고 불가피하게 만든 모든 정치가들을 증오한다. 그러나 일단 전쟁이 일어난 이상 우리들이 해야 할 일은 단 하나밖에 없다. 전쟁은 이겨야 한다. 왜냐하면 패배는 전쟁에서 일어날 수 있는 어떤 사태보다도 더 비참한 사태를 초래하기 때문이다.

이번 대전이 전쟁을 방지하기 위해서 싸우거나 싸울 각오를 가진 나라의 민주주의자들의 배신으로 어떠한 계제에서 초래되었든 간에, 지금 우리들이 하여야 할 일은 단 하나밖에 없다. 우리들은 이 전쟁에 이겨야 한다. 어떤 희생을 해서라도 될 수 있는 대로 빨리 이겨야 한다. 우리들은 파시즘과 싸우는 동안에 파시즘의 관념이나 이상에 부지중에 미끄러져 들어가지 않기 위해서, 우리들이 싸우고 있는 목적을 잊어버리지 말고 이 전쟁에 이겨야 한다.

여러분은 여러 해 동안을 두고, 미국사람들이 무솔리니가 이탈리아에서

기차 운행을 시간대로 정확하게 하고 있다고 찬양하는 말을 하는 것을 들었다. 그들은 우리들이 파시즘 없이도 시간대로 기차 운행을 하고 있다는 사실에는 생각이 미치지 않는 모양이었다.

우리들은 전체주의를 옹호하려는 과오 — 우리들의 군사적 과오와, 우리들의 정치와 해군의 과오 — 에 의존하지만 않으면 전체주의자가 되지 않고도 총력전을 수행해나갈 수 있다. 또한 패자는 너무 오랫동안 지는 일만 해오고 있기 때문에 패자의 방법을 답습하느니보다 승자의 방법을 배워야할 것이다.

도이치 사람들은 초인이기 때문에 성공하지 못하고 있다. 그들은 군사적 사상이 완전히 침체할 정도까지 축적된 모든 낡은 이론과 말버릇을 폐기한 단순한 실질적인 전쟁 전문가이며, 무기와 전술의 실제적인 사용을 여태까지 볼 수 없었던 상식의 극점에까지 발전시켰다. 최고 사령부가 지난 대전 때의 사상을 영대소유(永代所有)하고 있지 않다면, 우리들이 물려받을 수 있는 것은 바로 이 점이다. 따라서 우리들은 이러한 모든 예비 작업을 우리들에게 해준 것을 적에게 감사할 수 있다.

이 전쟁을 승리로 이끄는 데 있어서 본서가 할 수 있는 역할은 지난 시대에서 따온 얼마간의 정보를 제공하는 일이다.

여러분이 장정(壯丁)으로 전쟁터에 임하게 될 때, 여러분은 불사에 대한 커다란 환영을 갖는다. 다른 사람들은 죽지만, 여러분은 죽지 않는다. 다른 사람들에게는 전사의 사고가 생기지만, 여러분에게는 생기지 않는다. 그런데 여러분이 처음으로 지독한 부상을 당하게 되면, 그때 여러분은 그 환영을 상실하고 자기에게도 죽음이 찾아올 수 있다는 것을 알게 된다. 나는 만 19세의 생일을 2주일 앞두고 지독한 중상을 입고 혼이 났는데, 드디어 나는 나보다 앞선 모든 사람들에게 일어난 일은 무엇이고 나한테도 일어날 수 있다는 것을 알게 되었다. 내가 하지 않으면 아니 된 일은 남들이 노상 해온 일이었다. 그들이 그 일을 했다면, 나도 또한 그 일을 할 수 있을 것이고, 가장 좋은 일은 그에 대한 걱정을 하지 않는 일이었다.

19세밖에 안 된 나는 별로 아는 것도 없고, 책도 별로 읽은 것이 없었으며, 병원에서 처음 만난 어떤 젊은 영국 장교가 나에게 다음의 글을 써 보여주었을 때, 나는 갑자기 영원한 보신용 부적이라도 받은 것 같은 커다란 행복감을 느꼈고, 오죽하면 지금까지도 나는 그 구절을 잊어버리지 않고 있다.

> 결단코 나는 근심하지 않는다. 사람은 한 번밖에는 죽지 않는다. 우리들이 죽는 것은 신이 하시는 일이다……. 그러니까 그 죽음이 언제 오든 관여할 바가 아니며, 올해 죽는 사람은 다음 해에는 죽지 않는다.

이것은 아마도 이 책 속에 씌어진 가장 좋은 말일 것이며, 다른 말이 없어도 사람은 이 말만 믿으면 능히 만족하게 살 수 있을 것이다.

지난 대전 때에는 전쟁이 계속된 만 4년 동안에 사실상 우수한 참된 전쟁 소설이 한 권도 나오지 않았다. 전쟁 중에 나온 유일한 참된 작품은 시로 된 것이었다. 그에 대한 이유의 하나는 비판적인 작품을 쓰게 되는 경우에 산문 작품의 뜻은 — 그 작가가 좋은 작가라면 — 너무나도 불안하게 뚜렷하기 때문에, 시인은 산문 작가만큼 급속하게 체포되지 않기 때문이다. 지난 대전은 1915년, 1916년, 1917년의 3년간을 두고 인류가 일찍이 구경하지 못한 거대하고 비참한 도살극을 연출했다. 그렇지 않다고 말한 작가가 있다면 그것은 거짓말을 한 작가다. 그렇기 때문에 작가들은 프로퍼갠더를 쓰거나, 입을 다물고 있거나, 전투에 참가하거나 했다. 전투에 참가한 작가들 중의 수많은 사람들이 죽었고, 전사하지 않고 살아남아서 작품을 썼더라면 훌륭한 작가가 될 뻔한 사람이 누구였던가를 우리들은 알 길이 없다.

그러나 전쟁이 끝나자 참되고 훌륭한 책들이 쏟아져 나오기 시작했다. 이러한 책들은 거의 전부가 전쟁 전에는 작품을 쓰지도 않고 발표도 하지 않은 작가들이 쓴 것이었다. 전쟁 전에 이름이 알려진 작가들은 거의 전부가 전쟁 중에 프로퍼갠더를 썼고, 그들은 대부분이 종전 후 그들의 명성을 회복하지 못했다. 작가라는 것은 성직자처럼 커다란 정직과 진실성을 생명으로 하는 직업이기 때문에, 그들의 명성은 여지없이 시들어 갔다. 여자에게 정조의 여부가 문제가 되듯이 작가에게는 정직의 여부가 문제가 되며, 한 편이라도 마음에 없는 작품을 쓴 작가는 다시는 되살아날 수 없다.

작가의 임무는 진실을 말하는 것이다. 작가의 진실에 대한 충성의 표준은 지극히 고도한 것이기 때문에 그가 그의 경험으로 만들어내는 창작은 사실보다도 더 한층 진실된 이야기를 만들어내야 한다. 왜냐하면 사실은 부정확하게 관찰될 수 있지만, 훌륭한 작가가 무엇인가를 창조할 때에는 그것으로 절대적 진리를 만들 수 있는 시간과 기회를 갖게 되기 때문이다. 전쟁 중의 사정이 작가가 진실을 발표할 수 있을 만한 것이 못 된다면 — 진실의 발표가 국가에 유해한 결과를 가져오게 되기 때문에 — 작가는 써 놓아두고 발표만 하지 않으면 된다. 만약에 발표를 하지 않고서는 생활을 해나갈 수 없는 경우에는, 그는 다른 일에 종사할 수 있다. 그러나 그가 마음속으로 진실이 아니라고 생각하는 것을 쓰게 된다면 — 제 아무리 애국적인 동기에서 나왔다 하더라도 — 그는 마지막이다. 전쟁이 끝나면 — 진실을 말하는 것을 의무로 삼고 있는 작가가 거짓말을 했기 때문에 — 사람들은 그의 작품을 하나도 돌보지 않을 것이다. 또한 그는 그의 하나의 완전한 의무를 소홀히 했기 때문에 결코 편안한 마음을 가질 수 없게 될 것이다.

때에 따라서는 이러한 작가의 명성의 상실이 그의 평생에 나타나지 않게 되는 경우도 있는데, 그것은 전쟁 중에 같이 매명을 한 비평가들이 자기들의 명성과 함께 그의 명성을 엄호해 주려고 하기 때문이다. 그러나 그런 작가가 죽고, 새로운 비평가의 세대가 오게 되면, 그들이 떠받들어온 모든 사태는 일조에 허물어지고 만다. 본 전쟁문학 사화집에 집어넣을 자료를 고르는 데 있어서 나는 제1차 대전 중에 발행된 서책 속에서 쓸 만한 것을 하나도 발견하지 못했다. 그중에서 가장 쓸 수 있을 만한 자료로 생각된 것은 아아더 가이 엠페이(Arthur Guy Empey)[1]가 쓴 『호에서 뛰어 나와서(*Over the Top*)』라는 제목의 참호 폭격 이야기였다. 그러나 이것도 프랑크 리처즈(Frank Richards) 병졸의 여무지게 빛나는 작품에 비하면 허세가 많이 든 속빈 강정 같은 작품이었다. 대오 속에 끼어서 복무한 직업군인이 쓴 제1차 세계대전 때의 가장 훌륭한 작품을 구하는 분에게 나는 서슴지 않고 프랑크 리처즈를 권한다.

미국의 대학생들과 도서관에서 아직도 연연히 읽히고 있는 피이트(Peat) 병졸의 『우리들은 그녀의 병졸(*Her Privates We*)』의 일부를 이 사화집 속에 안 넣을 수 없다. 이 소설은 『행운의 중간부(*The Middle Parts of Fortune*)』라는 제목으로 영국에서 한정판으로 무삭제의 초판이 나왔다. 이것은 싸움터의 전사들에 대한 내가 읽은 어떤 서적보다도 고귀하고 훌륭한 것이다. 나는 제1차 대전이 사실상 어떠했던가를 기억하고, 내 자신에게나 다른 사람들에게 그에 대한 거짓말을 하지 않으려고 1년에 한 번씩 꼭 이 책을 읽는다.

모든 사람들은 그들이 참가한 전쟁에서 멀어지면 멀어질수록, 그것을 실제 있었던 것보다는 그들이 마음속으로 원하는 모양으로 만들어보려는 경향을 갖는다. 그래서 나는 중상을 입은 달을 기념하는 뜻에서 매년 7월이면 『행운의 중간부』를 읽기로 하고 있고, 그것은 모두가 어제나 오래 전에 일어난 일이 아니라, 바로 오늘 아침 새벽 전에 일어난 일처럼 되살아난다.

● ● ●

1. 아더 기 앙뻬(1883-1963). 1차 대전 시에 영미 군대의 군인으로 복무. 작가, 극작가, 배우, 영화제작자.

미국의 남북전쟁에 대한 문학으로는, 스티펀 크레인(Stephen Crane)의 『적색 무훈장(*The Red Badge of Courage*)』이 나오기까지는 J. W. 드 포레스트(J. W. De Forest)의 잊혀진 소설 『라베날 양의 개심(*Miss Ravenall's Conversion*)』을 제외하고는, 참다운 문학작품이 하나도 없었다. 크레인은 미처 전쟁을 구경하기도 전에 이 소설을 썼다. 그러나 그는 그 당시의 이야기를 쓴 것을 읽고, 나이 먹은 병사들 — 그들은 그때만 해도 그렇게 노인은 아니었다 — 이 이야기하는 것을 듣고, 특히 마듀 브라디(Matthew Brady)[2]의 전쟁사진을 보았다. 이러한 자료로 이야기를 엮어 가면서 크레인은 그 위대한 소년의 전쟁의 꿈을 그렸는데, 이 꿈은 이 소년이 앞으로 볼 수 있는 어떤 전쟁보다도 더 여실한 전쟁의 참다운 모습을 묘출한 것이었다. 이것은 미국문학 중의 가장 우수한 서책의 하나다. 이것은 한 편의 위대한 시처럼 꽉 짜인 작품이다.

여러분이 한 편의 작품이 얼마나 완벽한가를 알고 싶을 때에는, 사화집을 꾸미는 데 뽑아 넣을 작정으로 작품을 잘라보면 알 수 있다. 그것이 잘려지지 않는 작품이 그만큼 좋은 작품이라는 말은 아니다. 전쟁에 대한 저술로 톨스토이의 작품만큼 좋은 작품은 없다. 그것은 어떤 전투나 회전의 이야기를 잘라내도 본래의 진실이나 활기가 손상되지 않고, 그렇게 잘라내는 일에 조그마한 미안한 감조차 들지 않을 정도의 방대한 압도적인 거작이다. 실제에 있어서 『전쟁과 평화』는 잘라냄으로써 — 줄거리를 잘라내는 것이 아니라, 톨스토이가 적당한 종결을 지으려고 진실을 가감한 부분을 얼마간 떼어냄으로써 — 훨씬 더 좋아질 것이다. 그러나 크레인의 작품은 조금도 잘라낼 수가 없다. 크레인은 확실히 그 작품을 쓸 때, 시의 정확한 치수에 맞추어서 잘라 놓았다고 볼 수 있다.

• • •

2. 매튜 브래디(1823-1893). 미국의 사진작가. 링컨대통령과 남북전쟁 기록사진으로 유명하다.

톨스토이는 대부분의 장군들에 대해서 병졸의 경험을 가진 상식인의 경멸을 싱거울 정도로 장황하게 표시하고 있다. 대부분의 장군들은 그가 생각하고 있듯이 악한들이다. 하지만 그는 극소수의 진정한 세계적인 위대한 장군의 한 사람을 취급했고, 신비스러운 애국심에 고무되어, 이 나폴레옹이라는 장군이 그의 전투의 지휘에 사실상 관여하지 않고, 완전히 그의 손아귀를 벗어난 군대의 괴뢰에 지나지 않았다는 것을 표시하려고 했다. 그러나 러시아 군대에 대해서 쓸 때는 작전이 지휘되는 양상을 세세한 점에 이르기까지 더할 나위 없이 주밀하고 진실되게 묘사했다. 이러한 그의 나폴레옹에 대한 증오와 경멸이 싸우는 사람들을 그린 이 위대한 서책의 유일한 약점이 되고 있다.

나는 전쟁과 민중에 대한 투철하고 훌륭한 참다운 묘사가 들어 있는 『전쟁과 평화』에 애착을 느끼지만, 위대한 백작의 사상에는 동조할 수 없었다. 백작의 신뢰를 받는 사람으로 그의 더할 나위 없이 침울하고 악화된 사상을 배제해 주고, 그가 참된 발명만을 계속하도록 할 만한 권위 있는 사람이 등장했더라면 좋았다고 나는 생각한다. 그는 우리들이 알고 있는 어떤 사람보다도 더 큰 통찰력과 진실성을 가지고 더 많은 것을 발명할 수 있었을 것이다. 그런데 그의 육중한 구세주적인 사상은 그 밖의 수많은 복음주의적 역사 교주보다 나을 것이 없었고, 나는 그로부터 내 자신의 커다란 사상을 믿지 말라는 것과, 되도록 진실되고, 되도록 정확하고, 되도록 객관적으로, 되도록 겸손하게 쓰도록 힘쓰라는 것을 배웠다.

바그레이션의 '후위 전투의 이야기'[3]는 내가 여태껏 읽은 그런 종류의 전투이야기 중에서 가장 훌륭한 알기 쉬운 것이며, 그것은 여러 사태를 완전히 이해할 수 있는 조그만 규모로 제시함으로써 누구보다도 전투의

● ● ●

3. 나폴레옹 전쟁 시의 실제 인물. 『전쟁과 평화』의 홀라브룬 전투를 이끌었던 러시아 장군 바그라티온의 전투 이야기에 반영되어 있다.

진상에 대한 적절한 이해를 주고 있다. 나는 '보르디노의 이야기' — 그것은 장엄한 이야기이기는 하지만 — 보다도 이 이야기를 좋아한다. 그런데 역시 톨스토이에서 발췌한 젊은 피챠의 출전과 그의 전사에 대한 이야기가 『인민의 전쟁』이라는 표제의 선집물에 공교롭게도 — 왜냐하면 이 이야기는 그 이상의 의미를 갖고 있고, 한 귀족의 입장에서 제시된 것이기 때문에 — 출판되어 있다. 이 이야기에는 전쟁을 처음 겪는 청년의 행복감과 청신미와 고귀성이 남김없이 나타나 있고, 『적색 무훈장』에서 볼 수 있는 것과 같은 진실성이 나타나 있다 — 이 두 소설에 나오는 두 청년은 그들이 젊다는 것과 겪어보지 못한 사람은 알지 못하는 일에 처음으로 직면하고 있다는 것 이외에는 거의 아무런 공통점도 갖고 있지 않지만.

그들은 또한 최초의 기병대의 활동과 최초의 보병의 활동 사이의 차이를 나타내고 있다. 말은 사람을 발로 걸어갈 수 없는 곳까지 데리고 가기는 하지만 말을 가진 사람은 걸어가는 사람처럼 혼자가 아니다. 마치 기계화 부대가, 그의 무장 때문이 아니라 기계적으로 움직인다는 사실 때문에, 사람이나 동물이 도달할 수 없는 지점까지 전진할 수 있는 것처럼.

기계화 부대가 그의 기동 속에 포함된 위험도를 정확하게 인식할 수 있을 만한 충분한 경험을 갖게 되면, 그때에는 그것이 받게 되는 동일한 제한이 생긴다. 그것은 북아프리카의 탱크전에서 도이치군들이 주장한 거대한 이점의 하나이기도 했다. 즉 그들은 그들의 최고사령관의 명령이 내려졌으니까 으레 수행되겠거니 하고 가정하지 않고, 명령이 수행되었는가를 직접 자기의 눈으로 보기 위해서 항상 탱크 위에 타고 있었다고 말한 일이 있다. 이처럼 그는 즉석에서 명령을 내릴 수 있었고, 수행이 불가능하게 된 명령을 변경할 수도 있었다. 그리고 그는 자기의 명령이 지켜졌는가를 보기 위해서 몸소 따라다녀야만 했다.

스페인 내란의 초기인 1937년 당시에는 쌍방의 탱크가 공화주의자 편에서 사용할 효율적인 러시아 대전차포나, 프랑코 군대에서 처음 사용한 도이치의 대전차 무기에 대해서 완전히 허약했고, 정규군에서 사용할 만한 충분한 탱크가 없었기 때문에, 그 가능성은 신임을 받기는커녕 항상 조소거리만 되었다. 거기에서 우리들은 사기가 극도로 저하된 전황 밑에서 작용하는 기갑부대 병사들의 정신 상태에 대해서 많은 것을 배웠다.

프랑스 탱크 중대의 한 지휘관이, 그 전날의 주밀한 지상 정찰에서, 현재의 군력으로는 도저히 가망성이 없다고 단정한 공격을 하기 위하여, 충분한 담력으로 그 자신을 지탱해 보려고, 피로한 데다가 브랜디를 마셔서 발을 가누지도 못할 정도로 만취해가지고, 새벽 다섯 시에 일어나는 것을 본 일이 있었다. 그는 그의 탱크부대를 시발점에까지도 갖다 놓지 못하고, 그날 오후에 제대를 불과 1주일 앞두고 급소를 총에 맞고 절명했다. 그는 처음에는 모범적인 장교였는데 부족한 병력으로 일을 하지 않으면 아니 되고, 도이치 대전차포의 끊임없이 증강되는 압박을 받게 되고, 게다가 제대 기일이 얼마 남지 않았다. 기분까지 합쳐서, 무모하고 위험한 망나니가 되어 버렸던 것이다.

우리들은 그 후 그 공격이 완전한 기습이었다는 것을 알았다. 그 지방에 있던 대전차포가 공격을 받을 것으로 예상된 전선의 다른 지역으로 이동해 갔고, 따라서 프랑스 장교는 그의 복무기간을 승리적인 전투로 끝맺을 수 있었을 것이다. 그러나 그가 주위에 떨친 공포감이 하도 위험하고 난처한 것이었기 때문에, 그가 총에 맞아 죽게 되자 모든 사람들이 안도의 숨을 쉬었다. 1주일 후에, 그의 탱크부대가 사용된 다음 작전에서는 신망이 높은 보병 선발 부대가 대전차용 수류탄을 가지고 이 오명의 낙인이 찍힌 탱크부대의 바로 뒤에 바싹 다가서서 따라갔고, 명령대로 움직이지 않는 경우에는 폭파해 버릴 차비를 차리고 있었다.

이러한 탈선행위가 시사하는 교훈은, 앞에서 말한 것처럼 말이 처음으로 전투에 참가한 사람을 발로 걸어가지 못하는 곳까지 데리고 간다는 것, 또한 기계화 부대는 말보다도 더 멀리 그를 데리고 갈 수 있다는 것, 그렇지만 결국에 있어서는 기계화 부대도 그것을 조종하는 사람의 심장보다는 훌륭한 기능을 발휘하지 못한다는 것이다. 따라서 여러분은 본서를 통해서 전쟁하는 사람의 심장과 심의에 대한 것을 배워야 할 것이다. 본서 속에는 그에 대한 수많은 교훈이 들어 있다.

세계를 진동시킨 동란 속에서, 실제의 인간이 행동하는 모습을 그린 가장 감명 깊은 이야기는 스탕달이 그린 워털루 결전에 출정한 젊은 파브리스의 묘사다. 여러분은 이것을 읽게 되면 워털루 결전장에 참가한 것 같은 느낌이 들 것이며, 영원히 그 경험을 잊어버릴 수 없을 것이다. 여러분은 또한 워털루 결전에 대한 이야기로 빅톨 위고의 장엄하고 대담한 비극적인 소설을 읽게 될 것이다. 이것은 패주하는 군대에 대한 고전적인 이야기인바, 이에 비하면 졸라가 『괴주(壞走)』에 쓴 자질구레한 이야기들은 강철 조각 같은 무감동인 사물(死物)들이다. 스탕달은 나폴레옹과 함께 종군하면서 가장 장엄한 세계적인 격전을 여러 차례 구경했다. 그러나 그가 전쟁에 대해서 쓴 것은 다만 『파르마의 승원』에 든 긴 구절뿐이다.

해전(海戰)은 두 개의 사건 — 무장함을 낳게 한 메리매크호에 의한 목조선의 격침과 프린스 오브 웰즈와 레펄스호의 말라야 반도 부근에서의 격침 — 으로 근본적으로 완전히 변형되었다. 영국 해군이 타란토 항에서 뇌격기를 가지고 이탈리아 전함을 공격한 것은 프린스 오브 웰즈와 레펄스호 격침의 전주곡이었지만, 해군 당국이 여전히 프린스 오브 웰즈는 공습으로는 침몰되지 않는다고 생각하고 있었기 때문에, 동함(同艦) 격침 사건이 사실상의 전기가 되었다.

그 후 해전 진화의 제3단계와 제4단계를 특징짓는 산호해(海) 격전과 미드웨이도(島) 격전의 두 개의 사건이 있었다. 그중의 첫 번째 사건은 항공모함의 진화와 그의 주동적 사용으로 인해서 쌍방의 함대가 접전을 하지 않아도 좋게 되고, 그러면서도 쌍방의 항공모함에서 날아오는 비행기만으로 파괴적인 전투를 할 수 있게 된 것이다. 이 작전을 극도로 철저하게 수행하게 되면, 이에 포함된 모든 항공기와 항공모함 기지의 상호간의 파괴를 초래하게 될 것이다. 두 번째 사건은 항공모함을 동반하는 함대를 격퇴하고 격침시킬 수 있는 육상 기지의 항공기의 전투력을 보여준 것이었다.

이 두 작전의 의의는 본서의 서문에서 취급하기에는 너무나 방대한 문제다.

제2차 세계대전은 제1차 세계대전의 연장에 지나지 않는다. 프랑스는 1940년에 패배하지 않았다. 프랑스는 1917년에 패배했다. 싱가포오르는 사실상 1942년에 함락하지 않았다. 그것은 갈리폴리반도에서, 솜강(江)에서, 파션다레[4]의 진흙 속에서 함락했다. 오스트리아는 1938년에 파괴되지 않았다. 오스트리아는 1918년 10월 말 비리오-베네토[5]의 격전에서 파괴되었다. 그것은 1918년 6월 15일의 위대한 오스트리아군의 승리적인 공격에서 까뻐레또를 지나서 이탈리아를 쳐부수지 못했을 때 사실상 패퇴하고 말았다.

모든 역사는 한 조각으로 되어 있다. 1917년과 1918년에 가장 가벼운 짐을 졌던 미국이 이번 대전에서는 도이치를 패퇴시키기 위해서 가장 무거운 짐을 지지 않으면 안 된다. 한 국가가 외국 전쟁의 정책에 돌입하게 되면, 거기에는 후퇴가 있을 수 없다. 만약에 이쪽에서 밀고나가지 않으면 저쪽에서 밀고나올 것이다. 미국의 고립이 끝난 것은 1917년 4월이었다 — 그것은 진주만이 아니었다.

그러나 인민들이 그들의 의사에 어긋나게 다스려지고 착취되고 지배되는 모든 나라가 자유를 찾게 되기까지는 영원한 평화도 정당한 평화의 여하한 가능성도 찾아볼 수 없을 것이다. 이와 같은 전제는 이 서문에서는 논의될 수 없는 벅찬 문제다.

• • •

4. 파센델레. 벨기에의 서북향에 있는 고장. 1차 대전 시에 치열한 전투가 벌어진 곳이다.
5. 오스트리아 헝가리 부대가 이태리 부대에게 패한 전투장.

본 전쟁문학 사화집에 수록된 글들을 일일이 품평할 만한 지면의 여유가 없다. 중세기 병법의 위대한 해설자이며 사가인 차알즈 오만 경(Sir. Charles Oman)의 매력과 광채는 여러분이 읽어보면 알 수 있을 것이다. 『해스팅스의 전투(*The Battle of Hastings*)』에는 튜우톤족의 용병술을 사용하는 최후의 위대한 노력의 이야기가 적혀 있다. 이 튜우톤족의 용병술은 그 후 250년 동안을 지배적인 병과로 행세한 봉건적 기병의 대두를 막으면서, 한때 유럽을 석권한 일이 있는 병법이다.

우연히 우리들의 역사에서 연출하는 역할을 그린 재미있는 이야기를 읽고 싶은 독자는 마아퀴스 제임즈(Marquis James)의 『도난당한 기차(*The Stolen Railroad Train*)』를 읽어보라. 우리들의 영국 연합군을 이해하고 평가하는 데 많은 도움을 주는 재미있는 위대한 소설을 읽고 싶은 독자는 윌리엄 포오크너(William Faulkner)의 『돌아보라(*Turn About*)』를 읽어보라.

차알즈 노드호프(Charles Nordhoff)와 제임즈 노오만 홀(James Norman Hall)의 하루 종일 계속되는 공중 전투의 이야기는 현대식 공중전과는 다르며, 그것은 칸네의 싸움[6]이 특공대의 공습과 다른 것과 같다. 그러나 독자는 여기에서 우연의 요인을 감상할 수 있을 것이다.

게티스버어그의 싸움에 대한 비평이 존 W. 토마슨(Jhon W. Thomason) 중령의 소설 『별의 행로(*The Stars in Their Courses*)』에 나와 있다. 이 소설은 또한 그 밖에도 여러 가지 문제를 제시하고 있으며, 본 사화집에 수록된 그의 다른 작품들과 마찬가지로 훌륭한 작품이다. 그가 편집한 마르보(Marbot) 장군의 회고록에는 그가 그린 훌륭한 삽화가 들어 있는데, 본서에 수록된 그의 작품에 멋있는 그의 그림을 넣지 못한 것은 유감이다.

본서에는 마르보의 글이 약간 들어 있지만, 읽어보고 흥미를 느끼는 독자는 단행본으로 된 그의 회고록을 읽어보라. 3권으로 된 그의 회고록만

● ● ●

6. 한니발이 로마군에게 대승한 칸나이 전투(Battle of Cannae)를 뜻한다.

을 읽기 위해서도 프랑스어를 배울 가치가 있다. 나폴레옹의 4명의 젊은 기병 지휘관들은 한 사람도 회고록을 남기지 않았다. 꼴베르는 스페인에서 저격병의 총에 맞아 죽고, 생끄로아는 같은 이베리아 반도의 전투에서 영국 포함이 쏜 포탄에 맞아 죽었다. 라살은 와그램[7]에서 전투가 거의 끝날 무렵에 죽고, 몽브름은 보로디노에서 죽었다. 그러나 여러분은 마르보의 저서에서 그들이 보낸 생애와 그들의 전투에 대한 것을 알 수 있다. 마르보가 살아서 이 책을 쓸 수 있었다는 것은 하나의 기적이다.

군인의 회고록을 읽을 때마다 나의 머리에 떠오르는 것은 레페브르 노원수가 파리에 있는 그의 궁궐 같은 저택에서 선망의 감을 금하지 못하는 죽마고우를 맞아들였을 때의 이야기다. "자네는 그래 그렇게도 이 집이 부러운가?" 하면서 원수는 그의 옛 친구를 노려보았다. "그렇다면 좋아, 마당으로 나와서 30보만 떨어져 서 있게, 내가 20발의 총을 자네한테 쏠 테니까. 만약에 내가 맞히지 못하면, 그때는 자네가 이 집하고 땅하고 이 안에 있는 재산을 전부 가질 수 있네. 이 집을 갖기 전에 나는 이와 똑같은 가까운 거리에서 천 번이나 총을 맞았어."

여러분이 빼놓지 말고 꼭 읽어야 할 가장 훌륭한 소설의 하나는 아그니스 스메들리(Agnes Smedley)의 『최후의 승리 뒤에 오는 것(*After the Final Victory*)』이다. 스메들리 여사는 이 소설에서 중국인의 특징인 승리를 위한 불퇴전의 결의를 그렸다. 중국인들은 서양 사람들이 생각할 수 없는 악조건 밑에서 5년 동안을 싸워왔다. 그들의 커다란 환상은 우리들이 종말에는 전쟁에 가담하게 되고, 왜놈들은 삽시간에 패망하게 되리라는 것이었다. 그런데 이제 그들은 우리들이 중립을 지켰을 때 갖고 있던 거의 모든 이점을 상실하고, 일본에 대적하는 우리들의 제2의 전선으로 되었다 — 약속이나 조그마한 항공기의 원조 이상의 것으로 지원되어야

● ● ●

7. 나폴레옹 전투 때 오스트리아군이 패배한 곳으로서 오스트리아의 동북 쪽 마을인 바그람(Wagram)을 가리킨다.

할 제2의 전선으로 되었다.

중국의 항전은 러시아의 항전처럼 당연한 일이라고 생각하기에는 너무나 희생이 큰 것이다. 그것은 칭찬이나 단순한 돈이나 소수의 비행기 — 그것을 운전하는 비행사가 아무리 우수하다 할지라도 — 만으로 상쇄될 수 없는 것이다. 연합군이 직면하고 있는 가장 큰 위험은 중국과 러시아의 인민들이 그들의 연합국에 대해서 환멸을 느끼게 될지도 모른다는 것이다. 중국은 더 많은 방대한 양의 원조를 받아야 한다. 다른 곳에서 아무리 혁혁한 즉각적인 성공의 희망이 번쩍거리더라도, 우리들은 모든 희생을 무릅쓰고 중국에 필요한 원조를 장기적으로 보내야하는 필요성을 던져 버릴 수 없다.

이 서문을 쓰는 필자는 세 아들을 가진 아버지로서 그들을 이 말할 수 없이 혼란한 세계에 키워 보내는 데 대해서 여러 가지로 책임을 느끼는 동시에, 우리들이 살고 있는 오늘날의 전체적인 혼란을 조금도 남의 일같이 범연하게 생각할 수 없는 사람이다. 따라서 이 서문을 비개인적인 글이라기보다는 철두철미 개인적인 글이라고 생각하고 싶다.

이 사화집을 편집한 이유도 나의 세 아이들이 이 책을 이해하고 사용하고 필요로 할 만한 나이가 되었을 때, 내가 가장 필요로 했을 때 갖지 못한, 전쟁의 진리가 담긴 책을 가까운 곳에서 수월하게 구할 수 있도록 하기 위한 것이다. 이 책은 경험에 대치될 수는 없을 것이다. 그러나 경험의 준비가 되고 그것을 보충할 수는 있다. 경험을 한 후에 교정의 역할을 할 수는 있다.

금년에 18세가 되는 큰 자식의 어멈 되는 사람은, 나를 보고 그 애가 전쟁에 대한 근심을 하지 않도록 전쟁이야기를 해 들려주라고 졸라댔다. 그래서 대학의 여름학기가 시작하기 전의 며칠 동안 노는 날을 틈타서 비행기 여행을 갔다 오는 큰놈을 비행장에까지 마중을 나가서 데리고 들어오는 길에, 나는 자동차 속에서 그를 보고 "엄마가 네가 전쟁에 대해서 좀 걱정을 하고 있는 것 같다고 그러더라" 하고 말을 붙여 보았다.

"아녜요, 아버지" 하고 아들은 말했다. "그런 걱정 마세요. 저는 조금도 걱정하고 있지 않아요."

"내가 말할 수 있는 것은 다만" 하고 나는 아들한테 일러 주었다. "무슨 일이든 걱정이란 것은 아무리 해도 소용이 없다는 거야."

"걱정 마세요." 하고 아들은 말했다. "저는 걱정하지 않아요."

이것으로 우리들의 대화는 끝났다. 그렇다. 걱정은 아무 소용이 없다. 아이들한테도 그렇고 부모한테도 그렇다. 훌륭한 군인은 걱정하지 않는다. 그는 무슨 일이고 실제로 일어나게 되기까지는 아무 일도 일어나지 않으며, 그때까지는 모두가 자기의 생을 충분히 영위할 수 있다는 것을 알고 있다. 위험은 다만 위험의 순간에만 존재한다. 전쟁 속에서 올바르게 살기 위해서 인간은 모든 잠재적인 위험을 털어 버린다. 그렇게 되면 모든 일은 불행한 순간에만 불행하다. 그것은 사전이나 사후에는 불행하지 않다. 비겁 — 이것은 공포와는 다른 것이다 — 은 거의 언제나 상상의 기능을 중지시키는 능력이 없는 데서 생긴다. 상상을 중지하고 전도 후도 없이 현재의 순간을 완전히 사는 법을 배우는 것(은) 군인이 획득할 수 있는 최대의 자질이다. 이것은 본질적으로 작가가 갖추어야 하는 천품과는 대치되는 것이다. 훌륭한 군인이 쓴 훌륭한 작품을 구경하기가 퍽 힘이 들고, 그런 것을 갖게 될 때 유달리 끔찍하게 생각되는 것은 이 때문이다.

사람들이 전쟁에 대해서 어떻게 반동행위를 하는지 여러분은 모른다. 자상(自傷) 행위를 생각해 보자. 과달라하라의 전투에서 8일간의 격전으로 역사를 만들 정도의 용감한 싸움을 한 어느 유명한 국제여단에서, 작전을 개시한 첫날 오후에, 37건의 자상 행위가 있었다. 그것은 공포였다. 자상 행위에는 확실한 치료법이 있다. 그것은 제1차 세계대전 때 실천된 것처럼, 범행이 입증될 때에는 군법회의나 처형보다도 훨씬 더 효험이 있다.

이 치료법은 3월 바람이 끊임없이 울부짖는 기관총 소리를 불어제치는 브리후에가의 고원의 눈과 진창 속에서 발견되었는데, 자상 행위를 한 부상자들을 전부 트럭에 실어 넣고 외투하고 담요는 빼앗아, 싸우고 있는 그들의 전우들이 훨씬 더 따뜻하게 온기를 취하도록 나누어 주고, 과달라하라의 거리로 데리고 가서 부상의 치료를 받게 한 다음에, 붕대를 감은 부상자들을 다시 전선의 각지의 부서로 돌려보내는 것으로 그 자들에 대한 결말을 지었다.

이러한 치료를 한 뒤부터는 그 여단에는 머리를 쏘는 자상 행위 이외에는 한 사람의 자상 행위자도 나오지 않았다. 적에게 같은 일을 할 수 있도록 기회를 줄 수 있는데도 불구하고, 자기의 머리를 자기의 손으로 쏘아 죽는 편을 택하는 사람은 절망적인 비겁자로서 무죄를 선언할 수 있고, '부상이나 그 밖의 사고로 전사한' 사람이나 같은 취급을 받을 수 있으며, 실제 같은 취급을 받고 있다.

제1차 대전 때에는 이탈리아에서 자상 행위로 많은 소동이 일어났다. 병사들은 자상 행위에 퍽 능숙해졌고, 권총을 근거리에서 쏜 것 같은 흔적을 보이지 않으려고 팔이나 다리에다 모래주머니를 두르고, 두 사람씩 짝을 지어 상대방에게 총을 쏘는 사고가 빈번히 발생했다. 황달병 환자처럼 얼굴을 노랗게 하려고 겨드랑 밑에다 동전을 달고 다니는 치도 있었다. 일선을 떠나려고 일부러 성병에 걸리는 치도 있었다. 밀라노에는 슬개골 밑에 파라핀 기름의 주사를 놓아주고 절름발이를 만들어 주는 장사로 부자가 된 의사들이 있었다. 무솔리니는 대전 초기에 이탈리아의 참호 속에서 구포(臼砲)의 조기 폭발로 발과 궁둥이에 외상을 입고 다시는 일선으로 돌아가지 않았다. 모든 그의 호전적인 호언장담과, 군대식 영광에 대한 욕망은 제1차 대전에서 받은 공포와 수치스러운 탈출이 준 지식에 대비해서 꾸며진 방위적 허세였다고 생각된다.

자상 행위를 유발하는 비겁자나 혹은 그보다 더 빈번한 겁 많은 바보의 유형과는 정반대되는 진정한 용사의 진귀한 무용담으로 내가 항상 잊지 못하고 있는 이야기가 하나 있다. 나의 오랜 친구의 한 사람으로 훌륭한 시인이며 많은 산문을 저술한 에번 시프맨[8]이란 작가는 스페인 내란이 일어나자 왕정과 군대의 병원차를 운전하려고 프랑스로 건너갔다. 우리나라 국무성은 스페인으로 가는 여권을 내주지 않았기 때문에, 그는 국제여단의 신병들과 함께 프랑스와 스페인 사이의 피레네 국경을 넘어서 밀수업자들의 루우트를 타고 가기로 했다. 그들은 도중에서 모조리 프랑스 헌병에게 붙잡혀가지고 툴루즈에서 형무소로 넘어갔다.

형무소에 갇힌 에번은 화가 나서 병원차를 운전할 생각을 버리고 국제여단의 보병으로 들어갈 결심을 했다. 형무소에서 나온 뒤, 그는 다른 루우트를 타고 무사히 스페인으로 들어가서, 곧 전선으로 나가가지고, 스페인 동란의 가장 치열했던 전투의 하나인 브루네뜨의 전투에 참가했다. 그가 통역과 척후병으로 소속해 있던 프랑코-벨제대대[9]에 끼어서 종시일관 모범적인 용감한 전투를 했고, 가장 위급한 시기에 통로를 막으라는 봉쇄명령을 분쇄하려고 줄기차게 싸우다가 마지막 날 중상을 입고 쓰러졌다.

나는 그를 몇 달 동안 보지 못했고, 다시 만나게 되었을 때는 창백한 얼굴과 초라한 모습에 발을 절뚝거리면서, 정다운 미소를 짓고 있었다.

"부상을 당했을 때 기분이 어떻던가 말해 보게." 하고 나는 술잔을 따라 놓고 마주 앉아서 물어보았다.

"뭐 아무렇지도 않더군. 정말 아무렇지도 않았어. 통 감정이 없었어."

"통 감정이 없었다니, 그게 무슨 말인가?" 기관총 탄알이 그의 넓적다리를 관통하고 나갔던 것이다.

"글쎄, 정말 아무렇지도 않았다니까 그래. 부상을 당했을 때는 의식이 없었거든, 알겠나?"

"그래?"

"비행기가 우리들이 들판에 있는 것을 발견하고 냅다 기총소사를 했는데, 나는 그때 의식이 전혀 없었어. 그랬으니까 비행기들이 내려와서

● ● ●

8. Evan Shipman. 파리에서 헤밍웨이와 어울린 시인, 저널리스트.

9. 스페인 내전 시에 움직인 '프랑스 벨지 대대'의 오역.

우리들한테 기관총을 발사해도 나는 아무것도 느끼지를 못했어. 정말 아무렇지도 않더군. 내가 부상을 입었는지 어떤지도 분간이 잘 안 가더군. 미리 마취주사라도 맞은 것 같은 거의 그런 기분이었어."

그는 손에 든 술잔을 돌리면서 이렇게 말했다.

"나는 자네들이 나를 이리로 데리고 온 것을 조금도 고맙게 생각하지 않네. 자네들이 나 때문에 걱정을 할 생각을 하니까 여간 화가 나지 않더군. 스페인에 있던 때가 나의 평생의 가장 행복한 때였다는 것을 알아주어야 하네. 제발 내 말을 믿어 주게. 자네는 정말 내 말을 절대로 믿어야 하네."

여러분은 이것을 모든 자상 행위자의 경우와 대조적으로 볼 수 있다. 에번 시프맨은 현재 미국 군대의 기갑부대에서 졸병 생활을 하고 있다. 그는 신체검사에서 수없이 미끄러졌지만, 기어코 의사의 검사에 통과할 만한 체중을 확보하게 되었다. 그는 부대가 주둔하고 있는 곳에서 나한테 이런 편지를 써 보냈다. "이곳 도서관에서 『적색 무훈장』을 읽어 보았는데 처음 읽었을 때보다 더 재미있게 생각되네."

이 사화집 속에서 여러분이 절대로 읽어둘 필요가 있다고 생각되는 것들을 일일이 추천할 만한 지면의 여유가 없다. 본서의 글들은 모두가 편자가 좋다고 생각했기 때문에 수록한 것이다.

소설과 이야기와 내러티브를 뽑아 엮은 이 사화집은 싸우는 사람들의 참된 모습을 전하려는 의도에서 나온 것이다. 이 책은 선전 서적이 아니다. 이 사람의 의견에 영향을 주기 위한 것이라기보다는 사람의 의견을 전하고 알려주기 위한 것이다. 수록 여부를 결정하는 유일한 절대적인 기준은 재료의 건전성과 진실성이었다.

나는 나의 생애에서 많은 전쟁을 보아왔고, 진심으로 전쟁을 미워하고 있다. 그러나 전쟁보다 더 나쁜 것이 있다. 그것은 모두 패배와 함께 온다. 전쟁을 미워하면 미워할수록 더 한층 굳게 알아두어야 할 것은 어떠한 이유에서든 전쟁을 일단 시작한 이상, 그것은 꼭 이겨야 한다는 것이다. 여러분은 전쟁에 이겨야 하며, 전쟁을 일으킨 사람들을 제거해야 하며, 이번에는 다시는 전쟁이 엄습하지 않는다는 것을 보아야 한다. 전쟁을 종식시키기 위해서 제1차 대전에 참가한 우리들은 다시는 속지 않을 작정이다. 이번 전쟁은 목적이 달성될 때까지 싸워야 한다. 필요하다면 백 년이 걸리더라도 또한 상대가 누구이든 간에 우리들은 이 목적을 기필코 달성하기 위해서 싸워야 한다.

우리들은 또한 독립선언과 미국의 헌법과 민권조령(民權條令)이 물려준 권리와 특권을 지키기 위해서 싸울 것이며, 이러한 권리와 특권을 어떠한 가면이나 이유를 내세우고 박탈하려는 야심을 가진 모든 사람들을 적으로 생각할 것이다.

전쟁 중에는 검열 제도가 과오나 실책이나 범죄에 가까운 오류나 부주의를 은폐할 수 있다. 이러한 불상사는 어떤 전쟁에서든 일어난다. 그러나 전쟁이 끝난 뒤에 이러한 행위들은 그 대가를 지불해야 한다. 국민들이 전쟁에 나가서 싸우는 것이고, 결국 그들은 전쟁터에서 실제로 일어난 일들을 알고 있다. 검열 제도가 아무리 철저하더라도 국민들은 허다한 사람들이 전쟁터를 보고 왔기 때문에 언제나 종말에 가서는 알게 된다.

전쟁이 시작될 때 국민들을 속이고 기밀을 기초로 해서 전쟁을 수행해 나가는 것은 지극히 손쉬운 일이다. 그러나 그 후 부상자가 돌아오기 시작하게 되고, 사실대로의 뉴우스가 퍼지게 된다. 그리고 결국에 가서 우리들이 이기게 되면 전장에서 싸우던 사람들이 복원(復員)하게 된다. 전쟁의 진상을 아는 수백만 명의 병사들이 복원하게 될 것이다. 전쟁이 끝난 뒤나, 전쟁의 마지막 단계에서 국민의 신용을 유지하려고 원하는 정부는 국민들에게 비밀을 털어놓아야 하며, 적이 알면 안 되는 기밀을 제외하고는 좋은 것이든 나쁜 것이든 그들이 알 수 있는 것을 전부 밝혀야 한다. 과오를 저지른 사람들을 구출하려고 과오를 은폐하게 되면, 결국은 국가가 직면하는 가장 큰 위기의 하나인 기밀의 결핍[10]밖에는 초래되지

10. "기밀의 결핍"이라고 번역된 부분의 원문은 "정부와 국민 사이의 신뢰 결여"이다.

않을 것이다.

전쟁이 진전됨에 따라, 우리 정부는 국민들에게 적에게 도움이 되지 않는 모든 일에서 진실을— 오로지 진실만을— 말해야 할 필요성을 인식하게 되리라고 확신하고 있는데, 그것은 이번 전쟁에서 정부가 이 나라를 보존하기 위해서 전 국민의 완전한 절대적인 신뢰를 필요로 하게 될 시기가 다가오고 있기 때문이다.

— 이 글은 헤밍웨이의 편집으로 버어크레이 출판사가 발행한 전쟁문학 사화집 『싸우는 사람들(*Men at War*)』의 권두에 게재된 편자의 서문을 역출한 것이다. 이 사화집에는 위고, 처칠, 포오크너, 헤밍웨이를 위시한 도합 31명의 필자의 37편의 글이 실려 있다. 구태여 서문을 번역한 것은 헤밍웨이의 작품으로 에세이를 구하기가 하늘의 별따기보다도 더 어려웠기 때문이다. 그런데 이 서문 중에서도 지나치게 서문적인 디테일을 언급한 것은 삭제하기로 하고, 되도록 보편적이고 일반적인 것만을 추려 넣는다. (역자)

-『노벨상문학상전집』 6, 신구문화사, 1964. 10.

목적과 수단
―목표와 길과 현대의 출발점

올더스 헉슬리(Aldous Huxley)

인류의 노력의 이상적인 목표에 대해서 우리들의 문명에는 지극히 일반적인 일치점이 존재하고 있고, 또한 과거 3천 년간에 걸쳐, 존재해 왔던 것이다. 이사야에서 칼 마르크스에 이르기까지의 예언자들은 언제나 똑같은 말을 해왔다. 그들이 기다리고 있는 '황금시대'에는 자유와, 평화와, 정의와 동포애가 있을 것이다. "나라는 나라에 대해서 칼을 드는 일이 다시는 없을 것이다." "각 개인의 자유로운 발전은 모든 사람들의 자유로운 발전을 가지고 올 것이다." "물이 바다를 덮듯이, 세계는 주이신 신의 지식으로 가득 찰 것이다."

목표에 관해서는, 다시 한 번 말하지만, 지극히 일반적인 일치점이 존재하고 있고 또한 오랫동안 존재해 왔던 것이다. 그 목표에 도달하는 길에 관해서는 그렇지 않다. 이 점에 있어서는 의견의 일치와 확실성은 완전한 혼란에 자리를 물려주고 있고, 사람들이 독단적으로 회포하고 무섭게 광신적으로 실천하는, 서로 모순된 의견이 격렬한 충돌을 하고 있는 것이다. 보다 더 좋은 세계에의 대도(大道)는 경제적 변혁의 길이라고 믿고 있는 사람들이 있다― 그리고 현대에 있어서는 이것이 지극히 파퓰러한 신념으로 되어 있다. 또 다른 사람들에게 있어서는, 유토피아에의 지름길은 군사적 정복과 특정한 한 나라가 패권을 장악하는 길인 것이다. 그 밖의 또 다른 사람들에게 있어서는, 그것은 무력혁명과 특정한 계급의 독재정치인 것이다. 이런 사람들은 모두가 주로 사회기구와 대규모적인 조직이라는 점에서 생각하고 있는 것이다. 그러나 그와는 반대의 방향에서 이 문제에 접근하면서 앞으로의 사회변혁은 사회를 구성하는 개개의 인간을 변혁시킴으로써 달성하는 것이 가장 효과적인 길이라고 믿고 있는 사람들이 있다. 이러한 생각을 갖고 있는 사람들 중에서 어떤 사람은 교육에, 어떤 사람은 정신분석에, 어떤 사람은 행동심리학에 희망을 걸고 있다. 이와는 반대로, 초자연적인 도움이 없이는 요망되는 '마음의 변혁'은 성취될 수 없다고 믿고 있는 일파도 있다. 종교에 복귀하지 않으면 아니 된다고 그들은 말하고 있다. (불행하게도, 어떤 종교에 복귀하지 않으면 아니 되는가에 이르게 되면 의견의 일치를 볼 수 없게 된다.)

여기에서, 인간의 마음을 변혁시키려는 사람들이 자기들이나 다른 사람들을 변혁해서 만들어내려고 원하는 그 이상적인 개인에 관해서 다소간 말해둘 필요가 있다. 어떤 시대나 어떤 계급을 막론하고 제각기의 이상이 있다. 희랍의 지배계급은 마음이 넓은 인간, 학자이기도 하고 신사이기도 한 종류의 인간을 이상으로 삼았다. 고대 인도의 귀족이나 중세 구라파의 봉건 귀족은 기사와 같은 의협적인 인간을 이상으로 내세웠다. 교양 있는 인사가 17세기의 신사의 이상으로서, 백과사전파가 그 다음의 18세기인의 이상으로서 나타났다. 19세기는 품행방정한 인물이라는 것을 이상으로 했다. 20세기에 들어서자 벌써 자유인의 성쇠와 양같이 유순한 사회적 인간과 신과 같이 만능한 '지도자'의 출현을 목격하게 되었다. 한편 구차한 사람들과 사회의 밑바닥에 눌려 사는 사람들은, 이상적이라고 할 만한 충분한 영양을 섭취하고, 자유롭고, 행복하고, 학대받지 않는 인간이라는 것이 옛부터의 향수적인 꿈이었던 것이다.

우리들에게 당황감을 줄 정도의 가지각색의 이러한 이상 속에서, 어떤 것을 선택해야 옳을까? 대답은 어느 것도 선택하게 되지 않을 것이라는 것이다. 왜냐하면 이러한 서로 모순된 이상은 모두가 특정한 사회 환경의 산물이라는 것이 뚜렷하기 때문에. 물론 어느 정도까지는, 이 사실은 여지껏 체계화되어온 모든 사상이나 열망에 대해서도 적용되는 것이기는 하다. 그러나 어떤 종류의 사상이나 열망은 다른 것만큼 특정한 사회 환경에 의존하고 있지 않는 것이 명백한 경우도 있다. 그리고 여기에 하나의 의미심장한 사실이 나타나게 된다. 즉, 자기가 속하고 있는 시간과 공간의 여러 가지 편견에서 자기를 해방하는 데 가장 훌륭하게 성공해온 사람들에 의해서 체계화된 인간의 행동에 관한 이상은 모두가 기이하리만큼 서로 닮았다는 것이다. 사상이나, 감정이나 행동 등의 지배적 관습으로부터의 해방은 이해를 떠난 덕성의 실천과 궁극적 실재의 본질에 대한 직접적인 통찰과에[1] 의해서 가장 효과적으로 달성되는 것이다. (그러한 통찰은 개인의 안에 내재하는 하나의 천부의 재능이다. 그러나 내재는 하고 있지만, 혹종의 조건이 충만되지 않으면 완전하게는 현시되지 않는다. 통찰에 필요한 조건의 으뜸가는 것은, 정확하게 말하자면 이해를 떠난 덕성의 실천이다.) 어느 정도까지는 비판적인 지성도 또 하나의 해방력이기는 하다. 그러나 지성이 어떻게 사용되는가는 의지에 의해서 결정된다. 의지가 이해를 떠나 있지 않을 때, 지성은 (기술이나, 과학이나 순수수학 같은 비인간적인 영역 이외의 분야라면) 격정이나 편견의 합리화, 사리사욕의 정당화의 수단으로만 사용될 경향이 있다. 그렇기 때문에 가장 날카로운 철학자의 경우에도 자기가 속하고 있는 시대나 국가라는 비좁은 영어(囹圄)에서 자기 자신을 해방하는 데 성공한 사람은 지극히 드문 것이다. 철학자가 신비주의자나 교조들과 같은 정도의 자유를 획득하는 것은 정말 드물다. 우선 완전에 가까운 자유를 획득한 사람들은 언제나 덕과 통찰을 겸비한 인물이었다.

• • •

1. 원문대로임. '통찰에'가 자연스럽다.

그런데 이러한 가장 자유로운 사람들 사이에, 과거 80내지 90세대에 걸쳐서, 이상적인 개인에 관한 실질적인 의견의 일치점이 있다. 노예화된 인간은 때와 경우에 따라서 각각 상이한 인간의 모범을 내세워왔다. 그러나 어떤 시대 어떤 장소에서도, 자유로운 인간은 언제나 같은 말을 하고 있는 것이다.

자유로운 철학자, 신비주의자, 교조들의 이상적인 인간을 적절하게 표현할 수 있는 말을 하나만 찾아내라는 것은 어려운 일이다. '무집착'이라는 것이 아마 최선의 말일 것이다. 이상적인 인간이라는 것은 집착하지 않는 인간이다. 육체적인 감각이나 색욕에 집착하지 않는다. 권력욕이나 물욕에 집착하지 않는다. 이러한 여러 가지 욕망의 대상에 집착하지 않는다. 분노와 증오에 집착하지 않고, 배타적인 애정에 집착하지 않는다. 재부나, 명성이나, 사회적 지위에 집착하지 않는다. 과학, 예술, 사색, 박애에 조차도 집착하지 않는다. 그렇다, 이러한 것에 조차도 집착하지 않는다. 왜냐하면, 간호부 카벨의 말마따나 애국심과 마찬가지로, '이것만으로는 충분하지 않기' 때문이다. 자기 자신이나 '이 세상 일들'이라고 불리어지고 있는 것에 집착하지 않는 것은 철학자나 교조들의 가르침 속에서 자기 자신보다도 더 위대하고 중요한 궁극적인 실재에 대한 집착과 항상 결부되고 있다. 이 세상이 줄 수 있는 최선의 것보다도 더 위대하고 중요한 궁극적인 실재. 이 궁극적인 실재의 본질에 대해서는 본서 (『목적과 수단』)의 마지막 수 장에서 기술할 작정이다. 여기에서는 무집착의 윤리는 현상계의 기저에 존재하며 이 현상계에 모름지기 얼마간의 가치나 혹은 의미를 부여하는 정신적 실재의 존재를 긍정하는 세계관과 항상 서로 관련되고 있다는 것을 지적해두기만 하면 될 것 같다.

무집착이라고 하지만 그것은 그 명칭만이 소극적일 뿐이다. 무집착이라는 것을 실천할라치면 모든 덕성을 실천하지 않으면 아니 된다. 이를테면, 자비라는 덕성을 실천하지 않으면 아니 된다. 왜냐하면 자기 자신을 내재적이며 초절적인 자기 이상의 것과 합치시키려고 할 때 분노('정의의 분노'조차도)와 냉혹한 악의만큼 치명적인 장해가 되는 것은 없기 때문이다. 용기라는 덕성의 실천도 필요하게 된다. 왜냐하면 공포라는 것은 자기와 그 육신과를 지극히 편집적으로 동일시하는 일이기 때문이다. (공포는 소극적인 관능성이다. 마치 태만이 소극적인 악의인 것처럼.) 지성의 육성도 필요하게 된다. 둔감한 치우(痴愚)야말로 그 밖의 모든 악덕을 낳는 근원이 되기 때문에. 관대와 무욕이라는 덕성도 행해지지 않으면 아니 된다. 탐욕과 재물애는 그의 희생자로 하여금 자신을 단순한 물질과 동일시하게 하기 때문에, 이런 정도의 것이다. 따라서 무집착을 실천하려고 하는 사람은 세상 사람들에 대해서 지극히 적극적인 태도를 취하지 않으면 아니 된다는 논점을 이 이상 더 자세하게 기술할 필요는 없을 것 같다. 이 문제에 대해서 생각해 볼 만한 사람이면 누구나 충분히 알 수 있는 논점일 터이니까.

무집착이라는 이상은 과거 3천 년 동안에 걸쳐 체계화되고 되풀이해서 체계적으로 설명되어 왔다. 우리들은 그것을 (그 밖의 모든 것과 함께!) 힌두교 속에서 발견한다. 그것은 불교의 가르침의 핵심을 이루고 있다. 이 무집착의 이상은 형식에 구애하는 바리새적인 허식이 얼마간 들어 있기는 하지만, 스토아파의 철학자들에 의해서 선언되고 있다. 예수의 복음은 본질적으로 '이 세상 일들'에 집착하지 않고, 신에 집착하는 복음이다. 교회라든가 교단이라는 것의 착오가 어떠했든 간에 — 그리고 그 착오는 극단적인 금욕주의에서 잔인하기 짝이 없는 견유적인 '현실정책'에 이르기까지의 모든 것을 포함하고 있다 — 무집착이라는 이상을 재확인하는 그리스도교적 철학자는 끊일 사이가 없었다. 이를테면, 존 타우러가 있는데, 그는 "자유라는 것은 '영원한 것'을 구하는 완전한 순수성이며 세속으로부터의 완전한 초월이다. 신과 합일하거나 혹은 신에게 전적으로 애착하고 있는 독립된, 탈속한 존재"라고 말하고 있다. '그리스도의 모방'의 저자는, 우리들에게 "아무런 마음의 번민도 없는 듯이 여러 번민 속을 뚫고 나가라. 자유의 정신의 대권을 가지고 전진하라"고 명령하고 있다.

이런 종류의 인용이라면 우선 무제한으로 얼마든지 할 수 있을 것이다. 한편, 그리스도교의 전통 밖에 서 있는 모랄리스트들도 그리스도교도에 못지않게 무집착의 필요성을 빈번히 주장해 왔다. 이를테면, 스피노자가 '축성(祝聖)'이라고 부르고 있는 것이야 말로 바로 이 무집착의 상태인 것이다. 그가 말하는 '인간의 질곡(桎梏)'은 자기를 자기 자신의 욕망이나, 감정이나 사고의 과정과 혹은 외계에 존재하는 이러한 것들의 대상과 동일한 것으로 보려고 하는 인간의 상태를 가리키고 있는 것이다.

무집착의 인간이라는 것은 불교의 말을 빌리자면, 고통을 소멸시키는 인간을 가리킨다. 더욱이 그는 자기 혼자의 고통뿐만 아니라, 악의 있는 우매한 행동을 삼감으로써, 다른 사람에게 가하게 될지도 모르는 고통까지도 소멸시킨다. 선인일 뿐만 아니라, 행복한, 다시 말하자면 '축복된' 인간이다.

일부의 모랄리스트들은 — 그중에서 니체가 가장 잘 알려져 있고, 드 사드 후작이 가장 철저하게 시종일관 했다 — 무집착의 가치를 부정해 왔다. 그렇지만 이런 사람들은 분명히 자기 자신의 기질과 그들이 속해 있는 특정한 사회 환경의 희생자들이다. 무집착을 실천할 수 없기 때문에, 그것을 주장하지 못하는 것이다. 다시 말하자면, 자기 자신이 노예이기 때문에, 자유의 장점을 이해조차 하지 못하고 있는 것이다. 그들은 개화된 아세아나 구라파 철학의 커다란 전통 밖에 서 있다. 윤리사상이라는 천구층(天球層)에 있어서 그들은 편심 궤도를 이동하는 별이다. 이와 마찬가지로 마끼아벨리, 헤겔, 그 밖에 파시즘과 독재적 공산주의의 현대의 철학자들과 같은 특정한 사회 환경의 희생자들도, 정치사상의 천구층의 편심 궤도를 이동하는 별이다.

말하자면, 이상과 같은 것이 약 3천 년 전에 아세아에서 처음 체계화된 사회와 개인에 대한 이상이다. 그리고 이 문명의 전통과 절연하지 않고 있는 사람들은 오늘날에도 역시 이것을 인정하고 있다. 이러한 이상과 관련해 볼 때 현대의 사실은 어떠한 것일까? 이것은 지극히 간단하게 요약할 수 있을 것이다. 즉, 세계의 제 민족은 대부분이 이상의 목표에는 전진하지 않고, 급속히 거기에서 이탈해 가고 있다.

P. R. 마레트 박사의 말을 빌리자면 "진정한 진보는 동포애의 진보이며, 그 밖의 다른 진보는 이에 비하면 모두가 2차원적인 것에 지나지 않는다." 기록되어 있는 역사의 흐름 속에서 진정한 진보는 발작적으로 이루어져 왔다. 동포애의 진보의 시대와 퇴보의 시대가 교대로 이어져 있다. 18세기는 진정한 진보의 시대이었다. 19세기의 대부분도 그리했다. 산업주의의 무서운 폐해에도 불구하고, 아니 그 보다도 오히려 선의의 19세기 인들이 그러한 폐해를 없애려고 정력적으로 노력했기 때문에, 현대도 어느 점에서는 아직까지도 인도주의적이다. 그러나 주요한 정치문제에 관한 한에 있어서는, 현대는 동포애의 명확한 퇴보를 목격해 왔던 것이다.

이와 같이 되어서, 18세기의 사상가들은 한결같이 국가가 고문을 행하는 것을 비난했다. 20세기의 구라파에서는 지배자가 빈번히 고문을 행했을 뿐만 아니라, 태형과 낙인에서 소수파나, 소수민족의 대학살이나 총력전에 이르는, 국가가 조직적으로 행하는 모든 잔학 행위를 서슴지 않고 정당화하려고 드는 이론가까지 생겨났다. 우리들에게 고통을 주는 또 하나의 중대한 증상은, 20세기의 민중이 학살이나 잔학 행위의 기록뿐만 아니라 사진이나 영화를 보고도 태연하다는 것이다. 이에 대한 변명으로서 다음과 같은 주장이 있을지도 모른다. 즉, 과거 20년 동안에 사람들은 너무나 많은 무서운 사건을 경험해 왔기 때문에, 그 무서운 사건의 희생자에게 동정심을 품거나, 혹은 그 무서운 사건을 수행한 자에 대해서 분격을 느낀다든가 하는 일이 이미 불가능하게 되었다고. 그러나 무관심이라는 사실은 여전히 남아 있다. 그리고 아무도 무서운 사건을 떠들어대지 않기 때문에 한결 더 무서운 행위가 행해지게 되는 것이다.

동포애의 퇴보와 밀접하게 연결되어 있는 것은 진리에 대한 존경의 쇠퇴다. 세계사 상의 어떤 시대에 있어서도 현세기의 정치나 경제 상의 독재자가 행한 것과 같은, 그렇게 파렴치하게, 혹은 근대 기술의 덕분으로,

그렇게 효과적으로 대규모하게 조직적인 거짓이 실제로 행해진 일은 없었다. 이 조직적인 거짓은 대부분이 선전이라는 형식으로 행해지고 있고, 증오와 허영심을 심어 놓고, 사람들의 마음에 전쟁에 대한 준비를 시킨다. 이러한 거짓말쟁이들의 주요한 목적은 국제 정치의 영역에 있어서 자비로운 감정과 행위를 근절시키는 데 있다.

또 하나의 문제점. 지배적인 세계관이 일신론적이나 혹은 범신론적이 아니면— 인간은 모두가 '신의 아들'이라는 신앙, 혹은 인도의 말을 빌리자면 'tat tuam asi(그대는 그것이다)'라는 신앙이 일반적으로 널리 퍼져 있지 않으면, 동포애는 보편성으로 전진해나가지를 못한다. 과거 50년 동안에 우리들은 일신교에서 우상숭배로 일대 퇴각이 행해지는 것을 목격해 왔다. 유일신의 숭배가 폐기되고, 국가나 계급뿐만 아니라 신격화된 개인까지도 포함한 지방적인 제신이 숭상을 받게 되었다.

이상과 같은 것이 현재 우리들이 살고 있는 세계다— 진보를 측정하는 유일한 확실한 기준에 의하면, 분명히 퇴화해 가고 있는 세계이다. 기술의 진보는 급속하다. 그렇지만 동포애의 진보가 없으면, 기술적 진보 같은 것은 아무짝에도 소용이 없다. 사실상 아무짝에도 소용이 없을 뿐만 아니라 해독을 끼치게 된다. 기술의 진보는 인류가 뒷걸음질을 치기 위한 보다 더 효과적인 수단을 우리들에게 제공하고 있을 뿐이다.

우리들이 경험하고 있고 또한 우리들의 한 사람 한 사람에게 어느 정도의 책임도 있는 이 동포애의 퇴보를 가로막아가지고 그것을 정반대의 진보의 방향으로 돌리려면 어떻게 하면 되는가? 현존하는 사회를 예언자들이 말하는 것 같은 이상사회로 고치려면 어떻게 하면 되는가? 쾌락을 즐기는 평균인과 예외적인(그리고 이 편이 위험하지만) 야심가들을, 현대의 사회보다도 더 훌륭한 뜻을 가진 사회를 창조할 수 있는 유일한 인간인, 그 무집착의 인간으로 고치려면 어떻게 하면 되는가? 이상이 본서에서 내가 해답을 제공하려고 하는 문제이다.

이러한 질문에 대답하는 데 있어서 나는 지극히 다방면에 걸친 문제를 취급하지 않을 수 없을 것이다. 이것은 피치 못할 일이다. 왜냐하면 인간의 활동은 복잡하며, 그 동기는 지극히 착잡하게 되어 있기 때문이다. 수많은 저작가들은 이러한 가지각색의 인간의 사상, 의견, 목적, 행동을 충분히 인식하고 있지 않다. 문제를 과도하게 단순화시켜가지고, 그들은 과도하게 단순한 해결법을 제시한다. 이 때문에 나는 본서의 본론에 들어가기 전에 설명이라는 것의 성질에 대해서 논해둘 필요가 있다고 생각된다. 어떤 복잡한 (상황)에 관해서 '설명했다'고 할 때 그것은 어떤 의미가 되는가? 하나의 사건이 다른 사건의 원인이 된다고 할 때 그것은 어떤 의미가 되는가? 이러한 질문에 대한 대답을 모르는 한 사회의 질환의 본질과 치료법에 관한 우리들의 사색은 불완전한 일방적인 것이 되기 쉬울 것이다.

설명이라는 것의 성질을 논해 가면, 인간의 사건에 있어서의 원인이 가지각색이라는 결론에 도달한다 — 다시 말하자면, 어떤 사건에도 수많은 원인이 있다. 그렇기 때문에 국가나 사회의 질환을 고치려는 유일한 특효약 같은 것은 있을 수가 없다. 사회의 병을 고치는 방법은 수많은 여러 영역에 있어서 동시적으로 탐구해가지 않으면 아니 된다. 따라서 다음의 수 장에서 이러한 인간의 활동영역 속에서 가장 중요한 것에 대해서 고찰해 보려고 하는데, 우선 정치와 경제의 영역에서 시작해서 개인의 행동의 영역으로 옮겨 가게 될 것이다. 모든 경우에 있어서 나는, 인간이 모두가 도달하려고 노력하고 있다고 공언하고 있는 이상적인 목적을 실현하려면 어떤 일이 있더라도 달성하지 않으면 아니 되는 변혁을 제시할 작정이다. 이렇게 되면 마땅히 목적과 수단과의 관계를 논하지 않으면 아니 된다. 좋은 목적은, 나로서 왕왕 지적해야만 하듯이 거기에 알맞은 수단을 사용함으로써만 달성될 수 있다. 목적은 수단을 정당화할 수 없다. 그 이유는 단순하고도 명백하며, 사용되는 수단이 거기에서 생겨나는 목적의 성격을 결정하기 때문이다.

다음 장들, 즉 제2장에서 제12장까지는 말하자면 개혁의 방법을 가르치는 실용 요리책 같은 것이다. 거기에는 정치조리법, 경제조리법, 교육조리법, 산업의, 지방단체의, 헌신적인 개인들로 성립된 그룹의, 조직화의 조리법 등이 포함되어 있다. 또한 경고로서, 취해서는 아니 될 나쁜 방법도 기술해둔다 — 우리들이 바라고 있다고 공언하고 있는 목적을 실현하지 않기 위한 방법, 이상주의를 무효로 만드는 방법, 좋은 의도를 가지고 나쁜 결과를 가져오는 방법 같은 것도.

이 개혁의 요리책은 본서의 최후의 부분에서 절정에 달하게 되는데, 거기에서는 한편으로는 개혁자들의 이론과 실천 사이에 존재하고 있는 관계를, 또 한편으로는 우주의 본질을 논한다. 인간이 선을 바라면서 실제로는 왕왕 악을 행하게 되는, 이 세계는 어떠한 세계일까? 이러한 것의 전체의 의미와 목적은 어떠한 것일까? 이 세계에서의 인간의 지위는 어떠한 것이며, 인간의 여러 가지 이상, 가치, 가치의 체계는, 우주 그 자체와 어떤 연관성이 있을까? 최후의 삼장에서 취급되는 것은 이러한 문제이다. '실제가'들에게는 이러한 문제는 무관하게 생각될지도 모른다. 그러나 사실은 그렇지 않다. 우리들이 선악의 관념의 계통을 세우려고 할 때 그것은 실제의 궁극적 본질에 대한 우리들의 신념에 비추어서 이루어지는 것이다. 그리고 우리들이 사생활과의 관계뿐만이 아니라, 정치나 경제의 영역에서 행동하게 되는 경우에, 우리들은 선악에 관한 우리들의 관념에 비추어서 행동을 하게 된다. 무관계하기는커녕 우리들의 형이상학적 신념이야말로 우리들의 행동의 모든 것을 궁극적으로 결정하는 요인이 된다. 그렇기 때문에 실용적인 조리법을 논한 나의 요리책의 마지막 부분에서 제일의적인 제 원리에 대한 것을 논할 필요가 있다고 생각했다. 최후의 3장은 본서 가운데에서 가장 중요한 부분이며, 또한 순수한 실제적인 견지에서 보더라도, 가장 중요한 부분인 것이다.

— 위대한 생물학자인 토머스 헉슬리의 손자로 태어난 올더스 헉슬리 (1894-1963)는 이튼과 옥스포드의 배리올에서 문학을 전공. 그 후 신체

시 운동에 참가하고, 「레다(Leda)」(1920)로 시단의 주목을 끌었다. 여기서 이미 후년의 그의 신비주의적 경향이 엿보이고 있다. 1919년부터 M. 머리가 주재하는 『애디니엄(*Athenaeum*)』지에 평론을 게재하고, 현대문명의 불안과 지식인의 불안정한 사회를 그린 소설 「클롬 옐로(Chrome Yellow)」(1921)등을 발표했다. 이탈리아에 전지(轉地)한 후에는 회의적인 지적 소설 『연애 대위법(*Point Counter Point*)』(1928)을 발표하고, 미래의 과학적 사회를 예상한 『멋있는 신세계(*Brave New World*)』(1932), 똘스또이 같은 무저항주의를 말하는 『가자에서 눈멀어(*Eyeless in Gaz*)』(1936), 원폭 전쟁의 공포를 그린 『원숭이와 본질(*Ape and Essence*)』(1946) 등을 발표했다. 평론으로는 문학과 사회 · 풍속 · 정치와 윤리를 주제로 해서 그의 변전하는 태도를 논한 『인간론(*Proper Studies*)』(1927), 『그대가 무엇을 하든(*Do What You Will*)』(1929), 『밤의 음악(*Music at Night*)』(1932), 『오리이브 나무(*The Olive Tree*)』(1936), 『목적과 수단(*Ends and Means*)』(1937), 『다년생 철학(*The Perennial Philosophy*)』(1946) 등이 있다. 만년에는 칼리포니아에 전주해서 풍자적인 소설을 발표하기도 했다. (역자)

―『세대』, 1964. 11.

미용산업

올더스 헉슬리(Aldous Huxley)

전반적인 불경기에도 영향을 받지 않는 미국의 산업의 하나는 미용산업이다. 미국의 여성은 공황의 내습 이전이나 마찬가지로 여전히 그의 얼굴과 몸에 돈을 처들이고 있다 — 매주 3백만 파운드나. 이러한 사실과 숫자는 '공식적인' 것이며, 우선 실질적으로 액면 그대로 받아들여도 무관하다. 이것을 읽고, 단 한 가지 의외로 생각되는 점은 사용한 금액이 비교적 적다는 것이다. 미국의 잡지에 실린 미용술의 산더미 같은 광고에서 판단해 볼 때, 용자(容姿)산업은 미국의 일류산업 중에서도 당당한 위치에 있을 것 같다 — 술의 밀매, 공갈, 영화, 자동차 같은 것에 필적하거나, 혹은 그보다 약간 떨어질 정도라고 나에게는 생각되었다. 그렇다 하더라도 매년 1억5천6백만 파운드라면 상당한 금액이다. 인도의 세입의 2배 이상에 해당한다. 나의 기억에 틀림이 없다면.

구라파 제국의 숫자가 어떻게 되어 있는지 나로서는 알 수 없다. 아마, 훨씬 적을 것이다. 구라파는 구차한 데다가, 얼굴을 예쁘장하게 반짝거리게 하려면 롤스로이스(영국의 유명한 고급 자동차 [역주])만큼 돈이 든다. 대부분의 구라파 여성들이 할 수 있는 일이라면 기껏해야 얼굴을 씻을 정도이고 그 나머지는 팔자소관에 맡긴다. 아마도 비누는 화려하게 선전된 효과를 발휘하게 될 것이다. 아마도 그것은 그녀들을 어떤 파지집 속에서도, 장미처럼, 크림처럼, 복사처럼, 진주처럼, 빵긋이 웃어 보이는 요염한 미인처럼 바꾸어 놓을 것이다. 그러나 역시, 어떻게 하면, 바꾸어 놓지 않을지도 모른다. 아무튼 미인이 되기 위한 너무나 많은 돈이 드는 실험은 마력이 큰 자동차나 전기냉장고와 마찬가지로 대부분의 구라파 사람들의 호주머니 형편으로는 손쉽게 손을 내밀 수 없는 것이다. 그렇지만 그런 구라파에서 조차도 과거에 사용했던 것보다는 훨씬 많은 돈을 아름다웁게 보이기 위한 일에 사용하고 있다. 다만 미국만큼 엄청나게 불지 않았다는 것뿐이다. 하지만 어디에서나 그 증가율은 의심할 여지없이 대단한 것이다.

이 사실은 의미심장하다. 이것은 무엇 때문에 그렇게 되는 것인가? 하나는 번영이 일반적으로 증대했기 때문이라고 생각된다. 돈 있는 사람들은 벌써부터 용자(容姿)에 마음을 써왔다. 재부의 분포 — 라고 하더라도 대수로울 것은 없지만 — 의 덕분으로, 이제는 구차한 사람 중에서도 애비의 시대같이 살림살이가 군색하지 않은 사람들은 똑같은 흉내를 낼 수 있게 되었다.

그러나 분명히 이유는 이것뿐이 아니다. 현대의 미의 예찬은 결코 재부의 기능(수학 상의 의미로서의 함수)에만 한한 것이 아니다. 만약에 그렇다면 다른 모든 산업과 마찬가지로 용자산업도 불경기로 인해서 지독한 타격을 받았을 것이다. 그런데, 이미 보아온 바와 같이 꼼짝도 하지 않았던 것이다. 부인네들은 얼굴 이외의 곳에서 경비를 절약할 수 있는 모양이다. 따라서 미의 예찬은 경제의 영역 이외에서 일어난 변화의 징조임에 틀림없다. 어떠한 변화의 징조일까? 여성의 지위의 변화의 징조, '단순한 육체적인 것'에 대한 우리들의 태도의 변화의 징조라고 나는 말하고 싶다.

여성은 분명히, 옛날보다 자유롭다. 여지껏 남성에게만 국한된 대체로 부러울 만한 것이 못 되는 사회적인 제 기능을 발휘하는 점에서 보다 더 자유로울 뿐만 아니라, 매혹적이라는 보다 더 즐거운 여성의 특권을 행사하는 점에서도 보다 더 자유로웁다. 여성은, 할머니보다 정숙하지 않아도 되는 권리라고까지는 말하지 않더라도 아무튼 정숙하지 않은 것처럼 보이는 권리를 갖고 있다. 영국의 주부만 하더라도, 바로 얼마 전까지만 해도 근엄하고 무섭게까지 보였었는데, 지금은 옛날의 주부 같으면 '화냥년'이라고 불렀었을 만한 용자를 하고 있고, 언제까지라도 그런 모양을 하고 있으려고 전력을 다하고 있다. 여성들은 왕왕 성공을 거둔다. 그러나 우리들은 눈살 하나 찌푸리지 않는다 — 하여간, 도덕적으로는 눈살을 찌푸리지 않는다. 미적 견지에서는 눈살을 찌푸린다 — 그렇다. 그런 일은 간혹 있다. 그러나 도덕적으로는, 찌푸리지 않는다. 주부가 용자에 관해서 열중하는 것은 도덕상으로 상관없는 일이라고 우리들은 인정하고 있다. 이러한 양보는 훨씬 더 일반적인 성질의 또 하나의 양보 — 육체, '육체' 그 자체에의, 마니교에서 말하는 악의 원리에의, 양보에 의존하고 있다, 라는 것은, 육체에도 권리가 있다는 것을 우리들은 오늘날 인정하게 되었기 때문이다. 그런데 권리뿐이 아니다 — 의무도, 실제로 의무도 걸머지고 있다는 것을 이를테면 육체에는 체력과 미라는 면에서 스스로를 위해서 할 수 있는 일을 다 해야 하는 하나의 의무가 있다. 그리스도교적, 금욕적인 생각은 이미 우리들의 마음을 괴롭히지 않는다. 영혼을 위한 것과 마찬가지로 육체를 위해서도 정당한 고려가 있어야 한다고 우리들은 요구한다. 그 때문에, 특히 크림 제조업자나 미용 전문가가 체중을 가볍게 하기 위한 고무 밴드나 맛사지 기구의 판매업자가, 헤어 로숀의 특허권을 맡은 자나 복부 단련법에 관한 서책의 저자가 한밑천 단단히 돈을 벌게 되었다.

이 현대의 미의 예찬의 실제 상의 결과는 무엇인가? 체조와 맛사지, 건강용 모터와 미용액 — 이러한 것들은 어떠한 결과를 초래하였나? 여성들은 옛날보다 아름다웁게 되었나? 미의 예찬을 위해서 요구되는 막대한 에너지와 시간과, 돈을 소비해가지고 무엇을 얻을 것이 있는가? 이러한 것은 어지간히 대답하기 힘드는 문제이다. 왜냐하면 여러 가지 사실들이 서로 모순되고 있는 듯이 생각되기 때문이다. 좀 더 육체적으로 아름다웁게 되려는 운동은 대성공인 것처럼 보이는 동시에 무참한 실패인 것같이도 보인다. 그것은 결과를 어떻게 보느냐에 달려 있다.

보다 더 많은 여성들이 옛날에 비해서 상당한 나이를 먹기까지 젊은 용자를 유지하고 있는 한에 있어서는 그것은 성공이다. '노부인'이라는 것은 이미 보기 어려워져 가고 있다. 몇 해만 더 지나면, 한 사람도 눈에 뜨이지 않게 될 것이라고 생각된다. 백발이나 주름살이나, 꼬부라진 허리나 움푹 파진 볼은 중세기적인 낡은 것이라고 여겨질 것이다. 미래의 주름살투성이의 할머니는 금발을 카알로 지지고, 입술을 앵도같이 칠하고 복사뼈는 가느다랗게 되고 체격은 미끈하게 보일 것이다. '화가의 어머니의 초상'은 미래의 전람회에서는 '화가의 딸의 초상'과 거의 분간을 할 수 없이 될 것이다. 이러한 흐뭇한 극치는 하나는 미용액과 파라핀납의 삽입 미용정형외과, 진흙목욕, 화장품의 덕분이며, 하나는 건강이 증진한 덕분이고, 그만큼 보다 더 합리적으로 된 생활양식의 덕분일 것이다. 추악하게 보이는 것은 병의 징조의 하나이며 미는 건강의 징조의 하나이다. 또한 미를 구하는 운동이 건강을 구하는 운동도 되는 한 그것은 훌륭한 일이며, 어느 정도까지는 확실히 성공을 거두고 있다. 이러한 건강의 징조의 인위적인 그늘에 지나지 않는 미라는 것은 본질적으로 진짜 건강보다는 못하다. 그렇다 하더라도, 어지간히 잘 꾸며 놓은 이미테이션으로서 그것은 가끔 진짜 건강과 구별이 안 갈 지경에까지 이르고 있다. 건강의 징조를 모방하기 위한 기구는 오늘날 어느 정도 형편이 넉넉한 사람이면 누구나 입수할 수 있게 되어 있다. 정말 건강하게 되는 방법에 대한 지식은 증대해 가고 있고, 불원간 분명히 모두가 그것을 살릴 수 있게 될 것이다. 그러한 행복한 시기가 오게 되면, 여성이란 여성은 모두가 아름다웁게 될 것인가—아무튼, 타고난 눈매나 콧매가, 외과적이나 화학적인 도움을 빌리든 안 빌리든 간에 가능한 한, 아름다웁게 될 것인가?

대답은 단연 '부(否)'다. 왜냐하면 진정한 아름다움은 외형의 문제인 동시에 내면의 문제가 되기 때문이다. 자기 항아리의 아름다움은 형체의, 색채의, 살결의 문제다. 그 항아리가 빈 것이든, 거미줄이 걸려 있든, 꿀이 들어 있든, 더러운 시궁창 물이 들어 있든 상관할 게 없다 — 그러한 것으로 항아리의 미추(美醜)는 조금도 영향을 받지 않는다. 그러나 여성은 인간이며, 따라서 그의 아름다움은 피부의 두께만에 한한 것이 아니다. 인간이라는 그릇의 표면은 그의 정신적인 속알맹이의 성질에 따라서 영향을 받는다. 나는 자기 감정가의 기준에서 보자면, 몸서리가 칠 정도의 미인을 본 일이 있다. 그 자태라든가, 용모라든가, 살갗이라든가 무엇 하나 나무랄 데가 없었다. 그런데 아름답지가 않았다. 왜냐하면 그 아름다운 용기가 텅 비었거나 그렇지 않으면 썩은 것이 꽉 차 있었기 때문이다. 정신의 공허나 추악은, 속이 들여다보이는 것이다. 그리고 그와는 반대로, 순사한[1] 심미가라면 불완전하다고 보거나 분명히 추악하다고 볼 형태를 일변하게 할 수 있는 내면적인 빛이라는 것이 있다.

세상에는 여러 가지 형태의 심리적인 밉상이 있다.

또한 그 보다도 훨씬 일반적인, 그에 못지않게 싫증이 나는 것은, 실로 허다한 아름다운 얼굴을 망쳐 버리는 그 딱딱한 표정이다. 하기는 이 딱딱한 표정은, 심리적인 원인에서보다는, 현대의 짙은 화장의 습관에서 오는 수가 많다. 파리에서는, 이 짙은 화장이 아주 역연하게 나타나고 있는데, 수많은 여자들이 정말 인간처럼 볼 수 없게 되어 있다. 하얗게 회박을 쓴 위에다 진홍빛을 칠하고 있으니, 마치 가면이라도 쓰고 있는 것 같다. 그 밑에 있는 부드러운 산 얼굴을 보려면 한참 들여다보아야 한다. 그런데 항용 그 얼굴은 부드러운 맛이 없고, 항용 불완전하게밖에 살아 있지 않다는 것을 알게 된다. 딱딱한 굳은 표정과 죽은 사람 같은 무표정이 속에서 내다보인다. 그것은 존재의 만성 상태라고 인정되고

1. '순수한'의 오식.

있는, 어떤 감정적인 혹은 본능적인 부조화가 밖으로 나타난 명백한 징조이다. 이 부조화가 항용 성적인 성질의 것이라는 것은 정신분석자의 설명을 듣지 않아도 알 수 있다. 이러한 부조화가 존재하고 있는 한, 불유쾌한 권태의 충분한 이유가 존재하고 있는 한, 인간이 넋 없이 편집적인 악덕에 사로 잡혀서, 들떠 있는 한, 미의 예찬은 효과가 오르지 않을 것이 뻔하다. 젊음의 외관을 지속시키고, 건강의 징조를 실현하든가 그럴 듯하게 보이는 외관만을 유지하는 데는 성공했지만 이 예찬에 의해서 자극 받은 운동은 근본적으로는 여전히 실패하고 있다. 그 작용은 미의 가장 깊은 원천 — 경험하는 영혼에는 닿지 못하고 있다. 인류가 아름답게 되는 것은 미용액이나, 포인트 롤러의 개량에 의해서 되는 것이 아니고, 건강용 모터나 전기제모기 등의 가격 저하에 의해서 되는 것도 아니다. 건강을 증진시키는 일에 의해서도 되지 않는다. 사회조직이 완전한 조화를 이룬 생활을 하는 기회를 모든 사람에게 부여할 때, 편집적인 악덕에 쏠리는 환경의 자극이나 유전적 경향이 없어질 때, 그때에 비로소 모든 남녀는 아름다움게 될 것이다. 다시 말하자면, 모든 남녀가 전부 아름다움게 되는 일은 결코 없을 것이다.

-『세대』, 1964. 11.

20세기 문학의 고백과 증언
—로버트 프로스트와의 대담

리챠드 포와리에(Richard Poirier)

국제적 지위를 차지한 지방시인 로버트 프로스트는 1874년 3월 26일 산프란시스코에서 태어났다. 편집자이고 정치가이고 민주당원인 그의 부친은 뉴잉글란드의 공화당의 분위기를 피해서 그리로 갔던 것이다. 그는 남부의 관습을 따서 아들에게 세례를 베풀고 로버트 리 프로스트라는 이름을 지어 주었다. 부친이 돌아가자 젊은 프로스트는 마사추세츠주 로런스에 사는 친할아버지와 같이 살러 모친과 함께 뉴잉글란드로 돌아왔다. 여기에서 그는 곧, 별로 큰 자극도 없이, 평생을 두고 계속한 시업(詩業)을 시작했다. 다르트마우스대학에 다녔지만 졸업은 하지 않았다. 22세에 하바드대학에 들어가서 2년간 라틴어와 희랍어를 전공했다. 그 후 그는 뉴함프샤주 데리에 있는 농장으로 가서, 교편도 잡고 지방 신문의 뜨내기 일도 보면서 시작을 계속했다. 그러나 그의 문학적 생애에 결정적 추진력을 준 것은 1913년의 영국여행이었다. 거기서 그의 최초의 2권의 시집 — 『소년의 의지』와 『보스톤의 북쪽』 — 이 출판되었다. 1915년에 미국으로 돌아왔을 때는, 이미 그의 이름은 널리 알려졌고, 시인과 교사로서의 그의 장래는 확고한 기반을 갖게 되었다.

프로스트 씨는 네 차례나 시로 풀리처상을 탔다 — 1924년에 시집 『뉴함프샤』, 1931년에는 『시전집』으로, 1937년에는 『더 먼 산들』로, 1943년에는 『증인나무』로. 최종 시집 『개간지에서』는 1962년에 출판되었다.

프로스트의 경우에 가장 특징적인 것은 그의 두드러진 개성이었다. 그는 그가 말하는 소위 '필요한 집단'을 배격했다. 인생의 다른 분야에서도 그렇듯이 '시'에 있어서도 너무나 많은 깽들과 도당과 동인들이 있다. 그들에게는 그것이 시를 쓰는 데 필요할지도 모른다. 그러나 '나는 외로운 늑대다' 하고 그는 믿었다.

로버트 프로스트는 1963년 1월 29일에 세상을 떠났다.

***

프로스트 씨는 마사추세츠주 케임브리지에 있는 그의 집의 안방으로 들어왔는데 평상시에 입는 허름한 옷차림에 격자줄무늬가 진 높은 스립퍼를 신고, 조심성스러운 조용한 우정이 풍기는 인사를 했다. 그러나 그의 모습에는 거대한 인격의 힘이 뚜렷하게 엿보였다. 86세의 노구이지만 아직도 그의 몸에는 투박하고도 올찬 힘이 들어 있어 보인다. 그의 얼굴에는 그의 사진에서와 같은 억센 영웅적인 벅찬 생기와 자연스러운 표정이 담겨 있다.

그가 몸집보다도 훨씬 묵직한 인상을 주는 것은 그가 늘 풍기는 독특한 일반적인 이미지와 조금도 다를 바가 없다. 이러한 이미지가 뉴잉글란드의 일반적 개념과 늘 연결되어 보이는 것은 그의 지리학적 기호에만 연유되는 것이 아니다. 뉴잉글란드는 물론 수많은 그의 시의 장면과 제목 속에 환기되어 있고, 보다 더 중요한 그의 에머슨적 경향에도 환기되어 있고, 그의 자기모순의 습관에도 반영되어 있고, 언어가 주장하는 전언을 목소리의 음조를 통해서 취소하는 그의 능력에도 반영되어 있다. 그러나 그가 특히 뉴잉글란드와 유사하게 보이는 것은 그가 그처럼 그 세계에 전적으로 자기가 창조한 이미지를 부과하려고 했기 때문이다. 그를 규정한 것은 비평가가 아니라, 프로스트 그 자신이다.

오후의 햇빛에 비친 숱 많은 헝크러진 그의 백발은 창밖의 길 위의 눈의 반사를 받아 한층 더 희게 보였고, 그는 대담 중 대부분을 글을 쓰려고 들여온 푹석한 푸른 의자에 앉아 있었다.

파운드와의 사이

프로스트 나는 판때기를 바치고 꼭 글을 써. 평생을 두고 책상에서 글을 써본 일이 없어. 그러니까 별에 별것을 다 이용하지. 내 구두창에다 대고 쓰기도해.

問 어째서 그렇게 책상을 싫어하시죠? 너무 여러 군데를 돌아다니시고 너무 여러 고장에서 사셨기 때문에 그러신가요?

프로스트 젊었을 때도 나는 책상을 안 가졌어. 글 쓰는 방도 가져본 일이 없어.

問 케임브리지가 요즘은 선생님의 본거지로 되어 있습니까?

프로스트 겨울 동안만 그렇지. 거의 다섯 달 동안은 버몬트주의 리프톤에서 보내지. 여름 동안은 줄곧 거기 가서 지내. 하지만 여기가 나의 사무실이고 볼일 보는 곳이야.

問 버몬트주에 있는 선생님 댁은 '브레드 로오프' 창작학교 근처에 있습니까?

프로스트 3마일 가량 떨어져 있어. 그리 가깝지 않아. 내가 있는 데는 거기서도 한참 가서 산 넘어 샛길로 들어가야 돼. 모두들 우리 집이 퍽 가까이 있는 줄 알아. 나는 학교의 강좌하고 회합의 강좌를 맡아보고 있지. 그 밖의 다른 일은 없어.

問 그 학교의 창설자의 한 분이시죠, 선생님은?

프로스트 모두 그렇게들 말하고 있지. 나는 회합을 시작한 일에 더 많은 관계를 갖고 있어. 어떤 우연한 기회에, 나는 '미들바리'의 교장한테 '당신은 어째서 수업이 끝난 뒤에 교사(校舍)를 조그만 사회장(社會場)으로 이용하지 않소?' 하고 말했단 말이야. 나는 정기적인 모임을 벌이려고는 생각하지 않았어 — 그저 1주일이나 2주일에 한두 번씩 문학하는 사람들을 초대하려고 했어. 봉급도 없고 아무것도 없이 말이야. 부엌 도구는 학교에 있었으니까 말이야. 그랬던 것이 정기적인 모임으로 시작하게 됐지.

問 1912년에서 1915년까지 영국에 계셨을 때, 선생님께서는 거기에 아주 머물러 계실 생각을 하셨습니까?

프로스트 아냐. 그렇지 않아. 나는 잠시 동안 고생을 해 보려고 영국에 건너갔을 뿐이야. 거기서 책을 낼 생각은 없었어. 여기서도 아무한테도 책을 내달라고 해 본 일은 없었는 걸. 그때 내가 서른여덟 살인가 그랬어. 그리고 책이라면 잡지에 낼 생각밖에는 없었어. 그런데 잡지도 그다지 인연이 없었고, 때때로 수표를 받아보기는 했지만 아무도 나를 알아주지는 않았어. 그러니까 책을 낼 생각은 하지를 못 했지. 그런데 어느 틈에 책 3권을 썼지 않아, 3권이 될 만큼 — 그러니까 『소년의 의지』하고 『보스톤의 북쪽』하고, 그 다음의 것 『산간(山間)』의 일부하고 말이야.

問 영국에 계실 때 파운드하고는 어떻게 만나셨습니까?

프로스트 Frank Flint를 통해서 만났어. 초기의 이미지스트이고 번역가이지. 그 사람이 파운드의 친구이었고 거기의 그 조그만 그룹에 소속해 있었어. 그 사람이 책방에서 나를 보고 "미국사람이오?" 하고 물어보더군. 그래서 나는 "그렇소. 어떻게 아시오?" 하고 물었지. "구두를 보고." 하고 대답하더군. 그것이 그때 방금 조직된 Harold Monro의 '시서점(詩書店)'이었어. "시요?" 하고 그가 묻기에, "그쯤 생각해두시오." 하고 나는 대답했지. 그랬더니 그는 "당신 나라 사람인 에즈라 파운드를 모르시오." 하고 말해. 그래서 나는 "들어본 일이 없소." 하고 말했지. 정말 나는 들어본 일이 없었어. 문학잡지는 — 나는 문학잡지를 많이 읽지 않아 — 그저 대충 훑어볼 정도이었고, 가십 같은 것도 그리 눈여겨보지 않고 있었거든. 그랬더니 그는 "당신이 여기 와 있다는 말을 그에게 전해 주리다." 하고 말하더군. 그리고 그 후 파운드한테서 엽서가 왔어. 엽서를 받고도 나는 2, 3개월이 지나도록 찾아가보지를 않았어.

問 그는 선생님의 책 — 『소년의 의지』 — 을 출판(하)기 바로 직전에 보았지요? 어떻게 해서 그렇게 되었습니까?

프로스트 책이 벌써 출판사의 손에 넘어가 있었지만, 파운드가 나한테 엽서를 보낸 지 3, 4개월 후에 내가 그를 만났을 때는 책은 나오지 않았었어. 나는 그 엽서를 그리 반가이 생각하지 않고 있었거든.

問 무어라고 써 있었는데요?

프로스트 "한번 집으로 오시오."라고만 써 있었어. 파운드다웁지. 그래서 나는 그다지 따뜻한 초대가 아니라고 생각했어. 그런데 어느 날 켄싱톤의 교회 길을 걸어가다가, 그의 엽서를 꺼내 보고 그를 찾아 가지 않았겠나. 그랬더니 그가 있더군. 내가 빨리 찾아오지 않아서 화가 난 모양이라 예의 시무룩한 표정을 하고 있었어. 그러더니 그는 "플린트가 그러는데 시집이 있다지." 하고 말해. 그래서 나는 "글쎄 아직 나오지는 않았어." 하고 말했어. "아직 보지도 못했나?" 하고 그가 물어. "아니." 하고 내가 대답했더니, "우리 같이 가서 한 부만 달라고 그러지?" 하고 그가 말해. 그는 최초의 발굴자가 되기를 퍽 좋아했어. 그것이 파운드의 특기야. 그는 누구보다도 먼저 가로채고 싶어 했어. 남이 어떻게 가로채려고 하고 있는지 전화로 수소문을 하는 법이 없어. 그는 언제나 호시탐탐하고 있으면서도 일체 말은 안 했어. 우리들은 내 시집을 출판하는 데를 찾아갔고, 그는 책을 얻었어. 나한테는 보이지도 않고 — 자기 호주머니 속에다 책을 넣더군. 우리들은 그의 방으로 다시 돌아갔어. 그는 약간 영국인 같은 어조로 "우리들이 이 책을 보아도 되지?" 하고 물어보더군. 그래서 나는 "그럼 얼마든지 보시오." 하고 말했지. 곧 그는 무엇인가 보고 웃더군.

그래서 나는 그것이 그 책의 어떤 구절인지, 파운드가 무엇을 보고 웃는지 안다고 말했지. 그랬더니 그는 곧 "당신은 집에 가시오, 나는 이에 대한 비평을 쓸 작정이야." 하고 말하더군. 그래서 나는 더 이상 아무 말도 안 했지. 나는 내 책은 안 가지고 집으로 갔고 그가 그것을 간직하고 있었어. 그래도 그가 그 책을 손에 들고 있는 것을 좀처럼 보지는 못했어.

問 그가 아마 제일 먼저 중요한 호평을 썼지요?

프로스트 그래. 미국에서, 시카고에서 발표되었지만, 영국에 있는 나한테는 별로 도움이 되지 않았어. 그것이 나오자 즉시로 영국에서도 서평이 나오기 시작했지. 영국에서 비평한 사람들은 대부분이 그것이 이미 시카고에서 비평되었다는 것을 모르고 있었던 것 같아. 그것을 알고 쓴 것 같지 않았어. 그래도 파운드의 비평은 나의 명성의 발단에 얼마간 관련이 있었지. 나는 언제나 그 일에 대해서 — 그가 나한테 건 그 이상한 모험에 대해서 — 얼마간 로맨틱한 느낌이 들어. 파운드는 영국에서는 복잡한, 정말 이상한 위치에 있었어. 그는 Yeats와 Hueffer 그리고 그 밖의 지극히 소수의 사람들을 친구로 사귀고 있었어.

영국에서의 일

問 선생님은 휴에퍼를 아셨습니까?

프로스트 암, 알았지. 그래서 예이츠도 알았지.

問 영국에 계실 때 예이츠를 많이 만나셨습니까?

프로스트 한동안은 거의 늘 같이 있었어.

問 런던을 떠나서 글로스터샤이어의 농장으로 살러 가셨을 때는 도회에서 발견하신 문단 같은 것을 등지는 선택을 한다는 감을 가지셨던가요?

프로스트 아냐, 내가 영국에 간 것도 선택을 해서 간 것은 아니었어. 그 당시에는 내가 선택한다는 의식이 거의 없었어. 도대체가 세상에서 내가 어떤 위치에 있는지 없는지도 몰랐고, 따라서 위치를 선택하려 들지는 않았어. 내 성미는 어떤 패거리에 끼이기를 좋아하지 않았단 말이야. 그러니까 — 무어라고 부르던가? — 죠오지아파라든가 에드워드파라든가 하는 그런 것하고는, Edward Marsh가 흥미를 가진 사람들하고는 혼동되기를 꺼려했어. 그가 그의 책에서 나한테 대한 말을 하는 것은 이해하지만, 나는 그를 만나보지 않았어.

問 선생님이 런던에서 아신 문학하는 사람들 사이에는 갱 기분이 많았습니까?

프로스트 암 많았고말고. 거기서는 재미있었지. 여기서도 마찬가지일걸. 나는 모르겠어. 나는 여기 '살고 있지' 않으니까. 그런데 그들은 "아아, 저 치는 군중들을 위해서 악문(惡文)을 쓰는 친구지. 미국에도 저런 친구가 있지?" 하고 말했어. 아주 무슨 일정한 성구처럼 말이야. Masefield가 그랬지 — 메이스필드가 누구냐고 하면 모르는 사람이 있어도 "저 치가 군중들을 위해서 악문을 쓰는 친구라"고 하면 모르는 사람이 없었어.

問 그 당시에 선생님의 제일 친한 친구가 Edward Thomas였습니까?

프로스트 그렇지 — 그의 시대의 모든 사람들하고 전혀 따로 서 있었어. 그는 나만큼 외떨어져 있었어. 아무도 그가 시를 쓰는 줄을 몰랐어. 그는 전쟁에 나가기 전까지는 시를 쓰지 않았고, 그 때문에 나는 그와 사귀게 되었어. 우리들은 위대한 친구가 돼야만 했지. 그런데 안 되는 것이 나는 어떤 패거리에는 끼이지를 못하는 성미야. 친구들이 있지만 모두 뿔뿔이 헤어져 있어, 아주 뿔뿔이 헤어져 있지. 나도 끼이려면 끼일 수는 있었는데⋯⋯ 파운드는 플린트, 올딩톤, 에이치 디, 그리고 한때는 흄하고 같이 1주일에 한 번씩 오후에 회합을 가졌어. 흄은 그들과 함께 출발했지. 그들은 서로 작품을 첨삭하느라고 매주일 만났어.

問 가끔 흄을 보셨나요? 그 첨삭회에서 그를 보셨습니까, 그 회합으로 괴로움을 받지 않으셨습니까?

프로스트 응, 흄은 알고 있었어, 잘 알고 있었지. 그렇지만 회합에는 한 번도 나가지 않았어. 나는 파운드한테 "당신들은 무엇을 하는 거요?" 하고 물어보았지. 그는 "피차의 작품을 고쳐 주지." 하고 대답하더군. 그래서 "무엇 때문에?" 하고 물었더니, "기름을 좀 짜야지." 하는 그의 대답(이)야. "어쩐지 사랑방 노름 같은데." 하고 나는 말하면서 "나는 진지한 예술가야." 하고 말했지 — 좀 유치한 소리였지. 그랬더니 그는 웃더군. 그리고는 다시는 나를 초대하지 않았어.

問 선생님께서 영국에서 가지신 파운드나 에드워드 토마스나 소위 죠오지아파들과의 개인적인 접촉 — 이러한 것이 선생님께서 선생님의 시풍의 감각을 수립하는 데 아무 영향이 없었습니까? 선생님의 시의 최초의 3권에 거의 수록될 만한 것을 그때 이미 선생님께서는 써 놓으셨더군요.

프로스트 2권 반 가량이라고 볼 수 있지. 내가 1890년에 쓴 일부의 작품이 헌팅턴 도서관에 있어. 아직도 출판되고 있는 내 처녀시집은 90년대에 썼어. 그게 아직도 출판되고 있지.

問 『소년의 의지』 속에는 그것이 안 들어 있어요 — 그 안에 들은 가장 초기의 시가 1894년에 씌어졌던데요.

프로스트 없어, 그 안에는 없어. 내가 원고료를 받은 최초의 작품이 그 안에 있지. 내가 인쇄에 붙인 최초의 작품이 내가 쓴 최초의 작품(이)야. 나는 1890년 전에는 산문도 시도 잘 안 썼어. 그 전에는 라틴어와 희랍어의 문장을 썼어.

유년 시(時)의 독서

問 가네트와 파운드가 쓴 초기의 비평을 보면 선생님에 관해서 라틴시와 희랍시에 대한 것이 많이 논의되고 있던데요. 선생님은 그런 고전을 많이 읽으셨습니까?

프로스트 파운드보다는 라틴이나 희랍 고전을 많이 읽었을 걸.

問 한때 라틴어를 가르치셨지요?

프로스트 응. 도망을 친 뒤에 다시 대학으로 돌아왔을 때, 희랍어와 라틴어와 철학에 달라붙으면 해나갈 수 있으리라고 생각했어. 그때는 그것만 들고 팠어.

問 선생님은 낭만파 시인들을 많이 읽으셨습니까? 특히 워즈워드를?

프로스트 아니, 그렇게 생각하면 안 되오. 나는 모든 것을 읽었소이다. 요일전에 어떤 가톨릭 신부들이 독서에 대한 것을 물어보길래, 나는 그들에게 "여러분이 '가톨릭'이란 말을 이해한다면 나는 나의 취미에 있어서 지극히 가톨릭적이오." 하고 대답했어.

問 선생님의 자당께서는 어떤 것을 선생님에게 읽어드렸습니까?

프로스트 그건 말할 수가 없는데. 온갖 종류의 것이고, 그리 너무 많지는 않고, 좀 읽어 주셨지. 우리 어머니는 퍽 부지런한 분이었고 — 우리들을 모두 벌어 먹이셨어. 스코틀란드의 태생이지만, 오하이오주 콜럼버스에서 자라나셨어. 7년 동안을 콜럼버스에서 교편을 잡으셨어 — 수학을 가르치셨지. 아버지가 하바드를 나오셔서 칼리포니아로 가시기까지의 1년 동안은 아버지하고 같이 학교에 근무하셨지. 그 당시에는 고등학교를 나오면 바로 고등학교에서 교편을 잡았단 말이야. 나는 대학에는 다니지 않은 그런 교사들한테 글을 배웠어. 내가 라틴어와 희랍어를 배운 저명한 두 여선생님들도 대학에는 다니지 않은 분들이었어. Fred Robinson[1]도 이 여선생님들한테 배웠지. 우리 어머니도 그런 선생님이었어. 18세 때에 고등학교의 교편을 잡기 시작했고, 25세인가 해서 결혼을 했어. 나는 이런 일들은 모두 나이 먹은 후에, 여기저기 떠돌아다니다가 알게 되었어. 결혼한 날짜는 펜실바니아에서 알았고, 그 밖의 것은 모두 펜실바니아의 루이츠 타운에서 들었어.

1. [원주] 프레드 로빈슨. 하바드대학의 영문학 교수이었고, Chaucer의 편주이다.

問 선생님의 자당께서는 마사추세츠주 로런스에서 사립학교를 경영하셨죠?

프로스트 응, 로런스 부근에서 경영하셨어. 그래서 나도 다른 학교의 교편을 잡으면서 어머니의 학교에서도 아이들을 가르쳤지. 봄철이 되면 언제나 두메 학교에 나가서 가르쳤어.

問 그때 선생님은 몇 살이셨죠?

프로스트 내가 1893년인가 94년에 다르트마우스를 뛰쳐나온 직후이었으니까, 스무 살 때야. 도회가 싫증이 나면 언제나 봄철에는 시골로 내려가서 한 학기 동안 교편을 잡았지. 같은 학교에서 두서너 번씩 한 것 같아. 아이들이 열두어 명가량 있는 조그마한 학교이고, 아이들은 모두 맨발로 통학을 했어. 로런스에서는 신문 일도 보았지. 신문 일은 아버지하고 어머니가 하라고 해서 한 거야. 밥벌이를 하는 데 어떤 일이 정말 하고 싶은 일인지 알지를 못 했어. 교편도 조금 잡아보고, 신문사 일도 조금 해 보고, 농장에서도 조금 일해 보고 했어. 그것이 나의 출발이었어. 그렇지만 양친 말대로 나는 신문사 일을 보기로 했지. 잠시 동안 신문을 편집했지 — 주간이야 — 그리고 그 다음에 일간신문 일을 보았지. 지금도 그 신문사 이름이 로런스에 그대로 있어.

問 시는 언제부터 시작하셨습니까? 선생님이 지극히 존경하신 시인이라도 계셨습니까?

프로스트 나는 그런 견해를 증오해. 누구를 본따려고 열심히 원숭이 흉내를 낸다는 그 스티븐스의 관념 말이야. 그런 생각이 무엇보다도 미국인의 교육에 해를 끼쳤어.

問 선생님은 선생님의 작품하고 다른 어떤 시인의 작품하고의 유사성을 느끼셨습니까?

프로스트 그에 대해서는 누가 나한테 무엇이라고 이야기하든지 내버려 두지. 나는 모르겠어.

問 그렇지만 이를테면 로빈슨이나 스티븐스의 작품을 읽으실 때, 선생님

은 선생님의 시에서 선생님이 받으시는 그 친밀성 같은 것을 발견하시죠?

<u>프로스트</u> 월러스 스티븐스? 그는 나보다 훨씬 아래지.

問 제가 말씀 드리는 것은 선생님이 그의 작품을 읽으실 때, 어떤 그 무엇을 느끼셨는지 어떤지…….

<u>프로스트</u> 어떤 친밀성 말이지? 아아, 그건 이야기가 안 돼. 닮지 않았어. 언젠가 그는 나한테 "형은 주관에 대한 것을 쓰셔." 하고 말하더군. 그래서 나는 "당신은 골동품에 대한 것을 쓰고." 하고 말했지. 그랬더니 그가 그 후 새로 나온 시집을 나한테 보냈을 때, 그 속에 '더 지독한 골동품'이라고 써넣지 않았겠어. 내 욕을 기분 좋게 받아준 거야. 절대로 나하고 스티븐스하고는 친밀성이 없었어. 우리들은 친구였어. 아아, 퍽 멀리 떨어져 있었어. 나는 당신이 나를 누구하고 연결시키려고 하는지 모르겠어.

問 그런데 선생님이 언젠가, 로버트 로우얼이 선생님을 포크너하고 연결시키려고 했다고, 선생님한테 당신은 포크너하고 많이 닮았다고 말했다는 말을 하신 것을 제가 들은 일이 있는데요.

<u>프로스트</u> 내가 그렇게 말했단 말이야?

問 아뇨, 로버트 로우얼이 선생님한테 선생님이 포크너하고 많이 닮았다는 말을 했다고 선생님께서 말하셨단 말예요.

<u>프로스트</u> 도대체, 당신은 로버트 로우얼이 언젠가 이야기한 것을 알고 있소? 그는 "저의 백부[2]의 방언이 — 뉴잉글란드의 방언이, *Biglow Papers*[3]가 번즈의 방언하고 똑같지 않았어요?" 하는 말을 했어. 그래서 내가 "로버트! 번즈는 방언이 아니었어, 스코틀란드 말은 방언이 아니야. 그것은 국어야." 하고 말해 주었지. 그랬더니 그는 무어라고 변명은 하더구먼서도, 원 그 사람 말이라니.

問 그런데 선생님께서는 독서에서 특히 좋아하시는 방면의 것이 없으셨

● ● ●

2. [원주] 로버트 로우얼의 백부는 James Russell Lowell.

3. James Russell Lowell(1819-1891)이 펴낸 책.

어요?

<u>프로스트</u> 나는 전부 다 읽었어. 처음에는 사화집을 읽었지. 내가 존경하는 시인을 발견하지, 그러면 그런 사람이 얼마든지 있을 것 같은 생각이 들어. 좀 옛날 사람으로는 이를테면 쉘리,[4] 「우리들의 혈통과 국가의 영광(The glories of our blood and state)」, — 그런 종류의 훌륭한 시지. 나는 더 찾아보지. 없어. 그저 두어 개야 — 더는 없어. 나는 지극히 가톨릭적이야, 모든 것에 있어서 그래. 나는 이것저것 읽었어. 옛날에 독일에서 공부를 한 사람들처럼 외길을 파고 들어가지는 않아. 그런 것은 하나도 없어. 어떤 사람의 것을 전부 읽지 않으면 아니 된다는 따위의 관념을 나는 싫어해, 그렇지만 때에 따라서는 많이 읽어, 상당히 많이 읽지.

파운드와의 싸움

問 영국에 계실 때 파운드가 읽던 종류의 시를 읽으셨습니까?

<u>프로스트</u> 안 읽었어. 파운드는 뜨루바두르파(troubadours)의 시인들의 작품을 읽고 있었지.

問 선생님은 파운드하고 서로 어떤 특수한 시인들에 대한 얘기를 하셨습니까?

<u>프로스트</u> 내가 그를 처음 만났을 때, 그는 그 당시 로빈슨과 데 라 메어를 좋아했어. 그러더니 어떻게 됐는지 데 라 메어 숭배를 그치고, 로빈슨도 역시 박차 버렸지. 우리들은 몇 개의 조그만 시를 가지고 시비를 했지. 2, 3주일 동안을 잠시 그와 함께 돌아다닌 일이 있어. 그의 수법이 퍽 재미있었어. 그는 Willy Whistler 같은 자기가 좋아하지 않는 사람들에게 난폭한 행위를 했어. 내 생각에는 그가 휘슬러의 영향을 받았던 것 같아.

• • •

4. James Shirley(1596-1666). 영국 극작가.

그들은 불란서식 권투를 배웠어. 발길로 이빨을 들이차고는 했어.

問 애교로.

프로스트 그래. 당신은 그 노래를 아는가, 그 잡가 말이야 — 〈그들은 발로 싸운다~〉. 무엇보다도 파운드의 인상적인 소행은 나한테 보헤미안을 과시한 거야.

問 그 당시에는 볼 만한 보헤미안이 많았지요?

프로스트 그런 것은 처음 보았어. 그런 일은 처음 당했어. 그는 나를 식당으로 끌고 들어가더군 그래. 그러더니 식당 안에서 나한테 유도를 쓰지 않겠나. 나를 그의 머리 위로 내다 꼰졌어.

問 파운드가 그랬단 말이죠?

프로스트 나는 그가 설마 그럴 줄은 모르고 마음을 턱 놓고 있었어. 나는 파운드만큼 기운이 셌거든. "자네한테 한번 보여줄까, 보여줄까. 일어나." 하더군 그래. 그래서 일어나서 내 손을 그에게 주었지. 그는 내 팔목을 꽉 잡더니, 뒤로 비틀어가지고 머리 위로 냅다 내다 꼰졌어.

問 그래 어떻게 됐어요?

프로스트 뭐, 아무렇지도 않았지. 식당에 있던 사람들이 모두 자리에서 일어났어. 파운드는 테니스를 친다고 노상 자기 자랑을 하더구먼. 나는 한 번도 그 사람하고 테니스를 쳐본 일이 없어. 그 후 그는 시를 전공하는 사람들과 도처에서 유도를 하고 허리뼈를 다치고 야단들을 했어.

問 최근에 『뉴욕 타임즈』의 서평란의 사설에서 Karl Shapiro는 선생님이 파운드나 엘리오트 모양으로 '모더니즘'을 범하지 않았다고 해서 선생님을 칭찬했던데요. 이러한 기사에 대한 선생님의 반응이 어떠하신지 궁금합니다. (전화 종소리.)

프로스트 나한테 온 전화인가? 잠깐 기다리시오. 중지! (중지. 프로스트는 전화를 받으러 간다.)

프로스트 어디까지 이야기했던가? 오 그래 그쪽에서 질문을 하려고 했지.

問 제가 질문을 하려고 한 게 아니죠. 제가…….

프로스트 오 참, 칼 샤피로 이야기를 했지, 그것 우습지 않아? 노상 나는 그런 질문을 받는단 말이야 — 나는 요즘 한 바퀴 죽 돌아왔어, 서부 지방으로 해서 한 바퀴 돌아왔거든 — 그런데 걸핏하면 사람들은 나를 보고 "어떤 것이 현대적인 시인이오?" 하고 질문을 해. 흔히 그에 대해서는 답변을 피하지만, 요전날 밤에는 나는 이렇게 말했어. "현대적인 시인이란 그가 설사 언제 세상에 살든지 간에 현대적인 사람들에게 발언하는 사람이어야 합니다. 그것이 현대적인 시인을 설명하는 한 방법이 될 것입니다. 그리고 만약에 그가 민감하게 현대적인 사람들에게 발언을 한다면 아마도 그는 더 한층 현대적인 시인이 될 것입니다."

問 네, 그렇지만 발언하는 방식에 있어서, 엘리오트와 파운드는 수많은 사람들에게 선생님과는 아주 색다른 전통에서 쓰고 있는 것 같은 감을 주고 있습니다.

프로스트 그렇소. 그러나 내가 보기에는 엘리오트는 파운드만큼 그렇게 멀리 소격(疏隔)되어 있지는 않아. 파운드는 내가 보기에는 뜨루바두르파 시인하고 아주 흡사해, 아니 뜨루바두르파 이상야, 그중의 몇 사람하고, Bertrand de Born하고 Arnault Daniel의 혼혈아 같아. 나는 거기에는 손을 대지 않았어. 나는 고대 불란서어를 몰라. 나는 내가 하지 않은 외국어는 싫어. 번역으로 된 것은 읽지를 않고. 단떼에 대해서도 나는 듣기 싫은 불유쾌한 말만 하고 싶은 걸. 그렇지만 파운드는 고대 불란서어를 아는 모양이지.

問 파운드는 우수한 어학자이었지요?

프로스트 그건 모르겠는데. 후로리다에 펜실바니아대학에서 파운드를 가르쳐준 그의 선생이 있어. 그이가 언젠가 나한테 "파운드? 나는 그에게 라틴어를 가르쳐준 일이 있는데, 파운드는 어형 변화와 동사 변화 사이의 구별을 못 했어." 하는 말을 했어. 그이는 파운드를 무척 좋아했어. 지금도 파운드라면 사족을 못 쓰지. (파안대소). 파운드가 적을 만드는 점잖은 수법(이)야.

問 파운드한테서 편지가 옵니까? 편지 왕래를 하고 계십니까?

프로스트 없어. 작년에 감옥에서 나와가지고 두어 번 편지를 보내왔었지. 아주 우스운 간단한 편지였는데, 멀쩡하던데.

問 그 일에 대해선 와싱톤의 누구한테 부탁하셨습니까?

프로스트 바로 검찰청장한테 말했지. 그이하고 같이 해결했어. 나는 아키(MacLeish)하고 두 번이나 찾아갔지만 그들이 반대당 사람들이 되어서 그랬던지 아무 성과도 거두지 못했어. 그런데 나는 아무 당에도 들고 있지 않지만 말이야.

問 그러시겠지만 선생님의 선친께서 남북전쟁 당시에 충실한 민주당원이었고 그 때문에 선생님의 성함도 로버트 리라고 붙이지 않으셨어요? 그러니까 선생님도 민주당 편으로 보는 거지요?

프로스트 그래, 나는 민주당(이)야. 나는 태어날 때부터 민주당이었어 — 그래서 1896년 이후로 내내 불행했지. 그래 우리들이 실패한 후에 내가 찾아갔지, 그런데 아키가 우리들이 졌다고 생각한 뒤라 나 혼자 찾아갔단 말이야. 검찰청장실로 들어가서, "에즈라 파운드에 대한 당신네들의 생각이 어떤지 알러 온 거요." 하고 말했지. 그랬더니 그들은 대뜸 이렇게 말하더군. "선생님의 생각이 우리들의 생각입니다. 석방하겠습니다." 그러니까 일은 다 된 게 아닌가. 그래서 "이 주일 안에요?" 하고 물었지. 그랬더니 그들은 "선생님이 그렇게 하시자면 이 주일 안으로 하지요. 나가셔서 변호사를 대세요. 우리들은 반대하지 않을 테니까요." 하고 말해. 그래서 그들이 공화당이니까 나는 나와서 그 유능한 좌익적 인사인 투르만 아놀드를 나의 변호사로 정했지. 그날 밤, 밤을 새가면서 공소원에 낼 소장을 썼는데 그것은 버리고 이튿날 아침에 다시 좀 더 간결하게 써가지고 나갔어. 그것으로 일이 다 된 거야. 에즈라는 조그만 쪽지에다 나한테 감사하다는 인사를 써 보냈어. "형의 수고 감사하게 생각하오. 짤막한 대화 정도는 돼요."라고. 그 다음에 커다란 서면에다 서명을 했지. 그리고 그 다음에 나한테 멋진 편지를 또 써 보냈어.

問 그가 이탈리로 떠나기 전에 만나 보셨습니까?

프로스트 아니, 아니, 나는 그에게 뽐내고 싶지 않았어. 나는 그가 나한테 부담감을 느끼지 않게 하고 싶었어. 그렇지만 그는 분명히 나한테 무슨 미안한 생각을 갖고 있을 거야. 그는 몸이 퍽 좋지 못하거든. 일부 사람들은 반대했단 말이야……. (여기서 프로스트가 말하려고 한 것은 파운드의 일부의 친구들이 그를 그대로 에리자베스 병원에 머물러 있게 하는 편이 낫다고 생각하고 있었다는 것이다. 이것은 후일 Merrill Moore한테서 들은 이야기인데, 무어는 프로스트가 자기한테 그런 이야기를 하더라고 하면서, 파운드가 병원 안에서는 독방을 갖고 있었다는 말도 했다.) 정말 그건 슬픈 일이었어. 그리고 그는 시인이었단 말이야. 나는 그 일을 한 번도, 한 번도 물어보지 않았어. 우리들은 오랫동안 친구로서 지내왔지만, 나는 그가 전쟁 때 한 일을 좋아하지 않았어. 나는 다만 간접으로 그 얘기를 들었기 때문에, 지나치게 엄격하게 그것을 판단하지는 않았어. 그렇지만 기분 나쁘게 들렸어. 그는 퍽 우둔한 도박을 한 셈이지.

과학의 중요성에 대하여

問 저는 선생님의 시하고 다른 시하고의 관계에 대한 많은 질문을 했습니다만, 물론 그에 못지않게 중요한 다른 수많은 비문학적인 일들이 있습니다. 선생님께서는 이를테면 과학에 많은 흥미를 가지셨습니다.

프로스트 암, 당신은 당신의 시대의 과학에 영향을 받고 있지 않소? 어떤 사람인가 내 시집에는 어디에나 천문학(天文學)이 흐르고 있다는 말을 했지.

問「글하는 농부와 금성」 같은 시 말이죠?

프로스트 그것도 그렇지만, 시집 전체에 흘러 있단 말이야, 시집 전체에.

수많은 시가 그래 — 나는 천문학을 내포하고 있는 작품을 20개는 열거할 수 있어. 요전에 어떤 사람이 이렇게 말하더군 — "당신이 천문학에 그다지도 흥미를 갖고 있다는 것을 어째서 아무도 몰랐는가요?"라고. 그것을 편견이라고 말할 수 있을 거야. 내가 가지고 돌아다닌 가장 초기의 서적의 하나가 프로크타라는 저명한 영국의 천문학자가 쓴 『무한 속의 우리들의 터전』이라는 것이었어. 그것은 유명한 고전이야. 내 시에 그 말을 집어넣은 게 있지. 열세 살인가 열네 살 때 책을 읽기 시작한 무렵에 읽은 그 책에서 따온 '무한 속의 우리들의 터전'이라는 표현을 내가 내 시 속에다 사용했단 말이야. 「스코틀란드의 두목들」이란 시에 들어 있어. 내가 제일 처음으로 한 권의 책을 끝까지 읽기 시작한 그 해를 나는 기억하고 있어. 조그만 우리 누이가 있었는데, 그 누이가 책이라면 누구의 것이든 어떤 것이든 닥치는 대로 읽었어, 상당히 많은 책을 읽었어 — 퍽 어렸었지만, 조숙했어. 나도 그랬어 — 그래서 어른들이 몸에 해롭다고 문밖으로 떠밀어내고는 했어.

問 과학과 문학에 대한 이야기가 났으니까 여쭈어 보겠는데요, 마사추세츠 공학연구소에서 문학 과목을 많이 가르치기 시작하고 있다는 사실에 대해서 어떻게 생각하고 계신지 알고 싶습니다.

프로스트 그들은 그보다는 고등수학과 고등과학을 더 하는 게 나을 것 같아. 순수과학을 말이야. 그들은 내가 그렇게 생각하고 있다는 것을 알고 있어. 나는 그들을 지나치게 비판하고 싶은 생각은 없어. 그렇지만 말하자면 이런 거야. 인간의 가장 위대한 모험은 과학이야. 사물 속으로 뚫고 들어가는 모험, 물질적인 우주 속으로 뚫고 들어가는 모험 말이야. 그런데 이 모험은 우리들의 재산이야. 인간의 재산이야. 그리고 우리들에 대한 가장 훌륭한 묘사가 인문학이야. 과학자들은 필시 제자들에게 인문학이 과학으로 모험을 하는 여러분을 묘사하고 있다는 것을 상기시켜 주고 싶었을 거야. 그런데 과학 때문에 그 여러분에 대한 묘사는 아주 조금밖에 더 늘지는 않아, 아주 지극히 조금밖에. 아마 심리학이나 그와 비슷한 것에서 늘기는 하겠지만, 아주 조금밖에 늘지 않아. 그런데 과학자들은 이러한 모든 것을 제자들에게 상기시켜 주려고 현재 그 연구소에서는 인문학에 그들의 시간의 절반을 할당하고 있어. 그것은 좀 불필요한 것 같아. 그들은 노상 우리들과 순수과학에 대한 걱정을 하고 있어. 그들은 되도록 심오하게 그들 자신의 제목 속으로 파고들어 가는 게 나을 거야. 나는 그 일을 시작할 때 거기에 가서, 그에 대한 나의 약간의 의구심을 표명했어. 나는 어느 날 밤인가 거기서 Compton을 만났지 — 그는 내 옆에 교단에 앉아 있었어. "우리들은 부족하지." — 나는 관중 앞에서 그를 쳐다보고 말했어 — '"우리들은 순수과학이 약간 부족하지 않았을까?" 그랬더니 그는 "그럴 걸 — 나도 그게 염려가 돼." 하고 말했어. 그래서 나는 "내 생각으로는 변경하는 것이 좋을 것 같아." 하고 말했지. 벌써 몇 년 전 일이야.

問 선생님께서는 방금 심리학 이야기를 하셨는데요. 심리학을 가르치신 일이 있으시죠?

프로스트 장난삼아 한 거지. 그렇지만 나도 심리학을 가르치려면 가르칠 수는 있어. 정신병학자의 단체에 가입하라는 청을 받은 일이 있다는 것을 알고 있을 거야. (메릴 무어를 통해서 알았다.) 그런데 그것은 훨씬 심각한 모임이었어. 그렇지만 나는 거기에 출석해서, 사범대학생들에게 심리학과 그들의 수업 사이에 직접적인 연관성이 있다는 관념이 오류라는 것을 지적했지. 즉 그들이 심리학을 충분히 알기만 하면 한 학급을 매혹할 수도 있다는 개념이 오류라는 것을 지적했지. 그들은 그렇게 생각하고 있었거든.

問 선생님은 한때 윌리엄 제임즈에게 흥미를 가지시지 않았습니까?

프로스트 흥미를 가졌지, 하바드로 다시 공부를 하러 간 것은 거기에 원인이 있기도 했어. 그런데 그가 학교에 얼굴을 비치는 것을 한 번도 보지를 못했어. Santayana, Royce, 그리고 Munsterberg, George Herbert Palmer 같은 모든 철학자들과 노시인들이 있었어. 나는 모든 그들의 강의를 들었어. 하지만 언제나 제임즈가 오기를 기다리고 있었지. 그러다가 흥미를 잃고 말았어.

問 그 당시 산타야나가 선생님에게 대단한 흥미를 주었습니까?

프로스트 아니, 별로 특별한 흥미는 못 느꼈어. 글쎄 무어라고 할까, 나는 항상 그가 사실상 말하려고 하는 것, 그가 향하고 있는 곳, 그러한 모든 것의 결과를 의아하게 생각하고 있었지. 여러 해 동안을 그렇게만 생각하고 있었어. 나는 그를 개인적으로는 알지 못했어. 아무도 대학에서 개인적으로 안 선생은 없었어. 나는 말하자면 — 내 길을 걸어갔어. 그렇지만 나는 그를 존경했지. 그의 말은 황금 같은 것이었어 — 그의 작품의 스타일처럼 경청할 만한 것이 있었어. 그렇지만 나는 그가 사실상 무슨 말을 하는 것인가 하고 의아하게 생각하고 있었어. 여러 해가 지난 뒤에 그의 어떤 말끝에서 모든 것이 두 가지 종류의, 즉 진실과 허위의 환영이라는 것을 알았어. 그리고 나는 허위의 환영은 진실이 된다는 것을 알았어. 두 개의 부정은 하나의 긍정을 만든다는 것을 알았어.

問 선생님이 줄곧 흥미를 갖고 계신 시 이외의 것에 대한 이야기가 나온 끝에 정치이야기를 잠깐 하지요. 헨리 월러스가 선생님의 시 「준비해라, 준비해」와 관련이 있는 것같이 어느 날 저녁인가 선생님이 말씀하신 것을 저는 기억하고 있는데요.

프로스트 사람들은 그런 일을 과장해서 말하거든. 헨리 월러스는 내가 그 시를 읽을 때 워싱톤에 있었어. 그 시의 마지막 연인 "아무도 없느니보다는 — 매수한 우정이라도 거느리고 — 위품 있게 몰락하는 게 좋다. 준비해라, 준비해."를 읽고 나서 나는 "아니면 다른 사람이 당신들에게 준비해 줄 것이다." 하고 덧붙였지. 그랬더니 그가 웃더군. 그의 부인도 웃고 말이야. 그들은 바로 내가 내려다볼 수 있는 가까운 자리에 앉아 있었어.

問 그런데, 선생님은 뉴딜정책 지지자로서의 명성은 없으시군요.

프로스트 세상 사람들은 내가 뉴딜정책 지지자가 아니라고 생각하고 있어. 그렇지만 사실상 나는 그에 대한 입장을 전혀 밝히지 않았어. 뉴딜정책이 나오기 오래오래 전에 쓴 「머슴의 죽음」에서 나는 가정에 대한 두 가지 태도를 말했어. 하나는 남성적인 태도야—"가정은 당신이 그리로 들어가지 않으면 아니 될 때 당신을 받아 주는 곳이다." 이것은 가정에 대한 사나이의 감정이야. 그러자 아내는 "나는 가정을 당신이 어떻게든지 가져서는 아니 될 것이라고 부르고 싶어요."라고 말해. 이것이 뉴딜이야. 가정에 대한 여성적인 태도, 어머니의 태도야. 당신들은 어머니의 사랑을 받아서는 안 돼. 당신들은 아버지의 사랑을 받아야 돼. 아버지는 좀 더 특수해. 하나는 공화당이고, 하나는 민주당이야. 아버지는 아들에 대해서 언제나 공화당원이고, 어머니는 언제나 민주당원야. 이 후자의 일을 아는 사람은 극히 드물어. 세상 사람들은 언제나 남자가 하는 풍자적인 일이나 우악스러운 일만 주목했어.

問 그 시는 사화집에 흔히 나와 있지요, 그런데 선생님은 사화집에 가장 많이 나타나는 선생님의 시를 가장 선생님을 잘 나타내고 있는 작품들이라고 생각하고 계십니까?

프로스트 누가 새로운 것을 발굴해 줄 때는 항상 기분이 좋아. 모르겠어. 흔히 말하듯이, 신의 재량에 맡겨두고 있을 뿐이지.

問 어떤 것은 영 볼 수 없더군요. 이를테면 「고용인들의 고용인」이나 「그중 많은 것」이나 「짜부라진 꽃」 같은 거요. 이런 것들은 이를테면 Untermeyer의 선생님의 시의 사화집 같은 데에는 하나도 들어 있지 않아요. 이상하죠?

프로스트 그야, 그 사람이 자기 나름의 선택을 한 거야. 나는 그에게 말 한마디 안 했어. 권고도 하지 않고.

問 선생님의 작품의 어떤 특수한 분야가 사화집화되어 있지 않다고 생각하는 게 있으십니까?

프로스트 모르겠어. 이를테면 「짜부라진 꽃」은 아무도 건드리지 않았어. 아냐— 들어 있을 걸. 그것이 매티(F. O. Matthiessen)의 사화집 속에 들어 있군 그래. 그것은 옥스퍼드 사람들을 위해서 만든 거야.

問 네, 그렇지만 선생님의 작품의 다른 선집에서는 좀처럼 눈에 띄지 않아요. 그 시는 일부 사람들의 선생님에 대한 선입견하고는 맞지 않는 것 같아요. 선생님은 그것을 공중 앞에서 낭독하신 일이 있으십니까?

프로스트 「짜부라진 꽃」은 밖에서 누구한테 낭독하고 싶지는 않아. 무서워서 그러는 게 아니라 부끄러워 그래. 아니 부끄럽다기보다도 — 누가 남이 읽어 주었으면 좋겠어. 어떤 여자가 나한테 "선생님은 「짜부라진 꽃」에서 무엇을 말하려고 하셨습니까?" 하고 물어본 일이 있어. "여자의 냉담." 하고 대답했지. 그랬더니 달아났어.

問 Lionel Trilling이 선생님의 85회 탄생일 기념 연설에서 어두운 기분의 시를 강조한 것은 선생님의 시가 「자작나무」와 같은 가장 많이 사화집에 나타난 작품들로서 대표된다는 일반적인 가정을 교정하기 위한 것이었다고 생각하십니까?

프로스트 모르겠어 — 트리링의 말대로 내 책을 죽 훑어보자면, 어째서 그가 그것을 좀 더 일찍 보지 못했나 하는 생각이 들어. 거기엔 어두운 것이 얼마든지 있거든. 그것은 어둠으로 꽉 차 있단 말이야.

問 그가 혹종의 일반의 무지 — 선생님의 작품에 대한 혹종의 일반적인 오류 — 를 교정할 생각을 하고 있었다고 생각하십니까?

프로스트 그 자신이 그 오류를 범했어. 그는 자기가 그 오류를 범했다는 것을 인정하고 있지 않았나? 그는 나를 파악하려고 얼마큼 애를 썼는가를 말하고 있었어. 고백 같은 거지. 그렇지만 퍽 기분이 좋았어.

問 그건 사실인데요, 수많은 선생님의 시의 숭배자들은 그가 선생님의 시에서 '어둠'과 '공포'를 강조한 것에 반대했어요.

프로스트 그래, 하기는 그날 밤 그의 말을 듣고 퍽 당황했어. 그는 바로 내 옆에 서 있었고, 바로 그의 말이 끝난 다음에 내가 일어설 차례였어. 생일파티이니까 말이야. 나는 그의 말을 듣고 있었지 — 불유쾌하지는 않았지만, 처음에는 그가 나를 공격하는 줄 알았어. 그가 나를 소포클레스와 D. H. 로렌스하고 비교하기 시작하게 되자 나는 완전히 당황했어.

그 두 사람하고 나하고 무슨 관계가 있느냐 말이야. 소포클레스에 대한 것은 어떻게 생각하면 그럴싸하기도 하지만, D. H. 로렌스의 말이 나왔을 때는 나는 완전히 당황했어. 그런데 그게 문제가 아냐. 그의 말이 끝난 다음에 내가 일어나서 이야기를 할 참인데, 그가 언급한 것을 예증해 가면서 이야기를 해야 할 터인데 이게 야단났더군. 그가 언급한 것은 나한테는 모두 처음 듣는 이야기야. 그가 연설한 논문을 읽어본 일이 없어. 나는 평론을 읽지 않아. 우리 집에도 보다시피 잡지가 없잖아.

시의 난해성에 대하여

問 그가 그에 대한 입증을 한 것을 『빠르띠산 레뷰』지에서 읽어보시고 그의 이야기에 좀 더 호감을 가지셨습니까?

프로스트 그에 대한 그의 변호를 읽어보았지. 퍽 영리하고 퍽 재미있더군, 퍽 재미있어. 감탄했어. 그는 아주 — 지적인 사람이야. 그렇지만 나는 대체로 잡지는 거의 읽지 않아. 당신이 말한 샤피로의 것도 읽어보지 못했어. 그가 그런 이야기를 했다는 것도 나는 처음 듣는 말이야. 그 사람은 내 친구야?

問 그럼요. 선생님의 친구지요. 하지만 그는 수많은 선생님의 친구들과 별로 다를 게 없어요. 그는 선생님의 가장 우수한 친구들이 보는 것보다도 더 한층 단순한 것을 선생님의 시 속에서 보려고 해요.

프로스트 샤피로는 무어라고 말했어?

問 대부분의 현대시는 몽롱하고 지나치게 난해하다는 말을 하면서, 이러한 형상은 특히 엘리오트와 파운드에게서 볼 수 있지만, 선생님의 경우에는 그렇지 않다고 말했어요.

프로스트 좌우간 나는 어렵게 쓰는 것을 좋아하지 않아. 나는 놀려주고 싶어 — 당신들은 짓궂은 것을 좋아하거든. 그렇지만 고집을 부리거나 고집 세게 몽롱하게 꾸미는 그런 우둔한 수법으로는 놀리지 않아.

問 선생님의 시의 난해성은 아마 발음의 음조의 변화를 강조하는 데 있을 겁니다. 발언의 하나하나의 의미를 이중으로 하기 위해서 빌려야 할 수단은 의식적이든 무의식이든 간에 발음의 음조이다, 라는 말을 선생님은 언젠가 하셨습니다.

프로스트 그렇지, 틀리는 말이 아냐. 거의 내가 한 모든 말을 취소할 수도 있는 거야. 반대명제로 말하는 거지 — 시에서는 그게 돼. 아주 친근한 사람들하고도 반대명제로 말할 수 있지. 그들은 당신이 무슨 이야기를 하는지 안단 말이야. 이런 모든 시사와 이중발음(double entendre)과 암시는 — 결국은 '암시'라는 말이 되지. 당신이 신용할 수 있는 사람들하고는 당신은 시사나 암시로 이야기할 수가 있어. 그들이 당신이 의도하지도 않은 암시를 생각하거나 당신이 의도한 암시를 포착하지 못하는 경우에는 친밀감이 깨지지. 당신은 그 과정을 심리학자처럼 주시할 수 있어. 나는 몰라. 몰라, 몰라…… 당신은 결코…… 나를 그렇게 생각하지 말아…… 알겠어, 나는 문학적인 생활을 하지 않았어. 문학하는 사람들은 정말이지 자기 자신을 묘사하고 자기 자신을 이해하려고 산문을 가지고 끊임없이 일을 하고 있지. 나는 그런 짓은 안 해. 나는 내 자신에 대해서 그다지 많이 알고 싶지 않아. 샤피로가 내가 난해하지 않다고 생각하고 있다는 것을 안다는 것은 나에게 흥미 있는 일야. 그것은 괜찮아. 나는 일평생 비평을 쓰지 않았어, 논설을 쓰지 않았어. 항상 논설을 쓰는 것을 거부하고 있지. 그들은 모두가 문학하는 사람들이야. 나는 시간이 없어. 나는 그런 작업을 하지 않아. 나는 농부가 아냐. 그것은 나의 겉치레가 아냐. 그렇지만 나는 얼마간 농사를 지어왔고 지금도 수선을 피우고 있지. 산보도 하고, 다른 사람들과 함께 생활도 하고 이야기를 많이 하기를 좋아하고 그렇지만 대단한 문학생활은 해 본 일이 없고, 깡패들하고는 그리 상종이 없어. 나는 미국 시단의 부통령, 아냐, 명예 대통령이지. 때때로 등청을 하지. 미국 시인들이 잘 되어야 할 텐데.

〈시〉

고려해야 할 반점

로버트 프로스트

저렇게 하얀 종이 위가 아니었더라면 도저히 눈에 보이지 않았을 하나의 반점
내가 거기에 써 놓은 것을 가로질러서 움직이고 있었다.
나는 잉크의 종지부로 그것을 멈추게 하려고
철필을 허공에 멍하니 꼬나들고 있었는데
무엇인가 그에 대한 이상한 것이 눈에 띄어서 생각을 하게 되었다.
이것은 나의 입김에 불린 먼지의 점이 아니라
자기의 것이라고 부를 수 있는 여러 가지 성질을 가진
틀림없는 하나의 살아 있는 미생물이었다.
그것은 나의 철필을 의심하는 듯이 서 있더니,
그 다음 다시 맹렬한 기세로 돌진을 해서
나의 원고가 아직 마르지 않은 데까지 왔다.
그리고는 다시 걸음을 멈추고 마시는지 남새를 맡는지 했다—
아주 기분 나쁜 기색이다. 아니나 다를까 또다시 죽어라 하고 뛰기 시작했다.
분명히 상대방은 지성을 갖고 있었다.
그것은 너무 작아서 발을 갖출 여유가 없어 보였지만,
완전한 발 한 벌을 갖고 있었다고밖에 볼 수 없는 것이
죽는 것이 얼마나 싫은가를 그 발로 표시하고 있었다.
그것은 혼비백산해서 도망을 치더니 교활하게 상큼상큼 기어갔다.

그것은 비틀거렸다. 주저하고 있는 빛이 보였다.
그다음 펼쳐진 종이 한복판에
절망을 하고 몸을 바싹 웅크리고는
내가 주는 어떠한 운명이라도 감수할 각오를 하고 있었다.

나는 요즘 현대세계를 휩쓸고 있는
"너보다는 상냥하다"는 식의
획일적 집단적 애정 같은 것은 티끌만치도 갖고 있지 않다.
그렇지만 지금 이 불쌍한 현미경적인 놈!
이에 대해서는 아무런 사악하다는 말을 들은 일이 없기 때문에
나는 그대로 거기에 누워 있게 하고 자고 싶으면 자게 내버려두었다.

나는 내 자신 하나의 마음을 갖고 있다 그리고
어떠한 모양을 한 것이든 마음을 가진 것을 만나기만 하면 그것을 인식한다.
어떤 종이 위에든 마음이 조그만치라도 표시되어 있다는 것을 알기만 하면
내가 얼마나 좋아하는지 아무도 모른다.

–『문학춘추』, 1964. 12.

세익스피어의 이해

죤 웨인(John Wain)

작가는 색다른 일에 대한 것을 써서는 안 된다. 그것은 신문기자들이 할 일이다.

–제임스 죠이스가 쥬나 바네즈[1]에게 보낸 서한에서(1919)

좋은 소식이다. 세익스피어는 이미 불가해하지 않다. 아무도 세익스피어가 '의미하는' 것을 아는 사람이 없다고 해서, 따라서 그의 작품을 제각기의 명랑한 착상의 반향실로 만들어도 된다고 해서, 세익스피어를 그의 본래의 관객들에게 돌려보내려는 관심에서보다도 오히려 비평가나 연출자의 허영에서 나오는, 황당무계하게 부조리한 해석을 연극관객이나 독자들이 더 이상 감수할 필요는 없다. 이러한 근저(根底) 없는 세익스피어의 '모호한 점'은 여러 세기 동안을 두고 특히 연극에 있어서 맵시 있는 재사(才士)들에게 백지식 수표처럼 무제한 받아들여져 왔다. 이러한 재사

1. 주나 반스(Djuna Barnes, 1892-1982). 미국의 작가.

들은 시끄러운 속물들이다. 그들은 세익스피어의 지혜 이상으로 그들 자신의 갖가지 수단을 발휘한다. 이제부터 나는 이것이 이미 필요 없게 되었다는 사실을, 로리타에게 무슨 일을 설득할 때에 훔버트 훔버트[2]가 겪은 것과 같은 구슬프고도 지루한 절망감을 가지고, 설명해 보려고 한다. 세익스피어가 그렇게 하기를 원하는 사람들에게 아주 단도직입적으로 향락될 수 있고, 아주 뚜렷하게 보여질 수 있다는 사실을. 그리고 자기 자신의 재치에만 관심을 두고 그렇게 하기를 원하지 않는 사람들은 상업 테레비 방송극을 맡아 쓰는 편이 나으리라는 사실을. 또한 세익스피어의 작품에의 가장 유리한 접근방법은 20세기에서부터 뒷걸음질 치는 일이 아니라 고대나 아득한 태고 때부터 전진해 나오는 일이라는 사실을. 세익스피어는 판권과 선전 사진을 갖고 있는 현대 작가의 인쇄물로 양성된 '개성'보다는 민속적 상상이나 인류의 우화와 은유에 대한 집단적인 취향에 더 많은 공통점을 갖고 있다. 신화와 전설과 민요는 우리들이 허무맹랑한 기대 없이 그에게 접근하는 데 도움이 될 것이며, 중세기의 '신비극'과 오비디우스의 『변모(變貌)』는 현대의 극장의 대가들의 작업보다도 더 좋은 거리측정기가 될 것이다.

우선 우리들은 학문의 힘으로 문예부흥이 훨씬 더 뚜렷한 초점에 놓이게 된 것을 주의하지 않으면 아니 된다. 반드시 세익스피어의 연구에 대변혁을 일으키려고 기도된 것이 아닌 저술이 사실상 그의 연구에 일대변혁을 일으켰던 것이다. A. O. 러브죠이(Lovejoy)의 『존재의 대연쇄(*The Great Chain of Being*)』(1936) 같은 저서가 발간되자, 세익스피어의 중심적인 의미를 잘못 파악하는 일이 불가능하게 되었다. 다시 말하자면, 그의 주요한 관심이 질서에 대한—우주의 질서, 국가의 질서, 인간의 정신 내의 질서에 대한—그리고 그러한 질서에 도전하고 그것을 뒤엎어 버리려는 시도의 불가측(不可測)의 결과에 대한 일련의 진술을 꾸미려는 데

• • •

2. Humbert Humbert. 소설 『로리타』에서 미소녀 로리타를 사랑하는 교수.

있다는 것을 인식하지 않을 수 없게 되었다. 따라서 그의 희곡이 제(諸) 주제를 갖고 있다는 것을, 혹은 오히려 매 개의 희곡이 하나의 거대한 주제에 대한 변주곡이라는 것을 인식하지 않을 수 없게 되었다. 또한 이러한 사실에서 볼 때 그의 희곡이 단순히 인물 연구의 매개체가 될 수 없다는 것을 인식하지 않을 수 없게 되었다.

1904년에 브래들레이(Bradley)에서 전성기를 이룬 19세기의 문예비평은 세익스피어의 제 희곡을 초상화의 화랑처럼 취급함으로써 그의 목적은 희곡의 인물들을 해부하고 그들의 동기를 논의하는 일이었다.[3] 그들의 시대의 문학은 사실주의 소설의 지배를 받고 있었기 때문에 이러한 비평가들은 스코트나 디킨즈의 연구에서 추출한 방법을 세익스피어의 연구에 적용했다. 이러한 노상의 장해물을 제거하기 위해서 두 차례의 폭발이 필요했다. 최초의 것은, 앞서 말한 것과 같이, 문예부흥을 초점에 맞춘 협동적인 학술적 작업이었다. 콜르리지[4]의 가장 혁혁한 『대강(大綱, *aperçus*)』보다도 데오도어 스펜서[5]의 『세익스피어와 인간의 본질』 같은 지적 보급의 저서가 더 많은 진정한 도움이 되고 있다 — 그리고 이런 말을 하는 것이 가슴 아픈 일이라면 우리들은 가슴이 아파야 한다. 또 하나의 폭발은 상상적 저술 그 자체 내에서 일어났다. 한 시대의 문예비평은 예술가가 하고 있는 일을 설명하려는 기도에서 생겨나는 것이기 때문에 말라르메, 쁘루스뜨, 예이츠, 죠이스, 파운드, 엘리오트가 새로운 문학을 만들기까지는 세익스피어에 대한 새로운 비평은 생겨날 수가 없었다.

구시대의 비평은 문자에만 착념하는 비평이었다. 사실주의 소설 위에서 자라난 이 비평은 세익스피어의 작품의 상징적이며 시적인 본질을 무시했

---

3. 두 문장을 한 문장으로 묶어 번역하면서 어색해졌다. 19세기 비평은 셰익스피어 희곡의 인물과 그 인물들의 동기를 논의했다는 뜻이다.
4. Samuel Taylor Coleridge.
5. Theodore Spencer(1902-1949). 미국의 시인, 학자.

다. 그것은 우리들에게 주제가 아니라 인물을 보여 주었고, 시적 연극이 아니라 주인공이 그것을 입고 어떤 색다른 이유로 시를 지껄이는 의상 연극을 보여 주었다. 극장에서는 그것은 『해플리트』를 보기 위해서가 아니라 햄플리트로 분장하는 어빙(Irving)을 보기 위해서, 『심베린(Cymbeline)』을 보기 위해서가 아니라 이모겐에[6] 분장하는 엘렌 테리(Ellen Terry)를 보기 위해서 사람들이 극장으로 몰려드는 스타 제도와 손을 잡았다. 이것은 쇼(Shaw)가 자기는 세익스피어의 의도에 경명[7]을 느낀다고 공언할 수 있었던 시대이었다. 그 당시에는 아무도 그 의도가 충분히 힘껏 발휘되는 것을 구경할 수 없었다.

세익스피어가 가장 잘 안다.—이러한 슬로건의 액자가 온갖 배우 준비실이나 온갖 잡지 편집자의 사무실이나 온갖 비평가의 서재에 걸려 있을 수만 있었더라면! 그러나 이런 말을 한다는 것은 언제나 고물(古物) 연구의 취미에 사로잡혀 있다는 비난을 받고 무안을 당하는 것이 된다. "16세기는 먼 옛날이다. 우리들은 현대에 살고 있다. 세익스피어의 관념을 그의 순수한 형태로 재건한다는 것은 생생한 경험이 다 없어진 역사공부를 하는 일이 된다."고 판에 박은 듯한 논변을 주장하는 것이다. 당치도 않은 소리다! 이런 경향에서 말하는 사람들은 세익스피어의 관념의 진수(眞髓)를 발견할 수 있을 만큼 보조를 늦추어본 일이 없기 때문에 이런 말을 한다. 그들이 그렇게 보조를 늦추어보기도 전에, 도대체 그들은 어떻게 이러한 관념이 고물연구의 취미밖에 안 된다는 말을 할 수 있겠는가?

사실상, 두 말할 것도 없이, 세익스피어의 질서 — 행복에 필요하고 종국에는 단순한 생존에 필요한 질서 — 에 대한 진술은 우리들의 세기의

• • •

6. '이모겐으로'가 자연스럽다.

7. '경멸'의 오식. "contempt"의 번역어이다.

가장 유력한 사람들이 말하고 싶어 한 것과 지극히 본질적으로 일치되고 있다. '인격의 완성'—이것은 질서가 아니고 무엇인가? 현대의 산업문명의 황폐와 위축을 벗어나서 사는 사람들이 누리게 되는 충분한 본능적인 생활에 대한 로런스의 이상—이것도 역시 질서가 아니고 무엇인가? '조직적인 사람들'이나 '대재벌들'이나 그 밖의 저주받은 나머지 사람들은 전체에 거역해서, 즉 질서에 거역해서 살려고 하는 사람들이 아니고 무엇인가? 세익스피어의 중심적 견해는 잠시도 그것을 거들떠볼 기회를 가질 수 없을 만큼 황당무계한 것인가?

세익스피어의 비평은 그것이 세익스피어의 환상으로 하여금 상충하는 이기주의와 부적절의 밀림 속을 조명할 수 있도록 하는 기도가 아니라면 일 푼의 가치도 없는 것이다. 그리고 이 일을 할 수 있는 가장 직접적인 방법은 과거 3세기 동안에 자라난 제 난관을 제거하려고 노력하는 일이다. 이러한 난관 중의 일부는 단순한 정보에 관한 일이다. 정보를 회수하는 일은 매우 곤란한 일이겠지만, 나는 '단순한'이라는 말을 쓰고 있고, 따라서 우리들은 상당한 지식의 자원을 가지고 조그만 특수한 문제들을 해결하는 끈기 있는 학자들에게 다만 감사하고 있을 뿐이다. 그러나 그보다도 더 큰 난점은 원근법에 관한 일이다. 우리들은 인쇄된 서책이 지배하는 3세기동안의 문화에 의해서 세익스피어로부터 분리되어 있다. 그리고 그뿐이 아니라 18세기 중엽 이래 신문에 의해서 점점 더 분리되고 있다. 우리들은 그의 희곡을 대부분이 자연주의 문학의 안개를 통해서 보고 있다. 불구자적인 문학 상의 착념만을 위주로 하는 인물 비평은 없어졌지만, 세익스피어의 작품의 신화적 본질의 충분한 실현은 아직도 이루어지지 않고 있다. 1929년에 G. 윌슨 나이트(Wilson Knight)는 내가 우리들의 시대의 세익스피어에 관한 가장 중량 있는 유일한 저서라고 생각하고 있는 『신화와 기적』을 발간했다. 전세대의 비평가들은 그들이 나이트의 특이한 결론에 이의를 제창할 때에도 그의 위치를 지지해 왔다. 그러나 상징적인 조정은 고도한 의식을 가진 문학인의 마음속에서밖에는 이루어지지 않고 있다 — 그런데 세익스피어는 고도한 의식의 문학인들만의 소유물은 아니다. 세익스피어가 그 속에서 일을 하고 그것을 위해서 일생을 바친 극장은 아직도 에드워드 조(朝) 식(式) 태도에 지배되고 있다. 그러나 진정한 세익스피어의 원근법을 지극히 쉽사리 돌파할 수 있는 것이 극장이다. 문예비평가들이 수백만 개의 낱말을 소비하고 커다란 곤란을 겪어 가면서 이루어 놓은 일을 극장은 아무 논쟁도 없이 조금도 힘을 들이지 않고 성취할 수 있다. 다시 말하자면 극장은 다만 그의 희곡을 본시에 머리에 떠오르는 대로 무대 위에 올려놓고, 제풀로 그것을 지껄이게 함으로써 그 일을 성취할 수 있다. 성숙한 세익스피어의 희곡은 '재치'의 왜곡(歪曲)된 현혹(眩惑)을 통하지 않고 사실상 있는 그대로 보여지게 되면, 즉시 신화로서의 자태를 나타낸다. '신화'라는 말이 모욕적인 하나의 '노파들의 이야기'로밖에는 생각되지 않는 사람들에게는, 그의 희곡은 문자 상의 지루함이 없는 신화처럼 느껴진다. 그의 상징은 상징의 의미를 알지 못하고 알고 싶어 하지도 않는 사람들에게 전달될 때 완전한 작용을 한다. 그것들이 필요로 하는 것은 다만 여과(濾過)되지 않고 곧장 직통해 올 수 있는 기회, 문자에 걸신이 들린 사람들의 설명을 듣지 않고 직통해 올 수 있는 기회다.

이러한 무력한 직어주의(直語主義)의 표본으로 나는 내가 갖고 있는 가장 최근에 나온 인기 있는 주석이 붙은 신간을 들 수 있다. 즉 원문의 인용문이 두 명의 국제적인 권위 있는 학자의 설명적인 주석과 함께 간간이 삽입되어 있는 '폴가문고'의 '일반 독자의 세익스피어'[8]속에 들은 『먹베드』를 들 수 있다. 그들은 제4막 제1장에 나오는 "손에 나뭇가지를 든 왕관을 쓴 어린애"의 "유령"에 대목에 이르자,[9] 그 유령이 "그의 부하들

• • •

8. 원문은 "Folger Library General Reader's Shakespeare"(1959)이다. 정확한 번역은 "폴저도서관의 일반 독자를 위한 셰익스피어전집"(1959) 정도가 될 것이다.

을 나무처럼 위장시킴으로써 먹베드를 깜짝 놀라게 하는 그의 속임수의 상징을 들고 있는 덩컨의 아들 말캄"이라는 재단식(裁斷式) 주석을 제시하고 있다. 그러나 이러한 설명은 상징이 아닌 암호의 환상을 만드는 것이다. 상징은 수수께끼를 풀고 전언을 추출해낼 수 있는 부호(符號)가 아니다. 그것은 울려 퍼지는 것이고, 그것은 독립적인 생명을 갖고 있는 것이고, 그것은 그의 존재가 담겨 있는 극적·시적 공생 속에 수많은 '의미'를 내포하고 있는 것이다. 이를테면, 그 특수한 경우에 있어서 말캄의 관념은 왕관을 쓴 어린애의 자태에 구현되어 있지만, 무녀(巫女)가 왕이 될 것이라고 예언한 바 있고 밴코의 주요한 기능을 폭로하는 거창한 독백의 대목에서, 먹베드가 그들 때문에 자기가 속았다고 고함을 치는 밴코의 자손들의 관념도 역시 거기에 구현되어 있다.

과연 그렇다면
나는 밴코의 자식들 때문에 내 마음을 더럽히고,
그들을 위해서 자비로운 던컨왕을 죽인 것이 된다.
나의 평화로운 마음의 그릇 속에 흉악한 감정을 담은 것이고
다만 그들을 위한 것이고, 나의 영원한 보옥(寶玉)인 영혼을
인류 공동의 적인 악마에 내어맡긴 것도
그들을 왕으로 만들기 위한 것, 밴코의 새끼들을 왕으로 만들기
위한 것이었다!

그리고 그가 보는 다음의 환상은 8명의 왕의 행렬이며, 밴코의 망령이 그 뒤를 따르고 있다. 버남의 숲이 던시네인으로 몰려오는 것같이 보이는 "나뭇잎의 덮개"에 대한 처사로 말하자면, 그것은 그 자체가 상징적이기 때문에 세익스피어는 첫 번째의 상징을 상징하기 위해서 두 번째의 상징을

• • •

9. 원문대로임. '"유령" 대목에 이르자'가 자연스럽다.

쓸 필요가 거의 없었다. 먹베드는 황폐하고, 황폐시키고, 불모적(不毛的)이고, 죽음을 거래하는 모든 일과 동렬에 서 있다. 그 희곡의 "실재(實在)"[10]를 대표하는 인물들 — 던컨, 밴코, 말캄, 그리고 무대에 나오지 않는 참회왕(懺悔王) 에드워드까지도 — 은 성장과 무성(茂盛)을 시사하는 은유가 부여되어 있다. "나는 이미 그대를 심어 놓았으니까, 충분히 자라나도록 힘을 쓸 생각이야." 하고 던컨 왕은 먹베드에게 감사의 말을 하고 있다. 그리고 말캄은 왕위에 오르자마자 "시세에 따라서 새로 시작해야 할 그 밖의 일"에 대한 말을 한다. 영국의 에드워드왕은 제아무리 무서운 질병도 그의 손이 닿기만 하면 감쪽같이 낫는 힘을 갖고 있고, "소문을 듣자니, 그는 이 치료의 힘을 대대의 국왕에게 물려준다는 것이다." 좋은 인물은 재생하고, 나쁜 인물은 임신을 못 한다. 먹베드 부인의 젖꼭지를 뽑아내는 진술[11]은 근본적으로 막다프의 비탄에 젖은 "그놈은 어린애가 없어"라는 말과 모순되지 않는다. 먹베드 부부가 어린애를 낳았다 하더라도, 그에 대한 기억이 그들의 골수 속에 하나도 남아 있는 것이 없다. 그들은 삶이 아니라 죽음을 위해 있다. 또한 푸른 나뭇가지가 원수를 갚으러 쳐들어오는 군대에 의해서 먹베드의 보루로 다가올 때에도, 이 상징은 "2중의 의미로 우리들을 속이는…… 요술쟁이 악마"에게 먹베드가 당하는 사기뿐만 아니라, 자연의 파괴자인 먹베드가 애매한 예언에 속아서 "우리들의 귀하신 먹베드는 자연의 수명대로 살으실 것이다"라는 신념을 갖게 되는 최상의 풍자뿐만 아니라, 먹베드의 "메마른 홀(笏, 왕권)"의 기억을

• • •

10. "실재(實在)"는 "positives"의 번역어이다. 맥베스의 부정적 면모와 대비하여 '긍정성'이라고 번역해도 될 것이다.

11. "먹베드 부인의 젖꼭지를 뽑아내는 진술"은 "Lady Macbeth's nipple-plucking speech"의 번역이다. 맥베스 부인이 덩컨왕 살해를 앞두고 머뭇거리는 맥베스에게, 맹세한 계획을 위해서라면 자신은 사랑스러운 젖먹이 아이의 입에서 젖꼭지를 빼내 버리고 아이의 머리를 박살내는 일도 했을 거라고 나무라는 진술 부분을 가리킨다.

매장할 푸르고 무성하게 자라나는 물건을 표시하기까지도 한다. 우리들은 그것이 무엇이든 간에 세익스피어의 작품의 위대한 중추적인 상징을 해석하기 위해서 "세익스피어 학자"가 될 필요는 없다 — 다만 우리들은 문학의 상징의 의미에 대한 희미한 자각이 있으면 된다.

세익스피어는 올된 것에서 올되지 않은 것으로 시류적이고 화제적인 것에서 기본적이고 상징적인 것으로 옮겨 앉았다. 그의 초기의 희극은 멋진 이탈리풍의 주연(酒宴)에 그가 참석하고 있는 것을 보여 주고 있고, 그것은 워위크샤이어[12]의 시골풍의 완만한 정신 상태가 따라가지 못할 만한 세련된 곳으로 그를 단걸음에 올려놓고는, 그를 대학풍의 기지(機智)의 성공적인 적수로 만들었다. 그의 초기의 비극의 기질도 역시 마찬가지로 당세풍(當世風)의 것이다. 지루한 어른들을 골탕 먹이는 젊은 부부가 나오고, 행복스러운 종말 대신에 비극적인 종말이 제시되는 낭만적인 이탈리풍의 연애물을 이야기할 때도 그렇고, 리챠드 3세를 빌려서 말로우(Marlow)를 본받은 르네상스의 과대망상광을 그리고, 마끼아벨리의 낯익은 무청(蕪菁) 귀신을 불러낼 때도 그렇다. 그러나 그가 성장함에 따라서, 자료는 눈에 뜨이지 않게 스며들기 시작하며, 우리들은 그것이 집단의 상상력에서 따온 것이라고밖에 말할 수 없게 된다. 그의 골자는 민간설화를 닮아가기 시작하고, 인물들은 점점 더 복잡해져 가는 동시에 원형화(原型化) 되어간다. 그들은 심리적 사실성을 띠우고 외면적으로 성장해 가지만, 동시에 꿈과 동화와 집단적 무의식 속으로 자꾸자꾸 더 깊이 직근(直根)을 뻗어 내려간다. 『해믈리트』에 있어서는 민간 설화의 자료가 역사와 정치에서 따온 무대장치 속에 나타난다. 『리어 왕』에서는 이 희곡의 벽두의 상황이 전부 '거인 살인자 재크'나 '신데렐라와 그녀의 못생긴 형제들'과 동일한 상상의 영역에서 오고 있다. 이를테면 『끝이 좋은 것은

• • •

12. 워릭셔(warwickshire). 영국 잉글랜드 미들랜즈 지방의 한 주.

모두 좋다』의 골자(骨子)의 짤막한 산문초(散文抄)를 만들어보면, 그것도 역시 동일한 세계라는 것을 알게 된다. 여행을 떠난다고 공언하고는, 그 대신에 변장을 하고 인민들을 더 가까이 살펴보려고 그들 사이를 암행하는 공작은 순전한 민간 설화의 인물이다. 그리고 가장 말기의 희곡인 '모험물'[13]에서는 심리적 사실성도 위축되고 신화에 집중된 흥미만이 대부분을 차지하게 된다. 세익스피어의 마지막 희곡인 『템페스트』는 출처가 발견되지 않은 유일한 작품이다. 그러나 한편 이 희곡에 나오는 모든 것은 세상에 널리 퍼져 있는, 몇 번이고 되풀이해서 채용되는, 자료와 유사점이 많은 것들이다. '아덴' 희곡집의 편찬을 맡아본 프랑크 커모드(Frank Kermode)가 그 서문에서 말한 것도 바로 그것이다.

> 결국 『템페스트』의 출처는 전설, 속요, 설화, 동화에 나오는 거의 세상에 다 알려져 있는 고대의 주제이다. 어떤 이야기가 있다는 것은 『템페스트』에 대한 유사물이 많다는 것을 증명한다. 프로스페러와 아이러(Ayrer)의 '시디아(Sidea)'[세익스피어의 작품과 가장 유사점이 많아 보이는 독일 희곡][14]의 아버지가 화를 잘 낸다는 것은, 최후의 분석에서, 그들이 성미가 고약한 거인 마술사의 후예라는 사실로서 설명된다. 미란다와 시디아 같은 공주가 고역을 하는 포로 왕자를 구해내서 거침없이 사랑을 자백하는 것도 역시 원형의 특색이다. 통나무 나르기도 역시 태고 때의 특색이며, 원시시대의 이야기에 나오고 있다. 이 일은 밭을 가는 제2단계의 일의 준비로 나무를 잘라내기 위한 일이다. 그 후 왕자는 수확물을 베어들이지 않으면 아니 되었고, 이러한 일들은 하루 동안에 완수되어야만 했다. 제이슨(Jason)의 이야기

● ● ●

13. 세익스피어의 후기 극인 romance 장르물을 가리킨다.
14. 독일 극작가 Jacob Ayrer(1543-1605)의 희곡에 나오는 인물 Sidea를 가리킨다. 세익스피어의 「템페스트」의 플롯모델이라고 일컬어지는 코미디의 인물이다.

가 초기의 유사물로서 생각에 떠오르며, 이 설화를 본뜬 이야기가 구라파와 동양의 도처에 퍼져 있다.

다시 말하자면, 세익스피어의 예술은 특징적인 현대 작가의 예술처럼 새로운 자료를 안출해내는 일에 의존하지 않고, 오히려 구라파인의 의식의 낯익은 동거인이 된 제 성분의 새로운 통일체 속에 함께 융합하는 일에 의존하고 있다. 현대 작가들은 신문기자처럼 제각기 '특종물'을 구하려고 애를 쓰고 있지만, 세익스피어는 인지된 지 오래된 자료를 모아가지고 그것을 새롭고 보다 더 값진 종합물로 조직하는 자연의 힘을 더 많이 갖고 있어 보인다.

이것이 세익스피어의 독창성의 진정한 본질이다. 그의 정신은 사물의 표면에서는 놀지 않았다. 그의 정신은 가장 깊은 심층에서 출발해서 위를 향해 솟아올랐고, 그러면서 자료를 수집하고 그것을 변형시켰다. 이것은 20세기 사람들에게는 지극히 낯선 일이기 때문에, 젊은 문학도들은 처음으로 세익스피어에 접근하자 그가 그 자신의 플롯을 만들지 않은 것을 알고 깜짝 놀라는 수가 많다. 그들에게는 이미 수중에 있는 이야기에 의존한다는 것은 약점을 의미하는 것이며, 새로운 것에 쫓아갈 수 없다는 무능을 의미하는 것이다. 버나드 쇼에게 통속 잡지의 편집자가 받는 정도의 감명밖에는 주지 못한 그러한 종류의 '독창성'에 사실상 그들이 흥미를 느끼지 못했다는 것은 엘리자베드 조(朝) 시대 사람들에게 책임이 있다. 그들은 여전히 중세기의 세계에 뿌리를 박고 있었고, 그들에게는 이야기가 그것을 상술하는 사람보다도 더 문제가 되었다. 이를테면, 초서(Chaucer)에게는 시인의 주요한 임무는 항상 사람들의 주목을 끌고 있는 이야기를 신선하고 효과 있게 되풀이하는 일이다. 그는 그가 독자에게 부여하는 것이 '낡은 책들' 속에서 발견될 수 있다는 것을 지적하기를 좋아한다. 그는 독자를 힘—어떤 개인의 공헌을 초월하는 힘—의 원천으로 끌고 들어간다. 그렇기 때문에 말로리 같은 작가는 아무도 원저자가 없는 전거(典據)를 주장하기까지 한다. 그것은 자료에 위엄을 부여하는 것이다.

현대의 속요시인은 그와 동일한 상상적 전통 속에 놓여 있다. 구술문화에 있어서의 '전통'과 '개인의 재능' 사이의 균형을 감득하기 위해서는, 우리들은 로드의 『설화 시인』 속에 묘사된 정신적 조정을 하지 않으면 아니 된다. 민속 문화에 익숙한 학자들까지도 여러 해 동안을 원전을 찾아서 자꾸 거슬러 올라가면서 도깨비에 홀린 것 같은 탐구를 했다. 그 때문에 로드 교수는 솔직하게 이렇게 말하고 있다.

> 사실을 말하자면, 우리들의 '원본'이나 '노래'에 대한 개념은 구술전통에 있어서는 아무 의미도 없는 것이다. 우리들이 모든 것에 '원본'이 있어야 한다고 느끼는 것이 우리들에게 지극히 기본적이고 지극히 논리적으로 생각되는 것은 저술이 예술에 있어서의 견고한 최초의 창작의 기준을 정한 사회에서 우리들이 자라났기 때문이다. 구술전통에서의 최초의 음시(吟詩)는 이러한 '원본'의 글씨하고는 일치하지 않는다.

이러한 세계에서, '원본'이나 '변형'을 운운하는 것은 어리석은 일이다. '구술전달'이라는 표현은 이 점에 있어서는 그 자신이 그만큼 손해를 입고 있는 말이다. 왜냐하면 그것은 음송시인이 음송시인에게 전한 고정된 원본을 시사하고 있기 때문이다. 그러니까 '작자불명(作者不明)'의 작품이라고 말하면 된다. 설화의 시인은 이름을 갖고 있다. 그는 그의 청중에게 잘 알려져 있다. 하지만 민속 서사시를 '작자불명'의 것이라고 부르는 것은 사실상 개별적인 산 사람들에 의해서 이루어진 일을 막연히 규정된 추상에 넘겨주는 것이 된다. 그것을 로드 씨는 이렇게 말하고 있다.

……구술서사시의 작자. 다시 말하자면 상연 대본은 우리들의 눈앞의 배우이며, 음송시인이다. 관객의 정상적인 시각에서 볼 때, 그는 복합체가 아니라 단일인이다. 우리들의 대본의 작자는, 편집자가 그것을 함부로 변경하지 않는 한, 말하는 것을 받아쓰거나, 노래를 하거나, 음송을 하거나, 그 밖에 그에 대해 표현을 부여한 사람이다. 그것은 창작이지 재현이 아니다. 따라서 그것은 다만 한 사람의 작자만을 가질 수 있다.

사실상, 다만 글을 쓰는 사람만이 존재하지 않는, 비논리적이고, 부적절한 '원본'을 탐색하듯이, 이에 대해 골치를 앓고 있는 듯이 보인다. 음송시인들은 자기들이 그 노래의 작가라는 말을 하지 않는다. 그들은 그것을 다른 음송시인한테서 배웠다. 그러니까 우리들은 쌍방이 다 옳다는 것을 알고 있다 — 그들은 각각 자기 나름의 '노래'의 의미에 따르고 있을 뿐이다. 노래의 최초의 음송자를 찾아내려는 기도는 최초의 음송을 발견하려는 노력만큼 무익한 일이다……. 이러한 입장에서 볼 때, 노래는 '작자'가 아닌 '작자들'의 복합체를 갖고 있고, 각 음송은 하나의 창작이 되며, 각 음송은 제가끔 단 한 사람의 '작자'를 갖게 된다. 그러나 이것은 호머파(派)들 사이에서 일반적으로 사용되고 있는 복합적 작자 — 좀 더 정확하게 말하자면 작자들 — 와는 매우 다른 개념이다.

로드 교수와 그의 선배인 밀만 패리(Milman Parry)의 양인은 현대의 유고슬라브의 민속 서사시가 그 자료를 배웠던 때의 것과 똑같이, 하나도 개인적인 삽입을 하지 않고 그대로, 물려주고 있다고 고집하는 사람들에 의해서 읊어지고 있는 것을 발견했다 — 그런데 그들은 그 내용에 지극히 특이한 차질(差質)이 있을 때에도 아무런 모순도 느끼지 않고 이런 주장을 하고 있다는 것이다. 갑의 투고(投稿)와 을의 투고 사이에 명확한 선을 긋는 것은 인쇄서적의 문화에서만 볼 수 있는 일이다. 이런 범위에서는 세익스피어는, 그의 '대작들'의 인쇄 상의 불멸성(不滅性)에 대한 그의 관심의 결여에 의해서 입증되고 있듯이, 전개화세계[15]에 속하고 있다. 따라서 이 점을 파악하게 되면, 세익스피어의 작품 속의 전설이나 동화적 요소가 전혀 자기도 의식하지 못한 것이라는 것을 우리들이 인식하는 데 도움이 될 것이다. 우리들은 전설이나 설화의 사용이 작가를 고물이나 도락자(道樂者)처럼 낙인을 찍은 지배적인 사실주의 문학의 2세기를 넘어서 세익스피어를 되돌아보고 있다. 현대예술가—이를테면, 그리그(Grieg)—에게는 민속 문화에서 자료를 딴다는 것은 항용 어떤 근원으로 돌아가려는 의식적으로 고안된 계획을 시사하게 된다. 하지만 세익스피어에게는 그것은 호흡처럼 자연스러웠다. 상업과 논리와 공업주의의 세계는 민속적 상상력을 육아실에 몰아넣고 못 나오게 했다. 그러나 오비디우스의 시대처럼, 세익스피어의 시대에는 이런 일은 생기지 않았다.

세익스피어가 사랑한 시인, 오비디우스는 착념할 만한 가치가 있다. 세익스피어처럼, 그도 '독창적인 자료'는 만들어내지 않았다. 그는 모든 사람들이 알고 있는 신화를 사용했고, 그의 예술은 이야기로서 이야기의 관현악을 만들고 낱말과 영상으로 긴 이야기에 옷을 입히는 상상적 기술에 있었다. 그리고 이러한 것은 세익스피어 시대의 훨씬 후까지도 문학예술가의 주요한 권리로 남아 있었다.

현대의 속요시인이 자기가 물려받은 이야기를 그대로 전하고 있다고 그의 청중에게 다짐하는 것은 고대로 직통하는 전통에 속하는 것이다. 세익스피어가 태어난 영국은 여전히 대부분이 중세기적이었다. 그리고 중세기 시인이 원전을 모사(模寫)하고 있다는 말을 하지 않을 때, 그는

15. '전개화세계(前開化世界)'는 "pre-literate world"의 번역어이다. 김수영이 누락시킨 구절을 포함해서 이 구절이 들어 있는 영문을 정확히 번역하면 다음과 같다. "이런 점에서 셰익스피어는, 마셜 맥루헌이 『구텐베르크 은하계』에서 지적했듯이, 그리고 그의 '대작들'의 인쇄 상의 불멸성(不滅性)에 대한 그의 관심의 결여에 의해서 입증되고 있듯이, 전문자세계에 속하고 있다."

랭글랜드(Langland)나 기욤 드 로리스(Guillaume de Lorris) 모양으로 자기는 꿈을 꾸고 있다는 말을 하고 있다. 왜냐? 꿈은 전통의 존경처럼 널리 받아들여질 수 있는 존경을 자아낼 수 있는 것이었기 때문이다. 쌍방의 경우에 있어서, 그것이 암시하는 호소는 집단적 무의식에 대한 것이었다. 심층 심리학이 과시한 바와 같이 모든 인간의 마음은 일정한 거리까지 파 내려가면 근본적으로 동일하다. 중세기는 심층심리학을 갖고 있지 않았지만, 그들은 우리들과 마찬가지로 이 진리를 확신하고 있었다. 융그파(派)의 분석이 증명하고 있듯이 꿈은 항상 하나의 전언(傳言)이었다. 물론 꿈의 규약을 사용한 중세기 시인이 문자 그대로 받아들여지기를 기대한 것은 아니었다. 그는 합의된 형식을 사용하고 있었을 뿐이다. 존 비비안(John Vyvyan) 씨는 『세익스피어와 사랑의 장미(薔薇)』라는 그의 근저(近著)에서 '장미 이야기(*Le Roman de la Rose*)'를 논하고 있는데, 거기에 다음과 같은 적절한 말이 나와 있다.

> 기욤 드 로리스가 말하고 있듯이, 장미의 구애는 꿈이다. 그러나 그것은 자연주의적인 꿈은 아니다. 왜냐하면 중세기에 있어서의 꿈의 시는 그 자신의 규약을 가진 문학 형태이었기 때문이다. 그것은 오늘날의 시에서는 전혀 찾아볼 수 없는 형태이며, 아마도 오늘날 우리들에게 그것을 소생시킬 수 있는 유일한 예술은 발레 무용일 것이다……. 『백조의 호수』나 『공기의 정(精)』을 생각해 볼 때, 발레무용이 얼마나 쉽사리 꿈과 비유와 낭만의 세계로 몰입해 들어가고, 그러면서도 항상 훌륭한 규율과 고도한 양식을 갖춘 예술의 투명한 각성을 보유하고 있는가를 우리들은 능히 짐작할 수 있다. 나는 이 유사(類似)를 부당하게 강요하고 싶지는 않다. 그러나 이러한 특질은 확실히 기욤 드 로리스가 과시하고 있는 특질이며, 그가 쓴 시는 역시 발레무용처럼 원래가 당시의 가장 교양 있는 사람들에게 보이기 위한 품격 있는 창작이었다. 그러한 예술의 감상(鑑賞)은 오히려 정사와 흡사한 데가 있다 — 한

쪽만의 수동적 태도만으로는 감상이 이루어지지 않는다. 그것은 예술가와 마찬가지로 관중의 창조적인 능동성을 요구한다.

중세기 시인은 우리들을 그의 꿈의 풍경을 탐험하도록 유치(誘致)함으로써, 우리들의 참여를 유치하고 있다. 그러한 시를 읽는 것은 발레무용을 보는 것 같다고 비비안 씨는 말하고 있다. 혹은 로드 교수가 말한 속요 시인의 음송을 듣는 것 같다고 나는 부언(附言)하고 싶다. 혹은 관중을 낯익은 자료의 재설정 속으로 매혹해 들이려고 애를 쓰는 흥행에 참가하는 것 같다고. 독자로 하여금 부리나케 책장을 넘기게 하는 '플롯 본위'의 소설은 포장지에 싸인 상품이다. 그것은 소모품의 세계에 속하는 것이다. 시는 그렇지 않다. 육아실의 운문도 서사시도 그렇지 않고, 키플링(Kipling)도 말라르메도 그렇지 않다. 세익스피어는 이 논문의 비명(碑銘)[16]에 나온 조이스 발언의 요점을 즉각적으로 이해할 것이다—다만 그는 그렇게 뻔히 다 아는 일을 어째서 기록할 필요가 있는가 하고 의아하게 생각하기는 하겠지만. 그는 저널리즘과 사실주의 소설의 2세기 동안을 살아보지 않았던 것이다.

결국에 있어서 세익스피어의 작품은 손쉽게 신화의 영역으로 옮겨가고 있다. 이 낱말이 문예비평에서 혹독하게 시달림을 받은 것은 애틋한 일이지만, 역시 하는 수 없는 일이었다. 결국 인류학의 과학적 연구가 '원시적인' 사람들에 대한 낡은 비호적(庇護的)인 태도를 파괴해 버리게 되자, '신화를 신앙하는' 가운데 포함된 종류의 '신앙'이 현재와 같은 모습—생명을 부여하는 힘—으로 보여지게 된 것은 피치 못할 일이었다. 우리들의 사회에서는 우리들은 어렸을 때부터 우리들의 신뢰를 이성에 두도록 훈련을 받고 있고, 따라서 이성의 토대가 없는 것은 아무것도

16. 이 글의 제사(epigraph)를 뜻한다.

믿어지지 않게 되어 있다. 그러나 야만인들에게는 신앙은 머리로서 생각하고, 시계를 보듯이 참조하는 그 무엇이 아니다. 그것은 그가 살고 있는 그 무엇이다. 그는 그의 육체를 가지고 믿고 있다. 여태까지는 자연 안의 불가해(不可解)한 것을 밝히기 위해서 의식적으로 안출된 수단으로 간주되어온 신화가 오늘날에 와서는 생명의 본보기로 보여지고 있다.

신화는 참여다. 그러나 시도 역시 참여다. 시인과 그의 독자 — 혹은 청중 — 와의 사이의 관계는 소설가의 경우에서 우리들이 보게 되는 것과 같은 단순한 생산자 대 소비자의 관계가 아니다. 시의 운율과 영상에 반응을 보이는 독자는 — 그가 무엇에 반응을 보이고 있는지는 말하지 못하는 수가 많지만 — 참여를 하고 있는 것이다. 따라서 "시는 시인에 의해서만 읽혀진다."는 조소의 말은 문자 그대로 참말이다. 시의 독자들은 그들이 시를 쓰고 있지 않다는 의미에서는 시인이 아니지만, 시적 생활에 참여하고 있다는 점에서는 시인이다. 그에 비하면 소설의 독자들은 소비자에 불과하다. 그들은 의자에 벌떡 기대앉아서 소설가에게만 일을 시키고 있다.

시는 참여다. 세익스피어의 연극을 구경하는 관객은 대부분이 의식에 떠오르지 않는 영상과 운율의 물결을 타고 휩쓸려 들어갔다. 노골적인 예를 들자면, 찬탈(簒奪)에 대한 연극인 『먹베드』에서, 사람들은 빌려온, 몸에 맞지 않는 외의(外衣)의 영상을 자주 발견한다. 카를린 스퍼지온 양(Caroline Spurgeon)은 세익스피어의 영상을 헤아려서 거기에서 추정될 수 있는 것을 살펴보려는 생각을 가졌을 때, 이 사실을 수많은 동일한 일들과 함께 발견했다. 그렇지만 아무도 이러한 영상을 깨닫지 않은 수 세기 동안을 어떻게 했던가? 그동안에는 게으름만 피우고 있었던가? 물론 아니다. 그 연극이 상연될 때마다, 몸에 맞지 않는 옷에 대한 조회(照會)의 계속적인 이슬비가 관객들에게 — 구태여 말하자면, 무의식중에 — 오고 있었다. 세익스피어가 분명히 무의식중에 그것들을 제시한 것처럼.

아무래도 그는 하루의 집필을 시작하기 전에, "나는 몸에 맞지 않는 옷을 얼마간 참작해서 써야 한다는 것을 잊어서는 아니 된다."고 그 자신에게 타이른 것 같지는 않다. 다만 그가 붓을 들기 시작하자, 자료가 그의 무의식 속에서 떠올랐고 이러한 영상들은 이미 거기에 마련되어 있었던 것이다. 그것은 그런 방식으로 연출되게끔 그대로 내버려둠으로써 관중은 하나의 대화에 참가하고 있었다. 그것은 참여를 하고 있었다.

신화가 참여라면, 그리고 시가 참여라면, 그 말을 할 만한 인류학 상의 관심 있는 비평가가 눈에 보이는 곳에 없더라도, 시적 연극은 자연적으로 신화의 상태에 접근하게 될 것이다. 또한 이러한 생(의) 형태의 가장 치명적인 적이 아치 식 무대라는 것을 알게 될 것이다. 무대장치도 없고 '막(幕)'이나 '장(場)' 사이의 소란스러운 구분도 없는 에프론 식 무대에서 배우들이 시를 읊게 되면, 3면에서 그들의 주위에 모여든 관중은 쉽사리 대화를 계속할 수 있다. 배우들을 액자 무대 속에 가두어넣고 보면 대화는 곤란하게 된다. 그들을 악단석과 한 줄의 각광으로 관객과 분리해놓게 되면 대화는 불가능하게 된다. 아치 식 무대는 관객의 참여를 전혀 불가능하게 만든다. 엘리자베드 조(朝) 시대의 극장에서는 배우들이 반은 자기들끼리 이야기를 하고 반은 관객에게 이야기를 했지만, 아치 식 무대는 배우들끼리만 이야기를 하게 한다.

이것이 오랜 수수께끼에 대한 해답이라고 생각한다 — 즉 시적 연극이 어째서 17세기 초기에 죽었으며, 그것을 재흥(再興)시키려는 가장 재간 있는 시인들에 의한 모든 기도가 어째서 실패로 돌아갔는가에 대한 해답이라고. 워즈워드, 콜르리지, 키츠, 바이어론, 테니슨, 브라우닝, 베도스(Beddoes)는 그 사이에 기억에 남을 만한 시극을 쓸 만한 시적 재간(才幹)이 없었던가? 그렇게 생각되지 않는다. 명확한 대답은 그들이 시극의 상연이 불가능하게 된 극장을 위해서 쓰고 있었다는 것이다. 이러한 견해는 극장사에 의해서 환증[17]을 받고 있다. 청교도의 아메리카 이주 이후 1660년대에 극정[18]이 재개되었을 때는, 엘리자베드 조(朝)와 제임스 1세 시대의 전통은 사라지고, 아치 식 무대가 도입되었다. 그러나 갑자기 그렇게 된 것은 아니다. 좀 더 자세히 조사해 볼 것 같으면, 최초의 왕정복고(王政復古) 시대의 극장은 면적은 줄어졌지만, 여전히 에이프런 식 무대를 갖고 있었다. 아치가 있기는 있었지만, 그것은 무대의 뒤편에 있었고, 모든 동작이 그 밑에서 행해진 것은 아니었다. 그림으로 그린 무대장치도 아직 대단한 것은 못 되었다. 아치에는 빈지문이 달렸고, 이것이 새 장면을 보이기 위해서 관객들이 환히 보는 앞에서 열려졌다. 다시 말하자면 왕정복고기의 극장은 절충식(折衷式)이었다. 따라서 왕정복고기의 시극도 역시 절충식이었다. 고양된 서정미(抒情味)와 웅변술(雄辯術)과 함께 회화의 리즘[19]을 재생시킬 수 있었던 엘리자베드 조(朝) 시대의 자연스럽게 울리는 무운시는 자(취)를 감추었다. 그 대신에 서사시체 2행연구(二行連句)가 나왔다. 그런데 위세 좋게 가락이 잘 들어맞는 운을 갖춘 이 서사시체 2행연구는 대중에게 연설하는 제도이었다. 그것은 무대의 3면에 둘려 있지 않은 관중에게 시를 들려주기 위해서 필요한 확성기이었다.

그렇지만 완전한 액자 무대가 발전한 이상, 서사시체 2행연구도 이제는 기능을 발휘하지 못하게 될 것이다. 우리들의 시대에서는 다만 교회당과 광 속의 개량된 무대로서만 그러한 종류의 참여가 다시 가능하게 된다. 1935년에 칸타버리 사원의 축제의 일부로서 T. S. 엘리오트의 『사원 내에서의 살인』이 무대 위에 오른 것은 지극히 요행스러운 환경의 배합이었다. 그렇지만 이러한 환경조차도 희곡가가 그의 기회의 본질을 인식하지 못했다면 성과를 거두지는 못했을 것이다.

우리들이 세익스피어의 연극을 즐기기를 원한다면, 우리들의 소용되는

● ● ●

17. '확증'의 오식.
18. '극장'의 오식.
19. '리듬'의 오식.

경험의 일부로서 그것에서 이익을 얻기 위해서 우리들이 해야 할 일은 그의 희극을 아치 식 무대에서 끄집어내고, 모든 약삭빠른 연출자와 대가풍의 배우들을 일소(一掃)하고 그의 작품이 스스로 명백해지게 하는 일이다. 실제로 이것은 제 희곡의 언어에 면밀한 주의를 기울일 것과 결연히 '작품'으로 되돌아갈 것을 의미하는 것이다. 거기에서는 신화와 상징은 결코 완전히 번역될 수 없는 여운이며, 언어는 그것들의 구체적인 화신이다. 신화는 결코 완전한 환산을 할 수 없는 것이며, 우리들은 그것을 규정해서 X가 의미하는 것은 Y라고 꼬집어 말할 수가 없다. 그것은 너무나 생기에 차 있기 때문에 해부를 할 수 없고, 그것은 다만 경험될 수 있을 뿐이다. 세익스피어가 말하고 있는 것의 윤곽(輪廓)은 항상 너무나 뚜렷하다. 그것은 언제나 그의 질서에 대한 중심적인 선입견에 관련되고 있다. 그러나 세부적인 조그만 일들은 희미한 빛을 내고 깜박거리고 있다. 그것들은 베어내어지지도 않고 말라붙지도 않는다. 캐리반(Caliban)과 에리얼(Ariel)은 무엇을 '대표'하고 있는가? 초자아와 본능적 충동인가? 필시 그럴 것이다 — 그렇지만 우리들이 그렇게 말할 때, 우리들이 한 일은 기껏 두 개의 뚜렷한 실물 대신에 두 개의 추상적 용어를 갖다 놓은 것밖에는 없다. 우리들이 만약에 구체적인 실재보다도 추상적인 용어를 가지고 보다 더 행복감을 느끼는 따위의 사람이라면 우리들은 그것을 진보라고 느낄 수 있을 것이다. 그렇지만 그것은 진보가 아니다. 그것은 현대생활을 그만큼 더 신경질적으로 추악하게 만드는 합리와 추상에 대한 낡은 노예상태 이외의 아무것도 아니다.

세익스피어의 희곡을 파악할 수 있고 이해할 수 있는 것으로 만들기 위한 방법은 그것을 합리화해서, 구체적인 것을 추상적인 것으로 대치하는 것이 아니라, 언어를 통해서 그것을 파악하는 것이다. 다만 초심자만이 내가 여기에서 무슨 새로운 것을 이야기하고 있다고 생각할 것이다. 유명한 D. A. 트래버시(Traversi) 씨의 『세익스피어에의 접근』 같은 탁월한 평론은 이 지점에서부터 출발했다. 지극히 손쉽게 이 방향으로 길을 돌릴 수 있는 극장이 그렇게 하지 않는 길을 택했다는 것은 한층 더 애석한 일이다. 수많은 훌륭한 연기자와 읽기 위해서가 아니라 듣기 위해서 몰려온 청중을 가진, 극장은 우리들에게 언어를 통해서 밖으로 움직이는 세익스피어를 부여하지 못했다. 지금의 형세로 보아서는, 그것은 우리들에게 구경을 통해서 내부로 움직이는 세익스피어를 부여하고 있다. 그것은 관객들에게 듣기 위한 그 무엇보다도 보기 위한 그 무엇을 주려고만 골몰하고 있다. 그러니까 멋진 착상을 가진 연출자, 인물을 자랑하는 배우, 목수의 대군(大群)을 거느린 무대장치가, 전기 배터리를 가진 전기기사, 날카로운 시각을 가진 의상전문가들이 발호(跋扈)한다. 이런 것들은 모두가 세익스피어를 그가 당연히 속해 있을 군중들로부터 이간시키는 장벽들이다.

이러한 극장이 잊어버리고 있는 것은 세익스피어의 희곡이 역시 시라는 사실이다. 다시 말하자면, 그것은 구조, 서스펜스, 성격묘사 등의 극적(劇的) 재산뿐만 아니라, 영상, 운율, 상징의 시적 재산을 갖고 있다. 지나치게 많은 삭제를 하지 않은 대본을 조용히 듣고 있을 수 있는 관중은 그 전언을 들을 수 있을 것이다 — 설사 그들이 극장에서 나와서 자기들에게 일어난 일을 말로 옮겨 놓지는 못한다 하더라도. 그 효과는 무의식중에 이루어지고 있는 것이다. 손쉬운 예를 들자면, 『안토니와 클레오파트라』에 나오는 비단뱀과 악어를 낳는 진흙과 흙탕물 — 태양이 '서두르는' 나일강의 비옥한 진흙 — 의 되풀이되는 영상은 청자의 마음에 부유하고 비옥하고 사악하고 위험스러운 요소의 감각을 불어 넣는다 — 사실상 '비천(卑賤)의 향수(鄕愁)'를 불어 넣는다. 이 밖에도, 우리들은 클레오파트라의 요소가 물이라는 사실을 갖고 있다. 안토니는 물 위에서 타고 있는 거룻배 위에 그녀가 있는 것을 처음 본다. 그리고 사랑의 광란 속에서 '나일강의 흙탕물을 서두르는 불'에다 대고 맹세를 한다. 로마사람인 그는 원산지가 땅인 제국에서 나왔다. 땅은 견고하고, 뿌리가 있고, 요동하지 않는다. 땅이 물과 마주치게 되면, 진흙이 생기게 마련이다. 거기에 물이 더 보태지면, 식별할 수 있는 윤곽이 씻겨져 없어진다. 안토니는 드디어 시합이 끝나고 자기가 주도권을 상실했다는 것을 깨닫게 되자, 그의 종자인 이로스에게 이렇게 말한다.

> 안토니: 이로스, 나는 아직도 나로 보이는가?
> 이로스: 네 보입니다.
> 안토니: 어떤 때는 구름이 용처럼 보일 때가 있다.
> 곰보나 사자로 보일 때도 있다. 우뚝 솟아 오른 요새나, 축 늘어진 바위나, 갈래 모양의 산이나,
> 나무가 난 푸른 갑(岬)처럼 보이는 구름이 세상을 건들건들 내려다보면서
> 우리들의 눈을 속이는 때가 있다. 그런 것들을 너는 본 일이 있겠지.
> 그것들은 해질 무렵의 구경거리다, 장관이다.
> 이로스: 네, 있습니다.
> 안토니: 지금, 희망으로 보이던 것이 별안간에
> 없어져서 몽롱하게 되어 버린다,
> 물이 물속으로 없어지는 것같이.
> 이로스: 네 그렇습니다.
> 안토니: 아아, 이로스야, 지금 너의 수령이 바로 그 짝이란다.

이 중대한 시점에서 어째서 안토니는 행동을 멈추고 구름에 대한 연설을 하는가? 이런 의혹이 자연주의적 연극의 전통 속에서 훈련을 받은 사람들의 마음에 자연적으로 생겨난다. 그러나 사실에 있어서 행동이 멈춰지고 있는 것이 아니다. 바로 이 시점에서 용해(溶解)하는 증기의 영상을 곰과 사자와 용의 사나운 실체적인 형태를 유지할 수 없는 구름의 영상을,

물이 물속으로 없어지듯이 '없어지는' 현대의 세계의 영상을 선명하게 소개하는 것은 특히 안토니의 소개의 부호(符號)같이 들린다. 이 희곡의 서두에는

아냐, 장군의 이번의 노망은 아주 말이 아니야—

홍수의 영상이 들어 있고,[20] 이 '구름'의 연설은 안토니의 신원인 로마인이 익사했다는 그의 마지막 비극적 자백이다. 여기에 한 번이 아니라 두 번이나 부하들의 충고를 무릅쓰고 출전해서 모조리 패배한 해전의 상징이 들어 있다. 그가 클레오파트라의 요소에 몸을 맡길 때, 그는 그 자신의 요소를 버리게 된다.

세익스피어의 예술은 장대한 장면이나 무대장치나 술책이나 말 위에 뛰어오르는 갑옷투구를 입은 기사에 뿌리를 두고 있는 것이 아니라, 언어에 뿌리를 두고 있다. 그것은 보다 더 깊은 수준의 작용에 관심을 두고 있는 무인격의 예술이다. 모든 그의 기민한 심리적 사실주의에도

● ● ●

20. 번역도 자연스럽지 못하고 편집에도 실수가 있는 구절이다. 김수영이 번역한 '홍수의 영상이 들어 있고'는 「안토와 클레오파트라」에 나오는 한 구절이다. 이 구절이 들어있는 문장 전체를 다시 번역하면 다음과 같다.
"범람의 심상이 포함된 희곡의 서두에는

아냐 장군의 노망은
아주 말이 아니야—

라는 구절이 있는데, 이 '구름'의 연설은 안토니의 신원인 로마인이 익사했다는 그의 마지막 비극적 자백이다."
'아냐 장군의 노망은 / 아주 말이 아니야'는 'this dotage of our General's / O'erflows the measure'의 번역이다. 다시 번역하면, '우리 장군의 맹목적 사랑이 / 도가 지나칠 정도로 흘러넘친다'의 뜻이다.

불구하고, 그것은 사실주의적 예술이 아니다. 그것은 신화에 보다 더 밀접하게 접근하고 있다. 오비디우스의 중요성이, 특히 『변모(變貌)』의 중요성이 여기 있다.

이 시에서 오비디우스는 변화의 영상이 어느 하나의 상황도 독자의 마음에 부착(附着)할 만한 시간이 없을 만큼, 너무 급속한 기분전환과 함께, 너무 재빠르게 연달아 밀려드는 날카롭게 구상화된 초현실주의적 환상을 제시하고 있다. 독자가 받는 인상은 어느 편인가하면 유동과 불안정의 전반적인 분위기, 1920년대에 아방가르드의 영화가 나오기까지는 다시는 포착할 수 없었던 분위기이다. 그것은 석경에서 팔이 자라고, 중력의 법칙이 정지되고, 공포에 싸인 것과 희극적인 것이 서정적인 것과 충돌을 하고, 관람자가 개개인 개별적인 인물의 운명보다도 이 초현실의 세계 속으로 끌려들어 가서 그 분위기를 호흡하는 그 자신의 경험에 더 많은 관심을 갖는 꼭또의 『시인의 혈통』의 세계이다. 따라서 L. P. 윌킨슨(Wilkinson) 씨가—그의 『오비디우스의 개관』은 오비디우스에 대한 가장 유용하고 각별한 입문서다—『변모』의 우화에서 보다 더 깊은 의미를 읽으려는 기도를 혹독하게 빈정거린 것은 불행한 일이다. "(오비디우스의) 저술의 목적은 분명히 황홀하게 하기 위한 것이었고, 그 이상 아무것도 없었다." 이러한 논평이 꼭또에 대해서도 가해진 일이 있었다. 그러나 예술가가 그의 청중들을 '황홀하게' 하려고 한다면, 그는 사실상 그들에게 어떠한 일을 하려고 하는 것일까? 사람들을 어떤 종류의 세계관에 열중시키지 않고, 그들을 백주의 텔레비 연속물의 수준 이상으로 황홀하게 할 수 있을까? 윌킨슨 씨는 또 다시 이렇게 경고하고 있다.

> 이러한 신화들에 지성을 부여하는 일은 특히 튜톤인의 마음에 드는 일이다—이를테면 피그마리온에게서 주위의 세계에 불만을 품고 이상적인 완성을 추구한 영원한 구도자의 모습을 보려고 하는 일 같은. 그러나 우리들은 그것들의 신화적 기원이 어떻든 간에 오비디우스에

의해서 그것들 자체를 위해서, 또는 그를 매혹한 심리적 역해(逆解)를 위해서 씌어진 이야기들에 그러한 해석을 강요해서는 안 된다.

사람이 어떤 주제에 '매혹'되었다는 말을 할 때 그들은 항용 비교적 진지하지 않은 종류의 흥미를 가리켜 말한다. 우리들은 잡담에 매혹을 느끼고, 크로스워드 퍼즐에 매혹을 느끼지만, 진정한 지적이나 도덕적인 문제에 매혹을 느끼지는 않는다. 오비디우스는 그의 이야기들을 '그것들 자체를 위해서'(그리고 그것은 무엇이었던가?)나 혹은 심리적 곡절이 그를 '매혹'했기 때문에 이야기했다. 그러나 오비디우스는 분명히 대예술가이었고, 그러한 예술가가 그의 자료를 선택할 때에는 그의 작품의 기저(基底)의 깊은 곳에 있는 이유 때문에 그렇게 한다. 『변모』에 나타난 용해와 변화와 분해의 도취감(陶醉感)은 항상 예술들에게 매력을 주었다 — 오비디우스의 작품에 보이는 세부적인 일들의 선택과 시각적인 정밀성은 시각적인 예술가들에게 계속적인 도전이 되고 있기 때문에, 특히 시각적인 예술가들에게 매력을 주었다. 에즈라 파운드는, 그의 시적 생애의 형성기에 있을 때, 『변모』에서 따온 자료의 여러 가지 르네상스적 재조(再造)에 마음을 썼고, 나는 사실은 수 년 전에 이 자료의 연구를 하면서 그의 관심의 본질적인 설명을 하지 못했다. 파운드는 오비디우스를 숙독했을 때, 버질에서 떠나서 오비디우스 쪽으로 방향을 바꾸는 — 다시 말하자면, 거대한 예언력을 가지고 요점에서 요점으로 위세있게 휩쓸고 가는 버질의 당당하고 안정된 진행을 피하고, 초점의 당돌한 비약과 장면의 급속한 전환과 단절의 오비디우스적 기술을 배양하는 — 서사시적 규모의 시인 『칸토스』를 쓰기 시작했다. 여기까지 누차 지적되어오듯이 이 기술은 운동학적인[21] 것이다 — 그것이 이러한 전통과 지극히 직접적인 연관성을 갖고 있다는 것은 진지한 예술로서의 인식에

21. "cinematic"의 번역.

대한 영화의 주요한 주장이다. 운동학적인 예술이 영화 이전에 존재했더라면, 영화는 보수적 의견이 처음에 그것을 호칭한 것 — 술책이 주입된 무대극의 기계판 — 이 될 필요가 없었다.

세익스피어의 오비디우스에 대한 관계는 모든 그의 관심이 그러했듯이, 외부에서 내부로, 표면에서 중심으로 이동해 들어갔다. 초기 희곡에는, 오비디우스의 작품의 기발성(奇拔性)을 즐기는 젊은이다운 면이 주로 나타나 있다. 『헨리 4세』에서, '열박차(熱拍車)'가 그의 사촌인 모티머가 그렌다워에게 용감하게 저항했다는 것을 왕에게 설득하려고 분연히 열변을 토하고 있을 때(제1막 제3장),[22] 그는 전형적인 오비디우스식의 기상으로 숨을 돌릴 수 있다.

> 세 번이나 그들은 숨을 돌리고, 세 번이나 세반의 급류의 물을 마셨답니다, 서로 승낙을 하고 말예요.
>
> 제아무리 쏜살같은 물결도 두 사람의 피투성이 얼굴을 보고서는 깜짝 놀라가지고,
>
> 벌벌 떨고 있는 갈대숲속으로 질겁을 해서 도망을 치고,
>
> 우묵 파진 둑에다 그의 곱슬곱슬한 머리를 틀어박았답니다.

이러한 계략은 극적 타당성이 없는 것이며, 또한 이런 기발한 부극(副劇)은 '열박차(熱拍車)'의 격에도 맞지 않는 것이다. 그렇지만 세익스피어가 성숙해진 뒤에 오비디우스의 이러한 단순한 기발한 면에 매력을 느끼지 않게 되고 나서도, 그의 작품은 이 용해(溶解)와 변화와 유동(流動) 등의 특성을 가진 시인과 그(가) 얼마나 심오한 유사점을 갖고 있는가를 계속해서 보여 주고 있다.

• • •

22. 이 번역 문장에는 두 개의 오류가 있다. "『헨리 4세』"는 "『헨리 5세』"의, "열박차(熱拍車)"는 등장인물 "핫스퍼(Hotspur)"의 오독이다.

그것은 불가피한 일이었다. 세익스피어의 작품은 하나의 방대한 변모(變貌)이다. 그가 기술한 모든 이야기에서, 사람들은 변장을 하고, 신분을 바꾸고, 다른 사람을 가장하고 있다. 어떤 때는 그것은 고의적인 교활한 책략이 되고 어떤 때는 자기기만이 된다. 『리어 왕』에 나오는 에드가는 정신이 멀쩡할 때에도 상스러운 옷차림을 하고 미친 사람인 척한다. 한편 말보리오는 그의 신분에 맞지 않는 옷을 입고 다른 사람들한테 미친놈 취급을 받고 감방에 감금된다. 여러 인물들이 서로 옷을 바꾸어 입고 서로 혼동된다. 폴스타프와 할은 어릿광대의 탈을 쓰고, 서로 번갈아 가면서 난폭의 왕 같은 목소리로 말을 하고, 할은 폴스타프가 정색을 하고 그렇게 하기 전에 상대를 하지 않는다. 가면극과 변장과 혼란이 도처에서 벌어진다. 모든 희극이 과오의 희극이다. 또한 모든 비극이 과오의 비극이다. 과오와 오산과 착각이 모든 사건에서 행동을 출발시킨다. 이아고는 오델로우를 속이지만, 오델로우는 이미 그 자신의 자유로운 영웅적인 행동의 세계를 버리고 지나치게 미묘한 베니스 국의 권모술수의 세계로 굴러 들어옴으로써 기만에 스스로 몸을 망치게끔 자청하고 있다. 그는 그 자신의 판단을 형성할 만한 자료를 갖고 있지 않기 때문에 무엇이든지 듣는 대로 신용하지 않으면 아니 되는 국외자—그의 국외자의 특성은 그의 살빛으로 극화되어 있다—이다. "거의 자기 자신을 알고 있지 않은" 리어 왕은 자기기만을 당하고 있다. 해믈리트는 감정적으로 혼란을 일으키고 있고, 안토니는 관능적인 열정에 홀려 있다. 먹베드는 "사람의 얼굴로 그 사람의 마음속까지 알아낼 수는 없어"라는 던컨이 인정한 슬픈 사실로 이익을 보지만, 그는 던컨처럼 그가 신뢰한 얼굴들한테 역시 배반을 당한다. 말기의 희곡에서는 이러한 혼란은 보다 더 순수한 상징적이며 시각적인 방식으로 표시되고 있다. 파선(破船)은 항해자들을 고도(孤島)로 밀어올리고, 거기에서 그들은 자기들에 대한 진실에 직면하지 않으면 아니 된다—죽은 여왕의 조상(彫像)이 살아나서, 대자연에 대한 위대한 예술의 천품이 된다.

세익스피어를 민속적 상상으로 연결시키는 것이 바로 이것이다. 민속설화에 나오는 무녀와 마술사, 난쟁이와 거인, 아라딘의 램프와 신데렐러의 마차는, 사물은 신비스럽게 변화하고, 두 사람이 똑같은 사물을 보는 일이 없고, 세상은 미끄러지듯이 지나간다는 보편적인 인간 감각의 반영이다. '사실적인' 문학은, (항용 대도시의 상황 속에서) 여기저기에 나타났다가는 수 세기 동안을 자태를 감추는, 명멸(明滅)하는 짤막한 불확실한 역사를 갖고 있다. 우리들의 시대는 항용 사실주의의 시대라고 생각되고 있지만, 이것은 단순한 저널리즘적인 커다란 착오다. 사실상 우리들의 시대는 오비디우스나 세익스피어의 시대다. 그에 대한 웅변적인 증거로서는, 100퍼센트의 사실적인 작가가 위원회의 책상 주변에서 일어나지 않는 일은 하나도 쓰지 않으려고 결심을 하고 나타나지만, 그는 며칠이 안 가서 김빠진 존재가 되어 버리는 것이다. 사람들은 C. P. 스노우(Snow)가 다만 그들의 경험에 기묘하게 비치기 때문에 그의 작품을 읽고 그에 대한 이야기를 한다. 베케트는 훨씬 더 범상하게 되었다. 우리들은 모두 두 명의 방랑자를 알고 있고, 쓰레기통 속의 부부를 알고 있고, 모가지까지 모래 속에 파묻힌 여자를 알고 있다. 그러나 고대의 신화는 그 새 사람들보다도 훨씬 더 오래 우리들과 함께 살아왔다. 따라서 죤 로우라 교수는 이렇게 관찰하고 있다.

> 비자연주의 예술은 인과관계의 해명에의 접근보다도 더 심오한 수준까지 우리들을 이끌어갈 수 있다는 전반적인 인식이 있다(즉 전로크시대에서처럼 오늘날에 있어서도 그런 인식이 있다). 세익스피어의 희곡을 시로 대하라고 우리들에게 가르치는 일군의 학자들의 저서는 '현실'과의 소통은 '행동이나 사람들이 사용하고 있는 언어'에 대한 확고한 집착을 통해서보다도 신화와 상징을 통해서 더 잘 이루어질 수 있다는 이러한 전반적인 지각과 연관성을 갖고 있다. 오늘날에

있어서는 극장에서도 그렇고 서재에서도 그렇고, 자연주의는 거의 옹호자를 갖고 있지 않다.

세익스피어의 희극과 비극의 본질적인 동일성을 만들어내는 것도 역시 이것이다. 그것들은 둘이 다 과오 — 주인공을 질서의 적으로 만드는 정신적인 맹목의 과오 — 에서부터 출발하며, 그것들은 둘이 다 폭로와 해결로 행을 이끌어간다. 러슬 A. 프레이서 씨는, 그의 신중한 저서 『세익스피어의 시학(詩學)』에서, 다음과 같은 탁월한 말을 하고 있다.

> 모든 경우에서 재미나는 일은 무지에서 생겨나는 부조화(不調和)의 개척에서 유발된다. 희극에서는 그런 부조화는 대단히 클 것이다. 그러나 그것은 극작가에 의해서 중대한 결과를 초래하지 않게 된다. 칼은 자루 밑까지 다 찌르지 않아도 된다. 모든 인물이 고통을 받을 자격은 없다. 작자(作者)는 다만 지적(知的)으로 휩쓸려 들어가 있다. 그는 시합을 하는 것을 바라보고 있다. 희극은 비논리적인 것이다. 그것은 다만 극작가가 동정의 염(念)을 품고 있기 때문에, 불길하게 느껴지지 않을 뿐이다.
>
> 비극에서는 주인공의 무지는, 적어도 위기가 지나가기까지는, 고쳐진다고 생각되지 않는다. 그것이 고쳐져야 한다는 결정은 역시 극작가에게 달려 있다. 그것은 전혀 독단적인 결정이다. 그러나 일단 결정이 되면, 그것은 취소할 수가 없다. 비극은 논리적이다. 그것이 비극이 버티어나갈 수 있는 이유이다. 극작가는 일들을 진행해나가게 할 뿐 그 이상의 것은 하지 못한다. 18세기의 신처럼, 그는 시계의 테프를 감아놓고 떠난다. 그의 보호나 그의 중재를 거부한 그의 주인공들은 파멸을 당한다. 그러나 그래도 그는 중재를 하지 않는다. 그것은 그가 그들에게 무관심하기 때문이 아니라, 그가 통제를 철회했기 때문이다. 자기가 만든 창조물로부터 멀리 떨어져서, 그들은 고통을 경감해 줄

수 없게 된 이미 주동자가 아닌 그는 고별의 인사를 할 수밖에 없다.

세익스피어의 작품은 변형과 변경되는 원근법을 다루고 있기 때문에, 그의 희곡이 수수께끼, 가장(假裝), 상징과 표지(標識)의 용해하는 형태에 의해서 진행하는 것은 당연한 일이다. 또한 그 결과가 신화의 권위를 지니고 나타나는 것도 당연한 일이다. 1600년경 이래로 세익스피어의 작품은 품질 증명을 받고 판권을 얻은 한 개인의 상상력의 '독창적인' 작품으로서는 인상이 점점 약해지고, 인류의 상징적인 발언으로서 점점 더 두드러진 인상을 나타내고 있다.

결론으로서, 이러한 세익스피어에 대한 견해가 적어도 오래된 수수께끼를 풀어 준다는 것은 말해둘 가치가 있다. 어째서 세익스피어는 그의 작품의 인쇄판을 중시하지 않았던가? 어째서 그는 만년에 은퇴한 뒤에도 희곡을 모아서 정확한 원본으로 발간하려는 수단을 강구하지 않았던가? 완전히 문학적 전통에 둘러싸인 18세기와 19세기의 비평가들은 이 문제를 해결할 수 없다고 간주했다. 그들 중의 일부는 절망을 느끼고 세익스피어를 작품의 수입을 긁어모으고 나자 작품의 운명에는 냉담해진 돼지 같은 장사꾼이라고 웃음거리로 만들기도 하고, 제2의 논리적 수단으로 베이컨이나 그 밖의 어떤 고상한 풋내기의 앞잡이로 쉽사리 보여질 수 있는 단순한 등신으로 만들기도 했다. 그러나 진정한 답변은 데이비드 리이스맨(David Riesman)의 말에 시사되어 있다.

> 서책은 문처럼 격리를 조장하는 물건이다. 독자는 다른 사람들의 소음에서 떨어져서 혼자 있고 싶어 한다. 이것은 어린애들의 만화책에도 통한다. 어린애들은 텔레비를 가족들과 함께 들으려고 하고 영화를 같은 또래의 동무들과 함께 보려고 하는 것처럼 만화책은 혼자서 보려고 한다……. 구술 전달이 사람들을 한데 모이게 한다면, 인쇄물은 특히 격리의 매개체 노릇을 한다.

대체로 인쇄 책이 세익스피어에게 대수롭게 생각되지 않았다면, 그것은 본능적으로 그가 그것을 '격리의 매개체'로 보았기 때문이다 — 그리고 그는 개인을 격리시키는 여하한 고안에도 흥미를 느끼지 않았다. 그의 주제는 질서와 조화다. 그는 화합과 단결 속에서 사람들을 움직이는 그러한 사물들에 대해서 쓰고 있다. 내가 항상 인용하고 있는 분별 있는 유익한 저서를 쓴 존 로우라는 이 사실을 이렇게 강력하게 말하고 있다.

> 가장 커다란 형벌이 격리이고, 분리된 존재인 것처럼 가장 커다란 선은 자연의 결합력을 유지하는 일, 특히 부모와 자식 간의 엄숙할 만치 부드러운 관계를 유지하는 일이다……. 세익스피어의 가장 위대한 단 하나의 재능은 자연의 유대에 대한 끈기 있는 감각이다 — 한편으로는 분리된 존재의 단호한 형벌, 또 한편으로는 인간사회가 유지할 수 있는 끝없이 풍요한 가능성이다.

나는 이 견해가 옳다고 믿는다. 그것은 세익스피어의 비극의 낙천주의를 고려에 넣고 있다. 즉 싸움의 무서운 피로 후에는 질서가 언제나 회복될 수 있다는 사실을 고려에 넣고 있다. 세익스피어는 신화를 향해서 돌진한 시 예술의 힘을 빌려 이 미래상을 전달했다. 시도 신화도 작자를 참여 속에 휩쓸어 넣는다. 그런데 비평가에서 연출자에 이르기까지의, 편집자에서 배우들에 이르기까지의, 중류인들의 이기주의와 재간 때문에, 우리들은 너무나 오랫동안 그 참여를 못 하고 있다. 예민한 사람들이 그런 경향을 갖고 있지만, 극장에서 노변(爐邊)으로 후퇴해서 원본과 각자의 상상력을 의지하는 것은 소용없는 일이다. 인쇄된 지면의 격리는 극장의 사기 행위만큼 해롭다. 그러니까 분렬 있는[23] 극장의 전통으로

• • •

23. '분별 있는'의 오식. "sane"의 번역어.

우리들은 우리들의 셰익스피어를 되찾을 수 있고, 우리들은 드디어 우리들의 용기를 떨치고, 우리들이 갖고 있는 것을 요구해야 한다.

–『문학춘추』, 1965. 3.

쾌락의 운명

— 워즈워드에서 도스또예프스끼까지

리오넬 트릴링(Lionel Trilling)

영어로 된 모든 문예평론 중에서, 워즈워드의 『서정시집』의 서문[1]만큼 우리들의 마음속에 확고한 위치를 차지하고 있는 것은 없다. 사실상, 그 서문이 시의 본질에 대해서 진술한 주장의 일부는 비평의 금언(金言)처럼 우리들을 위해서 존재해 왔다. 이것은 개탄할 만한 일이다. 왜냐하면, 그 유명한 발언은, 우리들이 기억하고 있는 형태로서는, 다만 혼란을 가중할 수 있을 뿐이기 때문이다. 교양 있는 세계의 대부분의 사람들은 워즈워드가 시를 강렬한 감정의 자연발생적인 범람이라고 규정하고 있다고 생각하고 있다. 이러한 규정을 가지고는 우리들의 시에 대한 사고의 노력은 그다지 큰 도움을 받지 못할 것이고 사실상 워즈워드는 그런 규정을 하고 있는 것이 아니다. 더욱이나 워즈워드는, 대부분의 사람들이 편의상 그렇게 기억하고 있듯이, 시는 정온(靜穩) 속에서 상기되는 정서라는 말을 하고 있는 것이다. 그러나 우리들이 워즈워드가 실제로 말한 것을 왜곡해서 기억하고 있는 것은, 그의 강한 근기 때문이고, 그러한

1. [역주] Wordsworth의 *Lyrical Ballads*의 서문.

근기는 전반적으로 그 논문의 독특한 힘을 시사하고, 비평작품으로서의 그의 특이한 존재를 시사하고 있다. 그의 논변에 있어서의 절실성은— 그것이 단속적이기는 하지만— 주목할 만하지만, 그러나 그 서문은 그의 독자들에 의해서 다만 논변으로만 간주될 수는 없다. 그의 능변(能辯) 때문에, 또한 그것이 시의 본질과 기능의 커다란 문제를 다루는 데 수반되는 급격한 정신 때문에 그것은 우리들에게 주로 논설로서가 아니라, 오히려 극적 행위로서 그 자체를 제시한다. 따라서 우리들은 그의 발언을 진실성을 위주로 한다기보다는 행복스러운 대담성을 위주로 해서 대할 준비를 한다.

그렇기 때문에, 그 서문의 특별히 대담한 한 발언을 우리들이 전혀 개의치 않고, 거의 인용되지도 않고 있다는 것은 놀라운 일이다. 나는 워즈워드가 "쾌락의 가장 중대한 궁극적 원칙"이라고 부르는 것에 대해서 이야기하면서 그것이 "인간의 적나라한 본연의 위엄"을 구성하고 있고, 인간이 "알고, 느끼고, 살고, 움직이는" 일의 원칙으로 되어 있다고 말하고 있는 문장을 가리키고 있다.

이것은 거대한 본질적인 흥미가 있는 진술이다. 왜냐하면 만약에 우리들이 그것이 조금이라도 대담한 진술이라고 인식한다면 우리들은 또한 그것이 충격을 받을 만한 정도로 대담한 진술이라는 것을 감지하지 않으면 아니 되기 때문이다. 다시 말하자면 그것은 성(聖) 바울이 신 속에서 "우리들은 살고 움직이며, 우리들의 존재를 갖고 있다."고 우리들에게 말하고 있는 문장(사도행전 17-28)을 반향하고 논박하고 있기 때문이다. 또한 그러한 본질적인 흥미 이외에 그것은 커다란 역사적인 흥미를 갖고 있는데, 그것은 비단 그것이 18세기의 사상의 특징적인 경향을 요약하고 있기 때문만이 아니라, 우리들의 오늘날의 문화의 특징적인 경향과 깊은 관련을 갖고 있기 때문이다. 그의, 우리들의 오늘날의 문화에 대한 관계는 주로 부정적인 것이다. 말하자면 우리들의 오늘날의 생활감각은 '인간의 적나라한 본연의 위엄'을 구성하는 그 무엇으로서 쾌락의 관념을 적응시키지 않는 것이다.

쾌락이라는 낱말은 그 서문 속에 빈번히 나타나고 있다. 워즈워드가 우리들이 시를 존중하는 — 혹은 존중해야 하는 — 이유를 설명하려고 기도할 때, 그 주제에 대한 고대의 작가들처럼, 그는 그의 설명의 기초를 시가 부여하는 쾌락 위에 두었다. 대체로 그는 그 낱말을 그의 선배들이 의도한 것과 거의 같은 의미로 사용하고 있다. 보통 시에 관련된 쾌락은 도덕적으로는 이의를 말할 여지가 없는 것이고, 그다지 강렬한 것도 아니다. 대체로, 시는 사실상 때때로 자극을 줄 수 있는 것이지만, 다만 시를 만드는 하나의 발판으로서 자극을 주는 것이라고 생각되었다. 그러나 그 낱말이 두 개의 다른 도덕권과 두 개의 매우 상이한 강렬도를 갖고 있다는 것을 우리는 알고 있다. 가정생활의 쾌락은 유덕한 것이다. 상상이나 우울의 쾌락은 그것을 경험하는 사람들의 교양 있는 섬세한 심의의 관념을 요청한다. 영국의 씹지 담배의 이름인, '목사의 쾌락'은 쾌락이라는 낱말이 온순이라는 관념과 얼마나 쉽사리 일치하는가를 시사하고 있다. 이러한 것들은 바이런이 '오오 쾌락이여! 너 때문에 물론 사람은 파멸을 당해야 하겠지만, 너는 진실로 유쾌한 것'이라고 썼을 때 생각하고 있던 것을 하나도 요청하지는 않는다. 옥스퍼드 영어사전은 그 낱말의, 소위 '추악한' 의미를 적당하게 주석하고 있다. 즉, '생의 주요한 목적으로서의 감각적 향락(享樂)'이라고 하면서, 이러한 경멸적인 의미에서는 그것은 '때때로 여신으로 의인화되고' 있다고 말하고 있다. 옥스퍼드 사전의 편집자들은 거기에서 그치지 않고 한 걸음 더 나아가서 소위 '전혀[2] 육체적인'의미를 인정하고 있는데, 그것은 도덕적인 척도로서는 보다 더 저급한 것으로서, '식욕의 탐닉 같은 감각적 만족'을 가리키고 있다. 쾌락이라는 낱말의 '추악한' 의미는, 쾌락을 뜻하는 라틴어의 가장 일상적인 낱말인 *voluptas*의 영어 상의 역사에 의해서 극화되고 있다. 일부의 나영(羅英)사전, 특히

• • •

2. strictly의 번역. '엄격히'가 자연스럽다.

19세기의 나영사전은, *voluptas*가 '좋은 의미에서나 나쁜 의미에서나 육체나 심의의 쾌락이나 향락이나 환희'를 뜻하는 것이라고 말하고 있지만, 고대에 씌어진 것을 보면 그 말은 전반적으로, 도덕적으로는 중립적이며 반드시 강렬한 것은 아니었다고 생각된다. 그러나 *voluptas*에서 온 영어의 낱말들은 도덕적인 판단이 부과되어 있고, 오히려 자극적인 데가 있다. 음란한(voluptuous) 계집이 쾌락이나 향락이나 환희의 약속을 제공하리라고, 남자들이 진심으로 생각하지 않는다는 것을 우리들은 알고 있다. 또한 우리들은 난봉쟁이(voluptary)가 가정생활이나 상상이나 우울이나, 끽연(喫煙)에서 얻는 쾌락을 맛보리라고는 기대하지 않는다.

쾌락이란 말이 갖고 있는 추악성(醜惡性)[3]은, 분명히 그것이 속해 있는 향락의 원시성과 관련을 갖고 있다. 어떤 모랄리스트이고, 부차적인 감정의 상태라고 우리들이 부를 수 있는 쾌락에, 즉 생의 착실한 업무에 부가되는 매력이나 애교로서의 쾌락에 반대하는 사람은 없을 것이다. 강력한 반발적인 판단을 유발하는 것은 과격한 국면에 처한 쾌락인데, 그런 쾌락은 인간본성의 본질적이며 결정적인 정력의 대상이 되기 때문에 그렇게 된다. 칼라일이 그것을 돼지철학이라고 부른 것은, 벤덤[4]의 도덕이론이 쾌락은 사실상 인간의 본성의 본질적이며 결정적인 부분의 대상이라고 주장했기 때문이었다. 칼라일이 의미한 것은, 물론 인간의 본성을 그렇게 직접적으로 쾌락과 결부시키는 것은 인간의 본성을 모독하는 일이라는 것이다. 그런데 이것이 바로, 워즈워드가 내가 지적한 문장에서 우리들에게 인간의 본성을 그렇게 상상하라고 요구하는 양상인 것이다. 정확하게 말해서 워즈워드가 마음속에 간직하고 있는 것은 원시적이거나 과격한

• • •

3. 김수영의 의역이 부각되는 번역이다. 원문은 "any badness or unfavorableness"이다.

4. [역주] Jeremy Bentham(1748-1832). 영국의 법학자, 윤리학자, 경제학자, 공리주의의 창시자.

국면에 처해 있는 쾌락인 것이다. 워즈워드는 '쾌락의 가장 중대한 궁극적인 원칙'에 대해서 말하고 있는데, 그것은 다시 말하자면, 단순한 매력이나 쾌적감으로서의 쾌락이 아니라, 본능의 대상으로서의 쾌락, 프로이트(쾌락이 인생에서 수행하는 임무에 대한 프로이트의 복잡한 해명이 물론 여기에서는 상당히 필요하다)가 후일 추진력이라고 부르게 된 것의 대상으로서의 쾌락이다. 적어도 그 한 문장에서만 보더라도, 워즈워드가 단순한 부차적인 국면에 처한 쾌락에 거의 관여하고 있지 않다는 것은, 그것을 인간의 위험을 구성하는 것으로 말하고 있는 것을 보면 알 수 있다. 말하자면 그는 사회가 부여하는 위험을 염두에 두고 있는 것이 아니라, 본연의 적나라(赤裸裸)한 위험을 염두에 두고 있는 것이다.

칼라일이, 쾌락은 인간의 제일가는 관심사이며 또한 관심사이어야 된다는 벤덤의 주장을 비난했을 때, 그가 옹호하려고 기도한 것은 바로 인간의 위험이었다. 칼라일이 찬동한 전통적 도덕은, 분명히 인간의 자기만족에 대한 충동의 억센 힘에 대해서는 생각도 하지 않고, 그것은 인간의 위험을 이 거센 힘과 연결시키지는 않았다. 오히려 그와는 정반대로, 위험은 — 그것이 개인적이며 도덕적인 것일 때에는 — 인간이 쾌락에 대한 충동에 대해서 제시하는 반항에서 생겨나는 것이라고 생각되었다.

그러나 워즈워드에게 있어서는, 쾌락은 인생 그 자체와 자연 그 자체의 본질적인 특징이었다. 말하자면 쾌락은 성인들이 할 수 있는 모든 일보다도, 인간과 인간의 도덕적 존재에 대해서 우리들에게 더 많은 것을 가르쳐 주는 '봄 숲에서 오는 충격'이다. 따라서 인간성 — '인간이 인간을 가지고 만든 것' — 의 타락된 상태는, 자연물 중에서도 인간만이 살아 있는 세계를 움직이는 (워즈워드는 그렇게 믿고 있다) 쾌락을 경험하지 않는 환경에서 생겨난다. 시인은 쾌락의 관념을 가장 소중히 생각하지만, 워즈워드가 주장하는 실제적인 쾌락이 지극히 한정된 종류의 것이라는 것은, 물론 워즈워드의 비평의 진부한 점이다. 분명히 워즈워드는 '전혀 육체적인' 쾌락, '식욕의 탐닉'과 '감각적 만족'에서 오는 쾌락을 제외했고, 특히 워즈워드의 봄철의 생동하는 세계는 루크레티우스의 세계와는 거리가 멀다. 그것은, 워즈워드의 마음속에 에로틱한 면이 전혀 없다는 말이 아니라, 그의 에로티시즘이 지극히 고상하게 승화되어 있다는 것이다. 말하자면 워즈워드의 쾌락은, 항상 희열로 향해 있었고 보다 더 순수하고 보다 더 가까웁게 초월적인 생태로 향해 있었다. 그러나 우리들이 아무리 이러한 뜻깊은 한계를 자각하더라도, 쾌락의 원칙에서 나온 쾌락의 주도성과 위험에 대한 워즈워드의 서문에서의 주장의 대담성을 우리는 과소평가할 수 없다. 또한 그러한 대담성과, 불란서혁명의 도덕적 이론의 일부의 급진적 국면과의 친밀한 연관성을 무시할 수는 없다.

불란서혁명 시대를 이해하려면, 독일의 경제사학자 베르네르 좀바르트[5] — 그의 가장 주요한 관심사는 자본주의의 기원이었다 — 의 저술의 하나에서 많은 것을 얻을 수 있다고 생각된다. 좀바르트는, 그의 광범한 논문인 『사치와 자본주의』 속에서, 최초의 거대한 자본의 축적이 서구에서는 중세기 말엽과 18세기 말엽 사이에 볼 수 있는 세간의 쾌락에 대한 — 안락과, 사치와, 우아에 대한 — 증가되는 요구의 결과에서 생긴 사치품의 거래에 의해서 이루어졌다는 주제를 발전시키고 있다. 자본주의의 대두에 대한 포괄적인 설명으로서, 이 이론은 대체로 타당성이 없었다고 생각된다. 그러나 좀바르트가 쌓아올린 사회적 및 문화적 자료는 그 자체로서 흥미있는 것이며, 우리들에게 적절한 점이 많이 있다.

구라파인들의 사치에 대한 몰두는 왕조의 궁정에서와 궁정생활이 가능하게 한 부인들의 세력에서 생겨났다는 견해를 좀바르트는 발전시키고 있다. 그는 사치를 본질적으로 에로티즘의 표현이라고 주장하고, 성생활을 세련되고 복잡하게 하기 위한 노력이라고, 말하자면 에로틱한 쾌락의 질을 높이기 위한 노력이라고 주장하고 있다. 좀바르트가 연구하고 있는

• • •

5. [역주] Wener Sombart(1863-1941). 독일의 경제학자, 사가(史家). 경제체계의 개념을 수립하고, 노동자계급 문제에 공헌했다.

궁정의 사치는 쾌락을 권력과 결부시키고, 쾌락을 권력의 표식의 하나로 생각하고, 따라서 쾌락을 권력 있는 사람들의 생활의 장식을 꾸미는 물체에 표시될 뿐만 아니라, 두드러지게 눈에 띄게 되는 것이라고 생각하는 유일한 예라고는 할 수 없다. 그러나 좀바르트가 묘사하고 있는 특수한 현상에 대해서 주목할 만하다고 생각되는 점은, 특정한 시기에 있어서의 사치의 번식(繁殖)의 범위다. 말하자면 막대하게 생산되는 사치품의 양과, 왕실이나 귀현(貴顯)보다 낮은 계급에 이용되는 사치품의 증가율과, 사치에 대한 욕망의 노골성과, 이러한 욕망의 치열성(熾烈性)이다. 이러한 점에 대한 좀바르트의 자료는 너무나 무수해서 여기서 일일이 인용할 수는 없지만 문제의 제(諸) 세기로부터 생겨난 구라파의 이류 예술품 — 상류계급의 장식품과 가구류와 의상들 — 을 우연한 기회에 본 것을 기억하고 있는 여행자는 누구나 좀바르트가 생산된 사치품의 분량에 대해서 과장하고 있는 것이 아니라는 것을 알 것이다. 또한 발자끄의 독자라면 누구나, 후일에 쾌락의 수단이나 표식으로 욕구된 고가(高價)하고 정교한 물품의 획득에 따른 열정의 치열도(熾烈度)를 알게 될 것이다.

주로 우리들의 관심을 끄는 것은, 사치가 사회적이나 도덕적 관념에 대해서 발휘한다고 생각되는 영향력이다. 그러한 영향력은, 직접적으로 권력을 발동하기보다는 오히려 표상이나 표식에 의해서 간접적으로 그 자신을 표현하는 증대되는 권력의 경향 속에서 찾아볼 수 있게 되어 있다. 왕실의 물품의 호사스러움과 정교성은 실제적인 권력의 표식이었지만, 그러한 표식은 행동으로 자기의 이름을 밝힐 필요가 없는 실제적인 권력을 표시했다. 왕이 그의 위엄이라고 생각한 것은, 그전보다도 더한층, 부유에 의해서, 즉 뚜렷하고 두드러지게 눈에 띄게 만들어진 쾌락의 수단에 의해서 표시될 수 있었다.

그리고 사치의 물품이 보다 더 광범하게 사용될 수 있게 되었기 때문에, 사치가 암시하려고 하는 위엄도 그렇게 되었다. 위엄과 사치스러운 생활양식과의 연결은 최초에는 자명하지 않았다. 불란서에서는 1670년에는 '부르주아 귀족'이란 어휘가 희극적인 것으로 생각되었다. 몰리에르의 희극의 제목인 『신사가 된 평민』의 영어 번역에서도, 그것이 역시 우스꽝스러웠지만, 영국인의 웃음은 불란서인처럼 그다지 크지도 않고 오래 계속되지도 않았다. 영국에서 불란서혁명 같은 사건을 일어나지 않게 한 것은, 영국의 신사계급이 비교적 쉽사리 성장했기 때문이라고, 다시 말하자면 신분의 외부적인 표식이 드디어는 진정한 신분을 수여한다는 관념이 용납되었기 때문이라고 또끄빌은 믿고 있었다. 그러나 영국에서처럼 불란서에 있어서도, 위엄의 관념의 하층계급으로의 만연(蔓延)은, 드디어 그것이 일반적으로 인간에게 적용될 수 있는 관념이 되기까지, 쾌락의 수단이나 표식을 소유할 수 있는 증대되는 가능성에 의해서 촉진되었다. 그러한 관념이 18세기의 급진적 사상의 중심부에 자리를 잡았다는 것은 거의 말할 필요도 없는 일이다. 그러니까 가장 강경한 유물주의자인 디드로 자신도, 가장 섬세하고 예민한 사람이었지만, 쾌락의 가장 중대한 궁극적 원칙이 인간의 적나라한 본연의 위엄을 구성하고, 인간이 알고 살고 숨 쉬고 움직이는 것이 모두 이 원칙에 의해서 이루어진다는 워즈워드의 주장보다 더 절대적인 그 자신의 도덕적 내지는 지적 이론의 진술을 원할 수는 없었다.

쾌락의 원칙의 의식적인 수행의 범위에 있어서 키츠와 워즈워드만큼 밀접한 관계를 가진 사람도 없다. 그렇지만 또한 두말할 것도 없이, 그 원칙을 예증하는 독특한 방식에 있어서 키츠와 그의 위대한 스승만큼 판이한 사람도 없다. 워즈워드에 있어서 쾌락이 추상적이고 근엄한 정도로, 키츠에 있어서는 그것은 명확하고 육감적이었다. 어느 시인도 키츠만큼 '식욕의 탐닉 같은 감각적 만족'의 의미로서의 쾌락의 관념을 골똘하게 믿은 사람은 없었고, 좀바르트가 묘사하고 있는 현상 — 쾌락과 감각과 사치의 복합(複合) — 이 바로 키츠의 사랑의 구조를 형성하고 있다.

키츠의 동물적 쾌락에 대한 집념은 — 그의 초기 작품에 나타나 있지만 — 그의 열렬한 숭배자들에게까지도 재미있는 경멸거리로 간주되고 있다. 기껏 잘되어 보았대야 에나멜을 입힌 사탕에, 절인 과일이나, 냄새

말는 담뱃갑의 뚜껑에 쓰는 매력 있는 에로틱한 장면을 고안하는 우아한 소문자의 상상력 정도에서 따온 것같이밖에는 보이지 않는다. 그리고 최악의 경우에는 그것은 사치에 대한 노골적인 관심의 노출 속에서 속되고 천하게밖에는 보이지 않는다. 사치라는 그 말 자체가 키츠에게는 매력이 있었고, 그 말을 사용함으로써 키츠는 독특하게 에로틱하고 에로틱한 의미밖에는 아무것도 없는 그 말의 중세기적인 영어의 의미를 부활시키려고 하는 것 같다. 초오서에게 있어서는, 사치는 색정이며 음탕이었던 것이다. 여자는 키츠의 상상력에는 사치로서 나타난다—"그의 팔에 안긴 / 모든 그 보드러운 사치." 시는 "밝고 새하얗고 보드랍고 장밋빛을 한 사치의 명(銘)"으로 묘사되고 있다. 시는 다름 아닌 사치에 대한 관계에 의해서 규정되고, 가장 높은 그의 존귀성 속에서도 시의 기능은 마음을 달래주고 위안하는 것이라고 한다.

그런데 그 야비성—만약에 우리들이 그것을 그렇게 부르는 데 동의한다면—은 초기 작품에만 국한되어 있는 것이 아니다. 우리들은 그것을 키츠의 원숙기의 시의 극단적인 형태 속에서도 찾아볼 수 있다. 『라미아』에 나오는 애인은 보통 순진한 청년으로 생각되고 있지만, 그러나 발자끄의 소설에 나오는 파리장 등의 생활 장면의 가장 부패한 청년도, 그의 여자나 휘앙세한테 리시아스가 라미아에게 공중 앞에서 자기의 위신을 높이기 위해서 미모를 과시하라고 주장할 때에 말하는 것 같은 말투는 쓰지 않을 것이다. 금력정치적(金力政治的) 민주주의 특징적인 정서라고 또끄빌은 말했는데, 리시아스가 자극을 주고 싶은 것은 특별히 추악한 종류의 질투인 것이다. "나의 적으로 하여금 숨 막히게 하고, 나의 친구들로 하여금 멀리서 감탄의 고함을 치게 하자 / 사람들이 밀려다니는 분잡한 거리를 뚫고 너의 신부의 마차가 / 눈부신 바퀴살을 돌리며 굴러가는 동안에"라고 리시아스는 말하고 있다. 이것이 전부가 극적인 발언이지 개인적인 발언이라고는 할 수 없고, 우리들은 키츠와 리시아스를 완전히 분리시켜 생각해야 한다고 억지로 주장할 필요는 없으리라고 생각된다.

우리들은 키츠가 쾌락의 원칙의 모든 국면에 — 야비하고 추악한 국면에까지도 — 휩쓸려 들어가 있다고 상상해야 할 것이라고 생각한다. 그렇지 않고서는 키츠의 시의 특징적인 지적 활동인 그 쾌락의 변증법의 복잡한 내용을 충분히 이해할 수 없게 된다.

이러한 변증법의 운동은, 키츠가 "별들의 사색 속에서 충분히 쉬고 있는 명주 같은 부드러움"이라고 말하고 있는 초기 시에서 따온 2행에서 표시되고 있다. 이 구절은 감각적인 것에서 초월적인 것으로 향하는, 쾌락에서 지식으로 향하는, 궁극적인 종류의 지식으로 향하는 운동이다. 키츠의 지성은, 그의 쾌락 긍정의 치열도가 그의 쾌락에 대한 회의의 치열도와 맞서게 될 때 가장 충분한 작용을 했다. 쾌락의 원칙은, 워즈워드에 있어서처럼, 키츠에게 있어서도 실재[6]의 원칙이다. 워즈워드가 말한 것처럼, 우리들은 이것에 의해서 알게 된다. 그러나 키츠에게 있어서는 그것은 또한 환상의 원칙이다. 가장 뚜렷한 예를 들자면, 『성(聖) 애그니스의 저녁』[7]에서, 시의 심장부에 있는 쾌락의 순간은, 최대한의 가능한 사치의 상상 속에 표현된 에로틱한 쾌락의 순간은 바로 실재의 본질인 것이다. 그것은 우리들이 지상에서 알고 있는 전부이며, 알 필요가 있는 전부인 것이다. 또한 그것은 시 속에서, 지상에서 그것을 부인하는 것들에 의해서 둘러싸여서 존재하고 있기 때문에 암흑과 추위와 죽음 같은 그것을 일시적인 것으로 만들고 느껴지고 주장되고 있는 실재를 단순한 환상으로 만드는 것들에 의해서 둘러싸여서 존재하고 있기 때문에, 그것은 실재로서는 그만큼 더 현실적이고,[8] 지식으로서는 그만큼 더 포괄적이다.

그러나 키츠의 쾌락의 변증법에 있어서, 쾌락을 조건 짓고 그것을 문제되게 하는 것이 외부적인 환경만이 아니라 쾌락 그 자체의 본질이라는

● ● ●

6. reality의 번역이다. '현실'이 자연스럽다.

7. 『성 아네스의 축일 전날 밤(*The Eve of St. Agnes*)』.

8. reality를 현실로 번역할 경우, '그것은 현실로서는 그만큼 더 리얼하고'가 된다.

것을 우리들은 깨닫지 않으면 아니 된다. 만약에 키츠에게 있어서 에로틱한 쾌락이 모든 쾌락 중의 최고봉이고 왕관이라면, 그것은 또한 쾌락에 대한 욕구가 그 자체를 부인하고, 그와는 정반대되는 것을 산출하는 방식의 으뜸가는 예가 된다.

> 물과 빵조각뿐인, 오두막집 속의 사랑은
> — 사랑이여, 용서하라 — 석탄 찌끼, 재, 먼지다.
> 궁전 속의 사랑은 아마 드디어는 은자(隱者)의 단식보다도 더 슬픈 고문일 것이다.

『라미아』의 제2부의 서두에 나오는 이 구절은, 흔히 말하여지고 있듯이, 다만 풍자일 뿐만 아니라, 에로틱한 생활 속에는 옳지 않은 자기 부정적인 것이 있고, 우리들이 "쾌락이…… 벌에 쏘일 때처럼 독이 되는 것"을 느끼게 되는 것은 당연한 일이라는 키츠의 감각의 가장 대담한 표현의 하나인 것이다. 그는 해석하기 어렵지 않은 방식으로 그 진술의 진지성(眞摯性)을 주장하고 있다 — 바로 지금 인용한 구절에 관해서, 그는 이렇게 말하고 있다.

> 그것은 선경(仙境)에서 전해 온 갈피를 잡을 수 없는 이야기이고,
> 하나님의 택하심을 받은 사람이 아니고는 이해하기 힘드는 이야기다.

우리들은 그 선경을 매우 잘 알고 있다 — 『나이팅게일의 송가(頌歌)』에 나오는 키츠의 그 지방에 대한 형용은 '버림받은'이라는 것이다. 그것은 '자비심 없는 아름다운 부인'의 나라다. 다시 말하자면 황폐로 통하는 에로틱한 쾌락의 장면이며, 거세를 의미하는 에로틱한 완성의 장면이다.

그러니까 키츠는 쾌락의 원칙을 가장 대담하게 긍정한 시인이라고 생각될 수 있는 동시에, 쾌락의 원칙을 가장 거창하고 가장 진지하게

의심한 시인이라고 생각될 수 있다. 그 때문에 그는 특수한 문화적 흥미를 우리들에게 준다. 왜냐하면 현대사의 어느 시점에서는 쾌락의 원칙이 바로 그러한 양립하는 반대감정으로 간주되게 된 것이 사실일 것 같기 때문이다.

이러한 양분된 감정의 상태는 정치와 예술 간의 균열(龜裂)이라는 말로 표현될 수 있다. 현대사회는 부유(富裕) 속에 그 자신을 완성시키려고 애를 쓰고 있는데, 이 부유는 물론 쾌락의 가능성을 의미하는 것이다. 우리들의 정치적 도덕은 이러한 쾌락을 묵낙(默諾)하는 것 이상이다. 우리들의 정치적 도덕의 단순하고도 전반적으로 유효한 기준은 부유가 개인과 국가 사이에 배분되는 범위이다. 그러나 또 하나의 도덕은, 즉 우리들이 예술과 관계가 있는 것이라고 말할 수 있는 도덕은, 부유에 의해서 암시되는 모든 것을 준엄한 위협적인 눈초리로 바라다보면서, 쾌락의 원칙에 대해서 희미한 입장을 취하거나 기껏해야 착잡한 입장을 취할 정도다. 만약에 우리들이 두 개의 상이한 양식의 도덕 — 정치적 도덕과 예술적 도덕 — 에 대해서 뿐만 아니라, 그것들에 책임을 지고 있는 사람들에 대해서 이야기한다면, 동일한 사람이 그 두 개의 도덕적 양식의 쌍방에 대응하는 — 또한 치열하게 대응하는 — 것이, 노상 그렇다고는 할 수 없더라도, 지극히 가능한 일이라고 우리들은 말할 수 있다. 교육을 받은 사람의 경우에는, 그의 정치에 대한 판단의 기초가 쾌락의 원칙의 단순한 긍정 위에 놓여지고, 그의 예술에 대한 판단의 기초가, 또한 그의 개인의 존재에 대한 판단의 기초가 그 원칙에 대한 복잡한 적의에 놓여진다는 것은 결코 보기 드문 일이 아니다. 이러한 양분이 우리들의 문화적 상황의 가장 특징적인 환경의 하나를 만들고 있다.

내가 쾌락에 대한 현대의 예술적 태도에 관해서 이야기한 것을 시험하는 하나의 방법이, 키츠가 『수면(睡眠)과 시』에서 명확히 말하고 있는 시의 개념에 의해서 제공되고 있다. 이 시는 키츠가 시의 본질과 기능에 대해서 생각한 전부를 표현하고 있지는 않지만, 그것이 표현하고 있는 것은 분명히 그의 사상의 중심적인 것이며 현대적인 감성으로서는 용납될 수 없는, 반발까지도 살 만한 것이다. 그 시가 우리들에게 말하는 것을 보면, 시는 우아하고 마음을 달래주고 즐거웁고 건강하고 잔잔하고 미끈하고 당당한 것이다. 또한 시인은, 그의 발전의 자연스러운 과정 속에서, 우선 그의 예술을 식욕의 쾌락의 — 능금이나 양딸기나 아름다운 처녀의 하얀 어깨 같은, 깨물 수 있고 맛볼 수 있는 식욕의 쾌락의 — 묘사에 바쳐야 할 것이다. 또한 시인은 그의 주의력을, 쾌적한 풍경이나 향기 사이의 에로틱한 흥분의 세세한 것에 바치고, 성적 행위와 수면에 바쳐야 할 것이다. 그리고 그 시는 계속해서 말하기를, 시인은 나이를 먹어감에 따라서 고상하다고 불리어질 수 있는 다른 종류의 시를 써야 할 것이라고 한다. 이 다른 종류의 시는 청춘의 육욕적 탐닉에서 끌어오거나 그것으로 향하는 일이 점점 적어지고, 보다 더 원숙기의 무게에 적합한 것이 되지만, 그것은 역시 쾌락에 이바지하게 되고, 따라서 추악한 주제를 피하는 데 있어서 엄격해야 한다. 또한 그러한 시는 "인생의 거칠은 자극과 가시"라고 언급되고 있는 그러한 비참한 일을 취급해서는 아니 된다. 시의 위대한 목적은, "걱정을 달래고, 인간의 사상을 고양시키는 일"이라고 한다.

위대한 시인이 말하는 이러한 신조는 우리들을 당황하게 하고 난처하게 한다. 그것은 속물근성의 본질이라고 우리들은 말한다.

키츠가 제시하고 있는 시의 본질과 기능의 개념은 물론, 키츠만이 갖고 있는 독특한 것은 아니다 — 그것은 르네상스를 지나서 19세기의 어느 시기에 와서 세력을 잃을 때까지 널리 퍼져 있던 예술에 대한 일반적인 가정의 진술로서 이해될 수 있다.[9] 특히 18세기에 있어서는, 예술은 사치와

● ● ●

9. [원주] 낡은 가정의 마지막 현저한 전형의 하나가 청년시절의 예이츠였다. 예이츠는 '모든 일에 있어서 라파엘 전파(前派)'였고 — 다시 말하자면, 초기의 근엄한 라파엘 전파의 양식의 지지자가 아니라, 일종의 신비적 에로티즘의 물이든 후기의 호화스러운 스타일의 지지자였고 — 따라서 그는 파리에 공부를 하러 간 화가들이 영국에 소개한 까롤리스 듀랑과 바스티앵-르빠쥬의 리얼리즘에 완강히 저항했다. 예이츠

밀접한 관계를 갖고 있다 — 말하자면 쾌락이나, 적어도 소비자의 위안이나 소비자의 자아의 지극히 직접적인 아첨과 밀접한 관계를 갖고 있다. 바로 미의 관념 그 자체가 이러한 종류의 고려를 암시하는 듯이 보이며, 그 때문에 필시 18세기는 그다지도 자심하게 숭고의 관념에 끌리었을 것이다. 왜냐하면 숭고라는 말은, (키츠의 일람표의 두 개의 속성을 따자면) 우아와 평온과 미의 관념이 제의하는 듯이 보이는 만족의 직접성을 갖고 있지 않기 때문에, 미라고 불리어질 수 없는 일종의 예술상의 성공을 지적하는 듯이 보인다. 그러나 숭고 그 자체는 물론 이기주의의 제 목적에 봉사했다 — 그러니까 회화(繪畫)에 있어서의 그 방면의 위대한 영국의 전형인 여호수아 레널즈 경[10]이 말하고 있듯이, '웅장한 양식'이라고 불리어진 그러한 숭고의 예는 "영웅적 행위와 영웅적 고통의 어떤 실례"와 관련이 있다고 하며, 그의 고유의 효과는 부샤돈[11]이 호머를 읽었을 때 느꼈다고 보고한 정서를 자아내는 것이다. 즉, "그의 전체의 구도는 그 자신에게는 확대된 듯이 보였고, 그를 둘러싼 모든 자연은 미진(微塵)으로 줄어들었다."[12]

● ● ●

는 진실한 추악(醜惡)에 반대하고, '아름다운 것'을 추구했는데, 이것은 예이츠와 그의 부친과의 사이의 중요한 논쟁거리였다. [편주] '라파엘 전파'는 'pre-Raphaelite' 즉 '라파엘 이전의 경향'을 뜻한다. 1848년에 영국의 젊은 화가들이 이태리 르네상스시대 이전, 즉 라파엘로 이전의 회화를 지향하면서 결성하였다.

10. Sir Joshua Reynolds(1723-1792). 18세기 영국의 초상화가.

11. [역주] Bouchardon(1698-1762). 불란서의 조각가.

12. [원주] 모든 작가들은 숭고에 대해서 결국 부샤돈이 말하고 있는 것을 말하고 있다 — 즉, 숭고한 주제는 압도적인 정서를, 두려움과 공포조차도 유발하지만, 그것은 우리들에게 그보다 더 윗길 가는 것을 낳게 하고, 전반적으로 지력과 우리들 자신을 신용할 수 있는 기회를 줄 수 있는 방식으로 그렇게 한다. 숭고는 안락과 사치에 대해서 이런 직접적인 관계를 갖고 있고, 그것은 우리들로 하여금 "우리들이 갈망하는 일들을 하지 않은 사소한 일로 간주하게"끔 한다(칸트 저(著) 『판단력비판』). 나의 주제를 좀 더 야심적으로 다루려면 숭고의 이론에 대한 훨씬 더 충실한 기술이 필요하다. 18세기의 예술을 연구하는 필자들의 관심을 매우 강렬하게 사로잡은 이 이론으로 말하자면, 그것은 현대의 비평가들이 인식하고 있는 것보다도

나는 18세기의 예술에 관해서 소비자라는 불쾌한 현대어를 썼는데, 그것은 예술이 사치와의 사이에 갖고 있다고 생각되는 유사성을 시사하고, 그것을 소유하고 경험하는 사람의 쾌락과 안락을 위해서 그것이 느낀 노심(勞心)으로서 암시되는 상품으로서의 그의 신분을 시사하려고 한 것이다. 분명히 워즈워드는 이러한 사태[13]를 변경시키는 운동에 있어서 탁월했지만, 워즈워드는 운율적인 언어의 가치를 시가 표시하려고 원하는 어떠한 상황의 불안으로부터 독자를 보호하는 그의 능력에 있는 것이라고 생각하고, 소설에 있어서의 그러한 제 상황(諸狀況)의 효과를 셰익스피어에 있어서의 제 상황의 효과와 비교하면서, 소설에 있어서는 그러한 제 상황은 '괴로운' 것이지만 셰익스피어에 있어서는 그렇지 않다고 보고 있다.[14] 그것은 키츠를 만족시키지 못한 설명이었고, 키츠는 『리어 왕』에서 "불쾌한 모든 것이 증발해서 없어지는" 이유를 모르는 채 남아 있었다는 것을 우리들은 알고 있다. 키츠는, 이러한 효과가 '강렬도(强烈度)'에 의해서

● ● ●

훨씬 더 많이 우리들 자신의 문학과 관계를 갖고 있다고 말할 수 있다. [편주] 위의 부챠돈은 프랑스의 조각가 부샤르동(Edme Bouchardon)을 가리킨다.

13. [원주] "시를 오락이나 한가한 쾌락의 대상처럼 말하고 있는…… 사람들…… 그들은, 그들이 말하는 시의 '취미'에 대해서, 그것이 줄타기나 프론티냑 포도주나 셰리의 취미 같은 무관심한 일처럼, 정중하게 우리들과 이야기하려고 한다."

14. [원주] 워즈워드의 '괴로운 것'을 억제하려는 충동의 힘은 『전주곡(前奏曲)』에 나오는 그 유명한 대목에 의해서 시사되고 있다. 거기에서 시인은 그의 유년시절의 독서가 실제의 공포에 익숙해지는 데 얼마나 도움이 되었는가를 설명하고 있다. 그는 아홉 살 때에 일어난, 에스웨이트호의 밑바닥에서 건져낸 익사자를 본 사건을 상세하게 말하고 있다. 그는 말하기를, 자기는 그전에 '내부의 눈'으로 우화와 소설 속에서 그런 광경을 보았기 때문에, 익사자의 '소름이 끼치는 무서운 얼굴'의 공포에도 압도되지 않았다고 한다. 따라서 그는 우리들의 안이(安易)한 믿음의 한계를 넘어서서 더 멀리 갈 필요가 있다고 느끼고 있는데, 그것은 그의 말에 의하면 무서운 광경을 좋아하는 '정신'이 그의 독서에서 얻어졌기 때문이다.

희랍의 예술작품처럼, 가장 순수한
시처럼, 장식과 이상적인 우아(優雅)를 갖춘 위엄과 부드러움의 '정신'이.

생긴다고 보고 있고, 오늘날에 우리들은 키츠가 빠져나갈 길을 만들어 놓고 우리들의 최상의 희망을 실망시키는 것을 보고 바야흐로 그와 함께 마음의 위안을 얻으려고 한다. 키츠는, '불쾌한 것들'이 강렬도의 작용에 의해서 뿐만 아니라 "미와 진실과의 밀접한 관계에 놓여 있는 불쾌한 것들의 존재"에 의해서 증발해서 없어진다고 말하지 않을 수 없다. 그러나 키츠가 『리어 왕을 다시 한 번 읽어보려고 앉으면서』라는 그의 소네트에서 모든 쾌락의 사상을 쫓아내고, 그가 응당 받아야 할 의무가 있는 고통에 대한 준비를 할 때, 우리들은 드디어 그와 일치하는 우리들 자신을 발견하게 된다.

……다시 한 번, 영겁의 벌과
열정에 타는 육체 사이의 치열한 싸움을 통해서,
나는 몸을 태워야 한다. 다시 한 번 겸허하게
이 셰익스피어의 과일의 쓰디쓴 단맛을 음미해야 한다.

키츠는, 그 불쾌한 것들이 사실상 증발해서 없어질는지, 또한 자기가 그 경험에서 무사하게 빠져나올 수 있을는지 확신을 갖지 못하며, 따라서 그는 셰익스피어와 '대영제국의 구름'에게 자기를 '불모(不毛)의 꿈속에서' 방황하지 않도록 보호해 줄 것을 기도하고, 자기가 '불속에서 소진해 버릴'때, 자기의 불사조의 부활을 이룩해 줄 것을 기도하고 있다.

우리들의 시대의 우리들은 이것을 완전히 이해할 수 있다. 우리들은, 소비자 위주의 안락하고 사치스러운 예술의 관념에 반발을 느끼고 있다. 드디어는 우리들에게 권위를 갖게 될 작품에 대한 우리들의 전형적인 경험은, 그 작품에 대한 우리들의 관계를 의식적으로 불리하게 시작토록 하는 것이다. 그리고 그 작품이 우리들에게 행복을 줄 것을 승낙하기까지는, 그것과 멱씨름을 하는 것이다. 우리들은 그러한 작품이 우리들을 심판할 것을 상상함으로써 그에 대한 우리들의 드높은 존경을 표시한다.

따라서 그러한 작품이 이미 우리들을 심판하지 않는 것같이 보일 때나, 그러한 작품이 이미 우리들을 당황케 하고 우리들에게 저항을 하지 않거나, 우리들이 그러한 작품을 소유하고 있다고 느끼기 시작할 때에는, 우리들은 그러한 작품의 힘이 적어졌다는 것을 알게 된다. 우리들은 그러한 작품을 칭찬하는 데 있어서 미라는 말을 잘 쓰지 않는다. 우리들은 오래전에 — 40년도 더 전에 — I. A. 리차즈가 오그덴과 우드와 협력해서 한 시위에 찬동했다.[15] 즉 그들은, 미의 개념에는 아무런 의미도 붙여질 수 없거나 그렇지 않으면 그것은 예술작품과 우리들의 성적 기호 — 지극히 인습적인 성적 기호 — 사이의 어떤 가정된 관계에서 경솔하게 따온 것이라고 시위했던 것이다. "미(美), 그것은 곡선이다. 곡선은 미다" 하고, 레오폴드 블룸은 말하고 있고, 우리들은 그다지도 시대에 뒤떨어진 미학을 보고 코웃음을 친다 — 얼마나 블룸다운 말인가! 우리들은 또한 젊었을 때의 예이츠가 『비밀의 장미』(1896)에서 미를 찬양한 구절을 읽고 — 예이츠는 비밀의 장미를 "사람들이 미(美)라고 이름 지은 잠"이라고 말하고 있다 — 그와 똑같은 우스운 것을 느낀다.[16] (계속)

● ● ●

15. [역주] I. A. Richards(1895-)는 언어학자인 C. K. Ogden과 Wood와 함께 『의미의 의미(*The Meaning of meaning*)』라는 언어의 본질과 기능을 심리학적으로 연구한 저서를 내놓았다.

16. [원주] 블룸의 관찰(그의 관찰은 계속해서 '맵시 있는 비너스 여신인 주노와, 세상이 숭상하는 곡선'과, '주노파(派)가 조각한 여인들의 아름다운 자태'에 이르른다)은 몰리라는 여자와의 그의 최초의 성적 조우(性的遭遇)에 대한 서정적 회상을 쫓고 있다. 예이츠의 구절은 모오드 곤에게 바친 시 속에 있는 것이다. 내가 생각하기에는, 죠이스(적어도 『율리시스』를 통해 본 죠이스)와 예이츠는 구라파적인 여인 숭상과 '여성 원칙'의 숭상의 최후의 귀의자(歸依者)였고, 몰리와 모오드는 필시 초월적이고 철저하게 자비로운 특성을 가진 것으로 묘사되고 있는, 문학 상의 최후의 여인인 것 같다(『의사 지바고』에 나오는 라라를 들 수 있지만 — 그 소설이 다분히 낡은 감을 주는 것은 이 라라 때문이다). 우리들의 성적 신화의 급격한 변화는, 우리들의 문화에 있어서의 쾌락의 위치에 대한 모든 고찰에서 반드시 고려되어야 한다. 이를테면 카프카의 정신생활에 대한 이야기에서는, 여자는 기껏 지극히 애매한 역할밖에는 하지 못하고 있다고 말할 수 있다.

요컨대 우리들의 당대의 심미적 문화는 단순한 원시적인 의미에 있어서의 쾌락의 원칙을 그다지 신용하지 않으며, 쾌락의 원칙에 대해서 적의를 품고 있다고 말할 수 있을 것 같다. 그러한 주장은 물론 불합리한 일면을 갖고 있지만, 그러나 그것은 다만 논리상으로만 그렇다. 말하자면 정도의 차이는 있지만, 그리고 때에 따라서는 지극히 높은 정도로 쾌락을 배척하고 — 프로이트의 어휘를 빌리자면 — 불쾌감 속에서 만족을 추구하는 인간적 형동[17]이 있다는 사실보다 더 한층 우리들의 현대적 이해력에 적합한 심리적 사실은 없다.

불쾌감 속에서 찾아볼 수 있는 만족을 위해서 쾌락을 배척하는 것은, 도스또예프스끼의 위대한 소설 『지하생활자의 수기』의 주요한 주제로 되어 있다. 이 비범한 작품에 대해서 토마스 만은 "그 작품의 고통스러운 경멸조의 결론"은, 그 작품의 "모든 소설적 한계와 문학적 한계를 무자비하게 초월한…… 급진적인 노골성"은 "오랫동안 우리들의 도덕적 문화의 제 부분(이) 되었다"고 말한 일이 있었다. 토마스 만의 진술은 정확은 하지만 최소한도로 말한 것이다. 도스또예프스끼의 소설의 고통스러운 경멸조의 결론은, 우리들의 도덕적 문화의 제 부분으로서 뿐만 아니라 — 적어도 그것이 문학으로 그 자체를 명시한 한에 있어서는 — 그의 본질로서 확고한 위치를 차지했다.

『지하생활자의 수기』는 제1인칭으로 씌어진, 모든 방면에서 불리한 처지에 있는 비참한 서기의 기질과 사색에 대한 이야기다. 그 주인공은 자기의 불행한 곡경을 온갖 쓰라리고 울분에 찬 수단으로 대처하고, 자기보다 한층 더 불행한 사람들에게 적의를 가지고 대하고, 또한 자기보다 행복스러운 사람들이나 행복의 요소에 대해서는 지독한 경멸감으로 대한다. 그는 목적 있는 생활을 하는 모든 사람들과, 분별 있는 사람들과

• • •

17. 발표 원문은 "衡動"이지만 "impulses"의 번역인 충동(衝動)의 오식이다.

행동과, 행복을 증오하고, "숭고하고 아름다운 것"이라고 그가 말하고 있는 것과, 쾌락을 증오한다. 그의 마음은 거의 믿어지지 않을 정도로 섬세하고 복잡하고 모순에 차 있다. 우리들은 그의 참뜻이 어디에 있는지 알지 못하며, 우리들은 기진맥진할 정도로 애를 쓰고 검토한 끝에 항용 그의 고약한 고집을 부러워서 미워하고, 자기가 갖고 있지 않아서 경멸한다는 식의, 얼마간 단순한 방법으로 설명하려고 든다. 지극히 자연스러운 일이라고 할 수 있다. 그러나 우리들은 이러한 그럴듯한 감언(甘言)을 사실이라고 생각해서는 아니 된다. 우선 주인공 그 자신이 우리들을 앞질러서 그러한 설명을 하고 있다. 그리고 그것은 지극히 지당한 말이기는 하지만, 다만 극소(極少) 부분의 진실에 지나지 않는다. 그가 갖고 싶지 않기 때문에 갖고 있진 않은 것은 역시 사실이다. 그는 그 자신의 비참을 마련하였다. 자기의 위엄을 위해서, 다시 말하자면 자기의 자유를 위해서 비참을 마련하였다. 왜냐하면 항용 사람들에게 적절하다고 생각되는 것을 원하는 것은, 높고 낮고 간에 무엇이든지 쾌락을 준다고 생각되는 것을 원하는 것은, 그것을 획득하는 목적을 위해서 상식을 사용하고 분별 있는 행동을 한다는 것은 — 이것은 인간의 조건부의 본질을 수락하고 그에 동의하는 것이 된다. 우리들은 워즈워드가 그의 서문을 쓴 지 60년 동안 얼마나 먼 거리에까지 왔는가! 쾌락의 원칙적 명령에 따라서 알고 느끼고 살고 움직인다는 것 — 이것은, 지하생활자에게는, 그의 본연의 적나라한 위엄을 구성하기는커녕, 오히려 노예의 굴욕을 구성하는 것이 된다. 그것은 그 자신을 하나의 기계로 — 즉 쾌락의 수단을 그 자신에게 제공할 수 있는 어떤 사람이나 어떤 물건의 괴뢰(傀儡)로 — 만드는 것이라고, 그는 믿고 있다. 쾌락이 만약에 사실상 그의 존재의 원칙이라면, 그는 2와 2의 합처럼 뻔한 것이다. 말하자면 그는 단순한 이성의 대상밖엔 되지 않으며, 쾌락의 원칙의 주도권 위에 세워진 그 불란서혁명의 합리성의 대상밖엔 되지 않는다. 『지하생활자의 수기』의 주인공은, 자기의 내력을 이야기하는 한 대목에서, 자기 자신을 '반영웅(反英雄)'이라고 말하고 있다.

그는 현재의 ― 대다수족(大多數族)[18]이라는 명칭을 만든 시조이다. 그는 소포클레스의 조상에 의해서 표시되는 모든 특성에 반대하는 대적자의 입장에 서 있다. 마가레트 비어버 교수의 말에 의하면[19], 힘과 영혼의 질서를 표시하는 용모와 체력의 장중한 이상미인 희랍의 영웅의 개념을 이해하려고 할 때 기억해두어야 할 것이 소포클레스의 조상(彫像)이라는 것이다. 그런데 지하생활자는 그의 계보(系譜)의 근원을 데르시테스에 두고 있다. 그가, 소위 '신사(紳士)'라고 부르는, 행동과 이성의 사람들에게, '숭고하고 아름다운 것'의 애인들에게 말을 걸면서, 그들에게 "나는 당신이 갖고 있는 것보다 내 안에 더 많은 생명을 갖고 있다"고 허풍을 떠는 것은 그의 '반영웅(反英雄)'의 특성에서 나오는 것이다.

더 많은 생명. 니체가, "도스또예프스끼의 지하인과 나의 초인은 (현대의 사상과 감정의) 토굴로부터 햇빛으로 비비고 나오는 동일한 인물이다"라고 말했을 때 생각하고 있던 것은, 필시 지하생활자의 이러한 자랑이었을 것이다. 우리들은 니체가 말하고자 하는 것을 알 수 있지만, 그러나 니체는 그 양자(兩者)의 동일성을 잘못 생각하고 있다. 왜냐하면 니체 자신의 상상은 햇빛이라는 말로 해서, 그가 사랑한 지중해의 세계로 해서, 다시 말하자면 쾌락의 가치를 인정하는 휴머니(즘)의 전통으로 해서 한쪽으로 쏠리어져 있다. 그는 아무리 그 자신의 사회와 문화를 경멸하더라도, 사회와 문화의 고려에 의해서 불가피하게 억제되어 있지만, 지하생활자는 그렇지 않다. 확실히 후자의 경험의 영역은 우선 사회적이다. 그는 신분과 위엄의 문제에 사로잡혀 있다. 또한, 만약에 발자끄와 스땅달의 주인공들의 운명이 욕망이나 사회적 의지의 대상이 환상과 부패의 근원 ― 사회가 바로 그렇기 때문에 ― 밖에 되지 않는다는 것을 앞서서 시위하지 않았더라면, 지하생활자는 태어날 수 없었으리라는 것도 우리들은 상상할 수

• • •

18. "now-numerous tribe"의 번역이다. '현재-다수족' 정도로 번역되어야 할 것이다.
19. [역주] Margarete Bieber(1879-). 미국의 고고학자.

있다. 그러나 사실은, 지하생활자의 사회에 대한 적개심은 사회생활의 부족에 응해서 생기는 것이 아니라, 오히려 사회가 은혜를 베풀려고 열망함으로써, 즉 사회가 그의 존재의 요소로서 '숭고하고 아름다운 것'을 구현하려고 열망함으로써, 그의 자유에 제공하는 모욕에 응해서 생겨난다는 것이 그의 본질인 것이다. 말하자면 도스또예프스끼가 『지하생활자의 수기』에서 표현한 분노는, 1864년의 러시아의 악랄한 사회생태에 의해서 도발된 것이 아니라, 좋은 사회를 제래(齊來)할 수 있다는 일부 사람들의 공언한 희망에 의해서 도발된 것이었다. 체르니세프스키의 『무엇을 할 것인가?』라는 당시의 유토피아 소설은, 도스또예프스끼에게 이러한 희망의 특히 기분 나쁜 표현으로 나타났다.[20] 도스또예프스끼의 혐오감(嫌惡感)은, 인간은 합리적으로 조직된 사회 — 이 말은, 두말할 것도 없이, 쾌락의 봉사로 조직된 사회라는 뜻이었다 — 에서는 보다 더 잘 살게 될 것이라는 이 소설의 가정에 의해서 유발되었다. 『지하생활자의 수기』에서 시작된, 이러한 관념에 대한 도스또예프스끼의 비난은 이반 카라마조프의 종교재판소장에 대한 시에서 절정에 달했다. 이 시에서도 또다시 — 그러나 이번에는 초기 작품의 재기에 찬 짓궂은 심술은 보이지 않고 — 쾌락의 외양만의 선에 대한 혐오가 정신적 자유의 긍정에 대한 바탕으로 되어 있다.

나는 '외양(外樣)만의 행복'[21]이라는 어구를, 월러스 포울리 씨가[22] '정신

• • •

20. [원주] 당시의 유토피아 소설은 러시아의 정치적 문화에서의 그 책의 중요성에 대한 충분한 인지 같은 것을 물론 주지 못하고 있다. 도스또예프스끼는 그의 특성인 엄밀한 정확성을 가지고 그의 적대자를 선택했다. 왜냐하면, 체르니셰프스끼는 스스로 불란서의 계몽운동의 후계자로 자처한 사람이었고, 그의 단 하나의 소설로 다음의 두 세대에 걸친 러시아 혁명가들에게 결정적인 영향을 주었다. 특히 레닌이 현저하게 그의 영향을 받았고, 그의 가장 유명한 펌플렛의 하나는 그의 소설의 제명을 그대로 따 쓴 것이다. 여기에서는 자유가 문제되고 있으니까 말이지만, 『무엇을 할 것인가』는 체르니셰프스끼가 정치범으로 투옥되고 있을 동안에 쓴 것이다.

성의 현대적 파악과 이해'라고 부르는 것을 논하고 있는 랭보에 대한 소책자 속의 한 구절에서 따왔다. 포울리 씨는 진지하게, 비평가가 부득이 의식하고 있어야 하지만 이름을 붙이기는 싫어하는 우리들의 문화의 주요한 특성을 증명하고 있다. 만약에 우리들이 현대문학의 정신적 의도를 자각해야 한다면, 우리들은 정신적이라는 말의 어떤 19세기적인 함축을 털어 버리지 않으면 아니 된다. 말하자면 19세기적 함축이 우리들에게 지나치게 세련되고 나약하기까지도 한 특성에 대해서 암시하는 모든 것을 털어 버리지 않으면 아니 된다. 그리고 우리들은 주로, 포울리 씨가 혹종(或種)의 성인과 혹종의 시인에 대해서 말하면서, "성인과 시인은 파괴적 폭력의 어떤 전파를 통해서 존재한다"고 그들에 대해서 말할 때, 언급하고 있는 것을 기억하지 않으면 아니 된다. 그리고 포울리 씨는 계속해서 이렇게 말하고 있다— "자기들의 중심에 있는 것을 발견하기 위해서, 성인은 악의 세계를 파괴하지 않으면 아니 되고, 시인은 외양만의 선의 세계를 파괴하지 않으면 아니 된다."

외양만이 좋다고 생각되는 것에 대한 파괴는 확실히 우리들의 시대의 주요한 문학적 기획의 하나이다. 현대문학에서 표시된 행동이나 표현의 폭력성이나, 추잡하고 구역질나는 일에 대한 주장이나, 일반적인 도덕이나 생활습관에 대한 모욕을 발견할 때에는 언제나 우리들은 외양만이 좋게 보이는 것을 파괴하려는 의도가 나타나 있는 것이라고 가정할 수 있다. 말하자면 외양만이 좋은 것에 반대하는 폭력으로 존속하는 그 정신성 — 혹은 그러한 정신성에 대한 열망 — 에 직면하고 있다고 가정할 수 있다.

• • •

21. "외양만의 행복"은 바로 위 문장에서 "외양만의 선"이라고 번역된 'specious good'이다. 김수영은 그것을 이후에 위 두 번역어 외에 '외양만이 좋다고 생각되는 것'이라는 번역과 함께 혼용하여 사용한다.

22. [역주] Wallace Fowlie. 미상. [편주] (1908-1998). 미국 작가.

현대 작가가 파괴하려고 애를 쓰는 가장 직접적인 외양만의 행복은 두말할 것도 없이 부르주아 세계의 습관과 풍속과 '제 가치(諸價値)' 등인데, 그것은 다만 이러한 것들이, 야비성이나 불리한 처지에 있는 사람들에 대한 착취 같은 수많은 악랄한 것들과 관련을 갖고 있기 때문만이 아니라, 또 다른 이유 때문에, 즉 이러한 것들이 자유를 위한 개인의 정신의 운동을 저해(沮害)하고, '더 많은 생명'의 도달을 방해하기 때문에 그렇게 된다. 부르주아 세계의 특수한 사상의 제도와 양식은 현대의 정신성의 필연적인 최초의 공격 목표로 되고 있다. 그러나 외양만의 행복을 파괴하려는 충동은, 현대의 정의에 의해서 쾌락의 원칙에 봉사하는 가장 온화한 세계에 즉각적으로 돌리어지게 된다는 것은 쉽사리 생각할 수 있는 일이다.

특징적인 현대의 정신생활의 개념에 있어서, 도스또예프스끼의 영향은 결정적인 것이다. 그에 비하면, 니체의 영향은 과히 대수롭지 않다. 왜냐하면 니체가 현존 문화의 비평에 있어서 제아무리 과격했다 할지라도, 그의 불평의 술어는 — 앞에서 말한 것처럼 — 본질적으로 사회적이고 인도주의적이었다. 귀족사회라는 특수한 계급에 의해서 시사된 도덕적 및 개인적 특질은 니체에게 거대하고도 단순한 힘을 갖게 했고, 그의 상상력에 특수한 생활양식을 제시했다. 니체는, 그가 — 자기가 아는 한에 있어서의 — 자유주의적 민주주의와 사회주의적 이론에 대해서 표시한 조롱(嘲弄)에도 불구하고, 장래의 민주주의와 가능한 사회주의에 동정하는 말을 할 수 있었는데, 그것은 그의 마음을 부풀게 하고, 숨김없는 관대한 마음을 유지하는 데 도움을 준 그의 사상의 예(例)의 요소에 의해서 그렇게 하게 되었다. 말하자면 그러한 일에 대한 니체의 자각은, 인간 존재 속에서 권력의지에 의하여 이루어졌다 — 권력의지는, 그것이 니체의 아류(亞流)나 악용자(惡用者)들에게는 어떻게 비치었던 간에, 니체 자신에게는 인간의 정력과 창조와 애욕의 가능성의 전 영역을 포함하는 것으로 생각되었다. 이러한 인간의 특성에 대한 한 사회집단의 주장이 니체에게는 중요한 것이었다. 따라서 니체는 갑이나 을의 권력에 따르는 쾌락을 쉽사리 신용했다. 이리하여 니체가 사람들을 그들이 선택한 쾌락에 의해서 판단하기를 거리끼지 않았다면 — 따라서 포도주보다 맥주를 좋아한 사람들이나, 칼멘표 포도주보다 파시팔표 포도주를 좋아한 사람들에게는 슬픈 일이다! — 쾌락의 원칙은 니체에게는 인간의 위엄의 요소를 구성하는 것으로 보이었을 것이다. 니체가 현대는 정신적 감각에 있어서 뒤떨어진 위치에 있는 것은, 이러한 그의 인도주의 때문이며, 이러한 권력과 쾌락에 대한 자연주의적 용인(容認) 때문이다. 따라서 니체의 비교적 대수롭지 않은 위치를 설명하는 조건을 뒤집어 생각해 볼 때, 그것은 바로 현대의 정신생활의 중심점에 서 있는 도스또예프스끼의 위치를 설명하는 것이 된다.

우리들이 정신성에 대한 얘기를 하는 마당에서 주목해야 할 것은, 지하인에 의해서 부정되고 있는 것이 인도주의뿐만이 아니라 기독교 — 적어도 서구가 이해하고 있는 기독교 — 도 또한 부정되고 있다는 것이다. 왜냐하면 인도주의뿐만이 아니라 서구의 기독교도 역시 쾌락 — 연장되고 정화된 것이지만, 종류에 있어서는 세속적인 쾌락과 유사한 쾌락 — 에 근거를 두고 있기 때문에다. 도스또예프스끼의 서기는 우리들과 같은 방향의 길을 걷고 있었다. 정신생활의 약속이 쾌락의 방면에서 — 안락과 휴식과 미의 방면에서 — 맺어지고 있는 한에 있어서는, 그러한 약속들은 현대의 상상력에는 아무런 힘도 갖지 못한다고 볼 수 있을 것 같다. 카프카가 대체로 현대의 다른 어느 작가보다도 더 한층 정신생활의 사건에 실재적인 색채를 부여하고 있다면, 그렇게 할 수 있는 그의 힘은 불쾌와 추악과 무질서를 가지고 — 『성(城)』에 있어서처럼 정신적 분투가 어느 정도의 성공을 거두고 있는 건강이 보이는 때에도 — 이러한 사건들을 특징짓고 있는 데 있는 것이다. 모든 감각을 만족시키는 것이라고 말하여질 수 있는 성(聖) 오거스틴과 같은 신성은 오늘날에 있어서는 실재성이 부족할 것이며, 우리들에게 훌륭한 질서를 갖춘 안락하고 아름다운 것으로 — 사치스러운 것으로 — 제시되는 천국은 희망의 대상이 될 수 없다는 것을 카프카는 잘 알고 있었다. 카프카는, 어떤 선배보다도 한층 더 극적으로 줄기차게, 쾌락으로부터 오는 현대의 혐오를 표현하고 있는 도스또예프스끼에 의해서 이러한 이해에의 길을 떠났던 것이다. 예이츠는 우리들에게, "버클리는 그의 젊은 시절에 최고의 선과 하늘의 실재를 육체적 쾌락이라고 말했고, 이러한 개념은 그 두 가지를 단순한 사람들에게 한결 더 이해하기 쉬운 것으로 만들었다고 생각했다"고 말하고 있다.[23] 필시 단순한 사람들에게는 그러할 것이지만, 오늘날 어디 그런 단순한 사람이 있는가? 정신적 투쟁의 왕관으로서의 '평화'의 관념이라는 것이 우리들의 상상에서 얼마나 멀어져 있는가! '지복(至福)'의 관념은 그보다도 더 훨씬 소원(疎遠)해졌다. 이 두 개의 낱말은 우리들에게, 실질적으로 우리들이 갈망하는 '더 많은 생명'을 부정하는 — 정신적 호전성의 '더 많은 생명'을 부정하는 — 어린애 같은 수동적인 상태를 요구하고 있다. 우리들은 에덴동산을 두려워한다. 또한 모든 기독교의 개념 중에서 '풍요한 죄'와 '다행스러운 영락(零落)'만큼 우리들이 잘 이해하고 있는 개념은 없다. 물론 그것은 이러한 기독교적 역설이 그 위에 기초를 두고 있는 이유 때문이 아니라, 우리들이 그에 의해서 어떻게든지 두려운 장소로부터 우리들 자신을 벗어날 수 있게 하는 죄와 영락 때문에 그렇다.

분명히 너무 간략한 방법으로이기는 하지만, 나는 모든 사람들이 다소간 자각하고 있는 문학의 가정에 있어서의 변화를 밝혀보려고 노력해 보았다. 이 일을 하기 위한 기도(企圖)에 있어서, 나의 최초의 의도는 역사적이고 객관적이었다. 그러나 그 변화에 대한 나의 설명이 완전히 중립적이라는 의미에서 완전히 객관적인 것이 아니었다는 것은 분명할 것 같다. 그것은, 도덕적 문화의 사실에 대한 역사적 접근 속에 포함되어 있는 아이러니 때문만이라 하더라도, 필연적으로 어느 정도 적대적인 질문을 발한다. 말하자면 그것은, 쾌락의 원칙의 가치 저락을 한 현대의 정신성이 특수한

• • •

23. [역주] George Berkeley(1685-1753). 18세기 영국의 대표적 철학자로서, 아일랜드 태생.

시기에 찾아왔기 때문에, 우발적이고도 필요치 않은 사상의 형식으로 간주될 수 있다는 것을 주장한다. 그 때문에, 그것을 '받아들여'지거나 '확립된' 사상의 형식으로, 따라서 그 밖의 다른 받아들여지거나 확립된 사상의 형식처럼 엄밀한 비평적 조사에 오를 수 있는 사상의 형식으로 간주하는 길이 열린다.

그런데 그 가능성은 결코 평탄하지 않다. 우리들은, 외양(外樣)만의 행복을 난폭하게 취급하는 투명한 정신의 호전성을 소중하게 생각하고 있다. 우리들이 자존심이라고 주장할 수 있는 것은 모두가 그 위에 기초를 두고 있다. 그것은 우리들에게, D. H. 로렌스의 작중인물(作中人物) 중의 한 사람이 그에 대해서(혹은 그것과 지극히 유사한 것에 대해서) 말하고 있듯이, 우리들의 '마지막 차별'을 준다. 그는 그것에 대한 질문을 하는 것은 '일종의 야비'라고 생각하고 있다.[24] 무슨 목적으로, 무슨 의도로 질문을 하나? 그에 대한 엄격한 적대적인 조사가 그것을 벗어나서 백치문학(白痴文學)이 아닌 것을, 말하자면 생활에서 선을 얻는 방법을 알고, 그렇게 할 수 있는 성공에 대한 '긍정적인' 정서를 갖고 있는 '적극적인 영웅'을 지시할 수 있는가? 현대문학의 정력과 의식과 기지(機智)는, 어떠한 보잘것없는 '쾌락'이든, 그의 외양만의 행복이 우주나 우리들의 일반적인 문화의 일상적인 면에 의해서 제공될 수 있는 것에 반대하는 폭력의 기도에서 추출된다. 우리들은, 우리들의 도덕적 상활의 그 구원적 요소 — 우리들의 일반적 문화의 그 돌출한 '드높은' 부분 — 를, 그의 난폭하고 절박한 파괴적인 정신성을, 우리들이 미워하고 두려워하는 일반적 문화 속의 모든 것에 대해서 무장하고 그로부터 떨어져 나오려는 그의 힘을, 비난할 것을 주장하는 경향이 있는 질문에 대해서 본능적인 분격(憤激)을 느낀다.

• • •

24. [원주] 『사랑에 빠진 여인들』의 제14장에 나오는 제랄드 크리치의 말. [편주] 영어 원문은 "14장"이 아니라 "29장"이다.

그러면 어떠한 정당성을 가지고 우리들의 문화의 이러한 부분을 특징짓는 쾌락의 원칙의 함축된 위치를 적어도 아이러니로써 표현할 수 있는가?

아마도 하나의 조그마한 정당성이 성 오거스틴의 『고백』 속의 유명한 대목을 참작함으로 밝혀질 수 있을 것 같다. 그 대목에 오거스틴은 그의 청년시절에 일어난 일에 대해서 이야기하면서, 그가 과수원에 들어가서 배를 훔쳐 따먹은 이유를 자문하고 있다. 죄 많은 일이라고 그가 자칭하면서 엄혹(嚴酷)하고 훌륭한 솜씨로 살펴보고 있는 그의 갱생될 수 없는 시절의 모든 행동 중에서, 그만큼 집요하게 그가 문제 삼은 행동은 모든 행동은[25] 없고, 그만큼 그의 죄의 이해력이 쉽사리 도달될 수 없는 곳에 있는 것같이 생각되는 행동은 없다. 그는 배가 고파서 배를 도적질한 것은 아니었다. 배가 맛이 좋아서 도적질한 것도 아니었다 — 그 배는 오히려 품질이 좋지 않은 배였고, 집에 가면 더 좋은 배가 있었다. 또한, 친구들이 가까이 있었기는 하지만 그가 말한 대로, 만약에 혼자 있었다면 배를 훔치지 않았을 것이기 때문에, 함께 있는 친구들의 존경을 사려고 배를 도적질해먹은 것도 아니었다. 모든 죄악에는, 명백한 동기가 되는 욕망이 있고, 획득되는 어떤 좋은 것이 있고, 그 죄행이 그것을 위해서 범해지는 어떤 쾌락이 있다고, 그는 말하고 있다. 그러나 이러한 배 도적질의 죄악은 말하자면 순수한 것이다 — 그는 그에 대한 인간적 이유를 발견할 수 없다. 그는 동료들의 동반(同伴)에 대해서 재차 말하고 있는데, 그들과 같이 있었다는 것이 그 행동의 필요한 조건이기는 했지만, 그것이 그 행동의 동기가 되었다고는 말하여질 수 없다. 성인이 된 오거스틴에게는, 그의 청년시절의 조그마한 그 절도행위가 다만 죄를 짓기 위해서만 범해진 죄악이었다고 생각되기 때문만이 아니라, 고찰할 수 있는 눈에 보이는 쾌락을 갖고 있지 않은 점에서 그것이 일종의 그의 인도주의의 부정적인 초월 — 실질적으로는 부정 — 이었기 때문에, 무서운 것이다.

● ● ●

25. '모든 행동은'은 영어 원문에는 없는 구절이다.

이것은 우리들에게는 낯선 일이 아니다 — 내가 소위 우리들의 일반적 문화의 돌출한 드높은 부분이라고 말한 것은, 얼마동안을 인간적인 것의 부정적 초월(쾌락의 속박으로부터 자아를 해방시킴으로써 도달될 수 있는 상태)의 실험에 종사해 왔던 것이다. 오거스틴의 영문을 모를 죄악은 현대의 정신적 기도(企圖)의 전형이며, 그로인한 그의 영원의 형벌 속에서 도스또예프스끼가 서구의 기독교(그것을 도스또예프스끼는 실질적으로 비속(卑俗)된 인도주의라고 비난했다)를 비난하고 증오한 이유를 우리들은 찾아볼 수 있다.

이러한 부정적 초월의 기도를 자각한다는 것은, 분명히 그의 절망의 힘을 숭배한다는 것이 된다. 따라서 우리들은, 문학의 소비자에게, 즉 부유한 사회에서 부득이 부르주아의 생활을 하지 않으면 아니 되는 그 고도한 발전을 한 사람에게, 쾌락의 가치 저락에 기초를 둔 심미적 정신이 그의 가슴 속에 살고 있는 그 두 개의 영혼 중의 하나에 어떻게 봉사할 수 있는지 — 또한 그 두 개의 영혼 중의 하나를 구제하는 것처럼 보일 수 있을는지 — 이해할 수 있다. 외양만의 행복에 의해서 거의 압도되어 있고, 그것을 획득하려는 노력으로 모욕을 당하고 있기 때문에, 우리들은 "나는 당신들이 갖고 있는 것보다 내 안에 더 많은 생명을 갖고 있다."고 우리들의 주장으로 '신사들'에게 말할 수 있는 지하인의 권리를 요구한다. "나는 당신들이 갖고 있는 것보다 내 안에 더 많은 생명을 갖고 있다."라는 말은, "나는 너희들보다 강하다."라든가 "나는 그대들보다 신성하다."든가 하는 따위의 사람들이 만든 다른 허풍보다도 한결 우리들의 세련된 감각에 맞는다. 우리들의 고도한 문화는, 우리들의 정력을 부르주아의 경쟁에서 정신적 경쟁으로 옮기도록 촉구하고 있다. 우리들은 비참한 '신사들'에 대한 우리들의 승리에서 — 마지막이거나 혹은 마지막에서 두 번째의 — 우리들의 '차별'을 발견한다. 이러한 '신사들'이 다른 사람이든 우리들 자신이든 간에, 또는 우리들의 외침이 "나는 당신들이 갖고 있는 것보다 내 안에 더 많은 생명을 갖고 있다."이든 "나는 내가 갖고 있는 것보다 내 안에 더 많은 생명을 갖고 있다."이든 간에. 하기는 정신적 지위를 위한 경쟁의 생활에도 독특한 오욕(汚辱)과 불합리가 없을 수 없는 사태가 이따금씩 발생할 것이다. 그러나 그 밖의 어떤 다른 살 길이 우리들에게 있겠는가?

그러나 이것은 소설가를 위한 말이다 — 우리들이 아직은 갖고 있지 않지만, 분명히 어느 날이고 갖게 될 소설가를 위한 말이다. 그러한 소설가는 우리들의 시대의 정신적 생애의 현상을 진지(眞摯)하고도 희극적으로 다루게 될 것이다.

그런데 보다 더 즉각적으로 우리들의 자각에 이용할 수 있고, 그 자체에 있어서 보다 더 실질적이고 단순한 것은, 쾌락의 가치 저락이 우리들의 고도한 문학과 우리들의 정치생활 — 이 말을 가능한 한 가장 큰 의미로 생각해서 — 사이의 관계에 미치는 효과다. 한때는 문학이 정치의 최고이념이 그 자신의 본질과 자연적으로 일치된다고 생각하던 때가, 그리고 시가 사회생활의 높은 지위 — 그러한 사회생활의 지위는 시 그 자체 내에 모범적인 존재를 갖고 있었다 — 를 축복한 때가 있었다. 키츠의 1817년의 『시집』은 그의 제사(題辭)로 스펜서에게서 따온 두 행을 쓰고 있는데, 이것은 그 책의 정치적 배음(倍音)을 알리려는 것이 목적이었다[26] — "자유를 누리는 환희를 즐기는 것보다 더 큰 행복이 인간에게 있을 수 있겠는가." 워즈워드는 보수주의와 금욕적 기독교에 열중하고 있는 때에도, 그로서는 극히 자연스럽게 유토피아의 가능성을 주장하고 있다.

낙원과 극락의

숲과 극락의 평원 — 대서양의 대해(大海)에서
옛날에 찾던 도원경(桃源境)같은 것 — 어째서 그것들이 다만
분단된 사물의 역사라고 할 수 있겠는가?

• • •

26. [역주] Herbert Spencer(1820-1903). 영국의 유명한 철학자.

한 번도 있어본 일이 없는 것의
허구라고만 할 수 있겠는가?

워즈워드는 계속해서, 이러한 상상은 합리성과 선의의 명령으로 '단순한 평상일의 산물(産物)'이 될 수 있다고 말하고 있다. 그러나 문학과 정치 사이의 낡은 연결은 소멸되었다. 전형적인 현대의 문학적 개성의 눈에는, 정치 생활은 다만 현대의 정신 상태에 불가결한 혐오와 광란의 기회를 만드는 것으로서, 생활이 대체로 다 그렇듯이 불합리하고 광포하고 음탕한 환상의 한 특수한 예로서, 시의 반(反) 환상을 인가하는 것으로서 존재한 듯이 보인다.

윌리엄 필립스는 최근의 논문에서, 현대문학과 합리적이고 적극적인 정치 사이에 발전한 분리를 정확하고 효율적인 방법으로 묘사하고, 어째서 문학을 위해서 그런 분리가 유지되지 않으면 아니 되는가를 계속해서 설명했다.[27] "오늘날에는" 하고, 필립스 씨는 말하고 있다.

……급진적인 문학과 급진적인 정치는 서로 분리되어 있지 않으면 아니 되는 것처럼 보인다. 왜냐하면 현대의 가지각색의 급진적인 정치는 사실상 문학의 해독제로서의 역할을 해왔다. 도덕적 위생학과 퓨리터니즘과 자선은— 좌익에서 싹튼 모든 미덕은— 현대 작가의 비틀어진 불건전한 이상주의에 대해서 시약(施藥) 같은 작용을 한다. 만약에 작품이 급진적이라고 생각되어야 하는 경우에는, 그것은 보다 더 심오한 의미에서 그럴 것이며, 다만 현대생활의 기질을 척결(剔抉)한다는 것뿐만 아니라, 실재적인 것과 금지된 것과 환상적인 것 사이의 연결에 도달하는 의미에서 그러할 것이다. 그러한 고전적인 예가 도스또예프스끼이다…….

• • •

27. [원주] 『코멘타리』지 1962년 9월호에 게재된 「30년대에 일어난 일」.

필립스 씨가 말하고 있는 상황은, 한편으로는 현대문학의 비틀어진 불건전한 이상주의의 힘에 감응(感應)하면서, 문학과 정치를 당연히 피차간에 유사성을 가진 것으로 생각하는 데 습관이 된 우리들에게는 아무래도 무관심한 일이 될 수 없을 것이다. 우리들은 그러한 양자(兩者)의 적대적인 분리의 관념에 마음의 불안을 느끼지 않을 수 없으며, 따라서 우리들은 그러한 단절이 필립스 씨가 말하는 것처럼 그렇게 완전한 것인지의 여부를 묻고 싶은 마음이 든다. 내가 생각하기에는, 필립스 씨의 발언은, 그것이 현대의 상황에 관계되는 한, 그것이 문학에 종사하는 사람들에게 그 자신을 제시하는 상황에 관계되는 한 수정할 필요가 없는 것이다. 그러나 이 일을 좀 더 광활한 원근에서, 문화사가의 긴 안목으로 생각해 본다면, 비틀어진 불건전한 이상주의가, 엄밀하게 보아서 정치적이라고 생각될 수 없는지의 여부를, 그런 이상주의가 그 나름으로 합리적이고 적극적인 요구를 표현하고 있지 않은지의 여부를, 따라서 결국은 합리적이고 적극적인 정치에 의해서 고려되어야 할 요구를 표현하고 있지 않은지의 여부를 우리들은 — '위생적인' 것을 위태롭게 하면서까지도 — 생각하지 않을 수 없게 될 것이다.

이러한 질문을 발하게 될 때, 우리들은 쾌락의 원칙의 가치 저락이, 혹은 '쾌락의 원칙을 넘어서' 가는 상상력이, 적어도 문화에 있어서 특수한 시기의 사건에 불과한 것이 아니라는 생각을 할 용의가 있어야 할 것이다. 그것은, 프로이트가 그의 유명한 논(문)에서 해명한 것처럼, 다름 아닌 영적(靈的) 생활의 사실인 것이다. 쾌락의 원칙을 넘어서 가려는 충격[28]은 확실히 현대문학에서 뿐만 아니라 모든 문학에서 관찰되어야 하며, 또한 물론 비단 문학에서 뿐만 아니라 모든 시대의, 적어도 일부의 사람들의 정서적 조직에서 관찰되어야 한다. 그러나 우리들이 문화에 있어서 사실상

● ● ●

28. "충격"은 'impulse'의 번역어인데, 앞에서 김수영은 이를 '충동'이라고 번역한다.

하나의 사건이라고 부를 수 있는 것은, 역사상의 특수한 시기에서, 즉 우리들의 시대에서, 이 영적 생활의 사실이 문학에 있어서 현저한 지배적인 주제로 되었다는 것과, 또한 그것이 프로이트의 심령학[29]에의 중요한 침입에 의해서 영적 생활의 한 사실로서 명시되고, 불가불 우리들의 의식 위에 오르게 되었다는 것이다. 그리고 이러한 문화적 사건은, 결국은 정치적 결과를 갖게 될 가망이 많기 때문에, 사실상 정치적 관계에서 이해될 수 있다. 마치 우리들이, 인간의 위엄이 쾌락의 원칙에서 발견된다는 18세기의 주장을 정치적 관계에서, 그리고 정치적 결과를 가진 것으로서, 이해한 것처럼.

우리들은 질에 있어서의 변화를 다루고 있다. 일부의 사람들의 경우에, 그들이 쾌락보다도 세상에서 말하는 소위 불쾌한 것을 좋아했다는 것은, 자고로 사실이었다. 그들은 고생스러운 힘드는 일을 자기 자신에게 과(課)하고, 기이한 '부자연스러운' 생활양식을 택하고, 행복스러운 생활 속에서는 솟아나지 않는 영적인 힘을 알기 위해서 지극히 고통스러운 정서를 탐색했다. 이러한 영적인 힘은, 그것이 자기 파괴 속에서 경험되는 때에도, 자기규정과 자기증명의 수단이 된다. 그처럼 영적인 힘은 사회적 관계를 갖고 있다. 불쾌의 선택은, 그 행동이 아무리 소외된 개별적인 것일지라도, 그 선택이 일반적인 사회가 쾌락에 두고 있는 가치를 부인하는 것이기 때문에 그것만으로라도 사회와 관련을 갖게 되는 것이다. 또한 물론 그것은 종종 — 시간의 거리를 두어야 한다 하더라도 — 가장 고도한 계층의 사회적 동의를 받게 된다. 그것은 영웅과 성인과 순교자의 선택이며, 일부의 문화에 있어서, 예술가가 택하는 선택이다. 우리들이 고려해야 할 양적 변화로 말하자면, 기왕에는 극소수인의 경험의 양식이었던 것이 오늘날에 와서는 수많은 사람들의 경험의 이상으로 되었다는 것이다. 적어도 여기에서는 그 이유를 고찰할 여유가 없지만, 쾌락의 이상은, 사실상 그 실현을

● ● ●

29. '심령학'은 'metapsychology'의 번역이다. '초심리학'이 자연스럽다.

보게 되고 드디어는 싫증과 권태밖에는 남은 것이 없게 되거나 한 것처럼 그 자신을 탕진하고 말았다. 그 자리에서, 혹은 바로 그 옆에서 — 상상컨대 문학의 명령을 받고 — 불쾌와 손을 잡고, 자기규정과 자기증명 쪽으로 방향을 잡고 있는, 그 영적 정력의 경험의 이상이 발전하고 있다. 이러한 이상은 그의 만족을 위해서 사회에 요구를 하고 있다. 그것이 정치적 사실이다.

내가 현대문학의 정신성이라고 불러 온 것은, 좀처럼 아이러니에서 면역될 수는 없다. 또한, 오늘날 우리들이 보는 바와 같이, 그것이 점점 더 많은 사람들의 안이한 이해 속에서 전진해서 드디어는 연극과 영화의 매체를 통해서 통속적인 오락물로 되어 가고 있음에 따라서, 그 면역의 가망은 점점 더 어려워진다. 공인된 전복(顚覆)이나, 확립된 도덕적 급진주의나, 훌륭한 폭력이나, 재미있는 정신성에서 어떻게 아이러니가 억제될 수 있겠는가? 그러나, 교양 있는 중류계급의 문화의 불평등이 사실상 적대적인 반응을 정당화하고, 아이러니보다도 더 무거운 반응을 정당화할지도 모르지만, 그러나 적대적이기만 한 반응만으로는 충분하지 않을 것이다.

오늘날 우리들은 항용 정신분석학자와 정신분석을 지향하는 작가들이, 문명의 존재는 바야흐로 사회가 쾌락의 원칙을 믿을 수 있고 그것을 완수하는 방법을 배울 수 없으면 위협을 받는다는 말을 하는 것을 자주 듣게 된다. 우리들은 그 말의 뜻을 이해하고 있다. 즉, 억압과 압박은, 쾌락의 원칙이 우리들의 사회적 조직 속에서 확립되기만 하면, 감퇴될 것이라는 뜻이다. 그리고 우리들은 쉽사리 그 말에 동의할 수 있다. 그러나 암암리에 우리들은, 그 형식이 그의 대화의 상대방인 조건을 만족시키지 못하고 있다는 것을 알고 있다. 말하자면 그 형식은, 쾌락의 원칙을 넘어서 압박을 가하고 그것을 부정하기까지도 하는, 그 영적인 힘을 여전히 고려에 넣지 않고 있다.

우리들은 — 좋든 나쁘든 간에 — 쾌락 탐색의 본능과 자아 본능 사이의 오랫동안 확립되어온 비율이 후자에게 유리하게 변경되고 있는 문화의 교체기에 직면하고 있다고 말할 수 있다.[30] 『쾌락의 원칙을 넘어서』라는 무서운 역설을 통해서 프로이트를 추구해 볼 때, 우리들은 어째서 이 변화의 표시가 비틀어지고 불건전하게 그 자신을 제시하고 있는가를 이해할 수 있다 — 왜냐하면, 프로이트가 자아 본능을 위해서 쓰고 있는 또 하나의 명칭이 죽음의 본능이라는 것이기 때문에. 프로이트가 자아 본능을 죽음의 본능과 동의어로 썼다는 것은 그의 음침하고 난삽한 논문 속의 다른 어떤 것보다도 그의 논문에 싸여 있는 오해의 구름에 책임을 지고 있다. 그러나 우리들은 『쾌락의 원칙을 넘어서』가, 수많은 사람들이 믿고 있는 것처럼, 궁극적인 염세주의나 '부정(否定)'으로 그친다고 결론을 내리기 전에, 또한 우리들이 논평해 온 우리들의 문학의 경향이 비틀어지고 불건전한 것밖에는 되지 않는다는 결론을 내리기 전에, 프로이트가 사실상 "모든 인생의 목적은 죽음이다"라는 말을 하기는 했지만, 그의 논증의

• • •

30. [원주] 나는 「현대문학의 현대적 요인에 대해서」(『빠르띠잔 레뷰』지, 1961년, 1-2월호 게재)에서 우리들의 문화에 있어서의 비극의 위치를 논의했을 때, 이 효과에 대해서 몇 마디 언급했다. 비극적인 방법은 우리들에게는 소용이 없다는 의견을 나는 과감히 말했다 — 이것은 우리들의 정신적인 열등의 표시가 아니었다고 나는 말했다 — 왜냐하면, 우리들은 주인공의 타락이나 몰락은 서글픈 일이라고 생각하고 있지 않기 때문이다. 말하자면 우리들은, 세속적으로 잃은 것은 궁극적인 자기인식(비극이 이것을 가져온다는 것을 우리들은 알고 있다)인 실재와 진리를 위해서는 잘 잃었다고 생각하고 있기 때문이다. 리오넬 아벨은 『전환 무대』라는 그의 논문 속의 비극에 관한 탁월한 장에서 이렇게 말하고 있다. 비극 — 아벨 씨가 극소수밖에는 없다고 생각하고 있는 진정한 비극 — 은 그의 주인공에게 '데몬'을 갖게 하지 않으면 아니 된다고. 다시 말하자면 "비극적인 파괴를 통해서 살아왔고…… 신성하게 되고, 데몬이 된" 사람을 주인공으로 삼지 않으면 아니 된다고. 아벨 씨는 비극적 파괴는 '단순한' 인간 감정의 근절이며, 데몬의 존재는 주인공이 쾌락 추구의 죽음을 딛고 일어서는 데에서 온다고 말하고 있다고 생각된다. 그런데 우리들의 감정은, 비극에 대하는 전통적인 감정이 그렇게 되어 있듯이, 그러한 '파괴'나 몰락을 고려에 넣고 있지 않다. 이러한 행운의 현대의 가치 저락에 대한 자세하고 충분한 얘기는 토마스 문로의 「실패의 이야기 — 현대의 염세주의에 대한 고찰」(『미학과 예술비평』지, 1958년 12월호)을 보시라.

과정이 그를 "생물은 다만 그 자신의 방법으로서만 죽기를 원한다."— 다시 말하자면, 생물은 다만 그의 특유한 생활의 복잡한 충족을 통해서만 죽기를 원한다—는 주장으로 이끌고 있다는 것을 상기하지 않으면 아니 된다.

— 리오넬 트릴링(Lionel Trilling)은 1905년 뉴욕 출생. 콜럼비아대학에서 문학사, 문학석사를 거쳐서 철학박사의 학위를 따고, 현재 동 대학의 영어교수로 재직 중. 『마태 아놀드』(1939)와 『E. M. 포스터』(1943)의 연구서적을 쓰고, 『여정의 중턱』이라는 장편소설도 썼다. 그 밖에 널리 소개된 『또 하나의 마가레트』와 『이 시간의 그 장소』라는 소설이 있고, 『키츠 서간선집(書簡選集)』(1950)을 내놓기도 했다. 최근에 나온 저명한 평론집으로 『리베랄 이마지네이션』이 있다.

본 논문은 최근 『빠르띠잔 레뷰』지에 게재된 "The Fate of Pleasure"의 전역이다. (역자)

-『현대문학』, 1965. 10-11.

각서

알베르 까뮈(Albert Camus)

영국에 대한 (좋은 것이든 나쁜 것이든 간에, 정치적이든 아니든 간에) 공식적인 적의[1]에 대해서는 수많은 이유가 있다. 그러나 그중에서 가장 좋지 않은 동기의 하나는 발설되지 않고 있다. 그 자신을 때려 부수는 힘에 과감히 저항하려는 사람이 실패를 당하는 꼴을 보고 싶어 하는 야비한 욕망과 광증(狂症)이 그것이다.

자기가 살아 보지 않은 것을 운운하거나 탐색하는 작가는 밉살머리스러웁다. 그러나 조심해야 할 것은, 살인자가 범죄에 대해서 이야기할 수 있는 가장 적합한 사람은 아니다. (그렇지만 그는 자기의 범죄에 대해서

● ● ●

1. "영국에 대한 공식적인 적의"의 영어 원문은 "영국에 대한 1942년의 공식적인 적의(the official hostility [1942] towards England)"이다. 1942년은 프랑스의 비시 정권 마지막 해이다. 독일이 프랑스 전역을 점령했기 때문이다. 까뮈는 이 글에서 비시 정권의 정치적 행동을 비판하고 있는데, 첫 단락은 비시 정권이 영국을 적대시하던 상황에 대한 비판적 진술로 읽힌다. 까뮈의 이 글은 1942년 1월에 시작되고 있다는 점과 함께 이해되어야 한다.

이야기할 수 있는 가장 적합한 사람이 아닐까? 그것조차도 확실치 않다.) 우리들은 범죄와 행동 사이의 일정한 거리를 상상하지 않으면 아니 된다. 진정한 예술가는 그의 상상과 그의 행동의 중간 지점에 있다. 그는 '능력 있는' 사람이다. 그는 자기가 묘사하는 것이 될 수 있고, 자기가 쓰는 것을 살 수 있을 것이다. 행동 그 자체는 그를 국한시킬 것이고, 그는 무엇인가를 해 본 사람일 것이다.

나의 우주의 비밀. 인간의 불멸을 안 가진 신을 상상할 것.

미를 소유하고 있는 나라들은 가장 방어하기가 힘이 든다 — 우리들은 그런 나라들을 몹시 아끼고 다치지 않고 그대로 살려두려고 한다. 그렇기 때문에 예술적인 사람들은 몰취미한 사람들의 선택된 희생물이 되지 않으면 아니 된다 — 자유에 대한 사랑이 사람들의 마음속에서 미에 대한 사랑보다 윗자리를 차지하고 있지 않다면. 이것은 본능적인 지혜다 — 자유는 미의 근원이 되고 있다는 것.

현대의 지성은 전적으로 혼란 상태에 있다. 지식은 세계와 인간[2]이 모든 지점을 상실할 정도에까지 부풀어 있다. 우리들이 니힐리즘으로 번민하고 있는 것은 사실이다. 그러나 가장 재미있는 것은, '비쉬(Vichy)'의 그 '복귀'하라는 설교장(說敎狀)이다. 중년으로, 원시적인 정신 상태로, 땅으로, 종교로, 낡은 해결의 병기고(兵器庫)로 돌아오라는 것이다. 이러한 의약에 효능의 그림자를 부여하기 위해서는 우리들의 지식이 이미 존재하지 않는 것처럼 행동하지 않으면 아니 될 것이다 — 우리들이 아무것도 배우지 않은 것처럼 — 간단히 말하자면 씻어 버려질 수 없는 것을 씻어 버린 체하지 않으면 아니 될 것이다. 우리들은 수 세기의 공헌과, 종국에

2. "인간"은 영어 원문에서는 "the mind"이다.

가서는 그 자신의 목적을 위해서 혼돈을 원기왕성하게 하는(이것이 그의 가장 최근의 진보다) 정신의 부정할 수 없는 이득을, 단숨에 말살하지 않으면 안 될 것이다. 그것은 불가능한 일이다. 치유되기 위해서는 우리들은 이 명징(明澄)과, 이 밝은 시계(視界)와 협정을 맺지 않으면 아니 된다. 우리들은 우리들이 갑자기 획득하게 된 우리들의 망명의 자각을 고려에 넣지 않으면 아니 된다. 지성은 지식이 세계를 뒤집어놓았기 때문에 혼란에 빠져 있는 것은 아니다. 그것은, 그것이 이 격변(激變)과 협정을 맺을 수 없기 때문에 혼란에 빠져 있는 것이다. 그것은 '이러한 관념에 길이 들어 있지' 않다. 그것이 이러한 관념에 길이 들기만 하면 혼란은 해소될 것이다. 다만 격변과, 정신이 그것에 대해서 갖고 있는 투철한 지식만이 남아 있게 될 것이다. 거기에는 개조되어야 할 전(全) 문명이 있는 것이다.

이상한 말 같지만, 나는 8일 간의 완전한 날을 가졌다. 나의 기억이 나에게 그렇게 말하고 있고 나는 그것이 거짓말을 하지 않는 것을 알고 있다. 그렇다. 이 이미지는 그 오랜 나날이 완전한 것처럼 완전하다. 이러한 희열은 전적으로 육체적인 것이었고 또한 그 희열은 모두가 정신의 동의를 얻은 것이다. 거기에는 완벽이 있고, 인간의 운명과의 조화가 있고 인간에 대한 인식과 존경이 있다.

광막하고 순수한 긴 언덕들! 새까만 아침 물결의 축복, 낮에는 그 물결은 희한하게 맑아지고, 저녁이면 따뜻한 금빛으로 변한다. 언덕 위에 발가벗은 몸뚱아리 사이의 기나긴 아침, 천근같이 무거운 낮, 그리고 사람은 전체의 계속을 되풀이해야 하고, 말해진 것을 다시 한 번 말해야 한다. 거기에는 청춘이 있었다. 거기에는 청춘이 있고, 서른 살의 나는 청춘이 계속되는 것 이외에는 아무것도 바라는 것이 없다. 그러나…….

"나는, 나 자신보다 위대한 어떤 것을 생각할 수 있는가, 또한 그것을 정의할 수는 없지만 느낄 수 있다고 생각하는가? 부정의 신성 — 신이 없는 영웅적 행위 — 을 위한, 요컨대 순수한 인간을 위한 일종의 어려운 진보. 신에 대한 고독을 포함한 모든 인간의 미덕.

기독교의 모범적인 우월성(유일한 우월성)을 만드는 것은 무엇인가? 그리스도와 그의 성도들 — 삶의 양식에 대한 탐구. 이 작업은 보수(報酬) 없는 완성의 도상(途上)의 계단만큼 그 형태가 많을 것이다. '이방인'은 영(零)의 지점이다. '신화'도 마찬가지이다. '페스트'는 진보다. 영(零)에서 무한으로 향하는 진보가 아니라, 정의되어야 할 보다 더 깊은 복잡성을 위한 진보다. 최종점은 성인이 되는 것이겠지만, 그는 — 인간처럼 측정할 수 있는 — 그의 산술적 가치를 갖게 될 것이다."

비평에 대해서

3년을 걸려 쓴 책, 그것을 웃음거리로 만드는 6행의 글 — 그리고 허위적인 인용.

문예평론가 A. R.에게 보내는 편지(보내지 않을 작정이었다).

……당신의 평론의 한 구절이 특히 나를 깜짝 놀라게 했습니다. 즉, "나는 무시한다……." 모든 예술작품이 계획되는 범위를 깨닫고 있는 계발된 평론가가, 작중의 한 인물이 그 자신에 대한 얘기를 하고 그의 비밀의 일부를 독자에게 털어놓을 때, 그가 그려져 있는 '유일한 요점'을 어떻게 무시할 수 있습니까? 또한 당신은 어떻게 되어서 이러한 결말이 역시 초점이 되어 있고, 내가 묘사한 분산된 것들이 드디어 한 군데로 집중되는 특권적인 초점이 거기에 있다는 것을 인식하지 못했습니까…….

당신은 내가 사실적으로 작품을 쓰려는 야심 때문에 그렇게 되었다고 합니다. 사실주의라는 것은 의미가 없는 말입니다. (『보바리 부인』과 『사로잡힌 영혼』은 사실주의적인 소설입니다. 그런데 그 두 작품은 피차에 공통점이 하나도 없습니다.) 나는 그것에 대해서는 착념하지 않았습니다.

만약에 내가 나의 야심에 한 형태를 부여하지 않으면 아니 된다면, 나는 그와는 반대로 상징에 대해서 말하고 싶습니다. 또한 당신도 분명히 이것을 느꼈습니다. 그러나 당신은 이 상징에다 그것이 갖고 있지 않은 의미를 부여하고 있고, 따라서 요컨대 당신은 내가 우스꽝스러운 철학 때문에 그렇게 되었다고 터무니없는 생각을 하고 있습니다. 사실상 이 책 안에는 아무것도, 내가 자연인을 믿고 있고, 내가 인간을 식물의 왕국의 생물과 동일시하고 있고, 인간의 본성은 윤리와는 다른 것이라는 것 등등의 사실을 당신으로 하여금 주장할 수 있게 하는 것이 하나도 없습니다. 이 책의 주인공은 주도권을 갖고 있지 않습니다. 당신은, 그가 노상 '질문에 답변하는 것'에 인생의 질문과 인간들의 질문에 답변하는 것에 그 자신을 한정시키고 있다는 것을 보지 못했습니다. 그처럼 그는 아무것도 주장하고 있는 것이 없습니다. 따라서 나는 다만 그에 대한 소극적인 스냅사진을 찍었을 뿐입니다. 바로 그 맨 마지막 장 이외에는 그의 기본적 태도를 판단할 수 있는 기반을 미리 당신께 제공한 것은 아무것도 없습니다. 그런데 당신은 그 맨 마지막 장을 '무시한다'는 것입니다.

'가장 가능성이 없는 일'을 말하려는 이러한 욕망에 대한 이유는 너무 길어서 말할 수 없습니다. 그러나 적어도 나는 피상적인 관찰이 당신으로 하여금 내가 나의 분수에 맞지 않는 철학 때문에 그렇게 되었다고 생각하게 한 것은 유감된 일이라고 생각합니다. 내가 만약에 당신의 논평 속의 유일한 인용문이 부정확한 것(다시 한 번 살펴보고 고치시오)이고, 따라서 그것이 부당한 연역(演繹)에 대한 기반을 제공하고 있다는 것을 정확하게 말한다면, 당신은 좀 더 내가 주장하고 있는 것을 잘 알게 될 것입니다. 아마 거기에는 다른 철학이 있었던 모양이고 당신은 '부정(不正)'이라는 말에 대한 논평을 할 때 그 철학을 생각했던 모양입니다. 그러나 그것을 증명한댔자 무슨 소용이 있겠습니까?

아마 당신은, 이름 없는 작가가 쓴 조그마한 책에 대해서는 이것은 엄청난 공연한 소동이라고 생각하실 겁니다. 그러나 나로서는 이 일은 내 자신보다도 더 중요한 일이라고 생각됩니다. 왜냐하면 당신은 당신의 정평 있는 밝은 안목과 재간을 가지고 판단하는 것을 방해한 도덕적 입장에, 당신 자신을 놓고 있기 때문입니다. 이러한 입장은 변호할 여지가 없는 것이고, 당신은 누구보다도 그것을 잘 알고 있습니다. 그러그러한 작품의 도덕적 성격에 대한 당신의 비평과, 억제된 문학 밑에서 이내 이루어질 수 있는 (그것은 불과 얼마 전에 있었습니다) 비평 사이에는 뚜렷한 한계가 없습니다. 분격하지 않고, 나는 당신에게 이것은 가증스러운 일이라고 말하겠습니다. 당신도 또 다른 어떤 사람도, 하나의 작품이 지금이나 또는 어떤 시기에 있어서 국민에게 유익한지 해로운지를 판단할 능력이 없습니다. 아무튼 나는 이런 종류의 사법권의 행사에는 복종할 수 없고, 그것이 이 편지를 내는 이유입니다. 실제로 내가, 보다 덜 독단적인 정신에서 형성된 보다 더 진지한 비평이라면 침착하게 받아들였을 것이라는 것을, 당신이 믿어 주신다면 감사하게 생각하겠습니다.

좌우간 나는 이 편지가 새로운 오해를 자아내는 것을 원치 않습니다. 나는 불만을 품은 저자로서 당신에게 접근하고 싶지 않습니다. 이 편지에 적혀 있는 것은 공개하지 마시기를 바랍니다. 당신은 요즘 끼우기 쉬운 시류(時流)의 평론지에 내 이름이 나와 있는 것을 거의 보지 못하셨을 겁니다. 그것은 거기에서 말할 것이 아무것도 없는 내가 선전광고업의 희생이 되기를 원치 않기 때문입니다. 지금 나는 몇 년 동안을 두고 쓴 책을 출판 중에 있는데, 그것을 출판하는 것은 다만 그 일이 끝이 나고, 그 다음의 일을 준비하고 있다는 이유 때문입니다. 나는 물질적인 이득도, 거기에서 얻는 존경도 기대하고 있지 않습니다. 다만 나는 그 책들이 모든 충실한 신념의 기도에 주어지는 주의와 인내를 나에게 가져다주게 되기를 바랐습니다. 하지만 이러한 요구조차도 과분한 것이라는 것을 나는 믿지 않으면 아니 됩니다. 그러나 부디 당신에 대한 나의 진지한 존경의 뜻은 믿어 주십시오…….

오랜 시일을 두고 불란서에 대한 논문은 현 시기를 참작하지 않고는 쓸 수 없게 될 것이다. 이런 생각은 조그만 시골 열차 칸 안에서 하게 된 것인데 때마침 나는 조그만 정거장에 모여 있는 지나가는 사람들의 얼굴을 바라보고 있었다.[3] 이 불란서 사람들의 얼굴과 윤곽은 좀처럼 잊혀지지 않을 것이다. 양피지(羊皮紙) 같은 살가죽을 한 노파와 반짝거리는 두 눈과 하얀 콧수염에 빛나는 미끄러운 얼굴을 한 노인의 늙은 두 농사꾼 부부— 반짝반짝하게 길이 들은, 형편없는 옷을 입은 두 해 겨울의 궁핍으로 찌그러진 윤곽, 궁핍 속에 빠져 있는 이 사람들에게는 우아한 맛이라고는 찾아볼 길이 없다. 기차 안에 놓여 있는 슈트케이스는 다 낡아빠진 판지를 누덕누덕 댄 것이 끈으로 동여매져 있다. 모든 불란서 사람들이 이민의 냄새를 풍기고 있다.

[4]공업도시도 마찬가지이다— 들창으로 보이는 늙은 노동자는 안경을 쓰고 석양의 햇빛을 틈타서 두 손에다 넓적하게 책을 펴들고 읽고 있다.

정거장에서는 분잡한 군중들이 추악한 먹을 것을 거리낌 없이 삼키고는 어두운 거리로 나가고 있다. 그들은 서로 떠다밀면서 호텔이나 방 같은 데로 돌아간다. 불란서 전체가 앞날을 기다리며 참고 견디는 절망적인 벙어리의 생활.

매달 10일, 11일, 12일경까지는 모두가 담배를 피운다. 18일만 되면 벌써 거리에서는 담뱃불을 얻을 수가 없다. 기차 속에서는 그들은 가뭄에 대한 얘기를 한다. 여기에서는 그것은 알제리아에서만큼 눈에 뜨이지는 않지만 그래도 역시 비극이다. 어떤 늙은이가 자기의 비참에 대한 얘기를 한다. 그 외 두 개의 방이 있는 거처는 생떼띠엔에서 한 시간쯤 간 데에

● ● ●

3. [원주] 까뮈는 매주일, 르 샴봉-쉬-리그농(Le Chambon-sur-Lignon)에서 생떼띠엔(Saint-Etienne)까지 병원의 치료를 받으러 다녔다.
4. 원문에는 이 자리에 마찬가지 내용을 생략한다는 뜻의 'Id'라는 글자가 이탤릭체로 놓여 있다.

있다. 길 위에서 두 시간을 보내고 8시간 노동을 한다— 집에는 아무것도 먹을 게 없다— 너무 가난해서 암시장을 이용할 수도 없다. 어떤 젊은 아낙네는 아이가 둘이 있고 남편이 위궤양에 걸려서 전쟁에서 돌아왔기 때문에 하루에 몇 시간씩 빨래하는 일을 하고 있다. "그이는 백육(白肉)을 잘 구워서 먹어야 해요. 그런 고기를 어디서 좀 구할 수 없어요? 그이는 식권을 받고 있어요. 그래서 4분의 3리터의 우유를 얻을 수 있지만 고기는 안 주어요. 우유만 먹고 살찐 사람, 보셨어요?" 때때로 손님의 빨래를 도적을 맞는 수가 있다. 그럴 때면 변상을 해주어야 한다.

이러는 동안에 비가 와서 공업지대의 골짜기의 더러운 풍경을 물에 채우고 있다— 이 지독한 궁핍의 냄새— 그들의 생활의 진절머리 나는 압박. 그리고 다른 사람들이 지껄여대고 있다.

안개에 싸인 아침의 생떼띠엔에서는 탑과 고층건물과 연통들이 난립한 사이로 공장의 고동소리가 들려오고 커다란 연통 끝에서는 까만 하늘을 향해서 괴상한 제물의 떡처럼 침전한 재 찌끼가 올라가고 있다.

그렇게 쓰라린 고생을 하고 있는데도 그녀의 얼굴에 행복의 빛이 남아 있는 듯이 보이는 것은 어찌된 일인가.

"한시도 방심이나 약한 마음을 먹을 수 없는 고된 일을 하면서, 의지의 힘으로만 살아가는 이런 나날이 지난 뒤에는 이따금씩 감정이나 세상 같은 것은 우습게보고 싶어요. 아아! 모든 것을 포기하고, 홀가분한 마음으로, 노상 몸에 붙어 다니는 이 압박의 한복판으로 온 몸을 내던지고 쉬게 되지요. 욕망도 없고 유혹도 없고, 이 일을 그만두려는 생각도 없고요. 그렇게 애를 써서 쌓아올린 이 일을 어떻게 그만 두겠어요. 나는 사랑하고, 아끼고, 살려고 기를 썼어요. 요컨대 나는 사내가 되었어요…….

……내가 그다지도 사랑한 여름의 허공과 바다. 이것들이 입술을 내밀고……."

성생활은 필시 사나이를 진정한 그의 길에서 옆으로 빗나가게 하려고 사나이에게 부여된 것일 것이다. 그것은 그의 아편(阿片)이다. 그 안에서는 모든 것이 잠들게 된다. 그 바깥에서는 제 사물이 다시 생명을 지니게 된다. 동시에 순결(동정이라고도 번역할 수 있음)은 아마도 진리라고 볼 수 있는 종개념(種概念)에 종지부를 찍는다.

성욕에서는 아무것도 나오지 않는다. 그것은 부도덕적인 것은 아니지만, 비생산적이다. 사람은 생산을 원치 않을 때 잠시 그것에 자기 자신을 맡길 수 있다. 그러나 순결만이 오로지 인간의 진보와 관계를 갖고 있는 것이다.

성욕이 승리가 되는 때가 있다 — 그것이 도덕적인 명령에서 해방될 때다. 그러나 그것은 그 후에 이내 패배로 돌아가고 만다 — 따라서 유일한 승리는 다음에 그것을 딛고 일어설 때 얻어진다. 그것이 순결이다.

11월 11일. 쥐처럼![5]

아침에, 모든 것이 서리에 덮여 있고, 정갈스럽고 아름다운 꽃잎과 창기(槍旗) 같은 나무들 뒤에서 하늘이 반짝이고 있다. 10시쯤 되어서 햇빛의 온기가 돌기 시작하자, 시골 동네가 온통 훈훈한 공기의 수정 같은 음악으로 가득 찬다. 나무의 숨소리 같은 우지직우지직하는 소리가 나고, 하얀 벌레가 다른 벌레 위에 몸을 덮치는 소리처럼 서리가 사뿐히 땅 위에 떨어지고, 얼음의 무게에 눌리어서 매달렸던 이파리가 연달아 떨어지고, 무슨 분간할 수 없는 유해(遺骸)처럼 탄력 없이 땅 위에서 꼼짝 않고 있다. 사방의 골짜기와 언덕들은 김 속에 자옥하게 묻혀 있다. 이

● ● ●

5. [원주] 북아프리카에 상륙한 연합군 때문에, 까뮈는 그의 가정과 가족들로부터 단절되었다.

풍경을 잠시 바라보고 있으면 이 풍경이 모든 색깔을 잃음으로써 갑자기 늙어진 것을 알게 된다. 그것은 바로 단 하루아침에 수천 년을 헤치고 우리들 앞에 헤엄쳐 오른 태곳적 시골이다……. 이 낭떠러지는 두 줄기의 강의 합류점에 있는 배처럼 나무와 고사리들로 뒤덮여 있다. 첫 햇빛을 받고 서리가 가시자 이 낭떠러지는 영원(永遠)처럼 하얀 풍경 속에서 유일한 생물로서 남아 있다. 이 낭떠러지 끝에서는 적어도 두 개의 산맥의 흐름이, 그것을 둘러싸고 있는 무한한 침묵에 대해서 합세하고 있다. 그러나 차차 강물의 노래는 풍경 속에 동화되어 버린다. 그것은 단 한 음조도 상실하지 않고, 그러면서 침묵으로 화한다. 그리고 가끔 3색의 연기 빛을 한 떼까마귀라도 지나가야지만 하늘에 다시 생기가 돌고는 한다.

배의 그중 높은 꼭지에 앉아서 나는 무관심한 대지 속에서 이 움직이지 않는 항해를 계속하고 있다. 겨울이 과열한 심장에 안겨주는 손색없는 완전한 자연과 이 하얀 평화 — 괴로운 사랑에 시달리고 있는 이 심장을 쓰다듬어 준다. 나는 하늘 속으로 퍼지는 죽음의 전조를 부정하는 빛의 팽창을 바라다본다. 드디어 지금 모든 것이 과거에 대해서 말해 주고 있는데, 그것을 듣고 있는 내 위에 장래의 징조. 조용해라, 폐(肺)야! 너의 양식인 이 해맑은 얼음 같은 공기를 들이마셔라. 침묵을 만들라. 더 이상 나는 너의 완만한 쇠퇴에 귀를 기울일 필요가 없다 — 드디어 나는 몸을 돌려야겠다…….

알제리아에서는, 밤에 개 짖는 소리가 구라파의 밤보다도 10배나 더 공간으로부터 반향이 크게 들린다. 이처럼 그것은 이 비좁은 나라에서는 알 수 없는 향수로 장식되어 있다. 그것은 오늘날 내가 나의 추억 속에서 홀로 듣고 있는 언어다.

하늘은 푸르고, 그 때문에 강가에서 얼어붙은 물 위에 하얀가지를 내려뜨리고 뻗혀 있는 눈에 덮인 나무들은 꽃이 핀 편도나무 냄새를 풍기고 있다. 자세히 살펴보면 이 시골에서는 봄과 겨울이 끊임없이 뒤섞여 있다.

나는 이 시골과 불법의 정사(情事)를 맺고 있다. 다시 말하자면 나에게는 이 시골을 사랑할 이유도 있고, 미워할 이유도 있다. 알제리아라면 이와는 반대로 사랑의 쾌락을 위해서 모든 것을 버리고 무제한 정열을 쏟을 수 있다. 의문 — 사람은 여자를 사랑하듯이 시골을 사랑할 수 있는가?

반항에 대한 논문. 철학을 고민에서부터 출발시키고 나서 그것을 행복 속에서 나타나게 하라.

[6]그와 마찬가지로 부조리(不條理)의 세계에서 사랑을 재생시키는 일은 사실상 인간 감정 중의 가장 뜨거웁고 가장 멸망하기 쉬운 것을 재생시키는 일이 된다. (플라톤 — "우리들이 만약에 신이라면 우리들은 사랑을 알지 못할 것이다.") 그러나 (이 지상에는) 사랑을 참거나 참지 못할 것을 참는 것에 대해서 내릴 수 있는 가치판단은 없다. 충실한 사랑은 — 그것이 메마르게 하지 않는다면 — 인간에게 그의 최량(最良)의 부분을 가능한 한 가장 위대한 한계에까지 유지시키는 한 방법이다. 그렇기 때문에 성실성이 가치로서 재건될 수 있다. 그러나 이러한 사랑은 영원의 밖에 있는 것이다. 그것은 구속과 황홀의 두 가지를 다 포함한 모든 말이 지닌 감정 중에서 가장 인간적인 것이다. 그 때문에 인간은 오로지 사랑 속에서 그 자신을 인식하게 된다. 말하자면, 사랑 속에서 인간은 그의 장래성 없는 숙명을 찬란한 형태로 발견하게 되기 때문이다. (따라서 이상론자들이 말하고 있듯이 그것이 영원의 어떤 형태에 접근하고 있기 때문이 아닌 것이다.) 유형 — 황야의 절벽. 이것은 오로지 부조리가 '참을 수 있는 것과 참을 수 없는 것' 사이의 반대편에 그의 공식을 갖고 있다는 사실을 예증하고 있다. 따라서 거기에는 영원히 참아야 할 것을 참아

6. 영어 원문에는 이 자리에도 'Id'라는 글자가 이탤릭체로 놓여 있다.

가는 한 방법만이 있고, 중명사(中名詞)가 없다는 것을 알 수 있다. 우리들은 참을 수 없는 세계에 속해 있다. 따라서 참을 수 없는 모든 것은— 그리고 참을 수 없는 것 이외에는, 아무것도 우리들의 것은 없다— 우리들의 것이다. 이처럼 그것은 영원으로부터 사랑을 되찾는 문제가 된다. 혹은 적어도 영원의 이미지로 그것을 가장하는 사람들로부터 사랑을 되찾는 문제가 된다. 나는 그에 대한 반대를 이미 알고 있다— 사실은 당신은 사랑해 본 일이 없는 것이다. 그런 것은 내버려두기로 하자.

2월 10일. 4개월 동안의 금욕적인 고독한 생활. 의지나 정신은 그런 생활에서 이득을 본다. 그러나 심혼(心魂)은?

인간은 궁핍보다 더 좋은 무엇을 원할 수 있는가? 나는 현대의 프롤레타리아의 비참(悲慘)이나 희망 없는 고역을 말하고 있는 것이 아니다. 그러나 적극적인 여가와 연결되는 궁핍보다 더 귀중한 것을 나는 모른다.

죽음은, 그것이 그의 형태를 생명에 부여하고 있듯이 사랑에 그의 형태를 부여하고 있다— 사랑을 숙명으로 변형시킴으로써. 당신의 사랑하는 여자가 당신이 그녀를 사랑하는 동안에 죽게 되면, 그때부터 영원히 고정된 하나의 사랑을 보게 된다— 이 결말이 없었다면 그 사랑은 분해되고 말았을 것이다. 그러고 보면 죽음이 없는 세계, 소멸하고 재생하는 형태의 연속이 없는 세계, 괴로운 비상이 없는 세계는 완성을 볼 수 없는 세계가 아니겠는가? 그런데 다행히도 여기에 그가 있다. 죽음이 있다, 안정을 갖다 주는 죽음이 있다. 따라서 애인의 시체 위에서 울고 있는 연인은, 뽀링의 앞에서 울고 있는 르네는,[7] 드디어 자기의 운명이 하나의

● ● ●

7. René Gagnon은 1945년 태평양전쟁의 막바지에 벌어진 이오지마 전투에서 성조기를 세워 놓는 사진 속의 미군 병사 중 한 명이다. 그는 Pauline Georgette Harnois와

형태를 지니게 된 것을 인식하는 사나이의 — 총체적인 완성의 — 순수한 희열의 눈물을 흘리고 있는 것이다.

6월, 룩셈부르크. 해가 비치고, 바람이 부는 일요일 아침, 커다란 연못가에서 바람이 샘터의 물을 산란하게 하고 있고, 주름 잡힌 물 위를 달리고 있는 조그만 배와, 높다란 나무 부근의 제비들. 두 사람의 청년이 논쟁을 하고 있다 — "인간의 위엄을 믿는 당신들은……."

진리를 사랑하는 사람들은 결혼 속에서 사랑을 찾아야 한다. 즉 환영 없는 사랑을 찾아야 한다.

1943년 9월 1일. 일에 절망하는 사람은 비겁한 사람이지만, 인간조건에 희망을 두고 있는 사람은 미친 사람이다.

혁명의 시기에는 죽는 사람이 가장 훌륭한 사람이다. 희생의 법칙은, 발언을 할 기회를 갖고 있는 사람이 결국은 언제나 비겁하고 조심성 있는 사람이라는 것을 가르쳐 주고 있다. 왜냐하면 다른 사람들은, 그들의 최상의 것을 내줌으로써, 그 기회를 상실했기 때문이다. 발언이란 언제나 배신을 암시하는 것이다.

빠레인.[8] 그들은 전부 속였다. 그들은 그들이 처해 있는 절망을 넘어서지 못했다. 그리고 그것은 문학 때문이다. 그에게 있어서는, 공산주의자는 언어를 전폐하고, '실제적인 반항'을 그에 대치한 사람이다. 그는 그리스도

• • •

1945년 6월 7일에 결혼했다. 그러나 위 문장이 르네와 폴린의 어떤 장면을 그려 놓고 있는 것인지는 불분명하다. 더구나 위 단락은, 날짜순으로 배열되었을 경우를 고려한다면 1943년 6월 이전에 씌어진 것일 가능성이 높다.

8. [원주] 브리스 빠레인(Brice Parain), 유명한 불란서 철학자.

가 경멸한 일을 하기로 했다. 즉, 지옥에 떨어진 사람을 구하는 일 — 자기 자신을 지옥에 떨어뜨림으로써.

사상의 명령으로 이루어질 수 있는 최대의 구원은 세계의 몰이해(沒理解)를 받아들이는 일이다 — 그리고 인간과 상종하는 일이다.

"스스로 변호하라." 재판장이 말했다.
"싫어요." 피고가 말한다.
"어째서? 노상 그렇게들 하는데."
"역시 싫어요. 나는 당신이 당신의 모든 책임을 지기를 바랍니다."

재앙. 사람은 추운 밤에 — 지금 같은 세상에서 — 새 우는 소리를 즐길 수는 없다. 왜냐하면, 오늘날은 역사의 두꺼운 두께로 덮여져 있고, 역사의 언어가 우리들에게 도달하려면 그 두꺼운 두께를 관통하지 않으면 아니 되기 때문이다. 역사는 그 두께에 의해서 변형되고 있다. 죽음이나 절망의 이미지의 총제적인 연속이 세계의 각 순간에 연결되어 있기 때문에, 역사 안에 있는 것은 무엇 하나 그 자체로서 느껴질 수 있는 것이 없다. 이미 고민 없는 아침은 없고, 이미 감옥 없는 저녁은 없고, 이미 무서운 학살 없는 낮은 없다.

나는 나에게 지극히 귀중하게 생각되는 것을 정복하기 위해서 10년을 소비했다 — 쓴맛 없는 심혼(心魂). 그리고 흔히 있는 일이지만, 쓴 맛이 뒤에 남게 되면, 나는 그것을 한두 개의 책 속에다 보존해두었다. 그러니까 나는 항상 이미 나에게는 아무 의미도 없게 된, 이 쓴맛에 의해서 판단될 것이다. 그러나 그것은 지당한 일이다. 그것은 지불되어야 할 대가이다.

정의에 대한 소설. 무고한 인질이 살해될 것을 아는 행동을 수행하는 반항자……. 그때에 그는 자기가 경멸하는 작가의 사면을 위해서 서명하는 것에 동의한다.

우리들 불란서인들은, 현재 모든 문명의 첨단에 있다. 우리들은 이미 죽이는 법을 모른다.

신을 상대로 증언할 수 있는 것은, 우리들이다.

정치적 이율배반. 우리들은 희생자가 되느냐, 사형집행인이 되느냐의 선택을 하지 않으면 아니 되는 세계(1945)에 살고 있다 — 그리고 그 밖의 것은 아무것도 없다. 이 선택은 쉬운 일이 아니다. 항상 나에게는 사실상 사형집행인은 없고, 다만 희생자만이 있었던 것같이 생각된다. 이 계산이 자연스럽게 합계될 때. 그러나 그것은 널리 퍼져 있지 않은 진리다.

나는 자유에 대해서 가장 발랄한 취미를 갖고 있다. 그리고 모든 지식인들에게는 자유는 표현의 자유와 일치될 때 끝이 난다. 그러나 이러한 관심은 대다수의 구라파인들에게는 우선적으로 오는 것이 아니라는 것을 나는 잘 알고 있다. 왜냐하면 정의만이 그들에게 그들이 필요로 하는 최소한도의 물질을 제공할 수 있기 때문이다. 따라서 옳든 그르든 간에 그들이 이 기본적인 정의 때문에 자유를 기꺼이 희생시키게 되리라는 것도 잘 알고 있다.

나는 이 사실을 오래전부터 알고 있었다. 만약에 나에게 정의와 자유의 화해를 변호하는 것이 필요한 일같이 생각된다면, 그것은 나의 의견으로서는, 서구의 최후의 희망이 여기에 걸려 있기 때문이다. 그러나 이 화해는 오늘날 나에게는 거의 유토피아적으로 보이는 어떤 기후 속에서만 이루어질 수 있는 것이다. 우리들은 이러한 가치 중의 갑이나 을을 희생해야만 할 것인가? 그런 경우에 우리들은 어떻게 생각해야 할 것인가?

(속(續)) 정치. 모든 일은 인민을 대변하는 것을 직업으로 삼고 있는

사람들이, 자유를 갖고 있지 않고, 사실상 자유에 유의해 본 일도 없다는 사실에서 맥생(脈生)하고 있다. 그들이 진지(眞摯)한 사람인 경우에는, 그들은 그렇지 않은 것을 자랑으로까지 생각하고 있다. 그러나 단순히 유의하는 것만으로 충분할 것인가…….

그렇기 때문에, 이러한 양심의 가책을 갖고 살고 있는 사람들은 — 그리고 그들은 희귀한 사람들이다 — 어느 날이고 멸망하지 않으면 아니 된다. (이 점에 있어서는, 여러 가지 형태의 죽는 법이 있다.) 그들이 만약에 자랑으로 삼고 있는 경우에는 그들은 싸움을 겪지 않고는 그렇게 할 수 없을 것이다. 그러나 그들이 그들의 동포들과 정의의 전체를 상대로 싸움을 할 수 있겠는가? 그들은 증언은 할 것이다. 그리고 그것이 전부다. 그리고 이천 년의 간격으로 우리들은 소크라테스의 희생이 이따금씩 되풀이되는 것을 보게 될 것이다. 내일을 위한 계획 — 자유를 위한 증언의 엄숙하고도 의미심장한 이행.

비극. C와 L — "나는 긴급한 일이 생겨서 자네를 찾아왔네. 그래서 나는 생명이 위험한 곳으로 자네를 보낼 작정이야."

"그들은 둘이 다 옳소이다." 한 인물이 외친다.

C — "나는 자네를 거의 틀림없이 죽게 될 곳으로 보낼 작정이야. 그렇지만, 자네가 내 마음은 이해해 주기를 바라네."

"나는 비인간적인 것은 이해할 수 없어."

"그렇다면 그것까지도 단념하겠어 — 사랑하는 사람에게 이해를 받는 일까지도."

C — "나는 자유를 믿지 않아. 그것은 나의 인간적 고통의 부분이야. 오늘날 자유는 나를 방해하고 있어."

L — "어째서?"

"그것은 나로 하여금 정의를 세우는 것을 방해하고 있거든."

"정의와 자유는 화해할 수 있다는 것이 나의 확신이야."

"역사는 자네의 확신이 틀렸다는 것을 보여 주고 있어. 나는 양자는 화해를 볼 수 없다고 믿고 있어. 그것은 나의 인간적 지혜의 부분이지."

"어째서 갑보다 을을 택하게 되었지?"

"가능한 가장 많은 사람들이 행복하게 되기를 원하고 있기 때문이지. 그리고 자유는 다만 언제나 극소수인의 관심사에 지나지 않거든, 그들의 커다란 관심밖에 안 되거든."

"그런데 만약에 자네의 정의(正義)가 실패를 보게 되면?"

"그러면 나는 오늘날 자네가 상상조차 할 수 없는 지옥에 떨어지게 되지."

"어떤 일이 일어날는지, 나는 그것을 자네한테 말하고 있는 거야."(사진)[9]

"모든 사람들이, 자기가 진리라고 믿고 있는 것을 위해서 내기를 하고 있는 거야……. 다시 한 번 말하지만, 자유는 나를 방해하고 있어 — 우리들은 자유를 위한 증언을 억압해야겠어."

C — "L, 자네는 나를 존경하고 있지?"

L — "그것이 자네한테 무슨 의미가 있겠는가?"

C — "자네 말이 맞으이, 의미가 없는 것은 약점이지."

L — "그렇지만 그것이 바로 나로 하여금 자네를 여전히 존경하게 하는 점이야. 잘 있게. C. — 나 같은 사람은 언제나 혼자 죽을 팔자야. 그것이 내가 하려고 하고 있는 일이야. 그렇지만 정말 나는 사람들이 혼자 죽지 않기 위해서 필요한 일을 하고 싶어."

L — "세계를 개조한다는 것은 무의미한 일이야."

C — "개조되어야 할 것은 세계가 아니라, 인간이야."

● ● ●

9. 원문대로임. 아마 까뮈는 이 기록부분에 첨부해둘 사진을 가지고 있었던 듯하다.

C — "도처에 바보가 있어. 그러나 다른 곳에도 도처에 바보와 겁쟁이들이 있어. 자네는 우리들 가운데에는 단 한 사람도 겁쟁이가 없다는 것을 알게 될 것이야."

L — "영웅적 행위는 부차적인 미덕이야."

C — "자네는 그렇게 말할 수 있는 권리가 있어, 자네는 몸소 그것을 증명했으니까. 그렇지만 그러면 제1의 미덕은 무어지?"

L(그를 바라보면서) — "우정이야."

"세계가 비극적이라고 하더라도, 우리들이 고민 속에서 살고 있다 하더라도, 그것은 폭군 때문에 그렇게 되는 건 아냐. 자네와 나는, 자유와 정의와 같이 나눌 수 있는 깊은 희열이 있다는 것을, 요컨대 폭군에 대항하는 싸움 속에 공동체가 있다는 것을, 알고 있어. 악이 통치를 하고 있을 때는 문제가 없어. 반대방이 틀렸을 때는, 그를 상대로 하고 싸우는 사람들은 자유롭고 평화스럽지. 그러나 고민이 생기는 것은 다른 게 아니라, 다 같이 인간의 행복을 희구하는 사람들이 당장에 그것을 희구하는 사람과, 그것을 3세대 후에 희구하자고 하는 사람이 있어서 그 때문에 그들이 서로 갈라서게 되기 때문에 생기는 거야. 반대방이 한결같이 옳을 때에는, 그때에는 우리들은 비극을 맛보게 되는 거야. 그리고 비극의 종말에, 무엇이 있는지, 우리들은 알고 있어."

C — "그렇지, 죽음이 있지."

L — "그래, 죽음이 있어. 그런데 나는 자네를 죽이는 데 동의할 수는 없을 거야."

C — "나는 그것이 만약 필요하다면, 동의하겠어. 그것이 나의 윤리야. 그리고 그것이 내가 보기에는 자네가 진리를 갖고 있지 않다는 증거야."

L — "그것이 내가 보기에는, 자네가 진리를 갖고 있지 않다는 증거야."

C — "나는 내가 살아 있기 때문에, 승리를 거두고 있는 것 같은 생각이

들어. 그러나 내가 바라는 사람이 단 하나의 구원의 의사를 갖고 있기 때문에, 나는 자네와 마찬가지의 밤 속에 있어."

종말. 그들은 L의 시체를 찾아가지고 들어온다. 유격대원이 그것을 소홀하게 취급한다. 침묵. C — "그 사람은 우리들과 같은 주의를 위해서 영웅처럼 죽었다. 우리들은 그를 존경하고, 그의 원수를 갚아야 한다."[10]

C — "나를 완전한 소경으로 생각하지 말아."

L이 부상을 당해서 돌아온다.

C — "어쨌든 자네는 성공했군."

L — "불가능했어."

C — "자네는 돌아올 수 있었으니까, 성공한 거지."

L— "불가능했어."

C — "왜?"

L— "나는 지금 죽어 가고 있으니까."

X — "당신께서 가시면 안 됩니다."

C — "나는 여기의 지도자야, 그러니까 결정하는 것은 나야."

X — "정말, 우리들은 당신이 필요합니다. 우리들은 근사한 제스츄어를 하기 위해서 거기에 가는 게 아니라 도움을 주기 위해서 거기에 가는 것입니다. 훌륭한 지도자는 효능의 조건입니다."

C — "잘 알겠어, X. 그러나 나는 나에게 유리한 결과를 초래하는 진리는 그다지 좋아하지 않아. 그러니까 나는 가겠어."

• • •

10. [원주] 이 맨 끝의 몇 개의 낱말은 대중치고 써 넣은 것이다. 원고에 적힌 것이 판독하기가 어렵게 되어 있다.

여자 — "그러면 도대체 누가 옳은가요?"

소위(少尉) — "살아남은 사람이죠."

사나이가 들어온다.

"그도 역시 죽었어요."

"아아! 아냐, 아냐! 이제 나는 누가 옳은지 완전히 알 수 있어. 그것은 그래, 그 사람이야 만나자고 청을 한 그 사람이야."

나는 반대방의 죽음을 바라거나 용납할 수 없기 때문에, 정치에는 맞지 않는 사람이다.

나는, 계속적인 노력에 의해서 창조를 할 수 있다. 나의 경향은 막힐 때까지 굴러 내려가는 것이다. 나의 가장 심오하고 가장 확실한 성벽(性癖)은, 침묵과, 그날그날 몸을 움직이는 일이다. 여러 해 동안의 완고한 고집은, 나로서는, 오락으로부터 — 기계적인 것이 매혹으로부터 — 도망을 쳐 나오기 위해서 필요했다. 그러나 나는 바로 이러한 노력에 의해서 내가 줄곧 꿋꿋이 서 있다는 것을 알고 있고, 내가 만약에 일순간이라도 그것을 믿지 않게 되면, 낭떠러지 아래로 굴러 떨어지게 되리라는 것을 알고 있다. 이런 식으로 나는 병과 포기에 빠지지 않게 나를 지키고 있고 숨을 쉬고, 정복을 하기 위해서 온갖 힘을 다해서 나의 머리를 치켜들고 있다. 이것이 나의 절망의 방식이며, 그것을 고쳐가는 나의 방식이다.

참여문학을 반대하면서. 사람은 오로지 사회적으로만 될 수는 없다. 그의 죽음은 적어도 그에 속해 있다. 우리들은 다른 사람들과 같이 살 수는 있다. 그러나 사람은 오로지 사실상 자기 혼자 죽는다.

비극. C와 L. C[11] — "나는 옳다. 그리고 그것이 나에게 그를 죽일 수 있는 권리를 부여하는 것이다. 나는 이런 사소한 일에 구애할 수 없다.

나는 세계와 역사를 기준으로 해서 생각한다."

L — "사소한 일이 인간생활인 경우에는, 나에게 있어서는 그것은 전 세계이며 역사의 전부다."

쾨스틀러와의 대화. 역수의 비율이 온당하다면, 목적이 오로지 수단을 정당화할 수 있다. 예를 들자면, 나는 1개 연대를 구출하기 위한 중대한 사명을 위해서 상텍쥐페리를 파견할 수는 있다. 그러나 동등한 양적 결과를 위해서 수백만의 사람들을 유형(流刑)시키고, 모든 자유를 구속할 수는 없고, 미리 희생될 3, 4세대를 기초로 해서 계획을 세울 수는 없다.

— 천재. 천재는 없다.

— 창작하는 사람의 최대의 불행이 시작되는 것은 그가 재능이 있다는 인정을 받을 때다. (나는 이제 내 책을 출판할 용기가 없다.)

10월 29일. 쾨스틀러-사르트르-말로-스페버, 그리고 나. 뻬에로 들라 프란체스카와 듀뷔페 사이에서.

K — 최소한도의 정치윤리를 규정할 필요성. 따라서 우선 상당히 많은 허위의 양심의 가책('잘못'이라고, 그는 말하고 있다)을 제거할 것 — (a) 인간이 조력할 수 없는 주의를 조력할 수 있다고 말하는 것. (b) 양심의 관찰. 부정의 범주(範疇). "내 자신으로 말할 것 같으면, 대담자가 나에게 내가 러시아를 증오하고 있느냐고 물었을 때, 나의 마음속에는 무엇인지 말이 막히게 하는 것이 있었어요. 그래서 나는 애를 썼어요. 나는 내가 히틀러를 증오하고 있는 것만큼 스탈린 정권을 증오하고 있다고 말하고, 이유는 같다고 말했어요. 그러나 그 말에는 무엇인지 사실과 맞지 않는 게 있었어요." "여러 해 동안을 싸웠어요. 나는 그들에게 거짓말을 했어요……. 그런데 이제, 내 방 벽을 머리로 받으면서, 시뻘겋게 충혈한

11. 영어 원문은 "C.L. C."이다.

얼굴로 나를 쳐다보면서, "이젠 희망이 없어, 이젠 희망이 없어" 하고 외치던 그 같은 방에 있던 친구처럼……" — 행동의 수단, 등.

M — 프롤레타리아가 순간적으로 될 수 없다는 것. 프롤레타리아는 최고의 역사적 가치인가?

C — 유토피아. 유토피아는 오늘날 전쟁보다 대가가 적게 든다. 유토피아의 반대가 전쟁이다. 한 쪽으로는 그리고 다른 한 쪽으로는 — "당신은 가치의 부재에 대한 모든 책임이 우리들에게 있다고 생각하십니까? 그리고 니체주의나 허무주의나 혹은 역사적 리얼리즘에서 온 우리들이 모두 공공연하게 우리들은 잘못 생각하고 있었고, 도덕적 가치가 존재하고 있고, 이제부터 우리들은 그 가치를 유지하고 설명하기 위해서 필요한 일을 하겠다고 말한다면, 그것이 희망의 시초가 되리라고 당신은 생각하십니까?"

S — "나는 나의 도덕적 가치를 다만 쏘련을 반대하는 데만 돌릴 수는 없습니다. 왜냐하면 수백만 명의 사람들의 유형은 흑인의 린치사건보다 더 심각한 것은 사실입니다. 그러나 한 사람의 흑인의 린치사건은 100년 이상을 계속해 내려온 상황의 결과이고, 그것은 결국은 수백만 명의 체르커스들[12]이 유형을 당하는 것과 똑같은, 수백만 명의 흑인들의 불행을 나타내고 있는 것이기 때문입니다."

K — 작가로서 우리들은, 만약에 우리들이 고발할 것이 있는 데도 고발하지 않는다면, 역사 앞에서 배신을 하는 게 된다고 말하지 않을 수 없다. 침묵의 공모는, 우리들의 뒤에 올 사람들의 눈에는 우리들의 유죄선고가 된다.

S — 그렇지. 등등.

그리고 이런 말을 쭉 하는 동안에, 각자가 말하고 있는 것 속에 얼마만한

• • •

12. 당시 쏘련의 연방인 카라차예보체르케스카야 공화국의 소수인종 체르케스인을 가리킨다.

공포나 진실이 있는지를 규정하는 것은 불가능한 일.

타르를 만났다. 대사에 대한 연습에서 나오고 있었다. 그는 약간 서먹서먹한 눈치를 보였지만, 내가 그를 '전투' 그룹으로 들어가게 했을 때, 그는 그전 같은 따뜻한 눈으로 나를 쳐다보았다.

"당신은 지금 맑스주의자입니까?"

"네."

"그럼 당신은 이제 사람을 죽일 수도 있겠군요."

"나는 벌써 한 사람 죽였소이다."

"나도 그래요. 하지만 더 이상 죽이고 싶지는 않아요."

"그러면 당신은 나의 스폰서였군."

그것은 사실이었다.

"내 말 좀 들어보시오, 타르…… 여기에 진정한 문제가 있어요 — 무슨 일이 있어도, 나는 당신을 사살대(射殺隊) 노릇을 하지 않게끔 항상 보호해 주리다. 그런데 당신은 내가 총살을 당하는 것을 찬성하지 않으면 아니 될 거예요. 이것을 생각해 보시오."

"생각해 보리다."

드디어 인간의 작업이 차차, 잠자고 있는 세계의 방대한 공간을 휘덮게 되고, 심지어는 오늘날 자연의 처녀지의 개념이라는 것이 에덴의 신화의 특성의 일부를 지니게까지 되고(이미 고도(孤島)라는 것은 없다), 사막에 인구가 늘어 가고, 해안이 갈라지고, 비행기가 장시간 항공으로 하늘까지 갈퀴질을 하고, 사람이 살 수 없는 지역만을 빼어놓고는 손을 안 댄 것이 아무것도 없게 됨에 따라서, 똑같은 방식으로, 또한 똑같은 시간에 (또한 아래와 같은 역사에 대한 감정이 원인이 되어서) 역사에 대한 감정이 차차 인간의 심혼(心魂) 속의 자연에 대한 감정을 뒤덮게 되었고, 모든 것을 창조자 — 여기까지는 그 모든 것을 다시 창조물로 돌려보내기 위해서 창조자가 모든 것을 관할하고 있었는데 — 로부터 빼앗게 되었다. 그리고 이러한 일들이 너무나 강력하고, 너무나 완강하게 추진되고 있기 때문에, 우리들을 종용한[13] 자연의 창조가, 몸서리가 치고, 현기증이 나고, 혁명과 전쟁의 아우성소리가 울리고, 공장과 열차의 요란한 소음이 들리고, 드디어는 역사의 과정에서 결정적인 의기양양한 역할을 하는, 인간의 창조에 의해서 완전히 대치될 날을 상상할 수 있게 된다. 그러나 이런 일이 지상에서 완성을 보게 되더라도, 아마 그것은 수천 년 동안에 걸쳐서 그러한 일에 의해서 생산된 당당하고도 얼떨떨한 모든 것들이, 들장미의 가냘픈 향기나, 올리브나무의 계곡이나, 귀여운 강아지만한 가치도 없다는 것을 보여 주게 될 것이다.

고독한 일주일을 보낸 뒤에 또다시 가장 억센 야심을 가지고 시작한 일에 대해 내 자신의 능력이 모자란다는 통렬(痛烈)한 느낌. 단념하라는 유혹. 내 자신보다도 강한 진리와의 이 오랜 토의는, 좀 더 벌거벗은 심혼과 좀 더 위대하고 좀 더 강한 지성을 필요로 했다. 그러나 무슨 일을 해야 하나? 그 일을 안 하면 나는 죽을 것 같다.

소설. 깜박임 — "내가 도착했을 때, 나는 불길한 예감과 신열로 기진맥진해 있었다. 혹시 그녀가 밖에서 기다리지 않고 있을 것을 생각하고, 그녀가 도착한 시간을 알려고, 나는 게시판을 보러 갔다. 그것은 밤 11시였다. 서쪽에서 오는 최종 열차는 2시에 도착할 것이다. 나는 맨 마지막으로 나갔다. 그녀는 출구에서 나를 기다리고, 사람들이 두어서넛 있는 가운데에서 혼자, 그녀가 데리고 온 알사스인과 함께 서 있었다. 그녀는 내가 있는 쪽으로 다가왔다. 나는 어색한 표정으로 그녀의 입을 맞추었지만,

● ● ●

13. '우리들을 종용한'은 편집상의 오식으로 보인다. 원문을 번역하면 '우리들은 조용한'이다.

마음속으로는 여간 반갑지 않았다. 우리들은 정거장을 나왔다. 프로방스의 하늘은 성벽 위에서 별빛을 반짝거리고 있었다. 그녀는 오후 5시 차로 와 있었다. 7시 차에 내가 올 줄 알고 기다리고 있었지만, 나는 그 차에 오지 않았다. 그녀는 내가 오지 않지나 않나 하고 걱정을 했다. 그녀는 호텔에 내 이름을 대고 문의해 보았는데, 장부에 기입이 없었기 때문이다. 호텔에서는 그녀의 신청을 받아주지 않았고, 그녀는 호텔에 다시 가보고 싶지 않았다. 우리들이 성벽에 도착하자, 옆으로 지나가면서 흘끗흘끗 돌아다보는 군중들 속에서, 그녀는 나에게 몸을 던지고, 황홀하게 나를 꽉 껴안았다. 거기에는 안도감은 있었지만 사랑은 없었다. 하지만 사랑의 희망은 있었다. 나는 몸에 열이 있는 것을 느꼈고, 열이 없었더라면[14] 몸이 튼튼하고 얼굴이 좀 더 잘 생겼으면 하는 생각을 했을 것이다. 호텔에서는 짐을 정돈했고, 모든 일이 순조롭게 되었다. 그러나 나는 방에 돌아가기 전에 코냑을 한 잔 마시고 싶었다. 그래서 따뜻한 바에서 그녀가 쉴 새 없이 따라주는 술을 마시자, 나는 나의 확신이 되살아나는 것을 느꼈고, 호탕한 기분이 완전히 몸 안에 가득 차는 것을 느꼈다."

형식적인 미덕에 대한 회의(懷疑) — 그것이 바로 이 세계의 설명이다. 이러한 회의를 자기 자신에 대해서 느끼고, 그것을 모든 다른 사람들에게까지 넓혀본 사람들은, 거기에서 모든 공공연한 미덕에 대한 끊임없는 감수성을 추출해낸다. 여기에서 '현실적인' 미덕을 회의하게 되기까지는, 단 한 발자국만 떼어 놓으면 된다. 그 때문에 그들은 그들이 원하는 사회의 도래를 도웁는 것을 미덕이라고 부르기로 했다. 궁극적인 동기(그 회의)는 고귀하다. 이 논리는 정당한가 — 그것이 문제다.

나에게도 이 개념을 정리해 보려고 쓴 것이 있다. 내가 항상 생각하고, 써온 모든 것이 이 회의와 관계가 있다. (『이방인』의 주제가 바로 이

● ● ●

14. '열이 없었더라면'은 김수영의 임의로 삽입한 구절이다.

회의다.) 나는 헤겔이 말하는 '유덕한 의식'의 순수하고 단순한 부정(허무주의나 사적 유물론)을 용납하지 않는 즉시로, 발견할 수 있는 증명사를 갖게 된다. 한편으로 역사를 초월하는 가치에 속해 있으면서, 역사 안에 몸을 둘 수 있는 일이 정통적인, 가능한 일인가? 바로 무지의 가치가 편리한 피난처를 비호(庇護)하고 있는 것이 아닌가? 순수한 것은 아무것도 없다. 순수한 것은 아무것도 없다 — 거기에 이 세기를 병독으로 가득 채운 외침이 있다.

부정하고, 행동하는 사람들과 같이 걸어가려는 유혹! 질서 안으로 발을 들여 놓자마자, 허위로 다시 되돌아가는 사람들이 있다. 그리고 그것은 동일한 경탄할 만한 충격을 틀림없이 수건(隨件)한다. 그러나 충격이 무엇인가? 우리는 무엇으로, 누구를, 왜, 심판해야 하는가?

이것이 사실상 역사의 전진이라면, 거기에는 해방은 없고 다만 통일만이 있다면, 나는 역사에 브레이크를 걸고 있는 사람들 틈에 서 있는 것이 아닌가? 통일 없는 해방은 없다고 그들은 말하고 있다 — 그리고 그것이 참말이라면 우리들은 뒤떨어진 곳에서 머뭇거리고 있다. 그러나 선두에 서려면 우리들은 불행과 살인과 2, 3세대 동안의 추방보다는 오히려 이미 무서운 '역사적' 반박(反駁)에 봉착한, 가능성이 희박한 하나의 가설을 택하지 않으면 아니 된다. 따라서 그 선택은 가설에서 시작하게 된다. 해방은 우선 통일을 필요로 한다는 것은 증명되고 있지 않다. 해방이 통일이 없이 될 수 있다는 것도 증명되고 있지 않다. 그러나 통일이 폭력을 통해서 달성되어야 한다는 것은 불가피한 일이 아니다 — 대체로, 폭력은 단결의 외모 밑에 고뇌를 도입한다. 통일과 해방이 필요하다는 것은 논증할 수 있는 일이며, 이러한 통일이 지식과 설교를 통해서 달성될 수 있는 기회가 있다는 것도, 가능한 일이다. 그때에 말이 행동이 될 것이다. 적어도 우리들은 그 임무에 전적으로 투신하지 않으면 아니 될 것이다.

아아, 지금은 의문의 시대다. 누가 혼자서, 전 세계의 의문을 견디어 낼 수 있는가?

메를로-뽕띠.[15] 읽는 법을 배워라.

그는 자기의 글을 오독(誤讀)했다고 — 따라서 오해를 받고 있다고 불평을 하고 있다. 이것은 내가 미리 짐작하고 있던 종류의 불평이다. 그런데 나는 그것이 조리가 서지 않는 말이라는 것을 알고 있다. 거기에는 그릇된 해석은 없다.

자기의 원칙에 충실한 방탕아(放蕩兒). 그렇다. 그러나 실제로, 그리고 당분간은 나는 만인을 죽이는 청교도보다는 아무도 죽이지 않는 방탕아를 좋아한다. 그리고 무엇보다도 내가 참을 수 없는 것은 만인을 죽이고 싶어 하는 방탕아다.

M. 뽕띠, 즉 현대인의 유형(類型) — 전복(顚覆)을 계산에 넣고 있는 사람. 그는 아무도 정당하지 않으며 그다지 단순하지도 않다고 설명하고 있다. (그가 이것을 증명하기 위해서 일부러 수고하고 있는 것이 나를 위한 것이 아니기를 희망한다.) 그러나 그 뒤에 가서 그는 히틀러는 범죄자이며 그를 반대하는 반항은 언제나 정당할 것이라고 주장하고 있다. 만약에 아무도 정당하지 않다면 그때에는 우리들은 심판을 해서는 아니 된다. 그런데, 사실상 우리들은 오늘날 히틀러에게 반항하고 있다. 우리들은 전복을 계산에 넣어 왔고 지금도 계속해서 그러고 있다.

사르트르, 즉 우주의 전원시의 향수(鄕愁).

나도 그렇지만, 아무도 세계를 직접적인 방법으로 정복할 수 있다고

● ● ●

15. [원주] 그는 『휴머니즘과 공포』라는 저서를 막 내놓았었다. 메를로-뽕띠와 까뮈의 결별은 이 책이 나온 뒤였다. (사르트르 저 『생전의 메를로-뽕띠』, 313면 참조). [편주] 번역문은 본문에서 이 주석을 빠뜨리고 있다. 편집상의 실수로 보인다. 본문에서 누락된 것이 주석 페이지에는 위와 같이 번역되어 있기 때문이다. 이 주석의 본문 속의 위치는 영어 원문을 찾아 확인했다.

생각하는 사람은 없다. 자아……. 그러면, 과실은 어디에 있었나? 무엇이 갑자기 약해지고 그 밖의 것이 일어서게 되었나……?

R. C. 점령 하의 열차 속에서 동이 튼다. 독일인들. 어떤 여자가 금화를 떨어뜨린다. C가 그것을 발로 밟고, 그녀에게 돌려준다. 여자—"고맙습니다." 그녀는 담배를 준다. 그는 받는다. 그녀는 독일인들에게도 담배를 준다. R. C.—"죄송하지만, 매담 담배는 도로 드리겠어요." 독일인이 그를 쳐다본다. 터널. 손이 와서 그의 손을 꼭 쥔다. "나는 폴란드사람이오." 터널에서 나오자, R. C.는 그 독일인을 쳐다본다. 그의 눈에는 눈물이 가득히 고여 있다. 정거장에서 독일인은 나가다가 그를 돌아다보고 눈짓을 한다. C는 그에 응하면서 미소를 띠운다. 우연히 이 장면을 보고 있던 불란서인이 말한다.

"돼지새끼"

떼네 좀 못 미쳐서, 연이은 산맥의 발밑에, 조그마한 만(灣). 완전한 반원형. 저물어 가는 햇빛 속에서 괴로움을 만재(滿載)한 배가 잔잔한 물 위를 떠돌고 있다. 그것을 보면서 우리들은 이런 일을 깨닫는다—희랍인들이 절망과 비극의 개념을 창조했다면 그것은 항상 미와 미의 압박적인 면을 통해서 된 것이다. 그것은 절정에 달하고 있는 비극이다. 그와는 달리 현대의 사람들은 그들의 절망을 추악(醜惡)과 평범 속에서 창조했다.

분명히 샤르가 말하고 있는 것. 희랍인들에게는 미는 별[16]에 있다. 구라파인들에게는 그것은 거의 도달될 수 없는 극한[17]이다. 나는 현대인이 아니다.

나의 생애의 행운은 내가 다만 비범한 사람들을 만나보고 사랑했다(그리

● ● ●

16. 원문은 "start(출발)"이다. star로 오독한 듯하다.

17. 원문은 "end(종결)"이다.

고 실망했다)는 것이다. 나는 위엄과, 자연의 위안과, 다른 사람들이 갖고 있는 고귀성을 알고 있다. 감탄할 만한 — 그리고 고통스러운 — 광경.

"아아! 죽음이 휴식이 되지 못하고, 무서운 괴로움이 무덤 속에서도 또한 나를 기다리고 있다는 것을 내가 모른다면, 분명히 나는 자살할 수 있는데."

샤르. 교묘한 바위덩어리가 어떤 숨어 있는 재앙으로부터 이곳 지상으로 떨어졌다.

초상화. 조그마한 베일 밑에서, 그녀의 잘생긴 두 눈은 쳐다본다. 조용한 아름다움, 젖 짜는 아가씨 같은 예쁜 모습. 갑자기 그녀는 얘기를 하고, 그녀의 입은 나란히꼴[18]로 찌그러진다. 그녀는 추부(醜婦)다. 사회의 여자다.

신병모집. 실패한 문인의 대부분이 공산당으로 간다. 그것은 그들로 하여금 예술가들을 은혜라도 베푸는 듯한 태도로 심판할 수 있게 하는 유일한 자리이다. 이런 견지에서 볼 것 같으면 그것은 좌절된 천직의 당이다. 대규모의 신병모집이라고 사람들은 생각한다.

정치 논문의 서론 같은 저서. 이런 견지에서 볼 것 같으면, 마지막 논문은 내가 생각하고 있는 것을 잘 나타내고 있다. 즉 그것은, 현대인은 마지못해 정치에 관여하게 된다는 것이다. 나 자신만 하더라도 싫으면서 그에 관여하고 있는데, 이유는 나의 성격이라기보다도 나의 결점이 더 많이 시키는 일이지만, 나는 내가 당하게 되는 의무의 어떤 부분도 거절할

● ● ●

18. "parallellogram(평행사변형)"의 번역.

수 없었기 때문이다.

클라이스트는 그의 원고를 두 차례나 태워 버렸다……. 삐에로 들라 프란체스카는 만년에 눈이 멀었다……. 입센은 종말에는 그의 기억력을 상실하고, 알파벳을 다시 배웠다……. 용기다! 용기!

미(美), 그것은 우리들을 도와서 살게 하고, 또한 우리들을 도와서 죽게도 한다.

수천 년 동안을 세계는 문예부흥기의 이태리 회화 같았다. 그 회화에서는 차디찬 판돌 위에서 사람들이 고문을 당하고 있고, 한편에서는 다른 사람들이 완전무결한 무관심한 표정으로 먼 산을 바라다보고 있다. '무심한' 사람들의 수는 관심을 가진 사람들의 수에 비하면, 현기증이 날 정도였다.
역사를 특징지은 것은 남의 불행에 관심을 갖지 않은 사람들의 분량이었다. 이따금씩, 무심한 사람들은 그들의 차례를 가졌다. 그러나 그것은 전반적인 관심의 결여(缺如) 속에서였고, 한 사람은 다른 사람에 대한 보상을 했다. 오늘날은 모든 사람들이 관심을 갖고 있는 시늉을 하고 있다. 궁전의 큰 방안에서 증인들은 갑작스럽게 매를 맞고 있는 사람 쪽으로 몸을 돌리고 있다.

북서풍이 헌 하늘을 깨끗이 씻어내고, 바다처럼 파랗게 반짝거리는 새 가죽을 입혔다. 사방에서, 새들의 노래 소리가 힘차고, 즐거웁게, 유쾌한 불협화음을 섞어 가며, 무한히 황홀하게 터져 나온다. 햇빛이 방울처럼 똑똑 떨어지면서 반짝거린다.

윤리가 아니라, 이행(履行)이다. 그리고 사랑의 이행 이외에는 다른 이행은 없다. 그것은 자기 자신의 포기의 이행이며, 세계에 대한 죽음의 이행이다. 목적을 향해서 똑바로 나아가라. 사라져라. 사랑 속에서 소멸되어라. 그때에, 창조를 하는 것은 사랑의 힘일 것이며, 이미 내 자신은 아닐 것이다. 빨려 들어가야 한다. 사지(四肢)가 갈가리 찢기어야 한다. 이행과 진리를 위한 정열 속에서 절멸(絶滅)되어야 한다.

아직까지도 내 앞에 보이는, 불 켜진 화환(花環)을 가진 나날이, 하나하나 없어질 때까지 기다려라, 기다려라. 드디어 마지막 날이 없어지고 완전한 암흑이 온다.

파리는 작가의 일을 도웁고 그것을 눈에 띠우게 함으로써 출발한다. 그러나 일단 그의 일이 성취되면, 쾌락이 시작된다. 쾌락은 그의 일을 파괴하는 것이 문제다. 이리하여 브라질의 강 속에처럼 파리에도, 파괴의 임무를 띠운 수천 마리의 붕어 새끼들이 있다. 그것들은 몸집이 지극히 미세하지만 수는 무수하다. 말하자면, 그것들의 머리 전부가 그것들의 이빨 속에 살고 있다. 그리고 그것들은 5분도 채 안 걸려서, 사람의 살을 완전히 벗겨 먹고 하얀 뼈다귀밖에는 남겨 놓지 않는다. 그리고는 가서 잠깐 자고, 다시 일을 시작한다.

예술가가 제 원칙의 민주주의를 신봉하는 듯이 보일 때의 그의 부정직. 왜냐하면 그렇게 되면 그는 예술의 최대의 교훈인 그의 가장 심오한 경험의 부분 — 천사군(天使群)과 질서 — 을 부정하게 된다. 이러한 부정직이 감상적이라 하더라도 그렇다. 그것은 결국 공장이나 수용소의 노예제도로밖에는 통하지 않는다.

내가 차지한 감옥 바닥에서, 세상에 알려지지도 않고 죽어야 한다면, 바다는 위급한 순간에 나의 감방을 채워줄 것이고, 내 키보다도 더 높이 나를 치켜 올려주고, 증오 없이 죽을 수 있게 나를 도와줄 것이다.

1951년 3월 7일. 『반항하는 인간』의 초고 완료. 이 책으로 처음의 두 꼭지가 완성되었다. 37세. 이제 창조가 자유로울 수 있는가?

모든 이행은 노예가 되게 한다. 그것이 우리들에게 보다 더 높은 이행을 강요한다.

—〈까뮈의 「각서」 소개〉

여기에 역출한 「각서」는 알베르 까뮈가 1942년 1월에서 1951년 3월까지 사이에 쓴 노트북의 제2권에서 발췌한 것으로, 『엔카운터』지에서 두 번째로 게재한 미발표 각서이다. 첫 번째에 동지(同誌)가 게재한 (1961년 10월호) 부분(1935년에서 제2차 대전 발발 직후까지의 부분)은 우리나라에서 번역되어 얼마 전에 『사상계』지에 나왔던 것을 기억하고 있다.

이 각서는 일기 형식으로 되어 있지만 일기라기보다는 오히려 명상(瞑想)과 짤막한 스케치들이고, 그중에는 앞으로 쓸 작품에 쓰려는 의도에서 써둔 것이 많다. 그런데 이번 각서를 전번에 발표된 것과 비교해 볼 때, 까뮈의 선입견이 상당히 변한 것을 볼 수 있다. 그 자신도 말하고 있지만, 전번의 것에 비해서 지중해의 풍경의 묘사가 훨씬 적고 인생과 사랑에 대한 황홀한 찬미(讚美)도 훨씬 적어졌다. 1940년 이후 그는 결국은 그를 자기의 세대의 사람들은 "개처럼 살아왔고, 점점 더 개처럼 살고 있다."는 결론으로 이끌어 가게 된 경험을 흡수하고 있었다. 전쟁은 불가불 그를 부조리의 세계에 관여하게 했고, 이러한 단편들은 『시지프의 신화』나 『이방인』 같은 작품들이 독일군 점령 하의 불란서의 일상생활의 비참하고 괴상한 사건에 대한 직접적인 충격에 얼마나 많이 힘입고 있는가를 보여 주고 있다. 까뮈의 사상의 배후에 명령조를 불어넣은 것도 또한—『페스트』에 나오는 류우 박사의 입을 빌려서 그가 한 말을 쓰자면 — 사람들을 구원하려는 것이 아니라, 그들을 치료하려는 그의 결의를 굳게 한 것도, 이러한 충격에서 온 것이었다.

전후에 까뮈는 불란서의 지식층뿐만 아니라 구라파의 지식층을 양분하는 사상투쟁에 대해서 태도를 결정할 필요성에 직면했다. 1946년 11월에 발표된 「희생자도 아니고 사형집행인도 아니다」라는 논문은, 그에 대한 그의 위치를 천명한 것이며, 그러한 점진적인 위협[19]이 그의 각서에도 그 흔적을 나타내고 있다. 그는 추상적인 정의(正義)에 사로잡힌 나머지, 그것을 위해서는 사람을 죽일 각오도 되어 있는 사람들의 면전에서 '자유의 증인'이 되려고 한다. 이러한 까뮈의 선택이, 그로 하여금 그의 옛 친구들과도 헤어지게 했다 — 메를로-뽕띠와 헤어지고, 결국은 사르트르하고도 헤어졌다. 그의 각서를 읽어보면 불쾌한 사실들을 과감하게 직시하고, 이데올로기의 연막(煙幕)에 얼이 빠지는 것을 거절하는 그의 정치적 자세가 역력히 나타나 있다. 이 각서에는 — 정치적인 것에든 그렇지 않은 것에든 — 깊은 인간성이 스며 있고, 그것이 까뮈를 그다지도 모범적인 문명의 가치의 옹호자로 만들고, 그다지도 훌륭한 현대인의 양심의 대표자로 만든 것이다. (영역은 앤터니 하틀리(Anthony Hartley), 역자)

-『한국문학』, 현암사, 1966 봄.

19. '위협'은 김수영이 "emergence"를 "emergency"로 오독했기 때문으로 보인다. 사상투쟁의 와중에 있는 까뮈를 소개하는 이 글의 맥락에서 볼 때, 'emergence'와 'emergency'의 의미 차이는 매우 크기 때문에 여기에 확인해둔다. 영어 원문은 "emergence"이다.

자꼬메띠의 지혜

— 그의 마지막 방문기

칼톤 레이크(Carlton Lake)

나는 다레지아가(街)의 카페 골로아로 걸어 들어갔다. 왼편쪽의 계산대를 지나서 걸어 들어가자 막다른 곳의 벽을 등지고 자꼬메띠가 커피잔 위에 몸을 꾸부리고 앉아 있는 것을 볼 수 있었다. 오정이 약간 지난 때였다 — 그의 조반 시간이었다. 나는 계산대를 끼고 조그마한 복잡한 뒷방으로 걸어 들어가서 그의 테이블 옆에 가서 섰다. 그는 앞에 놓인 김이 나는 까만 커피 잔을 천천히 저면서 우편물을 읽고 있었다. 주위의 테이블에서는 얘기소리가 시끄럽게 들렸다. 두 명의 웨이터가 방 안을 오락가락하면서, 주문을 외치고, 그것을 가지러 계산대 쪽으로 가고는 했다. 밖의 행길에서는 자동차와 버스들이 종점을 향해서 번거롭게 달리고 있었다. 자꼬메띠는 벨기에의 시인 앙리 미쇼[1]의 그림이 들은 미술전람회의 목록에 정신이 팔려서 다른 것에는 일체 여념이 없는 모양이었다.

• • •

1. [역주] 앙리 미쇼(1899-). 시인. 아무 유파에도 속하지 않는 특이한 시인이며, 가장 개성적인 공상을 통해서 가장 근원적인 현실성 속에서 인간을 해방하려고 한다.

한참 만에 그는 커피 잔을 들이켜고 나를 쳐다보았다. 겨우 내가 누구인지 알아차린 눈치이었다.

"오오 당신이구료." 하고 그는 말했다. "앉으시오." 그는 맞은편의 의자를 가리켰다. 나는 앉았다. 그는 커피를 들겠느냐고 나에게 물었다. "생각이 없어요." 하고 나는 말했다. "커피 한 잔만 더 가지고 와." 하고 그는 소리를 질렀다. 그는 우편물을 옆으로 밀어치고, 셀로판지에 싼 프루츠 케이크의 나머지를 내 앞에 내밀었다. 웨이터가 커피를 가져왔고, 그는 그것을 젓기 시작했다.

그는 기다랗게 뼈가 튀어나온 피곤한 사자(獅子) 같은 머리를 하고, 얼굴에는 누구의 얼굴에서도 찾아볼 수 없는 유달리 깊은 주름살이 파져 있다. 그의 머리카락은 약간 희므끄레해가는 흑갈색의 곱슬곱슬한 것이, 깊은 주름살과 창백한 얼굴빛 때문에 한층 더 수세미같이 곱슬곱슬해 보인다. 그의 코는 크고, 그의 입은 널따랗게 찢어진 것이 다물어지는 일이 없다. 그는 골테 안경을 벗고, 흐리터분한 눈을 비빈다. 나는 그를 몇 번이나 만나보려고 했지만 내가 들를 때마다 댁에도 카페에도 없었다고 그에게 말했다.

"나는 돌아온 지 얼마 안 돼요." 하고 그는 말했다. "서서(瑞西)에 가서 미티에 있다 왔어요." 나는 올해에 파리에서 전람회를 가질 작정이냐고 그에게 물었다. 그는 얼굴을 찡그리면서 머리를 설레설레 흔들었다. "보일 게 별로 없어요. 새것을 만들지 못했거든. 어쩐 일인지 모르겠어. 일이 잘 안 되는데. 도무지 정상적이 아닌 것 같아. 나는 지금 다만 머리의 제작만이 흥미가 있는데, 머리를 만드는 것처럼 어려운 일이 없어요. 그 밖의 일은 안 돼요. 암만 해도 내가 어디가 좀 잘못된 것 같아."

나는 그가 일하고 있는 것을 좀 보고 싶다고 그에게 말했다. 그는 다시 머리를 흔들었다.

"아뜰리에는 구경할 만한 것이 하나도 없어요. 하나도 없어요. 정말 일이 어디 손에 잡혀야지. 나는 사람 머리를 만들 수가 없어서, 1925년에 인물 조각은 포기했어요. 10년 동안을 추상적인 작품만 했어요. 그러다가 1935년에 다시 인물 조각으로 돌아갔어요. 그랬더니 여지껏 머리를 한 번도 만들어본 일이 없는 것 같은 기분이 듭니다. 나는 완전한 초상을 만들어보려는 생각조차도 할 수 없었어요. 그리고 그 일은 조금도 쉬어지지가 않아요. 하면 할수록 점점 더 어려워지기만 해요."

자꼬메띠는 잠자코 있었다. 그는 커피를 찔끔찔끔 마시고는 담배를 푹푹 피우고, 새 담배를 헌 담뱃불에 피어 물었다. 담배연기 속으로 나는 그가 강렬한 눈초리와 열중한 표정을 번갈아가면서 나를 똑바로 꿰뚫고 관찰하고 있는 것을 보았다. 나는 그가 피부 밑에 있는 나의 머리를 상상하려고 애를 쓰고 있는 것을 느꼈다. 그는 그의 아내인 안네뜨나 그의 동생인 디에고나 그 밖의 좋아하는 어떤 모델을 놓고 할 때처럼 초상을 상상하면서 눈 뒤로 눈구멍 속을 통해서 두개골(頭蓋骨)과 악골(顎骨)의 구조를 탐지하고 있었다.

웨이터가 우리들의 테이블 밑을 쓸기 시작하고, 먼저 가장자리를 쓸고 그 다음에 우리들의 발 있는 데를 쓸었다. 커다란 입체 음향의 처량한 곡성이 우리들의 뒤에 있는 유료축음기에서 들려 왔다. 자꼬메띠는 그 소리가 괴로운 듯이 앞이마를 문질러댔다. 그는 멍청하니 먼 곳을 바라다보았다. 나는 자리에서 일어나면서 같이 나가고 싶다고 그에게 말했다. 그는 그대로 남은 프루츠 케이크를 옆으로 밀어치고 테이블 뒤에서 빠져나왔다. "같이 나갑시다." 하고 그는 말했다.

나는 그와 함께 그의 아뜰리에까지 갔지만, 보도 쪽에서 그가 기거하고 일하고 있는 조그만 건물의 안마당 안으로 통하는 곳에 있는 바람에 흔들리는 회색 문 옆에서 발을 멈추었다. 나는 언제 한번 그의 일에 대한 얘기를 좀 더 듣고 싶은데 언제쯤이 좋겠느냐고 말을 건네보았다.

"다음 주일에 합시다." 하고 그는 갑자기 언성을 바꾸면서 말했다. "수요일에 오시겠소?" 나는 좋다고 말했다. "일곱 시 이후에 오세요." 자꼬메띠는 말했다. "나는 일곱 시까지는 햇빛을 이용하고 싶으니까."

우리들은 악수를 했다. 나는 큰길 어구에 놓아둔 나의 자동차 쪽으로 걸어갔다. 나는 걸어가면서 노상 뒤를 돌아다보고 싶은 충동을 느꼈지만, 우정 참았다. 자동차까지 왔을 때, 나는 내 열쇠를 찾지 않으면 아니 되었다. 비스듬히 나는 자꼬메띠의 집 문 쪽을 돌아다보았다. 그는 여전히 거기에 서서 나를 바라보고 있었다.

다음 주일 수요일 날 저녁에 자꼬메띠를 보러왔을 때, 보도에서 안마당으로 통하는 두짝문의 한쪽은 열려져 있었다. 나는 걸어 들어갔다. 왼편 쪽의, 자꼬메띠의 아뜰리에로 통하는 문은 약간 열려져 있었다. 거의 즉시로 좁다란 안마당의 뒤쪽에 붙은 또 한 방에서 그의 목소리가 들려왔다. 그는 전화로 런던에 가는 여행에 대한 얘기를 하고 있었다.

"나는 오후 네 시 반쯤해서 뉴헤븐을 거쳐서 런던에 도착하게 될 거예요." 하는 그의 말소리가 들렸다. 나는 거리로 통하는 문을 닫았다. 다른 한쪽 문 판자 뒤에는 임시로 만들어 놓은 커다란 우편물 통이 달려 있었고, 그 안에는 수많은 자꼬메띠의 친구들 — 쟝 쥬네, 미셸 레이리, 사르뜨르, 그리고 그 밖의 여러 사람들 — 의 작품을 출판한 갈리마르에서 보낸 책 뭉치가 잔뜩 들어 있었다.

안마당 — 이라기보다도 골목이라고 부르는 게 더 합당할 것이다 — 은 30피트 가량이나 들어가야 했다. 문간의 바른편 쪽에 조그만 창문이 달린 스튜디오가 있었고, 그 문 위에는 스칸디나비아 사람의 이름이 붙어 있고, 몇 년 동안을 비어 있는 것같이 보였다. 골목 뒤쪽을 향한 길을 똑바로 3분지 2가량 가장, 좁다란, 지붕도 없는 나무로 만든 계단이 있고, 이 계단은 아래채의 방들이 죽 붙어 있는 맨 위의 꼭대기에 불안스럽게 자리 잡고 있는 한 쌍의 조그만 방이 있는 데까지 뻗쳐 있었다. 이 방들은 골목의 왼편쪽으로 나란히 앉아 있었고, 이것이 자꼬메띠의 방이라는 것을 알았다. 문간 쪽으로 가장 가까이 앉아 있는 한쪽 방에는 방장이 쳐진 유리문이 달려 있고, 자꼬메띠의 그림이 그 위에 그려져 있는 이

유리문은 반쯤 열려 있었다. 이 유리문의 왼편쪽으로 나있는 커다란 창문에는 밑에서부터 눈높이보다 조금 높은 데까지 방장이 쳐 있고, 그 위의 경사진 지붕에는 조그만 스카이라이트 창이 만들어져 있었다. 그 방 옆에 또 하나의 조그만 방이 있고, 그 방문에는 튼튼한 새 자물쇠가 채워져 있었다. 그 방문 위에는, 옆방의 것과 똑같지만 조금 폭이 좁은 커다란 창문이 달려 있고, 역시 지붕으로 난 창으로 스카이라이트 장치가 되어 있었다. 그 방이 자꼬메띠와 그의 부인 안네뜨가 같이 살고 있는 거처라는 것을 나는 알았다.

골목의 반대편 끝에는 삐죽삐죽 튀어나온 도리를 따르기도 하고 가로지르기도 하면서 쳐 있는 전깃줄에 꽃잎 장식이 달려 있었다. 새로 만든 일부의 배수관과 두 번째의 방문의 자물쇠를 빼어 놓고는 모든 것이 나달나달하게 낡은 사그라진 집이었다. 배경에 있는 자꼬메띠의 목소리가 이런 것들을 모두 한데 결합시키는 한 요소처럼 생각되었다. 그의 런던 방문의 목적의 하나가 테이트 화랑을 시찰하는 데 있다는 것이 뚜렷해졌다. 그는 거기에 한 번도 간 일이 없었고, 곧 거기에서 개최될 그의 작품의 전시회가 그에게 적지 않은 관심을 주고 있었다. 약 15분 후에 그가 전화로 하는 얘기는 끝이 나고, 자꼬메띠는 골목으로 나왔다. 그는 기다리게 해서 미안하다고 사죄를 하고, 전화로 그가 얘기할 때에 들은 사무적인 일의 일부를 나에게 되풀이해 말했다. 그는 담배를 꺼내서 피어물고 불을 붙였다. 그의 기다란 뼈대가 굵은 손의 손톱에는 모형 제작용의 풀빛 점토(粘土)가 끼어 있었고, 그 손톱이 그가 입고 있는 멋진 진한 남색 스포츠 셔츠의 회색빛 스코치 나사(羅紗) 재킷과 묘한 대조를 이루고 있었다.

"들어오세요." 하고 그는 말하면서, 그의 아뜰리에로 들어가는 반쯤 열린 문을 가리켰다. 우리들은 조그만 방으로 들어갔다. "나는 어디 가 볼 시간이 없어요." 그는 말했다. "미국에도 한 번도 가보지를 못했어요 — 독일도 못 가보았는데. 이번 영국 여행도 불과 3, 4일 간예요. 테이트

화랑의 방을 한 번도 본 일이 없어서 그것을 보러가는 거예요. 내 조각이 거기에서 어떻게 보일지 궁금해서요." 그는 그의 손목시계를 들여다보았다. "10분이나 15분 내에 서서(瑞西)에서 전화가 오기로 되어 있어요." 그는 말했다. "전화가 울리는 것을 좀 들어 주시겠어요?" 나는 그렇게 하겠다고 말했다.

"미안합니다." 그는 풀빛 점토를 얇게 씌운 몸체를 세운 틀이 있는 데로 걸어갔다. 그 틀의 몸체는 약 2피트 높이의 여자의 입상의 조각을 시작하기 위한 것이었다. 흉부는 뚜렷이 나타나 있고, 얼굴의 모습은 스케치 식으로 대충 나타나 있었다. 그는 두 손을 호리호리한 몸의 상하로 재빨리 움직이면서 형태를 새기려고 점토를 떼어내기 시작했다. "똥이다!" 하고 그가 중얼거리는 소리가 들렸다. 그는 그의 조각의 발밑에 쌓인 점토에서 조그만 덩어리를 떼어서, 표면의 몇 군데의 요부(凹部)를 메웠다. 그의 여러 손가락의 동작은 조용한 높은 원천정(圓天井)의 방 안을 재빠르게 뛰어 가는 발자국소리처럼, 찰싹찰싹하는 가냘픈 공허한 소리를 냈다. 그는 발밑에서 다른 덩어리를 떼어내서 그것들을 붙이기도 하고 군데군데 떼내기도 하면서 신경질적으로 조각의 주위를 움직이고 있었다.

"전화가 아직 안 왔죠?" 하고 그는 물었다. 아직 안 왔다고 나는 말했다. 잠시 후에 그는 아뜰리에를 나가더니, 금방 다시 돌아왔다. "방문을 모두 열어 놓았어요. 이젠 아주 환히 잘 들릴 거야." 그는 그의 조각이 있는 데로 다시 돌아갔다.

나는 걸상에 낮아서 어수선한 방 안을 둘러보았다. 방은 가로가 약 12피트, 세로가 약 10피트의 넓이였다. 내가 앉은 조그만 벽에 붙은 바른쪽에는 앙상한 계단이 있고, 그 계단은 뒤곁을 건너는 양편에 벽이 없는 복도로 통하고 있었다. 계단 어구에서는 두 개의 플라스틱으로 된 5피트 신장의 조상(彫像)이 — 하나는 칠이 아직도 얼마간 벗겨지지 않고 남아 있었다 — 멀쩡한 채로 썩고 있었다. 입상(立像)을 그린 퇴색 수채화와 거칠은 스케치들이 벽에 압정으로 꽂혀 있었다. 자꼬메띠의 뒤쪽의 창문 앞에는 이루 말할 수 없이 어수선하게 물건들을 잔뜩 얹어 놓은 기다란 테이블이 있었다. 그의 옆에 놓인 조그만 테이블 위에는 투명한 플라스틱으로 단단하게 싸서 빨래집게를 꽂은 최근에 만든 점토 흉상이 있는 것이 눈에 띄었다. 그의 뒤쪽 벽의 바른 벽 구석에는 세잔느의 〈걸려 있는 대패〉의 에칭이 들어 있는 조그만 틀이 걸려 있었다. 또 한편쪽 구석에는 방바닥 위에 디에고를 닮은 사나이의 플라스터 흉상과, 초기 사진주의(寫眞主義) 풍의 머리와, 몇 개의 금발을 한 청동의 여자 나체상과, 바싹 마른 흙 위에 어울리지 않게 심어 놓은 몇 그루의 푸른 나무가 있었다. 전화 종소리가 울리기 시작했다. 자꼬메띠는 그의 조각의 주위를, 떼어내고 짜내고, 하면서 돌고 있었다. 대여섯 번쯤 종소리가 울린 뒤에 나는 그에게 전화가 왔다고 말했다. 그는 고개를 들었다. "뭐요?" 하고 그는 당황한 표정으로 말했다. 나는 그에게 서서(瑞西)에서 전화가 오는 것을 기다리고 있지 않았느냐고 일깨워주었다. 필시 이 종소리가 그것일 것이었다. "아아 참 그렇지." 하고 그는 말하면서, 방을 나갔다.

그가 나간 동안에 나는 아틀리에의 뒷벽에 기대 놓은 여러 폭의 그림이 있는 쪽으로 가보았다. 이 세 폭의 그림은 30 전후로 보이는 여자 모델을 앉혀 놓고 그린 초상화였다. 그중 작은 그림은 가로 약 1피트 반에 세로 약 2피트였고, 그 다음의 것은 가로 약 2피트 반에 세로 약 3피트. 그중 큰 것이 가로 약 3점 4분지 1피트에 세로 약 4점 3분지 1피트. 3폭의 그림에서 한결같이 모델은 화가를 정시하고 아주 가까운 거리에 앉아 있었다. 그녀의 모습은, 얼굴의 전반적인 짜임새를 위해서 일종의 발판을 구축하고 그 다음에는 모든 초점을 — 눈알과 콧구멍과 입을 — 되풀이해서 강조하면서 보강하는, 자꼬메띠의 독특한 방법으로 치밀하게 윤곽이 그려져 있었다. 제일 작은 그림에서는 얼굴이 회색과 까만색으로 되어 있고, 머리는 황토색이 약간 섞인 백회색의 후광의 효과로 훤하게 보이게 했다. 모델의 옷은 윤곽만이 간신히 나타나 있고 색칠을 하지 않았다.

다음 것에서는 모델의 옷이 좀 더 치밀하게 그려져 있고, 모델의 손은 침착하게 무릎 위에서 마주 쥐어져 있었다. 이 그림에서는 그녀의 얼굴의 윤곽의 선이 제일 작은 초상화의 회색과 까만색보다도 오히려 흰색으로 그려져 있었다. 그중 큰 그림에서는 머리가 조그만 화폭의 것들보다 유별나게 더 작고 까만색도 더 진했지만, 몇 번씩 되풀이해서 얼굴을 건너지른 선들은 흰색으로 그려져 있었다. 이 큰 화폭에서만은 앉은 사람의 무릎과 다리가 나타나 있고, 무릎은 그것이 가장 눈에 띄는 구성의 요소가 되게 두드러지게 그려져 있었다.

자꼬메띠가 약 10분 후에 아뜰리에로 돌아왔을 때, 나는 먼지 낀 유리 속의 틀에 끼어 있는 세잔느의 에칭을 살펴보고 있었다.

"어떤 친구가 나한테 준거요." 하고 자꼬메띠는 말했다. 나는 그 틀을 제자리의 못에 다시 걸어 놓았다. 적어도 한 점에 있어서는 자꼬메띠는 나에게 세잔느를 연상케 했고, 나는 그에게 그렇다는 말을 했다.

"그건 지나친 찬사인데." 하고 그는 말했다. (자꼬메띠는 약간 사투리를 썼다. 그의 R발음은 거의 W발음처럼 들린다.) 나는 그런 의미에서 말한 것이 아니라고 그에게 말하면서, 나는 그가 세잔느가 갖고 있는 것과 똑같은 자기 자신의 내밀적인 환각 — 환각적 감동 — 에 대한 치열한 집념을 갖고 있고, 그에게 있어서는 그 밖의 것은 사실상 하나도 문제되고 있지 않다는 느낌을 받았다고 말했다. 그는 상당히 놀란 듯한 표정을 했다.

"천만에, 안 그래요." 하고 그는 말했다. "사람들의 생각을 많이 해요. 내 친구들이 어떻게 볼까 하고 생각하는 게 그거죠." 나는 그 말에 동의했지만, 그러나 나는 그가 명성이나 시류(時流)의 유행에 그다지 마음을 쓰지 않고 있고, 만약에 그렇다면 시류를 거역하는 방향에서 그 자신의 내밀적인 환각을 그렇게 완강하게 따르지는 못할 것이라고 말했다.

자꼬메띠는 고개를 끄덕거렸다. "그건 그래요. 나는 시류에 거역하면서 일을 하지요. 그리고 명성으로 말하자면 — 내 명성이고 다른 사람의 명성이고 간에 —" 그는 머리를 흔들었다. "나는 명성에는 만복(滿腹)예요."

나는 그가 조각과 회화에 동시에 종사하고 있느냐고 물어보았다. "노상 같이 하고 있어요." 그는 말했다. "매일같이 여러 해 동안을." 그리고는 그는 다시 한 번 생각해 보았다. "허기는 가끔 2, 3일이나 2, 3주일 동안을 조각만 할 때도 있지만, 대체로 매일같이 두 가지를 겸하고 있어요. 오후에 조각을 하고 밤에 그림을 그릴 때도 있고 혹은 그 반대로 할 때도 있죠. 그렇게 하지 않을 수 없어요. 할 일이 여간 많아야죠. 곧 뉴욕의 현대미술관에서 전람회를 갖게 돼요. 테이트화랑의 전람회하고 동시에 하게 돼요. 두 군데에 각각 다른 작품을 내게 돼요. 그러니까 작품이 많이 필요하지 않겠어요?" 자꼬메띠는 갑자기 아뜰리에 안을 두리번거리며 둘러보았다. "잠깐만." 하고 말하면서 그는 밖으로 나갔다. 잠시 후에 그는 커다란 유리컵에 든 뿌연 액체를 저으면서 들어왔다. "나는 밥 먹은 뒤에 약을 먹어야 하는데 오늘 저녁엔 깜빡 잊어버렸는데." 하고 그는 말했다. 나는 그가 서서(瑞西)에서 복부에 대수술을 받은 것을 알고 있었고, 그 후 그의 건강에 대해서 여러 가지 모순된 소식을 들은 일이 있었다. 나는 그에게 수술 뒤의 경과가 어떠냐고 물어보았다.

"경과가 좋아요." 그는 말했다. "이젠 조리만 잘하면 돼요." 그는 약을 한 모금 빨고, 스튜디오 안을 둘러보고는, 약물을 다시 저었다. "여기엔 거의 남아 있는 게 없어요. 곧 다시 손을 대야 할 플라스터로 된 서너너덧 작품을 빼어 놓고는 전부 발송했어요." 그는 약물을 또 한 모금 마셨다. "난 데생을 착수해야 해요. 두 군데의 전람회에 내놓을 게 몇 작품 더 필요해요. 조각은 모형을 노상 몇 개씩 떠 놓고 있으니까 충분한데 데생이 좀 부족해요." 나는 데생을 해놓은 게 많으냐고 그에게 물어보았다.

"이따금씩, 신문에 내는 스케치 이외에는 데생은 반년씩 못 할 때도 있지요. 그러다가 다시 시작을 하면 또 많이 그리게 돼요. 앞으로 6개월만 데생을 다시 시작하면, 양쪽 전람에 내놓을 수 있는 것을 많이 그릴 수 있겠는데."

“유화는 어떻습니까?” 나는 물었다.

“초기의 것이 있어요 — 뉴욕 전람회에 내놓으려고 미국에는 충분히 보냈어요. 상당히 많아요. 그리고 영국에도 거의 충분히 보냈어요. 몇 폭 더 필요하다면, 그때까지 좀 더 그려 보낼 수 있어요. 이번에 테이트화랑에 가보면, 그에 대한 것은 잘 알 수 있을 거예요.”

자꼬메띠는 담배에 불을 붙이고, 여자의 좌상이 그려진 유화 쪽으로 몸을 돌렸다. “이것들은 달 반가량 전에 시작한 거예요.” 하면서, 그는 세 폭 중의 그중 작은 화폭을 들여다보았다. “잘 안 보이는군.” 그는 천장에서 늘어져 있는 두 개의 삿갓 없는 전구의 스위치를 돌렸다. 전등불은 초상화를 환하게 비췄고, 여태까지 내가 특별히 주의해 보지 못한 방 안의 다른 모습까지도 밝혀주었다. 계단 밑에는 무쇠 환로와 조그만 에집트인의 머리가 달린 장이 있고, 벽 위에는 여러 가지 모양의 데생과 전화번호가 난잡하게 적혀져 있고, 방바닥 위에는 기다란 담배꽁초가 함부로 흩어져 있었다.

“이 세 작품은 그다지 잘 되지 못했어.” 그는 말했다. “이 작은 두 개를 가다듬어보고 있는 중예요. 이것이 끝난 뒤에, 이 큰 그림에 다시 손을 대볼 작정예요.” 그는 남자의 머리가 그려져 있는 두 개의 조그만 유화 쪽으로 몸을 돌렸다. 하나는 가로 12인치에 세로 16인치 가량이고 또 하나는 가로 21인치에 세로 32인치 가량이었다. “이것도 손을 더 대야 해요. 이것은 내 친구의 한 사람인데 주말이면 나를 위해서 포즈를 취해 주러 와요.” 그를 위해서 앉아 있으려면 용기와 인내가 필요할 거라고 나는 그에게 넌지시 말했다. 자꼬메띠는 사실 그렇다고 고개를 끄덕거렸다. “이 친구는 매주일 토요일하고 일요일마다 와요. 그렇지만 저 여자 — 그는 여자의 좌상이 그려진 화폭 중의 한 폭을 가리켰다 — 는 지난 3년 동안을 내가 파리에 있을 때면 거의 매일 밤 와서 포즈를 취해 주었어요. 그래도 그 여자의 그림은 얼마 못 그렸어요. 몇 폭이나 될까 — 한 스물댓 폭 될까.” 나는 그가 일을 느리게 끝마치고 좀처럼 손을 잘 떼지 않는 것으로 유명하다는 말을 했다.

"끝마쳐요? 저것들은 끝이 없어요." 그는 말했다. "내가 들고 나가야 하거나 혹은 전람회를 해야 하게 되면, 나는 그때까지 일이 된 데에서 붓을 놓지요. 할 수 없지. 그러나 끝마친 것은 아녜요. 내 마음껏 해보자면, 그림에는 끝이 없어요. 그건 불가능한 일예요." 그는 조그만 여자의 그림을 집어 들고, 손을 뻗치고 쳐들어보였다. "이 그림만 하더라도, 대부분의 사람들이 쓰는 '끝마친다'는 의미에서 끝마쳤다고 할 수 있을까? 도저히 불가능한 일예요. 이것은 노상 더 손을 더 대야만 해요. 우선 머리에 채색을 해야 하지 않겠어요? 그리고 이것을 붙잡고 일을 하면 할수록, 이 인물의 주위의 공간이 점점 더 커져 가요. 그 다음엔 손인데 — 아니, 그건 말할 필요도 없지! 좌우간 일을 끝마치려고 하면 할수록, 더욱더 먼저부터 다시 일을 시작하게 돼요. 조각의 경우에도 그건 마찬가지예요. 하고 싶은 일의 구상이 있거나 혹은 기억에만 의지하게 되는 경우에는, 끝을 마칠 수 있지요. 그렇지만 사생화를 할 때에는, 나는 한 번에 조금씩밖에는 못 봐요. 두고두고 조금씩 조금씩 일을 해가죠. 그리고 노상 변경을 하게 돼요. 생물은 끊임없는 진화예요. 매번 나는 모델한테 똑같은 광선 속에서 똑같은 포즈를 취하게 해요. 그렇게 하는데도, 그것은 나한테는 똑같은 것으로 보이지가 않아요. 그러니 어떻게 끝이 날수가 있겠어요?"

자꼬메띠는 까맣게 윤곽을 그린 얼굴을 가리켰다. "나는 저 머리에 까만색이 아닌 칠을 하고 싶어요. 그런데 나는 구성과 채색을 동시에 진행하지를 못해요. 나는 채색부터 먼저 해요. 그렇게 되니까 구성은 좀 유리하게 되죠. 그리고 구성에서 채색으로 가는 것이 나에게는 거의 불가능한 일처럼 생각돼요. 어째서 이렇게 되는지 몰라요. 보이지가 않아요. 나는 아마 다른 사람들만큼 잘 보지를 못하는 모양예요. 다른 사람들은 먼 데서도 어떻게 초상화를 만들지를 훨씬 더 재빨리 보고는 훨씬 더 재빨리 꾸밀 줄 알아요. 나는 느릿느릿 보고, 게다가 서툴게 보아요."

나는 수많은 미술가들(이) — 이를테면 피카소가 그의 최근작에서 보여주고 있듯이 — 가끔 심오하게 보는 일보다도 앞으로의 용도를 위해서 주석을 붙여두었다가 그 후에 다른 구상으로 변전시키는 일에 더 많이 흥미를 갖고 있는 것같이 생각된다고 그에게 말했다. 그런데 자꼬메띠는 그렇지 않은 것 같았다. "저런 일에서는 그렇지 않아요." 자꼬메띠는 세 개의 여자의 좌상 중의 한 폭을 가리키면서 말했다. "그렇지만 그런 식으로 하는 일도 있어요."

"그림에서요?" 하고 나는 물었다.

"그림에서도 그렇고 일부의 조각에서도 그래요." 그는 말했다. 나는 필시 깜짝 놀란 표정을 했던 모양이다. "아니, 정말예요." 하고 그는 주장했다. "나는 한번 개의 조각을 만든 일이 있었어요. 나는 마음속에 아주 뚜렷하게 그리고 있었기 때문에 한 시간에 그것을 만들었어요. 본질적인 요소만 파악하면 어렵지 않게 돼요. 그렇지만 나는 지금 이 그림에서 쓰고 있는 방식으로 일하는데 훨씬 더 흥미를 갖고 있어요." 그는 세 폭의 화폭이 있는 쪽을 보고 고개를 끄덕거리면서 말했다. 나는 그러한 방법상의 차이가 피카소가 모델을 놓고 그리는 일이 지극히 드물다는 사실에 귀인(歸因)한다고 생각하느냐고 물었다.

"아뇨." 자꼬메띠는 말했다. "모델을 놓고 그릴 때에도, 그는 그의 그림을 미리 마음에 그리고 있어요. 그러니까 그가 모델을 놓고 그리든 모델 없이 그리든 방법은 언제나 마찬가지이죠. 그는 즉시로 추상을 만들고, 그가 원하는 것을 따고 있어요. 그러나 나는 안 그래요. 그것은 나에게 있어서는 선택의 문제가 아녜요. 그림에 까만색이 나오게 되는 경우에, 그것은 내가 그것을 까맣게 만들고 싶어서 그렇게 되는 게 아녜요. 나는 색으로 다루려고 하지만, 구성을 갖고 있지 않는 경우에는 색을 칠할 수가 없지요. 그런데 그 구성을 하는 일이 아까 말한 것 같은 그런 일이고, 그 일에는 끝이 없어요." 자꼬메띠는 스튜디오의 한가운데에 있는 조그마한 탁자와 의자를 가리켰다. "나는 서서(瑞西)에 가 있을 때 데생을 많이 했어요—저런 탁자하고 의자를. 그런데 저런 것들을 오랫동안 그리면 그릴수록, 그것이 그처럼 복잡하고 어려운 일이라는 것을 알았어요. 저 두 개의 의자하고 탁자를 그리는 일만 가지고 나의 여생을 전부 바칠 수도 있어요. 추리히에서 전시되고 있는 톰슨 컬렉션의 내 작품전에 더 보태려고 그 데생을 그렸지요. 바젤의 화상(畵商)이 그 컬렉션을 피츠버그에서 갖고 와서, 서서(瑞西)의 실업가들한테 그것을 팔았어요. 그 실업가들이 추리히에다 그것을 완구적인 컬렉션으로 존속시키려고 재단을 만들고 있어요. 거기에는 유화하고 데생 이외에 적어도 조각이 60점이나 있어요. 톰슨은 초기 작품밖에 갖고 있지 않았는데, 내가 최근의 작품도 집어넣고 싶어서, 극히 최근에 만든 20점 가량을 그들에게 주었어요. 그런데 나는 저 구도의 그림을 몇 점 보내주고 싶어요." 그는 의자를 조그만 탁자 옆으로 끌어당겨서, 요리조리로 움직여 보았다. "이 의자하고 이 탁자하고—나는 오랫동안 정물화는 통 그리지 않았어요. 어떤 그림이 그려질는지 궁금하구먼."

나는 자꼬메띠에게, 그가 만약에 화가의 직업과 그의 집념의 대상에 깊은 사랑을 갖고 있지 않다면, 우리들이 본 세 개의 화폭의 여자와 이 두 점의 가구에 고유한 무한한 가능성에 대해서 그가 그처럼 강렬한 관심을 갖게 될 리가 없다고 생각된다고 말했다. 그는 고개를 끄덕거렸다. "그 말은 옳아요." 그런데 나는 그의 작품을 폭력, 사디즘, 잔인, 강간, 성적 살인의 각도에서 논의한 그에 대한 저서를 읽은 일이 있었다. 그는 어떻게 그와 같은 상극적인 개념을 조화시켰는가? 그는 머리를 흔들었다. "그건 너무 과장된 말예요." 하고 그는 말했다. "아마 옛날에 초현실주의 시대의 작품에는 그런 것이 있었을 거예요. 그러나 그 후 30년 가까운 동안에 내가 하고 있는 일에는 그런 것은 없어요. 나는 전통적인 회화의 길을 따르고 있고, 다만 내가 보는 것을 이해하려고 하고 있어요. 초현실주의 시대의 작품들에는 폭력과 파괴의 감정이 들어 있지만, 그 후에 내가 하고 있는 일에는 없어요. 사실상 정반대지요. 1935년부터 나는 실물을 그리고 있어요. 주제는 나에게 가장 관심이 있는 것들예요 — 그리고 나는 거기에서 아름다움을 발견할 수 있기 때문예요. 그것이 전부예요." 그는 가장 작은 화폭에 그려진 머리를 가리켰다. "나는 나의 여생을 바쳐서 저 머리를 그리는 일만 계속할 수 있어요. 그리고 그런 방식으로 일을 하면, 우정 — 고독이나 잔인하고는 정반대되는 거죠 — 에 뿌리를 박은 인간관계를 구축하게 돼요. 안 그렇겠어요? 아무튼 고독은 나의 주제가 아녜요. 나에게는 친구란 것이 여간 의미심장하지 않아요. 노상 그렇게 생각되었어요. 나는 노상 수많은 친구들을 갖고 있었고, 사람들에 대한 굉장한 호기심을 갖고 있었어요. 따라서 나는 일할 때에는 고독에 대한 생각을 하는 일이 없어요." 그는 잠시 망설였다. "하기는 내가 화폭 위에 혼자 있는 사람만 그리기 때문에 사람들은 나에 대해서 그런 생각을 갖고 있을 거라고 생각해요. 그러나 한 사람을 그리고 있을 때 — 아주 먼 거리의 풍경 속에서 그들이 아주 조그맣게 보이지 않는 이상 — 동시에 두 사람을 그릴 수는 없어요."

"지난 4년 동안 나는 150장의 석판화가 들은 책을 꾸미는 일을 해왔어요. 시작하고 나서, 좀 중단했다가, 다시 시작해가지고 전부 끝이 나서 이제 겨우 책이 다 됐어요. 떼리아드사(社)에서 출판하게 돼요. 거기에는 거리, 내 아뜰리에, 내가 살고 있는 방, 카페, 그 밖에 지하철이나 기차역 같은 내가 우연히 가게 된 여러 장소들의 그림이 있어요. 가령 우리들이 만났던 그 카페에 앉아 있는 당신의 석판화를 그린다고 합시다. 주위에 앉아 있는 사람이 여섯 명이나 돼요. 그렇지만 그렇게 밀집시키면, 당신도 그릴 수 없고 다른 사람도 그릴 수 없어요. 그것은 불가능해요. 나는 당신을 보든가 아니면 다른 사람을 보아야 해요. 내가 만약에 당신이 공간 속에서 어떻게 보이는가에 대한 상념을 주는 데 성공하고, 내가 공간 속에서 보는 것과 같은 모습으로 당신의 머리를 그리는 데 성공한다 하더라도, 나는 당신의 '고독'에 대한 것은 조금도 생각하고 있지 않아요. 물론, 내가 좋은 일을 한다면 그것은 아마 그런 인상을 조성할지도 모르죠.

그러나 나는 그 석판화에서 그런 종류의 서술을 하고 있지 않아요. 테이블 위에 놓인 유리잔에 대해서도 같은 말을 할 수 있어요. 나는 저 테이블 위에 있는 단 한 개의 유리잔만을 주위의 그의 공간과 함께 그려요. 왜냐하면 그것이 사물이 존재하는 모습이니까요. 우리들이 있는 곳에서 저기 있는 테이블까지의 공간은 여기에서 파리의 맞은편 끝까지의 공간이나 여기에서 달까지의 공간만큼 광대하니까요. 거기에는 차이가 없어요." 전화의 종소리가 다시 울리기 시작했다. 나는 자꼬메띠에게 전화가 왔다고 알려주었다.

"원 이런." 하고 그는 말했다. "잠깐 얘기하고 오겠어요."

그가 나간 동안에 나는 세 개의 여자의 좌상을 살펴보았다. 그가 돌아왔을 때, 나는 그에게 그가 그녀를 그릴 동안에 어디에 앉아 있었느냐고 가리켜달라고 했다. 그는 까만 벽 근처에 있는 시멘트 바닥 위에 몇 개의 조그마한 불그스레한 표적을 가리켰다. "여기예요. 이 표적이 내 의자의 발이 놓인 곳예요." 그는 의자를 집어서 의자의 발이 그 표적을 가리게 갖다 놓았다. 그는 그의 화가(畫架)의 발이 놓였던 자리의 표적을 가리켰다. "저것이 제1의 표적이고, 하나는 저기 있고, 또 하나는 여기 있지요." 그는 화가(畫架)를 그 표적 위로 옮겨 놓고, 그의 의자에 앉아서, 화필(畫筆)통에 얹혀 있는 조그만 탁자를 옆으로 끌어 잡아당기고, 그의 팔을 정면으로 치켜들었다. "저기야." 그는 말했다. "그 여자는 바로 저기 앉아 있어요." 나는 '그 여자의' 의자를 잡아당겨서, 세 폭의 초상화의 옆으로 탁자의 건너편 쪽에 앉았다. 조그만 머리가 그려진 그 화폭 속에서는 그녀는 화가의 위치보다도 훨씬 뒤쪽에 있는 것같이 보였다. 다른 두 화폭에서 보다도 그 공간 속에는 상당한 깊이가 더 있었다. 나는 그런 말을 그에게 했다. 그는 머리를 흔들었다.

"그 거리에서는 그 공간에서는 머리는 아주 조그맣게 보여요." 그는 말했다. "이것보다 더 크지 않아요." 그는 그의 두 손으로 조그만 포도알 모양을 해 보였다. "꼭 요것만해요. 더 크지 않아요. 확실해요. 행길 건너편에 있는 사람을 보세요. 그 사람은 이것보다 더 크지 않아요." 자꼬메띠는 그의 두 개의 집게손가락을 가지고 참말로 용적(容積) 1파운드의 인간의 치수를 재보였다. 나는 그가 말하는 요점을 알 수 있었다. 그러나 화가 아닌 사람에게 거리를 무시하고, 그런 사정에서 정확한 실물의 치수를 재건한 정신적 이미지를 정리하지 말라고 하는 것은 어려운 일이라고 나는 말했다.

"화가도 그래요." 하고 그는 말했다. "나 같은 방식으로 보는 화가는 — 좌우간 같은 정도는 아니지만 — 극히 드물어요. 대전(大戰) 때까지는 떨어진 거리에 있는 사람들을 등신대(等身大)로 보인다고 생각하고는 했지요. 그러다가 그들이 훨씬 작게 보인다는 것을 — 그리고 멀리 떨어져 있지 않고, 가까이 있을 때에도 — 차차 인식하게 되었어요. 처음 몇 번은 내가 걸어가고 있을 때 그것을 느꼈어요. 나는 깜짝 놀랐지요. 그렇지만 나는 곧 길이 들었어요. 그러다가 그 다음에는 다른 때에도 그런 것을 느끼기 시작했어요. 그러니까 노상 그런 식으로 느끼게 되었어요. 그것이 내가 보는 방식이 된 거죠. 나는 그 후부터는 아무도 등신대로 볼 수가 없어요. 절대로 그렇게 보여지지가 않아요." 그는 내 곁으로 더 가까이 몸을 기댔다. "등신대는 존재하지 않아요." 그는 말했다. "그것은 개념에요. 그것은 아무것도 의미하지 않아요. 등신대는 당신 자신의 치수에요. 그런데 당신은 당신 자신을 보지는 못했어요. 당신은 당신 자신의 부피를 의식하고 있지 않아요. 당신이 만약에 다른 사람을 바라볼 수 없다면, 당신은 당신 자신의 머리의 치수도 모를 거예요. 그리고 당신이 다른 사람에게 지나치게 가까이 가게 되면, 역시 당신은 사실상 그 사람을 보지 못하게 되는 거죠."

나는 세 화폭 중의 제일 큰 것을 다시 한 번 들여다보았다. 나는 자꼬메띠에게 모델이 상당히 키가 큰 여자 같은 인상을 받는다고 말했다. "아뇨, 그녀는 키가 작은 편예요." 하고 그는 말했다. 물론 그녀의 머리는 작아

보이고, 배경 속으로 밀려들어간 것같이 보이지만, 그 주위의 공간이 보는 사람에게 그녀의 몸집이 한결 큰 사람 같은 인상을 준다고 나는 말했다. 자꼬메띠는 그림을 살펴보았다. "그러고 보면" 하고 그는 천천히 말했다. "나는 약간 저 공간의 깊이를 과장했을지도 모르지." — 그는 '약간'이란 음절을 천천히 쥐어짜듯이 발음했다 — "하지만 많이는 아냐."

나는 그에게 세 폭의 초상화를 동시에 진행했느냐고 물었다. 그는 고개를 끄덕거렸다.

"실제적인 이유 때문에, 그림이 마르지 않은 때 계속해서 다시 시작할 수는 없으니까. 다 마르게 내버려두어야지. 그래서 잠시 동안 한 그림을 가지고 일을 한 뒤에, 하루 이틀 내버려두고 다른 그림을 가지고 일하게 돼요. 나는 색을 상당히 엷게 칠하지만, 가끔 오랫동안 한 화폭을 가지고 일하게 되면 덧개가 생기고, 그러면 말려야지요." 그는 몸을 앞으로 숙이고, 커다란 화폭의 표면을 엄지손가락으로 문질렀다. 그는 무릎을 만져보고, 머리를 흔들었다. "저것은 복잡해요." 그는 말했다. "이 거리에서 머리와 무릎을 동시에 본다는 것은 불가능해요. 그렇지만 저것은 그다지 과장되어 있지는 않아요. 아마 전부해서 4분지 1인치 정도."

그는 의자에서 일어났다. "세잔느의 커다란 그림 〈목욕하는 사람들〉을 기억하지요? 그 그림 속의 머리의 하나가 멀리서 거의 선에서 그치고 있고 — 거의 무(無)로 꺼져 버리고 있지요? 또 그의 〈빨간 조끼를 입은 소년〉의 초상화도 그렇죠? 사람들은 그 소년의 팔이 너무 길다고 말하고 있지만, 그건 모르는 소리예요. 그 팔은 지극히 정확하고, 조금도 과장되어 있지 않아요. 우리들이 다만 고전적인 예술과 — 우리들이 앞으로는 더 이상 인정할 수 없는 — 그의 이상적인 형태의 견지에서 여러 사물을 보는 습관이 있기 때문에 그렇게 보이는 거예요."

아마 그 때문에 자꼬메띠가 그의 주제 내에서 길고 깊게 보는 습관을 갖게 된 게 아닌가 하고 나는 궁금하게 생각했다. 어떤 비평가가 그것을 정신적 해체의 형태와 똑같은 것으로 보고, 그 원인이 죽음에 대한 집념에 있다고 말한 것이 생각이 났다. 나는 그에게 그것에 대해서 물어보았다.

"그런 것이 아네요." 하고 자꼬메띠는 말했다. "외부와 내부는 아무튼 동일한 거예요. 아마 그것이 내가 사람들을 연구할 때 주게 되는 인상일지 모르지만, 그러나 만약 당신이 눈으로 보는 것처럼 머리를 만들고 싶다면, 당신은 머리 밑에 있는 해골의 구조를 감지해야 해요. 당신이 머리를 가지고 오랫동안 일을 하면 할수록 더욱더 당신은 그 구조를 느끼게 돼요. 드디어 당신이 머리를 완성하게 되면, 그 구조는 표면 밑으로 다시 또 사라져 버리지요. 그러나 그 표면을 세우려면, 그 밑에 그 단단한 구조를 가질 필요가 있어요. 그리고 당신은 그것을 느끼게 돼요. 그런 느낌이 없다면, 당신이 하고 있는 일은 아무 보람 없는 일이지요."

"모든 살아 있는 머리는 해골과 눈의 동공(洞穴)[2]과 그 밖의 것을 모두 가지고 있고, 따라서 당신이 머리를 만들고 싶으면 당신은 이를테면 코의 기능을 이해하지 않으면 아니 돼요. 그러니까 어떤 순간에는 당신의 조각은 코의 뼈가 되는 거예요. 코에는 가죽이 아주 조금밖에 덮여 있지 않기 때문에 당신은 코끝 위에서 한결 해골의 구조를 잘 알 수 있어요. 그는 그의 커다란 코와 이마 뼈를 눌러보았다. "코는 이것하고 이것의 구조예요. 그것은 그 위에 가죽이 약간 덮여 있는 뼈예요. 당신이 만약에 세계에서 가장 아름다운 여자를 그리고 싶으면" — 그는 다시 한 번 그의 코를 눌렀다 — "코부터 시작해야 해요. 그러고 나서 색을 칠하게 되는데, 거기에는 이러한 형태들을 한데 결합시키는 구조가 있어야 해요. 그것이 없으면 아무것도 안 돼요. 그러니까 내부에 있는 것에 관심을 갖지 않으면, 외부를 성공시키지 못할 거예요. 모든 일이 불가능하지만, 그것 없이는 모든 일이 불가능 이상이죠." 불가능하든 안 하든 간에, 그 일은 그에게 낙망(落望)을 주고 있는 것 같지 않다고 나는 말했다.

"나에게 낙망을 준다고요?" 그는 어깨를 으쓱해 보이더니, 잠시 아무

• • •

2. 원문대로임. 맥락상 '동혈'인데 동공으로 기입되어 있다. 동공의 한자어는 瞳孔이다.

말도 안하고 잠잠히 있었다. "낙망이 원칙이기 때문에 나는 끝까지 버티고 나가죠. 그러나 일을 열심히 하면 할수록 더욱더 나는 성공을 못 해요. 하지만 동시에 나는 더욱더 일하고 싶은 욕망을 느끼게 돼요. 왜냐하면 내가 적어도 무슨 일을 할 수 있다는 것이 더욱더 나에게 재미있게 생각되기 때문예요. 이를테면 내가 휴양하러 서서에 가 있을 때 생각한 저 탁자하고 의자— 저것은 그처럼 불가능한 일이기 때문에 나는 굳이 해 보지 않으면 아니 돼요. 나는 이 의자와 저 탁자의 정물화를 그리고 싶어서, 파리로 돌아가기까지 기다리고 있을 수가 없어요. 저것은 파리의 모든 것 중에서 가장 귀중한 것예요. 나에게 있어선 파리는 저거예요."

자꼬메띠는 스튜디오 안을 둘러보았다. "1927년에 이 방을 얻었을 때는 우스웠어요, 너무 방이 비좁다고 생각했죠. 이 방은 내가 제일 처음 찾아낸 방이고, 한 번도 방을 바꾸지 않았어요. 이 방이 너무 작아서— 꼭 무슨 굴속 같아서— 여유가 생기자마자 곧 이사를 할 계획을 세웠죠. 그런데 오래 있으면 있을수록 점점 더 이 방이 커져갔어요. 한 달 전에 내가 돌아왔을 때보다 이 방은 지금 두 곱은 더 커 보여요. 나는 여기에서 무슨 일이든 할 수 있어요. 나는 이미 여기서 〈걸어가는 사람〉이라는 나의 커다란 조각들을 만들었어요. 한번은 여기에서 커다란 조각을 세 개나 한꺼번에 하기도 했어요. 그 일을 하면서 그와 함께 그림을 그릴 수 있는 여백이 또 있었어요. 내가 좀 더 큰 아뜰리에를 갖는다 하더라도, 내가 이용할 공간은 더 커지지는 않을 거예요. 나는 행길 건너편에 조그만 집을 하나 사 가지고 있어요. 디에고가 거기서 살고 있지요. 아주 키가 큰 작품을 밖에서 하고 싶으면, 그 마당에서 하면 돼요." 나는 그에게 무슨 그런 종류의 것을 만들 계획이 있느냐고 물어보았다. 그는 고개를 흔들었다.

"나는 그렇게 큰 대규모의 조상(彫像)을 하는 데는 사실상 흥미를 갖고 있지 않아요." 그는 말했다. "그런 일로 공연히 애를 먹을 필요가 없어요.

눈이 그런 커다란 물건을 한꺼번에 보지 못하기 때문에 나는 그런 것은 안 하기로 했어요. 그건 시간 낭비예요. 머리를 만드는 일이 나에게는 한결 보람 있는 일이라고 생각돼요." 그는 잠시 망설이었다. "그렇지만 가능하다면 안네뜨의 입상을 가슴패기에서부터 시작해서 발밑까지 한번 만들어보고 싶어요. 그렇지만 등신대보다는 조금 작게. 그렇게 해도 상당히 클걸요."

그는 초저녁까지 일하고 있던 푸른 점토의 조그만 조상 쪽으로 걸어갔다. "이 조각만 해도 그렇지만, 조각을 크게 보이기 위해서 반드시 조각을 크게 만들 필요는 없어요. 이런 비교적 작은 머리이지만, 큰 머리가 갖고 있는 것은 다 갖고 있어요. 따라서 전신상을 만들고 싶은 경우에는 특별히 크게 만드느니보다는 오히려 보통보다 작게 만들어서 한눈에 전부 들어올 수 있도록 하는 게 좋아요. 그러나 머리를 너무 크게 만들어가지고 거기에 맞는 실물대(實物大)의 조상으로 옮겨 놓으려면 온통 주체를 못 하게 돼요."

자꼬메띠는 환하게 비치는 전구 밑의 그의 의자로 다시 와 앉았다. "에집트의 조각을 보세요 — 이를테면 〈기관〉을 보세요. 그 작품은 크지는 않지만, 그 효과는 기념비적이지요. 에집트 조각 중에서 가장 잘된 머리는 소품들예요. 큰 머리가 될수록 그다지 좋은 게 없어요. 슈메리아 조각의 경우에도 마찬가지예요. 루브르에 있는 슈메리아 조각에는 아주 작은 게 있어요. 그것이 커지면 꼭 확대(擴大)한 것같이 보여요. 건축 안에 쓰기에는 좋지만, 역시 밀도 있는 작품은 되지 못해요. 또한 효과를 만들기보다도 눈에 보이는 대로 충실하게 표현하려고 노력하는 것이 훨씬 재미있는 일이지요. 나의 경우에는 큰 작품은 끝났어요. 큰 작품은 나한테는 조금도 흥미가 없어요."

자꼬메띠의 조각 〈걸어가는 사람〉(1960)은 키가 6.5피트이고, 그의 〈서 있는 여자〉(1960) 중의 몇 작품은 키가 9피트도 넘는다. 그런 것들과는 극단적인 대조가 되는 것으로 그는 호주머니 속에 들어갈 만한 수많은 조그마한 조각들을 만들었다. 그런 아주 작은 조각에 아직도 흥미를 느끼고 있느냐고 나는 그에게 물어보았다. "지나치게 작은 조각인 경우에는, 제한은 받지만 그러나 한결 덜 받게 돼요." 그는 말했다. "루브르에 있는 가장 작은 에집트 조각 중에는 가장 세밀하게 잘된 머리가 있어요. 그중의 두서너 작품은 구성이 어찌나 완벽하게 되어 있는지 소품이면서도 상당히 크게 생각되는 것이 있어요. 그러니까 아주 거대한 인상을 주는 조각 — 말하자면 머리 — 을 만들고 싶으면" — 그는 두 개의 손가락을 2인치 가량 벌려보였다 — "요만하게 그것을 만들어야 해요. 그러나 완벽하게 만들어야죠. 그러면 전 우주가 그 안에 담기게 돼요. 그러면 참된 것이 나오죠. 이것은 생각해서 하는 말이 아녜요. 중국의 조각이나 고대조각이나 선사시대의 조각의 경우를 보아도 마찬가지예요. 중요한 것은 비전예요."

나는 그에게 당대인들의 작품 중에서 그의 비전 같은 개인적이고 내밀적인 비전을 가진 사람으로 그에게 큰 관심을 주는 사람이 있느냐고 물었다. "암, 있고말고요." 하고 그는 말했다. "많이 있습니까?" 그는 잠시 생각에 잠겼다. "많아요." 하고 그는 한결 조심성스럽게 말했다. 그리고는 나를 유심히 쳐다보면서 물었다. "이를테면 누구이겠어요?" 나는 자꼬메띠의 집념과는 거리가 먼 것 같은 집념을 가진 미로[3]라고 말했다.

"미로의 작품은 1925년에서부터 1930년 사이에 나에게 영향을 주었어요." 그는 말했다. "그리고 나는 오히려 그에게 가까워진다고 느껴졌어요. 나는 그 추상적인 구성을 할 무렵에, 미로와 그 밖의 초현실주의자들하고 많이 제휴해서 일했어요. 그리고는 우리들은 갈라지게 되었지요. 미로는

3. [역주] 존 미로(1893-). 스페인 출생의 화가. 그는 초현실파 제1회전에 출품했고, 끌레에게 많은 감화를 받았다. 초현실파적 경향이면서 문학적 예술에 함입되지 않고, 형색의 순수한 조화에 의해서 원색적 환상에 독자적인 조형성을 부여하고 있다. [편주] 후앙 미로(Joan Miró)를 김수영은 미국식으로 발음하고 있다.

미로의 길을 가고 나는 내 길을 간 거죠. 하지만 나는 아직도 그의 작품에 흥미를 느끼고 있어요. 1주일쯤 전에 생 뽈 드 벵스에서 마에뜨 재단의 개관일 날 그의 최근 작품을 보았지요. 그 거대한 환각적인 머리가 그의 과거의 어떤 작품보다도 나는 마음에 들어요. 그 작품들은 아주 기묘하고 극적예요. 그것을 보고 나는 그가 거기에서 이제 어디로 갈 것인가 하고 한참 생각했어요."

"미로는 언제나 재미는 있는데, 그러나 나는 오늘날 수많은 예술가들이 낡았다는 말을 듣는 것을 지극히 두려워하고, 그 때문에 그들이 자연을 따르거나 모델을 상대로 일하려는 생각을 조금도 하지 않는다는 생각을 갖게 돼요. 그들은 만약에 머리처럼 보이는 머리를 만들어서, 그것이 사실상 잘 되는 경우에는, 후기인상파라는 소리를 들을 것이라 생각하고, 지극히 사실주의적인 작품이 되는 경우에는 독창성이 없는 따분한 '범작(凡作)'이라는 레텔이 붙을 것이라고 생각하고 있어요. 사실은 그렇게 하면 정반대의 것이 나올 텐데. 우리들이 참되게 보는 것에 밀접하게 달라붙으면 달라붙을수록, 더욱더 우리들의 작품은 놀라운 것이 될 거에요. 리얼리티는 비독창적인 것이 아녜요. 그것은 다만 알려지지 않고 있을 뿐예요. 무엇이고 보는 대로 충실하게 그릴 수만 있으면, 그것은 과거의 걸작들만큼 아름다운 것이 될 거에요. 그것이 참된 것이면 것일수록, 더욱더 소위 위대한 스타일(양식)이라고 하는 것에 가까워지게 되지요. 사람들은 에집트의 머리나, 중국의 불상이나, 슈메리안의 조각이 스타일라이즈(양식화)되어 있다고 생각하고 있어요, 그것들은 스타일라이즈된 것이 아녜요. 그것들은 한결 더 참된 거예요. 따라서 그것들은 한결 더 참된 것일 때, 그것이 스타일이 되는 거예요. 이것은 사람들이 생각하고 있는 것 하고는 정반대지요. 사람들은 될 수 있는 대로 밀접하게 사진에 달라붙으면 달라붙을수록, 사진같이 되고 바보 같은 작품이 될 거라고 생각하고 있는데, 그것은 정반대예요. 그들은 너무 두려워하고, 자기 자신을 국한시키고 있어요. 그들은 조그만 상자 속에 죄인처럼 갇혀 있어요.

그들은 구태여 밖으로 나오려고 하지 않아요. 그들은 구태여 아무 일도 하지 않으려고 하고, 그들의 작품은 비참하게 되죠. 비-참-하게요." 그는 천천히 되풀이해 말했다.

"나는 그림이나 조각이 성공을 한다든가 실패를 한다든가에 대해서는 개의치 않아요." 그는 4분지 1인치 가량의 아주 조그마한 머리를 한 여자의 화폭을 가리켰다. "이를테면 저것만 하더라도. 저것은 내가 보는 것에 비하면 실패지요. 당연한 일이죠. 저것이 만약에 성공했다면 — 그러나 그것은 생각할 수 없어요. 생각할 수 없는 일에요. 하지만 저것이 실패하면 실패할수록, 기회는 더욱더 많아지고, 그 기회를 붙잡고 늘어질 만한 가치 있는 일이 조금은 남아 있는 폭이 되죠. 만약에 95퍼센트의 실패를 보게 되면 적극적인 것이 5퍼센트는 남아 있는 폭이 되고, 5퍼센트면 상당히 많은 거죠. 그러니까 '실패'라는 말은 무의미한 거예요. '선발(選拔)'이란 말도 마찬가지에요. 나는 전람회를 열 때, 좋은 작품과 나쁜 작품의 선택을 하는 법이 없어요. 작품을 고르는 일이 없어요. 갖고 있는 것을 다 내놔요. 만약에 내일 파리에서 전람회를 열게 된다면 나는 저것을 — 그는 그의 '실패한' 그림을 가리켰다 — 내 놔요. 나는 그 식으로 해요." 그는 스튜디오 안을 둘러보고는 여지껏 일하고 있던 푸른 점토의 조상(彫像)을 가리켰다. "그리고 저것도 또 내 놔요. 거기에는 내가 들어 있어요. 나는 저것이 아닌 어떤 다른 곳에 있는 게 아녜요. 당신이 사실상 당신이 있는 곳보다 더 멀리 앞서 있다는 인상을 주려고 하는 것은 어리석은 일예요. 안 그래요?" 나는 그에게 다른 대부분의 사람들이 그 문제에 대해서 똑같은 견해를 갖고 있는지 의심스럽게 생각된다고 말했다. 그것은 겸허의 문제이었던가?

"천만에." 자꼬메띠는 말했다. "나는 겸손하지도 겸허하지도 않아요. 사실 나는 사람은 조금쯤 바보가 돼야 하고, 무슨 일을 하는 척해야 된다고 생각하고 있어요. 그렇지 않으면 무엇이고 일을 시작할 용기가 안 나죠. 일을 시작할 수 있는 용기는 가져야 하고, 조금쯤 바보가 될 필요가 있어요.

그것이 없이는 일을 시작할 엄두가 안 날 거예요. 머리를 시험하는 일에는 한이 없다는 것을 당신은 아셨을 거예요. 그 일은 너무 복잡해요. 그런데 만약에 당신이 의자를 가지고 아마 무슨 일을 할 수 있을 거라고 생각하게 되면, 당신은 의자를 바라보고, "암만해도 나는 이것을 완성하지는 못할 거야." 하고 말할 거예요. 그러나 그런 생각을 자꾸 하게 되면 하게 될수록, 더욱더 발분(發奮)해서 그 일을 시작하게 돼요.

나는 머리의 조각을 하고 싶을 때는, 코의 기능을 이해하려는 일에 나의 노력을 한정시켜요. 왜냐하면 코를 조금이라도 이해하게 되면, 나머지의 것도 역시 이해하게 돼요. 코를 이해하지 못하면, 나는 아무것도 이해하지 못해요. 귀나 머리 뒤통수까지 만드는 일을 먼저 생각하게 되면, 너무 일이 방대하게 생각돼서 해낼 희망이 없는 것 같은 느낌이 들어요. 그러면 어떻게 하면 좋겠느냐고요? 해내도 되고 못 해내도 돼요. 하니까 얼마만큼 잘 해내느냐 하는 것에 대해서는 걱정하지 않아도 돼요." 자꼬메띠는 두 다리를 쭉 벌리고 담배에 불을 붙였다. 나는 그에게 그렇다면 기를 쓰고 해내려고 애를 쓰지 않아도 되지 않겠느냐고 물었다.

"그렇지만, 그렇게 하려고 해서 그렇게 될 수 있나요. 그러니까 힘자라는 데까지 기를 쓰고 해 보는 거죠. 하지만 어지간히 잘 해내든 형편없이 못 해내든 결국은 마찬가지예요. 그것은 사람이 50살을 사는 수도 있고 90살을 사는 수도 있는 거나 마찬가지예요. 그들이 살아 있을 동안에는 산다는 것은 소중하게 생각되지요. 하지만 그들의 생명이 끝이 나면, 그것은 별로 차이가 없어요. 우리들은 살아 있는 동안에 우리들이 할 수 있는 일을 하고, 그리고는 그에 대한 것은 잊어버리면 돼요. 우리 아버지는 예순다섯에 돌아갔어요. 지난 정월에 돌아가신 우리 어머니는 아흔세 살까지 사셨어요. 내가 그들을 돌이켜 생각해 볼 때, 그들의 수명에는 대단한 차이가 없는 것 같아요. 한 분은 평균 연령보다 좀 덜 사셨고, 한 분은 좀 오래 사셨지만, 두 분이 다 가신 뒤에 생각하면, 두 분이 다 비등비등하게 생각되고, 나이는 중요한 것이 아닌 것같이 생각돼요."

"시간은 그런 거예요. 갑자기 50년 전의 추억이 마치 어저께 일처럼 떠오르는 일이 있고, 작년에 일어난 일이 반평생 전에 일어난 일처럼 생각되는 일도 있지요. 연대기적인 질서는 야드 자(尺) 모양으로 무의미한 거예요. 그것은 몹시 작게 보일 수도 있고 몹시 거대하게 보일 수도 있어요. 그림에 있어서도 마찬가지예요. 1야드의 공간 속에다 세 개의 항아리를 그릴 수도 있고 무한한 풍경을 그릴 수도 있어요. 그리고 그 세 개의 항아리의 정물화 속에서도 공간의 무한성을 이해하게 돼요. 내가 앉아 있는 지점과 저쪽의 저 벽 사이의 거리는 모든 공간과 똑같은 효과를 갖고 있어요." 그는 천장을 쳐다보았다. "나는 지금 저 천장을 볼 수 있지만, 만약에 내가 저 정물을 그린다면, 저 천장은 나의 시각을 뚫고 나가게 해요. 당신이 만약에 베니스의 성 마르크 광장의 한 끝에 서 있다면, 당신은 성 마르크의 건물을 요정도의 크기로밖에는 보지 못할 거예요." 하고, 그는 엄지손가락과 집게손가락을 쳐들고 곁눈으로 그것을 흘겨보면서 말했다. "내가 여기 있고 저쪽에 세 개의 항아리가 있다고 하면 나는 그 항아리들을 역시 요만한 크기로밖에 볼 수 없어요. 멀리서 성 마르크를 보는 것처럼 말예요. 그런데 내가 저 항아리들을 그리려고 하면 저것들은 꼭 성 마르크의 건물만큼 커져요. 모든 것이 다 결국 이와 같은 거예요."

"샤르댕[4]이 그린 딸기 접시의 멋진 그림이 있는데, 그것이 1937년에 파리에서 열린 국제박람회의 불란서 미술 걸작전에 전시된 일이 있었어요. 그때 거기에는 수많은 큰 그림들이 있었고, 그중에는 무척 큰 그림들도 있었어요. 샤르댕의 그 그림은 아주 조그마한 그림이었어요. 그런데 그것이 어느 의미에서는 그 걸작전의 전 작품 중에서 가장 큰 그림이었어요. 그 딸기 접시는 피라미드만큼 컸어요. 그것은 거의 압도적이었어요. 렘브

● ● ●

4. [역주] 장 B. S. 샤르뎅(1699-1779). 불란서의 화가로서, 네덜란드 파의 영향을 받고, 능란한 풍경화, 정물화를 제작했다.

란트의 그림들도 마찬가지예요. 아무리 작은 그림이라도 잘 살펴보면 거대하게 보여요."

자꼬메띠는 의자에서 일어섰다. 처음으로 그는 미소를 띠었다. "저 그림을 당신이 요즘 볼 수 있는 가장 큰 그림 옆에 갖다 놓고 보세요." 그는 말했다. "그중 작은 그림이라도 기념비처럼 크게 보일 거예요."

그는 진행 중에 있는 조상(彫像) 쪽으로 걸어가서, 푸른 점토를 떼어 내기 시작하면서 다시 잠잠해졌다. 잠시 후에 나는 회화의 장래가 어떻게 될 거라고 생각하느냐고 그에게 물었다. 그는 나를 쳐다보면서, 다시 이즈러진 미소를 띠었다. "회화가 위기에 처해 있다고 사람들은 말하고 있어요. 신문이나 잡지에서도 떠들어대고 있지요. 회화가 우리들을 어디로 이끌고 갈 것이냐에 대해서 그들은 걱정을 하고 있어요. 그러나 잘 되어 가건 못 되어 가건 간에, 그런 문제들은 모두 나한테 인연이 먼 일처럼 생각돼요. 나는 그런 문제에 대해선 정치나 시사 문제를 의식하는 것과 같은 정도로 일종의 사회학적 현상으로서 막연한 흥미를 갖고 있지만, 사실은 별다른 깊은 감동은 없어요. 정말 조금도 없어요. 오늘 당신이 찾아오기 전에, 나는 마르느 전투에 대해서 쓴 책[5]을 읽고 있었어요. 그 책이 누가 '기수(旗手)'냐 아니냐 하는 시시한 소동보다도 4배는 더 재미있어요. 아마 이런 위기 속에서도 좋은 예술가가 더러는 나올 겁니다. 그런 사람이 얼마간의 신선한 공기를 도입하게 되겠죠. 내가 보기에는 요즘 좋은 일을 많이 하고 있는 사람이 한 사람 있어요. 로센버그[6]라는 사람예요. 그는 그의 사진술을 섞어 가면서 야단스럽게 하고 있는데,

● ● ●

5. [역주] 마르느 전투 — 제1차 세계대전에서 연합군과 독일군이 세느강의 지류인 마르느강에서 싸운 3회에 걸친 치열한 전투. 결국 이 전투에서 남하한 독일군은 총퇴각을 하게 되고 이로부터 전국이 일변했다.
6. [역주] 로버트 로센버그(1925-). 미국 텍사스 출생의 전위화가. 그의 포프 아트풍의 개인전이 최근 파리에서 열렸다. [편주] '로버트 로센버그'는 로버트 라우셴버그(1925-2008)를 뜻한다.

그의 수법은 다 같지는 않고 진정한 의미의 새로운 것예요. 그런 사람이 온다고 나는 어제까지 해온 일을 그만둘 필요는 없지요. 하지만 로센버그라는 비조형적인 화가들을 뒤흔들어 놓고 있다고 생각돼요. 그만큼 좋은 일을 하고 있어요."

"그렇지만 우리가 생각하고 있는 회화는 어떻게 되겠느냐고 말이죠? 나는 회화는 우리들의 문명에서는 장래가 없다고 생각해요. 조각도 마찬가지예요. 우리들이 소위 '시시한 그림'이라고 부르고 있는 것 — 그것은 장래가 있어요. 그런 것들은 브리타니 지방의 조그만 풍경들을 계속해서 보여줄 거죠. 그런 화가들은 언제나 그림 같은 풍경이나, 나체나, 벽 위에 걸려 있는 꽃다발을 그리기를 좋아하는 사람들일 거죠. 그리고 그들은 여전히 삽화와 광고미술을 제작해내겠지요. 그러나 우리들이 말하는 위대한 회화는 끝났어요. 이제부터 앞으로는 다만 회화가 무엇이냐에 대한 논쟁(이) — 이것은 철학의 분야지요 — 많이 있을 겁니다. 아무도 이제부터는 반 다이크[7] 같은 완성된 그림을 성취해 보려고 그림을 그리려는 사람은 없어요. 그들은 다만 회화의 본질에 대한 — 회화를 구성하는 것이 무엇이냐에 대한 — 질문 같은 어려운 문제를 가지고 사람들을 괴롭힐 뿐이죠."

"이것은 매우 괴상한 일이죠? 나는 얼마 전에 1927년경부터의 날짜가 붙어 있는 헤겔의 예술론에서 발췌한 서적을 읽고 있었어요. 헤겔은 앞으로 비조형적인 것이 되고, 다만 색채의 조화에만 근거를 두게 되고, 음악적 감동을 자아내게 될 일종의 회화를 예언했어요. 그리고 그는 회화는 존속할 수 없게 될 것이라고 말했어요. 그때까지 — 즉 1827년 당시까지 — 존재해 온 것 같은 형식의 회화는 끝났다고 그는 말했어요. 그리고 그의 말은

• • •

7. [역주] 반 다이크(1599-1641). 플랑드르의 화가. 루벤스의 제자. 영국의 회화, 특히 초상화의 영향을 많이 받고 부드러운 구도와 선미한 (색)채로써 종교, 신화, 무의적인 제재도 취급했지만, 초상화가로서 가장 뛰어난 재능을 보였다.

옳았어요. 왜냐하면 세잔느가 그림을 그릴 때는 이미 그는 꾸르베[8]가 그림을 그린 것 같은 의미의 그림은 그리지 않고 있었으니깐요. 만년에 가서 세잔느는 "나는 실험을 하고 있는 거야 — 회화를 위한 실험을 하고 있는 거야." 하고 말하고 있었어요. 그러니까 그의 마음속에서는 회화를 만든다는 생각은 끝나 버렸던 거예요. 또한 피카소가 벨라스(께스)나 꾸르베나 들라끄로아의 〈알제리아의 여자들〉이나 마네의 〈풀밭 위의 오찬〉[9]에 대한 그의 변주곡을 만들고 있을 때, 그는 이미 자기 자신에게 "나는 오늘날 사람들이 어떻게 보느냐."고 묻고 있지 않아요. 그는 미술사에 대한 변주곡과 비평을 하면서, 스타일의 연습을 하고 있어요. 그러나 회화 — 회화는 끝났어요."

— 본고는 지난 1월에 64세로 갑자기 세상을 떠난 서서(瑞西) 출생의 세계적인 조각가 알베르또 자꼬메띠의 방문기다. 그의 조각은 전위예술로서 가장 많이 논쟁의 대상이 되어왔고, 특히 전후에서 오늘날에 이르기까지 세계적인 영향을 주어왔다. 그의 작품의 종합전시회가 작년 8월에 뉴욕의 현대미술관과 런던의 테이트화랑에서 열렸고, 11월에 시카고에서 열렸고, 금년부터는 칼리포니어에서 열릴 예정이었다. 이 글의 집필자인 칼톤 레이크(Carlton Lake)는 미국의 미술비평가

● ● ●

8. [역주] 귀스따브 꾸르베(1819-1877). 불란서의 화가. 사실주의의 대표적 작가. <오르낭의 매장>, <돌을 깨는 사람들>, <화가의 아뜰리에> 등의 작품이 유명하다.
9. [역주] 벨라스께스(1899-1660). 17세기 스페인의 대표적 화가. 들라끄로아(1798-1863). 불란서의 화가. 19세기 전반 낭만주의 예술의 대표적 작자. 대표작으로 <키오스섬의 학살>, <알제리아의 여인>, <민중을 이끄는 자유의 여신>, <천사와 야꼬브>가 널리 알려져 있다. 마네(1831-1883). 불란서의 화가. 그의 <풀밭 위의 오찬>은 1863년에 살롱에서 낙선한 작품이지만, 후일 보들레르 등의 옹호를 받고 명성을 날리게 된 뒤에는 <오랑삐아>, <젊은 부인의 초상>, <포리 베르제르의 주막>과 같은 그의 대표작들과 함께 유명하다.

겸 수집가. 그는 자꼬메띠가 이 종합전시회의 준비를 하고 있을 때, 40년 동안이나 일을 하고 있던 파리의 그의 스튜디오로 그를 방문하고 그의 생전의 이 마지막 방문기를 쓰게 되었다. (역자)

–『세대』, 1966. 4.

현대영미소설론

스티븐 마커스(Steven Marcus)

I

약 20년 전[1]에 리오넬 트릴링은 「예술과 행운」이라는 예리한 논문에서 소설의 상태를 논의하려고 기도했다. 그는 소설이 말하자면 문학의 환자라는 것을 자진해서 용인했지만, 그와 동시에 소설이 빈사상태(瀕死狀態)에 있거나 아니면 죽어 있다는 널리 퍼져 있는 의견에 찬성할 수 없다고 확언했고, 그가 중요한 일— 무시되고 있는 일이지만— 이라고 생각하고 있는 것(소설에 있어서의 사상의 위치)을 계속 논의해나갔다. 이 논문에서 트릴링 씨는 두 개의 예언을 할 수 있는 기회를 가질 수 있었다.

그는 우선 "오늘날에 있어서 형태에 대한 의식적인 편견은 거의 결정적

1. 스티븐 마커스의 원문에는 "15년 전"이라고 되어 있다. 이 글이 『파르티잔 리뷰』에 발표된 것이 1962년 봄이고(그러니까 글이 씌어진 것이 1961년이고), 김수영이 이를 번역 발표한 것은 계간 『한국문학』(현암사)의 1966년 여름이다. 원문과 번역문 사이의 기간을 합하면 위 '15년 전'은 '20년 전'으로 바뀔 수 있는데, 김수영은 번역시에 이를 고려한 것으로 보인다.

으로 소설가를 (특히 젊은 소설가를) 한계점으로 몰고 가게 된다"는 뜻의 말을 자기 자신에게 설명하면서, "차후 10년 동안의 소설가들은 형태의 문제에 골몰하게 되지 않을 것이다"라고 확언했다. 그의 두 번째의 예언은 첫 번째의 예언의 필연적인 결과로 나타난 것인데, 그것은 "차후 수십 년 동안을 소설이 지극히 명백한 방식으로 사상을 다루게 될 것이다"라는 것이었다. 트릴링 씨는 다만 인물이나 극적 행동 속에서 사상을 구현시키는 것뿐만 아니라, 사상 그 자체로서의 사상, 다시 말하자면 논설 속에서 사상으로 나타나는 사상을 생각하고 있었다. 따라서 그는 "사람이나 지방이나 사회기구를 다루듯이 직접적으로" 사상을 다루는 것은 소설의 권리이며 필연이라고 주장했던 것이다.

그런데 예술의 장래에 대한 예언이란 것은 대체로 지극히 허망한 것이다. 정확한 예언은 대체로 천재의 직분인 것 같은데, 천재는 습관상으로 비평과는 사이가 좋지 않다. 좌우간 천재와 비평이 사이가 좋은 듯이 보일 때에는 그 비평은 결과적으로 애매한 것이 되는 수가 많다. 이를테면 T. S. 엘리어트의 비평은 강한 예언적인 기질을 갖고 있지만, 엘리어트가 그의 논문 속에서 대부분 자기가 이미 쓴 시나 앞으로 쓰려고 하는 시를 예언하고 있었다는 것을 우리들은 그다지 어렵지 않게 발견할 수 있다. 진정한 예언의 한 예를 또끄빌에게서 찾아볼 수 있다. 25년이나 앞서서 그는 미국의 시인의 특성이 어떻게 되리라는 것뿐만 아니라 그의 시가 어떻게 되리라는 것까지도 예견했다. 고대의 생물학의 이론이 만약에 부활될 수 있다면 또끄빌은 월트 휘트먼이 될 수 있는 실험용 소인체 모형을 조사할 수 있는 특권이 수여되어 있었다고 말할 수 있을 것 같다. 그러나 이런 종류의 예언은 대체로 『미국의 민주주의』 같은 저서가 나올 때마다 꼭 나오게 된다. 더구나 또끄빌의 미국 시인에 대한 서술은 그전에 나온 그의 미국 사회에 대한 전반적 이론을 곧장 이어받고 있고, 그것이 추론의 형태를 취했다는 의미에서 진정한 예언이었던 것이다. 말하자면 그것은 이러이러한 조건이 관찰되었으니까, 이러이러한 일이 결과로서 나올 수 있다는 추론의 형태를 취했던 것이다. 한편 트릴링 씨의 예언은 — 그 자신은 그렇다고 말하고 있지 않지만 — 한결 더 처방전의 방식으로 되어 있었다. 소설의 현 상태가 이러하니까 (그리고 산문에 있어서의 경련(痙攣), 소설적 의지의 복잡골절, 견해의 경화증 같은 제 증상이 심한 고통을 주고 있었다) 소설이 건강을 회복하기 위해서는 이러한 일이 일어나지 않으면 아니 된다는 식의 처방전의 방식이었던 것이다. 그리고 대부분의 특효약이 다 그렇듯이 트릴링의 특효약도 상당한 양의 희망이 포함되어 있었다.

적어도 한 가지 의미에 있어서 나는 트릴링 씨의 논지에 찬성하고 있는 내 자신을 발견하게 된다. 만약에 그의 예언이 이행되었다면 오늘날의 소설은 아마도 훨씬 건강한 상태에 있을 것이고, 또한 우리들은 모두 다 우리들이 어디에 있으며 우리들이 무엇인가에 대한 한결 더 명확한 의미를 갖게 되었을 것이다. 왜냐하면 오로지 소설가는 혼돈과 무의미에서 질서와 의미를 만드는 그의 전통적인 천재를 보유하고 있을 때, 우리들에게 그것들(우리들이 어디에 있으며 우리들이 무엇인가에 대한 것들 [역주])을 말해 주게 될 것이기 때문이다. 그런데 사실에 있어서는 트릴링이 직시한 것과는 정반대되는 일이 일어났다. 모든 정당한 고려와 오늘날 주목해야 할 얼마간의 예외를 염두에 두고, 또한 그에 관계되는 일정한 작가에 대한 여하한 편견도 없이, 지난 20년[2] 내로 소설이 T. S. 엘리어트가 일찍이 헨리 제임스의 심의의 속성(屬性)이라고 본 그 이상한 순수의 상태 — 즉 사상이 조금도 소설에 침입하고 있지 않다는 것 — 에 도달했다고 우리들은 말할 수 있을 것 같다. 이러한 순결에 직면해서 어떠한 일이 일어났는가를 탐색하고, 그런 일이 어떤 일이든 간에 그것이 어떻게 되어서 일어나게 되었는가를 결정하려고 시도하는 것은 유익한 일일 것이다.

지난 20년[3] 동안에 소설에 있어서의 지배적인 경향은 시의 방향에

● ● ●

2. 원문은 "fifteen years".

있었다고 생각된다. 그것은 소설의 산문이 점점 더 시적으로 되어 가고 따라서 모든 사건을 싣고 재빠르게 움직이는 내러티이브를 점점 더 지탱할 수 없게 되었다 — 대체로 이것도 사실이기는 하지만 — 는 의미가 아니다. 그것은 오늘날의 소설이 점점 더 시의 형태상의 특징을 획득하고 있는 것같이 생각되고, 오늘날 소설이 경험이라든가 경험이 취해야 하는 형상의 시적 개념이라고 우리들이 부를 수 있는 것에 따라서 씌어지고 있다는 뜻이다.

물론 소설은 거의 그의 시초서부터 기원이나 기능에 있어서 상당한 시적인 어떤 요소나 고안을 사용해 왔다. 그러나 그러한 용인이 근년에 와서 비로소 두드러진 세력을 발휘하게 되었다는 것은 주목할 만한 중요한 일이다. 이를테면 오늘날의 문과 학생들은 『폭풍우의 언덕』을 읽으면서, 이 소설의 진정한 유사성이 희랍희곡과 셰익스피어와의 사이에 있지 30년[4] 전에 가르쳐진 것처럼, 고딕풍의 로망스 소설이나 미네르바 출판사[5]의 통속소설과의 사이에 있지 않다는 것을 어느 점에서든 깨닫지 않을 수 없을 것이다. 디킨즈에 대한 관심이 요즘 다시 부활한 데 대해서 그의 소설이 마치 사실상 시(詩)이기나 한 것처럼 정식으로 논의되고 있는 사실만큼 놀라운 일은 없다. 몇 년 전에 F. R. 리비스가 디킨즈를 칭찬하려고 기도했을 때 그가 바친 최고의 찬사는 그를 위대한 시인이라고 부르는 것이었다. 그리고 그것은 사실상 정당한 말이다. 『황량한 집』[6]에 나오는 안개와 혼란의 모든 영상, 『귀여운 도리트』[7]에 나오는 한없이 변화되는

• • •

3. 원문은 "fifteen or twenty years".
4. 원문은 "twenty five years".
5. [역주] 미네르바 출판사: 18세기에 런던의 리이덴홀 가(街)에 있던 출판사. 주로 새로운 풍의 감상적인 통속소설을 많이 출판한 것으로 유명하다.
6. [역주] 『황량한 집』: 디킨즈의 소설.
7. [역주] 『귀여운 도리트』: 디킨즈의 소설에 나오는 여주인공이며, 동시에 그 소설의 제명(題名).

감금(監禁)의 묘사, 『우리들의 같은 동무』[8]에 나오는 개울과 먼지 더미의 계속적인 출현— 이런 모든 것을 우리들은 오늘날 이러한 소설들의 내러티이브의 의장(意匠)의 부분으로서 뿐만 아니라 가장 우발적인 세사(細事)를 흡수하고 가장 동떨어진 분리된 사건들을 합류시키는 것으로서 이해하고 있다. 다시 말하자면 오늘날 비평은 이런 소설들을, 시인의 심의가 파악된다고 생각되고 있는 것처럼, 어떤 커다란 소상(塑像)으로서 파악된 심의의 발언이라고 간주하고 있다. 또한 오늘날의 비평은 이런 소설들의 극적 진술을 주로 내러티이브의 과정이나 인물간의 충돌을 통해서가 아니라— 음침한 용어법을 쓰자면— 영상의 주제적 구조의 정밀한 조직적인 발전을 통해서 만들어지는 것으로 생각하고 있다. 『크나큰 기대』[9]는 오늘날 그것이 마치 『아테네의 티몬』[10] 같은 것과 똑같은 장르에 속하는 것처럼 논의되고 있다. 또한 오늘날 『실낙원(失樂園)』은 『불경기(不景氣)』[11]보다도 한층 더 소설— 혹은 일찍이 소설이라고 생각되던 것— 에 가까운 것이다.

그러나 대부분의 현대의 소설가들은 오늘날 이러한 각도에서 관찰되고 있다. 우리들은 멜빌이나 콘래드나 헤밍웨이의 장편소설이나 단편소설을 종래에 서정시를 읽던 것처럼 읽는다. 우리들은 자연히 플로오베에르를 — 플로오베에르는 시적 원칙에 신중하게 맞추어서 쓴 최초의 소설가였기 때문에— 이런 방식으로 읽는다. 우리들은 하물며— 딱하게도— 스탕달과 도스또예프스끼까지도 이런 방법으로 읽는다. 우리들은 도스또예프스끼의 소설에 담긴 사상을 그것이 마치 영상이기나 한 것처럼 분석한다.

8. [역주] 『우리들의 같은 동무』: 디킨즈의 소설.
9. [역주] 『크나큰 기대』: 디킨즈의 자전적 형식으로 씌어진 소설. [편주] 『위대한 유산』이라는 제목으로 번역된 작품이다.
10. [역주] 『아테네의 티몬』: 기원전 5세기의 아테네인. 셰익스피어의 희곡에 나오는 주요인물이며, 그 희곡의 제명(題名).
11. [역주] 『불경기』: 디킨즈의 소설.

다시 말하자면 우리들은 그의 소설의 엄격한 극적 기능을 논의하려 들고, 그의 소설의 내면적 결합이라든가 균형이라든가 반향(反響)의 형태를 강조하려든다. 우리들은 그러한 사상을 작품 속에서 자율적인 존재를 가진 것으로서, 다시 말하자면 플라토나 헤에겔이나 프로이트가 가진 사상이 실재성(實在性)에 의거하고 있는 것과 같은 방식으로 실재성에 의거하고 있는 것으로서, 작품을 초월한 그 무엇을 우리들에게 가르쳐 주는 것으로서, 생각하려고 하는 경향이 점점 덜해 가고 있다. 가장 극단적인 예를 들자면, 한때는 가장 산문적인 얌전한 소설가로 통한 제인 오스틴[12]까지도 — 그녀는 만년에 가서는 인습적인 소설가라는 악평을 받기가 일쑤였다 — 오늘날에는 시인으로 불리고 있는 것을 우리들은 보게 된다. 그녀의 소설에 대한 대부분의 최근의 비평이 바로 그러한 구조와 심상의 형태상의 고찰이라든가, 유추(類推)의 기술과 풍자의 복잡한 형태 같은 것만을 문제로 삼고 있다.

이러한 시적 요소가 과거의 위대한 소설 속에 풍부하게 존재하고 있기는 하지만, 그런 시적 요소가 발견되고 비평적 논의의 최전면에 놓이게 된 것은 최근에 와서 비로소 생긴 일이라는 사실을 우리들은 주목하지 않을 수 없다. 실제에 있어서 소설과 문학평론은 최근에 와서는 — 나는 소개를 하는 의미에서 소설 자체 내의 변화를 말하기 전에 우선 소설에 대한 우리들의 비평적 태도의 변화부터 말하려고 하지만 — 비슷한 발전을 통해서 걸어오고 있다. 이 유사성은 소설과 문학평론이 밀접한 상호관계 속에 존재하고 있기 때문에, 놀라울 만한 일은 아니다. 역사적으로 양자의 형태는 그들의 산만성(散漫性)과, 그들의 교훈적인 충동과, 그들의 시사성의 특징을 공유하고 있었다. 또한 소설과 문학평론은, 그들의 복잡하고

12. [역주] 제인 오스틴(1775-1817). 영국의 여류 소설가. 교양 있는 집안에 태어나서 일생 독신으로 지냈고 18세기 말엽의 영국의 시골 중류계급의 평범한 생활과 인간을 그린 장편소설을 썼다.

고도하게 난삽(難澁)한 종류의 논설로 향하는 복잡하고 고도하게 난삽한 발전을 통해서 줄곧, 단명한 시사적인 일에 대한, 또한 직각적인 사회적이며 문화적인 상황에 대한 줄기찬 관심을 계속 공유해 왔다. 소설은 관례상으로 그런 상황을 직접 취급했지만, 비평은 문학을 통해서 그의 굴절(屈折)된 형상을 취급했던 것이다 — 다시 말하자면 비평은 가까운 과거의 문학에서 그의 방향을 취했던 것이다.

그렇지만 우리들은 소설 그 자신이 끊임없이 문학비평과의 그의 유사성을 표시해 왔다는 것을 상기하지 않으면 아니 된다. 또한 우리들이 알고 있다시피 소설은 먼저 문학비평의 문제에 관해서 그의 상상(想像) 상의 자치권을 행사하고 있는 것이다. 『돈 키호오테』는 원시적이고, 고전적이며, 답변할 수 없는 비평적인 문제를 질문하는 데에서 시작하고, 진행하고, 종결하고 있다. 즉 그 문제는 좋든 나쁘든 간에 문학이 어떻게 우리들의 생활에 영향을 주고 있느냐 하는 것이다. 이 문제는 그다지 노골적으로 질문되는 일은 거의 없지만, 수많은 중요한 비평적 판단의 뒤에 잠복해 있는 것이다. 전반적인 고찰과 장점에 대한 '문학적' 판단을 수정하거나, 혼란시키거나, 전복시킬 수 있는 것은 다만 이 문제뿐이다 — 그것이 그러한 판단보다 우월하다고 단순하게 말할 수는 없지만, 또한 만약에 우리들이 현대소설이 이 문제에서 발단을 찾고 있다고 생각할 수 있다면, 또한 그것이 이 똑같은 문제에서 거의 종결을 짓고 있다고 생각될 수도 있을 것 같다. 이 문제는 조이스의 작품에 대한 끊임없는 논쟁의 기저(基底)가 되고 있는 것이다. 나는 다만 『젊은 날의 예술가의 초상』이나 『율리시이스』의 양식에 대해서도 언급하고 있는 것이다. 『율리시이스』의 실질적인 주인공은 그의 양식이며, 따라서 조이스는, 도덕적 헤로이즘과 문학적 양식의 헤로이즘을 동등하게 취급하려고 시도함으로써, 내가 언급하고 있는 문제를 영원히 따돌려 버리고, 그것을 무색하게 하려고 시도했던 것이다. 그러나 『율리시이스』는 전적으로 이 일을 달성하지는 못하고 있다. 한편 『피네건스 웨이크』는 이 일을 달성하고 있는 듯이 보인다.

『피네건스 웨이크』는 낡은 원시적인 문제를 사실상 무색하게 보이게 하는 최초의 중요한 소설작품이기 때문에, 그 작품의 본질적인 난해성은 고사하고, 독자들은 이 작품을 보면 혼란을 느끼고 어리벙벙해지기만 할 것이다.

우리들이 소설을 생각해온 방식에 있어서의 이러한 변화에 대해서는 여러 가지 설명을 제공할 수 있을 것이다. 또한 우리들은 그런 변화가 소설 그 자체의 최근의 발전과 어떻게 정합(整合)하는가를 상세하게 설명할 수도 있다. 그러나 지금은 나는 두 가지 문제를 놓고 생각해 보고 싶다. 우선 소설의 역사적 보증이 시간과 함께 계속 변화해 가고 있다. 위대한 19세기의 소설이 우리들로부터 후퇴해감에 따라서 — 또한 현대사회의 모든 사정이 그러한 후퇴를 촉진시키는 데 협력함에 따라서 — 그런 소설들의 성격이 불가피하게 수정되고 있다. 지난날에는 소설에 있어서 불붙는 듯한 논쟁의 대문제가 되었던 것이, 오늘에 와서는 이미 소설 외의 차원이라고 불려질 수 있는 것을 소유하지 못하게 되고 있다. 스탕달의 작품 속에서 극화되고 있는 것과 같은 루소의 사상이라든가, 애초에 그것이 전복시키려고 나선 사회적 가치에 의해서 도리어 타락되고 만 나폴레옹적 의지 — 바로 발작의 소설의 본질을 이루고 있는 것 — 라든가, 이런 것들은 이미 30년[13] 전까지만 해도 마음대로 발휘할 수 있던 직접성과 적응성 같은 것을 가지고, 독자들의 개인적 관심이나 그들의 보다 더 큰 사회적 관심에 호소하지 못하고 있다. 디킨즈의 소설을 빛나게 하고, 그의 소설을 백 년 동안에 걸쳐 문명사회에 있어서의 복지를 위한 현실적인 힘으로 만든 사회적 불의(不義)에 항거하는 열정은, 그가 풍자한 특수한 제도와 악폐(惡弊)가 사라지고 변하고 소원(疎遠)해짐에 따라서, 독자를 감동시키는 힘을 점점 더 잃어 가지 않을 수 없게 되어 있다. 적어도 우리들의 사회의 일부 사람들에게는 그런 불의에 항거하는 열정

● ● ●

13. twenty-five years.

그 자체가 시대착오적인 것이 되고, 비개화적인 과거에 속하는 — 따라서 이를테면 쏘련 같은 후진국에 속하는 — 감정이 아니겠는가 하는 것이 문제가 되기까지도 하고 있다. 또한 200년 이상에 걸쳐서 영국소설은 단 한 가지의 편견 — 말하자면 신사(紳士)가 되려는 것 — 밑에서의 초조(焦燥)라고도 이해될 수 있다. 사회적, 도덕적, 개인적, 성적 혹은 정치적 문제가 이 문제와 무관하지 않고, 또한 이 문제에 의해서 초점이 맞추어지지 않을 수 없다. 사실상 신사라는 것이 영국소설의 주요한 국면을 좌우하는 족장적(族長的) 존재라고 해도 과언이 아닐 것이다. 미국에서는 신사라는 관념이 자연히 그러한 단체적인 조직의 힘을 발휘하지는 못한다. 그러나 최근까지는 오늘날 필요하다고 생각되는 역사적 해설의 작품 — 현재 속에서 과거와 비슷한 것을 발견하는 작품 — 을 기도함이 없이 그러한 존재를 논의할 수 있을 만한 충분한 계급 감정이 남아 있었고, 그보다도 더 중요하다고 생각되는 충분한 계급의 기억이 남아 있었다고 말할 수 있다. 영국에 있어서도 이 문제는 적어도 비교적 많은 관심을 주는 오늘날의 소설가들에게는, 인연이 먼 진부한 것으로 되고 있다. 그러나 그 신사가 마침내 그의 마지막 찬사를 자연에게 바쳤다면 우리들은 그가 — 고(故) 엘리아[14]처럼 — 머나먼 무덤의 저쪽에서 그의 유별난 통신을 계속해서 보내주게 될 것이라고 믿을 수 있을 것 같다. 그런 글[15]의 해학(諧謔)은 아주 없어지면 섭섭할 것이다.

이와 마찬가지로 19세기의 이데올로기적 생활은 불란서혁명에 의해서 다스려졌다. 이 대변동 — 그것은 매슈 아아놀드가 간단하게 말하고 있듯이, 인류 역사상의 가장 위대하고 가장 고무적인 사건이었다 — 의 거역할

14. [역주] 고(故) 엘리아: 찰즈 램의 필명. 그는 유명한 『셰익스피어의 이야기』의 저자이며, 그의 이름을 후세에 남긴 『엘리아 수필집』은 근대 수필의 모범으로 되어 있다.

15. [역주] 그런 글: 램의 수필을 가리키는 것이다.

수 없는 힘 밑에서 19세기의 소설은 그의 특징적인 형태를 갖추게 되고, 그의 특징적인 주제를 발전시켰다. 그 주제는 개인과 권위와의 관계, 즉 확립된 사회와 개인의 권력에 대한 개인의 관계였다 — 불란서혁명 그 자체가 주제가 되었다고도 말할 수 있다. 따라서 위대한 19세기 소설가들의 이 문제에 대한 — 또한 이 문제가 날카롭게 겨누어지고 있는 사회에 대한 — 태도는 가장 중요한 점에서 고도한 예술의 창조에 유리한 태도라고 생각된다. 그것은 열정적인 모순과 이율배반의 태도였다. 제인 오스틴과 도스또예프스끼, 스탕달과 디킨즈, 플로오베에르와 헨리 제임스에 나타난, 사회가 비평되고, 증오되고, 조소(嘲笑)와 혐오로 간주되고, 살아남을 가치가 없는 것으로 판단되는 그 깊이는 시종일관 절망적인 애정과 사라져 가는 낡은 가치에 대한 향수와, 현존하는 세계를 그의 썩은 영광과 혼합시켜보려는 애처로운 연약한 소망으로 감응되고 있다. 20세기 초엽의 19세기와의 계속은, 현대 작가들의 금세기 초엽의 두 개의 대사건 — 제1차 세계대전과 러시아혁명 — 에 대한 태도가 동일하게 애증병존적(愛憎竝存的)인 것인가를 곰곰이 생각해 볼 때, 뚜렷해진다. 그러한 태도는 이제 가능하지 않다고 생각된다 — 우리들은 이러한 태도의 원인이 러시아혁명의 '배반'(결국 불란서혁명의 특성의 태반이 그의 '배반'과 관계를 갖고 있었다)이나 제2차 세계대전의 성격에 있다고 확신을 가지고 말할 수는 없지만. 역시 그러한 태도의 계속에 차단(遮斷)이 생겼다는 것은 틀림없는 일이라고 생각된다.

그러나 19세기와 20세기 초엽의 소설의 역사적 성격에 있어서의 이러한 불가피한 변화를 순전한 손실로만 생각하는 것은 잘못일 것이다. 켈프 교황당과 키벨린 황제당과의 싸움[16]이나 랭커스터 왕가와 요크 왕가[17]의

• • •

16. [역주] 켈프 교황당과 기벨린 황제당: 켈프 교황당은 이탈리아 중세의 교황 옹호파로서, 도이취 황제(호엔시타우펜가(家))와 신성로마 황제의 선출 문제와 교황교권 신장책을 둘러싸고 싸웠다.

싸움은 어떤 직접적인 이해관계에 관여되는 한에 있어서는 우리들에게서 영원히 사라져 버렸다. 또한 『악령』[18]에 나오는 토론이나 '종교재판소장'의 삽화[19]가 『공화국』[20]이나 『가르깡뛰아와 빵따그뤼엘』[21]에 나오는 토론과 다른 종류의 것으로 보이지 않게 될 날을 우리들은 감히 예측할 수는 없지만, 역시 이것은 어느 날이고 반드시 그렇게 될 것이다. 일부의 작가들에 대해서는 그러한 변화가 확실히 구원의 길을 열어 주게 될 것이다. 키플링이 적절한 그 일례(一例)다. 약 30년 동안을 두고 키플링은 안정된 비평적 평가의 견지에서 거의 근접할 수 없는 존재였다. 그의 작품에 대한 가장 우수한 평론 — 에드먼드 윌슨과 조오지 오웰의 평론 — 까지도 칭찬하는 말만은 극히 꺼리고 있다. 그러나 어느 날이고 키플링의 제국주의는, 버이질의 제국주의가 『에네이스』[22]에 대한 우리들의 태도에 관계를 갖고 있는 것보다도 좀 더 큰 관계를 그에 대한 독자의 감정과 맺게 될 것이고, 독자들은 키플링의 간헐적(間歇的)인 민족주의적 신념을 발작의 왕정주의나 도스또예프스끼의 범(汎)슬라브주의를 이해하듯이 수월하게 이해하게 될 것이다. 오늘날의 신조와 열정이 역사 속으로 후퇴하게 되는 그 먼 후일에 키플링의 작품은 다시 나타나게 될 것이다 — 그 작품들의 용모나 비중은 오늘날 생각되는 것하고는 딴판으로 보이게 되겠지만. 또한 판단을 보류하는 것이 한결 안전한 일이기는 하지만, 그렇게 되면

● ● ●

17. [역주] 랭커스터 왕가와 요크 왕가: 영국 중세의 왕가. 이 두 왕가는 장미전쟁에서 왕위 계승을 다투었다.
18. [역주] 『악령』: 도스또예프스끼의 소설.
19. [역주] '종교재판소장'의 삽화: 도스또예프스끼의 소설 『카라마조프의 형제』에 나온 삽화.
20. [역주] 『공화국』: 플라토의 국가론.
21. [역주] 『가르깡뛰아와 빵따그뤼엘』: 프랑소아 라블레의 작품 『가르깡뛰아 이야기』(1534)와 『빵따그뤼엘 이야기』(1532)를 말함.
22. [역주] 『에네이스』: 버어질의 필생의 대작으로 로마제국 통일과 결부된 위대한 국민적 서사시(기원전 30-19).

『킴』이나 『정글북』[23]은 영어의 소고전(小古典)으로 인정을 받게 되리라는 것을 추측할 수도 있다. 그렇게 되면, 우리들이 말하고 있는 것처럼, 그의 작품들은 예술작품으로서 정당한 인정을 받게 되는 것이다.

바야흐로 우리들은 사실상 현대문명이라는 이름으로 통하는 도덕상의 하수구로부터 제 사물(諸事物)을 들여다보고 있는데, 이런 형편에서 그런 확언을 한다는 것은 분명히 올림퍼스 산에서 제 사물을 내려다보고 있는 것같이 생각될 위험성이 다분히 있다. 소위 초연한 태도는 비평적인 미덕이며 필요물(必要物)이지만, 그러나 그런 초연한 태도로 집착해야 할 일점(一點)이 있다. 비평가가 아무리 초연한 존재라 할지라도, 그는 그 자신의 시대 속에 살고 있다. 그는 그 자신의 시대를 마음대로 비탄할 수도 있고 비난할 수도 있지만, 그러나 비평가로서 그는 마음대로 그의 시대를 포기하거나, 혹은 그의 시대의 소란이나 혼란 — 페리클레스시대의 희랍의 영광스러운 소란이나 문예부흥기의 이탈리아의 화려한 혼란 같은 것이 아닌 소란이나 혼란 — 이 단순히 일시적인 구경거리에 지나지 않는다고 주장할 수는 없다. 그는 제멋대로 과거나 미래의 다른 시대에 더 높은 등급의 실재성을 요구함으로써 그의 시대를 반역하는 주교 노릇을 할 수는 없다. 이것은 특히 모든 지고(至高)한 예술형태 중에서 소설이 가장 덜 '예술적'이고, 직접성과 연루성과 호소력 같은 그의 비예술적인 힘에 가장 많이 의존해 왔다는 것을 충실하게 상기하지 않으면 아니 되는, 소설의 비평가의 경우에 해당하는 말이다. 어느 의미에서는 소설은 헐거운 끝머리가 고르게 매듭이 지어질 수 없는 인생의 묘사라고 말할 수 있을 것이다. 이러한 생생한 경험과의 동연성(同延性)은 사실상 소설가의 전통적인 자존심의 중심점으로 되어 있다. 헨리 제임스에게까지도 그것은 자존심의 중심점으로 되었다. 그러니까 소설은 그의 변천하는 역사적 보증 속에서 그것이 직접적이며 시사적인 경험과의 연관을 상실하는 정도에 따라서 예술작품

• • •

23. [역주] 『킴』, 『정글북』: 둘이 다 키플링의 소설.

으로서 이득을 보게 된다고 흔히 생각될 수 있다. 또한 동일한 과정은 모든 예술과 모든 형식의 문학에서 일어나는 일이지만, 소설은 대체로 그 과정에 의해서 가장 많은 것을 상실하게 된다. 그것은 그의 기원과, 그의 역사적 발전과 형태로 인해서, 또한 그의 독자와의 관계로 인해서, 가장 많은 것을 상실하게 된다.

내가 말하려고 하는 두 번째의 논점은 과거의 위대한 소설과 오늘날의 소설이 읽혀지게 된 새로운 협정이라고 내가 말해온 것에 관계되는 것이다. 지난 20년 동안에 소위 '뉴크리티시즘'이란 것이 완전하고 결정적인 교화 작업을 해온 것을 우리들은 간단히 관찰할 수 있다. 정독(精讀)의 기술과 시의 자구(字句)의 분석은 원래가 2중의 관심에서 발전했다 — 소멸된 영시의 중요한 전통을 현재를 위해서 되찾아보려는 관심과, 그런 정통과 최초로 관계를 맺은 새로운 현대시에 대한 관심이 그것이다. '뉴크리티시즘'은 영국과 미국에서 문학을 읽는 본질과 가르치는 본질을 극적으로 변경시켰던 것이다. 그것은 혁명을 자아냈고, 성공적인 혁명의 운명을 허용해 왔다 — 제도화와, 낡은 정반대의 사고방식과의 융합과, 전반적인 세력의 희박화(稀薄化) 등. 따라서 우리들의 대학의 문과나 우리들의 대학의 지적 생활의 분위기조차도 '뉴크리티시즘'에 의해서 개선되지 않았다는 것을 맑은 정신으로 부정할 비평가는 한 사람도 없을 것이라고 생각된다. '뉴크리티시즘'적인 고안이 최근에 소설로 옮겨져 왔다는 것은 뚜렷이 알 수 있는 일이다. '뉴크리티시즘'의 아류(亞流)들 — 새로운 기교파라고 부를 수 있을 것이다 — 의 수중에서, 현대소설은 모든 그의 놀라운 균형을 갖추고, 그의 독아(毒牙)를 뽑고는 또 하나의 아카데미의 얼룩고양이로밖에 되지 않았다고 보이는데, 이런 사실과 같은 발전은 예기할 수 있었던 일이다. 만약에 소설이 그 자신의 우아(優雅)와 제한을 발전시키지 못했다면, 역시 지난 20년 동안에 일어난 일은 그다지 간단하게 이해할 수 있는 일이 아닌 것 같다.

II

지난 20년 동안에 영국과 미국에서 씌어진 흥미 있는 소설을 자세히 살펴볼 때, 몇 가지의 임상적인 특징이 뚜렷이 나타나는 것 같다. 사소하게 보이는 일부터 우선 말해 보자면, 소설의 길이가 대체로 줄어든 것을 관찰할 수 있다. 물론 몇 개의 예외는 있지만, 최근까지만 해도 항용 소설의 최적의 길이는 한 300페이지 내외였다. 오늘날은 이 한계가 200페이지로 줄어들었다. 이러한 부피의 축소는 반드시 본질적인 내용의 감소를 의미하는 것은 아니다. 그것이 가리키는 것은, 유관한 가외의 일을 조직적으로 골라 버리고, 압축에 대한 엄격한 노력을 하고, 형식을 통해서 주제를 극적으로 감축시키는 방향으로 기술을 집중시키고 있는 일이라고 생각된다. 지난 20년[24] 동안에 영국에 나타난 가장 흥미 있는 상상력이 풍부한 소설가인 윌리엄 골딩의 작품에, 이러한 발전이 현저하게 나타나 있다.

골딩이 시인으로서 출발했다는 것은 우연한 일이 아닌 것 같다. 그가 최초로 내놓은 책은 시집이었다. 그의 소설은 모두가 말하자면 환상의 구조 — 이보다 더 적합한 말이 없어서 이렇게 말한다 — 라고 부를 수 있는 것을 발전시키고 있다. 그의 소설은 공간과 시간 속에 상당히 불안정하게 떠 있다. 그것들은 모두가 역시 비유나 우화같이 보인다. 또한 그것들은 차차 내면적이고 서정적인 색채가 진해졌다. 골딩의 산문은 분투적(奮鬪的)이고 간결하고 모가 지고 극도로 비틀어지고 생략적이다. 그러나 버지니아 울프나 헨리 그린에서 흔히 보아온 것과 같은 그런 종류의 것과 혼돈해서는 아니 된다. 이 두 작가는 고도로 '시적'인 소설가적 감성을 가진 사람들이다. 이들의 작품의 특징은, 우연히 관계되는 사건들이 그 속에서 정합되는 매개체로서의 작용을 하는, 단순하고도 날카로운 감응을

24. 원문은 "the last decade and a half".

보이는 감성의 특징이다. 그러나 이런 점에서는 헨리 그린의 작품은 분명히 분열된 기도로 고통을 받고 있다. 그가 순전히 우연한 것을 달성하려고 하는지 혹은 단순히 창시적인 것을 달성하려고 하는지 의심스러워질 때가 많다. 그의 소설 중의 일부는 형태가 없는 것이거나 혹은 순전히 우연한 형태를 가진 것이다. 그런 작품들은 전형적으로 전후의 연결을 종잡을 수 없고, 때에 따라서는 시초와 중간과 종말의 분간을 할 수 없는 것들이다. 그린이 그의 재료에 형태를 부여하려고 할 때에는, 『무(無)』에서 볼 수 있듯이 그 결과가 형태 자체에 대한 희롱이나 풍자가 되어 버리거나, 혹은 『흑(黑)』에서처럼 횡포를 부리고 앞에 나온 것들을 파괴해 버리게 되는 수가 많다. 그러나 찬란하고 생생한 기술(記述)을 달성하고, 소설을 재래적인 협정의 고역에서 해방시키려는 그의 노력에도 불구하고, 그린의 작품은 역시 재래의 전통에 속해 있다. 그의 작품은 전통적인 소설가의 감성을 극단적인 붕괴의 양상 속에서 나타내고 있는 것이다.

골딩의 소설은 이런 특질을 거의 갖고 있지 않다. 그의 소설은 엄밀하게 조직되고 무겁게 통제되어 있다. 그것들은 공연히 독자를 괴롭히는 일이 거의 없다. 그의 작품 속에 나타난 자유나 자연발생적인 것은 모두가 극시(劇詩)에서 볼 수 있는 것과 같은 자유와 비슷하다 — 그것은 교묘하게 완성된 착상(着想)의 결과이며, 변증법적으로 그 착상을 지적하고 있고, 그것이 성공한 경우에는 그 착상을 도웁고 살찌게 한다. 골딩의 소설에서는 이런 자랑스러운 절대적인 목적을 위해서 조그만치라도 봉사하지 않는 부분적인 산문의 사소한 기술이나 구절 같은 것이 거의 하나도 없다. 콜리지가 워어즈워어드의 '실제성'과 '우연성'을 시의 본질에 위배되는 것이라고 해서 반대했을 때, 그는 그것들이 산문이나 전기작자나 소설가의 특징이라는 것을 시사했던 것이다. 그런데 골딩의 소설은 이러한 비난을 모면하고 있다. 그러니까 그것을 볼 때 그는 소설가로서는 점수가 깎이지만, 시인으로서는 워어즈워어드보다도 낫다는 말이 된다. 비평적 이론을 적용하거나 역사의 관습에서 보면 이렇게 된다.

골딩의 처녀작 『파리들의 왕』은 장래의 어떤 비특정적인 시간의 남쪽 바다의 상상적인 고도(孤島)가 장면으로 되어 있다. 원자전(原子戰)이 시작되었고, 고도의 주민은 영국에서 소개해온 소년들뿐이다 — 그들의 비행기는 불시착을 하고, 승무원들만이 죽은 것 같다. 소설의 사건은 소년들이 고도의 생활을 함께 이어 가려고 일을 시작하는 모습에 대한 것이다. 거기에는 문명사회의 관습과 구속과 금기가 차차 없어져 가는 모습이 생생하고 날카롭게 자세한 데까지 그려져 있다. 소년들이 스스로를 파괴하는 세계에서 구원되어 나왔다는 사실이 배후에 깔린 풍자적인 선택으로 되어 있다 — 따라서 그것이 보이지 않는 침묵의, '격노(激怒)의 합창'의 효과를 갖고 있다. 준엄하게도 소년들은, 그들이 그렇게 해야 할 아무런 외부적인 필요성이 없는데도 원시적인 사고와 신념의 습관과 원시적이며 야만적인 풍습으로 되돌아간다. 이런 관계에서 보면 골딩은 아마 현대의 인류학과 정신분석학의 발견과 이론을 완전히 자연스럽게 사용한 최초의 영국 소설가라고 말할 수 있다. 그런 것들이 완전히 그의 경험의 환각에 동화되어 있다. 그러나 그것들은 시적 개념에서 작용하고 있고, 이 논문에 서두에서 언급한 것과 같은 명백한 의미의 사상으로서 작용하고 있지 않다. 거기에는 어째서 그것들이 그렇게 되어야 하는가 하는 절박한 이유가 없는 것 같다.

『파리들의 왕』의 끝머리에서, 그리고 여러 가지 무서운 일들이 발생한 뒤에, 소년들은 구출된다. 그들을 재빨리 고도에서 구출해내려고 도착한 해군장교는 사정을 알아차리고, 심각한 충격을 받은 목소리로 중얼거린다. "나는 영국 애들이 한 떼가 — 너희들은 모두 영국 애들이지? — 이보다 좀 더 근사한 쇼를 보여줄 수 있을 줄 알았어 — 나는 말이야 —." 그러더니 그는 말끝을 어물어물 흐려 버린다. 이 마지막 페이지의 극단적인 풍자는 소설의 초점을 옮겨 놓고, 이야기가 몇 행으로 말할 수 있는 의미를 따라서 발전해 왔다는 것을 우리들에게 상기시킨다. 골딩의 소설의 결말은 사실상 수많은 시의 결말처럼, 우리들의 주의를 방금 완성된 작품 위로 돌리고,

우리들에게 그것을 관조(觀照)할 수 있는 또 하나의 수단을 제시한다. 그러나 『파리들의 왕』은 골딩의 가장 '소설적'인 소설이다. 그것은 또한, 사회라는 것이, 분명히 정신이상에 걸린 자기파멸적인 것이지만, 역시 필요한 것이라는 것을 암시하는 내가 알기에는 상상적인 독창성을 발휘한 유일한 최근의 소설이다. 그러나 그러한 두드러진 신선미와 진지성(眞摯性)에도 불구하고, 이 소설이나 골딩의 다른 작품에 나타난 그의 사회의 개념은 초보적이고 제한되고 이상하게 추상적인 것이다. 골딩의 소설에서는 우리들이 알고 있는 것과 같은 사회는 대부분이 관념으로 되어 있고, 그 대신에 전사회적인 것과 후사회적인 것이 영구적인 현실로 되어 있다.

『파리들의 왕』의 후사적(後史的)인 장래에서 골딩은 선사적인 과거로 방향을 돌렸고, 그의 두 번째의 소설 『계승자』는 선사시대의 생물의 가족에 관한 것이다. 그런 착상은, 잘못하면 가소로운 감상적인 것으로 떨어져 버릴 위험성이 있기 때문에 매우 대담한 것이다. ('야후'의 입장에서 씌어진 『걸리버 여행기』의 마지막 권이 어떠한 것이 될 것인가를 생각해 보라. 또한 다음에는 '후이남'의 입장에서 쓰인 동권(同卷)이 어떤 것이 될까를 생각해 보라).[25] 그가 이 이야기를 믿을 만한 감동적인 것으로 만들고 있는 것은 그의 예술적인 진지성과 대가적인 솜씨 때문이다. 그의 고대의 '인민'의 무리들은 자칭 식량수집부들이며, 초보적인 언어밖에는 갖고 있지 않고— 일종의 집단의식을 갖고 있는 듯이 보이지만— 단편적인 기억력밖에는 갖고 있지 않고, 비침략적이고, 애정이 많고, 급진적인 의미에서 천진난만하다. 그들은 원시적 공예품과 무기와 기술과 술을 갖고 있고, 그로 해서 야만인들을 근절하는 일을 계속하는 다른 집단의 종족들과 접촉을 하게 된다.

예기할 수 있었던 일이기는 하지만, 선사시대의 종족들이 우리들의

• • •

25. [역주] 야후, 후이남: 스위프트의 『걸리버 여행기』에 나오는 짐승으로서, 야후는 사람 모양을 한 짐승이며, 후이남은 사람과 같은 이성을 갖춘 말.

조상이며 우리들 자신이며 인간인, '계승자'에 의해서 근절 당한다는 것을 알게 될 때, 역시 우리들은 일종의 동요감(動搖感)을 느끼게 된다.

골딩의 세 번째의 소설 『크리스토퍼 마틴의 두 번의 죽음』(영국에서는 『핀처 마틴』이라는 제명으로 출판되었다)은 이런 역사적이며 순간적인 방향[26]으로 한층 더 멀리 발전하고 있다. 이 소설은 격파당한 구축함에서 북대서양의 바다 속으로 몸을 던지고, 바다 한가운데의 한쪽의 발가벗은 바위 위로 물결에 밀려 오르게 되고, 거기에서 그을려서 병이 들고 첨망증(瞻忘症)[27]과 정신이상에 걸리게 된 사나이에 대한 것이다. 정신이 붕괴해 감에 따라, 그의 과거의 단편이 쌓여서 의식에 떠오르게 되고, 그의 생애의 연대기적인 형상은 식별되지 않지만 그의 기억 속에서 집요하게 떠오르는 어떤 영상과 상징들이 낯익은 종류의 기분 나쁜 특성을 노출하고 있다. 드디어 그는 폭풍에 휩쓸려서 바위에서 떠내려가 버리고 바다에 빠져 죽었다고 추측된다. 그런데 이 이야기의 마지막 장은 모든 사건을 다시 역전시키게 된다. 마틴의 시체는 바닷가에 밀려 오르게 되고, 그가 처음에 바다에 빠지고 나서 조금 후에 벗겨져 없어진 줄 알았던 수부화(水夫靴)를 그가 여전히 신고 있다는 것을 알게 된다. 갑자기 전편의 소설이 익사하는 사람의 마음속에서 일어나는 듯이 보이고, 약 200페이지에 달하는 구명과 추억과 광기에 대한 이 정밀하게 완성된 이야기는 첫 페이지에 나오는 처음으로 그가 물에 빠지는 감동적인 순간과 마지막으로 광란하는 기억과 감동이 꿈틀이는 순간 — 그 동안의 시간적 간격이 아무리 짧다하더라도 — 사이의 간격을 채우고 있다.

『크리스토퍼 마틴의 두 번의 죽음』은 인상적인 작품이기는 하지만, 골딩의 처녀작[28]보다는 덜 성공적인 것이라고 생각된다. 그리고 그 결말이

• • •

26. "역사적이며 순간적인 방향"의 영어 원문은 "a-historical, a-temporal direction"이다. '무역사적이며 영원한 방향'이라는 번역이 자연스럽다.

27. 섬망증(譫妄症)의 오식. "delirium"의 번역이다.

단순한 트릭이 아니라는 것은 지극히 분명하지만, 거기에는 아무래도 무슨 커다란 트릭 같은 것이 있는 것 같다. 그것은 지나치게 기술과 형태에 의존하고 있는 것 같은 감을 주고, 마치 기술이나 형태가 결국은 지적 작품을 꾸밀 수 있다는 듯한 인상을 주고 있다. 그것은 우리들에게 소설사의 초보적 국면에서 콘래드나 포드가, 어떤 도덕적 판단의 난관에서 벗어나야 할 필요가 있을 때, 가끔 약삭빠른 각도의 조작에 의존한 모습을 연상시킨다. 그러나 그것은 그보다도 더 한층 우리들에게, 시인들이 때때로 그들이 활동을 시작한 일을 시의 종말에 가서 그 시를 전복시킬 만한 새로운 고찰을 소개함으로써 해결하려고 들거나, 전체의 기획을 의심스럽게 하거나 모호하게 하는 어떤 질문을 발하려고 하는 모습을 연상시킨다.

골딩의 네 번째의 가장 최근에 나온 소설 『자유로운 타락』은 새로운 방향으로 길을 돌리고 있다. 그것은 여전히 직접적인 경험의 시현(示現)을 위해서, 의식과 무의식의 과정을 동시에 독자 앞에 내보이기 위해서, 또한 과거와 현재를 공존하는 것처럼 묘사하기 위해서 대가적인 의장을 이용하면서, 사뮤엘 마운트죠이라는 이름의 미술가의 개인의 생애를 취급하려고 시도하고 있다. 그런데 계속적으로 발전해나가는 복잡한 개인에 대한 묘사는 결국은 골딩이 감당해낼 수 없는 노역이라는 것을 알게 된다. 그의 상상력은 우리들이 알고 있는 것과 같은 사회를 둘러쌀 수 없는 듯이 보이고, 또한 우리들이 발전하고 있거나 발전적이라고 생각하고 있는 이러한 부분의 경험이 사회의 경험과 떨어져서는 거의 취급할 수 없는 것이기 때문에, 그는 실패하고 있다. 어느 의미에서는 그런 부분의 경험은 우리들의 사회의 경험인 것이다. 그 때문에 『자유로운 타락』의 주제는 발전으로 되어 있지만, 그의 양식은 본질적으로 불연속적이고, 그것이 꾸며진 불연속적인 삽화가 항성(恒星)의 어둠 속에서 유동하고 있다. 그것은 마치 워어즈워어드가 블레이크의 예언적인 시집의 양식으로

28. 영어 원문은 "처녀작"이 아니라 "첫 두 작품"이다.

『서곡(序曲)』을 쓰려고 하거나, 디킨즈가 『워트』의 양식으로 『데이비드 카퍼필드』를 쓰려고 한 것 같은 인상을 준다. 그러나 골딩이 이 소설에서 실패를 했다고 해서 그의 작가적 신용이 실추했다고는 볼 수 없다— 왜냐하면 그는 곤란한 성취를 위해서, 즉 전통적인 소설의 목적도 함께 만족시킬 수 있는 오늘날의 모더니즘 후기의 작품을 창조하기 위해서 분투했기 때문이다. 그렇지만 이 소설의 실패는 역시 그의 작품의 폭이 좁은 범위에 국한되어 있다는 사실을 시사하고 있기는 하다.

미국의 소설에 대한 이야기로 들어가기 전에, 나는 뮤리엘 스파크에 대해서 좀 얘기해야겠다. 『모멘토 모리』나 『페캄 리의 민요』나 『떠나가는 새』 같은 작품에 나타나 있는 것과 같은 그녀의 아담하게 짜인 높은 수준의 환상은— 골딩의 작품보다는 훨씬 얌전하고 진지성은 좀 덜하다고 하겠지만— 상기한 발전의 표본이라고 볼 수 있다. 그런데 그녀의 소설이 이상하게도 형이상적인 종교시를 닮았다는 말이 여지껏 그녀의 소설을 칭찬하는 의미에서 말해져 왔다. 만약에 존 단의 시가 이상하게도 현대소설과 닮았다는 칭찬을 받는 경우에, 우리들은 이 말을 존 단이나 시나 현대소설을 위해서 좋은 일이라고 선뜻 받아들일 수 있을 만한 준비가 그다지 되어 있지 않다는 대답이 나올 수 있을 것이다. 그러나 대조적인 의미에서, 종래의 소설의 관념에 충실한 킹슬리 애이미스나 앤거스 윌슨 같은 작가의 작품을 볼 때, 우리들의 오늘날의 상황의 유약성(柔弱性)의 의미가 다시 새로워진다.

미국에서도 이와 똑같은 경향이 존재하고 있고 우리들은 그런 경향의 가장 전형적인 예를 버나드 말라머드의 작품에서 찾아볼 수 있다. 말라머드의 처녀작 『자연인』은 명칭 상으로는 야구에 관한 것이다. 이 처녀작에서는 야구가 전설적인 종류의 행동으로 묘사되어 있다. 또한 『자연인』은 성배의 신화에 관해서 씌어져 있고, 특히 제세 웨스톤의 『의식에서 소설까지』와, 그 다음에는 엘리어트의 『황무지』를 주밀하게 체계적으로 참고로 해서 씌어져 있다. 이렇게 말하면 『자연인』이 문학적인 항아리 속에서 요리되어

나온 작품같이 들릴지 모르지만, 여기에 나오는 인유(引喩)는 결코 주제넘게 보이지는 않고 — 작품의 중심에 무슨 몽롱하게 식별될 수 없는 것이 있기는 하지만 — 전반적으로 신선하고 솔직하게 읽혀질 수 있다.

말라머드의 두 번째의 소설 『점원』은 대공황 중의 브루클린에 있는 어떤 잡화상에서 일어나고 있는 일이기는 하지만, 역시 우리들이 말하는 경향의 전형적인 작품이다. 이러한 거센 사회적인 사실들이 '연약'의 특제품이기나 한 것처럼, 작가에 의해서 극도로 섬세하고 용의주도하게 다루어져 있다. 또한 관찰된 일에 대해서 노련한 솜씨를 발휘하면서, 말라머드의 작품에 나오는 유태인들은 실제적인 유태인의 역사적 성격과는 완곡한 특수한 관계를 지니고 있다. 말라머드는 그들을 그들의 역사적 환경에서 추출해내서, 시적이고도 신화적으로 그들을 다루고 있다. 『점원』의 주제는 역시 신화적이며, 사실상 오늘날까지 모든 말라머드의 소설의 주제로 되고 있는 것이다. 이러한 소설들은 재생의 경험에 대한 것들이다. 어느 작품에서나 나이보다 늙어보이는 청년이 나오고, 초년에는 어둠 속에 갇히어서 실패의 음산하고 비극적인 경험을 하다가, 그는 그의 생애를 보람 있는 것으로 하고, 나쁜 세평(世評)의 과거를 보상할 수 있는 제2의 기회를 갖게 되다. 이런 점에서 볼 것 같으면 골딩의 작품과 말라머드의 작품과의 사이의 유사성은 이상한 변증법적 색조를 띠고 있다. 골딩의 소설은 모두가 퇴화와 붕괴와 죽음의 경험을 다루고 있는 데 반해서, 말라머드의 작품의 뒤에 있는 상상적인 충동은 고통을 통한 속죄(贖罪)와 부활의 관념에 속해 있다.

골딩의 『자유로운 타락』처럼, 말라머드가 최근에 발표한 세 번째의 소설은 그의 초기 작품이 회피하고 있던 경험의 분야를 다루려고 시도하고 있다. 『새로운 생활』에서 말라머드는 지방대학의 생활을 묘사하고, 그의 부조리하고 비현실적인 특성을 기록하려고 시도하고 있다. 그런데 그는 그러한 대학의 진부한 현실을 그의 마술적인 왜곡(歪曲)된 거울 속에서 변형시키지 않고, 다만 대부분의 시간을 단조롭게 기록하려고만 하고 있다. 그러니까 학원사회의 생활이 두 말할 것도 없이 환상적으로 되고, 그에 대한 환상이나 야만성이나 놀라울 만한 비실재성이 그의 일상적인 생활을 구성하는 대부분의 우울하고 단조로운 사소한 일들에서 생겨나고 있다. 학원생활의 악몽은 그의 무서운 통속성과 불가분리의 관계에 있다. 과거에는 이러한 산문적인 것 — 사회 그 자체 — 의 환상곡은 소설가의 커다란 기쁨거리였다. 그런데 말라머드에 있어서는 포착하기 어려운 것이 바로 평범한 일상적인 현실인 것 같다. 그의 고도로 발달된 특수한 재간은 환상적인 것이 형태를 따오는 실제적인 사실을 좀처럼 재생시키지를 못하는 것 같다 — 거의 언제나 그의 반대되는 일(즉, 실제적인 사실이 실현되는 환상적인 것을 묘사하는 일)은 훌륭하게 잘할 수 있는데. 말라머드의 소설은 이런 심각한 관심을 빼어놓고는 존재할 수 없는 것이지만, 『새로운 생활』 중에서 가장 인상적이고 가장 '실재적'인 부분은 비교적 개인적이고 은둔적이며 내면적인 관계의 것들이다.

말라머드의 최초의 두 편의 소설은 잘 짜여진 짤막한 것이고, 그의 가장 우수한 작품의 일부가 단편소설을 매체로 해서 완성되었다는 것은 우연한 일이 아니다. 그의 유명한 「마술통」은 산문으로 씌어진 일종의 서정시다 — 이렇게 말함으로써 나는 그 작품이 소설로서 덜 되었다는 말을 하려고 하는 것은 아니다. 말라머드의 소설을 조이스의 작품과 비교해 보면, 내가 말하려는 구별이 당장에 뚜렷이 나타난다. 『더블리너』의 이야기들은 흔히 형태적인 시적 원칙에 따라서 구성되었다고 말해지고 있고, 조이스의 침례(浸禮)의 개념은 이러한 해석을 지지하기 위해서 정당하게 이용되고 있다. 그러나 『더블리너』의 산문은 이러한 관점에 거역하고 있다. 그 산문은, 거칠고 평면적이고 보편적이고 고의적으로 억양을 넣지 않은 점에 있어서, 독자에게 비개성적인 투박한 힘을 안겨주고, 그 자신에 대해서는 다만 산문으로서밖에는 주의를 환기시키지 않고, 그 자신을 자연주의적 전통과 일치시키고 있다. 조이스 자신은 그것을 '세심하고 인색한 양식'이라고 불렀다. 또한 이러한 작품의 일부에 나타나 있는 위대한 시적 도약과 채색은 그의 산문의 공격적이며 비시적인 주장에 의해서 상당한 정도로 생기를 띄우고 있다. 이와 동일한 관찰은 카프카의 작품에 대해서도 할 수 있다. 그런데 한편 말라머드의 작품에 있어서는 산문이, 인색하기는 하지만, 서정적인 방법으로 인색하며 품위 있게 은유로 이루어져 있고, 작가가 생각하는 시적 의도가 담겨져 있는 종류의 것이다.

미국에 있어서의 이러한 발전의 또 하나의 예는 플래너리 오커너의 작품에서 발견될 수 있다. 주제와 양식과 구성에 있어서, 오커너 양의 남부에 있어서의 원시적 종교와 폭력에 대한 환상적인 이야기는 이러한 소설의 경향에 속해 있다고 생각된다.

그런데 나는 여기에서 이러한 관찰에 무슨 함축이 있는 것같이 보이려고 하는 것이 아니라는 것을 밝혀두지 않으면 아니 된다. 얼마간의 중요한 작가들은 이런 관찰이 제출하는 일반적인 증명에 의해서 설명될 수도 없고, 이해될 수도 없다. 이를테면 사울 빌로우[29] 같은 상당한 폭의 현저한 재간을 가진 작가는 여러 가지의 상상적 양식에 능통하고 있는 오늘날의 극소수의 소설가 중의 한 사람이다. 그런데 빌로우의 뛰어난 재간이 가장 충분히 실현되고 있는 작품인 그의 가장 우수한 소설은 내가 여태까지 논해 온 종류의 소설을 가장 많이 닮은 소설이다. 그의 웅장한 짧은 작품 『그날을 잡아라』는 현재의 전후관계에서 볼 것 같으면 비참한 준칙을 증명하는 예외의 작품으로 생각될 수 있을 것이다.

III

이런 발전이 전혀 새로운 것이 아니라 소설의 전통에 그의 뿌리를

29. 솔 벨로(Saul Bellow, 1915-2005). 미국의 작가.

갖고 있다는 것은 충분히 뚜렷한 일일 것이다. 그러나 이런 종류의 소설이 여태까지는 이렇게 두드러지게 소설의 분야의 일부를 점유한 일도 없었고, 이렇게까지 크게 우수한 작가들의 비례를 요구한 일도 없었다. 내가 언급하고 있는 소설가들은 활기와 지성을 갖춘 작가들이며, 따라서 나는 그들의 업적을 비방할 생각은 없고, 그에 대한 독자의 존경에 실망을 줄 생각도 없다. 그러나 그들이 다만 단조(短調)라고 판단될 수 있는 것으로 쓰고 있다는 것은 인식되지 않으면 아니 된다고 생각하고 있다. 그들의 작품을 다른 그보다 못한 작가의 작품과 구별하는 형태의 정묘(精妙)와 억제와 타당성이 바로 또한 그 작품들을 소설의 주류적 전통을 이루고 있는 것으로부터 분리시키는 데 도움을 주고 있다. 만약에 내가 말하고 있는 유형의 소설이 동일한 활기의 흔적을 보인, 전통적이거나 혹은 동등하게 혁신적인, 다른 유형의 작품과 오늘날 널리 경쟁을 하고 있다면, 상황은 전혀 달라질 것이다.

그런데 뚜렷한 일은 소설의 전통에 균열(龜裂)이 생기고 있는 듯하다는 것이다. 그 균열이 생긴 시일이나 또는 그것이 계속되는 이유에 대해서는 물론 의견이 구구하겠지만, 최근에 와서 중단이 생겼다는 사실에 대해서 의심을 품는 사람은 별로 없을 것이다. 그런 중단은 소설의 독자에게 영향을 줄 정도로, 또한 소설 구매의 사회학이라고 생각될 수 있는 것에 변화를 가져올 정도로, 오랫동안 존속되어 왔다고 할 수도 있다 — 영국만큼 지적인 2류의 소설의 확고한 전통의 이익을 갖고 있지 않은 미국에서는 적어도 그렇다.

이 점에 관해서, 나는 나의 개인적인 경험에서 얻은 것을 말하고 싶다 — 왜냐하면 나는 교사로서의 나의 의무를 수행하면서 소설 구매층에 있어서의 변화라고 생각되는 것을 처음 깨닫게 되었기 때문이다. 최근 3, 4년 내로 나의 교실에서, 나는 현대소설에 나오는 어떤 일과 비교하고 대조함으로써 어떤 요점을 설명하려고 할 때 이상한 반응이 오는 것을 느끼게 되었다. 아니 오히려 나는 아무 반응도 받지 못했다고 말하는 편이 옳을 것이고, 사실상 최근의 나의 학생들은 그들의 선배들과는 달리 현대소설의 일반적인 범위나 전적(典籍)에 대해서 변변히 아는 것이 없었다. 나는 내 자신을 양심적인 교사라고 생각하고 싶기 때문에 — 다시 말하자면, 나는 학생들이 새로운 신비스러운 태도로 반응을 보이고 있을 때에는 용기가 생긴다고 생각하고 있다[30] — 이 문제에 대해서 비조직적인 조사를 해 보았다. 내가 알게 된 것은 나의 학생들 — 이들 최상급반 학생들은 거의 전부가 문학과 관계있는 직업을 택하고 있었다 — 이 사실상 소설을 읽고 있지 않다는 것이다. 그들이 읽고 있는 소설은 대체로 영문학 시간에 읽어오라고 지정한 것이거나, 역사나 사회학 같은 다른 분야의 연구를 위해서 부수적으로 읽어오라고 지명한 것들이다. (인디아나대학의 문과 졸업반 학생들에게 동일한 조사의 투표를 실시해 보았을 때 동일한 결과가 판명되었다는 것을 부언해둔다. 또한 수많은 동료들이 그들의 학생들에게서 이와 똑같은 경험을 얻고 있다.)

만약에 이러한 사실이 어떤 전반적인 경향을 대표하는 것이라면, 또한 만약에 이러한 사실이 존속되는 것이라면, 우리들은 소설의 기나긴 위기에서 새로운 단계에 도달하게 될 것이라고 생각할 수 있다. 150년 이상에 걸쳐서 소설은 우리들의 문화 속에서 자연스러운 독서 양식이 되어왔다. 그리고 소설의 쇠퇴에 대한 얘기가 단속적으로 나오기는 했지만 — 그리고 지난 약 40년 동안에 점점 더 빈번히 나오기는 했지만 — 그런 얘기가 소설을 읽는 광범한 습관을 중단시켰다고 알려진 일은 없었다. 나는 습관이라고 말하고 있지만, 그러나 실제에 있어서 나는 우리들의 문화가 소설의 애독(愛讀)에 몰두하고 있었다고 말하는 것이 보다 더 정확한 표현이라고 생각하고 있다. 몰두의 원인은 자연히 여러 모로 변했다. 이를테면 여행을 할 때면 노상 『스펙테이터』[31]나 『돈 키호테』나 『찰레스 그랜디슨 경(卿)』[32]

---

30. "용기가 생긴다고 생각하고 있다"는 구절의 영어 원문은 "which means, I suppose, that I become nervous(민감해진다는 뜻이다)"이다.

같은 것을 가지고 다닌 뉴컴 대령[33] — 그 자신이 말하고 있듯이, 그는 신사들을 동반하는 것을 좋아했기 때문이다 — 의 경우에서 찾아볼 수 있는 것과 같은 수백 년 전의 비현대적인 열정이 있었다. 이보다 좀 더 전진한 몰두의 양상은 『노우스앵거 아베이』에서 헨리 틸니가 한 고백이다[34] — 그는 "가장 위대한 마음의 힘이 발휘되고, 가장 철저한 인간 본성에 대한 지식과, 가장 행복한 그의 변모의 묘사와 가장 생생한 기지와 해학의 발로(發露)가 가장 훌륭하게 선택된 언어로 세상에 전달되는" 작품이 소설이라고 말하면서 그 자신의 위법적인 정열을 변명하고 있다. 우리들 중의 누가 이와 동일한 경건한 말을 큰소리로 하지 않았겠으며, 그러고 나서 하치않은 소설 부스러기를 뻔뻔스럽게 손에 닥치는 대로 탐욕스럽게 읽지 않았겠는가? 그러나 물론 그런 의식적(儀式的)인 완고(頑固)는 다만 소설이 현재 유행되고 있는 경우라면 — 다만 통속적인 야비한 소설을 권장하는 관습이 예술인 소설과 불가결한 관련을 유지하고 있는 경우라면 — 가능하다.

그 후 소설은 그의 환상의 분량을 위해서와 같은 정도로 그의 진리의 특질을 위해서 읽혀졌다 — 제인 오스틴이 일찍이 관찰한 것처럼, 역사가의 경우에 많은 변명이 서는 진리. 소설가는 역사가와 전기작자와 사회학자로 간주되었다. 그는 현대사회의 '남모르는 땅(terra incognita)'의 개척자였

• • •

31. [역주] 『스펙테이터』: 영국의 수필가 조세프 애디슨과 리차드 스틸이 공동으로 발간한 일간신문(1711-1712).
32. [역주] 『찰스 그랜디슨 경(卿)』: 영국 근대소설의 아버지로 불려지고 있는 사뮤엘 리차드슨이 1753년에 쓴 소설. 이 소설의 주인공은 수많은 미덕과 매력을 가진 18세기의 신사의 이상형이다. [편주] 이 소설은 새뮤얼 리처드슨이 쓴 『찰스 그랜래디슨 경의 내력』을 가리킨다.
33. [역주] 뉴컴 대령: 미상. [편주] '뉴컴 대령(Colonel Newcome)'은 윌리엄 M. 새커리(William M. Thackeray)의 소설 『뉴컴가(The Newcomes)』의 주인공.
34. [역주] 『노우스앵거 아베이』, 헨리 틸니: 『노우스앵거 아베이』는 제인 오스틴의 소설이며, 이 소설에 나오는 주인공이 헨리 틸니.

다. 그리고 그의 식인종들 사이의 환상적인 보고 — 이런 보고가 지극히 풍족한 것이든 지극히 빈약한 것이든, 범죄적인 것이든 광적인 것이든, 축복된 것이든 저주(詛呪)받은 것이든, 생리적으로 아름다운 것이든 정신적으로 불구의 것이든 간에 — 이러한 보고는 어린애의 경신(輕信)에 가까운 신뢰감을 가지고 읽혀졌다. 왜냐하면 소설가의 진리에 대한 환상은 독자의 대행적(大行的)인 해방의 환상과 부합하기 때문이다. 플로오베에르가 "보바리 부인은 나다."라고 말했을 때, 그는 소설가의 그의 작품에 대한 관계의 본질적인 조건뿐이 아니라, 독자의 소설에 대한 관계의 본질적인 조건까지도 확인했던 것이다. 드디어 소설은 가장 큰 도덕적이며 정신적인 이유를 위해서 읽히게 되었다. 로런스는 언젠가 자기는 "백성들[35] — 영국의 백성들 — 을 변하게 하고, 좀 더 지혜롭게 하고" 싶기 때문에 쓰고 있다고 말한 일이 있었다. 그리고 수많은 백성들이 그들의 생활을 변경하기 위해서 소설을 읽었다. 이것이 소설에 대한 가장 현대적인 요구 — 구원을 바라는 것에 못지않은 요구 — 다. 그리고 이러한 요구는, 소설이 그의 목적 안에 사회의 개조를 포함하고 있다는, 19세기 때의 소설에 대한 요구에 못지않게 과도한 것이며 불가능한 것이다. 그런 요구들은 터무니없는 과도한 것이기는 하지만, 그것들은 적어도 우리들과 우리들의 문명이 확실히 구원을 필요로 하고 있다는 사실은 인식하고 있었다. 따라서 소설이 그러한 요구를 구현할 수 있고, 우리들의 오늘날의 도덕적 공포와 공허한 질식의 조건을 넘어서 인생을 직시할 수 있는 한 — 계시의 궁지에 빠져서라도, 파괴 속에서 정화될 수 있는 희망이 있다면 — 그만큼 그것은 그 자신의 영속(永續)과 그의 독자의 환상적인 충성의 보장을 받을 수 있을 것이다.

이것은 우리들이 모두 다 알고 있듯이, 일어날 성싶지 않은 일이다. 소설을 읽는 습관까지도 쇠퇴해 가고 있는 것이 사실이라면, 이것은 소설이

35. folk의 번역.

해오지 못한 일에 대한 답변이라고 말할 수 있다. 오늘날 독자들에게 푸루스트와 지이드와 만과 조이스와 피츠제럴드나, 20년이나 25년[36] 전까지만 해도 권위 있게 널리 읽혀진 모든 작가들과의 생생한 연관성을 유지하게 하기 위해서는, 그런 연관성을 생생하게 유지할 수 있는 보다 더 많은 작가들이 있어야 할 것이다. 나는 로런스나 카프카나 조이스같이 쓰는 소설가, 즉 그들의 소설 같은 작품을 쓰는 소설가를 말하고 있는 것이 아니다. 내가 염두에 두고 있는 종류의 소설가는 위대한 현대 작가들이 그들의 19세기의 선배들을 배척했듯이, 어느 의미에서는 위대한 현대 작가들을 배척할 것이다. 문명은 제 세대의 반발을 통해서만 전진할 수 있다는 역설은 그의 예술이나 문학의 경우에도 통하리라고 생각된다 — 적어도 현대세계에서는 과거와의 계속은 그에 대한 계속적인 배척을 통해서만 유지된다. "너의 짐마차와 쟁기를 죽은 자의 뼈 위에다 박고 밀고 나가라."고 블레이크는 말하고 있다. 그러면 "초과한 길이 지혜의 궁전으로 통할 것이다." — 그리고 우리들은 이 말을 믿고 있다. 다시 말하자면 지복(至福)으로 가는 길에는 지름길이 없다 — 과거는 환원되기 전에 우선 부인(否認)되지 않으면 아니 된다. 이런 과정을 일어나지 못하게 하는 것이 무엇이든 간에 — 그것이 재간의 결핍이든, 어떤 역사적이나 문화적 사건의 수렴(收斂)이든, 혹은 이런 모든 것이든 간에 — 창조적 부인의 실패는 단속(斷續)의 실패를 가져오게 된다. 오늘날의 소설의 상황은 대체로 이러한 관계에서 묘사될 수 있다고 믿는다. 단속은 끊기었다고 볼 수 있다 — 아주 줄잡아 말해서 단속은 중한 상처를 입은 것같이 보인다 — 그런데 연결이 어떻게 혹은 언제 다시 이어질지 예측할 수가 없다. 단 한 가지 분명한 것은 소설이 우리들에게 필요한 것 — 오늘날 살고 있는 것이 무엇 같으며, 왜 우리들은 오늘날과 같은 모양으로 살고 있으며, 우리들의 악랄(惡辣)한 상황을 고치려면 어떤 일을 해야 하는가에 대한

• • •

36. 원문은 "fifteen or twenty years".

충분한 상념(想念) — 을 거의 주지 못하게 되었다는 것이다.

무엇이 소설로 하여금 이 일을 하지 못하게 방해하고 있는가 하는 것은 복잡한 문제다. 그 원인은 분명치 않으며, 따라서 바로 그 이유 때문에 고찰해 보고 싶은 생각이 드는 것이다. 그러나 나의 고찰은 비논증적이고 형식적이고 단순한 시사적인 것이 될 수밖에 없을 것이다.

내가 알기에는 소설의 퇴보에 대해서는 두 가지의 주요한 해석이 있다. 첫 번째의 것은 거의 45년 전에 오르떼가 이 가세뜨에 의해서 제시되었고, 그의 해석은 위대한 19세기와 20세기 초기의 작가들로서 소설은 그 자신을 완성했고, 그리하여 그 이상의 가능성이 없어졌다고 말하고 있다. 소설을 그 자신의 성공의 시체로 제시한다는 것은 그럴듯한 멋있는 말이다 — 당신의 장례식의 군고기를 차려서 그것까지도 먹으라는 말처럼 들려서. 두 번째의 해석은 매리 매카시가 최근에 「소설 속의 사실」이라는 논문에서 수긍이 가게끔 제시한 것이다. 이 논증은 오늘날의 실제적인 경험이 너무 거대하고 변태적이어서, 또한 단순한 인간적인 것을 너무 절멸(絶滅)시키고 있기 때문에 소설이 그것을 이해할 수 있는 생의 환각으로 변형하거나 적응시킬 방도를 찾지 못하고 있다고 주장하고 있다. 이러한 견해에 대해서는, 1세기 전에 발작이 그와는 정반대되는 경우를 논증하기 위해서 동일한 말을 썼다는 기묘한 풍자를 포함해서, 말할 수 있는 것이 많이 있다. 발작은 산문은 "현실적인 것 이외의 다른 자원을 갖고 있지 않다."고 말했다. 그러나 현대세계에서는 "현실적인 것이 너무 가공할 만한 것이기 때문에 그것은 그 자체로서 시의 숭고성과 격투를 할 수 있다."고, 그는 계속해서 말했다. 이러한 역설은 현실성의 변화에 대해서 뿐만 아니라 현실성에 대하는 태도의 변화에 대한 논평도 된다.

이러한 두 개의 이론은 많은 부분의 진리를 말하고 있다고 생각되지만, 그러나 엄청나게 복잡한 역사적 과정에 대한 단일한 설명은 그러한 복잡성에 대한 우리들의 감각을 충족시키는 설득력을 발휘할 수 없다. 이러한 양자의 이론을 반대하거나 무시하려고 하지 않고 나는 그것들을 이제 옆으로 밀어두고, 그 문제를 다른 각도로부터 접근해 보려고 한다.

소설은 희박한 공기로부터 씌어지는 것이 아니며, 소설가들은 신과는 달라서, 그들의 사상을 무로부터 초래하지는 못한다. 만약에 우리들이 소설이 현대의 경험의 충분한 묘사와 해석을 제공하지 못하고 있다거나 혹은 그것이 사상을 다루지 않게 되었다고 불평을 한다면, 우리들은 또한 그것이 토박한 불모(不毛)의 상태 속에 있을 뿐만이 아니라, 우리들의 시대의 전반적인 지적 문화의 상태를 반영하고 있다는 것을 용인하지 않으면 아니 된다. 그러나 사실이 그렇다면 우리들은 생기 있는 건강한 문화와 도덕적으로 뜻깊은 문학을 낳을 수 있는 필수조건은 비평적 지성의 강력한 계속적인 작용이라는 매슈 아아놀드의 개념과 같은 시들은 진리를 상기하지 않으면 아니 된다 — 또한 아아놀드가 비평의 의도에서 일반적인 사회의 비평을 제외하지 않았다는 것을 생각하지 않으면 아니 된다. 몇 년 전에 랜달 쟈렐은 우리들이 비평의 시대에 살고 있다고 말했지만, 그러나 그는 비꼬아서 그렇게 말한 것이고 경쟁이 없어서 번성했다고 말할 수 있는 문학비평을 가리켜서 말한 것이다. 또한 문학비평이 근년에 그 자신을 위해서 선택한 지배적인 형태는 자세히 살펴보아서 작품에 '본질적인 것이 아니'라고 생각되는 것 같은 사상이나 관심은 신용하지 않았다. 현대문화에 대한 진지하고 의미심장한 비평적 사고의 조리 있는 실체로 말하자면, 우리들은 그것을 가까이 들여다보면 볼수록 더욱 더 보이는 것이 적어진다. 또한 소설의 경우에 있어서처럼, 우리들은 이러한 상황을 — 마치 그것이 신경이나 의지의 단순한 실패이거나 혹은 유족한 사회를 위한 요목(要目)의 열거와 같은 갑작스러운 지성의 타락이거나 한 것처럼 — 상식적인 도덕적 자세에서 간주할 수는 없다. 이것이 오늘날 우리들이 직면하고 있는 전반적인 상태다.

이러한 사태의 좋은 표본이 지난 20년 동안에 씌어진 사회학의 저서 중에서 가장 널리 읽혀진 데빗 리스만의 『고독한 군중』이다. 비평에 관한 한에 있어서는 이 고도한 독창적이며 지적인 연구에 대해서, 그에 대한 가장 비평적인 일이 그의 제명(題名)이라는 말을 할 수 있다. 그 책을 준비하는 중에 어떤 대목에서 앞으로 다가올 여러 해 동안의 풍조를 요약할 수 있을 것 같은 결정을 보게 된 것이다. 왜냐하면 현대의 특징의 두 개의 기본적인 유형 — 내향적인 것과 외향적인 것에 대한 인상적인 묘사와 분석을 해가면서 두 개의 유형 사이의 판단을 내리는 것을 주의 깊게 거절하고 있기 때문이다. 분명히 이러한 결정을 위해서 쌓아올린 모든 종류의 유용한 이유가 있었지만, 그러나 그에 대한 순전한 효과는 지각과 지성의 흔적을 거부하는 것이었다고 생각된다. 탈출구는 항용 그렇게 되듯이 — 제3의 술어인 '자율'과 자율적 인간이라는 이념 속에서 발견되었다. 이러한 유별난 인간은 두 개의 유형을 초월한 종합적인 창조물이며, 미래에 대한 희망적인 환각으로 투영되어 있고, 요약해 말하자면 신화보다 좀 덜 이상적인 약간 믿어지지 않는 존재다. 이럴 바에야 우리들은 경마에서 눈을 감고 돈을 거는 편이 낳을 것 같다 — 적어도 말들은 존재할 것이다. 그러나 이유가 무엇이든 간에 또한 어떠한 원인에서든 간에, 비평적 결정을 보류한 일의 결과는 그렇게 되는 것이다.

그러나 오늘날과 같은 시기에 있어서 비평적으로 되려는 단순한 굳은 결의가 지성의 승리를 고취(鼓吹)하리라고 잘못 생각하게 되지 않기 위해서 우리들은 노만 O. 브라운의 『생명 대 죽음』 같은 책을 상기할 수 있다. 『고독한 군중』이 나오고 나서 10년 후에 지극히 상이한 충격이 동기가 되어가지고, 그것은 — 10년 전에 리스만 씨의 저서가 당시의 지식인들이 긍정하고 싶어 한 사회에 관한 타협과 화해와 정당화를 위한 기질을 폭로한 것처럼 — 시대의 모든 쓰디쓴 부정적이며 계시적인 지혜를 표현하고 있다. 그리고 또한 우리들이 현대사회라고 부르는 병폐를 특징짓는 가지각색의 불행을 훌륭하게 감동적으로 분석한 뒤에 브라운 씨는 그보다 앞서 나온 리스만 씨처럼 어떤 환상적인 실현될 수 없는 장래의 방향으로 도약하고 있다 — 그가 우리들에게 자진해서 우리들의 상식을 보류하라고 경고하고 있는 것은 그 자신의 명예스러운 일이지만, 그는 '억압의 철폐'를 기대하고 있고 전반적인 '육신의 부활'이 생겨날 사회를 기대하고 있다. 그리하여 꼿꼿이 서서 걸어 다니는 신인간은 또한 동시에 네 발로 기어 다니게 될 것이고, 그것은 그가 여전히 '유년시절의 다형적(多型的)으로 비틀어진 육신'에 거주하게 되기 때문이다. 이런 생물은 믿어지지 않을 뿐만이 아니다. 그것은 거의 상상할 수 없는 것이다. 그런데 그것과 리스만의 자율적인 인간과의 사이에는 반대물의 비슷한 부합(符合)이 있다. 두 개의 신화적인 인간 장래의 도표 — 한쪽에는 자율적인 인격이 있고 한쪽에는 유아의 성(性)에의 부활이 있다 — 사이에서 시대의 심의는 처량한 병든 불만을 품고 진동하고 있는 것이다.

나는 소설에 있어서의 최근의 발전 — 시적 형태로 향하는 움직임, 사회를 다룰 수 있는 능력의 부족, 사상의 빈곤 — 이 근년에 와서의 비평적 기능의 전반적인 약화와 깊은 관련성이 있다는 것을 시사하고 있다. 그리고 이 두 가지 상태는 다 같이 광범한 역사를 갖고 있지만, 그것들은 모두 우리들의 문화적 사업이 오늘날 영위(營爲)되고 있는 보다 더 큰 환경에 의해서 더욱 더 악화되고 있다. 나는 물론 냉전 — 그것을 저널리즘의 표어로서가 아니라 서구문화의 새로운 국면으로 생각하면서 — 을 두고 말하고 있는 것이다.

조만간 냉전이 모든 사물에 충만 되리라고 생각되지만, 그러나 그것은 내가 다른 사람들의 비난과 함께 나의 조그마한 몫의 비난을 이 점에다 갖다 붙이거나 말거나, 조금도 개의치 않으리라고 믿는다. 냉전은 다른 수단에 의한 계속적인 전쟁의 수행이다. 형편이 가장 좋을 때에도 옹색하고 힘이 들고 자유스럽지 못한 비평적 사고는 전쟁상태 하에서는 특히 현대전의 독재정치 하에서는 훨씬 더 그렇게 된다. 사회는 그 자신이 포위상태에 놓이게 되고, 그 자신이 사실상 처음으로 외부로부터 위협을 받고 있다는 것을 알게 되면, 필연적으로 그에 대항하는 세력과 교전을 하기 위해서 그 자신을 유기적으로 조직하게 된다. 그의 지적, 비평적 정력은 비평의 중심적 전통에 불가피한 손해를 보면서, 응당 전열에 배치되게 된다. 그런 환경 속에서 그 사회의 흠점과 부족과 모순을 지적하는 것을 역사적 목적으로 삼고 있는 사고의 조류(潮流)를 계속해서 지원할 수 있는 사회는 거의 없을 것이다 — 그리고 그러한 비평이 적의 비난과 일치하는 듯이 보일 때에는 특히 그렇다. 나는 특수한 경우의 우연한 사건이나 처사를 암시하고 있는 것이 아니라, 지독한 포위를 당한 나머지 그 자신의 심의와 열정의 정력을 자기 자신을 성찰하는 일로부터 이탈시킨 모든 사회내의 의식적이고 무의식적인 그 방대하고 음흉한 압력을 염두에 두고 있다. 이러한 과정의 필요성을 주장하는 사람들조차도 그런 필요성이 치명적인 것이 될 수 있다는 것은 여전히 자각할 수 있을 것이다. 문화와 예술은 언제나 장기적인 긴장과 전쟁의 상태 밑에서는 제일 먼저 목숨이 끊어지는 사치이었기 때문에 이런 종류의 필요성이 문화에 치명적이라는 것은 거의 확실한 일이다. 이런 필요성이 복잡한 비평적의[37] 심적 태도를 우유부단하고 부적절하고 심지어는 반역적인 것으로 보이게 하기 쉽다는 것은 역시 부정할 수 없는 일이다. 또한 이런 필요성이 외면상으로 방어되고 있는 사회의 정신에 중대한 손상을 입힐 수 있다는 것도 있을 수 있는 일이다.

우리들이 냉전을 어떻게 보든 간에, 그에 대한 자랑을 가지고 우리들 자신의 힘을 돋울 필요는 없을 것이다. 냉전의 효과는 공산주의에 대항하고 우리들 자신의 제도를 방어하는 투쟁을 위해서 상당한 양의 비평적 지성을 빨아 없앴기 때문에 아아놀드의 말을 빌리자면 "창조적인 힘에 가장 많은 활기를 주고 자양분을 주는 사상의 조류(潮流)"를 낳는 비평이 실패를 보게 된 것은 조금도 이상한 일이 아닐 것이다. 또한 소설이 오늘날과

37. "복잡한 비평적의 심적 태도"는 부자연스러운 번역과 오식이 결합된 구절이다. 원문은 "the complex, critical attitude of mind"이다. 김수영의 번역을 살려 윤문하면 '복합적이고 비평적인 심적 태도' 정도가 될 것이다.

같은 상태에 빠지게 된 것도 조금도 이상한 일이 아닐 것이다. 불행한 일이지만, 미국의 소설가들에게 쏘련에 대한 비평적인 소설을 쓰라고 기대할 수는 없다. 라스띠냐끄는 — 외국의 수도가 아닌 — 그 자신의 파리를 내려다보고, "그것은 지금 우리들 사이의 전쟁이다"라는 말을 하고는 자기를 파괴하려고 드는 이 타락한 광휘(光輝)를 정복하러 내려간다. 또한 『1984년』의 딜레머는, 그것이 영국에 대한 것이어야 한다는 것이었다. 소설가의 싸움은, 비평가의 싸움이 그러하듯이, 본래가 그 자신의 사회를 상대로 하고 있다 — 또한 그들의 임무는, 모든 실망한 연인들의 그것처럼, 그 싸움을 고발하는 일이다. 그런 싸움이, 무슨 이유 때문이든, 중단되고 회피되고 방해될 때에는, 위대한 미국의 비평가의 말을 빌리자면, 필연적으로 식별의 실패, 양식의 실패, 지식의 실패, 사상의 실패가 뒤따르게 될 것이다.

오늘날의 소설의 상태와 비평적 사고의 상태가 지난 20년이나 25년[38] 보다도 더 멀리 앞서 있는 조건에 비롯되고 있다는 것은 분명한 사실이다. 그것들의 고통의 역사는 우울하게도 풍부하고 복잡하다. 냉전은 벌써 오래전부터의 경향을 주로 격화시키고 촉진시키는 데 큰 힘이 되었다 — 그것은 어쨌든 멈추어질 수 없는 발전을 해왔다. 나는 오늘날의 상황이 단체적인 것이라고 말하려는 것이 아니다 — 나의 노력은 어떤 전반적인 색조와 경향을 말하려는 데 있었다. 모든 문화는 내면에서 보면 대체로 갱 전쟁과 흡사하며, 따라서 우리들의 문화에 관한 한에 있어서는 지난 20년[39] 동안의 불안한 휴전은 내내 계속적으로 조그만 침범을 당해 왔다는 것을 알 수 있다.

그러나 단 하나의 점에 있어서는 냉전은 소설에 직접적인 작용을 하고 있다. 간단히 말하자면 냉전은 차가운 것이며, 그것은 제 사물을 얼어붙게

• • •

38. 원문은 "fifteen or twenty years".

39. 원문은 "fifteen years".

하고, 그것은 그것들을 움직이지 못하게 고정시켜 놓는다. 특히 그것은 사상을 동결시키는 것을 좋아하고, 따라서 (데이빗 리스만과 노만 O. 브라운의 저서가 증인이다) 그것이 그의 궤도에 죽은 채로 머물러 있게 하는 사상의 하나가 미래의 이념이다. 냉전의 상태 하에서는 우리들은 미래 — 즉, 우리들의 미래 — 를 본질적으로 변경될 수 없는 것으로 부득이 생각하게 된다. 재난을 막기 위해서는 우리들은 그보다도 더한 지경에 빠지게도 되며, 다시 말하자면 우리들은 미래에 대한 일을 조금도 생각할 수 없게 된다. 어떤 상황도 소설에 대해서 이보다 더 파괴적일 수가 없다. 역사적으로 보면 소설은 미래의 이념 — 다른 가능한 인간의 미래 — 이 인식되기 시작함과 동시에, 주요한 표현의 형태로서 존재하게 되었다. 소설에 대한 옛부터의 일반적인 영상의 하나는 앞길에 놓여 있는 새로움, 진기(珍奇), 소설성을 잡으려고 애가 타서 미친 듯이 앞을 향해 내닫는 청년의 영상이다. 헤에겔이 제나에서 창밖을 내다보고 나폴레옹이 말을 타고 지나가는 것을 보았을 때 그는 말 위에 타고 있는 세계정신을 보았다고 생각했다. 최근까지만 해도 대부분의 소설가들은 그와 똑같은 환각을 보아왔고, 또한 보았다고 믿어왔다. 그리고 소설은 무수한 방식으로 끝을 맺고 있지만, 그것은 항상 하나의 환각을 사랑하고 있었다. 우리들은 주인공이 독자에게 등을 돌리고 멀리 앞을 향해 걸어가는 것으로 끝을 맺고 있는 백천(百千)의 소설을[40] 기억할 수 있다. 그 거리는 물론 그의 미래이며, 그의 실현되지 않은 가능성이며 독자와 사회의 가능성이다. 현대문명에서, 완수될 수 있는 지상의 미래에 대한 이념만큼 위대한 도덕적인 힘을 가진 이념은 없다. 따라서 그 이념의 파괴력은 그의 창조적인 역량만큼 난폭한 것이었다. 또한 현대소설에 대해서, 그 이념만큼 실질적인 이념은 없었다. 우리들에게 『피네건스 웨이크』를 불안한 예고 같은 것으로 보게끔 또 하나의 이유를 제공해 주는 것이 바로 이 사실이다.

● ● ●

40. "백천의 소설"은 '수많은 소설'이라는 의미이다. 원문은 "How many novels"이다.

그 소설은 미래를 쫓아낸 최초의 — 왜냐하면 그것은 원주를 돌고 있기 때문에 — 중요한 소설작품이다.

토마스 하디는 지난날 그의 숭배자에게 염세적(厭世的)으로 되려면 그다지 많은 지성이 필요 없다고 고백한 일이 있었다. 염세주의의 보호 밑에서 생각하고 쓰고 싶은 유혹은 오늘날 같은 시기에 있어서는 매우 절실하다 — 그리고 바로 그렇기 때문에 그 유혹은 막아내야 한다. 우리들의 흉벽(胸壁)으로 둘러싸인 사회는 여전히 존재하고 있고, 소설가와 비평가들은 살아 있고, 모든 사람들은 맡은 바 자기들의 일을 갖고 있다. 우리들은 우리들 자신의 시대에 살고 있고, (우리들은 모두가 미래에 대한 담보로 되어 있으면서) 미래를 내다보지 못하고 있다. 그리고 우리들의 최상의 구원의 희망은 역시 우리들이 살고 있는 세계에 대한 지적 평가에 — 흥미가 있든 없든 간에 — 자기 자신을 과감히 투신할 수 있는 정도에 달려 있다. 그때에 비로소 우리들은, 미래가 왔을 때, 그 미래로 하여금 그의 방향을 찾는 데 도움을 줄 수 있는 그 길들을 다시 찾아낼 수 있을 것이다. "그 약속된 땅은 우리들이 들어갈 수 있는 땅은 되지 못할 것이고, 우리들은 황야에서 죽게 될 것이다. 그러나 그 땅에 들어가려는 욕망을 품었다는 사실, 멀리서 그 땅을 바라보고 경례를 했다는 사실이 아마도 이미 오늘날의 동시인(同時人)들 사이의 가장 큰 명예가 되고 있을 것이다. 그것은 분명히 자손과 함께 존경할 수 있는 가장 훌륭한 칭호가 될 것이다."

— 본 논문은 미국의 문예 평론계간지 『파르티산 레뷰』에 게재된 Steven Marcus의 「현대소설론(The Novel Again)」을 전역한 것이다. 스티븐 마커스는 콜롬비아대학 교수이며 현역 중진 문예평론가이다. 한편 『파르티산 레뷰』지의 편집부국장이기도 하며, 동지에 주로 자주 소설평을 쓰고 있다.

본 논문은 소설에 대한 비평인 동시에 훌륭한 문명비평이 되며, 역자는 여기에서 주장되고 있는 미래상에의 평가의 중요성을 읽으면서 어느 의미에서는 현대시에 대한 자성도 되고 해서 여간 재미있게 번역하지 않았다. William Golding, Muriel Spark, Bernard Malamud, Flannery O'Connor, Saul Bellow 같은 작가들을 위시해서 Lionel Trilling, Edmund Wilson 같은 저명한 평론가들도 우리나라에서는 거의 전혀 소개되지 않아서 편의상 일일이 역주를 붙일까 하다가, 그러지 않아도 논지의 해득에는 별로 지장이 없을 것 같아서 그만두기로 했다. 그 밖의 묵은 작가나 서명에 대해서도 부득이 한 것밖에는 주석을 붙이지 않았다. 역자가 이 논문을 선택한 이유는 외국의 작가나 새 소설에 대한 소개보다도 필자가 말하는 오늘날의 소설에 대한 결함의 강조와 그 결함의 이유에 대한 시사가 재미있고 이런 교훈은 우리나라와 같은 경우에는 아무리 자주 되풀이되어도 지루하다는 욕을 먹지 않을 것이라고 생각했기 때문이다. 여기에서 말하는 소설이 Novel 즉 장편소설을 말하는 것은 물론이다. (역자)

-『한국문학』 2호, 현암사, 1966 여름.

벽(壁)

유젠 이오네스꼬(Eugene Ionesco)

프로이트와 선(禪)

프로이트에 의하면 우리들의 자유로움을 방해하는 세 가지 장애물은 괴로움과 연민과 혐오라고 한다. 이것은 우리들을 결박하는 3중의 쇠사슬이다. 또 정신분석이란 도덕적 판단을 내리지 않는 것으로 알려져 있다. 여러 사물은 있는 그대로이고 이것이 논의될 수 있는 전부다. 우리들의 임무는 다만 사물들이 어째서 있는 그대로인가, 사물들이 어째서 이런 특수한 단계에 이르게 되었는가를 발견하는 일이다. 정신분석은 빛을 밝혀주기는 하지만, 판단은 내리지 않는다. 정신분석은, 판단 그 자체는 판단하지 않고 어째서 우리들이 판단을 내리는가를 설명하고 있다.

그러나 우리들을 결박하는 쇠사슬에는 넷이나 혹은 다섯 개의 가닥이 있다. 증오와 침략성이 역시 자유에 대한 장애가 돼 있다. 하지만 증오는 격렬한 혐오에 불과하다고 말할 수 있을 것이다. 욕망이 우리들의 구제(救濟)를 가로막는 가장 심각한 장애물이다. 그리고 이 점에 있어서 프로이트주의와 불교가 어느 의미에서 연결될 수 있다. 선(禪)은 아니다, 자유로워지고자 하는 욕망 역시 의지의 행위이기 때문이다. 우리들은 자유로워지려는 욕망조차도 갖지 않는 경지에까지 이르기 위해서 자유로워지기를 원하지 않을 수 없게 되리라.

이런 불교와 프로이트주의의 유사성은 나로서는 특히 그럴듯하게 생각된다. 왜냐하면 프로이트 자신이 임종이 가까워졌을 무렵에, 다음과 같이 말했기 때문이다. 즉 우리들의 존재가 그 자체 내에 죽음과 욕망과 평화에의 열망을 말하자면 '열반(涅槃)의 본능'을 지니고 있다고.

욕망이나 애욕이 우리들로 하여금 삶을 계속하게 한다. 만일 우리들이 그 신비를 벗기려고, 욕망과 모든 특수한 소원 즉 욕망의 모든 표시라든가, 욕망의 이유나 비밀을 밝혀보려고 한다면, 우리들의 여러 욕망은 전반적으로 자체[1]를 감추게 될 것이다. 우리들이 가령 우리들의 이유에 대한 진정한 이유를 발견하는 데 성공한다면, 어떤 일에 대한 어떤 이유라는 것이 이미 있을 수 없게 될 것이다. 매듭은 풀어지지 않을 것이다. 우리들은 무관심의, 즉 부재의 상태에 빠지게 될 것이다. 또한 무관심은 우리들로 하여금 계속할 수 있게 할 것이다. 다시 말하면, 그것은 삶을 견디기 어려운 것이 아닐 수 있게 할 것이다.

살려는 욕망도 없고, 죽으려는 욕망도 없다. 다만 모든 일들을 될 대로 되게 내버려 둔다. 선(禪)이나 혹은 '형이상학적인 무관심'. 그렇다. 정신분석의 종국적인 의미는 선과 그다지 인연이 멀지 않다.

죽는 법

살려고도 않고 죽으려고도 하지 않기를 배우기 전에, 나로서의 문제는 우선 죽는 법을 배우는 일이다. 이것이 내가 하려고 하는 일이다. 지금 해야 한다, 지금이 아니면 안 된다. 사소한 일이 아니다! 내 앞에는 거대한

• • •

1. '자체'는 '자취'의 오식으로 보인다. 이 단어가 들어 있는 문장은 "Our desires, desires in general would disappear."이다.

벽이, 올라갈 수 없는 절벽이 솟아올라 있다. 적어도 당분간은, 나의 능력으로는 도저히 가망 없는 일이다. 그러나 나는 그것을 넘어 가지 않으면 안 될 의무가 있다. 내가 만약 나의 꿈을 신용한다면, 그렇게 하는 것이 나의 가장 깊은 확신의 명령이기 때문이다. 그리고 인간이 자기의 꿈을 신용하지 않는다면, 그밖에 또 무엇을 신용할 수 있겠는가. 꿈은 나의 가장 심오한 사상의 언어다. 사람들은 우리들이 꿈을 꿀 때에는 의식이 없다고 말하지만, 이것은 공연한 소리다. 우리들은 꿈을 꿀 때만 오로지 의식적이고 투명하다. 이를테면 나는 거무칙칙한 오물에 싸여 있는 광장 한복판에 있는 꿈을 꾸었다. 광장은 바싹 마른 관목과 모가지 없는 늙은 엉겅퀴로 덮인 황무지에 지나지 않았다. 바른쪽에는 나의 아내가 있었다. 내 앞에는 커다란 교회, 라기보다도 일종의 교회의 아주 높은 벽. 그 벽은 그 키만큼 폭도 길었고, 거대한 감옥소의 벽 같았다. 바른편 아래쪽에 조그만 문이 닫혀져 있다. 멀리서 보면 그것은 바야흐로, 비행기에서 내려다볼 때처럼 보이는, 거대한 천장에 있는 공동묘지 같았다.

벽의 왼쪽에 높다란 탑이 있고, 그 꼭대기에는 바로크 식의 둥근 지붕이 있고, 그 지붕을 떠받치고 있는 기둥 사이로 황량하고 침침하고 공허한 하늘이 보였다. "당신은 교회가 아름답다고 그랬지요. 이것이 그렇지 않다는 것을 당신은 이제 자기 눈으로 보고 알 수 있지요. 정말 아주 추악하군요." 나의 아내는 이렇게 말하고는 덧붙여 말했다. "나는 당신이 알기 전에 벌써 알고 있었어요. 모리스 드 G.도 역시 그렇게 생각하고 있어요. 그 사람은 전문가예요."

우리들은 건물의 주위를 돌아보려고, 왼쪽으로 발을 옮겼다. 탑 아래쪽에 구질구레하고 컴컴한 부엌으로 통하는 통로가 나 있었고, 탑 꼭대기에서 본 것과 똑같은 침침한 광선이 벽에 뚫린 구멍으로 새어 들어오고 있었다.

왼쪽 벽에 머리에서부터 발끝까지 새까만 노파가 기대고 있었다. 그녀는 부엌데기였고, 까만 부엌 기구들이 걸려 있는 까만 벽 앞에 까만 행주치마를 두르고 서 있었다. 우리들은 부엌을 지나서 똑바로 걸어갔고, 음침한 하늘 아래의, 역시 메마른 관목 같은 식물에 덮여 있는 경사진 밖으로 다시 나왔다.

암(癌)

“X-레이에 나온 걸 보니, 당신은 심장에 암이 있구먼. 당신이 등이 아픈 것이 관절염 때문이라고 우리들은 말했지만, 그건 오진이었어. 사실상 당신은 암을 가졌었어요. 그렇지만, 그것은 저절로 나았어요. 흠집이 남아 있구먼.”

“선생님, 사실대로 말해 주슈. 나한테는 거짓말을 하지 않아도 된다는 것을 선생님은 아실 거요. 나는 사실을 직시할 수 있을 만큼 강한 사람이오.”

“좋소이다. 그렇다면 숨김없이 다 말해 드리리다. 하지만 기분 나쁘게 생각하지는 마슈. 당신은 암을 앓는 일이 없다고 생각하겠지만, 당신은 지금도 여전히 암을 갖고 있어요.” 나는 고통을 참으려고 애썼다. “이 X-레이 사진을 좀 보세요. 심장의 밑쪽에 이 튀어나온 데가 있지요. 그것이 안쪽으로 구부러져 있지요, 여기가 바로 암이 있는 데요. 보이죠.”

나는 까만 배 모양을 한 심장이 밑쪽에서 옆으로 튀어나온 데를 들여다보았다. 여러 사람들이 나의 주위에 앉아 있었고, 부끄러운 생각이 들어서, 나는 한사코 나의 괴로운 기색을 보이지 않으려고 했다. 나는 의사에게 물어보았다. “이런 심장암을 가지고 앞으로 얼마나 살 수 있을까요?”

“2, 3개월이나, 2, 3년 그것은 개개인의 생명력에 달려 있어요.”

“2년보다는 2개월이 맞겠지.” 하고 나는 혼잣말로 중얼거렸다. “이런 중대한 곳에 암을 가진 사람으로 그보다 더 오래 살 수 있는 사람은 없어. 나는 죽는 법을 배우려고 했지. 아아, 나는 그것을 너무 늦게 시작했구나. 아니 거의 시작조차 하지 않고 있는데, 나는 그 일을 완성할 시간이 없을 거다. 죽는 법을 배우려면, 매듭을 풀려면, 적어도 2, 3년이 필요하다.”

Z에게 나의 꿈 얘기를 하자, 그는 내 죽음에 대한 공포는 무엇인가를 감추고 있기 때문이라고 했다. 그는 내게 숨을 들이쉬라고 말하고는,

심장이 손아귀에 꽉 틀리워 있기나 한 것처럼 그 모양이 일그러져 있다고 했다. 이 손이 꽉 쥐고 억제를 하고 있는 바람에 침략성이, 즉 생명이, 속박을 벗어나서 충분한 표현을 하지 못하고 있는데, 이 억제에서 벗어날 능력이 내게 없기 때문에 도덕적 고통감이 생기는 것이라고.

우주비행

나는 아마 플라스틱으로 만들어진 반투명한 상자 속에 타고, 필시 혹성 사이의 공간에 떠 있었을 것이다. 나는 앉아 있었지만, 다리는 앞쪽으로 길게 뻗치고 있었다. 발가벗고 있었고, 대여섯 살 먹은 어린애처럼 몸집이 조그마했다. 내 앞에 같은 자리에 어린애가 또 하나 있었고, 그 애는 나 자신의 정확한 영상이었고, 필시 나의 쌍둥이였을 것이다. 밀폐된 상자의 주변에는 캄캄한 혼돈의 무한정한 우주의 공간이 펼쳐져 있었다.

우리들은 우리들의 여로의 끝머리에까지 왔다. 나는 상자 속에 있는 동안에는 여행의 목적을 깨닫지 못하고 있었다고 생각된다. 그런데 이제 그 목적이 뚜렷해졌다. 우리들은 다른 혹성 위에 와 있었던 것이다. 나는 성년이었지만 아직도 퍽 젊었다. 나는 언제나 꿈속에서는 젊다. 16세에서 22, 3세 사이의 나이밖에는 안 된다.

(어째 그러냐고? 나 자신의 해석에 의하면, 두 가지의 이유가 있다. ⑴ 나는 늙거나 죽기를 싫어하기 때문이고, 지금도 나는 40 먹은 사람에게 늘 남들이 쓰는 '자네'라는 말을 쓸 수가 없기 때문이다. 그 사람이 나보다 나이가 더 먹어 보인다고 생각되기 때문이다. 따라서 나보다 구세대에 속한다고 생각되는 나보다 약간 나이 젊은 사람들이나 나와 같은 나이의 사람들과는 말이 통하지 않는 느낌이 든다. 그렇다고 해서 역시 다른 세대에 속하는 젊은 사람들에게 공감을 가질 수 없다는 말은 아니다. 그러나 나의 아득한 기억을 아무리 더듬어 보아도 나는 젊은 사람과 사귀어본 일이 없고, 특히 내가 젊었을 때에 그러했다. ⑵ 나는 꿈속에서는 열일곱 살이다. 왜냐하면 그 때에 생존과 지식에 대한 나의 모든 문제가

처음으로 뚜렷한 형태를 갖추고 내 마음을 사로잡았기 때문이며, 그런 문제들이 아직도 내게 미해결인 채로 남아 있기 때문이다. 그러나 근본 문제들에 대한 어떤 해결책이 있는가? 말하자면, 우리들은 태어나고 나이를 먹고 죽고 여기에 있고 모든 이런 사물들 — 나는 그것들을 지금도 의식을 갖기 시작한 어렸을 때처럼 신선한 경악심(驚愕心)을 가지고 바라보지 않을 수 없다 — 에 의해서 둘러싸여 있다는 것이 무슨 뜻인지를 알지 못한다. 무슨 뜻인가……? 나는 끊임없이 자문한다. 우리들은 다만 해결한다 — 그리고 이것으로서 대부분의 사람들이 근원적인 원인이나 궁극적인 목적에 대해서 회의를 갖고 있지 않기 때문에 더 이상 채근하지 않고도 태연스럽게 자족할 수 있는 대부분의 사람들이, 만족감을 느끼고 있다 — 우리들은 다만 실제적인 문제만을 해결한다. 과학, 공예학, 인간 활동은 다만 외부적이며 제2차적인 해결책만을 제공한다. 우리들이 만일 다르게 만들어졌다면 거대한 기술적 진보는 괴로움과 침략성과 생에 대한 우리들의 감정을 증가시키지 않고 경멸시켰을 것이고, 이데올로기의 덮개 밑에 도사리고 있는 근본문제를 은폐하고, 우리들을 우리들 자신으로부터 은폐하고, 아무것도 해결해 주는 것이 없고, 반대로 온 세상을 날려 버리겠다고 위협하는 그 뿌리 깊은 불만감을 증가시키지 않고 경멸시켰을 것이다.)

그런데 나는 다른 혹성 위에 있었다. 우리들은 사람들이 가득 차서 혼잡을 이루고 있는 조그마한 정류장에 도착했다. 나는 또한 나의 수많은 동료 여객들이 타고 있는 합승버스를 볼 수 있었고, 그 안에는 왼쪽 눈 위에 꺼먼 안대를 매고 있는 외눈깔의 사나이와 꺼먼 수염을 기른 사나이도 끼어 있었다. 나는 한 명의 동료와 함께 그 정류장을 떠났다. 그 동료는 우리들의 꿈속의 미지의 동료로서, 아마도 노상 우리들을 따라다니는 또 하나의 엄격하고 까다로운 우리들의 분신일 것이다. 이 동료와 함께 나는 다른 혹성의 거리의, 파리의 레페브르가(街)[2] 같은 널따란 대로를

• • •

2. Boulevard Lefévre.

걸어가고 있었다. 나는 매우 걱정이 되어 동료와 더불어 사태를 논의했다. 우리들은 지구로 돌아갈 수 있을 것 같지 않으니, 우리들은 어떻게 될 것인가? 우주선이 우리들을 도로 데려다줄 수 있다는 보증을 받고 있었지만, 나는 이 가능성을 신용하지 않았다. 돌아갈 수 있는 방도가 아직도 발견되지 않았던 것이다. 우리들은 혹성 위에서 죽어 가고 있었다. 나는 노스탤지어에 잠겨서 지구 위의 공동묘지에 대한 생각을 했다. 우리들은 운이 다 되었다. 나의 동료는 나를 보고 용기가 없다고 책망을 했다. 그는 지구에의 귀환여행이나 합승에 탄 사람들과 함께 혹성여행을 하기 위한 승차권을 구해보라고 나를 정류장으로 돌려보냈다. 정류장의 매표구에서는 우리 어머니처럼 생긴 까무잡잡한 조그만 여자가 내게 이탈리아 말로 말을 걸었다. 나는 이탈리아 말을 못 알아듣는다. 그것은 혹성의 주민들의 언어이었다. 나는 이탈리아 말을 아는 나의 동료 중의 한 사람을 찾으러 정류장 밖으로 나왔다. 누구 하나 발견할 수 없었다. 나는 또한 군중들 때문에 그들로부터 차단되어 있었다. 나는 낯선 군중들 속에서 완전히 고립상태에 놓여 있었다. 나는 몹시 괴로웠다. 만물이 모두 우울하고 황량하기만 했다.

그는[3] 내 꿈이 원형적(原型的)이라고 내게 말한다. 벽이 원형적이고 우주를 뚫고 여행한다는 상자가, 내가 그 안에서 거의 태아의 상태에 놓여 있는 그 상자가 또한 원형적이라는 것이다.

'당신의 꿈속에서의 괴로움은 당신이 지구를 떠났다는 사실에 의해서 설명될 수 있어요. 당신은 지구가 무엇을 대표하는 것인지 — 어머니 — 를 알고 있어요.'

'꿈은 참된 것이기 때문에, 적어도 우리들은 한 가지 점에 대해서는 뚜렷이 알 수 있지요. 화성인은 이탈리아 말을 쓰고 있어요. 그것은 알 만한 가치가 있는 일예요.'

● ● ●

3. "그"는 원문에서는 이니셜로 표기된 "Z"이다.

밤

걷잡을 수 없는 두려움, 고통. 그것이 밤이 내리기 시작하자마자 나를 사로잡는다. 나는 고독을 동경한다. 하지만 혼자 있는 것이 견딜 수가 없다. 아마 습관의 힘일 것이다. 나는 그들 두 사람에 대한 생각을 하고 있고, 또한 그들 때문에 두려워하고 있다. 밤이 내린다. 끝없는 밤이 나를 둘러싸고, 내게로 밀려든다. 그것은 내가 침몰하고 있는 검은 대양이다. 나는 그들을 다시는 보지 못하게 되지 않을까 두렵고 그들을 다시는 보지 못하고 죽게 될까 두렵다. 나는 알코올에 대한 필요를 느낀다. 한 잔만 마시면 공포를 쫓아내는 데 충분하다. 안전하기만 하면, 침략성이 자태를 나타내고, 충분한 발전을 하게 된다. 그러나 당분간은 공포가 우세하다. 그들은 멀리 떨어져 홀로 있다. 나는 그들을 보호해 주고 싶다. 그들 때문에 몹시 두렵다.

물론 나는 집에 있으면 가끔 권태를 느끼지만 아내와 같이 있을 때는 안전감이 든다. 두려운 생각이 없어질 때는, 나는 권태를 느끼게 된다. 권태를 느낄 때는 기분이 좋다. 권태도 역시 안전 속에서 번영하며, 안전의 징조다. 광란하고 있을 때는, 기분이 한결 더 좋다. 노여움은 용기이며 따라서 영웅적 행위가 될 수조차 있다. 노여움이 앞을 보지 못한다는 것은 지극히 옳은 말이다. 영웅적 행위는 무의식적이다. "강한 인격은 곤란한 인격이다."라고 말한 것이 끌레망소였다고 생각한다. 양심을 갖고 있을 때는, 그것은 좋지 않은 것이다.

나는 파리에 전화를 걸어볼 작정이다.

죽음과 삶

죽음의 욕망은 모든 생물의 심장 속에 있기 때문에, 우리들은 그것을 억제하려고 애쓸 때 고통을 받기 때문에, 또한 모든 생물은 평화와 평온을 동경하고 있기 때문에, 우리들은 생활의 매듭을 풀고, 죽음에 대한 동경을 북돋아 주어야 한다. 죽음의 욕망에 대한 억압은 고통을 자아내고 공포를 불러일으킨다.

아니다, 아니다. 나는 계속해 살고 싶다. 그대로 계속 살고 싶다. 나는 가족을 갖고 싶다. 요컨대, 나는 살고 싶기도 하고 죽고 싶기도 하다. 죽어야 한다. 죽어야 해, 하지만 그대로 살아야 한다. 모든 다른 사람들처럼. 모든 것이 하얗고 불빛이 환한 대병원의 식당은 물론 음식물이 건강에 좋고 입원자들의 도덕적 행위이나 정신인 것처럼 자연히 건강에 좋다. 그도 그럴 것이 건강에 좋지 않은 것은 비단 비위생적이기만 할 뿐만 아니라, 그것은 효험으로부터 이탈이기 때문이다. 어느 쪽이 효험인지 아무도 모를 일이다. 아마 자연스러운 것의 효험으로부터의 이탈이 효험인지도 모른다. 그러나 이 자연스러운 것이나 자연이라는 것이 무엇인지 아무도 분명히 아는 사람이 없다. 의사들에게는 자연스러움은 소년군 같은 신비주의이고 그들의 종교라고 생각할 수 있을 것이다.

식당 내 옆의 식탁에, 커다란 부스럼투성이의 얼굴을 한 노인 환자가 있었다. 그가 옆에 있는 것은 참을 수가 있었다. 나의 바로 건너편 자리에 하얀 수염을 기른 건강한 노신사가 있었다. 그 노인은 분홍빛의 깨끗한 얼굴을 하고 있고, 병원에서 하라는 대로 음식물을 천천히 씹으면서 자신 있게 먹고 있었다. 그를 보면 정말 불쾌해서 못 견디겠다. 그는 자기가 먹고 있는 것이 자기한테 생명을 부여하고 있다는 것을 의식하고 있었다. 한 숟가락의 밥은 두 시간의 생명을 의미했다. 또 한 숟가락은 또 두 시간의 생명을 의미했다. 식사가 끝날 때는 그는 일주일의 생명을 얻은 것을 확신할 수 있었다. 그런데 참을 수 없는 것은 주로 그의 눈초리였다. 건강한 노인의 날카롭고 교활하고 사나운 눈초리였다. 나는 자리를 바꿀 수 없느냐고 부탁했다. 그런 살려고 하는 필사적인 열의는 나에게는 비극적이고 위험하고 무섭고 비도덕적으로 생각되었다. 나는 내가 그처럼 계속해서 살아보려고 골몰하고 있기 때문에 그의 안에 있는 나 자신을 증오하고 있다는 것을 충분히 인식하고 있다. 나도 몇 년 만 지나면 그처럼 될 것이다. 나는 나 자신을 용서할 수 없는 것처럼, 그를 용서할 수 없다. 도대체 나는 무엇 때문에 여기에 왔는가, 삶에 대한 취미를 얻지 못한다면 건강을 흡수할 수 없다면?

봉사하는 의사나 간호원들이 살려고만 애를 쓰는 부유한 사람들에게 염증을 내고 있는 것은 분명하다. 나는 그 이유는 모르겠다. 하지만 건강하고 유덕한 얼굴로 음식을 먹는 것이 내게는 비도덕적으로만 생각된다. 나는 오히려 과식과 폭음과 폭식을 좋아한다. 음식의 폭식은 무이유(無理由), 즉 자유를 의미한다. 살기 위해서 먹는 것이 아니다. 배가 잔뜩 찰 때까지, 배가 터질 때까지 먹는 것이다. 그것은 일종의 자살이다.

응어리

"죽는 법을 배우고 싶지요." 하고 Z는 내게 말했다. "그렇지만 당신은 그런 생각을 가진 사람같이 보이지 않는 걸요. 당신은 긴장된 표정으로 여기에 왔지만 당신의 모든 태도는 마음에 있는 걸 털어놓고 말할 수 없는 사람의 태도이고 몰두할 수 없는 사람의 태도예요. 죽고 싶을 때는 고요하고 마음을 풀어 놓게 되는 법예요."

"그것을 모르는 게 아녜요." 하고 나는 대답했다. "그 응어리를 푸는 법을 나한테 가르쳐 주시오. 그 응어리는 내 힘으로 풀어야 한다는 것을 알고 있지만, 내가 풀 수 없는 응어리는 어떻게 돼 있는지 내가 알 수 있게 약간 안내만 좀 해주시오."

"어느 의미에서는 당신은 이미 죽은 사람예요. 당신을 못 살게 굴고, 당신을 구원할 길이 없는 마비된 상태에서 벗어나지 못하게 하는 모순된 충격에 사로 잡혀서 당신은 죽어 있어요."

"죽는다는 것이 몰두한다는 뜻이고, 내가 몰두할 수 없는 사람이니까, 다른 방식으로 죽어 있는 것이 되겠군요. 혹은 필시 당신이 말하고 있는 충격이 나를 다른 방식으로 죽이고 있는지도 모르고요. 나는 죽은 사람처럼 살고 있군요." 나는 이 말을 단숨에 말하고는 이 말의 역설적인 의미를 깨닫고 갑자기 웃음을 터뜨렸다.

"나는 숨어 있었다." 하고, 그 사람은 말했다. "이것이 길의 시초이다." 마아틴 부버가 『해시딤의 이야기』라는 그의 저서의 서문에서 한 말이 생각이 난다. 해시딤에 의하면, 다음과 같이 썼다.

> ……인간 심의의 효과적인 탐구는 인간생활에 있어서의 길의 시초다. 그러나 이러한 탐구는 그것이 사실상 그 길로 인도되는 한에 있어서만 효과적이다. 왜냐하면 일종의 아무런 소산도 없는 다만 자학과 절망과 보다 더 큰 혼란으로 인도되는 심의의 탐색이 있기 때문이다.

작가나 일기 쓰는 사람들이 실행하는 자기분석은 쓸모없고 보잘것없는 것이지만, 이것은 순화하고 정화하는 정신분석의 선지자가 되지 않겠는가?

해시딤 교(敎)는 "모든 사람은 독력(獨力)으로 자기의 길을 찾아야 한다."고 충고하고 있다. 주어진 순간에 "빛이 터져 나와야 한다."이기 때문에 정신분석은 이 태도와 그다지 거리가 멀지 않다. 고대의 모든 지혜의 형태는 세 개의 원칙이 살펴져야 한다고 한결같이 말하고 있다. "그대가 어디에서 왔는지 어디로 가는지 누구에게 갚을 것이 있는지를 알아라." 아아, 나는 나의 영혼(넋)을 쫓고 있지만 그것은 너무나 빨리 달리고 있어서 따라갈 수가 없다.

사람들은 몇 개의 범주 속에 빠져 있다. 회답을 찾을 수 없는 질문을 자기 자신에게 하고, 자기 자신이 어디에서 왔고, 어디로 가는지는 알 수 없는 것이라고 단념하고 있는 사람들이 있다. 또한 자기 자신에게 질문을 건네지도 않고, 만족스럽게 살고 있는 사람들이 있다. 필시 이들은 무의식중에 회답을 발견했는지도 모른다. 또한 자기 자신에게 질문을 건네고 회답을 발견하고, 그것을 소유하고 있는 사람들이 있다. 마지막으로 자기 자신에게 질문을 건네고 회답을 발견하지 못하는 사람들이 있다. 이것이 내가 속해 있는 범주다. 내 나이에 해결을 바라는 것은 너무나 늦었다. 나는 여기에서 무엇을 해야 하나? 이 문제는 나를 당황하게 한다.

물론 사람들은, 나의 불안이 내가 내 자신으로부터 분리되어 있다는 사실에 기인하는 것이라고 말할 것이다. 이론적인 설명은 정신분석이나 특히 융 심리학에 대한 책을 연구한 사람이면 누구나 알 수 있는 것이다. 어머니와의 애처로운 분리, 여성의 영혼(넋[4])과의 대지와의 죽음과의 애처로운 분리. 그 때문에 나는 나의 자아를 내가 거기에서 탐욕스러운 조그만 자아를 만들어내는 무아에다 던져 넣는다. 그러면 이것이 내가 그대로 받아들일 수 없는 심오한 무아로부터 몸을 뺀다. 나는 죽음이 나의 자아라는 것을 또한 무아가 나의 본질적인 진정한 자아라는 것을— 다만 추상적으로 이해하는 것이 아니라— 느낄 수 있는 지점에까지 가지 않으면 아니 된다. 여기에 또한 동양사상과의 연결이 있다고 생각된다. 나의 자아인 무아는 '목숨(atman)'과 같은 것일 것이다.

어떻게 하면 나는 이 곤란을 설복시킬 수 있을까, 어떻게 하면 나는 내 꿈에 나타나는 거대한 벽을 기어 올라갈 수 있을까, 혹은 그것을 무너뜨릴 수 있을까? 어떻게 하면 나는 이 궁경에 나를 몰아넣은— 우리들을 몰아넣은— 장벽을 제거할 수 있을까? 저 모든 사람들을 좀 보아라. 어떤 때는 저들은 살고 싶어 하고 어떤 때는 저들은 죽고 싶어 한다. 어떤 때는 저들은 건강을 회복하려고 서로 간호해 주고, 어떤 때는 저들은 서로 죽인다. 사람들은 그들이 원하고 있는 것이 무엇인지를 모르고 있다.

나는 야수처럼 말뚝 뒤의 우리 안에서 빙빙 돌아다닌다.

• • •

4. '넋'은 'anima'의 번역어이다. 융에게 anima는 남성 내면의 여성성이다.

나는 내가 커다란 공원 안을 걸어가고 있는 꿈을 꾸었다. 공원의 주변에는 하얀 집들이 있고, 들창으로 사람들이 나를 불친절하게 바라보고 있었다. 공원의 맨 끝 쪽에 조그마한 정자가 있었다. 웨이터가 서 있었고, 나는 그에게 무슨 마실 것이 없느냐고 물어 보았다. 그는 대답했다. "정신 건강의 증명서를 내보이지 않으면 마실 것을 드릴 수가 없습니다." "어째서?" 하고 나는 물었다. "모든 사람이 그런 증명서를 내보여야 한다면, 아무한테도 술은 팔 수 없겠군." "댁의 경우만은 다릅니다." 웨이터는 대답했다. "모두들 손님께서 미쳤다고 그래요. 손님은 주사를 맞으신다는데요. 마약주사를 맞으신다는데요." 나는 의사가 괴로운 흥분을 진정시키기 위해서 나한테 주사를 놓아주었다고 설명했지만, 그를 설복시킬 수가 없었고, 드디어 정자를 나왔다. 나는 담배를 피우려고 했다. 내 담배는 한 개비도 불이 붙지 않았다. 구멍이 뚫어져서 바람이 샜던 것이다. 나는 담배를 한 개비 한 개비씩 전부 내버렸다. 나는 담배를 또 살 작정을 했던지, 오던 길로 되돌아 왔다. 웨이터와 그의 정자는 온데간데없이 사라지고 없었다. 그 자리에 조그만 구멍이 나 있었다. 나는 웨이터가 서 있던 자리를 세차게 발로 짓밟았다. 마치 그를 죽이려고 하거나, 상징적으로 그를 쫓아내려고 하거나 그에게 복수를 하려고 하는 것처럼. 공원의 다른 편 쪽 끝에 나무 사이에 조그만 정자를 나는 발견하고, 거기에서 마실 것을 구할 수 있을까 하고 생각해 보았다. 서너너덧 명의 사람들이 안에 앉아 있었다. 거기에도 역시 새까만 젊은 사나이가 있었고, 그 사나이는 어쩐지 나를 다정스러운 얼굴로 쳐다보고 있는 듯이 보였다. 나는 하얀 집들의 휘장을 친 창문 뒤에서 내다보는 사람들의 냉담한 눈초리에서 피하기 위해서 역시 정자 안으로 들어갔다. 나는 젊은 사나이를 보고 미소를 띠었지만, 곧 나의 미소를 억제했다. 아마도 나는 잘못 생각했던 모양이다. 젊은 사나이가 다정스러운 표정으로 쳐다보았다고 생각한 것은 나의 오해에 지나지 않았던 모양이다. 주인 여자는 품위 있는 여자같이 보였다. 그녀는 나의 말에 공손히 대답하고는 마실 것을 가지고 오려고 뒤곁에 있는 가게로 통하는 조그만 문을 열고 나갔다. 나는 식탁에 앉아서 그녀가 마실 것과 먹을 것을 가지고 오는 것을 기다리고 있었다. 그러나 어떤 종류의 먹을 것과 마실 것을 그녀가 갖고 올 것인가? 나는 궁금하게 생각하면서 기다리고 있었다. 그녀는 무엇을 갖고 올 것인가? 나는 기다리고 또 기다렸지만 허사였다. 나는 꿈이 끊길 때까지 여전히 기다리고만 있었다.

Z는 나에게 (이미 내가 알고 있는 것) 이 꿈은 식강박관념(食强迫觀念)[5]의 징조를 포함하고 있다고 설명했다. 어린애가 보챌 때에는 젖을 물려주면 심술이 풀린다. 먹고 마시는 것은 식강박관념이다. 폭식을 하고 폭음을 하는 사람들이 흔히 신경증환자나 준신경증환자인 것은 널리 알려져 있는 사실이다. 먹고 싶고 마시고 싶은데도 그러지를 못하는 것은 바로 어머니와 분리되는 또 하나의 방식이다. 내가 이것을 알고 있다는 사실은 대단한 도움이 되지 않는다. 아무튼 내가 갈망하고 있는 음식은 이미 어린애의 음식은 아니다. 내가 갈망하고 있는 것은 지식이다. 내가 갈망하고 있는 것이 무엇이라는 것을 내가 사실상 알고 있다면, 여러 가지 일들이 저절로 식별될 것이다. 꿈속에서처럼, 나는 공연히 기다리고만 있다. 이런 꿈들에 대해서 조바심이 나는 것은, 그것들이 내가 이미 알고 있는 일을 코끝만 건드리고 간다는 것이다. 나의 괴로움에 대한 이유들을 발견하기 위해서 꿈을 꿀 필요가 없다. 그 이유들은 너무나 잘 의식하고 있다. 나는 아무 일도 배운 것이 없다. 나는 내가 알고 있던 것보다 더 이상 전진하지는 못했다. 나의 꿈들은 너무나 뚜렷하다. 그럼에도 불구하고 두 가지 일이 있다. 아주 조그마한 두 가지 일이 있다. 나는 무아가 나의 자아라는 사실을 절대로 확신하게 되지 않으면 아니 된다. 또한 나는 내 자신이 이미 죽었다는 것과, 이런 상태가 사실상 그다지 나쁜 것이

● ● ●

5. '식강박관념(食强迫觀念)'은 'oral obsession'의 번역이다.

아니라는 것을 (자)신에게 타이르지 않으면 아니 된다.[6]

[7]프로이트의 분석이 판단을, 도덕적 판단을 내리지 않는다는 것은 사실인가? 그러나 정신분석은 우리들을 해방시키려고 애를 쓰고 있다. 이것은 그것이 판단을 내리고 있다는 뜻이 된다. 말하자면 우리들은 무엇 때문에 우리들 자신을 악으로부터는 아닐지라도, 우리들을 결박하고 있는 족쇄인 악으로부터 해방시키려고 애를 쓰고 있는가? 선사(禪師)들은 시체를 보면 웃음을 터뜨린다. 이것은 삶과 죽음에 대해서 소극적인 판단을 — 신에 대한 판단을 — 내리고 있는 것과 같은 것이다. 판단을 선언하는 것은 어떤 것을 가치의 척도 위에다 장소를 지정하는 것이다. 그것은 분명히 표준을 가져야 하는 것이다. 선은 신이 현상 속에 그 자신을 나타내고 있을 때는 신을 부인한다. 혹은 오히려 선은 대체로 신의 무시현(無示顯) 속에서 그 너머로 신을 발견하기 위해서 시현(示顯)으로부터 그 자신을 분리시킨다. 선은 시현에 대해서 판단을 내리고 있고, 무시현을 위한 것이다. 아무튼 웃음은 역시 눈물을 거역하는 투쟁의 방식이며, 명인(鳴咽)에 대한 반격의 방식이며, 여전히 오열 속에 휩싸여 있는 방식이다. 가령 우리들의 오열보다도 더 강해지는 데 성공한다 하더라도, 웃는다는 것은 역시 판단을 내리는 것이며, 열정을 느끼는 것이다. 이와 마찬가지로 프로이트 역시 우리들이 응어리 속에 매어 있다는 것을, 악과 괴로움과 신경증환자가 존재하고 있다는 것을 믿고 있는 점에 있어서, 판단을 내리고 있는 것이다. 자유인은 자기가 자유롭다는 것을 알고 있지조차도 않은 사람이며, 자유와 구속의 존재를 모르고 있는 사람이다. 욕망을 갖지 않으려는 욕망은 역시 욕망 — 엄밀히 말하자면, 그 특수한 욕망 — 을 경험하는 것이다. 되는 대로 사는 사람, 죽는 것에 동의하지도 않고 거역하

6. "신에게 타이르지 않으면 아니 된다"에서 '신'은 '자신 myself'의 오식이다.
7. 프로이트보다 융이 더 좋다는 내용의 한 단락이 이 부분에서 생략되었다.

지도 않는 사람, 삶도 죽음도 동일하다고 여기고 있는 사람은 자유롭다. 자유롭지조차도 않다. 자유롭지 않지조차도 않다.

생각하는 것을 그쳐라, 아무것도 생각하지 말아라. 아아, 동물들도 역시 생각한다. 그들도 역시 두려워하고, 죽음을 무서워한다. 우리들은 시장기를 느끼고 갈증을 느끼지 않을 수 없다. 모든 창조물의 목적은 무엇인가?

말

나는 좀 더 젊었을 때, 자기인식에 대한, 일반적인 지식에 대한 이런 필사적인 열정을 가져야 했을 것이다. 내가 좀 더 빨리 시작했더라면, 나는 어느 곳에든 도달할 수가 있었을 것이다. 다만 일개의 작가로 그치지 않고. 시간과 노력을 얼마나 낭비했는가? 나는 세상의 모든 시간을 갖고 있다고 생각하고 있었다. 이제 사태는 급하다. 이것이 나의 마지막 기회이고 급하다는 것이 진리의 탐구에 도움이 되는 것은 아니다. 사실상, 내가 더 이상 아무것도 이해할 수 없다는 것은 문학에 말려 들어가 있기 때문이다. 흡사 문학에 말려 들어가게 되었기 때문에, 나는 모든 가능한 상징을 사실상 그것들의 의미를 꿰뚫지도 못하고 다 써버린 것 같다. 이런 상징들은 이미 나에게는 아무런 중요한 의미도 갖고 있지 않다. 말들이 이미지들을 죽였고, 또한 그것들을 감추고 있다. 말의 문명은 미친 문명이다. 말은 혼란을 조성한다. 말은 말이 아니다.[8]

그러나 이런 말들은 가면 같은 것이거나, 혹은 땅 위에 떨어진 죽은 나뭇잎 같은 것이다. 생명의 나무는 거기에 까맣게 발가벗고 서 있다. 앞으로는 아무것도 가장 심오하고 가장 치유될 수 없는 침통에 가면을 씌울 수 있는 것이 없다.

● ● ●

8. [역주] 이것은 아마 개개의 분리된 낱말은 조리 있는 말을 구성하지 못한다는 뜻일 것이다.

교회(敎會)의 벽(壁)

나는 교회의 어둠침침한 올라갈 수 없는 벽의 이미지로 되돌아온다. 그런 이미지는 얼마나 간결하고, 복잡하고, 의미심장한 것일까, 또한 그 이미지의 살아 있는 사상을 말로 번역하기가 얼마나 어려운 일인가! 이런 경우에 나는 그 벽 위로 올라가야겠다는 열렬하고도 다급한 필요성을 느꼈고, 또한 동시에 내가 거기에 도저히 기어 올라갈 수 없을 것이라는 것을 느꼈다. 바른편 아래쪽에 조그만 문이 있었던가? 있었다고 생각된다. 그러나 그렇다 하더라도 그 문은 확실히 닫혀져 있었다. 그러니까 벽은 감옥소의 벽이다. 나의 감옥이다. 그것은 멀리서 보면 공동묘지같이 보이기 때문에, 그것은 죽음이다. 그것은 교회의 벽이고, 그것은 나를 사회로부터 떼어 놓는다. 그러니까 그것은 나의 고독의 표현이고, 무언의 표현이다. 나는 다른 사람에게로 통할 수 없고, 다른 사람들은 나에게로 통할 수 없다. 동시에 그것은 지식을 막는 장벽이다. 그것은 생명과 진실을 감추는 장벽이다. 요컨대, 내가 이해하려고 애를 쓰고 있는 것은 삶과 죽음의 신비다 — 그 이상의 것도, 그 이하의 것도 아니다. 그런 기도가 나에게 불가능하게 생각되는 것은 지극히 당연한 일이다. 그런데 여기에서 또한 나는 다만 내가 생시에 생각하고 있는 것에 대해서 꿈을 꾸고 있을 뿐이며 따라서 그 이미지는 불가능의 요약 — 시학적(視學的) 요약 — 에 지나지 않는다.

나는 그 이미지를 반성해 볼 때, 나의 정상적인 생각에 관련된 근원이 될 수 없는 훨씬 더 정확한 그 무엇을 발견할 수 있다는 느낌을 갖게 된다. 어째서 땅은 음침하며 시들은 엉겅퀴로 덮여 있는가? 그것이 죽은 땅이기 때문에. 어째서 하늘은 그다지도 음침한가? 교회의 주위를 돌고, 불결한 부엌을 뚫고 나온 뒤에, 어째서 우리들은 역시 캄캄하고 메마른 경사지(傾斜地)로 나오게 되었는가? 그것은 이승의 불도 없고 풍요도 없고, 하늘에 빛도 없는 사멸한 세계였기 때문에 그것은 대지가 하늘로부터 단절된 세계 — 나의 세계 — 의 이미지다. 대지가 하늘로부터 단절된 영혼 — 나의 영혼 — 의 이미지다. 나의 가장 심오한 존재가 이미 나의 마음에 자양분을 주지 못하고 있기 때문에, 내 자신으로부터 단절된 내 자신의 이미지다. 나는 꿰뚫을 수 없는 벽으로 단절되어 있다. 무엇이 그 벽을 구성하고 있는지를 모르고 있으니, 모든 이런 일을 알았대야 무슨 소용이 있겠는가? 나는 그저 원주를 자꾸 돌고만 있다. 나의 문제들은 그와 똑같은 참을 수 없는 모양을 하고 있고, 그 해결은 숨겨져 있다.

낙원(樂園)

벽은 또한 나의 인간으로서의 극복할 수 없는 한계를 나타내고 있다. 나는 여기에 속해 있지 않다. 나는 모든 곳에 속해 있다. 문제는 벽 너머의 그 다른 지방으로 내가 돌아갈 수 있는 길을 어떻게 발견하느냐 하는 것이다. 이것은 또 다시 평범한 고찰을 하게 한다. 우리들은 모두가 분명히 우리들의 개성으로 제한을 받고 있다. 우리들은 누구나 다 이것을 알고 있다. 유한성은 우리들의 혐오감을 자아낸다. 그렇거나 아니면 우리들은 그것을 승인하고, 그것을 수락한다. 좀 덜 평범하다고 할 수 있는 것은 나의 한계점이 나에게 유발하는 극단적인 고통이다. 나는 불멸이 아니다. 나는 모든 일을 알 수 없다. 나는 모든 장소와 모든 계제(階梯)에 있을 수가 없고 알 수 없다. 내가 만약에 그런 유한성에 내 자신을 맡길 수 없다면, 그것이 나의 악몽 속에서 벽의 형태로 나에게 나타난다면, 그것이 신경증환자가 되게 한다면, 그 때에는 그것은 이미 평범한 것이 아니다. 그것은 필시 옳지 않은 일일 것이다. 그 벽이 올라가질 수 없는 것인 이상 나는 그것을 인정하지 않으면 아니 된다. 그것을 인정하지 않는다는 것은 '악마적인' 처사다. 그런 경우에는 벽은 물러나지 않을 것이다. 그것은 다만 나를 두 토막으로 낼 때에만 무너져 내릴 것이다. 낙원은 완전한 귀의(歸依)다. 따라서 결국 낙원은 있을 리가 없다. 그렇다면 우리들은 무엇을 해야 하나? 확신을 가져라. 이것이 모든 승려와 모든 현인들이 우리들에게 말하고 있는 것이다. 우리들은 확신을 갖지 않으면 아니 된다. 나는 나 자신에게 이렇게 말하지만, 아무 소용이 없다.

나는 또다시 거대한 벽이 나타나는 꿈에 대해서 생각하고 있다. 통곡하는 벽, 격리(隔離)의 벽. 갑자기 나는 그 벽을 안 보이게 하지 않으면 아니 된다고 혼잣말을 한다. 내가 만약에 벽에 대한 꿈을 다시 꾸게 된다면, 그 일이 내가 바로 해보려고 애를 쓰는 일이 될 것이다. 나는 한편으로 여전히 꿈을 꾸면서 그 일을 하려고 노력할 수 있고 정신적인 이미지 위에 정신을 집중시키고, 나의 상상 속의 벽을 파괴하려고 노력할 수 있을 것이다. 나의 희망은 내가 참말로 성공을 하면, 새로운 어떤 일이 예기치 않은 어떤 일이 생겨날 것이라는 것이다. 필시 하늘은 맑게 개일 것이고 시들은 엉겅퀴에서는 다시 꽃이 필 것이고, 메마른 대지는 다시 한 번 푸른 식물로 덮여질 것이다.

사실, 나는 점심을 먹고 나서 잠시 낮잠을 자려고 드러누웠을 때, 나의 의도는 이 상상 상(上)의 묘기를 완성하려는 것이었지만, 나는 깊은 잠이 들었고, 전혀 다른 일에 대한 꿈을 꾸었다. 어떤 여자가 자기의 남편이 너무 술을 마시고 취하기만 하면 난폭하게 된다고 불평을 하고 있었다. 때마침 그녀의 남편은 옆의 방에서 방문을 걸어 잠그고 연방 술을 마시고 있었다.

여자는 남편이 꼭지를 쳐서 깨뜨린 절반쯤 술이 남은 위스키 병을 나에게 쳐들어 보였다. 방문이 열리고, 남편이 나타났다. 조그만 수염을 기르고 몸집이 �院캰한 중키의 중년 사나이였다. "무엇 때문에 당신은 참견을 하는 거야." 하고 그는 나에게 물었다. 나는 난폭한 행동을 하는 것은 좋지 않은 일이라고 탓하면서, 날카로운 대답을 했다. 그가 먼저 싸움을 걸었는지 내가 걸었는지 똑똑히 생각이 나지 않는다. 나는 그가 무척 기운이 세다고 느꼈다. 그러자 나는 잠이 깨었다.

나의 해석은 다음과 같다. 내 꿈에 나온 사나이는 바로 내가 서너너덧 시간 전에 흘끗 본 일이 있고, 그 즉시로 강한 혐오감을 느낀 사나이였다. 우연히 내가 다니는 병원에서 나는 그를 보았고, 그는 꿈속의 사나이처럼 수염을 기른 몸집이 캉캉한 중년 사나이였다. 그는 몸집에 비해서 목소리가 여간 크지 않았다. 나는 그가 어떤 사람한테 자기 몸의 모든 기관이 건강하고 운동을 계속하면서 몸을 보양하고 있고 그래야지만 '약간의 재미를 볼' 수도 있고, 늙은 중풍 환자로 생애를 끝마치지 않을 수도 있다고 말하는 것을 엿들었기 때문에 그에게 혐오감을 느꼈던 것이다. 나는 그가 육체운동을 한다는 말을 하는 것을 들었을 때, 즉시 홍콩의 호텔의 창문에서 본 매일 아침 일곱 시쯤 되면 일을 하러 나가기 전에 발코니 위에서 체조를 하는 늙은 중국인에 대한 생각이 났다. 그 중국인은 흡사 곤충처럼 보였다. 날개를 터는 수백만 마리의 파리 중의 한 마리처럼 보였다. (도대체 중국에서는 무엇 때문에 그런 파리 박멸 운동을 하나? 물론 구체적으로는 위생적인 이유 때문이지만 또한 아마 파리처럼 무수한 중국인들이 자기들이 파리가 아닌 것을 느끼고 싶기 때문이 아니겠는가?) 그 중국인의 힘센 손은 그 자신의 손이 아니었다. 그것은 나의 마사지사(師)의 손이었다. 그래서 나는 내가 싸우고 있는 사나이가 누구인가를 알고 있다고 생각한다. 그것은 분명히 내 자신이다. 내가 나 자신에 이길 수 없는 것처럼 그 사나이한테 이긴다는 것은 거의 불가능한 일이다.

내가 이 세계에서 어떤 일을 하든 간에, 내가 그것을 뒤집어엎든 개조하든, 즉 그것을 개조하는 인상을 갖든 혹은 적어도 그것을 이용하는 인상을 갖든, 또는 내가 다른 혹성으로 여행을 가든 안 가든, 어떻든 간에 그것은 여전히 '그것'이며, '그것'은 무엇인가? 그것이 '그것'이며, 내가 우연히도 여기에 있다는 사실에 대한 나의 경이감(驚異感)보다도 더 강한 것은 아무것도 없다. 내가 설사 모든 문을 여는 데 성공한다 할지라도, 여전히 언제나 열려질 수 없는 문 — 경이(驚異)의 문 — 이 남아 있게 될 것이다.

내가 풀 수 없다는 것을 알고 있는 이 문제는 평생의 권태로 나를 가득 차게 한다. 그것은 역시 벽이다. 여기에 있다는 의미는 무엇인가, 존재의 의미는 무엇인가, 그리고 무엇 때문에 우리들은 생존을 계속해야 하나? 무엇 때문에 생존이 있는가? 갑자기 미칠 듯한 희망의 가냘픈 불빛, 어떤 사람이 생의 선물을 우리들에게 갖다 주었다. 그것을 '어떤 사람'은 다시는 우리들에게서 빼앗아 갈 수가 없다. 이것이 무슨 의미인지 나는 확실히 모르겠다. 그것이 무슨 의미인지 나는 조금도 모르겠다.

여러해 전에, 내가 청년기에 달했을 때, 그리고 그로부터 조금 후에 또 한 번 경이감이 경이감의 감정을 불러일으킨 일이 있었다. 그 경험과 나의 마음의 상태를 다시 한 번 설명해 보기로 하자. 나는 조그만 시골거리에 살고 있었고, 열여덟 살쯤 되었을 것이었다. 날씨가 좋은 아침이었고, 열두시 조금 전이었다. 이른 6월 아침. 나는 조그만 거리의 야트막한 하얀 집을 지나서 걸어가고 있었다. 그때 일어난 일은 전혀 예기치 않은 일이었다. 갑자기 거리가 변모를 했다. 모든 사물들이 강렬하게 현실적으로 되고, 동시에 강렬하게 비현실적으로 되었다. 그렇다. 그것이 그것이었다. 비현실성이 현실성과 병합했고, 그 때문에 그 두 개가 불가분리(不可分離)하게 섞여 짜여지게 되었다. 집들은 한결 더 하얗게 되고, 훨씬 깨끗하게 되었다. 광명 속에 아주 이상스러운 순결한 그 무엇이 있었고, 나하고 영원히 친해질 것같이 생각되는 미지의 세계가 있었다. 광명이 용해되는 동시에 우리에게로 다시 되살아나는 세계. 희열의 느낌, 따뜻하고 투명한 그 느낌은 역시 말하자면 나의 존재 — 절대적인 존재 — 의 밑바닥에서부터 우러나왔다. 나는 이 진실을 어떻게 정의해야 좋을지 알 수 없었지만, 그것이야 말로 진실이라고 혼자서 말했다. 내가 만약에 그것을 정의하려고 했더라면, 그것은 물론 사라져 없어졌을 것이다. 나는 또한 이렇게 혼자서 말했다. 이 현상이 발생한 이상 내가 실제로 그것을 경험하고, 내가 알게 된 것이 무엇인지는 모르지만, 이제 모든 것을 알게 된 이상, 나는 다시는 불행하게 되지 않을 것이다. 왜냐하면 나는 바로 우리들이 죽지 않는다는 것을 발견했기 때문이다라고, 나는 오로지 극복해야 할 모든 장래의 번민이나 괴로움을 위해서 그 순간을 기억하지 않으면 아니 되었다. 나는 본질적인 진실의 계시를 받았던 것이다. 그 밖의 모든 것은 비본질적인 것이었다. 여러 해 동안을 두고 내가 가끔 그 경험의 기억에 의해서 위안을 받은 것은 사실이다. 그런데 그것이 나에게 차츰 덜 위안을 주게 되었다. 드디어는 전혀 위안을 주지 못하게 되었다. 그 행복감을 상기하려고 할 때면, 나는 다만 내 자신과는 이미 관계가 없는 꿰뚫을 수 없는 — 전혀 이해할 수 없는 이미지는 아니지만 신뢰할 수 없는 — 이미지만을 본다. 그것은 영화관의 영사판 위의 영상보다 나을 것이 없었다.

내가 그 경험을 Z에게 설명했을 때, 그는 그것은 완전히 전형적인 현상이라고 말했다. 그것은 오도(悟道), 즉 계시로서 알려져 있는 것이다. 그 현상이 힘을 잃게 되고, 그에 대한 기억이 나를 지탱할 수 없을 만큼 무력하게 되었다는 말을 듣고 그는 깜짝 놀랐다. 그는 나에게 그에 대한 생각을 집중적으로 하도록 해야 한다고 충고를 했다.

계시란 말은 그에 대한 정당한 말이다. 그것은 실제로 광명 속에서 일어나는 그 무엇이었다. 아마도 그 경험은 완전한 것은 못 되었을 것이다. 무엇인가가 모자랐을 것이다. 나는 내가 본질적인 진실을 경험했다고 생각했지만, 정신적인 진실의 본질이 없었던 것이다.

그러나 그것이 꿈속에서 일어나든 생시에 일어나든 간에 행복악(幸福惡)[9]과 색채와, 식물과, 밝은 광명 사이에는 연관성이 있다. 예를 들면 식물과 나무들의 푸른 가지 사이를 뚫고 들어오는 햇빛의 강한 이미지.

문학(文學)

나는 항상 문학으로 되돌아간다. 나는 이런 이미지들을 묘사할 수

● ● ●

9. 'euphoria'의 번역어.

있고, 다소간 납득이 가게 그것들을 말로 표현한 데 대해서 흡족하게 생각하고 있다. 그것들에 대한 나의 이야기는 필시 훌륭하게 씌어지고 있다고 생각된다. 아마 이 이야기는 약간의 독자들이나 약간의 비평가들을 즐겁게 할 것이다. 이런 말을 한다는 것이, 나 자신에게 이런 말을 한다는 것이, 내가 문학으로 빠져 들어가는 것이다. 이것을 내가 자각하고 있다는 사실은 나를 조금도 기운이 나게 하지 않는다. 내가 쓰고 있는 것의 문학적 성질을 내가 자각하고 있다는 것을 자각하고 있는 사실은 다만 사태를 더 악화시키기만 한다. 그러나 나는 선택을 하기로 결정을 하지 않으면 아니 된다. 허영, 즉 실패에의 길, 아니면 다른 일. 우리들은 궤멸적인 타격을 받을 만큼 노상 운수가 좋지 않다. 우리들은 절망의 상태에 생에 대한 절망의 상태에 놓여 있을 만큼 노상 운수가 좋지 않다. 나는 그런 일은 잊어버린다. 나는 기운을 낸다. 나는 즐겁게 논다. 나는 나의 '가장 심오한 일기'를 쓴다. 나는 거대한 생명력을 갖고 있다. 아무것도 그것을 고갈시킬 수는 없다. 다만 꿈과 악몽만이 우리들을 한잠도 자지 못하게 할 수 있을 뿐이다. 그러나 여지까지 쓴 글 중의 한두 페이지는 말이나 문학과는 아무런 관계없는 것이었다. 이것은 '꼬메디 프랑세즈'[10]의 연출자가 막 파리로부터 전화를 걸고 나의 최근에 쓴 희곡에 흥미를 느끼고 있다고 말해 왔기 때문이 아니다. 불균형 속에서 균형의 상태를 내가 되찾기 위해서는 지극히 조그만 것만 있으면 된다. 나는 사과를 한 개만 먹으면 된다.

해시딤에 의하면, 진정한 열광은 마음에서 오는 것도 아니고 자연에서 오는 것도 아니고, 오히려 그 두 가지 사이의 소통에서 오는 것이다. 유태교인들이 특히 추상적이라고, 구체적인 것을 모른다고 비난을 받(은) 것을 알고 있는데, 그것은 다만 사람들이 그들에 대해서 아무것도 모르고

● ● ●

10. Comédie-Française. 프랑스 국립극장의 명칭. 세계 최초의 국립극장이다.

알려고 하지도 않았기 때문에 그렇게 될 수밖에 없었던 것이다. 모든 사람들 중에서, 그들만큼 날카로운 구현의 감각을 가진 사람들은 없었다. 해시딤의 목사는 다른 목사들이나 평신도들이 지나친 영성(靈性) 때문에 대지에서 지나치게 분리되는 것을 보면 호되게 꾸짖거나 벌을 주었고, 한편 또한 대지에 지나치게 밀착한 사람들도 비난하고는 했다. 진리와 완전은 다만 하늘과 대지의 결혼을 통해서만 나올 수 있다. 이런 식으로 생각해볼 것 같으면, 우리들은 명시된 형태, 즉 인생은 경멸할 것이 아니라는 것과, 세계 즉 창조는 그중의 하나도 상실될 것이 없기 때문에 가볍게 해산될 수 없을 것이라는 것을 알게 된다. 해시딤의 전통에 의하면, 대지는 하늘로 올라가지 않으면 아니 된다. 이것은 현대의 정신병 의사들이 정신증은 직관과 감각의 두 요소 사이의 분리에 의해서 생겨나는 것이라고 말할 때, 그들이 다른 언어를 빌려서 말하고 있는 것이다. 구현의 의미는 또한 기독교도 사이에서도 찾아볼 수 있다. 특히 존재의 부분이 되어 온 만물이 영원에 의해서 '구제'될 것이라고 생각하고 희망하는 C. P. 삐기의 경우에 현저히 나타나 있다……

해시딤의 이야기 중에 다음과 같은 것이 있다.

> 메즈리취의 도브 바엘 목사가 한번은 하나님께 모든 사지와 피부가 신성한 사람을 보여 주십사 하고 기원했다. 그러자 하나님은 그에게 발쳄 토브의 모습을 보여 주셨고, 그것은 전신이 불로 되어 있었다. 거기에는 실체라고는 실오라기 하나도 없었다. 그것은 다만 불꽃에 지나지 않았다.[11]

정교회에 대한 알세니예프의 저기(著期)에는 우리들이 쓰는 말로 신경성 우울증에 걸린 신도나 고회자(告悔者)나 상인의 어깨에 손을 얹고, 그

● ● ●

11. [원주] 뉴욕, 숔켄서방 간, 마아틴 부버 저, 『해시딤의 이야기』, 제1권 94면 참조.

사람에게 커다란 광명에 싸여 있는 느낌을 주는 수도승에 대한 이야기가 있다. 또한 십자가의 성(聖) 요한, 헤시카스트, 신플라톤학도, 플로티너스, 그리고 모든 신비주의자들의 계시가 있다. 모세의 숲과 주피터의 불이 있다. 아아, 이런 경험에 대한 얘기를 하는 것만으로는 충분치 않다. 그것들에 대한 얘기를 듣는 것만으로는 충분치 않다. 실제로 광명을 느끼지 않은 사람들에게는 그것은 가련한, 보잘것없는 '문학적' 현상에 지나지 않는다. (계속)

모순(矛盾)

문제는 이것이다. 일단 존재한 것은 영원히 존재를 계속하는 것이기 때문에, 우리들은 유니크한 존재인가, 다시 말하자면 영원불멸인가, 그렇지 않으면 우리들은 우리들의 내부에서 결합되고 융합하는 이름 모를 힘의 용기에 지나지 않으며, 다만 다시 갈라지고 분산되는 운명에 있는 것인가? 후자의 선택은 유물주의자들이 믿고 있는 것이다. 불행한 일은 형이상학의 체계나 종교까지도 그쪽으로 기울어지는 경향이 있는 것이다. 다만 유태교와 기독교만 이 인격주의의 교의를 믿을 수 있는 용기를 갖고 있다.

종교는 우리들에게 자꾸 번성시키라고 말하고 있다. 동시에 성교는, 엄격한 절제를 받고 있고, 달갑게 생각되지 않고 있다. 성(聖) 바울은 성욕을 억제할 수 없는 사람들만이 결혼을 해야 한다고 말했고, 결혼 이외의 성교는 물론 문제도 삼지 않았다. 우리들은 우리들의 매일의 빵과 술이 신성하기 때문에 기도를 드리지 않으면 아니 되지만, 대식가가 되거나 폭음을 해서는 아니 된다. 세계는 영광스러운 신성의 시현이다. 하지만 구원을 얻기 위해서 우리들은 속세에서 이탈을 하면 아니 된다. 우리들은 어떻게 하면 이런 생의 영원한 긍정과 그것의 영원한 부정을 조화시킬 수 있겠는가? 우리들은 아마도 여기에서 생에 대한 충동과 죽음의 욕구

사이의 끊임없는 투쟁의 표현을 보아야 할 것이 아닌가? 이 두 본능 사이의 차액을 계산하는 것은 어려운 일이다. 어떤 금제(禁制)를 과해야 할 것인가를 결정하는 논리는 외부로부터의 강벽(强壁)에 의해서 균형을 취하려고 애를 쓰고 있다. 이런 도덕체계나 논리는, 이런 성욕과 육욕과 애욕을 억제하려는 기도는 그것이 부르주아 사회에 있어서와 마찬가지로 유태교와 기독교인들 사이에서도 노상 존재하고 있었다는 점에서 특히 뜻깊은 일이고, 오늘날의 쏘련사회에서는 훨씬 더 엄격한 형태로 나타나 있다. 혁명론자들은, 그들의 말마따나 아무런 의미도 가질 수 없게 된 부르주아 도덕 — 왜냐하면 그것은 이미 아무런 형이상학적 신념에도 기초를 두고 있지 않고, 아무도 이제는 그것이 어떻게 되어서 생겼는지, 그것의 요점이 무엇인지를 생각하고 있지 않기 때문에 — 에 대해서 반항하고 있다. 그럼에도 불구하고 어떤 이상한 역설을 통해서 그리고 알리바이에 지나지 않는 여러 가지 구실 밑에서, 부르주아 도덕은, 이를테면 사회주의라는 이름으로 어느 때보다 더 강력하게 재건되고 있고, 따라서 그것은 그것이 부르주아 도덕의 붕괴에 대한 반동의 형태를 취하고 있다는 점에서, 더욱 더 부르주아적이다.

단 한 개의 낱말이 우리들을 바른 길 위에 놓을 수 있고, 둘째 번 낱말이 의심을 자아내고, 셋째 번 낱말이 우리들을 고통으로 충만시킨다. 넷째 번 말 이후에는, 우리들은 완전한 혼란 상태에 빠진다. 로고스는 항용 행동을 포함하는 것이었다. 그것이 오늘에 와서는 마비상태가 되었다. 말이란 무엇인가? 불타는 치열도(熾烈度)를 가지고 경험되지 않은 모든 것. 인생은 그것을 위해서 죽을 만한 가치가 있는 것인가? 하고 내가 물을 때, 이것은 다만 어구상의 형식에 지나지 않는다. 그러나 적어도 그것은 희극적이다. 얼마나 많은 소르본느 대학생들과 고등사범학교 학생들과 수필가들과 저명한 신문인들과 수사학자들과 그 밖의 부유하고 진보적인 지식인들이 언어에 대해서 이야기하고 있는가를 모르고 있는 사람은 없을 것이다. 그것은 강박관념이며 만네리즘으로 되었다. 사람들이 언어에 대한 얘기를 그렇게 많이 하고 있다면, 그것은 그들이 자기들이 갖고 있지 않은 것에 홀려 있기 때문이다. 역시 바벨탑의 시대에도, 사람들은 거의 오늘날처럼 언어에 대해서 엄청나게 많이 얘기했을 것이다. 말은 요설(饒舌)이 되었다. 모든 사람들이 자기의 발언을 갖고 싶어 한다.

말은 이제 길을 가리키지 못한다. 말은 게으른 잡담이거나, 단순한 문학이거나, 현실도피이다. 말은 침묵이 이야기하는 것을 막는다. 말은 귀를 멍하게 한다. 그것은 행동이 되지 않고, 행동을 못 하게 하기 때문에 이럭저럭 우리들에게 위안을 준다. 말은 고갈(枯渴)하고, 사상에 피해를 입힌다. 침묵은 금이다. 침묵은 말을 위해서 보증인이 되어야 할 것이다. 아아 언어는, 역시 한 개의 낱말에 지나지 않는 인플레로 고통을 받고 있다. 이런 문명이 어디 있는가? 나의 걱정은 오로지 무거운 짐을 벗어야 하고, 따라서 나는 현실 — 나의 현실, 즉 모든 현실 — 을 파악하려고 노력하는 대신에, 지껄이기 시작한다. 말은 탐구의 도구의 역할을 하지 못한다. 나는 아무것도 아는 것이 없는데, 그러면서도 나는 가르친다. 나도 역시 나의 발언을 갖지 않으면 아니 된다.

예술은 모든 정신적 가치가 결여(缺如)되어 있는 것이라고 말하여질 수는 없다. 마지막까지 분석해 보면, 예술가는 보통 사람들이나 기술자들이나 정치가, 즉 자기의 행동이 본질을 모르고 있는 사람들보다는 훌륭하다. 그러나 예술가조차도 대단한 것은 아니다. 예술은 계시를 가져오지 못한다. 알츄 랭보가 그의 시집을『일뤼미나숑』이라고 부른 것은 사실이고, 비평가들이 그를 견자(見者)라고 주장한 것은 사실이지만, 그러나 나는 그의 투시력(透視力)의 힘이나 혹은 그 밖의 문학적 투시력의 예를 믿지 않는다. 나는 랭보가 어떤 계시를 가졌다고는 조금도 생각하지 않는다. 예술이 제공할 수 있는 것은 기껏해야 조그만 희미한 빛, 침침한 불빛의 아주 조그마한 미광(微光), 말의 대해(大海) 속에서 자취를 감추고, 색채의 소용돌이 속에 용해되고, 무한정한 음악의 파도 위에 병마개처럼 던져진, 조명의 아주 가냘픈 시초에 지나지 않는다.

내가 가령 이런 식으로 말할 수 있다면, 말은 아무것도 말할 수 없는 것이 사실이다. 잘하면, 어떤 예기치 않은 제스츄어, 어떤 이미지, 어떤 사건, 전혀 예기치 않은 데에서 떠오른 말이 우리들을 말로 표현할 수 없는 것에다 던져 넣을 수는 있다. 내가 나 자신을 세심한 정확성을 가지고 표현할 수 있든 없든, 그 은유(隱喩)가 적절하든 부적절하든, 복잡한 열띤 말의 흐름을 타고 이루어졌든, 그것은 조금도 중요한 일이 아니다. 여하튼 정신적 진수(眞髓)는 설명 속에서는 상실된다. 가장 깊은 경험을 위해서는 말이 없다. 내가 나 자신을 설명하려고 애를 쓰면 애를 쓸수록, 점점 더 내 자신을 이해하지 못하게 된다. 물론 모든 일이 말로 전해질 수 없다는 것이 아니다. 다만 산 진실만이 그렇다. 말은 다만 말하여질 수 있는 것만을 말한다…….

불량배(不良輩)

A는 바보야, 불량배야, 썩은 새끼야! 그놈은 바보다, 불량배다, 썩은 새끼다 하는 말은 누구한테나 말하여질 수 있다. 모든 사람한테 말하여질 수 있고, 또 아무한테도 말하여질 수 없다. 모든 살인범의 가슴 속에, 모든 형태의 고집이나 모든 형태의 탐욕 뒤에는 질투나 배반이나 비겁같이 보이는 것 뒤에는, 모든 종류의 유덕과 충성의 뒤에 있는 것보다도 때로는 더 많은 절대적인 것에 대한 탐구와 동경이, 형용할 수 없는 동경이 있다.

그들은 멍청하고, 둔감한 야조(野鳥) 같다. 야조의 우주. 이것이 나 자신이 그들에게 보여지는 모습, 그들의 눈에 비치는 나의 본체다. 가끔 숨어 있던 극악무도한 근성이 본색을 드러내고, 튀어나오고, 우리들의 괴기한 지옥의 깊이가 노출된다. 증오의 근원을 쫓아내고 찾아내기 위해서 애를 써보지만, 허사다. 어떻게 하면 우리들은 우리들 자신의 몸에서 이 지옥을 몰아낼 수 있는가? 나는 나 자신에 깜짝 놀라고, 하나하나의 새 얼굴이 나를 공포로 가득 차게 한다. 어떤 지옥이, 어떤 종류의 지옥이 표면 밑에 가로 놓여 있는가?

우리들이 인간에 대해서 알고 있는 것은 첫째로는 그의 점잖음, 그의 분별이다. 우리들은 나락(奈落)에 떨어지는 고통을 각오하고, 멀리 가보려고 애를 쓰지 않아도 된다. 일요일 날 갖은 성장(盛裝)을 다하고 나오는 당신은, 적어도 상상(想像) 상으로, 당신이 누구를 죽였는가를 나한테 말해 준다. 그리고 당신, 나의 아리따운 아가씨여, 당신은 얼마나 많은 사람을 죽이려고 원했는가? 얼마나 더 많은 사람을 당신은 더 죽이고 싶은가? 당신은 당신의 방해가 되는 사람들을 없애 버리기 위해서 나의 조력을 청하고 싶은가……? 세계가 낙원이 아닐진대, 욕망이 없어지지 않는 한, 그것은 다만 지옥이 될 수밖에 없다. 욕망이 없는 곳에는, 차질(蹉跌)과 불만이 있고, 지옥이 있다. 모든 것을 원하지 않는 사람이 어디 있겠는가, 설사 그가 모든 것을 자기가 원한다는 것을 알지 못한다 하더라도. 세계는 나의 소유가 아니다, 무엇 하나, 누구 하나, 우리들의 소유는 없다. 이 사실을 온 마음을 다해서 수락하고, 아무것도 소유하지 않는 것에 온몸을 바칠 만한 지혜를 갖고 있는 사람은 누구인가? 나는 스타트의 피스톨이 울린 뒤에, 피차간에 "댁에서 먼저 뛰시오. 나는 댁의 뒤를 따라가겠소이다." "천만에. 내가 댁의 뒤를 따라가겠소이다……" 하고 서로 양보하는 운동선수들의 꿈을 꾼다.

그러나 경기의 눈에 보이는 목표는 진정한 목표가 아니다. 1착을 하려고 원하는 사람(그리고 누가 1착을 하려고 원하지 않는 사람이 있는가)은 썩은 사람이다. 그러나 외면상의 목표 때문에 우리들의 눈에 보이지 않는 진정한 목표는, 우리들이 욕망을 초월해서, 욕망에도 불구하고 욕망하는 물건은, 우리들의 존재를 정당화하고, 우리들 자신을 다시 찾게 한다. (도덕적으로가 아니다. 왜냐하면 도덕이 도대체 무엇이냐?) 왜냐하면 진정한 목표는 우리들이 사실상 우리들의 한계를 넘어섰다는 사실에 유리한 증언을 하고 있기 때문이다.

산다는 것은 괴롭다. 모든 신경증환자처럼, 나는 나의 신경병에 매달린다. 나는 그 병에 길이 들게 되었고, 그 병에 대해서 애정을 갖고 있다. 나는 병이 낫기를 원하지 않는다. 이 때문에 밤이면 나를 엄습하는 그 억제할 수 없는 공포와 고통이 생긴다.

벽(壁)

나는 활발한 상상력을 갖고 있다. 침대에 눈을 뜨고 누워서, 나는 또다시 꿈속의 벽을 보았다. 거기 벽이 있었다. 다른 물건들 속에서, 그것은 나의 나 자신으로부터의 분리를 상징하고 있다. 그것은 또한 나를 진리로부터 분리시키고 있는 것을 진리에 대한 보다 더 정확하고 광범한 지식으로부터 나를 분리시키고 있는 것을 상징하고 있었다. 나는 그 뒤에 무엇이 있는지를 발견해야 했다. 조그만 닫혀진 문이 여전히 바른쪽에 있었다. 나는 문 앞으로 가서, 자물쇠 구멍을 들여다보았다. 나는 나를 염탐하고 있는 눈을 보았다. 나는 물러섰다. 나는 다시 문 앞으로 가서 들여다보았다. 한 줄기의 물이 나의 얼굴과 나의 눈을 쏘아붙였다. 나는 뒤로 물러섰다. 나는 세 번째로 들여다보려고 다가섰고, 거의 옆으로 비켜설 사이도 없이, 자물쇠 구멍으로 화살이 날아와서 내 뒤로 날아갔고, 썩은 이빨처럼 보이는 내 뒤에 있는 폐가 중의 한 채의 캄캄한 어둠 속으로 꺼져 버렸다.

둘째 번의, 셋째 번의, 넷째 번의 검은 화살이 같은 구멍에서 날아나왔다. 나는 문에서 비켜서서, 시들은 정원에 벽의 맞은편에 다시 자리를 잡았다. 이번에는 나의 왼편에 R이 있었다. 바른편으로는 화살이 휙휙 위협적인 소리를 내면서 스쳐갔다. 나는 그 화살이 내 몸에 맞지 않을 것을 알고 있었지만, 다시는 문 앞으로 가서는 아니 되겠다고 생각했다. 하지만 내가 만약에 벽에다가 정면공격을 하면 어떻게 되나? 나는 앞을 향해 돌진해 들어갔고, 놀라웁게도 아주 커다란 구멍을 뚫어 놓았다. 나는 안쪽을 들여다보았고, 칠흑 같은 어둠 — 혼돈 — 밖에는 아무것도 보이지 않았다. 나는 어둠 속을 노려보았다. 사방이 캄캄절벽인 어둠 속에서, 나는 희끄무레한 조그만 반점(斑點)을 볼 수 있었다. 나는 그것이 세균일 것이라고 혼잣말을 했다. 얼마간 무서운 생각이 들었지만, 나는 벽의 틈바구니를 타고 기어 올라갔고, 어둠 속에는 나 혼자밖에 아무도 없었다. 나는 차츰 어둠에 길이 들었고, 우물을 발견했다. 우물 밑바닥에는 희미한 불빛이 보였다. 나는 우물 속으로 내려갔다. 밑바닥까지 내려갔을 때, 나는 그것이 마사지장으로도 사용되는 병원의 목욕실의 하나라는 것을 알았다. 목욕을 끝마친 뒤에 하듯이, 나는 시이트와 타월로 싸인 가죽 침대 위에 드러누워서, 미이라처럼 이불을 몸에 감았다. 방안은 밝았다. 햇빛이 들어오고 있다. 나의 머리 위에 열려진 우물이 있었다. 나는 사원의 납골당 속의 무덤 위에서 볼 수 있는 모로 누운 조상들처럼 팔다리를 뻗고, 지하매장소 속에 드러누워 있는 것처럼 느껴졌다. 나의 이불은 벗겨졌다. 나는 옷을 입고 우물 위로 올라갔다. 우물에는 이제 보니 철로 만든 사다리가 걸려 있었다. 나는 병원의 아래층으로 내 몸이 나와 있는 것을 알았고, 거기에서 층계를 통해서 2층으로 올라갔다. 나는 그의 사무실로 들어가서 그를 보고 내가 어떻게 하면 좋겠느냐고 물었다.

나는 교회의 앞쪽으로 다시 돌아와 있는 나 자신을 상상했다. 나는 벽에 난 틈바구니를 애를 써서 메웠다. 그러나 내가 구멍을 낸 자리가 어디인지, 누가 보나 알 수 있었다. 벽은 거기에 있었지만, 한가운데에 빛깔이 한결 밝은 메운 자국이 있었고, 거기에 낀 돌멩이와 플라스터가 새로 낀 것이어서 한결 하얗게 보였다. 나는 벽에 대해서 더 이상 노심하지 않기로 했다.

바람

때때로 나는 행복감을 경험한다. 그것은 고독과, 엄격한 섭식(攝食)과, 몸에서 독소를 제거하기 위해서 복용하고 있는 여러 가지 약들의 효과가 아닐까? 사실 나는 나의 독소를 종이 위에다 내뱉음으로써 그것을 제거한다. 혹은 그 행복감의 원인은 내가 지난 열흘 동안 복용을 하고 이제 효과가 나기 시작할 '이시돈' 때문이 아닌가. 그러나 어제 저녁과 밤 사이, 그리고 또한 오늘 아침에는 나는 깊은 절망과 괴로움 속에 빠져 있었다. 이런 종류의 괴로움은 불유쾌한 추리히의 바람 때문인 것같이 생각된다. 행복감을 유발시키는 다른 바람이 있을지도 모른다. 우리들을 치유해 주거나 병이 나게 하는 것은 철학이 아니다. 우리들은 바람에 좌우되고 있다.

우리들은 모두 우리들의 인생을 망칠까보아 겁을 내고 있다. 지독하게 못생긴 얼굴과 기분 나쁜 인격을 가진 그 허위의 철학자, 실존주의와 맑스주의를 조화시키려고 애를 썼지만 철학에는 아무런 공헌도 하지 못한 그 허위의 철학자, 말하자면 자기의 원한이 사무친 침투[12]를 명시함으로써 세계적인 명성과 존경과 재부(財富)를 얻은 그 위대한 철학자가 자기의 낭비한 생애에 대해서 쓴 저서의 하나에서 애처로운 어조로, 자기가 진실로 받아야할 것은 경멸이라는 말을 하고 있다.

그러나 정치적인 이유로 20년 동안을 감옥살이를 하다가 얼마 전에 나온 또 한 사람 — 그는 20년 중의 7년 동안을 그의 감방 밖에를 나와 보지 못하고, 그야말로 완전한 고독 속에서 살았다 — 은 자기의 생애가 실패였다고 불평을 하지 않는다. 그는 예순한 살인데, 건강하고 정정하고, 그전보다도 더 젊어 보인다. 그는 자기가 충실한 생활을 했다고 생각하고 있고, 지금은 덤으로 새 출발을 할 생각을 하고 있다. 그는 책을 읽을 수도 글을 쓸 수도 없었고, 그 때문에 그는 자기의 기억을 엄청나게 크게 발전시킬 수 있었다. 수학자인 그는 수학문제를 생각했고, 몇 가지의 새로운 발견을 했다.

석방이 되자, 그는 그의 가족과 친구들에게 전화를 걸었고, 그동안에

● ● ●

12. '질투(envy)'의 오식.

그의 모친과 누이동생과 매부가 죽은 것을 알았다. 친구들도 역시 대부분은 세상을 떠났고, 그중에는 장관이나 유명한 작가가 된 뒤에 죽은 사람도 있었고, 또한 그의 나라의 정부로부터 특권인 대우를 받다가 죽은 사람도 있었다. 그들 중의 대부분이, 죽기 전에 자기들의 일생이 실패였다고 결론을 내렸던 것이다. 그러나 새로 석방된 죄인의 행복에는 아무 일도 영향을 주는 것이 없었고, 그는 즉시로 자기의 발견이 최근의 수학적 연구와 부합되는 점이 있는지 없는지를 발견하기 위해서 최근의 수학 잡지와 서적을 읽기 시작했다.

15년 동안을 감옥살이를 하고, 그중에 2, 3년을 고독한 금고생활 속에 보내다가 나온 또 한 사람 — 이 사람은 음악이론가다 — 이 석방된 후에 확신에 찬 생활을 하고 있다. 그는 감옥소 안에서 생각해놓은 작곡을 완성하느라고 바쁘다. 이 사람은 광야의 조그만 촌락에서 살고 있다. 그는 아무도 미워하지 않고, 원한을 품지 않고, 자기의 일생을 망친 것에 대해서 조금도 불평을 하지 않는다. 사람들은 그를 보고 성인(聖人) 같은 데가 있다고 말한다. 고독한 금고생활에 유다른 이점이 있다. 금욕생활이 정신을 정화하고, 진지하게 하고, 조용히 가라앉히는 효과가 있다는 것은 옛날부터 알려져 있는 일이다.

또 하나, 전체주의 국가의 시민으로 프랑스의 신문 『세계』지를 읽다가 체포되어 7개월의 감옥살이를 하고 나온 세 번째의 사나이의 예가 있다. 2, 3개월 후에 갑자기 그 나라에는 종전보다 자유로운 정권이 들어앉아서, 지난날의 압제자들에 대해서까지도 상당한 자유를 주게까지 되었다. 그래서 그 죄수는, 석방되고 나서 불과 2, 3분 후에, 아무나 사고 싶은 사람이 있게 늘어놓은 『세계』지가 있는 신문 가판점을 볼 수 있었다. '조금만 기다렸으면 좋았을 걸' 하고 그는 혼자 중얼거렸다. "이것은 가장 새로운 소식을 알아야 한다는 주장이 이긴 거야." 이런 반성에는 조금도 다른 사람들이나 자기 자신에 대한 원망이 뒤따르지 않았다. 그는 자기의 운명을 너그럽게 받아들였던 것이다.

다만, 감금을 당해보지 못하고, 자유로이 갔다 왔다 할 수 있기 때문에 자유롭다고 생각하고 있는 사람들만이 성을 내고, 악감을 품고, 증오심과 시기심에 가득차서, 불만을 품고, 염세적으로 된다. 필시 그들은 '감옥살이를 해'보지 못했기 때문에 그렇게 될 것이다.[13]

오로지 수도원과 감옥소만이 영혼을 구제할 수 있고, 따라서 — 현대적인 용어로 바꾸어 말하자면 — 효율적인 정신요법을 제공할 수 있을 것 같다.

나 자신에 대한 얘기를 해도 무관하다는 나의 유일한 변명은, 내가 나 자신으로부터 떨어져서 서 있고, 나 자신을 마치 다른 사람 — 정신병의사나 그 밖의 사람들이 흥미의 대상이 될 수 있는 모르는 사람 — 처럼 논의하고 있다는 점이다. 나는 이런 말을 하지만, 그러나 나는 이런 변명이 위선적인 것이 아닌지 의심스러운 생각이 든다. 하지만 아마도 모든 사람의 경우 — 나의 경우까지도 — 가 흥미 있을 것이다. 어떤 사람이나 어떤 생물 — 개미까지도 — 이 살고 있는 우주는 흥미를 끌 수 있는 우주다. 개인이 살고 있는 우주는 전체다.

나는 정신분석의 신화를 지나치게 크게 신임하고 있다. 정신분석은 내가 잘 모르기 때문에, 과대평가하고 있는 진리의 형태다. 나는 정신분석에 대해서 비평적인 태도를 취할 만큼 되지 못했다. 그런 비평적인 태도를 취하고 싶어도, 당분간은 나로서는 힘에 겨운 일일 것이다. 어떤 의미에서는, 신화는 과장이며, 확대이며, 개괄(槪括)이며, 어떤 진리에 대한 '절대화'다. 따라서 그것은 또한 확신이기도 하다. 이를테면 정신분석의 자리를

• • •

13. [역주] "'옥살이를 한다'는 것은 불란서 말로는 Puger sa Peine. 이 말을 직역하면 '비애를 정화한다'는 뜻이 된다."

과장함으로써, 나는 나도 모르는 사이에, 다른 차원의 현실과 정반대의 종류의 진리를 침해하는, 초과학으로 그것을 바꾸어 놓고 있는지도 모른다.

결어(結語)

우리들이 죽지 않는다고 가정해 보자. 아무도 남을 미워하지 않게 될 것이다. 아무도 다시는 남을 시기하지 않게 될 것이다. 우리들은 서로 사랑하게 될 것이다. 우리들은 무한히 새로운 출발을 계속할 수 있을 것이고, 때때로 어떤 일이 완성을 보게 될 것이다. 백 번이나 천 번을 기도해 보면, 우리들은 성공을 보는 날이 있을 것이다. 순전한 기도의 회수(回數)가 이것을 가능하게 할 것이다. 우리들은 우리들의 행운을 무한정하게 시험해 볼 시간이 없다는 것을 알고 있다. 증오는 우리들의 괴로움의 표현이며, 우리들의 시간의 부족의 표현이다. 질투는 우리들이 처음에는 살아서, 그 다음에 죽어서, 폐기(廢棄)될까보아 두려워하는 우리들의 공포의 표현이다. 인생의 여행을 완성하기 위해서, 우리들은 서로 손을 잡고 전진하지 않으면 아니 된다. 그리고 그럴 때에도…… 우리들은 모든 개인이 사랑이 필요하고, 우리들은 사랑이 없이는 살 수 없고, 가장 큰 불행은 사랑을 못 받고 있다고 느끼는 것이라는 말을 듣고 있다. 모든 심리학자들이 이 사실을 알고 있다. 사랑은 바로 우리들이 호흡하는 대기이며, 우리들이 매일 먹는 빵이다. 아아, 그 대기가 불결하고, 그 빵에 독이 들어 있다. 어느 길이 바른길이냐? 무관심, 그럴지도 모른다. 그러나 우리들은 여기에서 살고 있고, 우리들은 참여하지 않을 수 없으니, 무관심은 불가능하다. 우리들은 현상에 깊이 말려 들어가 있기 때문에, 현상에서 떨어져서 살아갈 수는 없다. 그러면 모든 일이 장난이라고 생각하고, 그것들을 웃어 버리기로 하자. 하지만 이것은 신과 세계에 대한 모독일 것이다. 우리들은 세계 위로 날아오를 수는 없다. 우리들은 신보다 상위에 앉을 수는 없다. 우리들은 창물주(創物主)를 내려다볼 수는 없다. 우리들은 창물주보다도 더 강력해질 수는 없다. 이것은 탈선이 될 것이다. 유머?

우리들은 세상을 거절할 수는 없다. 하지만 모든 일을 너무 심각하게 생각하는 것도 역시 우스꽝스러운 일이다. 심각한 집념은 파괴를 하게 된다. 심각한 집념은 편파적이 되고, 사물을 이지러지게 한다. 그러면 인생을 되는대로 받아들이자. 그러나 우리들은 그렇게 할 수가 없다. 자살은 참을 수 없는 패배이고, 요는 우리들은 이겨야 한다. 세상은 우스꽝스럽다고 말하는 것은 역시 그만큼 우스꽝스럽다. 우리들은, 법이 세상을 다스리는 것과 마찬가지 정도로, 현명하지 못하다. 모든 일이 우스꽝스럽다고 말하는 것은 우스꽝스러운 일이다. 무엇에다 기준을 두고 우리들은 우스꽝스럽다고 말할 작정인가? 내가 만약에 모든 일이 우스꽝스럽지 않다고 말한다면, 나는 무엇이 우스꽝스럽지 않은가를 알고 있는 것이다. 그러니까 우스꽝스러운 일이란 존재한다고 말하여질 수 없다.[14]

몸을 '내맡긴다?'[15]

이것은 전체를 위해서 행동한다는 것이며, 따라서 사도(邪道)에 드는 것이고, 잘못된 일이다. 그러면 인생을 현상(現狀)대로 받아들이자. 그러나 현상이 어떻다는 것을 말하는 것은 역시 판단을 내리는 것이 되며, 따라서 인간의 지혜는 한정되어 있는 것이기 때문에, 나는 잘못을 저지르지 않을 수 없다. 자질구레한 일 속에서 살자. 이것이 오히려 나을 것이다. 하지만 그렇게 되면 나는 고립되게 되고, 단편적으로 갈라지고, 나 자신으로부터 분리되고, 소외된다. 나무가 되라. 나는 나무가 아니다. 역사의 방향에 맞추어 살아라, 말하자면 우주의 진보에 맞추어 살아라. 그러나 아무도 이것이 정확하게 말해서 무슨 뜻인지 모른다. 가정(假定)을 만든다는 것은 어떤 확신을 가지고 선택하는 것이 아니다. 빠스깔 식의 도박? 도박을 하려면, 누구의 편을 드는지를 알아야 하고, 누구를 혹은 무엇을 적수로

• • •

14. [역주] 여기에서 자주 논의되는 '우스꽝스러운 일'이란 absurd, 즉 부조리를 말하는 것이다.

15. [역주] 여기에서 말하는 '몸을 내맡긴다'는 것은 '참여한다'는 의미도 된다.

하는지를 알아야 한다. 나는 거기에 필요한 정보를 갖고 있지 않다. 역시 우리들은 여기에서 어떻게든지 우리들 자신이 편안한 생각을 갖도록 하지 않으면 아니 된다. 그러나 나는 그것이 되지 않는다. 나의 불안을 유발하는 것이 삶이고, 산다는 것은 걱정 속에서 산다는 것을 의미하기 때문이다. 나는 이 말을 확언할 수조차도 없다. 왜냐하면, 나는 걱정의 근원을 알 수 없고, 그것이 내가 걱정이란 말로 부르고 있는 것인지 어떤지도 알 수 없기 때문이다. 걱정은 무지다. 걱정을 안 하는 것도 역시 무지다. 나는 내가 아무것도 알지 못한다는 말조차도 할 수 없다. 왜냐하면 나는 '안다'는 것이 무엇을 뜻하는 것인지도 알지 못하고, '뜻한다'는 무슨 뜻인지도 알지 못하기 때문이다. 나는 원주(圓周)를 빙빙 돌고 있는 것 같은 느낌을 갖는다. 아마도 나는 원주를 빙빙 돌고 있지 않은지도 모른다. 아마 주위(周圍)[16]가 없는지도 모른다. 나는 웃을 수도 없고, 울 수도 없고, 앉아 있을 수도 없고, 드러누울 수도 없고, 일어날 수도 없고, 욕구하지 않을 수도 없고, 욕구할 수도 없다. 우리들은 도대체 무엇을 욕구하며, 무엇을 욕구하지 않느냐 말이다. 나는 마비되어 있다. 움직일 수가 없다. 그러나 내가 잘못을 저지르지 않으려면, 나는 움직여야 한다.

일종의 최고의 의식자인 어떤 사람이 우리들을 보고 간간대소를 하고 있을 것이라는 느낌을 나는 역시 갖는다. 아마도 의식은 웃음이 아닐지도 모른다. 나는 내가 느낌을 갖고 있지 않다는 느낌을 갖고 있고, 내가 느낌을 갖고 있다는 느낌을 갖고 있지 않다. (계속)

벽(壁)

나의 희곡 『죽어가는 왕』은 루마니아의 가장 위대한 시인의 한 사람인 I. 비네아에 의해서 번역되었다. 나는 비네아를 퍽 오래전에 한번 만나본

● ● ●

16. "주위"는 "circle"을 번역한 말이다. 앞 문장에서 그것은 '원주'라는 말로 번역되었다.

일이 있었다. 그의 귀족적인 모습이 아직까지도 기억에 남아 있다. 그는 얼굴이 잘 생기고, 조용하고, 예민한 지식인이었고, 대부분의 루마니아의 '지식인'들처럼 파시스트가 아니었다. 극좌파가 정권을 장악한 뒤부터는 그는 좌익(左翼)에서 이탈하였고, 그것은 건강하고 정직한 반응이었다. 그는 세뇌공작을 받고 바보가 되는 것도, 자기의 절개를 파는 것도 거절하였다. 그는 자유인이었고, 다른 사람들을 위해서도 자유를 원했다. 그는 어떤 형태의 전제정치(專制政治)로부터도 혜택을 받지 않았고 모든 그런 전제정치가들이 같이 일을 하자고 권유했지만, 끝끝내 응하지 않고 고난의 길을 택했다. 그는 주인도 아니고 노예도 아닌 귀족적인 격리 속에서 살았던 것이다. 여러 정권들은 처음에는 그를 흑막 속에 싸두었다가도, 그 뒤에 환경이 바뀌어지게 되면 그야말로 번번이 그를 다시 보게 되었다. 그들은 그가 위대한 시인이며 위대한 작품을 발표했다는 사실을 인정했다. 그는 지극히 고매한 사람이며 지극히 정직한 비타협적인 사람이었고, 그 때문에 그에게 감동은 받았으면서도 그렇다고 말할 만한 용기를 갖지 못한 사람들이 이제 와서는 공공연히 — 좋은 날이 와서 도덕적으로 약화되지 않은 사람에 대해서 존경을 표시할 수 있는 전략적인 순간이 도래했다고 판단한 다른 사람들이 하듯이 — 그들의 감정을 표시하게 되었다. 그러나 그의 육체적인 힘은 점점 쇠퇴해갔고, 그는 70세로 세상을 떠나고 말았다.

나는 내 희곡을 번역한 것이 그이였다는 것을 알고 행복하게 생각했고, 그가 내 작품을 번역하려고 선택한 것을 자랑스럽게 느꼈다. 동시에 나는 그가 몹시 편치 않아서 죽음의 문턱에 있다는 것을 알았을 때나, 그 후 그가 죽었다는 것을 알았을 때 여간 슬프지 않았다. 그는 강력한 인격의 소유자였고, 나는 그 인격의 광휘를 민감하게 느낄 수 있었지만, 실제로 그와 친근하게 지내본 일은 없었다. 우리들은 회화를 통해서나, 악수를 통해서나, 혹은 나란히 몸을 맞대고 걸어감으로써 어떤 사람을 알게 될 수는 없다. 진정한 교제는 씌어진 말을 통해서, 즉 고백을 통해서, 다시 말하자면 남의 세계 속으로 파고들어 가서, 그의 가장 깊은 마음의 심저(深底)를 측정해봄으로써 비로소 이루어질 수 있는 것이다. 적어도 여기에 우리들의 문학의 존재 이유가 있다. 이런 말은 빈번히 발설되고 있지만, 실제로는 그것은 좀처럼 이루어지기 어려운 일이기 때문에, 이에 대해서는 하나도 진부한 것이 없다. 작품과의 고독한 교제, 실험이, 접근이 기도되고 있다는 것을 알지 못하고 있는 타인과의, 자기가 진정으로 심오하게 알려지고 있다는 것을 모르고 있는 타인과의 고독한 교제. 한 사람의 세계가 다른 사람의 세계가 된다. 심오하고, 조심성 있는 전체적인 친교.

I. 비네아는 번역을 끝마치고 난 뒤에 바로 세상을 떠났다. 그 번역이 그에게 어떤 뜻이 있었는지, 그것이 그에게 어떤 도움을 주었는지 나는 궁금한 생각이 든다. 나는 그 희곡을 죽는 법에 대한 연구로서 썼다. 하나의 교훈으로서 일종의 정신적 운동으로서, 피치 못할 종언(終焉)을 향한 점차적인 전진 — 그 전진의 하나하나의 단계를 순순히 촉진시켜나가려고 나는 노력했다 — 으로서 도움이 되어보려는 의도였다. 나의 희곡이 파리와 외국에서 상연되었을 때, 수많은 비평가들은 그것이 다만 진부한 사상과, 비독창적인 앞이 뻔히 내다보이는 착상(着想)을 포함하고 있다고 언명했다. 이것은 필시 이런 특수한 연극 단골패들이 자기들이 극장 안에 있다는 것을 잊어버릴 수 없었기 때문이며, 또한 어느 의미에서는 물론 진부한 것이 될 수밖에 없지만 — 그런 경험은 우리들이 다 같이 겪고 있는 것이기 때문에 — 그러나 힘껏 살아보려고 애를 쓰는 사람에게는 기본적인 것이 되는 경험에 참가하기를 거부했기 때문이었을 것이다. 나의 희곡은 비네아의 임종에 도움이 되었을지도 모르고, 안 되었을지도 모른다. 그것은 나에게는 도움이 되지 않았다. 그것을 써나가는 동안에, 나는 줄곧 내가 써나가는 자구(字句)를 부인하고 있었던 것 같다. 그것은 다만 다른 희곡에 지나지 않았고 또한 나는 그것을 마치 내가 관객의 한 사람 — 다른 관객들보다는 그 희곡에 대해서 한결 예민한 반응을 보일 수 있는 관객의 한 사람 — 인 것처럼 보고 있었지만, 그러나 그렇다

하더라도 그것은 나 자신으로부터 분리되어 있었던 것 같다. 그것이 그에게 어떤 방식으로나 도움이 되었다고 확신할 수 있다면, 그리고 그것이 그에게 어떻게 도움을 주었는지…… 다만 내가 확신할 수 있다면. 그것이 누구인가의 걱정을 진정시켜 주고, 그로 하여금 그의 운명을 받아들이는 데 도움을 주었다는 것을 알게 된다는 것은 나에게 있어서는 나의 문학의 변명이 되는 동시에 희열(喜悅)과 안심의 원천이 될 것이다. 나의 희곡이 다른 사람들을 위해서 교훈의 역할을 했다는 것을 알게 되면 필시 나는 나 자신이 나 자신의 교훈으로부터 이익을 보았다고 믿을 수 있을 만큼 고무적으로 될 것이다.

모순(矛盾)

나는 회한(悔恨)과 가책(苛責) 사이에서 찢기어지고 있다. 나는 결심을 하고, 두 가지 중에서 하나를 택하지 않으면 아니 된다. 왜냐하면 두 가지를 동시에 견디어 나간다는 것은 불가능하기 때문이다. 가책은 내가 다른 사람들을 해쳤다는 죄의식을 느끼고 있기 때문이다. 회한은 내가 나 자신을 해쳤다는 죄의식을 느끼고 있기 때문이다. 나는 회한에서 가책으로 요동하고, 다시 가책에서 회한으로 요동해 온다. 이것은 벽에 둘러싸여 있다는, 수감되어 있다는 말이 된다. 아침에는 나는 회한을 느끼지만, 저녁때에는 가책을 느낀다. 회한은 이기주의의 외모를 하고 있다. 나는 이기주의적이 될 수 있는 권리가 있는가? 나는 나를 가장 적게 해치는 이런 사물들 사이에서 선택을 할 수 있는가, 우리들이 실제로 생명체이며 존재물인 경우에, 나는 두 개의 물체 사이에서 선택을 하듯이 나 자신과 남 사이에서 선택을 할 수 있겠는가? 회한은 견디기 어려운 것이다. 그러나 그것은 뚜렷하고 언제까지나 응결된 채로 있다. 가책은 처음에는 타인의 외모를 하고 있고, 그러다가는 암흑 속으로 삼켜 들어가 버리는 그 외모를 잃고, 얼굴 없는 고민 같은 가책만이 남게 된다.

좌절(挫折)

나는 나 자신과의 관계를 파들어 갈 수 있는 나 자신과 직면할 수 있는 권리를 요구한다. 나 자신과의 대결에서, 아마도 다른 존재가 나타날 수 있을 것이다. "변경하지 말아라. 모든 색다른 종류의 걱정을 표면에 떠오르게 하지 말아라. 그대는 그것을 감당해낼 수 없을 것이다." 그러나 어쨌든 나는 나 자신을 감당해낼 수 없기 때문에, 자각의 시기는 온 것이다. 지금이 바로 정복해야 할 때다. '"그렇지만 분투를 해서 무슨 소용이 있는가?" 하고 다른 목소리가 묻는다. "무슨 소용이 있는가?" 그러나 나는 비틀거리면서 걸어간다. 나는 막힌다. 나는 정말 죽을 수 없기 때문에 죽는 방법을 알지 못하기 때문에 천천히 죽어 가고 있다. 내가 만일에 나 자신을 이미 죽은 것으로 생각할 수 있다면 나의 걱정은 말살될 것이다. 나 자신을 죽었다고 생각하는가? 나는 죽음에 의해서 말살되기까지는 도저히 그렇게 생각할 수 없을 것이다. 나는 알고 있다. 나는 자기 자신이 말살되게 내버려두느니보다는 자기 자신을 말살하는 편이 낫다는 것을 알고 있다. 여기에서 나는 기어 올라갈 수 없는 산악(山嶽)에 직면하게 된다. 따라서 나는 모든 일이 불가능하다고 생각하고 있기 때문에, 그에 대한 생각을 계속하는 것은 나로서는 소용없는 일이다. 그런 생각은 다만 문학에 지나지 않는다.

걱정

내가 내 문제에 골몰하고 있을 동안에, 다시 말하면 내가 나 자신과 멱씨름을 하고 있을 동안에, 엄청나게 많은 사람들이 빈곤 속에서 살고 서로 죽이고 서로 전쟁을 하고 있다. 전쟁을 하고 있는 사람들 중의 99%는 싸우기를 원치 않고 있다. 나 모양으로 그들은 수인(囚人)들이다. 그러나 자기 자신의 수인이 아니라, 그들의 지도자들의 수인이다. 다만 지도자들만이 마음대로 전쟁을 원할 수도 있고 전쟁을 원하지 않을 수도 있다. 또 전쟁을 선택할 수도 있고 전쟁에 반대할 수도 있고 학살자에게 신호를 보낼 수도 있다. 소위 미제국주의라든가, 자본가의 착취라든가, 그 밖의 여러 형태의 착취나 전제군주적 규칙을 증오해야 하기 때문에 전 국민이 압박자에 대항해서 무기를 들고, 독립을 위해서 목숨을 바치고 전 국민이 압박자로부터 그들 자신을 해방할 결심을 하고 있다고들 전해지고 있다. 이것은 조잡(粗雜)하고 잔인한 희화(戲畵)다. 알제리아인들은 프랑스의 식민자들로부터 벗어나려고 굳은 결심을 한 나머지, 알제리아의 전쟁이 끝나자마자, 배마다 개미떼처럼 잔뜩 올라탄 알제리아인들이 일자리를 구하고 밥벌이를 하려 프랑스로 실려 왔다. 알제리아 전쟁 때에 내가 살고 있던 파리의 구역에서, 나는 근사한 미제 자동차가 2, 30야드씩 가다가는 서고 가다가는 서고하면서 아랍인의 상점마다 들러서 알제리아의 자유의 쟁취를 위한 자발적인 기부금을 모집하는 것을 본 일이 있었다. 차 안에는 네 명의 근사한 옷차림을 한 아랍사람과 일종의 정열적인 순교자연하는 처녀가 타고 있었다. 상점 주인들의 얼굴 표정을 보건대, 그들의 기부에는 조금도 자진적인 데가 없었다. 내가 서 있던 집의 문 앞의 층대에 서서 숨을 내뿜고 있는 아랍인에게도 조금도 자발적인 데는 없었다. 그가 자진해서 싸움을 하러 나가서 총에 맞아 죽으리라고는 좀처럼 생각할 수 없었다.

어떤 동구라파의 나라들 중에서는, 미국의 자본가들의 착취에 대한 증오심이 어찌나 컸든지 그들에게 자유를 부여한 혁명이 발생한 지 20년 후에 미국의 자본의 도움을 받고 기분 좋게 미국인의 회사를 재건하게 한 나라들이 있다. 구두를 신으면 발이 너무 화끈거려서 구두를 어깨에다 디룽디룽 걸머메고, 맨발로 길을 걸어가기를 좋아하고, 빵, 베이컨, 계란, 크림치즈, 양파, 감자, 그리고 떠떠로[17] 열 마리 정도의 병아리들이 똑같은 운명을 기다리고 있는 시골집 마당에서 방금 목을 비틀어 죽인 병아리밖에는 아무것도 먹을 것이라고는 없는 다뉴브강 유역 지방의 농사꾼들은

• • •

17. "떠떠로"는 '때때로'의 오식이다. 원문은 "now and again"이다.

사실상 무척 가난했다. 이 불행한 농사꾼들은 학교에 아이들을 보내는 것이 의무적으로 되어서, 자기들의 아이들을 더 이상 집에 붙잡아두고 일을 시키지 못하게 되고 그 때문에 하는 수 없이 여편네들이 집에 남아서 소젖 짜는 일을 하지 않으면 아니 되게 되어서 여간 괴로움을 당하고 있지 않았다.

그러나 이것은 내가 말하려고 하는 요점이 아니며, 너무 정치 애기로 빗나간 듯한 감이 든다. 내가 말하고자 하는 것은 이것이다. 감옥 속에 들어 있는 사람들은 분명히 석방되기를 원하고, 배고픈 사람은 소량의 먹을 것을 원하고, 전쟁터에서 싸우고 있는 병사는 전쟁을 두려워한다. 그는 두려워하고 그 때문에 여러 위험을 이겨낸다. 그는 여기에서 지금 죽는 것을 두려워한다. 따라서 싸움이 끝나면 그는 죽음을 모면한 것을 기뻐하고, 공포가 없이 살 수 있는 거의 영원이라고 볼 수 있는, 조그만 시간을 갖게 될 것을 기뻐한다. 위험의 공포는 걱정도 몰아낸다. 걱정은 구체적인 형태를 갖고 있지 않은 일천 가지의 무존재(無存在)의 위험 — 얼굴 없는 위험 — 으로 둘러싸여 있다는 감정이다. 우리들로서는 필요와 위험의 압력 밑에서 사는 것이 지극히 자연스럽게 생각된다. 때문에 걱정은 실존하는 눈에 보이는 구체적인, 맞붙어 싸워야하는 매일매일의 불가결한 위험이 없다는 고민인 것처럼 보인다. 걱정은 암흑 속에 숨겨져 있는 위험이다. 우리들은 위험의 부재를 믿을 수가 없다. 그것은 기만적인 덫처럼 생각된다. 나의 생명을 구제하기 위해서 나는 이제 한 사람이나 한 마리의 호랑이로부터 달아나거나 싸워야하는 것이 아니라, 눈에 보이지 않고 손으로 만질 수도 없는 괴물들로부터 달아나거나 싸워야한다. 위험은 생명이다. 괴로움은 죽을 때까지 면치 못하는 것이다. 그것은 미지의 위험에 대한 공포다. 나는 위협을 받고 있지만 그러나 무엇에 의해서, 누구한테서 위협을 받고 있는가? 어느 편에 서서 나는 나 자신을 지켜야하나? 내 주먹으로 허공을 치고 있다. 위험은 죽는 것에 대한, 혹은 살해당하는 것에 대한 공포다. 괴로움은 죽음에 대한 공포다.

애증(愛憎)

가장 큰 범죄는 살인이다. 카인은 아벨을 죽였다. 그것은 최상급의 범죄다. 나는 나의 눈에 보이는 적을 즉, 내 생명을 빼앗으려고 결심한 사람을, 그가 나를 죽이지 못하게 하기 위해서는 죽여야 한다. 그를 죽임으로써 나에게 안도의 감이 생긴다. 왜냐하면 그를 죽임으로써 내가 죽음을 죽였다는 것을 나는 어렴풋이 깨닫고 있기 때문이다. 내가 나의 적을 사회의 찬동을 받고 죽인 경우에는, 그의 죽음은 나의 마음에 거슬릴 리가 없고, 그것은 이미 괴로움의 근원이 되지 않는다. 그것이 전쟁의 목적이다. 살인은 사람의 감정을 안심시키는 방법이며, 그 자신의 죽음을 막아내는 방법이다. 죽음의 마력(魔力). 살인행위의 마술적인 효과. 독일인들이 유태인들을 학살하고 있을 때, 모든 독일인들은 뚜렷한 양심을 갖고 있었다. 유태인들이 전 세계를 근절시키거나 혹은 정복할 생각을 하고 있다고 생각되고 있었기 때문에, 독일인들은 오로지 자기방어를 하기 위해서 학살을 하고 있었다. 또한 유태인들은 아리안민족의 건강과 미덕을 타락하게 하고 있었고, 따라서 이것이 바로 또 하나의 살인의 방법이었다. 영국인 H. S. 체임벌린이 만들어낸 20세기 창세기와, 고비노 백작의 저서와, 그 밖에 좀 더 조잡한 19세기의 프랑스 민족주의자들의 저서에 발단을 둔 이론의 지지를 받고 또한 좀 더 최근의, 좀 더 견고한 러시아인들의 조직적 학살(조직적 학살(Pogrom)이란 러시아인들이 만들어내고, 러시아인들이 실천한 낱말이다)과 쏘련의 죽음의 수용소의 기억에 고무(鼓舞)를 받고, 또한 게다가 그들 자신(독일인들 자신)의 잔인성이 첨부되어서, 사색가의 민족인 독일인들은 자기들의 행위를 정당한 것이라고 느꼈다.

반유태주의는 독일인이 만들어낸 것이 아니다. 그것은 러시아인과 폴란드인과 프랑스인들이 만든 것이다. 그야말로 나는 독일인들이 격노할 때에도 순박하게 양(羊)같이 유순하다고 말하려는 것은 아니라, 벌써 다른 나라들에 선례(先例)가 있었다는 말을 하려는 것이다. 독일인들은 훨씬 광범한 사회가 자기들을 거부하고 비난했을 때 비로소 죄를 지었다고 느꼈다. 그 순간에 전 독일 국민은 한 사람같이 자기들이 사회로부터 유죄 선고를 받고 사실상 수많은 나라의 사회로부터 심판을 받게 되었다는 것을 느꼈다. 그들이 불을 지른 인도주의에 대한 증오심의 폭발이 사실상 객관적으로 비난을 받아야 할 것은 당연한 일이다. 나는 분개심도 없이 사람을 죽이는 일을 도맡아하고, 살인자로서 살인청부업자로서 살려고 결정한 사람 — 우리들이 미친한 범죄자라고, 직업적인 살인자라고 부르는 종류의 사람들 — 에 대해서는 일종의 감탄까지도 가미된 공포감을 느낀다. 그런 사람들은 어떤 용기와, 어떤 도전의 힘과, 어떤 정신력을 갖고 있단 말인가! 쟝-뽈 사르뜨르처럼 그들은 초자아(超自我)[18]를 갖고 있지 않다. 우리들은 오늘날 존재가 침략이라는 것을 알고 있다. 우리들은 또한 사회가 여러 개의 부분으로 구성되어 있고 상이한 사회의 제 집단(諸集團)이 서로 싸움을 하고 있다는 것도 알고 있다. 각 집단은 하나의 사회이기 때문에 그것이 제각기 맑은 양심을 갖고 있다는 것을 알고 있다. 어떤 한 사회의 집단이나 계급의 붕괴를 초래하기 위해서는 그 집단이나 계급에 죄악의식을 침투시키기만 하면 된다. 단독적으로 보면 한 사회의 집단이 맑은 양심이나 양심의 가책을 받는 마음을 다른 집단보다 더 많이 가질 수 있는 권리는 없다.

모든 선전자들이 시작하는 일은 자기들 자신의 집단의 무죄의식을 강화하는 편한 상대방의 사회 집단의 맑은 양심을 침식해 들어가는 일이다. 칼 맑스보다도 민첩하고 심오한 통찰력을 갖고 있는 히뽀리뜨 테느는 오래전에 우리들에게 프랑스의 귀족사회가 살아남을 수 없게 된 이유가 그것이 여하한 유익한 목적에도 더 이상 봉사할 수 없게 되었다는 것을 깨닫게 되었기 때문이라고 말한 일이 있었다. 프랑스의 귀족은 폐적(廢嫡)하고 말았다. 계급투쟁은 한 계급이 투쟁을 포기할 때에 비로소 격심해지

18. [역주] 정신분석에 쓰이는 말로서 자아를 감시하는 무의식적 양심을 말함.

고, 비로소 가능해지는 것이다. 물론 이 동일한 계급이 차후에 그의 행동을 뉘우치고 그의 자신을 회복하고는 다른 집단들도 그 자신보다 더 타당한 근거를 갖고 있지 않다는 사실…… 등을 파악하게 되는 수도 있다. 대비드 루세는 포로수용소가 모든 현존하는 사회와 같은 사회이며 다른 모든 사회조직과 조금도 다르지 않다는 것을 표시한 일이 있었다. 포로수용소는 그 본질, 즉 그 정수(精髓)만으로 축소된 사회다. 카프카도 역시 이것을 밝혔다. 그는 포로수용소를 그것들이 생기기도 전에 그려 놓았다. 그는 알고 있었던 것이다.

카프카는 그리스도처럼 우주의 죄악에 대한 책임을 졌다. 그의 죄의식은 그런 것이었다. 우리들은 무슨 죄를 짓고 있나? 사랑에 거역하는 죄를 짓고 있다. 그리하여 그 또 하나의 위대한 스승인 — 영혼을 치료하는 가장 순수한 랍비교의 스승인 — 지그문트 프로이트는 증오심을 쫓아내려고 애를 썼다. 유태인들은 사랑을, 타인에 대한 사랑을, 아버지의 사랑을, 신의 사랑을 발명했다. 그들이 증오한다는 비난을 받아온 것은 바로 이 때문이다. 분명히 그들도 깨닫고는 있다. 하지만 우리들이 모두 다 그렇다. 그들은 또한 증오할 자격이 있지만, 자기들끼리는 좀처럼 증오하는 법이 없다.

매듭

우리들 자신의 죽음을 상상하는 것은 불가능한 일이다. 바로 그것이 불가능한 일이기 때문에, 우리들은 그렇게 해보려고 애를 쓸 것이다.

여기에 매듭이 지어진 새끼줄이 있다. 나는 그 매듭을 푼다. 매듭은 이제 거기에는 없다. 어떻게 된 것인가? 새끼줄이 남아 있고 우리들은 그 새끼줄로 매듭을 또 지을 수가 있다. 나는 매듭이고 또한 나는 새끼줄이다. 나의 보다 더 본질적인 자아는 어느 것인가, 매듭인가 새끼줄인가?

프로이트는, 자기 자신이 사랑을 받고 있지 않다고 느끼면서, 모든 사람에게 필요한 것은 사랑을 받는 일이라는 것을 깨달았다. 그는 또한 우리들은 우리들의 침략감(侵略感)을 억압해서는 안 된다는 것을 깨달았다. 우리들은 침략성을 사랑하는 정신으로 우리들의 일생을 살아야한다. 침략성은 사랑으로 기름을 주었다. 이것은 우리들이 보다 더 부드럽게, 사실상 지극히 부드럽게, 죽음을 당할 수 있다는 말이 된다.

의식(儀式)에 따라서.

희열(喜悅)

갑자기, 기쁨과 희열의 감정. 이런 감정을 내가 경험해 본 지가 여러 해 된다. 만사가 다 시들하고, 흥미가 없고 답답하고 우울하게 생각되었다. 책을 읽을 수가 없고, 회화나 어떤 형태의 오락에도 흥미를 느낄 수가 없었다. 나는 나의 눈을 다른 데로 돌렸다. 모든 일이 힘들고, 진절머리 나는 의무였다. 희곡을 쓰는 일도, 연극을 구경하는 일도, 직업상의 이유나 교우상의 이유로 사회적인 모임에 참가하는 일도, 젊은 작가들이나, 나의 '일'에 흥미를 갖고 있는 외국학생들에게 이야기를 하는 일도, 내가 하는 일은 모두가 나를 기진맥진하게 했다. 문학적 명성도 나에게는 아무 흥미가 없었다.

내가 발언하거나 다른 사람이 발언하는 것을 듣는 모든 말끝에 내가, 우연히 읽는 어떤 책장의 행 사이에, 혹은 영화 스크린 위에 새겨진 자막으로나, 벽이나 천장 위에 "그것이 무슨 소용이 있는가?" 하는 어구가 떠올랐다. 모든 일의 '무익성'에 의해서, 욕망조차도 시들어 버리고, 파괴되고, 침식을 당하고 소멸되었다. 그러자 갑자기 나는 희열 — 나는 이것을 다만 무의미한 것이라고밖에 표현할 수 없다 — 의 감정을 경험했다. 그러나 나는 그것을 무의미한 것으로서 받아들이고, 행복이란 무의미한 것 이외에 아무것도 아니라는 것을 시인하고, 그것을 강렬하게 느끼지 않을 수 없다. 사실은 근자에 와서 때때로 어떤 희망이, 가냘픈 행복의 미광(微光)이, 이따금씩 캄캄한 나의 비참한 공간을 밝혀주었던 것이다.

그럴 때마다 나는 그것을 예의 반대— "그것이 무슨 소용이 있는가?"라든가, "무엇에 써먹을 것인가?"라든가, "그것이 나를 죽지 않게 하지는 못할 것이다"라든가, "우리들은 행복해야 할 이유가 없다"라든가 하는 등의 반대— 를 내세워서 쫓아 버렸고, 그러면 갑자기 가냘픈 행복의 미광은 사라지고, 낯익은 어둠침침한 빛이 또다시 나의 주위를 에워싸고 들어서고는 했다. 그러던 것이 이번에는 그 희열이 마치 하늘이 내려준 선물인 것처럼 생각이 드는 것이다. 그것은 말로 설명할 수는 없지만, 그러나 자명하고, 의심할 여지없는 은총 같다. 그것은 말로 설명할 수가 없고, 그의 존재에 대한 이유도 없다. 그리고 그것이 그의 유일한 것이고, 이유가 없다는 것이 아마도 유일한 타당하고 가능하고 정당한 이유일 것이다. 이 말은, 내가 만일 나 자신에게, 우리들은 아무것도 아는 것이 없고, 우리의 이해라는 것이 한정된 것이기 때문에 우리들이— 어떤 일이든 간에— 어떤 일에 대해서 우리들 자신에게 부여하는 모든 이유는 불충분한 이유이거나 허위의 이유라고 말한다면 이해할 수 있을 것이다. 이 말은 일찍이 수많은 사람들이 말하고 있듯이 무지가 우리들의 고통의 원인이며 아마도 그 고통의 본질 그 자체일 것이라는 말과 똑같은 말이 된다. 우리들은 불가불 무지하기 때문에 오로지 단 하나의 해결책이 가능하다. 즉 우리들은 우리들의 무지를 몰라야 하고 자신을 갖고, 이해하는 것처럼 실행해나가야 한다.

그래서 어제 내가 경험한 기쁨의 파동 속에서는, 세상은 다른 빛 속에, 전혀 새로운 빛 속에 있는 듯이 내게는 생각되었다. 나무들과 집들과 사람들의 얼굴과 바다와 하늘이 깨끗이 씻기어진 듯이 보였고 모든 사물들이 산뜻해지고 새로워지고 새 단장을 한 듯이 보였다. 주된 감정은 이런 직관적인 깨끗하다는 느낌이었다. 그래서 나는 세상이 다시 한 번 흥미 있게, 지극히 흥미 있게 된다— 실제로 그렇게 되고 있었다— 고 느꼈던 것이다. 여지껏 나는 무엇을 하고 있었나? 나는 어디에 가 있었나? 누가 나를 보지도 못하고 알지도 못하게 했나? 이제 세상의 온갖 조그만 티끌까지도 나에게는 흥미 있어 보이고 더할 나위 없이 흥미 있게 보였다. 그것은 나의 내부세계의 처녀 같은 신선미 때문이었던가? 나의 내부의 존재는 새로워지고 나의 영혼은 해방되거나 아니면 다시 젊어졌다. 내가 만일 바꾼다면 나는 세상과 바꾸겠다.[19] 이 기분이 영속되기를 희망하자. 세상이 언제까지나 이렇게 깨끗하게 있을 수 있다. 그 신선미를 유지할 수 있고 다시는 또 더럽혀지지 않았으면. 영원히면.

아내

걱정과 고통과 사랑으로 짓눌려 있는 불쌍하고 사랑스럽고 귀여운 한 다발의 물건인, 귀여운 미물인 R. 나는 그녀의 조그만 몸집이 집안의 이 방에서 저 방으로, 내 서재의 이 구석에서 저 구석으로 다람쥐처럼 재빠르게 움직이면서 물건들을 정돈하고 연필이나 안경 같은 방금 지난 반 시간 동안에만도 백 번이나 놓아둔 자리를 잊어버린 물건들을 찾고 있는 모습을 보고 있다. 우리들의 가정은 그녀에게는 하나의 방대한 영토처럼 생각되고 그녀는 몸집이 아주 작아서 소심한 개미처럼 그녀는 노상 물건들을 정돈해 놓느라고 바쁘다. 그녀는 나의 서재에서 나한테 온 우편물을 꿰묶고 나의 원고를 분류하고 있을 때 가장 안락감을 느낀다. 여기에서 그녀는 행복감을 느낀다. 그녀는 집안의 다른 어떤 곳에서보다도 여기에서 훨씬 더 많은 안락감을 느낀다. 그녀의 세계는 — 혹은 오히려 그녀의 세계는 — 혹은 오히려 그녀의 세계의 중심은 — 여기에 있다. 여기에서 그녀는 그녀가 호흡할 수 있는 공기 같은 것을 발견한다. 내가 바로 그녀가 차용하고 있는 집이기나 한 것처럼 나 자신이 바로 그녀의 영토인 것이다. 내가 그녀에게 나의 편지나 원고를 정리하는 일을 그만 두라고 말한다면 그녀가 만일 그런 일을 함으로써 나를 괴롭히고 있다는 것을 느끼게 된다면 그녀는 지독하게 기가 죽을 것이다. 그것은 내가 마치 그녀를

● ● ●

19. 원문은 "If I change, I change the world."이다.

그녀의 집에서 쫓아내려고 하는 것이나 다름없는 일일 것이다. 그리고 사실상 그녀는 자기의 집에 있다. 나는 그녀가 거주하고 있는 집이다. 그 밖의 다른 곳에 그녀가 살 곳이 어디 있겠는가? 그녀의 행동은 불합리한 것이기 때문에 필시 그것은 참다운 믿을 수 있는 것일 것이다. 그것은 논리적인 것이 아니며, 계약으로 약정되어 있는 것도 아니다. 그것은 깊이 느껴지고 있고, 일종의 우주적인 영원한 진리에 뿌리를 박고 있는 것이다. 모든 사물은 대치할 수 없게 되어 있다. 우리들은 태양의 위치를 바꿀 수 있는가? 지구에서 바다와 육지를 옮길 수 있는가? 햇빛을 대신할 수 있는가? 혹은 사방의 기본 방위를 삼방으로 해야 한다고 결정할 수 있는가? 나는 그녀의 전 세계가 무너지게 하기 위해서는 다만 집에서 나오든가, 무관심을 표시하면 된다. 나를 미워하고, 나를 숭배하는 불쌍하고 사랑스럽고 귀여운 심장. 나는 그녀 자신이 스스로 지어올린 그녀의 집이다.

그녀로서는 인간이 독립을 필요로 하고, 또한 릴케가 말하듯이 그대가 사랑하는 사람에게 그대가 줄 수 있는 최고의 선물이 자유라는 것을 시인한다는 것은 생각할 수 없는 일일 것이다. 우리들이 간직할 필요가 있는 우리들 자신의 그 무엇을 의미하는 독립이라든가 자율 같은 낱말을 그녀는 이해하지 못한다. 그녀는 이러한 것의 필요를 느끼지 않는다. 그녀는 완전히 다른 사람에게 속해 있고, 그 다른 사람은 완전히 그녀에게 속해 있기 때문에, 그녀는 독립이 무엇을 의미하는 것인지를 모른다. 나는 자유에 대한 필요를 느끼고 있다. 그런데 이것은 그녀가 이해할 수 없는 일이다. 왜냐하면 그녀로서는 유일한 자유는 두 사람이 분유(分有)하는 자유이기 때문이다.

질투는 좋지 않은 일이라고 사람들은 말하고 있다. 우리들은 질투를 해서는 안 된다는 것이다. 질투는 추악한 감정이라는 것이다. 하지만 질투는 세계를 지배하고 있다. 사람은 누구나 태어나는 날부터 질투를 한다. 고양이들은 질투를 한다. 개들은 질투를 한다. 비둘기들은 질투를 한다. 호랑이는 호랑이만이 할 수 있는 질투를 한다. 꽃과 나무들도 질투를 한다. 신은 질투심이 많은 신이다. 우리들은 사람이 없이는 살 수 없기 때문에 질투를 한다. 그녀는 단 한 사람만이 그녀에게 사랑을 줄 수 있기 때문에 질투를 한다. 단 한 사람으로부터만 그녀는 이 사람에게 요구하지 않을 수 없는 사랑을 받아들일 수 있다. 그녀에게서 사랑을 빼앗는다는 것은 불가능한 일이다. 그녀를 숨을 쉬지 못하게 할 수는 없다. 그처럼 그녀를 사랑을 받지 못하게 할 수는 없다. 그녀를 사랑하지 않는다는 것은 그녀를 죽이는 일이 될 것이다. 그 때문에 나는 그녀를 사랑하지 않을 수 없다. 분명히 우리들은 질투의 감정을 받아들이지 않으면 아니 된다. 그러나 질투가 우리들을 이겨서는 아니 된다. 그것은 모두가 정도의 문제다.

그렇지만 그녀가 자기 자신보다도 더 큰 심장을 갖고 있다고 해서 나무랄 수 있을까? 그녀는 자기가 조정할 수 있는 것보다도 더 많은 정열을 갖고 있다. 그녀는 흡사 하상(河床)이 너무 비좁아서 범람하는 강 같다.

우리들은 단 하나의 사상 — 하나의 목적 — 을 갖고 있지 않으면 아니 된다 — 즉 다른 사람들의 행복. 우리들은 모두가 우리들 자신을 피차의 발밑에다 내던지지 않으면 아니 된다.

우리들은 다른 사람들에 대해서도 우리들 자신에 대해서도, 유리창의 문이 한 짝 열려 있는지를 모르고 유리 창문에다 달구지 국화를 내던지는 것을 바라보는 사람의 태도를 가져야 한다. 우리들은 달구지 국화가 날아 나갈 수 있게 유리 창문을 활짝 열어놓자.

좋은 말이다.

문학(文學)

우리들은 어리석은 동물이다. 우리들은 우스꽝스럽다. 우리들이 우리들 자신을 바라보아야 하는 것은 바로 이 관점에서이다. 오로지 유머만이, 장밋빛이든 까만빛이든 잔학한 것이든 간에, 오로지 유머만이 우리들의 맑은 정신을 회복시킬 수 있다.

나는 더 이상 이제 진지한 의도를 가지고 쓰지 않을 것이다. 나는 사람들을 웃기게 하기 위해서만 쓸 것이다. 나는 일체 쓰는 일을 집어치우기까지 해야 하겠지만, 그렇지만 나는 직업 작가이고, 그것이 나의 직책이기 때문에, 나는 억지로라도 희곡과 단편소설을 생산해야 할 것이다. 그렇지만 따지고 보면 사실상 그런 것들은 모두가 하나마나한 일들이다. 문학은 에너지를 소모시키는 한 방법에 지나지 않는다. 벽에 관한 꿈속에서 나는 무슨 일을 했던가? 나는 벽을 기어 올라가지도 않고 그것을 헐어내지도 않고, 헐어내려고 애를 써보지도 않았다. 그리고 나는 그 주위를 걸어다니기만 했다. 나는 지껄이고, 또 지껄이고 있고 이것은 나에게 아무 일도 하지 못하게 하고 있다. 문학은 나의 감정을 가볍게 해준다. 그것은 하나의 알리바이이다. 그것은 행동을 회피하는 데 대한 하나의 변명이다. 그것이 소우주[20]의 유사물인, 제 물체(諸物體)를 구성하지 않는 한 나는 더 이상 쓰지 않을 것이다.

'언어의 위기'

부르주아지 착취자는 그가 착취한 프롤레타리아를 증오하지 않았다. 사회주의 국가들은— 그들이 피폐하거나 부패하거나 퇴폐하지 않은 경우에는— 전날의 착취자들뿐만 아니라 그들의 자식이나 손자까지도 증오한다. (모든 것이 씨족성(氏族性)의 탓이기나 한 것처럼. 단 한 대(代)가 벌을 받았다는 사실은 복수심을 만족시키기에는 충분하지 않다. 성서를

● ● ●

20. [역주] 인간을 우주의 축도로 보고 하는 말.

보면, 헤브라이인들이 바빌로니아의 포로생활에서 돌아왔을 때 과연 복수에 대한 갈증을 느끼고, 조금이라도 이족적인 모든 것에 대해서 증오심을 느꼈다는 말이 적혀 있다. 그리하여 진정한 외국인만이 불순한 것이 아니라 부모 중의 한 사람이 외국인인 유태인도 불순시(不純視)되었다. 그리고 이번에는 그 부모들로 말하자면, 그들의 부모 중의 한 사람이 외국인이었을 경우에는 외국인으로 간주되었던 것이다. 외국인의 집안에서 기르는 동물이나 하인들뿐만 아니라 그의 소유인 가축까지도 불순시되었고, 근절되지 않으면 아니 되었다. 그의 집도 역시 불순한 것으로 간주되었고, 돌멩이들까지도 순화되기 위해서는 태워 버리지 않으면 아니 되었던 것이다.) 그런데 사회주의 국가들은 그들 자신의 시민들까지도 증오하고 불신하며, 시민들 중에서 착취를 당하기를 거절한 사람들, 즉 자기들의 자유를 포기함으로써 자기들 자신으로부터 소외되기를 거절한 사람들은 강제노동수용소에서 강제로 착취를 당하기 위해서 추방을 당했고, 가다가는 근절을 통해서 자기들 자신으로부터 강제로 소외되기까지도 하였다. 물론 이런 착취는 인간에 대한 인간의 착취라고 불리어지지 않았고, 자유롭고 열성적인 지원 노동의 수락(受諾)이라고 불리어졌던 것이다—'지원 강제 노동'이라는 반어적인 표현이 여기에서 생겨났다. 우리들은 오늘에 와서는 속임수가 뚜렷해졌기 때문에 이런 말을 듣고 웃을 수 있다. 그런데 극히 최근까지만 해도 그렇지는 않았고, 만약에 여러분이 어쩌다 진보주의자를 보고, 모든 북아프리카인들이 그들의 독립을 전취한 이후 그들이 부수적으로 달성하지 못하고, 사실상 기대조차도 갖고 있지 않는, 자유를 위해서 즐겁게 죽으려고 들지 않는다는 말을 하거나, 혹은 러시아의 노동자들 중에는 완전히 행복하지 않은 고독한 개인이 있을지도 모른다는 말을 하게 되면 부유한 파리의 진보주의자는 여러분을 미국에 매수된 반동주의자나 반역자라고 부르기가 일쑤일 것이다. 왜냐하면 그렇게 말하는 것이 오늘날의 진보주의자가 여러분을 비난하는 말이 되기 때문이다. 그런데 그 시대에 진보적 의견을 갖고 있던 그의 부친은 여러분을 모스크바에

매수된 반역자라고 비난했을 것이다. 대답으로서 여러분이 들을 수 있는 것은 결국 다음과 같은 유명한 슬로건이다 — 인간 대 인간의 착취는 러시아에는 존재하지 않고, 존재할 수도 없다. 거기에서는 전 사회가 지극히 단순하게 국가에 봉사하고 있다. 그리고 만약에 여러분이 이 사실을 승인하지 않는다면 그것은 "우리들이 동일한 언어로 말을 하고 있지 않기" 때문이다. 분명히 중산계급의 지능에 부합하는 부르주아의 언어(그러나 이 언어로서 인간 대 인간의 착취를 탐지해내는 일은 가능하다)가 있다. 또한 분명히 혁명주의자들의 지능과 이데올로기에 부합하는 사회주의의 언어가 있다. (그러나 그것은 노동계급의 지능에는 맞지 않는다. 혁명과 노동계급과 사이에는 항시 간격이 있다. '혁명주의자'들은 하층계급에게는 다만 불완전하게밖에 이해되지 않거나, 전혀 이해되지 않는 언어를 사용하는 중산계급의 이데올로기스트인 사상가들이다. 따라서 실제로는 하층계급은 '중산계급'의 술어로 이야기하고 생각한다고 말할 수 있을 것이다.) 여러분이 만약에 이런 언어상의 모호성(模糊性)을 선명하게 하라고 제안한다면, 사람들은 어깨를 으쓱해 보일 것이다. 이런 초두의 '불신'이 오늘날 '언어의 위기' — 이에 대해서 우리들은 노상 하고많은 유식한 바보들로부터 강의를 받고 있다 — 라고 일컬어지고 있는 것의 원인이 되고 있는 것이다.

잠시 동안 중산계급 착취자에 대해서 다시 한 번 살펴보자 — 그들은 잔인하지는 않고, 무관심했다. 그들은 노동자를 증오하지는 않았다. 그들은 그들을 경멸했고, 때에 따라서는 불쌍하게 여겼다. 그리고 종말에 가서는 그들은 — 지난날 귀족들이 바로 그들 앞에서 하듯이 — 자기들의 지위를 포기하라고 일러 주는 나쁜 양심을 발전시키기까지도 했다. 그리고 오늘날 노동조합이 다행히도 노동자의 권익을 옹호해 줄 수 있고, 한편 누구나 다 알고 있듯이, 그러나 지나치게 자주 되풀이될 수는 없듯이 신문들은 수많은 기만적인 선전 밑에서 이 사실을 은폐하려고 애를 쓰고 있지만 — 폭정과 착취가 반대 진영 내에 충만되어 있기 때문에, 중산계급은 이미 침략적인 것이 아니고, 이미 노동자의 소외를 유발시키지 않고 있다고 하더라도, 우리들은 오늘날 그들이 자기들의 가슴을 짓찧고, 중산계급에게 즉 자기들 자신에게 욕설을 퍼붓고 있는 것을 보고 있다. 중산계급이 민첩했더라면, 공업사회의 건설이 초기 단계에서는 대다수의 국민들의 희생을 요구한다는 것을 주장했을 것이다. 더구나 그러한 희생이 필요하다는 시인이 기만적인 행위나 '언어의 위기'를 만들어내지는 않았을 것이다.

꿈

일일이 묘사하기에는 너무나 조리(條理)가 서지 않고 지리멸렬한 꿈. 게다가 나는 그것을 거의 다 잊어버렸다. 다만 기억에 남아 있는 것은 금발의 여인이 말한 "보안관이 와요" 하는 말. 배지를 단 보안관이 들어오는 것이 보인다 — 그러고는 경관이, 꺼먼 수염이 난 또 한 사람이 군중 속으로 사라지는 것이 보인다.

명석(明晳)

내가 절대적인 존재를 깨달은 듯한 생각이 들고, 모든 사물이 정당한 것으로 —[21] 그 이상으로 구제된 것으로 — 느껴진 나의 청년시절에 있어서의 그 황홀한 행복악(幸福惡)의 희귀한 순간을 제외하고는, 또한 유년시절에 교회에서 향유한 그 충만의 순간을 제외하고는, 나는 심오한 희열을 통 경험해 본 일이 없었다. 물론 뚜렷한 원인이 없는 나의 슬픔이나, 나의 절망이나, 나의 일반적인 고민은 나의 내면적인 공허를 다소나마 충만 시켜준 여러 가지 종류의 행복(행복은 희열이 아니다) — 나의 약혼, 나의 결혼, 아버지 노릇, 직업적인 만족, 반만족에 반혐오를 주는 나의

---

21. 영어 원문에는 줄표가 들어 있으나 번역 원문에는 누락되어 있다. 영어 원문을 참고하여 삽입했다.

명성 — 으로 은폐되는 수가 왕왕 있었다. 이런 일들은 모두가 다 중요한 일이었고 그것들은 나에게 망각의 순간을 주었지만, 무엇하나 해결해 줄 수 있는 힘은 없었고, 죽어야할 운명을 짊어지고 있는 세상에서의 나의 상실감의 비극을 위로해 줄 수 있는 힘은 없었다. 나는 평생을 두고 나를 무겁게 짓누르고 나에게서 즐거움을 빼앗고 있는 압도적인 권태 — 육중한 정신적이며 육체적인 피로 — 를 이겨낼 수가 없었다. 노상 나 자신의 불행에 젖어 있는 동시에, 나의 주변의 남들의 불행을 의식하고, 인생이 지옥 같고 견디어낼 수 없다는 것을 의식하면서 항상 불안한 생활을 하고, 한시도 안락한 기분이 될 수가 없었다. 사람들은 모두가 서로들 미워하고 있기 때문에 그들은 다만 서로들 죽이거나, 서로들 반대하거나 거짓말을 하고 자기 자신을 위한 고통을 피하기 위해서 다른 사람을 통해서 일부러 고통을 받거나 함으로써만 그들의 감정에 위안을 줄 수 있다. 매저키스트도 싸디스트도 정치적 열광자도 아닌 나는 오히려 소박하게 항상 총명했고, 필시 부적절하게 소박했었다는 생각도 들지만, 그러나 대체로 여러 일들을 사실상 있는 그대로 보아왔다. 나는 사람들이 왜 서로 전쟁을 하는지 왜 그들이 싸우는지 이해할 수 있다. 왜 그들이 스스로 이해하지 않으려고 하는지 이해할 수 있다. 여러 이데올로기와, 여러 철학과, 그들이 그들 자신에게 부여하는 그 밖의 여러 가지 이유들이 그들의 정열에 대한, 어떤 숨어 있는 절망에 대한 무의식적이거나 반의식인 알리바이와 변명에 지나지 않는다는 것을 나는 완전히 의식하고 있다……. 그들이 이 사실을 용인하지 않으리라는 것을, 점잖은 결말을 그들의 마음으로부터 말끔히 씻어내기를 — 점잖은 결말을 제거하는 데 대한 지극히 많은 논의가 성행될 때에도 — 그들이 계속 거절하리라는 것을 나는 알고 있다. 나도 역시 알고 있다. 보다 더 드높은 명석의 형태를 가질 수 있는 마음은 불합리에 대한 합리뿐만 아니라, 무엇보다도 불합리 뒤에 숨은 합리를 좀 더 잘 파악할 수 있을 것이다. 이런 탁월한 형태의 명석은 나 자신의 한정된 경험적인 명석을 비웃을 것이다. 나는 그런 평온을 갖다 주는 탁월한 명석을 갖고 있지 않다. 그러나 전혀 명석이 없는 것보다는 열등한 종류의 명석이라도 갖고 있는 편이 나을 것이다. 뛰어다니고, 지껄이고, 자기들이 생각하고 있다고 생각하고 있는 모든 사람들처럼 혼미에 빠져있느니보다는 그 편이 나을 것이다.

나는 한시도 이 불행과 죽음의 세계 — 이에 대해서 나는 속수무책이라는 것을 느껴왔다 — 에서 편안한 마음을 느껴볼 수가 없었다. 모든 행동이 나쁜 결과만을 낳는 것이다. 나의 슬픔과 권태와 혐오와 공포는 해가 지날수록 더 악화되었다. 그래서 나는 나의 일을 했다. 나는 아무것도 말할 것이 없다는 말을 했다. 뼈아픈 표현을 하자면, 나는 '썼다.' 쓴다는 것은 나에게 있어서는 거의 이겨낼 수 없는 어려운 일이었고, 내가 쓴 것이 경쾌하게 보이면 경쾌하게 보일수록 그것은 더 한층 나의 고통을 증가시켰다. 희극을 쓴다는 것은 나에게 있어서는 불가능하거나 혹은 거의 불가능하게 되었다. 그래서 나는 나의 괴로움을 덜기 위해서 좀 더 음산한 희곡을 쓰기 시작했다. 불행과 괴로움에 대한 것을 쓰는 것은 나에게 일종의 만족감을 준다. 우리들은 죽음이 불가피하다는 것을 우리들이 깨닫고 있을 경우에 다른 일에 대해서 어떻게 말할 수 있겠는가? 인간성이란 죽는다는 것에 대한 공포와 노여움을 통해서 오는 것이다. 마조히즘과 싸디즘과 파괴와 자기 파괴와 전쟁과 폭동과 혁명, 인간의 피차간의 혐오, 이런 모든 것은 의식적이든 무의식적이든 간에, 죽음이 긴박해 있다는 우리들의 감정에 의해서 죽음의 공포 — 그런 것들이 그 공포의 변형된 상징이건 아니건 간에 — 에 의해서 유발되고 있다. 우리들은 이 세상에서는 안락한 마음을 가질 수가 없다. 우리들은 여기에서는 편한 마음을 가질 수가 없다. 우리들이 영원히 살 수 있다는 보증이 없는 한 우리들은 완성될 수 없을 것이고 상호간의 사랑에 대한 우리들의 필요성에도 불구하고 우리들은 계속 서로들 미워하고만 있을 것이다. 아아, 우리들 불행의 동물인 우리들이 다른 불행의 동물로부터 어떻게 가장 나쁜 것을 두려워하지 않을 수 있겠는가? 우리들은 모두가 다른 사람들 속에 있는 우리들 자신인 죽어야 할 운명을 미워하고 있다. 금언(金言) — 나의 자식들이어, 서로들 불신하라.

그러나, 그러나, 사랑이 무엇인가를 알고 있고, 사랑이 어떻게 하면 이루어질 수 있는가를 알고 있고, 우리들이 귀머거리나 장님이 아니라면, 우리들에게 사랑의 과업을 재수(再修)하는 데 도움을 줄 수 있는 존경할 만한 유태교의 스승들의 교훈이 있다. 사랑의 과학. 근본적으로는 세상에는 적은 없고 다만 우리들이 우리들의 적이라고 잘못 생각하고 있는 사람들만이 있기 때문에 여러분의 적을 파괴하지 말아야 하고, 대지를 회피하지 말아야 하고, 오히려 그것을 순화해야 한다. 즉 인간의 양심을 다시 일깨워야 한다. 상대적인 것과 절대적인 것을 결합해야 하고, 맹목으로 하여금 일종의 지혜를 믿게 해야 한다. 그러나 맹목은 맹목 이외의 것은 될 수 없다. 싸디스틱한 살인자들은 무고한 사람들을 기독교인의 아이들을 죽여서 그 피를 마셨다고 비난했다. 탐욕스러운 사람들은, 자기들 자신의 충동을 현명한 사람들에게 투영시키고, 그들을 욕심이 많다고 비난했다. 또한 제국주의자들은 현명한 사람들을 보고 세계를 정복하려고 한다고 비난했다.

인도주의, 그 소위 새치름하게 자기만족에 빠진 인도주의, 조잡한 철학이 진화되어 나오는 조잡한 폭력, 혁명주의자로 행세를 하고, 보다 더 세련되고 사악하고 교묘하게 악마적인 증오의 특성을 지니고, 조잡한 반동주의자의 우매(愚昧)보다도 식별하기가 훨씬 더 어려울 만큼 교활한 변태자들 — 우리들에 의해서 증류(蒸溜)되어 나와서, 우리들에게 스며들고, 우리들에게서 스며 나와서, 우리들한테로 다시 떨어져 내리고, 우리들이 구조화하고 기념비화하는 모든 이러한 것들, 이러한 것들이 소위 '문화'라고 하는 것을 형성하기 위해서 결합된다.

나도 역시 나의 증오를 갖고 있다. 나는 이 유행병 — 이 병은 사실상 유행병이다 — 에 아직도 면역되어 있지 않지만, 그러나 나의 경우에는 그것은 나로 하여금 어디까지나 초연하게 하고 있게 할 수 있는,[22] 일종의 무관심과 혼합되어 있다. 그러나 나의 노여움과 괴로움을 묽게 하고, 물을 탄 술이 도수가 약해지듯이 그것들의 힘을 약화시키는 이 무관심을 위해서는, 나는 방금 내가 말한 것을 말할 수 없어야 할 것이고, 원고지를 찢어버리고, 모든 것을 부수어버려야 할 것이다. 내가 미워하기 위해서 미워하지 않는다고 생각하는 것은, 내가 미워하는 것은 다만 미움뿐이라고 생각하는 것은 옳은 생각일까? 그러나 물론 이것은 모든 사람들이 다 그렇다. 그리고 모든 사람들이 미움에 가득 차게 되는 것이 그 때문이다.

휴식

'그 긴 의자에 누우십시오. 거기, 그렇게. 기분 좋지요? 됐습니다. 심호흡을 하세요. 들이마시고, 내뿜고. 정상적으로 숨을 쉬세요. 당신의 팔이 퍽 무겁다고 상상하세요. 당신 자신에게 말해 보세요. '나의 오른쪽 팔은 아주 힘이 없고 무겁다. 나의 왼쪽 팔은 아주 힘이 없고 무겁다. 나의 팔은 아주 무겁다'고. 당신의 머리가 뒤쪽으로 가볍게 흔들리고 있다고 상상하세요. 눈을 꼭 감으세요. 어깨가 가벼운 기분이 든다고 상상하세요. '나의 어깨는 퍽 가벼운 기분이 든다.' 오른쪽 다리가 무겁다고 상상하세요. 당신 자신에게 말해 보세요. '나의 몸에는 아주 힘이 풀어져 있고, 나의 다리는 퍽 무겁다'고. 양쪽 다리가 아주 무겁게 느껴지지요. 당신의 심장이 왼쪽에 붙어 있다고 혼잣말을 해보세요. '나의 심장은 천천히 정상적인 장단으로 뛰고 있다. 나의 심장은 천천히 정상적인 장단으로 뛰고 있다'고. 당신의 위장과 장을 당신이 의식하고 있다고 상상하세요. 당신은 당신의

● ● ●

22. "나로 하여금 어디까지나 초연하게 하고 있게 할 수 있는"은 "which allows me to remain aloof"의 번역이다.

위장 속에서 돌고 있는 피를 의식하고 있습니다. 혼잣말을 해보세요. '나는 내 위장 속에서 돌고 있는 피를 느낄 수 있다. 나는 나의 장을 의식하고 있다'고. 당신의 골반이 무겁다고 그것이 장의자(長椅子)를 누르고 있다고, 장의자가 그것을 떠받들고 있다고 보세요. 혼잣말을 해보세요. '나의 골반은 장의자 속으로 가라앉고 있다'고. 좋습니다. 정상적으로 숨을 쉬세요. 자아, 심호흡을 해 보세요. 들이마시고, 내뿜고, 들이마시고, 내뿜고. 눈을 뜨세요. 고양이처럼 즐겁게 팔 다리를 활짝 펴세요. 하품이 나오지요. 좋습니다. 잘됐습니다. 당신의 맥박은 앞서보다 훨씬 빠르지 않습니다. 이제 정상적인 맥박으로 돌아갔습니다. 당신은 제가 조금 전에 당신의 팔을 들었을 때, 그것이 정말 무겁게 되어서, 도로 떨어져 내린 것을 아셨지요. 얼굴과 몸이 완전히 힘을 빼고 있을 때는 그것들은 여간 아름다워 보이지 않습니다! 모든 생명력은 잠들어 있을 때가 아니라, 휴식의 상태 속에서 나타납니다. 몸에서 힘을 빼라고 한 것은 이 때문입니다. 몸에서 힘을 빼고 있을 때 그것이 얼마나 아름답고 생생해 보이는지 모릅니다!'

그가 진찰실에서 나온 뒤에, 그는 이런 질문을 받았다. "30분 동안이나 무얼 하고 있었나? 자네는 웃는 낯을 하고 몸에 힘이 하나도 없네그려. 자네는 자네같이 보이지 않네. 아주 퍽 젊어 보이네." 그의 내부의 괴물들은 휴식을 취하고 있었고 하품을 하고 몸을 풀 기회를 가졌던 것이다. 이제 그 괴물들은 손톱과 발톱을 모조리 드러내고 다른 사람들에게 달려들 준비가 되어 있다.

본질(本質)

사람들이 변하는 것이 아니라, 그들의 환경이 변한다. 나는 좀 더 좋아지거나 좀 더 나빠진 상태 속에서 살게 될 수도 있지만, 중심에 자리 잡고 있는 것은, 항상 나의 본질적인 정수(精髓)에 있어서는 조금도 변함이 없는 나다. 햇볕 속에다 식물을 놓아두어 보아라. 그것은 자랄 것이다.

식물에다 물을 주지 말아보아라. 그것은 시들 것이다. 그렇지만 노랗든 푸르든, 시들든, 꽃이 피든 간에, 그것은 그것이 속해 있는 여러 가지 상태에 대한 그의 가지각색의 반응에도 불구하고 여전히 똑같은 식물인 것이다. 카멜레온은 자위를 위해서 변색을 할 필요가 있을 때마다 언제나 변색을 하지만, 그러나 그렇다고 해서 그것이 카멜레온을 그만두는 것은 아니다. 그것이 색채상으로 화합해 있는 환경의 부분이 되는 것이 아니다. 그것이 외양을 꾸미고 있는 나뭇잎이 되는 것이 아니다. 그것은 언제나 똑같은 카멜레온이다. 이처럼 시초부터 우리들이 있는 것이지, 되는 것은 아니다. 본질이 존재보다 앞서 있다. 반응은 여러 가지로 변할 수 있지만 본질은 어디까지나 변치 않고 그대로 있다. 우리들은 역사에 의해서 주조(鑄造)되는 것이 아니다. 이따금씩 역사가 우리들의 힘으로 주조되는 것이다. 우리들은 이미 주조되어 있기 때문에 사물이 우리들을 주조하지는 않는다. 사물은 우리들을 강제로 한 상태로부터 다른 상태로 변경시켜 놓지만, 그러나 나는 나를 주조하는 것으로서가 아니라, 나에게 속해 있는 것으로서 이런 모든 상태를 인지한다. 즉 나는 그런 상태들을 수임하고 있고 소유하고 있다. 나는 다른 사람이 될 수도 없고, 되지도 않는다. 나는 어떤 좋은 일이나 나쁜 일을 할 수는 있다. 하지만 나는 악(惡) 그 자체가 될 수는 없고, 선이나, 허위나, 진실이 될 수는 없다. 그 때문에 그것은 변화의 문제가 아니라, 자신을 재발견하는 문제, 즉 자아가 세상과 접촉을 하면서 받게 되는 일시적인 변화 속에서 변치 않는 것을 재발견하는 문제다. 사람들은 상태나 상황의 변화를 어떤 상상으로서의 본질적인 변화와 혼동하는 경향이 있다. 내가 어쩌다 초조한 상태에 있다든가, 건강한 상태에 있다든가 불건강한 상태에 있다든가 행복한 상태에 있다든가 불안한 상태에 있다든가 하는 것은 결국에 있어서는 나 자신의 외부의 문제다. 내가 만약에 농부나, 부르주아나 노동자 같은 것이 된다고 하더라도 나는 다른 농부나 부르주아나 노동자와는 전혀 다를 것이다. 그것은 마치 배우가 아무리 수많은 다른 역을 맡아 하더라도 그 자신은 변치 않고 그대로 남아 있는 것과 같은 것이다. 고양이는 고양이가 될 수는 없다. 그것은 낳을 때부터 고양이인 것이다. 그것은 고양이처럼 행동할 것이고 아무것도 그의 고양이 같은 성격을 바꾸지는 못할 것이다. 그것은 어떻게 하면 고양이가 되는지를 배울 수는 없을 것이고, 어떻게 하면 고양이가 되는지를 알고 있는 것이다. 나는 고양이들이 있다는 관념을 믿고 있다. 우리들이 영원으로부터 단절되어 있지 않다는 것을 무슨 일이 있어도 내가 — 대체로 비논리적으로 — 믿고 싶은 생각이 드는 것은 그 때문이다. 그것이 또한 나로 하여금 평온이, 일종의 무관심이, 나의 노여움이나 절망보다도 종국에 가서는 더 강한 것이 될 것이라는 것을 희망하게 한다. 마지막까지 분석해 보면, 인간의 본성은 미운 것이 될 수 없다. 인간의 좋은 기분이나 나쁜 기분은 일시적인 심리적 변경이다 — 모든 본질적인 면에서는 그것(인간의 본성)을 파괴할 수도 없고 변경할 수도 없는 여러 가지 상태인 것이다.

고독(孤獨)

나는 항시 나 자신에 대해서 절대로 충실했다고 믿고 있다. 나는 조금도 변하지 않았다. 나 자신을 깨닫게 되고 나서부터 줄곧 나의 감정, 나의 사상, 나의 존재 그 자체는 사건이나 생활에서 종시 영향을 받지 않고 있는 일종의 불변으로 특징지어져왔다. 나는 열일곱 살 때에 내가 생각하던 것과 나의 사람됨에서 나 자신을 인식할 수 있다. 그 후 서로 접종해서 발생한 이설과 광신의 여러 가지 형태의 호소에 나는 끝내 감염되지 않았다. 그에 대한 답변을, 즉 내가 그런 것들을 받아들이지 않은 것에 대한 이유를 발견할 수 있기 전에 — 어느 날이고 나의 반대론을 명확히 조직적으로 말해 보겠다는 나대로의 복안을 가지고 나는 여전히 본능적으로 만만치 않았고, 심저(心底)의 깊은, 말 못 할 이유 이외에는 아무 주장도 이유도 갖고 있지 않았다. 나는 나대로의 나였다. 지금도 나는 종전대로의 나다. 나의 사상이 다른 사람들의 사상과 똑같지 않았기 때문에, 나는 이내 나의 고독을 배웠다. 나의 본질적인 성격은 나의 사상이 다른 사람들의 것과 같아야 한다는 것을 불가능하게 했다. 그러나 고독은 격리를 의미하는 것은 아니다. 그것은 나를 세상의 나머지 사람들로부터 단절시키는 장벽이 아니다. 그것은 나의 자유를 보호해 주고, 나의 격노와 격정과 공포에 의해서 내가 내던져져 있는 작열하는 용광로에도 불구하고, 나로 하여금 노상 서늘한 머리를 갖고 있게 해주는 방패이며 흉패(胸牌)다. 될 수 있는 한 먼 곳까지, 나는 그 장벽을 넘어서 다른 사람들과 상종을 계속하고 있다.

부부(夫婦)

내가 어머니한테 내가 결혼을 할 작정이라는 말을 한 뒤에, 어머니는 나의 애인의 집을 찾아갔고, 나의 애인이 문을 열자, 어머니는 나의 애인을 잘 알고 있고, 퍽 오랫동안 그녀를 알아왔었는데도, 전혀 딴 사람하고 대면하듯이 잠시 동안 그녀를 쳐다보았다. 흡사 우리들이 어떤 풍경을 새로운 각도에서 바라보고 그것이 딴 풍경처럼 생각될 때 하듯이, 어머니는 그녀를 다른 눈으로 바라보고 있었다. 친구의 딸인, 그러나 역시 남인, 한 친구가 뜻밖에도 그녀의 가장 가까운 친척이 되려고 했다. 딸과 숱한 사람이, 거의 또 하나의 나와 비슷한 사람이, 또 하나의 자기와 비슷한 사람이, 그녀가 항상 기다리고 있던 사람이 올 것이라고 예측하고 있던 사람이 잘 알지는 못했지만 처음부터 알고 있었던 것처럼 생각되던 사람이, 운명에 의해서 처음부터 지정되고 부과되고 선택되어 있던 사람이 되려고 했다. 이것은 곧 여왕으로서의 그녀의 자리를 차지하게 될 그녀의 후계자인 여왕이었다. 나의 장래의 아내는 어머니의 눈초리에 대답을 보냈다. 어머니의 눈에는 눈물이 고였지만 감정을 억제했고, 약간 떨리는 그녀의 입술은 형용할 수 없는 표정을 짓고 있었다. 그들이 아무 말도 하지 않고 서로 자기들이 전하려고 한 뜻을 얼마만큼 의식하고 있었는지 나는 알 수 없다. 그것은 침묵의 교환이었고, 그들이 제풀로 재발견하고 있고, 태곳적부터 전해 내려왔음직한 일종의 짤막한 의식이었다. 말하자면 그것은 일종의 권력의 이양이었다. 그 순간에 우리 어머니는 그녀의 직위를 사퇴하고, 나를 통해서 나의 아내에게 물려주었던 것이다. 어머니의 얼굴의 표정에 역력히 그것이 나타나 있었다 — 그는 이제 내 것이 아니다. 그는 너의 것이다. 어떠한 수많은 침묵의 명령이 어떠한 슬픔과 행복이 어떠한 두려움과 희망과 자기부정이 그녀의 표정으로 전달되었던가? 이 말없는 대화 속에는 나는 낄 수가 없었다. 그것은 한 여자와 또 한 여자와의 사이의 대화였다.

이 의식은 불과 수초(數秒) 동안 계속되었지만, 그것은 어떤 태곳적의 법칙에 따라서 규칙대로 거행되었을 것이다. 그리고 그것은 하나의 신비였기 때문에, 나의 아내는 그것에 묵종하고, 그 성스러운 유희를 하고, 그들 두 사람을 초월한 의지와 권력에 복종하면서, 영원히 나를 자기한테 붙들어 매고 자기 자신을 나한테 붙들어 맸던 것이다. 그녀는 이 속박에서 빠져나(가)려고 해본 일이 없었다. 그녀는 다른 남자를 안 일이 없었다. 나는 때때로, 짧은 순간 동안을, 혹은 그다지 짧지 않은 순간 동안을, 나의 속박에서 빠져나오려고 원한 일이 있지만, 그런 일탈(逸脫)은 독성(瀆聖)의 효과를 자아낸다. 우리 어머니는 나를 나의 아내에게 물려주었고, 나의 아내는 나를 맡았고, 그 후부터 그녀는 우리 어머니보다도 나한테 더 어머니다운 나의 유일한 친척이 되었고, 나의 누이, 영원한 연인, 나의 애기, 나의 전우가 되었다. 분명히 일은 이렇게 되었다 — 나의 아내는 나를 떠맡고 난 뒤에 한시도 책임을 포기할 수 없었고, 포기하려고도 하지 않았고, 그 성스러운 속박이 그 권력을 행사했기 때문에 두 사람의 사이는 끝내 깨어지지 않고 유지되어 왔다.

우리 어머니는 내가 결혼한 지 석 달 만에 돌아가셨다.

과거(過去)로부터의 꿈

3, 4년 전에 나의 아내와 나의 딸과 나는 영국에 가서 우리들의 휴가를

보냈다. 우리들은 영국인 친구인 D와 함께 약 한 달 동안을 살았다. 그녀는 이쁘다란 마당이 있는 지극히 매력적인 17세기의 저택을 갖고 있었다. 그녀는 손님에게는 좀 더 현대적인 옆 칸을 쓰게 하고, 자기는 두 어린애들과 함께 그 집의 다른 쪽 끝에서 살았다. 우리들에게 빌려준 쌍침대가 있는 방 옆에는 얄따란 벽으로 갈라져 있는 침대가 하나 있는 나의 딸의 방이 있었다. 우리들이 도착하고 나서 3, 4일 후에, 나는 이상하고도 무서운 꿈을 꾸었다. 나는 하얀 옷을 입은 10여 명의 의사들로 둘러싸여 있었다. 그중의 한 의사가 나를 보고 말했다. "우리들은 당신의 뇌수술을 해야겠습니다." — "그건 그다지 기분 좋은 일이 아니군요. 하지만 필요하다면 수술을 해주시오." 갑자기 의사들은 자취를 감추었다. 한 의사가 다시 나타나더니 나를 보고, 자기들이 모두 오진을 했고, 나의 몸에는 이상이 하나도 없고, 그러니까 나는 집에 가도 된다고 말했다. 암만해도 미심쩍은 생각이 들어서, 나는 의사를 보고 사실대로 얘기해달라고 탄원했다. "나는 뇌에 수술을 할 수도 없는 암 종양을 갖고 있지요. 그래서 당신들은 날더러 가라는 거지요. 제발 사실대로 말해 주시오." "좋습니다." 하고 의사는 대답했다. "사실대로 알고 싶다시니까 말해드리는 건대 당신께선 뇌에 불치의 암을 갖고 계십니다."

이 순간에 나는 극심한 걱정에 싸여서 잠이 깼다. 새벽녘이었고, 침침한 불빛이 들창으로 새어 들어오고 있었다. 나는 뇌의 암 종양으로 오래전에 죽은 나의 친구의 한 사람이 생각이 났다. 그 병의 증상의 하나는 방향감각을 상실하는 것이었다. 그는 오른쪽으로 가려고 할 때에는 왼쪽으로 가고 있었다. 문 쪽으로 가려고 할 때에는, 창문 쪽으로 갔다. 그래서 나는 땀방울을 흘리면서 일어나서, 마음을 쉬게 하기 위한 증명을 얻으려고, 내가 여전히 방향감각이 있는지 없는지를 알기 위한 시험을 해보았다. 그래서 나는 창문을 향해서 걸어갔고, 거기에 갈 수 있었다. 그 다음에 나는 '문 쪽으로 가보자.' 하고 혼잣말을 했고, 지극히 정확하게 문 앞까지 갈 수 있었다. 나는 마음을 놓았다. 그러나 여전히 충격의 여파가 사라지지 않아서, 나는 내가 차례차례로 정한 여러 목적물—침대 옆의 테이블, 머리 떨어져 있는 창문, 옷장, 맞은편 쪽 벽, 그리고 다시 먼젓번의 벽 같은 것들—에 다다르기 위해서 방안을 계속해서 이리저리 왔다 갔다 했다. 나의 쉴 새 없는 운동으로 해서 잠이 깬 나의 아내는 놀란 눈을 떴고, 내가 미치는 것이 아니냐고 물었다. 나는 미치는 것은 아니라고 대답하고는 이 새삼스러운 '실내산책'에 대한 이유를 설명했다. 그녀는 꿈을 심각하게 생각하는 것은 미친 것이라고 대답했다. 나는 다시 침대 속으로 들어갔지만, 다시 잠을 이룰 수가 없었다. 아홉시쯤 되어서 우리들은 그 집의 저쪽 끝에 있는 식당으로 조반을 먹으러 갔다. 집주인 여자와 나의 딸은 벌써 거기에 와 있었다. 후자는 나를 보고 커다란 소리로 이런 인사말을 했다. "아빠, 나는 침실 벽 너머로 아빠가 코고는 소리를 들었어. 무지무지하게 큰 소리로 코를 골던데."—"내가 코를 골았을 리가 없지. 첫째로 나는 코를 고는 버릇이 없고, 둘째로는 나는 간밤엔 깨 있었단 말이야."—"아네요. 아빠는 코를 골고 있었어요. 여간 큰 소리로 골고 있지 않던데, 게다가 아주 유별난 소리로 골고 있던데." D여사가 나의 딸에게, "그래요. 그건 아버지가 코고시는 소리였을 거예요." 하고 말했을 때 나는 항의를 하려고까지 했다. 그러나 약간 이상스러운 생각이 든 나는 더 이상 아무 말도 하지 않았다. 나의 딸이 방에서 나가자마자 D여사는 내가 있는 쪽으로 몸을 돌리고 이렇게 말했다—"미안합니다. 그것은 코고는 소리가 아니었어요. 그건 돌아가신 분의 혼령이 낸 소리였어요. 우리 할아버지께서는 7년 전의 8월 8일 날 돌아가셨고, 오늘이 바로 그 어른께서 돌아가신 날예요. 돌아가신 날 아침이나, 운명하신 시간에는 그 분의 혼령이 그런 소리를 내요. 무서워하실 건 없어요. 그저 그런 소리만 내지 그밖에는 아무 일도 없으니까요."—"당신의 조부께서 무슨 병으로 돌아가셨는지, 어떻게 돌아가셨는지 나는 알고 있어요." 하고 나는 말했다. "그분은 뇌에 암 종양이 나서 돌아가셨지요. 병원에 가보았더니, 의사들이 수술을 하려고 했지요. 그런데 그중의 한 의사가 수술을 요구한 그분에게 말한 것처럼 그 종양은 고칠 수가 없었기 때문에 의사들은 수술할 생각을 포기했지요. 그래서 그분은 집에서 돌아가시게 된 거지요." ―"어떻게 그렇게 잘 아세요?" 하고 D여사는 물었다. "아주 말씀하신 꼭 그대로예요." ―"나는 그것을 모두 간밤에 꿈에서 보아서 알지요." 하고 나는 대답했다.

내가 그날 밤 꿈을 꾼 뒤부터, 혼령의 소리는 다시는 들리지 않았다. 그것은 마치 내가 그 소리를 떠맡아간 것처럼 되었다. 망령은 그 이듬해의 8월에도, 우리들이 방문하고 온 뒤에 두 번째 되는 주기일(周忌日)에도 아무런 소리도 내지 않았다. D여사의 양친 ― 즉 돌아가신 분의 따님과 사위 ― 은 그 집의 옆 칸으로 다시 옮겨왔다. 그들은 그때까지는 그 집에서 150야드 가량 떨어진 곳에 새로 지은 다른 집으로 옮겨가서 살고 있었던 것이다.

간밤에 꾼 꿈

나는 다만 단편적인 장면만을 기억할 수 있다. 검고 어두운 회색의 음산(한) 빛깔. 나는 외할아버지하고 외할머니와 함께 보잘것없는 황폐한 낡은 교외나 촌락 같은 곳에 있었던 것 같다. 그곳은 나에게는 낯선 이상한 고장이었고 외조부모의 출생지 같았다. 내가 어떻게 되어서 거기에 가게 되었는지 생각이 안 난다. 무슨 일이 있었고, 무슨 떠들썩한 토론이 있었는데, 무슨 토론이었는지 거의 생각이 안 난다. 나의 외삼촌 중의 한 분이 거기 있었다. 나의 외삼촌들은 아직까지도 생존해 있고 여간 나이가 많지 않고 그중에는 수염을 기르고 있는 이도 있다. 아래층에는 검소한 짚 침상이 두 대 가량 놓인 지붕이 얕은 방이 있던 것이 생각이 난다. 외할아버지가 벌써 돌아가셨다나 돌아가신다나 돌아가시려고 한다나 하는 말을 내가 들었던 것 같다. 외할머니에 대해서도 똑같은 말을 내가 들었던가 혹은 내가 혼잣말을 했던가 한 것 같다. 외할머니는 상당히 고령이었는데도, 흰털이 하나도 없이 머리가 새까맣고 살아계실 때의 그대로의 모습을 한 그녀를 볼 수 있었다. 나는 거리인가 교외의 군청(郡廳)의 등록부 보관소 안에 있었다. 서기가 여러 명 있었고, 내가 질문을 한 서기는 나이가 퍽 젊었다. 대체로 내가 온 이유가 우리 외할머니의 처녀 때의 진짜 이름 — 그녀가 그 이름을 비밀로 하고 있었던 것 같아서 우리들은 그것을 알지 못했다. 필경 우리 외할머니는 수상한 가문에서 태어났을 것이다 — 을 발견하는 일이었던 것 같아서, 나는 그 사무실에 있는 것이 행복스럽게 느껴졌다. 그녀는 필시 어떤 박해를 당하고 멸망한 씨족의 집단에 속해 있었을 것이다. 그러나 나는 나의 선조에 대한 것을 알아보려고 결심했다. 그런데 서기는 나를 보고 나의 증조할머니의 이름을 알아낼 수 있는 유일한 장소가 우리들이 지금 와 있는 조그마한 촌락의 면사무소라고 말해 주었다. 그곳은 그 특수한 옛 교구(敎區)의 원주민이든 아니든 간에, 모든 사람들의 완전한 기록을 아직까지도 보관하고 있는 세계의 유일한 소촌락(小村落)이었기 때문이다. 꿈속의 장면인, 지붕이 얄따란 구옥 속에서, 우리 외할머니는 비참한 몰골을 하고 계셨다. 떠돌아다니는 사람 같은 초라한, 보기 흉한 더러운 옷차림을 하고 계셨다. 그러더니 갑자기 그녀는 집 밖에 나지막한 돌 벽으로 둘러싸인 조그만 마당에 나와 계셨다. 땅바닥은 온통 꾸덕꾸덕해진 진창투성이였다. 하늘은 여전히 음산하고, 주위의 집들은 지붕이 납작하고, 한결같이 불결했다. 그런데 거기에 있는 우리 외할머니는 완전히 다시 젊어져 있었고, 산뜻한 이쁘다란 옷을 입고 있는 것이 딴사람처럼 아름답게 보였는데, 그녀의 주위에는 그녀의 아이들인 수많은 어린애들이 삥 둘러 있었다. 실제로 그녀는 아이들을 열두 명이나 갖고 있었던 것이다. 그녀는 이름을 갈았기 때문에 — 그 이름 때문에 그녀는 세상에서 떨어져 살고 있었고, 그 때문에 더 빨리 늙었다 — 청춘이 — 다시 소생했다. 이름을 갈음으로써, 그녀는 필연적으로 회춘의 과정을 밟기 시작했다. 나는 그녀를 바라보았을 때, 형용할 수 없는 이상한 감정 — 이것이 있을 수 있는 일인가, 혹은 있어도 되는 일인가라는 느낌 — 에 사로잡혔다. 나의 오른쪽에, 마당의 바른쪽으로, 조그만 2층의 넘어질 듯한 집이 서 있었다. 이 집은 우리들이

밖에서 보기 전에 잠시 들어갔다 나온 집이었을 것이다. 나의 두 늙은 아저씨 중의 한 분 — 이 분은 몹시 몸이 편치 않았다 — 이 방금 그 집으로 들어섰다. 그런데 집에 갑자기 불이 붙고 화염(火焰)이 솟아올라서 그는 안으로 들어가지 못했다. 붉은 소방복을 입은 소방수들이 빨간 소방차를 타고 도착했다.

나는 그 불이 난 것을 끝까지 보지는 못했고 불이 난 헌집 대신에 새로 지은 새 집을 보지도 못했다. 또한 내가 찾고 있던 — 아직까지도 찾고 있는 — 외할머니의 이름을 발견하는 데 성공하지도 못했다…….

위엄(威嚴)

우리들의 친구인 소라나 구리안은 중병을 앓다가 2, 3년 전에 죽었다. 몇 달 동안을 아니 1년 이상을 그녀는 매일 주사를 맞아가면서 연명을 했다.

정신요법사인 미셸 M은 소라나가 잔인한 견딜 수 없는 고통의 상태 속에서 살고 있다고 보았다. 그는 그녀를 위해서 무슨 일이든 해보려고, 자기가 할 수 있는 최선의 방책으로 그녀를 도와주려고 결심했다. 그는 어느 날 병원을 찾아갔다. 그리고 그 다음날도 갔고, 석 달 동안을 매일같이 찾아갔다. 그는 소라나에게 죽는 것을 가르쳐 주는 것이, 죽음에 대한 것을 그녀에게 가르쳐 주는 것이, 자기의 책임이라고 느꼈다. 그는 이 어려운 일을 드디어 해냈다. 어느 날 소라나는 매일같이 주사를 놓아주러 오는 의사에게 조용히 자기는 더 이상 주사를 맞고 싶지 않고, 죽는 마지막 순간까지 온전한 맑은 정신으로 있고 싶으니까, 마취제를 먹고 싶지도 않다고 말했다. 일주일 후에 그녀는 자기가 원한 대로 위엄 있게 죽었다.

해결

나는 지나치게 왕성한 생명력을 갖고 있고, 따라서 나는 살아가기에는 너무나 강한 욕망을 갖고 있다. 그 때문에 나는 죽음에 자꾸 마음을 쓴다. 이러한 삶의 욕구는 해결되거나 파괴되거나 혹은 적어도 약화되어야 할 것이다. 삶에 대한 이유는, 그것이 진정으로 알려지는 순간에 존재하지 않게 된다.

우리들 자신의 죽음을 정복하기 위해서는, 우리들은 자유로운 사람이 되지 않으면 아니 된다. 죽음은 해방도 아니고 함정도 아닐 것이다. 그것은 정복의 행위이며 하나의 상승일 것이다. 죽음으로 통하는 진정한 길은 자유로 통하는 길옆에 있다.

우리들은 남을 죽여서는 안 된다. 한편 우리들이 남의 걱정이나 죽음을 받아들일 수 있다면, 이번에는 우리들이 죽을 수 있다. 우리들은 어떻게 남의 죽음을 받아들일 수 있는가? 결국은 죽음이 그에게 일어날 수 있는 최상의 일이라는 것을 우리들 자신에게 타이름으로써. 우리들은 어떻게 그의 비애와 그의 부담을 견디어낼 수 있는가? 모든 사람은 자기 자신의 부담을 견디어내야 한다고 나 자신에게 타이름으로써 다른 사람도 역시 자기의 세계의 불행의 몫을 견디어내야 한다고 나 자신에게 타이름으로써.

나는, 나 자신이 괴로움을 회피하려고 애를 쓰듯이, 남의 괴로움을 회피하려고 애를 쓴다. 내가 드디어 나 자신의 괴로움을 이겨내기까지는 그것의 깊이를 측정할 수 없는 것처럼, 나는 남이 그의 괴로움의 깊이를 측정하고 그것을 이겨내는 것을 방해한다. 나는 우리들 피차에게 위안을 제공하고 있고 따라서 이것은 위험한 장난이다. 만약에 내가 나 자신의 괴로움에 항거하고 그것을 지배하게 되면 그때에는 나는 남의 괴로움에 항거하고 그것을 지배할 수 있고 그에게 치유의 영향을 줄 수도 있다.

죽음은 영락(零落)이 아니다.

비상징

심리학자는 언제나 천리안적인 꿈에 대한 것을 알고 있다고 Z는 나에게 말한다. 그러나 서양에 사는 우리들의 생각으로는 사건은 시간 속에서 일어나는 것이기 때문에 우리들은 꿈을 신용할 수가 없다. 우리들은 인과율에 입각해서 생각을 한다. 우리들에게는 항시 앞과 뒤가 있고 후자(는) 전자의 결과인 것이다. 앞, 뒤, 인과율, 시간. 동양 사람들은 모든 사물을 상호관계와 의미의 거미줄의 한 부분으로서 보고 있기 때문에, 그들은 — 우리들은 그들의 사고방식을 배척하고 있다 — 서양 사람들에게는 이해되지 않는다. 이것은 분명히 우리들에게 세계를 설명하는 다른 방식이다. 말하자면 진리는 우리들이 어떤 사물이나 전반적인 사물에 대해서 부여할 수 있는 설명에 불과하다는 것이다. 우리들에(게) 낯설고 부조리하게 보이는 현상을 받아들이기 위해서는, 우리들은 다만 우리들의 역사적이며 인과적인 사고방식을 공간의 방식으로 대치하면 된다. 일시적인 개념의 체계가 아닌 공간. 우리들이 만약에 역사적으로나 공간적으로 생각하지 않을 수 있다면 우리들은 한결 더 자유로워질 것이다. 세계에 대한 다른 상징적인 진술을 할 수 있을 것이다. 혹은, 상징이란 오로지 공간 속에 존재하고 있는 것이기 때문에, 오히려 세계에 대한 비상징적인 설명을 가질 수 있게 될 것이다.

구제

역시 또 나는 진정으로 구제를 원하고 있는가? — 나는 물어보고 싶다. 나는 진정으로 구제되기를 원하고 있는가? 그러나 구제된다는 것은 나에게는 생명의 구제를 상기시킨다, 혹은 도망질을 쳐서 매를 맞지 않는다는 것을 상기시킨다. 나는 진정으로 자기완성과 자기인식을 원하고 있는가? 나는 진정으로 나의 삶과 나의 죽음의 두 가지를 다 지배하려고 원하고 있는가, 아니면 나는 다만 결국 문학을 이어나가기만을 원하고 있는가?

— 〈필자소개〉

1912년 파리 출생. 그의 부친은 루마니아인.

1925년부터 2차 대전 발발 직전까지 부카레스트에서 생활.

그의 모국어는 역시 프랑스어다.

『의자』에서 『서(犀)』에 이르기까지 네 권의 희곡집이 나와 있고, 『통첩과 반대통첩』이라는 문학론집이 1962년에 '갈리말 서점'에서 출간되었다.

논문으로는 재작년 8월에 『인카운터』지에 게재된 작가와 그의 문제점이 우리나라에 소개된 일도 있다. 여기에 실린 문학철학론 원명 '일지'는 최근에 발표된 가장 길고 가장 진지한 노력이 담겨 있는 논문이다. 다만 지면관계로 불가불 초역(抄譯)을 하지 않을 수 없게 된 것을 애석하게 생각하지만, 꿈에 대한 두 토막의 삽화 이외에는 중요한 철학적 골자는 거의 전부 옮겨 놓은 셈이다. 또한 각 토막 사이에 간간히 소제목을 넣은 것도 편집 체재를 생각해서 원문에 없는 것을 삽입한 것이니 양해를 바란다. (역자)

-『문학』, 1966. 9-11.

도스또예프스끼와 사회주의자들

조셉 프랑크(Joseph Frank)

도스또예프스끼의 생애에서 1845년 5월에 괴벽스럽고 열정적인 대평론가 비사리온 G. 벨린스끼[1]를 만난 것처럼 중대한 회우(會遇)는 없다. 당시 동료들에게 '격분한 비사리온'으로 통한 벨린스끼는 1840년대의 러시아문단에 있어서 단순한 일개의 문학평론가 이상의 대존재였다— 혹은 아마도 우리들은 벨린스끼가 자기의 평론을 거의 필연적으로 사회적 개화의 한 도구로 생각하고 있었다고 말할 수 있을 것 같다. 자유로운 의견의 발표가 허용되지 않은 사회에서, 벨린스끼는 그의 끝없는 평론과 비평의 조류를 타고 러시아 지식층의 가슴 속에 꿈틀거리는 모든 무력한 불만과 불평을 위한 요새(要塞)로서 봉사하려고 애를 썼다. 벨린스끼의 영향력의 일부는 분명히 그가 대두하는 젊은 세대의 문학작품 속에 나타나는 그러한 불만의 흔적을 재빠르게 발견하고 이해해 주고, 어느 방면에서나

1. [역주] 비사리온 G. 벨린스끼(1811-1848). 문예비평가. 『멜레스꼬쁘』지를 편집. 러시아문학에 리얼리즘의 기초를 세움. 뿌쉬낀을 러시아 최초의 국민시인의 위치에 올려놓았고, 수많은 걸출한 문학인들을 발굴했다.

그런 재사(才士)를 인식하고 그것을 도와주려는 희생적인 노력에 유래했던 것이다. 그러한 그가 즉각적으로 열정적인 환영을 한 재사의 하나가 피오돌 미하이로비치 도스또예프스끼였다.

이 두 사람이 그처럼 만나게 된 외부적인 역사는, 도스또예프스끼 자신이 그의 『작가의 일기』 속에서도 말하고 있듯이, 너무나 잘 알려져 있는 사실이다. 이 분투적인 젊은 작가는 자기의 소중한 처녀작 『구차한 사람들』의 원고를 수줍은 듯이 그의 친구인 네끄라소프에게 보냈고, 이것을 본 네끄라소프[2]와 그리고로비치[3]는 이 새로운 걸작에 대한 흥분을 억제할 수 없어서 새벽 4시에 좋아서 어쩔 줄을 모르고 우당탕거리면서 도스또예프스끼를 찾아왔고, 그 당시 벨린스끼의 보호를 받고 있던 네끄라소프는 이 원고를 벨린스끼에게 갖다 주겠다고 약속했고, 이리하여 드디어 위대한 벨린스끼 그 자신으로부터 만나보자는 운명적인 소환을 당하고, 이 러시아문단의 가장 유력한 인물로부터 감격적인 영예를 받게 되었다. 이런 모든 이야기는 끊임없이 쏟아져 나온 도스또예프스끼에 대한 전기문학에서 수없이 되풀이 되어왔고, 따라서 지금 다시 새삼스럽게 도스또예프스끼가 결정적인 위대한 소설가의 재능을 가지고 훌륭하게 말한 것을 거칠고 장황하게 재론(再論)할 필요는 없다.

그러나 이 회우의 본질적인 사실이 확실하고, 그 취지에 불선명한 점이 없다 하더라도, 도스또예프스끼가 자기의 지적 정신적 발전에 대한 벨린스끼의 영향에 대해서 말한 이야기는 확실하고 불선명한 점이 없다고

● ● ●

2. [역주] 네끄라소프(1821-1878). 저널리스트, 시인. 『현대인』지를 주(관). 『빨간 코의 혹한』, 『할아버지』, 『데까브리스뜨의 아내』, 『누구에게 러시아는 살기 좋은가?』 등이 대표작.
3. [역주] 그리고로비치. 미상. [편주] Dmitry Vasilyevich Grigorovich(1822-1900). 러시아 작가. 대표작 『마을』, 『안톤 고르미카』. 러시아 농촌 공동체를 리얼하게 형상화하고 농노제에 대한 문학적 반대를 최초로 표명한 작가로 알려져 있다.

말할 수 없다. 도스또예프스끼는 항상 이 영향에 최대의 중요성을 부여하고 있었고, 그의 『작가의 일기』 속에서 그 이야기를 몇 번씩 되풀이해서 말하고 있었지만, 그러나 그의 이야기를 세밀하게 검토하면 검토할수록 그것은 더 한층 불확실하고 신빙성이 없는 것으로 보인다. 도스또예프스끼는 벨린스끼와 만났을 당시에 후자(後者)[4]가 그 당시 주장하지 않은, 혹은 (이를테면 '국가주의의 억압'에 대한 신념[5] 같은) 전혀 주장한 일이 없는 이념이나 의견을 그에게서 나왔다고 말하고 있다. 그리고 어떤 글에서는 도스또예프스끼는 벨린스끼 때문에 자기도 믿게 된 무신론과 사회주의 사이의 관련성을 강조하고 있는가 하면, 또 어떤 글에서는 40년대의 자유주의적이고 급진적인 지식인의 대다수에게는 유토피아적 사회주의가 기독교의 대용품이라기보다는 오히려 '개량품'으로 간주되었다고 설명하고 있다. 가장 중요한 것은 도스또예프스끼가 벨린스끼와 만났을 때의 자기의 정체를 독자들에게 전혀 짐작하지 못하게 하고 있다는 것이다. 독자가 알 수 있는 것은 다만 그 당시에 그가 자기의 모습을 '몽상가'로서 부드럽게 목가적으로 그리고 있는 것뿐이다 — '몽상가'가 어째서 『구차한 사람들』 속에서 벨린스끼가 정확하게 러시아의 최초의 '사회' 소설이라고 부른 것을 쓰게 되었는지는 알기 힘든 일이지만.

러시아 문헌 속에 여기저기에 기록되어 있는 도스또예프스끼의 이야기의 무수한 모순에도 불구하고, 도스또예프스끼와 벨린스끼와의 관계를 자세하게, 우리들이 그 시대의 문화적 배경에 대해서 알고 있는 모든 것을 충분히 이용해서, 탐구해 보려는 기도가 여지껏 전혀 없다시피 했다. 물론 러시아의 학자들은 그들의 문학사 상의 이 결정적인 사건에 대해서 막대한 관심을 경주해 왔다. 그러나 그들은 도스또예프스끼를 이해하는

4. 벨린스끼를 가리킨다.
5. '국가주의의 억압'은 'suppression of nationalities'의 번역이다. 여기에서의 맥락은 내셔널리티에 대한 억제로서의 무정부주의적 신념을 의미한다.

일에보다는, 러시아의 혁명의 신전 속의 주신(主神)의 하나가 된 벨린스끼를 찬양하는 일에 더 많은 관심을 가지고 있다. 대부분의 이런 학자들은 벨린스끼의 사회주의의 도스또예프스끼에 대한 '유익한' 효과를 부연(敷衍)하고, 이러한 유익한 지도의 흔적이 남아 있는 도스또예프스끼의 후기의 반동적인 소설 속의 '귀중한' 요소를 추적하는 일에 만족하고 있다. 또한 이런 비평가들은 40년대의 러시아의 지식층의 이데올로기의 미묘한 차이점을 고의적으로 모호하게 하고, 단일체적인 (전(前)맑스주의인 것이더라도) 혁명운동의 인상을 만들어내려고 하고 있다. 이리하여 아직까지도 도스또예프스끼와 벨린스끼의 정확한 관계를 뚜렷이 밝혀내는 일은 숙제로 남아 있고, 따라서 여기에서 나는 이러한 관계의 보다 더 정확한 파악이 어떻게 하면 우리들에게 도스또예프스끼의 복잡한 정신적 구조에 새로운 통찰(洞察)을 부여할 수 있는가를 제시해 보려고 한다.

I

벨린스끼에 대한 두 가지의 다른 모습이 도스또예프스끼의 회상의 기록 위에 나타나 있다. 하나는 도스또예프스끼의 작가로서의 천직에 봉사한 비평가의 모습이다. 그리고 도스또예프스끼가 후일 벨린스끼의 러시아 문화에 대한 영향에 대해서 표시한 악의적인 증오가 어떠한 것이든간에, 그는 누구보다도 먼저 자기의 천재를 선언한 강력한 발언에 대해서 자기가 지고 있는 부채를 잊지 않았다. 러시아문학의 연대기 속에 벨린스끼의 추억에 대해서 지불한 무수한 모든 공물(供物) 중에서, 도스또예프스끼가 벨린스끼를 처음 만난 순간에 그에게서 받은 황홀한 충격만큼 열렬한 감동적인 것은 없다. "나는 황홀한 기분으로 그의 집을 나왔다", 도스또예프스끼는 1877년에 썼다. "나는 길모퉁이에 서서, 하늘과 화창한 날씨와 지나가는 사람들을 바라다보았고, 나의 온몸으로 내가 지금 바로 어마어마한 순간을 경험했고, 나의 생애가 영원히 바뀌어졌고, 전혀 새로운 그 무엇이 — 내가 일찍이 나의 가장 열렬한 꿈속에서도 예견하지 못했던 (그 당시 나는 열렬한 몽상가였다.) 그 무엇이 — 방금 시작되었다는 것을 느꼈다." 이것은 "나의 생애의 가장 영광스러운 순간"이었다고, 도스또예프스끼는 덧붙여 말하고 있다.

그런데 이런 벨린스끼의 모습과 함께, 우리들은 또한 도스또예프스끼의 자전적인 기록이나 그의 편지 속에 나타나 있는 또 하나의 모습을 발견하게 된다 — 즉, 그것은 천진난만하고, 폭풍 같은 압도적인 위력이 있고, 도덕적으로는 순수한 악마적인 천재의 모습으로서, 그런 천재의 영향 때문에 도스또예프스끼(그리고 도스또예프스끼뿐이 아니다)가 파멸의 길을 밟게 된 것이다. "적어도 우리들의 교제가 시작된 최초의 수개 월 동안에", 도스또예프스끼는 1873년에 썼다, "그(벨린스끼)가 나에게 쏟은 열렬한 정열에 대해서 언급할 때, 나는 조금도 과장하지 않는다." 우리들이 다른 출처에서 알고 있는 모든 일은 도스또예프스끼의 말을 확증하고 있다. 그리고 벨린스끼의 인격에 대한 우리들의 지식이 또한 후자가 "즉각적으로 가장 솔직하게 열성을 다해서 나를 그의 신념으로 개종시키는 일에 헌신했다. …… 나는 그가 확신 있는 사회주의자라는 것을 알았고, 그는 당장에 나를 무신론자로 만들기 시작했다."는 그 이상의 주장을 믿게 한다.

똑같은 해(1873년)에 씌어진 다른 논문에서 도스또예프스끼는 "신념"에 대해서 한층 더 특이하고 자세한 얘기를 부가하고 있다. "1846년에", 그는 말하고 있다, "나는 벨린스끼에 의해서 이 세계의 절박한 재생과 장래의 공산주의 사회의 신성불가침의 진리를 알게 되었다. 현대사회의 가장 신성한 (기독교적인) 제도의 부도덕성 — 종교나 가정의 부도덕성, 소유권의 부도덕성 — 에 관한 모든 이러한 확신 — 우리들의 나라를 진화의 장해로서 경멸할 것을 요구한, 우주적인 우애를 위한 국가주의의 억압에 관한 모든 이러한 이념 등등, 이러한 것들은 우리들이 이겨낼 수 없는, 오히려 내가 알 수 없는 장엄한 원칙의 이름으로 우리들의 심장을 사로잡은 영향이었다." 이리하여 벨린스끼는 도스또예프스끼를 이러한 모든 교리로 이끄는 전수자의 역할을 맡게 되고, 그 결과로 후자는 체포를 당하고 투옥되고 유형을 당하게 되었고, 그러한 교리의 수락으로 기독을 부인하게 되었다. "그가 죽던 해에", 도스또예프스끼는 정확하게 말하고 있다, "나는 그를 단 한 번도 가 보지를 못했다. (벨린스끼는 1848년 5월에 죽었다.) …… 그는 나를 싫어했지만, 그러나 나는 그때 열정적으로 모든 그의 가르침을 추종하고 있었다."

도스또예프스끼의 발언에 대해서 분명히 관찰할 수 있는 최초의 요점은 그가 '사회주의'에 관해서 외견상으로 꾸며 보이는 것 같은 그런 천진난만한 신입생은 아니었다는 것이다. 그 당시, 특히 러시아에 있어서는 '사회주의'라는 것은 정치적 자유가 필요한데도 불충분하고, 가난한 사람들과 피압박층(被壓迫層)을 위한 재부(財富)의 분배를 위해서 무슨 대책이 있어야 하겠다는 감정 비슷한 것이었다. 이런 의미에서는, 그의 처녀작 『구차한 사람들』을 잠깐 들여다보아도 충분히 알 수 있지만, 도스또예프스끼는 그가 벨린스끼를 만나기 벌써 오래전부터 '사회주의자'였다. 또한 졸쥐 상드[6]의 독자들은 누구나 '세계의 절박한 재생'과 개인 재산과 가족과 적어도 공식적인 교회(종교 그 자체는 아니라 하더라도)의 '부도덕성'에 대한 교훈을 받지 않을 수 없었다. 그 당시의 러시아의 반동적인 잡지에 노상 게재된 불란서문학의 '사회주의'에 대한 공격은, 다른 것은 몰라도, 주요한 사회주의적 신조의 충분한 개념만을 전달할 수 있었을 것이다. 그러나 필시 도스또예프스끼를 깜짝 놀라게 충격을 준 것은 벨린스끼가 사회주의자인 동시에 무신론자였다('그는 당장에 나를 무신론자로 만들기 시작했다')는 것이었다.

이 점에 대해서 도스또예프스끼가 대경실색을 한 이유는 어렵지 않게

---

6. [역주] 졸쥐 상드(1804-1876). 불란서의 유명한 여류작가. 뮈세, 쇼팡 등과 연애관계를 가짐. 『빨랑띤』, 『렐리아』, 『어린 파데뜨』, 『빌메르 후작』 등이 대표작.

설명될 수 있다. 확실히 유토피아적 사회주의는 교권에 대해서는 단연 반대적인 입장에 서 있었다. 그리고 그것은 가난한 사람들을 내내 그들의 운명에 만족하고 있게 하기 위한 교활한 목사의 술책으로 간주되고 있던 기독교의 금욕주의의 도덕을 배격했다. 그러나 초기의 유토피아주의자들은 결코 원칙적으로는 무신론자도 반기독교인도 아니었다. 오히려 그들은 모두가 영감이나 포부에 있어서 지극히 종교적이었다. 생시몽[7]은, 그의 생애의 종말에 가서, 그의 교리를 기독교의 사랑의 원칙에 기초를 둔 '새로운 기독교'라고 명명했다. 그리고 생시몽 파(派)들은 역시 신성한 영감의 직접적인 결과로 간주된 새로운 종교 — 그 교리가 아무리 공식적인 도덕과 일치되지 않는다 하더라도 — 를 세우려고 노력했다. 푸리에[8]는 영혼의 불멸을 믿었다. 그리고 그가 노상 모든 그의 논증의 기초로 내세우고 있는 원리는, 사랑하시는 신이 인간에게 어떤 기질을 점지하신 것은 그가 그런 기질이 만족되는 것을 원하셨기 때문이었을 것이라는 것이다. 생시몽 파(派)였던 삐엘 르로[9] — 그의 밀교적(密教的)인 이념은 그의 제자인 죨쥐 상드의 소설에 전반적으로 침투되어 있었다 — 는 기본 교리로서 '평등'을 주장하고, 예수 그리스도와 로베스삐에르[10]의 가르침을 종합하려는 목적을 가진 '인도주의의 종교'를 신봉했다. 도스또예프스끼 자신은 40년대의 초기에 "가제[11] 탄생한 사회주의는 그의 일부의 지도자들에 의해서까지도

● ● ●

7. [역주] 생시몽(1760-1825). 불란서의 공상적 사회주의자, 백작. 『즈네브인의 서한』, 『생산자의 교리문답』, 『새로운 기독교』 등의 저서가 있음.
8. [역주] 푸리에(1772-1837). 사회주의자. 공상적 사회주의자로서, 사회주의적 공동사회의 건설이 이상.
9. [역주] 삐엘 르로(1797-1871). 불란서 사회학자. [편주] 김수영은 "생시몽 파"라고 번역하고 있지만 원문은 피에르 르루(Pierre Leroux)를 "전생시몽 파(ex-Saint-Simonian)"라고 부르고 있다.
10. [역주] 로베스삐에르(1758-1794). 불란서의 혁명 정치가. 국민의회, 공민공회 의원. 자꼬뱅당 지도자.
11. 김수영의 개인적 번역어. 원문은 '방금'이란 뜻의 "only just then"이다.

기독교와 비교되었고, 기껏해야 문명의 세기에 조화되게 이 후자를 수정하고 개선한 것으로 간주되었다."고 정확하게 논평하고 있다.

이것은 도스또예프스끼가 이미 친숙해 있던 사회주의, 그가 『구차한 사람들』 속에 구현시키고 있던 사회주의, 그리고 물론 벨린스끼에 의해서 확증을 받으리라고 기대했던 사회주의였다.

II

그런데 1841년에서 1845년 사이에 또 하나의 지적 세력이, 도스또예프스끼가 아직껏 만나본 일도 없고, 그중 개개인의 논쟁이나 사상을 완전히 무시하다시피 한, 조그만 러시아의 급진적인 지식인의 그룹 사이에서 싹트기 시작했다. 이 새로운 세력은 카알 맑스의 사적(史的) 유물론의 교화를 받고 무자비하게 신랄한 종교의 비평으로 세력을 떨치기 시작한 독일의 좌파 헤겔주의의 세력이었다.

이 좌파 헤겔주의의 전투의 첫 포화(砲火)는 1835년에 D. F. 슈트라우스[12]의 『기독(基督)의 생애』 — 이 책은 도스또예프스끼가 페뜨라셰프스끼[13]의 서재에서 빌려온 몇 권의 책 중에 들어 있었다 — 에 의해서 점화되었다. 슈트라우스의 주장에 의하면, 기독교의 교리는 역사적 성실성에 대한 주장이 결(缺)해 있고, 다만 '신화'로서밖에는 용납할 수 없는 것이었다. 루드비히 포이에르바흐[14]의 『기독교의 본질』은 1841년에 그보다도 더

• • •

12. [역주] 슈트라우스(1808-1874). 독일의 종교 철학자. 헤겔 좌파의 신학자. 저서로는 『기독의 생애』가 유명함.

13. [역주] 페뜨라셰프스끼. 미상. [편주] Mikhail Petrashevsky. 1840년대 페쩨르부르그에서 활동했던 페뜨라셰프스끼 서클의 조직자. 푸리에의 이념을 따랐다. 도스또예프스끼는 이 서클의 일원이었다.

14. [역주] 포이에르바흐(1804-1872). 철학자. 헤겔 좌파의 대표자. 『기독교의 본질』,

큰 열광적인 선풍을 자아냈고, 신성(神性)의 격하에 훨씬 더 급진적인 역할을 했다. 헤겔의 '소외(疎外)'의 개념에서 출발한 포이에르바흐는 신의 관념과 종교의 교리는 완성의 양상 밑에서 보여지고, 상상 상(想像上)의 지고자(至高者)로서 객관화된, (갑이나 을의 단독적인 개인으로서가 아니라) 종별적인 인간 자체의 본질의 표현이라고 주장했다. 포이에르바흐에게 있어서는 종교는 이처럼 확실히 유해한 것이었고, 그것은 종교가 인간의 본질의 진정한 완성을 그 자신으로부터 은폐하고, 그 자신의 신성한 잠재력의 진정한 완성에 도달하려는 노력을 방해하기 때문이었다.

벨린스끼는 그 책이 출판된 직후인 1842년 3월에 포이에르바흐의 책에 대한 소식을 들었고(이 사실은 러시아의 전위들이 얼마나 주의 깊게 구라파의 발전을 따르고 있었던가를 보여 주고 있다), 그중의 2, 3장이 그의 입장에 특히 유리하게 번역되었다. 그 당시 벨린스끼와 절친했던 헤르첸[15]은 거의 동시에 그 책을 알고, 즉시로 그의 열렬한 옹호자가 되었다. P. V. 안넨꼬프[16]는 그의 저서 『주목할 10년』에서 1845년을 포이에르바흐의 러시아의 영향의 절정기라고 지적하고 있는데, 바로 이 해에 도스또예프스끼와 벨린스끼가 만났던 것이다. "아마 포이에르바흐의 저서가 우리의 '서구(西歐)' 파(派)에서처럼", 그는 쓰고 있다, "절대적인 영향을 미친 곳은 없을 것이고, 그처럼 재빨리 선행된 모든 견해의 흔적을 일소(一掃)한 곳도 없을 것이다. 물론 헤르첸은 그 관념과 결론의 열렬한 소개자였고, 그것이 관념의 영역에서 선포한 혁명을 정치에 있어서 사회주의자들이 선포한 혁명과 연결시켰고 — 이 점에서 벨린스끼와 합류했던 것이다."

1845년 여름에는, 모스코의 서구파의 조그만 그룹 사이에서 바로 포이에르바흐의 무신론에 대한 의견 대립으로 위기가 발생했다. 자유주의적인

『장래 철학의 근본문제』, 『유심론과 유물론』 등의 저서가 유명함.

15. [역주] 헤르첸(1812-1870). 러시아 소설가.

16. [역주] 안넨꼬프(1813-1887). 러시아의 비평가. 자유주의자이며, 서구주의자.

사학자 T. N. 그라노프스키[17] — 그는 후일 『악령』에서 스테판 뜨로프모비치 베르호벤스키의 모델이 된 사람이다 — 는 포이에르바흐의 이론이나 헤르첸의 온갖 신랄 풍자에도 불구하고 영혼의 불멸에 대한 자기의 신념을 포기하기를 거부했다. 따라서 이것이 두 친구 사이에 완전히 치유(治癒)될 수 없는 불화를 조성했다. 벨린스끼는 그 자신의 입장을 1845년 1월에 헤르첸에게 보낸 편지에서 명백히 천명했다 — 이 편지를 보면 우리들은 그의 종교에 대한 태도가 포이에르바흐의 교훈의 결로로 얼마나 굳어졌는지를 알 수 있다.

벨린스끼는 졸쥐 상드와 삐엘 르로의 지적 영도 하의 유토피아적 사회주의로 개종하고 나서 조금 후에, 그들의 '인도주의의 종교'로부터의 이탈을 뚜렷이 밝혀두려는 견지에서 그의 새로운 이상을 상세히 설명했다. "부자도 없고 빈자도 없을 것이고, 왕도 없고 신하도 없을 것이다." 그는 1841년 8월에 V. P. 보뜨낀[18]에게 써 보냈다, "형제들이 있을 것이고, 인간들이 있을 것이다. 그리고 사도 바울의 말마따나 그리스도는 그의 권력을 하나님에게 내맡길 것이고, 하나님이 다시 한 번 권력을 휘두르게 되겠지만, 이번에는 새로운 하늘에서, 새로운 세계 위에서 휘두르게 될 것이다." 그로부터 4년 후에는 그의 말은 이와는 훨씬 달라진다. "'종교'와 '신'이라는 말 속에서", 그는 그가 예사로 쓰는 광적인 극언벽(極言癖)을 발휘하면서 말하고 있다, "나는 암흑과 우수와 쇠사슬과 태형(笞刑)을 본다 — 그런데 나는 이 처음 두 개의 낱말을 그 뒤의 네 개의 낱말만큼 좋아한다."

이처럼 도스또예프스끼는, 바로 벨린스끼가 포이에르바흐의 영향을 가장 강하게 받고 있을 때, 그리고 이 영향이 불란서의 유토피아적 사회주

• • •

17. [역주] 그라노프스끼. 미상. [편주] Timofey Nikolayevich Granovsky(1813-1855). 러시아 제국 중세시대 연구에 기초를 놓은 사학자.

18. [역주] 보뜨낀. 미상. [편주] Vasily Petrovich Botkin(1812-1869). 러시아 에세이스트. 문학예술 비평가.

의자들의 종교적인 영감이 어려 있는 교리와 대치되기 시작하고 있을 때, 벨린스끼와 만났다. 도스또예프스끼가 그의 기록 가운데에서 이런 경쟁적인 사조(思潮)의 합류를 적어놓고 있는 것을 보면 여간 재미있지 않다. 그가 보고한 대화를 보면, 벨린스끼는, 처음에는 그리스도가 만약에 지상에 돌아온다면 그는 19세기에서 가장 범용하고 가장 보잘것없는 사람으로 간주될 것이라는 주장을 한다. 그런데 제3자(안타깝게 이름은 안 밝히고 있지만, 필시 헤르첸일 것이다.)가 나타나서 이러한 그리스도의 격하에 반대하고, 그리스도는 즉시로 사회주의운동의 선봉에 서게 될 것이라는 주장을 하자, 벨린스끼는 그 주장에 양보하고 동의한다.

"그리스도가 가담해야 할 운명에 있는 인류의 선봉은", 도스또예프스끼는 쓰고 있다, "그 당시 불란서인이었다. 그중에도 특히 그 당시 막 깃발을 날리기 시작한 졸쥐 상드와 까베(오늘날에는 완전히 잊혀지고 있다)[19]와 삐엘 르로와 쁘루동[20]이었다……. 또한 그가 그 당시 머리를 숙인 독일인이 있었다 — 포이에르바흐(벨린스끼는 한평생 외국어는 하나도 능통하지 못했고, 포이에르바흐를 피엘바흐라고 부르고 있었다), 슈트라우스에 대해서는 그는 존대하는 말투를 썼다." 도스또예프스끼의 분별 있는 말투 — 그런 이름들을 합쳤다 뗐다하는 품 — 는 여간 의미심장하지 않다. 그리스도는 독일인이 아니라, 불란서인에 속해 있다. 그리고 벨린스끼 자신의 심리상태는, 그가 애초에 그리스도를 '보잘것없는 사람'이라고 말한 경멸감과, 그 다음에 그리스도는 현대의 세계에서 사회주의운동의 지도자가 될 것이라는 유토피아적 사회주의자의 의견에 기꺼이 표시한 동의 사이의 동요(動搖)에 뚜렷이 나타나 있다.

도스또예프스끼가 마치 그라노프스키와[21] 거의 같은 시간에 헤르첸과

• • •

19. [역주] 까베(1788-1856). 불란서의 공상적 사회주의자. 엥겔스와도 친분이 있음. 『불란서 혁명사』, 『이카리아 여행기』 등의 저서가 있음.
20. [역주] 쁘루동(1809-1865). 불란서의 무정부주의의 사상가.

논쟁을 한 것처럼, 벨린스끼와 종교문제에 대해서 격렬한 논쟁을 했다는 것은 미미한 증거에서나마 지극 뚜렷이 알 수 있다. 우리들이 그리스도의 강림(降臨)의 가상에 대해서 인용한 기록 — 이것을 재료로 해서 후일의 도스또예프스끼의 소설에 나오는 종교재판소장의 전설이 생겨났을 것이다 — 에서, 도스또예프스끼는 벨린스끼가 제3대화자에게 말하는 모습을 그리고 있다 — "나는 정말 그(즉, 도스또예프스끼)를 보면 가슴이 아프다……. 내가 그리스도를 암시할 때마다 번번이 그는 얼굴 전체가 마치 울음을 터뜨릴 것 같은 표정으로 변한다." 이런 얘기의 요점은, 도스또예프스끼가 공표되는 인쇄물에서보다도 이런 논제에 대해서 좀 더 자유롭게 말할 수 있는 1871년 3월에 낸 편지 속에서 설명되고 있다. "그 사람(벨린스끼)은", 그는 N. N. 스트라호프[22]에게 말하고 있다, "나를 앞에 놓고 기독교를 가장 야비한 말로 모욕했다." 이러한 논쟁에 대한 좀 더 온화한 반영은 벨린스끼의 서한 — 그가 1845년 7월에 도스또예프스끼에게 보낸 초대장 — 의 단편에서도 찾아볼 수 있다. "도스또예프스끼여, 나의 (불멸의) 영혼은 당신을 만나보기를 갈망하오." 하고 그는 유쾌하게 쓰고 있다. 이런 삽입구의 감탄사는 분명히 그들의 대화 속의 핵심적인 문제의 하나에 대한 익살스러운 암시다.

III

도스또예프스끼가 — 벨린스끼의 질책(叱責)의 결과로 문자 그대로 무

● ● ●

21. "그라노프스키와"는 "그라노프스키가"의 오식이다. 이 구문의 원문은 "as Granovsky did with Herzen at approximately the same moment"이다.
22. [역주] 스트라호프. 미상. [편주] Nikolay Nikolayevich Strakhov(1828 – 1896). 러시아 철학자. 문학비평가. 도스또예프스끼와 함께 문학잡지 *Time*을 만들기도 했다.

신론자로 되었든 안 되었든 간에 — 어느 정도까지 그의 종교적 신념이 흔들렸는가 하는 것은 다만 추측에 맡길 수밖에 없는 일로 되어 있다. 이 점에 대한 증거는 모순된 것이고, 어떤 단호한 결론을 내릴 수가 없게 되어 있다. 한편으로는, 도스또예프스끼가 '모든' 벨린스끼의 교훈을 받아들였다는 그 자신의 증언이 있다. 그런데 또 한편으로는, 도스또예프스끼가 세부적인 것에 관해서는 대충 믿지 않은 경향이 있고, 그리스도의 초상에 대해서 두 사람이 충돌을 한 증거가 있고, 도스또예프스끼의 친구인 야노프스끼 박사[23]의 믿을 만한 증언, 즉 그와 도스또예프스끼가 1847년과 1849년에 함께 승천제(昇天祭)를 위해서 단식을 했다는 증언이 있다.

또한 이 결정적인 문제에 대한 도스또예프스끼의 심리상태를 평가해 보려고 할 때, 도스또예프스끼가 모든 종교적 신념의 실험적이며 원시적인 근원이 되는 신경적(神經的)이고 정서적(情緖的)인 인상에 지극히 다감했다는 사실을 우리들은 기억해두지 않으면 아니 된다. 도스또예프스끼는 이때 노상 죽음의 공포에 사로잡혀 있었고, 특히 실제로 죽는 공포보다도 깊은 잠이 들어서 죽었다고 간주되어 산채로 파묻혀 버리는 공포에 사로잡혀 있었다. 『죽음의 집의 기록』에서, 그가 처음으로 이성에 대한 분별없는 열광적인 감정의 승리를 묘사할 때, 그가 산채로 묻혀서 관 속에서 일어서려고 절망적으로 분투하는 사람의 모습을 빌려서 묘사한 것은 분명히 우연한 일이 아니다.

또한 우리들이 주지하고 있는 일로서, 도스또예프스끼는 이때 (그리고 필시 그 후까지도), 그를 우울과 무엇이라고 규정할 수 없는 불안한 기분으로 몰아넣은, 박명과 암흑의 효과에 대해서 특히 민감했다. 1849년 9월에 감옥에서 보낸 그의 편지의 하나에 이 사실에 대한 암시가 적혀 있다. "괴로운 가을날이 임박해 왔다", 그는 구슬픈 어조로 그의 동생 미하일에게 말하고 있다, "그리고 그와 함께 나의 우울증이 다가오고 있다. 벌써

23. [역주] 야노프스끼. 미상. [편주] Dr. Janovsky.

하늘은 점점 어두워져 가고 있다. 그리고 나의 감방에서 내다볼 수 있는 한 조각의 푸른 하늘은 나의 건강과 명랑한 기분의 보증이 되고 있는 것이다." 도스또예프스끼가 40년대의 그의 생활에서 자전적인 사소한 사건을 상당히 많이 따 쓰고 있는 소설 『학대받은 사람들』 속에는, 적어도 준종교적인 초점과 부합되는 그런 기분의 발동에 대한 묘사가 적혀 있다.

"황혼이 다가오자", 주인공은 자기 자신에 대해서 쓰고 있다. "나는 '신비스러운 공포'라고 내 자신이 명명하고 있는 정신 상태로 떨어지기 시작했다. 나는 몸이 아프기 때문에 무척 자주 그런 공포감의 엄습을 받는다. 이것은 내가 무엇이라고 규정할 수 없는 위험, 사물의 질서 속에서는 생각할 수도 없고 존재하지도 않는 위험에 대한 가장 고통스러운 공포감이다. 그런데 이 공포감은 필연적으로 아마 바로 이 순간에, 마치 모든 이성의 논의에 대한 경멸감에서인 듯이, 형체를 갖추어 가고 있다 — 그리고 그것은 반박할 수 없는, 깜짝 놀랄 만한 거대하고 준엄한 사실로 나타나서 내 앞에 서게 될 것이다." 그가 그것을 어떤 방식으로 설명하려고 하던 간에, 이 엄청나게 많은 기괴한 것과의 회우(會遇)는 — 이 도스또예프스끼의 감각의 이겨낼 수 없는 커다란 의문부(疑問符)는 — 도저히 무시할 수 없는 것이다. 그러한 경험은 완전한 이성적인 무신론의 여하한 수락에 대해서도 영원한 반석 같은 장해물이 될 것이라는 것은 상상하기 어렵지 않다.

그것은 어찌되었든 간에, 벨린스끼의 통박(痛駁)이 도스또예프스끼의 정신에 심오한 흥분을 자아냈다는 것은 의심할 여지가 없다 — 이 흥분은 그의 체포와 사형집행의 연극과 다년간의 시베리아 유형의 결과로서 (이런 경우에 진정으로 해결이란 말을 운운할 수 있다면) 다만 감정적으로만 해결될 흥분인 것이다. 그의 어렸을 때의 이해와 결합해서, 종국적으로 신앙의 불합리한 필요성에 대한 그의 확신을 강화한 것은 이러한 무서운 사건이었다. 그러나 도스또예프스끼가 벨린스끼라는 인물 속의 격렬한 적대물과 친숙하게 되었을 때 비로소 다만 신과 종교의 문제에 봉착했다고

— 항용 잘못 생각되고 있지만 — 생각해서는 안 된다. 아마도 벨린스끼의 관념 중에서 가장 도스또예프스끼를 당황하게 한 것은, 신은 다만 인간 자신의 실현되지 않는 완성의 소외된 환상 상의 모습에 지나지 않는다는, 신(新)포이에르바흐 파(派)의 논증의 논리적인 준엄성과 심리적인 통찰이었을 것이다. 그러나 이것이 잠정적으로 도스또예프스끼를 뒤흔들고 있을 동안에, 도스또예프스끼가 이미 몸에 붙이고 있던 정신적 교육이 어떻게 그가 종국적으로 도달한 결론에 대한 길을 준비했던가를 증명하는 것은 가능한 일이다.

도스또예프스끼의 유년시절의 상상력에 가장 세차게 작용한 인상의 하나는 욥기(記)의 인상이었다. "나는 욥기를 읽고 있소", 그는 1875년 6월에 두 번째의 부인에게 쓰고 있다. "그런데 그것은 나를 병적인 흥분으로 가득 채워주는구료. 나는 그 책을 내던지고, 거의 눈물을 흘리면서 몇 시간동안을 내리 방안을 이리저리 서성거리고 있소. 그런데 그 책의 번역자의 바보 같은 각서가 없으면 나는 필시 행복할 거요. 안네뜨, 이 책은 이상스러운 책이오. 이것은 진정으로 나에게 감동을 준 최초의 책이었소. 그때 나는 거의 어린애였소." 인간의 이해력을 초월한 신의 현현(顯現)의 신비는 이처럼 오래전부터 도스또예프스끼의 정신에 흔적을 남기고 있었다. 그리고 욥기(記)의 효과는 도스또예프스끼가 어렸을 당시 1837년과 1840년 사이에 페테르부르그에 살고 있었을 때 그와 친하게 지낸 이완 시드로프스끼[24]와의 우정에 의해서 분명히 강화되었다. 이 젊은 시인은 낭만적인 '몽상가'이었을 뿐만 아니라, 회의(懷疑)에 시달리고 악(惡)과 수난의 문제로 고통을 받은 심오한 종교적인 사람이기도 했다 — 따라서 두 사람은 아주 사이좋게 지냈던 것이다. 시도로프스끼는 자살의 사념(思念)으로 자주 괴로움을 받고 있었지만, 그럼에도 불구하고 파국으로부터의 그의 유일한 구제였던 신앙을 유지하려고 몹시 애를 쓰고 있었다. "우리들

24. [역주] 시도로프스끼. 미상. [편주] Ivan Shidlovsky.

은 신이 선하다는 것을 믿지 않으면 아니 되오." 그는 1839년 1월에 미하일 도스또예프스끼에게 써 보냈다. "왜냐하면 그렇지 않으면 그가 신이 아니기 때문이죠. 우주는 이러한 선의 눈에 보이는 실체적인 미라는 것을 믿지 않으면 아니 되오……. 다만 그렇게 될 때 비로소 우리들의 영혼은 그 자체 속의 모든 것을 인식하게 되고, 생의 변경에 둘러쳐진 동정의 거미줄을 감고, 거미줄의 중심으로 들어가서 신 그 자신을 포옹하게 되오."

또한 가장 중요한 청년시절의 편지 중의 하나에서, 젊은 도스또예프스끼가 지식의 근원으로서 유독 이성에만 가치를 두는 것에 반대하고 감정의 옹호자로서 — 얼마간 어리둥절하면서도 역시 심각하게 — 자신을 주장했다는 것을 우리들은 잊어서는 아니 된다. 그의 동생 미하일은 "보다 더 많이 알기 위해서는 우리들은 보다 더 적게 느끼지 않으면 아니 된다."는 말을 편지에 써 보냈다. 이에 대해서 피오돌은, 분명히 러시아의 30년대에 보급된 셸링 파(派)의 분위기에서 배운 말을 끌어서, 1838년 10월에 답장을 쓰고 있다 — "'안다'는 말이 무슨 뜻인지 아는가? 자연을, 영혼을, 신을, 사랑을 안다는 것…… 그것은 사람이 그런 것을 마음으로가 아니라, 심장으로 안다는 뜻이야…… 도구이며, 기계인 지성은 영혼의 화력으로 운전되고 있어…… 또한 (제2의 요점) 여러 가지 지식의 영역의 숙련공인 인간의 지성은 감정과는 관계없이, 따라서 심장과는 관계없이 움직이고 있어. 지식의 목적이 사랑과 자연이라면, 분명히 인간의 심장을 위한 장소가 있단 말이야." 도스또예프스끼는 자기의 사색을 갑자기 중단하는 자기 자신을 불안스럽게 자각하고 있는 모습을 보이고 있고, 따라서 이러한 말들은 그다지 철학적인 의미가 있는 것은 아니지만, 그러나 (특히) 신의 지식에의 접근의 방법으로서의 이러한 감정의 옹호는 도스또예프스끼의 가장 뿌리 깊은 확신의 하나로 남아 있게 되었다.

만약에 지금 우리들이 이러한 배경 앞에 포이에르바흐의 교리를 놓고 볼 때, 도스또예프스끼의 내면적 진화의 장래의 진로를 파악하는 데 힘들지 않는다.[25] 왜냐하면 포이에르바흐는 인간의 종교에 대한 정서적 필요의 중요성이나 현실성을 결코 부인하지 않았던 것이다. 오히려 그는 이러한 심오한 공감의 정서적 필요성을 강조했고, 자기들 자신의 대망을 숭상하는 인류의 본능에 대한 진정한 이해를 위한 이러한 정서적 필요성을 강조했던 것이다. "기독교의 근본적인 교리는", 포이에르바흐는 썼다, "심장의 소원이라고 인식되고 있다 — 기독교의 본질은 인간의 감정의 본질이다." 그러나 포이에르바흐는, 종교에 있어서 인간은 주관적인 것을 객관적인 것으로 생각하고, 자연과 이성의 법칙을 무시하고 그가 진실이었으면 좋겠다고 원하는 것을 진실이라고 단순히 믿고 있다고 주장하고 있다.

그 때문에 인간은 그의 감정을 믿고, 이것이 포함하는 모든 불가사의한 모순된 결과를 수락하든가, 아니면 그의 감정을 부인하고 이성을 선택하든가, 둘 중의 하나를 택할 권리가 있다. 포이에르바흐, 맑스, 좌파(左派) 헤겔주의자, 헤르첸 그리고 벨린스끼는 이성의 편을 들기로 했다. 키에르케고르[26]는 — 그의 실존주의적 기독교는 헤겔에 대해서만큼 포이에르바흐에 대한 반응이었다 — 주관적인 실존적 신앙과 이성 사이의 대립을 궁극적인 역설의 극점까지 끌고 올라가 보기로 했다. 이리하여 벨린스끼를 통해서 전달된 포이에르바흐의 이론은 감정과 이성 사이의 선택을 가지고 도스또예프스끼와 정면으로 대결하게 되었다. 그리하여 키에르케고르처럼, 그는 결국은 감정의 실존적 불합리의 입장을 취하게 되었던 것이다.

그러고 보면, 포이에르바흐의 이념과의 접촉은 신기성(新奇性)이 주는 시초의 당황감이, 가라앉은 뒤에는, 다만 도스또예프스끼가 이미 지니고 있던 감정의 중요성에 대한 확신을 심화하고 강화하는 데 성공했을 뿐이라고 생각할 수 있다. 인간이 견디어낸 모든 고난에도 불구하고, 신의 선을 믿는다는 것은 시도로프스끼에게는 인간의 진정한 위대성의 표식이었다.

• • •

25. '힘들지 않는다'는 '힘들지는 않다'의 오식으로 보인다.

26. [역주] 키에르케고르(1813-1855). 현대 실존주의 원천으로 된 유명한 철학적 사상가. 코펜하겐 출생.

그리고 이 역설을 수락했을 때, 확실히 도스또예프스끼는 그와 대치(對峙) 되는 모든 이성의 논증에도 불구하고 신과 그리스도를 정서적으로 믿는 길을 택하기가 한결 쉬워졌던 것이다. 이처럼 도스또예프스끼의 지적 역사는, 19세기의 구라파 문화의 수많은 거물들이 종국에 가서 그들의 길을 택하지 않으면 아니 되었던, 동일한 운명적인 십자로 위에 그를 놓게 되었다. 그리고 벨린스끼의 중매를 통한 포이에르바흐와의 이러한 회우(會遇)의 효과는 도스또예프스끼의 작품에 중대한 결과를 낳게 하였다. 왜냐하면, 도스또예프스끼의 주인공들이 기독교를 부인할 때 그들은 한결같이 인간조건의 한계를 초월하기 위한 불가능한 기도에 종사하게 되고, 문자 그대로 그리스도를 신인(神人)으로 대치(代置)하는 포이에르바흐의 꿈을 구현하려고 애를 쓰고 있기 때문이다.

Ⅳ

도스또예프스끼의 종교의 문제를 그의 사회적 확신과 관계없이 논의하는 것은, 주해적(註解的)인 목적을 위해서는 무관한 일로 생각되었다. 그러나 그러한 분리는 19세기 초기의 전후 관계에서는 전혀 비역사적이다. 우리들이 이미 지적한 것처럼, 종교와 정치는 밀접한 상관관계에 있었다. 따라서 종교적 의견의 여하한 변화도 즉시로 사회정치학적 태도에 동일한 변화를 불러일으켰다.

그리하여 생시몽의 '새로운 기독교'와 삐엘 르로가 포이에르바흐 때문에 몰락함으로써 즉시로 기독교의 이념에 기초를 두고, 그리스도의 지고한 초상과 모범에 대한 존경에 고취(鼓吹)된 모든 사회적 교리의 위광(威光)에 날카로운 쇠퇴(衰退)가 왔다. 벨린스끼의 1847년의 서한은 그가 그의 지난날의 우상인 삐엘 르로와 졸쥐 상드에게 지독하게 비판적으로 되고, 점차 꽁뜨의 실증주의와 유물주의로 기울어져 가고 있는 것을 보여 주고 있다.

맑스는 포이에르바흐의 영향을 받고 쁘루동은 필시 단독으로 — 두 사람이 다 바로 이 시기에 불란서의 유토피아주의를 배격하고 있었다. 따라서 벨린스끼가 그의 친구인 P. V. 안넨꼬프의 저서와 편지를 통해서 그들의 이념의 영향을 받은 것은 있음직한 일이다. 안넨꼬프는 맑스를 개인적으로 알고 있었고, 쁘루동에 대해서 그와 서신 왕래를 했고, 벨린스끼가 주간한 당시의 유토피아 사회주의 이념의 잡지인 『현대인』에 1846년 겨울동안 '파리 통신'란을 맡아 쓰고 있었다. 여기에서 그는 까베와 푸리에 파(派)[27]의 '천변만화상(千變萬化相)'을 애처로운 듯이 언급하고 있다. 그는 르로의 이론을 "고상하고 유덕한 사람이 갈 수 있는 광기의 최종 극점(極點)"이라고 부르고 있다. 그리고 쁘루동에 대해서는 불가능한 유토피아를 꿈꾸기보다는 오히려 현대사회의 경제적 법칙을 탐구한 것에 대해서 찬사를 보내고 있다.

그 당시 벨린스끼는 종교와 유토피아 사회주의 — 이것은 그가 도스또예프스끼와 그리스도에 대한 논쟁을 하고 있을 바로 그 시기에 종교에 의해서 고취된 것이다 — 를 함께 배격하고 있었다. 따라서 우리들이 이러한 논쟁에 대한 도스또예프스끼의 가장 그릇된 방향의 노골적인 비평의 하나를 해석할 수 있는 것은 다만 이러한 전망 속에서만 가능한 것이다.

"사회주의자로서", 도스또예프스끼는 쓰고 있다, "벨린스끼는 그리스도의 교리를 타파하고, 그것을 현대과학과 경제 제1원칙에 의해서 유죄선고를 받은 무지한 허위적인 박애라고 선언하지 않을 수 없었다." 도스또예프스끼가 이 말을 쓴 1873년에는, 그는 벌써 '그리스도의 교리'와 사회주의가 완전히 화합하기 어렵다는 확신을 가진 지 오래였다. 그러나 그런 의견은,

---

27. 여기에서 "푸리에 파"는 "푸리에주의자 빅토르 콩시데랑"을 축역한 것이다. 원문은 "Cabet and Fourierist Victor Considerant"이다. 빅토르 콩시데랑(1808-1893)은 프랑스의 유토피아 사회주의자이다.

도스또예프스끼 자신이 증언하고 있듯이 유토피아 사회주의가 '개선된' 기독교로 간주되고, '그리스도의 교리'가 유토피아 사회주의자들에 의해서 안내자처럼 생각된, 40년대에는 통하지 않았다. 그 당시 구라파의 도처에서, 벨린스끼가 바로 러시아에서 하듯이, '현대과학과 경제 제1원칙'의 이름으로 공격을 받은 것은 이런 '그리스도의 교리'였다. 벨린스끼가 '박애'라고 묘사할 수 있었던 것은 복음서가 가리키는 순수한 평등과 형제애의 정신에 기초를 둔 바로 이 '그리스도의 교리'였던 것이다.

그런데 문제의 공격이 도스또예프스끼에게로 돌려지고 있었다고 해서, 『구차한 사람들』의 저자인 그가 기독교 신학의 어떤 교리나, 교회의 공식적인 어떤 교리를 지지하고 있었다고 생각하는 것은 우스꽝스러운 일이다. 도스또예프스끼는 오로지 사회적 정치적 관계에서 그 당시 그가 이해하고 있었던 대로 '그리스도의 교리'의 편에 서서 — 종교적인 입김이 쐬인 신기독교적인 불란서 유토피아 사회주의의 편에 서서 — 분명히 논쟁을 하고 있었다. 따라서 우리들이 이러한 시야에서 경로를 살펴볼 때, 어째서 벨린스끼가 진정한 의미에서 자기에게 사회주의를 소개했다고 (이것이 설사, 우리들이 다 알듯이, 문자 그대로 받아들일 수 없는 것이라 하더라도) 도스또예프스끼가 느꼈는지를 우리들은 이해할 수 있다. 왜냐하면 벨린스끼는 도스또예프스끼에게 무신론적 사회주의 — 도스또예프스끼가 후일 진정한 의미의 모순이 없는 것이라고 인식한 유일한 사회주의, 즉 '기독교의 교리'를 사회문제의 해결에 부적합한 유해로운 것이라고 배척한 사회주의 — 를 소개했기 때문이다.

또한, 그 후의 몇 년간의 도스또예프스끼의 생활을 볼 때, 벨린스끼가 도스또예프스끼를 무신론자로 만드는 데 성공했는지 어떤지는 모르지만, 그가 도스또예프스끼를 유토피아 사회주의 속에 구현된 것과 같은 '그리스도의 교리'로부터 그를 개종시키는 데 분명히 성공했다는 것은 알 수 있다. 왜냐하면 벨린스끼는 필시 도스또예프스끼에게, 그 후 드디어 그가 페뜨라셰프스끼 도당(徒黨)의 가장 과격한 행동대 속에 가입을 하고, 농민

폭동을 일으키고 혁명적 독재정권을 수립할 목적을 가진 음모에 가담하는데 동의하게끔 한, 최초의 자극을 주었을 것이기 때문이다. 평화적이며 비정치적인 유토피아 사회주의의 형태 속의 '그리스도의 교리'에 대한 환멸은 도스또예프스끼로 하여금 곧장 정치적 폭력단체의 무기를 잡게끔 했다. 그리고 이것은 벨린스끼가 궁극적으로는 그의 체포와 유형에 책임이 있었다는 그의 감정을 명시하고 있는 것이다.

이처럼 벨린스끼와의 회우로 인해서 도스또예프스끼에게 조성된 지적·정신적 위기는 그의 생애와 작품에 지대한 중요성을 가지고 있는 것이다. 벨린스끼는 도스또예프스끼로 하여금 신의 존재의 문제와 멱씨름을 하게 하고, 동시에 그리스도의 교리를 사회운동의 지침으로 사용할 수 있는지의 가능성을 타진하게 했다. 신에 대한 의문은 그의 아들 그리스도의 사회적 전언(傳言)의 생존 능력에 대한 절망을 수반했다. 그리고 이 두 가지 의문은 그 후 도스또예프스끼의 감성에 영원히 고리를 이은 채로 남아 있다. 신을 믿을 수 없는 무능은 항상 그의 작품 속에서는 구체적으로 이웃사람을 사랑(박애)할 수 없는 무능을 수반하고 있고, '현대과학과 경제 제1원칙'이라는 명분의 대용품으로서의 범죄와 폭력과 공포에의 의존을 수반하고 있다. 이것은 도스또예프스끼 자신의 괴로운 경험의 변증법이었고, 따라서 그는 자기의 동국인(同國人)들에게 자기가 밟아온 길은 일단 운명적인 첫발걸음을 들여놓은 이상 불가피한 예정된 길이었다는 것을 납득시키기 위해서, 러시아의 급진주의 연대기 속에서 추후 발견할 수 있었던 모든 증거 — 그것은 상당히 많았다고 말하지 않을 수 없다 — 를 열심히 수집해 놓았던 것이다.

— 조셉 프랑크는 미국의 현역 문예평론가로서, 럿져스대학에서 비교문학을 강의하고 있다. 주로 19세기의 불란서와 러시아문학을 연구하고 있고, 저서로는 평론집 『넓어져 가는 선회』가 최근에 출판되었다.

그는 불란서에 가서 연구를 하기도 했고, 종종 『파르티산 레뷰』지에 서평도 쓰고 있다. 여기에 역출한 글은 역시 『파르티산 레뷰』지의 최근호에 게재된 것으로, 쏘련에서 해빙기 후에 다시 떠들어대고 있는 도스또예프스끼를 벨린스끼와의 관계를 통해서 흥미 있게 재검토하고 있다. 도스또예프스끼 문학을 웬만큼 아는 독자들에게도 처음 듣는 재미있는 삽화도 들어 있고, 문헌적인 의미도 있는 것 같아서, 하이블로우한 문단 야화를 읽는 마음으로 번역해 보았다. (역자)

–『현대문학』, 1966. 12.

— 김수영 번역평론집

시인의 거점

초판 1쇄 발행 | 2020년 1월 6일

엮은이 박수연 | 펴낸이 조기조

펴낸곳 도서출판 b
등록 2003년 2월 24일(제2006-000054호)
주소 08772 서울특별시 관악구 난곡로 288 남진빌딩 302호
전화 02-6293-7070(대) | 팩시밀리 02-6293-8080
홈페이지 b-book.co.kr | 이메일 bbooks@naver.com

ISBN 979-11-89898-15-1 03800
값 33,000원

* 이 책은 문화체육관광부의 '김수영 50주기 선양사업'의 지원을 받아 발간되었습니다.